I

BIBLIOGRAFIA
DE LA
LITERATURA HISPANICA

JOSE SIMON DIAZ

BIBLIOGRAFIA

DE LA

LITERATURA HISPANICA

Tomo XII

CONSEJO SUPERIOR DE INVESTIGACIONES CIENTIFICAS
INSTITUTO «MIGUEL DE CERVANTES» DE FILOLOGIA HISPANICA
MADRID, 1982

016.86
S 5

ISBN. 84-00-05202-1 (Obra completa)

ISBN. 84-00-05201-3 (Vol. XII)

Depósito legal. M. 33.080.—1982

Impreso en España. Printed in Spain

RAYCAR, S. A., impresores. Matilde Hernández, 27. Madrid (19), 1982

REPERTORIOS BIBLIOGRAFICOS CITADOS
ABREVIADAMENTE

Alcocer = Mariano Alcocer y Martínez. *Catálogo razonado de obras impresas en Valladolid. 1841-1800.* Valladolid. 1926.

Alenda = Jenaro Alenda y Mira. *Relaciones de solemnidades y fiestas públicas de España.* Madrid. 1903.

Almirante = José Almirante. *Bibliografía militar española.* Madrid. 1876.

Alvarez y Baena = Joseph Antonio Alvarez y Baena. *Hijos de Madrid...* Madrid 1789-91.

Andrade = Vicente de Paúl Andrade. *Ensayo bibliográfico mexicano del siglo XVII.* Méjico. 1894.

Anselmo = A. J. Anselmo. *Bibliografia das obras impresas em Portugal no século XVI.* Lisboa. 1926.

Antolín = Guillermo Antolín. *Catálogo de los códices latinos de la Real Biblioteca dè El Escorial.* Madrid. 1910-1923.

Arco y Garay = Ricardo del Arco y Garay. *Repertorio de manuscritos referentes a la historia de Aragón.* Madrid. 1942.

Artigas = Miguel Artigas. *Catálogo de los Manuscritos de la Biblioteca Menéndez Pelayo.* Santander. 1930.

Backer-Sommervogel = Augustin et Aloys de Backer. *Bibliothèque de la Compagnie de Jésus.* Nouvelle édition par Carl Sommervogel. Bruselas-París. 1890-1932.

Barbosa = Diogo Barbosa Machado. *Bibliotheca Lusitana...* Lisboa. 1741-59.

Baudrier = Henri Louis Baudrier. *Bibliographie lyonnaise...* Lyon. 1895-1921.

Beristain = José Mariano Beristain de Souza. *Biblioteca Hispano-Americana Septentrional.* Méjico. 1816-21.

Blanco = Rufino Blanco y Sánchez. *Bibliografía pedagógica...* Madrid. 1907-1912.

Brunet = Jacques-Charles Brunet. *Manuel du libraire et de l'amateur de livres.* 5.ª ed. París. 1860-65.

Cioranescu = Alexandre Cioranescu. *Bibliographie de la littérature française du dix-septième siècle.* 2.ª ed. París. 1969.

Colmeiro = Miguel Colmeiro. *La Botánica y los botánicos de la Península hispano-lusitana.* Madrid. 1858.

Cotarelo, *Calígrafos* = Emilio Cotarelo y Mori. *Diccionario biográfico y bibliográfico de calígrafos españoles.* Madrid. 1914-16.

Cotarelo, *Controversias* = Emilio Cotarelo y Mori. *Bibliografía de las controversias sobre la licitud del Teatro en España.* Madrid. 1904.

Cuartero-Vargas Zúñiga = Antonio de Vargas-Zúñiga y Baltasar Cuartero y Huerta. *Indice de la Colección de D. Luis de Salazar y Castro, que se conserva en la Real Academia de la Historia.* Madrid. 1950-(en publ.).

DS = *Dictionnaire de Spiritualité ascétique et mystique.* París. 1937.

DHEE = *Diccionario de Historia Eclesiástica de España.* Madrid. 1972.

Escudero = Francisco Escudero y Peroso. *Tipografía Hispalense.* Madrid. 1894.

Esquerdo = Onofre Esquerdo. *Catálogo de los hijos de Valencia y del Reyno...* (Mss. perdido).

Esteve = Francisco Esteve Barba. *Biblioteca Pública de Toledo. Catálogo de la Colección de Manuscritos Borbón-Lorenzana.* Madrid. 1943.

Gallardo = Bartolomé José Gallardo. *Ensayo de una Biblioteca española de libros raros y curiosos...* Madrid. 1863-89.

Gallego Morell = Antonio Gallego Morell. *Cinco impresores granadinos...* Granada. 1970.

García Peres = Domingo García Peres. *Catálogo razonado... de los autores portugueses que escribieron en castellano.* Madrid. 1890.

Gayangos = Pascual de Gayangos. *Catalogue of the manuscripts in the British Museum...* Londres. 1875-93.

Gutiérrez del Caño = Marcelino Gutiérrez del Caño. *Catálogo de los manuscritos existentes en la Biblioteca Universitaria de Valencia.* Valencia. 1914.

Hernández Morejón = Antonio Hernández Morejón. *Historia bibliográfica de la Medicina española.* Madrid. 1842-50.

Herrero Salgado = Félix Herrero Salgado. *Aportación bibliográfica a la Oratoria sagrada española.* Madrid. 1971.

Inventari = *Inventari dei manoscritti delle biblioteche d'Italia.* Forli, etc. 1890-(en publicación).

Inventario = *Inventario general de manuscritos de la Biblioteca Nacional.* Madrid. 1953-(en publ.).

J. Catalina García, *Guadalajara* = Juan Catalina García. *Biblioteca de escritores de la provincia de Guadalajara.* Madrid. 1899.

J. Catalina García, *Tip. complutense* = Juan Catalina García. *Ensayo de una Tipografía Complutense.* Madrid. 1889.

Jerez = *Catálogo de la Biblioteca del Excmo. Sr. D. Manuel Pérez de Guzmán y Boza, Marqués de Jerez de los Caballeros.* Sevilla. 1898.

Jiménez Catalán, *Tip. ilerdense* = Manuel Jiménez Catalán. *Apuntes para una bibliografía ilerdense de los siglos XV al XVIII.* Barcelona. 1912.

Jiménez Catalán, *Tip. ¡zaragozana del XVII* = Manuel Jiménez Catalán. *Ensayo de una Tipografía zaragozana del siglo XVII.* Zaragoza. 1925 [1927].

Juan de San Antonio = Juan de San Antonio. *Bibliotheca Universa Franciscana.* Madrid. 1732-33.

Kayserling = Meyer Kayserling. *Biblioteca Española - Portuguesa - Judaica.* Estrasburgo. 1890.

Kraff = Walter C. Kraff. *Codices Vindobonenses Hispanici...* Corvallis. 1957.

La Barrera = Cayetano Alberto de la Barrera y Leirado. *Catálogo del Teatro antiguo español.* Madrid. 1860.

Latassa = Félix de Latassa y Ortín. *Biblioteca nueva de los escritores aragoneses.* Pamplona. 1798-1892.

López Piñero = José María López Piñero. *Bibliografía histórica sobre la Ciencia y la Técnica en España.* Granada. 1973.

Martí Grajales = Francisco Martí Grajales. *Ensayo de un Diccionario biográfico de los Poetas que florecieron en el Reino de Valencia hasta el año 1700.* Madrid. 1927.

Martialis a S. Joanne Baptista = Martiales a E. Joanne Baptista. *Bibliotheca Scriptorum utriusque Congregationes et sexus Carmelitarum Excalceatuerum.* Burdigalae. 1730.

Medina, *Lima* = José Toribio Medina. *La Imprenta en Lima.* Santiago de Chile. 1904-7.

Medina, *México* = José Toribio Medina. *La Imprenta en México.* Santiago de Chile. 1908-11.

Medina, *Puebla* = José Toribio Medina. *La Imprenta en la La Puebla de los Angeles.* Santiago de Chile. 1908.

Méndez Bejarano = Mario Méndez Bejarano. *Diccionario de Escritores, Maestros y Oradores naturales de Sevilla y su actual provincia.* Sevilla. 1922-25.

Menéndez Pelayo, *Bibliografía.* = Marcelino Menéndez Pelayo. *Bibliografía hispano-latina clásica.* Edición nacional. Madrid. 1950-53.

Menéndez Pelayo, *Traductores* = Marcelino Menéndez Pelayo. *Biblioteca de traductores españoles.* Edición nacional. Madrid. 1952-53.

Miquel = Francisco Miquel Rosell. *Inventario general de manuscritos de la Biblioteca Universitaria de Barcelona.* Madrid. 1958-61.

Morel-Fatio = Alfred Morel-Fatio. *Bibliothèque Nationale. Catalogue des manuscrits espagnols.* París. 1892.

Muñoz y Romero = Tomás Muñoz y Romero. *Diccionario bibliográfico-histórico de los antiguos Reinos, Provincias, Ciudades, Villas, Iglesias y Santuarios de España.* Madrid. 1858.

N. Antonio = Nicolás Antonio. *Bibliotheca Hispana Nova.* 2.ª ed. Madrid. 1783-88.

Norton = F. J. Norton. *A descriptive catalogue of printing in Spain and Portugal, 1501-1520.* Cambridge. 1978.

Palau = Antonio Palau y Dulcet. *Manual del librero hispanoamericano.* 2.ª ed. Madrid. 1948-(en publ.).

Paz = Antonio Paz y Melia. *Catálogo de las piezas de Teatro que se conservan en el Departamento de Manuscritos de la Biblioteca Nacional.* 2.ª ed. Madrid. 1934-35.

Paz, *Inquisición* = Antonio Paz y Melia. *Papeles de Inquisición.* 2.ª ed. Madrid. 1947.

Paz, *Varios* = Julián Paz y Espeso. *Biblioteca Nacional. Departamento de Manuscritos. Catálogo de «Tomos de Varios».* Madrid. 1938.

Peeters-Fontainas = Jean Peeters-Fontainas. *Bibliographie des impressions espagnoles des Pays-Bas méridionaux.* Wieuwkoop. 1965.

Pérez Goyena = Antonio Pérez Goyena. *Ensayo de Bibliografía navarra.* Pamplona. 1947-53.

Pérez Pastor, *Madrid* = Cristóbal Pérez Pastor. *Bibliografía madrileña.* Madrid. 1891-1907.

Pérez Pastor, *Medina* = Cristóbal Pérez Pastor. *La Imprenta en Medina del Campo.* Madrid. 1895.

Pérez Pastor, *Toledo* = Cristóbal Pérez Pastor. *La Imprenta en Toledo.* Madrid. 1887.

Picatoste = Felipe Picatoste. *Apuntes para una Biblioteca científica española del siglo XVI.* Madrid. 1891.

Placer = Gumersindo Placer. *Bibliografía mercedaria.* Madrid. 1963-68.

Ramírez de Arellano = Rafael Ramírez de Arellano. *Ensayo de un Catálogo biográfico de escritores de la provincia y diócesis de Córdoba.* Madrid. 1922-23.

Rico Sinobas = Manuel Rico Sinobas. *Diccionario de calígrafos españoles.* Madrid. 1903.

Roca = Pedro Roca. *Catálogo de los Manuscritos que pertenecieron a D. Pascual de Gayangos, existentes hoy en la Biblioteca Nacional.* Madrid. 1904.

Rodríguez-Moñino, *Diccionario* = Antonio Rodríguez-Moñino. *Diccionario bibliográfico de pliegos sueltos poéticos (siglo XVI).* Madrid. 1970.

Rodríguez-Moñino y Brey = Antonio Rodríguez-Moñino y María Brey. *Catálogo de los manuscritos poéticos castellanos... de The Hispanic Society of America.* Madrid. 1965-66.

Roldán = Rafael Roldán Guerrero. *Diccionario biográfico y bibliográfico de autores farmacéuticos españles.* Madrid. 1963-76.

Rudder = Robert S. Rudder. *The Literature of Spain in English Translation. A Bibliography.* Nueva York. 1975.

Sagredo = J. J. Sagredo. *Bibliografía dominicana de la provincia bética (1515-1921).* Almagro. 1922.

Salvá = Pedro Salvá y Mallén. *Catálogo de la Biblioteca de Salvá.* Valencia. 1872.

Sánchez = Juan Manuel Sánchez. *Bibliografía aragonesa del siglo XVI.* Madrid. 1913-14.

Santiago Vela = Gregorio de Santiago Vela. *Ensayo de una Biblioteca Iberoamericana de la Orden de San Agustín.* Madrid. 1913-31.

Tejera = José Pío Tejera. *Biblioteca del Murciano.* Madrid. 1922-41.

Toda, *Italia* = Eduart Toda i Guell. *Bibliografia espanyola d'Italia.* Castell de Sant Miquel d'Escornalbou. 1927-31.

Uriarte, *Anónimos* = José Eugenio de Uriarte. *Catálogo razonado de obras anónimas y seudónimas de autores de la Compañía de Jesús.* Madrid. 1904-16.

Uriarte-Lecina = José Eugenio de Uriarte y Mariano Lecina. *Biblioteca de escritores de la Compañía de Jesús...* Madrid. 1925.

Valdenebro = José María Valdenebro y Cisneros. *La Imprenta en Córdoba. Ensayo bibliográfico.* Madrid. 1900.

Vergara = Gabriel María Vergara y Martín. *Ensayo de una colección bibliográfico-biográfica de noticias referentes a la provincia de Segovia.* Guadalajara. 1904.

Villiers = Cosme de Villiers. *Bibliotheca Carmelitana...* Aurelianis. 1752.

Wadding = Lucas Wadding. *Scriptores Ordinis Minorum.* 3.ª ed. Roma. 1906-36.

Ximeno = Vicente Ximeno. *Escritores del Reyno de Valencia.* Valencia. 1747-49.

Zarco = Julián Zarco Cuevas. *Catálogo de los manuscritos españoles de la Real Biblioteca de El Escorial.* Madrid. 1924-29.

LITERATURA CASTELLANA
SIGLOS DE ORO
AUTORES (Continuación)

I. C.

V. CARAMUEL LOBKOWITZ (JUAN)

IALPI

(V. JALPI)

«IARDIN...»

V. «JARDIN...»

IARON

(V. JARON)

IASON BERJA (ROQUE)

Doctor.

EDICIONES

1

[*PARAFRASIS qve tradvze dos fragmentos del Libro IV de Retorica de Benedicto Arias Montano. En qve trata de el ilvstrissimo Honorato Ivan maestro de el serenissimo principe don Carlos*]. (En ELOGIOS *de... Don Honorato Ivan... Sacados de varios escritos de Autores gravissimos.* Valencia. 1659. 5 hs. al fin).

«Despues que declaré del modo atento...»
MADRID. *Nacional.* 2-37.971.

IAURRIETA

(V. JAURRIETA)

IAYME

(V. JAIME)

IBAÑES

V. IBAÑEZ

IBAÑEZ (FR. ANDRES)

Franciscano. Calificador de la Inquisición. Guardián del convento de San Francisco de Valencia.

EDICIONES

2

[*APROBACION. Valencia, 19 de mayo de 1681*]. (En Dolz del Castellar, Esteban. *Tres diamantes... del mejor esposo virgen San Joseph...* Valencia. 1681. Prels.)

MADRID. *Nacional.* V-284-23.

3

[*CENSURA. Valencia, 20 de enero de 1683*]. (En Hermenegildo de San Pablo, Fray. *Primacía del monachato evangélico...* Valencia. 1685. Prels.)

MADRID. *Nacional.* 5-9.717.

IBAÑEZ (ANTONIO)

EDICIONES

4

[*JEROGLIFICO*]. (En Ruiz, Francisco. *Relación de las fiestas que hizo el Colegio de la Compañía de Iesus de Girona...* Barcelona. 1623, folio 126v).

MADRID. *Nacional.* 2-64.205.

IBAÑEZ (P. BUENAVENTURA)

N. en 1610. Franciscano. Enviado a China, desde Roma, en 1649. Fundador de la Misión de Cantón, donde m. en 1691.

EDICIONES

5

MISIONES (Las) Franciscanas en

China. Cartas, Informes y Relaciones (1650-1690). Con Introducción, Notas y Apéndices por Fr. Severiano Alcobendas. Madrid. Estanislao Maestre, ed. 1933. XLVI + 334 págs. + 1 h. 25,5 cm. (Bibliotheca Hispana Missionum, 5).

Contiene 42 escritos inéditos y originales. En pág. XLI, Relación de obras impresas y manuscritas del autor.

MADRID. Particular de «Razón y Fe». Ib-III-138-3.

OBRAS LATINAS

6

DE necessaria Doctrina Dei.

Juan de San Antonio.

7

DE praedicatione Evangelii in Regno Sinarum. Colonia. 1700.

Juan de San Antonio.

ESTUDIOS

8

REP: Juan de San Antonio, I, pág. 235.

IBAÑEZ (FR. DOMINGO)

Mercedario.

EDICIONES

9

[PARECER. Puebla, 20 de mayo de 1697]. (En Bonilla Godinez, Juan de. Arco triumphal... Pueblo. 1697. Prels.)

Medina. Puebla, n.º 188.

IBAÑEZ (FR. GREGORIO)

Dominico.

10

[APROBACION de —— y de Fr. Martín de Campos. Zaragoza, 23 de junio de 1706]. (En Torres, Tomás. Llave anterior, que abre la puerta del Palacio humano. Zaragoza. s. a. Prels.)

MADRID. Nacional. R-13.329.

IBAÑEZ (JUAN)

EDICIONES

11

[AL Autor. Dezima]. (En Navarrete, Francisco de. La casa del juego... Madrid. 1644. Prels.)

MADRID. Nacional. R-7.481.

12

[ROMANCE, por Iuan Ibañes]. (En Angulo y Velasco, Isidro. Triunfos festivos que al crucificado redemptor del mundo, erigió la Real Congregación del Santo Christo de San Ginés... de Madrid... Madrid. 1656, págs. 172-73).

MADRID. Nacional. 3-63.805.

13

[DEZIMAS]. (En Miranda y La Cotera, José de. Certamen angélico... a Santo Tomás de Aquino. Madrid. 1657, fols. 28v-29v).

MADRID. Nacional. R-16.925.

14

[ROMANCE]. (En Porres, Francisco Ignacio de. Justa potica zelebrada por la Universidad de Alcalá... Alcalá. 1658, págs. 263-65).

MADRID. Nacional. R-5.764.

IBAÑEZ (JUAN MIGUEL)

EDICIONES

15

[SONETO]. (En Grande de Tena, Pedro. Lágrimas panegiricas a la temprana muerte del... Dr. Juan Pérez de Montalban. Madrid. 1639, fol. 46v).

MADRID. Nacional. 2-44.053.

16

[SONETO]. (En Méndez Silva, Rodrigo. Epítome de la admirable y exemplar vida de D. Fernando de Córdoba Bocanegra. Madrid. 1649, fol. 67r).

MADRID. Nacional. 3-19.765.

17

[*AL Autor. Soneto*]. (En Angulo y Velasco, Isidro. *Pruebas de la inmaculada nobleza de María Santissima...* Valencia. 1655. Prels.)

MADRID. *Nacional.* 3-54.345.

18

[*ROMANCE*]. (En Angulo y Velasco, Isidro. *Triunfos festivos que al crucificado redemptor del mundo, erigió la Real Congregación del Santo Christo de San Ginés... de Madrid...* Madrid. 1656, págs. 31-33).

MADRID. *Nacional.* 3-63.805.

IBAÑEZ (MATEO)

Marqués de Corpa.

V. IBAÑEZ DE SEGOVIA Y ORELLANA (MATEO)

IBAÑEZ DE ALARCON (PABLO)

N. en Madrid.

EDICIONES

19

SIETE Oraciones para los días de la semana y otras de devoción. Madrid. 1622. 12.º

N. Antonio.

20

OCTAVAS a la Concepción de Nuestra Señora. Madrid. Andrés Parra. 1627. Una hoja plegada. 29,5 cm.

—Texto [«España, Reyno en todo aficionado...»].—Censura de Plácido Trangipane. Apr. de Fr. Luis Cabrera.—L.—Poesía latina.

MADRID. *Nacional.* R-Varios, 180-30.

21

[*OCTAVAS en alabança de Nvestra Señora, y de sv pvra Concepción*]. Madrid. Imp. Real. 1631. 1 h. orlada y con un grab. 46 × 30,5 cm.

Impreso por una sola cara, sin duda para ser expuesto al público. El texto comprende tres Cantos, de seis octavas cada uno, y principia: [«Virgen, cantar quisiera excelsos loores...»].

En la parte inferior, figuran:

—Apr. del M.º Ioseph de Valdiuielso.—Decima del Licdo. Geronymo Iacinto de Araiz. [«No ya la piedad en vos...»]. Apr. del P. Plácido Trangipane Mirto.

MADRID. *Nacional.* R-Varios, 60-2.

ESTUDIOS

22

REP: N. Antonio, II, pág. 161.

IBAÑEZ DE AOYZ (ANTONIO)

N. en Zaragoza. Hermano de Lorenzo. Escribano de la Real Chancillería de Aragón.

EDICIONES

23

[*POESIAS*]. (En Díez de Aux, Luis. *Compendio de las fiestas que ha celebrado... Çaragoça...* Zaragoza. 1619).

1. *Glosa.* (Pág. 162).
2. *Soneto.* (Pág. 173).
3. *Liras.* (Págs. 202-4).
4. *Décimas.* (Págs. 248-49).
5. *Romance.* (Págs. 261-62).

MADRID. *Nacional.* R-4.908.

24

[*DECIMA*]. (En Felices de Cáceres, Juan Bautista. *El Cavallero de Avila...* Zaragoza. 1623. Prels.)

MADRID. *Nacional.* R-2.407.

ESTUDIOS

25

ANDRES DE UZTARROZ, JUAN FRANCISCO. [*Elogio*]. (En su *Aganipe de los cisnes aragoneses.* Zaragoza. 1890, pág. 17).

MADRID. *Consejo. Patronato «Menéndez Pelayo».* 8-2.

26

REP: Latassa, 2.ª ed., II, págs. 35-36.

IBAÑEZ DE AOYZ (JUAN LORENZO)

N. en Zaragoza. Hijo de Antonio. Escribano de Mandamiento de S. M.

CODICES

27

«*Registro de cartas misivas de los*

diputados del Reino de Aragón. Años 1572-73, 1592, 1618-19, 1629, 1640-41, 1642, 1643, 1665-69».

Letra del s. XVII. 8 vols. Fol.
Arco y Garay, n.º 943.

ZARAGOZA. *Archivo de la Diputación.* 225, 268, 201, 394, 433, 444, 447 y 523.

28

«Procesos de defraudación de la Diputación del Reino. Años 1584 a 95».

Letra del s. XVII. 3 vols. Fol.
Arco y Garay, n.º 944.

ZARAGOZA. *Archivo de la Diputación.* 279, 699 y 700.

29

«Junta de diputados y personas extrañas constituida en 1627 para el servicio de S. M. Registros de deliberaciones de 1627, 1631, 1633 y 1638».

Letra del s. XVII. 4 vols. Fol.
Arco y Garay, n.º 945.

ZARAGOZA. *Archivo de la Diputación.* 382, 402, 408 y 428.

30

[Vejamen que dio en la Academia que reunía en Zaragoza el conde de Aranda].

Letra del s. XVII. 23 hs. 4.º En un tomo de *Miscelaneo de diversos tratados,* III, que estaba en la biblioteca del canónigo Turmo. (Latassa).

31

«El peligro en la privanza».

Comedia. Letra del s. XVII. 37 hs. 4.º En el mismo volumen anterior. (Latassa).

EDICIONES

32

ELOGIO a la constancia, valor, y piedad de la Magestad Catolica, del Rey nuestro Señor, Filipo el Grande, en el sitio y entrega de Lerida Consagralo, a sus Reales pies, un hijo de la Imperial Ciudad de Çaragoça. Za-ragoza. Diego Dormer. 1644. 8 hs. 19,5 cm.

—Texto: [«Estos de mi tarda pluma...»].
MADRID. *Nacional.* R-Varios, 157-5.

33

EPITALAMIO sacro al velo de la Señora Doña Ana María de Sayas... Za-ragoza. Diego Dormer. 1644. 12 págs. 19 cm.

Jiménez Catalán, *Tip. zaragozana del siglo XVII,* n.º 549.
ZARAGOZA. *Universitaria.* Caja 75-1727 Ar.

34

PANEGIRICO a la erección de... Antonio de Aragón, en Cardenal de la Santa Iglesia de Roma. Zaragoza. Hospital General. 1650. 23 págs. 4.º
Palau, XXVIII, n.º 377.726.

Poesías sueltas

35

[POESIAS]. (En Andrés de Uztarroz, Juan Francisco. *Certamen poético de Nuestra Señora de Cogullada...* Zara-goza. 1644).

1. *Silva.* (Págs. 91-94).
2. *Canción.* (Págs. 113-15).
3. *Soneto.* (Pág. 139).
4. *Redondillas.* (Pág. 153).
5. *Romance.* (Pág. 168).

V. *B. L. H.,* V, n.º 2666 (6, 14, 32, 55, 61).
MADRID. *Nacional.* 2-64.961.

36

[SOLEDAD funebre en la muerte de D.ª Isabel de Borbón]. (En Andrés de Uztarroz, Juan Francisco. *Obelisco histórico, i honorario, que... Zarago-za erigió a... Don Balthasar Carlos de Austria...* Zaragoza. 1646, págs. 132-36).

MADRID. *Nacional.* 2-65.227.

37

[POESIAS]. (En Amada y Torregro-sa, José Félix de. *Palestra numerosa austríaca...* Huesca. 1650).

1. *Soneto.* (Fol. 16r).
2. *Romance.* (Fol. 85r).
3. *Octavas.* (Fol. 105r).
V. *B. L. H.*, V, n.º 2157 (4, 83, 99).
MADRID. *Nacional.* 2-66.981.

38

[*SONETO*]. (En Díez y Foncalda, Alberto. *Poesías Varias.* Zaragoza. 1653. Prels.)

MADRID. *Nacional.* R-18.212.

39

[*SONETO a la Purissima Concepción*]. (En Lobera, Francisco de. *Diálogo de la Inmaculada Concepción...* Zaragoza. 1653. Prels.)

SEVILLA. *Universitaria.* 109-41 (9).

40

[*ELOGIO a la constancia, valor y piedad... del Rey nuestro Señor, Filipo el Grande, en el sitio, y entrega de Lérida*]. (En DELICIAS de Apolo... Zaragoza. 1670, págs. 146-52).

MADRID. *Nacional.* R-2.733.

Aprobaciones

41

[*APROBACION. Zaragoza, 6 de mayo de 1654*]. (En Aguirre del Pozo y Felices, Matías de. *Navidad de Zaragoça...* Zaragoza. 1654. Prels.)

MADRID. *Nacional.* R-4.528.

42

[*CENSURA. Zaragoza, 1 de junio de 1657*]. (En Antonio, Luis. *Nuevo plato de varios manjares.* Zaragoza. 1658. Prels.)

MADRID. *Nacional.* R-10.445.

ESTUDIOS

43

ANDRES DE UZTARROZ, JUAN FRANCISCO. [*Elogio*]. (En su *Aganipe de los cisnes aragoneses.* Zaragoza. 1890, pág. 18).

MADRID. *Consejo. Patronato «Menéndez Pelayo».* 8-2.

44

REP: Latassa, 2.ª ed., II, pág. 36.

IBAÑEZ DE AOYZ (LORENZO)

N. en Zaragoza. Jurado de la ciudad (1615), escribano de mandamiento de S. M. y teniente de alcalde de la Diputación de Aragón.

CODICES

45

«*Ceremonial y breve relacion de los cargos y cosas ordinarias de la Diputacion del Reino de Aragón. 1611*».

Letra del s. XVII. Se conservaba en el Archivo del Reino de Aragón. (Latassa).

46

«*Ceremonial y breve relacion de todos los cargos y cosas ordinarias de la Diputación del Regno de Aragon, hecho en el año M.DC.XI*».

Letra del s. XVII. 221 fols. 315 × 215 cm. *Inventario,* III, págs. 185-86.

MADRID. *Nacional.* Mss. 987.

EDICIONES

47

[*AL Autor. Soneto*]. (En Díez y Foncalda, Alberto. *Poesias Varias.* Zaragoza. 1653. Prels.)

MADRID. *Nacional.* R-18.212.

ESTUDIOS

48

REP: Latassa, 2.ª ed., II, pág. 35.

IBAÑEZ DE AOYZ (VICENTE ANTONIO)

N. en Zaragoza. Hijo de Antonio y hermano de Juan Lorenzo. Doctor. Catedrático de Durando en la Universidad de Zaragoza. Examinador sinodal del arzobispado. Canónigo magistral (1667). M. en Zaragoza (1669).

EDICIONES

49

MEDVLA de la Teologia moral, qve con facil, y claro estilo explica, y resuelve svs materias, y casos. Escriviola en idioma latino el Padre Her-

manno Busembaum... Redvcela al Español, y añade vn tratado de la Bvla de la Santa Cruzada... ——. Madrid. Ioseph Fernandez de Buendia. A costa de Lorenzo de Ibarra. 1664. 7 hs. + 589 págs. + 5 hs. 20,8 cm.

—Ded. a Fr. Juan de Brizuela, por Lorenzo de Ibarra.—Apr. de Fr. Ioseph Barrasa.—L. V.—Apr. de Fr. Diego de Silva.—L. del Consejo.—S. T.—E.—Apr. de Fr. Geronimo Xavierre.—Apr. de Fr. Ioseph Buenaventura.—Prologo.—Texto. Indice de las materias y puntos mas notables.

MADRID. *Nacional.* 3-71.753.—PAMPLONA. *General de la Diputación Foral.* 109-3-3/114.

50

——. Zaragoza. Iuan de Ibar. 1664. 8 hs. + 710 págs. 20 cm.

—Apr. de Fr. Geronimo Xavierre.—L.—Apr. de Fr. José B. Ponz.—L.—Ded. a D. Iosef Español y Serra, Prior de la Santa Iglesia de S. Sepulcro de Calatayud, etc. Al Lector.—E.—Texto.—Indice.

Jiménez Catalán. *Tip. zaragozana del siglo XVII,* n.º 733.

51

——. Madrid. 1666. 8 hs. + 589 + 5 hs. 22 cm.

PAMPLONA. *General de la Diputación Foral.* 109-5-3/77.

52

——. Madrid. Bernardo de Villadiego. A costa de Santiago Martin Redondo. 16667. IX + 589 págs. a 2 cols. + 5 hs. 20 cm.

—Ded. a Fr. Iuan de Toledo, Obispo de León, etc.—Apr. de Fr. Iosef Barrasa.—L. V.—Apr. de Fr. Diego de Silva y Pacheco.—E.—S. Pr. a Lorenzo de Ibarra. T.—Apr. de Fr. G. Xavierre.—Apr. de Fr. J. B. Ponz.—Prologo.—Indice.—Texto.

MADRID. *Nacional.* 2-19.948.—PAMPLONA. *General de la Diputación Foral.* 109-2-1/127.

53

——. 5.ª edición. Cuenca. Antonio

Núñez Enriquez. 1674. 5 hs. + 584 págs. + 6 hs. 20,5 cm.

—Ded. al P. Juan Everardo Nidhardo, por Lorenço de Ibarra.—Apr. de Fr. Diego de Silva y Pacheco.—Pr. a L. de Ibarra (1666).—T.—E.—Apr. de Fr. Joseph Barrasa.—L. V.—Apr. de Fr. G. Xavierre (1666).—Apr. de Fr. J. B. Ponz (1664). Prologo al lector.—Texto.

MADRID. *Nacional.* 3-63.820.

54

——. Barcelona. Iacinto Andreu. 1674. 3 hs. + 593 págs. + 10 hs. 20 cm.

MADRID. *Nacional.* 2-1.874.—MONSERRAT. *Monasterio.* D.XVIII.8.165.—PAMPLONA. *General de la Diputación Foral.* 109-2-3/78.

55

MEDVLA de la Teologia Moral... Escriviola en idioma latino el P. Hermano Busembaum... Redvcela al español, y añade vn Tratado de la Bula de la Santa Cruzada... ——*... Corregida, y enmendada en esta ultima impression por el P. Andres Mendo...* 6.ª impression. Madrid. Iulian de Paredes. A costa de Florian Anisson. 1683. 4 hs. + 4 hs. + 542 págs. a 2 cols. + 5 hs. 19,5 cm.

—Port. a dos tintas: roja y negra.—Aprobaciones de 1666.—S. L.—E.—T.—L. V Texto.—Indice.

MADRID. *Nacional.* 2-19.949.

56

MEDVLA de la Theologia Moral... Escriviola... el P. Hermano Busembaum... Reducela al español y añade un Tratado de la Bula de la Sta. Cruzada, ... ——. *Corregida, y añadida aora nuevamente... por el P. Agustín de Herrera.* Madrid. Antonio de Zafra. 1686. 10 hs. + 418 págs. a 2 cols. + 4 hs. 31 cm.

—Port. a dos tintas, roja y negra.—Con las Apr. de 1664.

MADRID. *Nacional.* R-24.228.

57

———. Barcelona. Antonio Ferrer y Cía. 1688. 8 hs. + 344 págs. + 3 hs. 30 cm.

MADRID. *Nacional.* 2-70.215.—PAMPLONA. *General de la Diputación Foral.* 109-3-5/16.—SANTIAGO DE COMPOSTELA. *Universitaria.*

58

———. *Y ultimamente se añaden tambien en esta impression novissima las cinco Proposiciones condenadas por... Alexandro VIII...* Madrid. Iulian de Paredes. A costa de Florian Anysson. 1697. 8 hs. + 346 págs. a 2 cols. + 3 hs. 30 cm.

—Port. a dos tintas: roja y negra.—Preliminares de 1664.

MADRID. *Nacional.* 3-22.689.

59

———. Alcalá. Francisco García Fernández. 1700. 8 hs. + 348 págs. + 4 hs.

J. Catalina García, *Tip. complutense*, número 1.316.

MADRID. *Nacional.* 3-56.637.

60

———. Barcelona. Francisco Guasch. 1703. 10 hs. + 348 págs. + 4 hs. 30 cm.

MADRID. *Nacional.* 3-52.338.

Aprobaciones

61

[*CENSURA. Zaragoza, 14 de marzo de 1653*]. (En Lobera, Francisco de. *Diálogo de la Inmaculada Concepción...* Zaragoza. 1653. Prels.)

SEVILLA. *Universitaria.* 109-41 (9).

62

[*APROBACION. Zaragoza, 4 de mayo de 1654*]. (En Aguirre del Pozo y Felices, Matías de. *Navidad de Zaragoça.* Zaragoza. 1654. Prels.)

MADRID. *Nacional.* R-4.528.

63

[*APROBACION. Zaragoza, 20 de febrero de 1667*]. (En Plutarco. *Vida de Numa Pompilio.* Valencia. 1691. Prels.)

VALENCIA. *Municipal.* S. M. 25-1-5.870.

ESTUDIOS

64

REP: Latassa, 2.ª ed., II, pág. 37.

IBAÑEZ DE CARDENAS (JERONIMO)

EDICIONES

65

[*OCTAVAS*]. (En José de San Esteban, Fray. *Vida y virtudes del V. H. Fray Iuan de la Magdalena...* Sevilla. 1662. Prels.)

MADRID. *Nacional.* 3-26.672.

66

[*POESIAS*]. (En Oña, Tomás de. *Fenix de los ingenios... certamen que se dedicó a... N. S. de la Soledad.* Madrid. 1664).

1. *Soneto.* (Fol. 59r).
2. *Romance lírico.* (Fols. 108v-109v).

MADRID. *Nacional.* 3-24.619.

Aprobaciones

67

[*APROBACION. Zaragoza, 29 de enero de 1650*]. (En Sierra, Miguel de la. *Elogios de los Apóstoles y otros Santos.* s. l. 1650. Prels.)

MADRID. *Nacional.* 7-11.468.

68

[*APROBACION. Zaragoza, 24 de febrero de 1651*]. (En Jerónimo de San José, Fray. *Genio de la Historia.* Zaragoza. 1651. Prels.)

MADRID. *Nacional.* 2-12.846.

IBAÑEZ PEDROSO (JUAN)

EDICIONES

69

[*POESIAS*]. (En Luis de Santa María, Fray. *Octava sagradamente culta...* Madrid. 1664).

1. *Soneto.* (Pág. 54).
2. *Décimas.* (Pág. 104).
MADRID. *Nacional.* 4-6.289.

IBAÑEZ DE LA RENTERIA (JOSE ANTONIO)

N. en Bilbao. Doctor.

CODICES

70

SERMONES *panegyricos de las excelencias de la Concepción Purísima.*
Anuncia su publicación al fin del *Sermón de San José.*

EDICIONES

71

SERMON *panegyrico del glorioso Patriarca San Joseph, predicado el año de 1693...* Lima. Joseph de Contreras y Aluarado. 1694. ?? hs. + 15 fols. 4.º

—Ded. al cardenal D. Luis Portocarrero, arçobispo de Toledo.—Censura del P. Diego de Eguiluz.—L.—Parecer de Fr. Pedro de San Martín.—L. V.—Texto.

Medina, *Lima*, II, n.º 660.
NEW HAWEN. *Yale University.*

IBAÑEZ DE LA RIVA HERRERA (ANTONIO)

Arzobispo de Zaragoza.

EDICIONES

72

CONSTITVCIONES *Synodales del Arzobispado de Zaragoza, Hechas, y Ordenadas por... D. Antonio Ybañes de la Riva Herrera, Arçobispo de Zaragoza... en la Synod que celebró... el dia 20 de Octubre del Año de 1697.* Zaragoza. Pasqual Bueno. 1698. 2 hs. + 578 págs. + 25 hs. Fol.

Jiménez Catalán. *Tip. zaragozana del siglo XVII*, n.º 1271.
MADRID. *Nacional.* 2-46.644.—SANTIAGO DE COMPOSTELA. *Universitaria.*

73

[CARTA *Pastoral de —— a los fieles*

de su Arzobispado. Zaragoza, 5 Enero 1699]. [s. l.-s. i.]. [1699]. 8 págs. 28,5 cm.

Carece de portada.
—Texto.
MADRID. *Nacional.* R-Varios, 220-59.

IBAÑEZ DE SALT (JERONIMO)

N. en Valencia.

EDICIONES

74

[A *la S. C. R. Magestad del Rey don Felipe IIII N. señor. Presentan a V. M. el presente memorial, con titulo de assiento y reparo universal de la presente Ciudad de Valencia y todo el Reyno, y a los Estamentos, Ciudad, y Diputacion, y a los vezinos della, y de todo el Reyno, Geronimo Ybañez y Salt, y Iuan Bautista Doñol, como naturales de dicha Ciudad y Reyno, para que visto y examinado, se mande por V. Magestad poner en execucion, pues ha de redundar en bien comun y universsal, assi para el Real Patrimonio de V. Magestad, como para las rentas de la Ciudad y Diputacion...* [Valencia. Ioseph Gaseh. 1646. 6 hs. 19,5 cm.

Carece de portada.
—Grabado de la Virgen.—Texto.—L.—Colofón.
MADRID. *Nacional.* V.E.-186-22.

ESTUDIOS

75

ASENSIO SALVADOR, EDUARDO. *El arbitrista Jerónimo Ibáñez de Salt y su programa de recuperación de la economía valenciana en 1608.* Barcelona. 1954. 47 págs. 4.º

IBAÑEZ DE SANTA CRUZ (IÑIGO)

CODICES

76

«Discurso critico que contra el Go-

vierno del S.°ʳ Rey D.ⁿ Phelipe II y en favor del de su Hijo el S.°ʳ Phelipe III que reynaba, escrivió el Judiciario ——».

Letra del s. XVIII. 81 fols. 415 × 300 mm.
MADRID. *Nacional.* Mss. 10.635.

77

«Memorial que dio... cerca del Govierno que tubo el rey d.ⁿ Phelipe 2.°».
Letra del s. XVIII. 205 × 150 mm.
MADRID. *Nacional.* Mss. 11.040 (fols. 3r-56v).

IBAÑEZ DE SEGOVIA (GASPAR)

Marqués de Mondéjar. N. en Madrid (1628).
M. en Mondéjar (1708).

CODICES

78

«Apuntamientos sacados de algunas escrituras de Segovia».
Letra del s. XVIII. 210 × 155 mm.
Inventario, I, pág. 197.
MADRID. *Nacional.* Mss. 268 (fols. 224-334).

79

«Barcelona triumphante».
Gayangos, I, pág. 399.
LONDRES. *British Museum.* Eg. 405.

80

«Cartago africana, sus nombres, fundacion y aumento, discursos historicos... En Pamplona, año de 1666».
5 + 94 págs. 4.°
Gallardo, III, n.° 2.564.

81

[Cartas familiares].
Originales. Algunas suyas (fols. 241-46) y otras dirigidas a él por eruditos españoles e italianos, como Miguel de Barrios, Pablo Ignacio de Dalmases, etc.
Letras del s. XVII. 388 fols. 305 × 210 mm.
MADRID. *Nacional.* Mss. 9.881.

82

«Corrupcion de las Cronicas impresas de nuestros Reyes, y emmiendas y observaciones sobre el Capit.° 16 de la de D.ⁿ Alonso el Sabio».
Letra del s. XVIII. 231 fols. 295 × 195 mm.
MADRID. *Nacional.* Mss. 10.625.

83

«De la corrupción de las Chronicas de Nuestros Reyes y de las emmiendas y observaciones sobre el capítulo 16 de la de Don Alonso el Sabio.— Reparos sobre la Chronica de Isidoro Pacense cotejada con los Authores Arabes mas antiguos».
Letra del s. XVIII. 261 fols. 305 × 210 mm.
Inventario, VI, pág. 313.
MADRID. *Nacional.* Mss. 1.887.

84

«De la corrupcion de las Chronicas impresas de nuestros Reyes y de las enmiendas y observaciones sobre el capítulo 16 de la de Don Alonso el Sabio».
Letra del s. XVIII. 316 fols. 200 × 155 mm.
Inventario, IV, pág. 59.
MADRID. *Nacional.* Mss. 1.175.

85

«Descripcion del Principado de Cataluña».
Letra del s. XVII. 50 fols. 240 × 165 mm.
Fols. 1r-4r: Carta a D. Francisco Areualo de Çuaço, Cauallero de la orden de Santiago. (Madrid, 1644). Fols. 5r-50v: Texto.
MADRID. *Nacional.* Mss. 6.988.

86

«Discurso critico en que se manifiesta celebravan los antiguos a los cavallos por hijos del viento, para expresar su gran ligereza».
Letra del s. XVIII, de D. Andrés Arnaud, bibliotecario de la Real. 49 fols. 210 × 150 mm.
MADRID. *Nacional.* Mss. 4.223.

87

«Discurso sobre la antigüedad del Carmelo».
Letra del s. XVII. 54 fols. 290 × 210 mm.
VALLADOLID. *Santa Cruz.* Mss. 148.

88

«*Disertacion de la monstruosa fecundidad atribuida por algunos escritores clasicos y antiguos a las yeguas lusitanas*».

Letra del s. XVII. Fol.
Gayangos, I, pág. 596.
LONDRES. *British Museum*. Eg. 561 (fols. 79-112).

89

«*Disertazion sobre el año y dia en que comenzo la Ejira o la hepocha de los Arabes y de los Mahometanos*».

Letra del s. XVIII. 62 fols. 210 × 150 mm.
Inventario, VI, pág. 198.
MADRID. *Nacional*. Mss. 2.288.

90

«*Genealogía de la Casa de Moncada escrita por el Marques de Mondejar*».

Letra del s. XVIII. 2 hs. + 442 fols. 215 × 155 mm. los fols. 1-29 y 305 × 205 mm. el resto.
MADRID. *Nacional*. Mss. 3.293.

91

«*Memorias Historicas Genealogicas de la Casa de los Ponces de Leon Duques de Arcos. Por el Exmo. Sr. D. Gaspar de Mendoza y Segouia, Marques de Mondexar*».

Letra del s. XVIII. 1 h. + 239 fols. 305 × 205 mm.
MADRID. *Nacional*. Mss. 3.147.

92

«*Historia de la Casa de Mondéjar, escrita para el Marques de Valhermoso, por el de Mondéjar, su abuelo*». Tomos I y III.

Original. 2 vols. Con algunos dibujos de armas dibujados por Luis de Salazar y Castro.
Cuartero y Vargas-Zúñiga, X, núms. 1.9.225-26. («Sospechamos que el tomo II no debió llegar a escribirse»).
MADRID. *Academia de la Historia*. Col. Salazar, 9-183/84.

93

«*Memorias históricas y genealógicas de la Casa de los Ponce de León*».

Letra del s. XVIII.
MADRID. *Academia de la Historia*. 9-1-6-B-3.

94

«*Noticias de como entró en la casa de Mondéjar la fortaleza y término de Anguix, que todavía se conserva en ella*».

Letra de principios del s. XVIII. Fol.
Nota autógrafa de Salazar y Castro: «Es un capítulo de la *Historia de la Casa de Mondéjar*, que me envió su autor, el marqués don Gaspar Ibáñez de Segovia y Peralta, año 1707».
Cuartero-Vargas Zúñiga, XXXIV, n.º 55.068.
MADRID. *Academia de la Historia*. Col. Salazar, 9-361 (fols. 89r-98v).

95

«*Origen del Apellido de Lopez i Varones illustres que an salido asi de su primitivo solar como de los transplantados en los reynos de Galicia, Portugal, Castilla, Aragon i Valencia fuera de lo que escriuió el Chronista Rodrigo Mendez Silua en el discurso que escriuio del origen de esta Casa*».

Letra del s. XVIII. 210 × 140 mm.
MADRID. *Nacional*. Mss. 3.390 (fols. 83r-89r).

96

«*Origen del impedimento de sangre que dexa ilícitos y nulos los matrimonios entre Parientes: su practica general en la Iglesia. Y particular en España...*».

Letra del s. XVII. 1 h. + 364 fols. 293 × 205 mm.
Artigas, págs. 46-47.
SANTANDER. «*Menéndez y Pelayo*». Mss. 25.

97

[*Apuntes y borradores*].

Autógrafos. 183 fols. Papeles de diferentes formas y tamaños. Sobre distintas materias.
MADRID. *Nacional*. Mss. 7.626.

98

[————].

Idem: 6 vols.

MADRID. *Nacional.* Mss. 8.373/78.

99

[*Escritos y cartas*].

Autógrafos. 2 vols. 315 × 195 mm.
Fragmentos de diversas obras en latín y
en castellano.

MADRID. *Nacional.* Mss. 5.557/58.

100 EDICIONES

[*MEMORIAL a Felipe IV solicitando
un titulo de Castilla, por los servicios
prestados por sus antepasados, que
enumera*]. [s. l.-s. i.]. [s. a., 1654?].
2 hs. 28,5 cm.

Carece de portada.

MADRID. *Nacional.* V.E.-24-37.

101

*EXPOSICION de los siete psalmos
penitenciales.* Madrid. 1662. 4.º

Citado en el Catálogo de la Biblioteca de
Bacallar y Sanna. (Palau, VII, n.º 117.559).

102

*CARTAGO africana, svs nombres,
fvndacion, y avmento. Discvrsos hsi-
toricos.* Pamplona. [s. i.]. 1665. 5 hs.
+ 94 págs. 19,5 cm.

—Ded. a D. Iuan de Gongora, caballero de
Alcantara, etc.—Razon destos discursos.
Texto.

Pérez Goyena, II, n.º 616.

MADRID. *Academia de la Historia.* 9-29-1-
5.753. *Nacional.* 2-8.955.

103

*DISCURSO historico, por el patro-
nato de San Frutos. Contra la supues-
ta Cathedra de San Hierotheo en Segovia. Y pretendida autoridad de
Dextro.* Zaragoza. Iuan de Ibar. 1666.
16 hs. + 239 págs. 19 cm.

—Ded. al Ilustrisimo Pedro Nuñez de Guzman.—Prologo.

Jiménez Catalán, *Tip. zaragozana del siglo XVII,* n.º 752.

GRANADA. *Universitaria.* A-34-179. — MADRID.
Academia de la Historia. 14-8-8-5.761. *Nacional.* 2-25.608. *Palacio.* IV-1.717 — NUEVA
YORK. *Hispanic Society.*—PARIS. *Nationale.*
4.ºOl.145.—SEVILLA. *Universitaria.* 306-195.

104

*DISSERTACIONES eclesiasticas, por
el honor de los antigvos tvtelares,
contra las ficciones modernas. Parte
primera.* Zaragoza. Diego Dormer.
1671. 10 hs. + 514 págs. + 1 h. 29
cm.

—Ded. a D. Pedro Nuñez de Guzman, Conde de Villa-Umbrosa, etc.—Al lector.—Sumario.—Censura de Miguel Estevan y
Colás.—Parecer de Francisco Fabro Bremundan.— Texto. — Págs. 463-514: Indice
sumario de las cosas que contiene esta
obra.—E.

BARCELONA. *Universitaria.* C.211-1-22.—MADRID.
Nacional. 5-1.288; Mss.-9.124 (con notas
mss.). *Palacio.* III-481; etc. *Particular de
«Razón y Fe».* Ib.-II-14. — MONSERRAT. *Mo-
nasterio.* A.L.4.º2. — NUEVA YORK. *Hispanic
Society.*—PARIS. *Arsenal.* B.A.H. 3379. *Natio-
nale.* Fol. Ol.146. *Santa Genoveva.* H. Fº874.
SEVILLA. *Universitaria.* 186-52; 196-12.—ZARA-
GOZA. *Seminario de San Carlos.* 70-3-15.

105

————. Añadidas e ilustradas por
Domingo Duarte Capriate, sacadas
a luz por diligencia de Gregorio Ma-
yans y Siscar. Lisboa. Nueva imprenta Silviana. 1747. 2 vols. Fol.

GRANADA. *Universitaria.* B. 56-69. — MADRID.
Academia de la Historia. 5-4-5-1.460; 14-7-
5-3.456. *Nacional.* 3-14.921.—MONSERRAT. *Monasterio.* A.L.4.º12.—PARIS. *Nationale.* Fol.
Ol. 146A.

106

*EXPLICACION de vn lugar de Sve-
tonio, y Examen de la deidad qve
consvlto Vespasiano en el Carmelo.
Por... Gaspar de Mendoza Ibañez de
Segovia...* Sevilla. Herederos de Iuan
Gomez Blas. [s. a.]. 3 hs. + 79 págs.
19,5 cm.

—Cita de Amos.—Ded. a D. Luis de Sousa,
arzobispo de Lisboa, etc. (Madrid, 20 de
enero de 1678).—Al lector.—Texto.

MADRID. *Academia de la Historia.* 13-1-9-2.695. *Nacional.* 3-8.167; R-Varios, 105-3. — PARIS. *Nationale.* J.3677.—SEVILLA. *Colombina.* 63-3-3.

107

PREDICACION de Santiago en España, acreditada contra las dudas del Padre Christiano Lupo; y en desvanecimiento de los argumentos del Padre Nadal Alexandro. Por... Gaspar de Mendoza y Segovia... Marques de Mondejar... Zaragoza. Domingo de la Puyada. 1682. 8 hs. + 159 fols. + 1 h. 20,5 cm.

—Cita de S. Agustín.—Ded. al Rey.—Al lector.—Sumario de los capítulos.—S.L. Texto.—E.

MADRID. *Academia de la Historia.* 5-5-7-2.431. *Nacional.* 2-7.341.—SAN LORENZO DEL ESCORIAL. *Monasterio.* 44-II-3. — SEVILLA. *Colombina.* 56-5-10. *Universitaria.* 88-128.

108

EXAMEN chronologico del año en qve entraron los moros en España. Madrid. [s. i.]. 1687. 2 hs. + 172 págs. 20 cm.

—Ded. a D. Iuan Manuel Fernandez Pacheco, Duque de Escalona, etc.—Texto.

BARCELONA. *Universitaria.* C.215-5-24.—MADRID. *Academia de la Historia.* 13-1-9-2.610. *Nacional.* 3-36.120.—SANTIAGO DE COMPOSTELA. *Universitaria.*

109

OBRAS chronologicas... Las publica de orden, i a expensas de la Academia Valenciana... Gregorio Mayáns i Siscar... Valencia. Antonio Bordazar de Artazú. 1744. 8 hs. + XVI + 279 págs. a 2 cols. 29 cm.

Págs. I-LXXXIX: Prefación de G. Mayáns y Siscár.
1-194: Era Española.
195-98: *Tratado de la Era de Cesar*, por Pero Megia. Sacada del Libro III de la *Silva de Varia Lecion.*
199-201: *De Aera Caesaris*, por Juan de Vergara.
212-259: *Examen chronologico del año en que entraron los moros en España.*

260-66: *Carta I. A Fr. Iosef Perez sobre si la Era se anticipava 38 o 39 años al computo comun de la Natividad.*
267-69: *Carta II. A incierto Religioso.*

BARCELONA. *Universitaria.* C.212-1-1. — COLUMBIA. *University of Missouri.* — MADRID. *Academia de la Historia.* 14-11-4-10.251; 5-5-5-2.272. *Archivo Histórico Nacional.* 1.892. *Nacional.* 1-6.717. *Palacio.* VII-1.379; etc. NEW HAWEN. *Yale University.*—NUEVA YORK. *Hispanic Society.*—PARIS. *Nationale.* G.766. PRINCETON. *Princeton University.*

110

ADVERTENCIAS a la Historia del P. Juan de Mariana... Van añadidas algunas cartas: cuyas obras publica de orden, i a expensas de la Academia Valenciana, Don Gregorio Mayáns i Siscár. Valencia. Viuda de Antonio Bordazar de Artazu. 1746. 8 hs. + XII + 131 págs. a 2 cols. 30,5 cm.

BARCELONA. *Universitaria.* 177-1-11.—GRANADA. *Universitaria.* A-6-180; A-17-113.—MADRID. *Academia de la Historia.* 4-1-4-257; 2-4-1-1.743. *Nacional.* 3-31.440. *Palacio.* VII-266.—MONSERRAT. *Monasterio.* D.VI.4.89.—PAMPLONA. *General de la Diputación Foral.* 24-6/25.—PARIS. *Nationale.* Fol. Oa.39.

111

————. Madrid. Real. 1795. XXXII + 304 págs. 8.º

FILADELFIA. *University of Pennsylvania.*—MADRID. *Archivo Histórico Nacional.* 4.684. *Nacional.* 2-61.094.

112

MEMORIAS históricas del Rei D. Alonso el Sabio i observaciones a su Chronica... Madrid. Joachin Ibarra. 1777. XXVI + 12 + 687 págs. Fol.

Prólogo de Francisco Cerdá y Rico.

CHICAGO. *Newberry Library.*—LAWRENCE. *University of Kansas.*—MADRID. *Academia de la Historia.* 2-1-2-51; 14-10-3-8.539; etc. *Nacional.* 2-58.815. *Palacio.*—*Particular de «Razón y Fe».* S-II-8.—MONSERRAT. *Monasterio.* D.VI.fol.50. — NUEVA YORK. *Hispanic Society.*—PARIS. *Nationale.* Fol.Oc.1720.—SANTIAGO DE COMPOSTELA. *Universitaria.*—VANCOUER (Canadá). *University of British Columbia.*

113

MEMORIAS históricas del Rey Alonso el Noble. Madrid. Sancha. 1783. XI + 436 págs. + 2 hs. + CXC págs. + 1 árbol genealógico pleg. 4.º

BERKELEY. University of California.—MADRID. Academia de la Historia. 15-4-5-8; etc. Archivo Histórico Nacional. 5452; 4620. Palacio. VII-1.444. — WASHINGTON. Congreso. 3-22748.

114

NOTICIA y juicio de los mas principales Historiadores de España... Con algunas Cartas al fin, escritas a dicho Señor Marqués. Madrid. Pantaleón Aznar. 1784. 3 hs. + 146 págs. 15 cm.

Págs. 103-38: Cartas del P. Tomás de León; 138-46: Carta de Francisco Suárez de Contreras.

COLUMBUS. Ohio State University.—MADISON. University of Wisconsin.—MADRID. Academia de la Historia. 3-5-10-4.736 y 4.741. Nacional. 3-28.501. Palacio. V-2.207.—PARIS. Nationale. 8ºOa.112.

115

CADIZ phenicia con el examen de varias noticias antiguas de España, que conservan los escritores hebreos, phenicios, griegos, romanos y árabes. Madrid. J. del Collado. 1805. 3 vols. 4.º

ANN ARBOR. University of Michigan.—MADRID. Academia de la Historia. 4-2-7-2.458/60. Nacional. 1-20.133/35.—NUEVA YORK. Public Library.

Epístolas

116

[Al Autor. Carta. Madrid, 14 de septiembre de 1664]. (En Antonio, Nicolás. Censura de historias fabulosas. Valencia. 1742, págs. 656-57).

MADRID. Nacional. 2-59.585.

117

[Al Autor. Carta. Madrid, 15 de agosto de 1676]. (En Ortiz de Zúñiga,

Diego. Annales Eclesiasticos y seculares de... Sevilla. Madrid. 1677. Preliminares).

MADRID. Nacional. 2-70.240.

118

CARTAS eruditas. 1899.

V. n.º 136.

Poesías sueltas

119

[SONETO]. (En Alarcón, Alonso de. Corona sepulcral. Elogios en la muerte de Don Martín Suárez de Alarcón... s. l.-s. a., fol. 41r).

MADRID. Nacional. R-9.117.

120

[ROMANCE]. (En Oña, Tomás de. Fenix de los ingenios... Certamen que se dedicó a... N. S. de la Soledad... Madrid. 1664, fols. 103v-104v).

MADRID. Nacional. 3-24.619.

Aprobaciones

121

[APROBACION. Madrid, 31 de diciembre de 1668]. (En Navarra y de la Cueva, Pedro de. Logros de la Monarquía en aciertos de vn valido. Madrid. 1669. Prels.)

MADRID. Nacional. R-10.907.

122

[APROBACION. 12 de febrero de 1669]. (En Navarra y de la Cueva, Pedro de. Logros de la Monarquia en aciertos de vn valido. Madrid. 1669. Prels.)

MADRID. Nacional. R-10.907.

123

[CENSURA. Madrid, 4 de julio de 1672]. (En Dormer, Diego José. San Laurencio defendido... Zaragoza. 1673. Prels.)

MADRID. Nacional. 3-39.850.

124

[*CENSURA. «De casa», 31 de diciembre de 1673*]. (En Oven, Juan. *Agudezas. Traducidas por Francisco de la Torre.* Madrid. 1674. Prels.)

MADRID. *Nacional.* R-9.091.

125

[*APROBACION. Madrid, 20 de enero de 1676*]. (En Pinel y Monroy, Francisco. *Retrato del buen vassallo...* Madrid. 1677. Prels.)

MADRID. *Nacional.* 2-56.691.

126

[*CENSURA. Madrid, 4 de julio de 1676*]. (En Lorea, Antonio de. *El Siervo de Dios... Fr. Pedro de Tapia...* Madrid. 1676. Prels.)

SEVILLA. *Universitaria.* 128-90.

127

[*CENSURA. Madrid, 12 de marzo de 1677*]. (En Causino, Nicolás. *Símbolos selectos y parábolas históricas. Traduzido por Francisco de la Torre.* Madrid. 1677. Prels.)

MADRID. *Nacional.* 2-46.535.

128

[*SENTIR. Madrid, 12 de abril de 1682*]. (En Salazar y Castro, Luis de. *Catalogo historial genealogico de los... Condes... de Fernan Nuñez...* Madrid. 1682. Prels.)

MADRID. *Academia de la Historia.* 14-9-1-5.925.

129

[*CENSURA, por Gaspar de Mendoza Ibañez de Segovia. Móndejar, 31 de julio de 1683*]. (En Guicciardini, Francisco. *Historia de Italia. Traducida por Otón Edilo Nato de Betissana.* Madrid. 1683. Prels.)

MADRID. *Nacional.* 2-19.854.

130

[*CENSURA. Madrid, 17 de noviembre de 1684*]. (En Solís, Antonio de. *Historia de la conquista de México...* Madrid. 1684. Prels.)

MADRID. *Nacional.* R-19.358.

131

[*JUICIO. Mondéjar, 3 de agosto de 1695*]. (En Suárez, Pedro. *Historia de el Obispado de Guadix y Baza.* Madrid. 1696. Prels.)

MADRID. *Nacional.* 2-18.079.

ESTUDIOS

132

MOYA Y MUNGUIA, CRISTOBAL DE. *Tratado apologético en favor de la cathedra de San Hierotheo en Segovia... Contra el Discvrso historico, que sacó a luz D. Gaspar Ibañez de Segouia y Peralta...* Madrid. Domingo García Morrás. 1666. 16 hs. + 120 fols. 20,5 cm.

MADRID. *Nacional.* 3-69.815.—ZARAGOZA. *Seminario de San Carlos.* 67-9-1.

133

ARGAIZ, GREGORIO DE. *Al Marques de Agropoli, en sus Disertaciones.* (En INSTRUCCIÓN *histórica y apologética, para religiosos, eclesiásticos y seglares.* Madrid. 1675, fols. 169-258).

V. *B.L.H.,* V, n.º 4157.

134

ROMAN Y CARDENAS, JUAN. *Noticias genealogicas del linage de Segovia, continvadas por espacio de seiscientos años.* [s. l. - s. i.]. [s. a.]. 4 hs. + 528 págs. + 4 hs. 20,5 cm.

—Ded. al Marques de Mondejar. (Mondejar, 20 de julio de 1690).—Al lector.—Texto.—Indice de los apellidos que contienen estas noticias genealógicas.—E.

Salvá, II, n.º 3.595.

MADRID. *Nacional.* 2-8.289.

135

SALAS, FRANCISCO GREGORIO DE. *A D. Gaspar Ibáñez de Sego-*

via. (En *Poesías.* Tomo I. Madrid. 1797, págs. 242-43).

MADRID. *Nacional.* 3-56.711.

136

MOREL-FATIO, ALFREDO. *Cartas eruditas del Marqués de Mondéjar y de Etienne Baluze (1679-1690).* (En HOMENAJE *a Menéndez y Pelayo...,* I. Madrid. 1899, págs. 1-39).

137

PASTOR MATEOS, ENRIQUE. *Un erudito: el marqués de Mondéjar.* Madrid. Ayuntamiento e Instituto de Estudios Madrileños. 1975. 37 págs. (Ciclo de Conferencias sobre madrileños ilustres, 16).

138

ANDRES, GREGORIO DE. *La bibliofilia del marqués de Mondéjar († 1708) y su biblioteca manuscrita.* (En PRIMERAS *Jornadas de Bibliografía...* Madrid. Fundación Universitaria Española. 1977, págs. 583-602).

Documentos

139

[*Inventario de los libros del marqués de Mondéjar*].

Año 1709. 142 fols.
Forma parte de un inventario de los bienes que dejó al morir y comprende 5.903 volúmenes. El Catálogo de los 121 manuscritos (fols. 132v-137v) ha sido publicado por G. de Andrés en *La bibliofilia...,* páginas 598-602.

MADRID. *Nacional.* Mss. 8.399.

140

REP: N. Antonio, I, pág. 527; Alvarez y Baena, II, págs. 304-12.

IBAÑEZ DE SEGOVIA (LUIS)

CODICES

141

«Preguntase cual de las dos muertes es mas honrosa: la temporal ó la de la Fama. Asunto de la Academia. Romance de Arte Mayor».

Letra del s. XVII. 4.º
«Docta pregunta, provido reparo...».
Gayangos, I, pág. 77.

LONDRES. *British Museum.* Eg.554 (fol. 241).

IBAÑEZ DE SEGOVIA (MIGUEL)

Doctor. Catedrático de Prima de Artes y de Retórica y Rector de los Colegios de San Pedro y San Pablo de Puebla de los Angeles. Canónigo de la catedral de Guaxaca.

EDICIONES

142

TROPHEO *de la Concepcion Immacvlada de la Emperatriz de los Angeles Maria Señora nuestra. Concebida en el primero instante imagen de la Trinidad Santissima.* Madrid. Domingo García y Morrás. 1652. 4 hs. + 32 fols. 19 cm.

—Ded. a D. Iuan Gonçalez Uzqueta y Valdés, caballero de Santiago, etc., cuyo escudo va en la portada.—Texto (es un Sermón predicado en el convento de las Descalzas en 1651).

MADRID. *Nacional.* 2-25.896.—MONSERRAT. *Monasterio.* F.8.º-105,12.

143

TRIVNFOS *de la esclarecida virgen, y martir Santa Vrsvla, y de svs pvras, y santissimas compañeras. Predicados en... el Conuento Real de las Descalças... de Madrid, Año de 1652 a 21 de Octubre.* Madrid. Domingo García y Morrás. [s. a.]. 8 hs. + 120 págs. 19,5 cm.

—Ded. a D. García de Auellaneda y Haro, Conde de Castrillo, etc. — Apr. de Fr. Francisco Real.—L. V.—Al lector.—Texto.

MADRID. *Nacional.* 2-25.896.

144

IMMVNIDAD *de Maria señora nvestra en el primero instante de sv ser. En estos discursos predicados en el solemne Octauario que consagró a su pureza... Philipo Quarto el Grande, en el Real Conuento de las Descalças. Año de 1652. Predicolos* ——... Madrid. Domingo Morrás. 1653. 4 hs. + 72 págs. 19 cm.

—Ded. a D. Iuan de Palafox y Mendoza, Obispo de Puebla de los Angeles, etc. Apr. de Fr. Geronimo Marta. — L. V. Texto.

GRANADA. *Universitaria.* A-31-202 (10). — MADRID. *Nacional.* 2-25.896.

OBRAS LATINAS

145

[POESIA]. (En Montemayor de Cuenca, Juan Francisco. *Excvbationes semicentvm ex decisionibvs Regiæ Chancilleriæ Sancti Dominici...* Méjico. 1667. Prels.)

Medina, *México,* II, n.º 976.

146

[PARECER. Angeles, 9 de diciembre de 1675]. (En Torres, Ignacio de. *Sermon panegyrico de... Sancta Rita de Cassia...* Puebla de los Angeles. 1676. Prels.)

Medina, *Puebla,* n.º 72.

IBAÑEZ DE SEGOVIA (PEDRO)

EDICIONES

147

[DECIMAS]. (En Liaño, Isabel de. *Historia de la vida, muerte y milagros de Santa Catalina de Sena.* Valladolid. 1604. Prels.)

MADRID. *Nacional.* R-8.292.

IBAÑEZ DE SEGOVIA Y ORELLANA (MATEO)

Marqués de Corpa. Sobrino del marqués de Mondéjar.

CODICES

148

«*Historia de Quinto Curcio Rufo,* *sobre la vida y acciones de Alexandro el Grande*».

Letra del s. XVII. 215 × 140 mm.

MADRID. *Nacional.* Mss. 3.927 (fols. 59*r*-68*v* y 100*r*-101*r*).

EDICIONES

149

QUINTO Curcio Rufo, de la vida, y acciones de Alexandro el Grande, traducido de la lengua latina en la española por ——. Madrid. Herederos de Antonio Román. A costa de Antonio Bizarrón. 1699. 15 hs. + 338 págs. a 2 cols. + 5 hs. 31 cm.

—Ded. a Carlos II.—Ded. al Duque del Infantado. — Apr. de Miguel Perez de Lara.—Apr. de Iuan de Ferreras.—L. V. S. Pr. al traductor por diez años.—E. S. T.—Tabla de los Capitulos.—Breue noticia de Juan Treinshemio, y Quinto Curcio, y juyzio de su Obra.—Prologo al lector.—Texto.—Indice de las cosas notables.

CORDOBA. *Pública.* 6-256. — MADRID. *Academia de la Historia.* 2-6-2-2.883. *Nacional.* R-18.441.—SAN LORENZO DEL ESCORIAL. *Monasterio.* 69-IX-3.

150

——. Madrid. Lorenzo Francisco Mojados. A costa de Francisco Laso. 1723. 12 hs. + 363 págs. a 2 cols. + 2 hs. 30 cm.

Salvá, II, n.º 3441.

MADRID. *Nacional.* 3-52.917; 2-56.453.—MONSERRAT. *Monasterio.*

151

——. Madrid. Antonio Pérez de Soto. 1749. 17 hs. + 336 págs. + 5 hs. Fol.

MADRID. *Academia de la Historia.* 1-2-4-875. *Nacional.* 2-20.053.

152

——. Madrid. Antonio de Sancha. 1781. XXXII + 490 págs. 4.º

MADRID. *Academia de la Historia.* 14-9-10-7.928; 16-7-8-6.784. *Nacional.* 3-68.095.

153

——. Madrid. Ramón Ruiz. 1794. XXXII + 496 págs. 4.º

MADRID. *Nacional.* 2-49.024; 3-51.600.

154

——. Madrid. Perlado Páez y Cía. 1887-88. 2 vols. 8.º (Biblioteca Clásica).

MADRID. *Nacional.* 4-26.696/97.

———

Reed.: Madrid. Edit. Hernando. 1914. 2 volúmenes. 8.º

155

Curcio, Quinto. *Vida de Alejandro. Traducida por* ——. *Nota preliminar de Santiago Montero Díaz.* Madrid. Atlas. 1944. 2 vols. 19 cm. (Colección Cisneros, 53-54).

MADRID. *Nacional.* 1-98.958/59.

Aprobaciones

156

[*CENSURA. 18 de diciembre de 1696*]. (En Daniel, Gabriel. *Conversaciones de Cleandro y de Eudoxio.* Traducidas por José de Torquemada (seud. del P. José López de Echaburu). Madrid. 1697. Prels.)

MADRID. *Nacional.* 2-24.675.

Poesías sueltas

157

[*EN la muerte de la Madre Juana Ines de la Cruz. Soneto*]. (En Juana Inés de la Cruz, Sor. *Fama y Obras posthumas del Fenix de México...* Madrid. 1700. Prels.)

MADRID. *Nacional.* R-23.486.

IBAÑEZ DE SEGOVIA Y PERALTA (MATEO)

Caballero de Calatrava.

EDICIONES

158

[*DEDICATORIA a D. Baltasar de la Cueva Enriquez, Conde de Castellar,* *etc.*]. (En Aguilar, José de. *Sermones varios, predicados en la ciudad de Lima... Sacalo a luz Don* ——... *discipulo del Auctor.* Bruselas. 1684. Prels.)

MADRID. *Nacional.* 2-34.032.—MONSERRAT. *Monasterio.* D.XIX.8662

IBAÑEZ TOLEDO (FR. MIGUEL)

Predicador mayor del convento de Toro.

EDICIONES

159

TRISTE lamento, gemidos leales, llantos amargos, sollozos doloridos. Oracion funebre, al temprano ocaso del Sol Augvstissimo de la Iglesia Philippo IIII el Grande, Catholico Rey de las Españas, Emperador de America. En el dia veinte y tres de diciembre de 1665 en que hizo sus Exequias á su Patron General el Sagrado, Real, y Militar Orden de Redemptores de N. Señora de la Merced, en el Convento de la muy Noble, y muy Leal Ciudad de Toro. [Salamanca. Joseph Gomez de los Cubos]. [1666]. 5 hs. + 28 págs. 19 cm.

—Ded. al Rector y Colegio Mayor de S. Salvador de Oviedo de la Universidad de Salamanca, por Joseph Portocarrero y Sylva.—Apr. de Fr. Francisco de Lizana.—L. O.—Apr. de Fr. Sebastian Catalan.—L. V.—Texto.

MADRID. *Academia de la Historia.* 9-29-1-5.749-6.

IBAÑEZ DE VILLANUEVA (FR. MARTIN)

N. en Minaya, Cuenca (1620). Trinitario calzado desde 1636. Doctor en Teología. Catedrático de Filosofía Moral en la Universidad de Alcalá. Calificador de la Inquisición. Obispo de Gaeta (1669). Arzobispo de Reggio, donde murió (1695).

CODICES

160

[*Once obras latinas*].

Enumerada por Antonino de la Asunción.

EDICIONES

161

EXCLAMACION a Iesu Christo... Toledo. Iuan Ruiz de Pereda. 1649.

Dice «Fr. Martín de Villanueva». Nicolás A n t o n i o dice «Proclamación...», «peste de Sevilla de 1659...» y no da año de impresión, todo lo cual hace suponer que se trata de una referencia errónea.

NUEVA YORK. *Hispanic Society.*—SEVILLA. *Universitaria.* 111-52 (17).

162

EXCLAMACION a Jesv Christo Muerto en la Cruz En la Rogativa, que por la preservacion de la Peste de la Ciudad, y Reyno de Toledo hizo, acompañada de la Ymperial, la muy observante, y Religiosa Comunidad de la Santissima Trinidad, de Redempcion de Cautivos. 2.ª impresión. Alcalá. Francisco García Fernández. A su costa. 1664. 2 hs. + 26 págs. 20,5 cm.

Dice «Fr. Martín de Villanueva».

—Censura de Fr. Geronimo Velez Matute. L. O.—Ded. a Fr. Miguel de Soria, Confesor de la Reyna de Francia, etc., por Francisco Garcia Fernandez.—Censura del P. Gaspar de Frias.—L. V.—Texto.

MADRID. *Academia de la Historia.* 9-17-4-3.546; 14-9-10-7.969. *Nacional.* V.E.-12-21 y 43-68.—SEVILLA. *Universitaria.* 111-54 (31)

163

EXCLAMACION a Iesv Christo mverto en la Crvz... 3.ª impresion. Alcalá. Francisco García Fernández. 1676. 3 hs. + 26 págs. 20 cm.

Dice «Fr. Martín de Villanueva».

MADRID. *Nacional.* R-Varios, 71-15.—SANTIAGO DE COMPOSTELA. *Universitaria.*

164

PYRA Religiosa. Fama Immortal. Tumulo Sacro. Obsequio Panegyrico a las Felizes memorias del S. Eminentissimo Señor y Magnanimo Principe Don Fray Francisco Ximenez de

Zisneros... Alcalá. 1652. 1 hs. + 16 fols. 20 cm.

—Texto.

MADRID. *Nacional.* R-Varios, 153-17.

165

SERMON en la festividad de S. Brvno, Patriarca de la Sagrada Cartuxa. Predicole en la Real Casa de S. Maria del Paular... en su dia, professando un Monge, Año de 1659... Alcalá de Henares. [s. i.]. 1660. 30 págs. + 1 h. 20 cm.

—Págs. 3-4: Ded. a D. Christoval Crespi de Valdaura, Vice-Canciller en el Consejo de Aragon, etc., por el Conuento de la Real Cartuxa del Paular.—Págs. 5-6: Censura de Fr. Gregorio Sánchez.—Págs. 6-7: L. V.—Texto. (Págs. 9-30).

MADRID. *Nacional.* R-24.245; 2-62.292.—SEVILLA. *Universitaria.* 112-121 (23).

166

MINERVA catholica, Athenas christiana, Vniversidad de Alcalá, docta, leal, obseqviosa, en accion de gracias alaba, bendice, ensalza, a Dios benigno, liberal, omnipotente, en el nacimiento deseado, alegre, feliz, del principe serenissimo, magno, avgvsto, D. Carlos, Ioseph, Angel, de Avstria. Al Rey N. S. Philipe Qvarto el Grande, Rector, y Clavstro dedican, dirigen, consagran, la aclamacion panegyrica qve dixo ——... Alcalá. María Fernández. 1661. 4 hs. + 20 págs. 19 cm.

—Ded. a Felipe IV.—L. O.—Apr. del Dr. Iuan Zafrilla de Azagra.—Texto.

MADRID. *Academia de la Historia.* 14-9-10-7.969. *Nacional.* R-Varios, 35-27.

167

AL Sol en el ocaso, Catholico Rey de las Españas N. S. Philipe Qvarto ya en el dia de la Eternidad. Threno sacro del sabio eminente español cisne, pyra immortal en sv Colegio Mayor de S. Ilefonso. Afectvoso llanto de svs Escvelas complvtenses... Dixo Fr. Martín de Villanueva. Alcalá. Imp. de la Universidad 1665. 4 hs. + 22 págs. 19,5 cm.

—Ded. a D. Guillén Ramón de Moncada, Conde de Osona, etc.—Censura de Fr. Francisco de Campomanes.—L. V.—Censura de Fr. Ioan Ramírez.—L. O.—Texto.

MADRID. *Academia de la Historia.* 14-9-10-7.969; 14-9-2-3.066. *Nacional.* V.E.-113-67.—SANTIAGO DE COMPOSTELA. *Universitaria.*

168

SERMON de la S. Trinidad. Alcalá. 1665.

Antonino de la Asunción.

169

[SERMON de la Natiuidad de N. Señor Iesu Christo, y quarenta horas, en festiuidad del Protomartyr S. Esteuan, predicado en su parroquia de... Guadalaxara, de Fr. Martín de Villanueua]. (En LAUREA Complutense... Alcalá. 1666, págs. 393-414).

MADRID. *Nacional.* 3-54.552.

170

SERMON que predicó ——. *En los festivos aplausos, y solemnissima Celebridad, que con imitable grandeza dedicó el religioso zelo de el Excelentissimo Señor D. Pedro de Aragón... Don Fernando Terzero de Castilla y León, en ocasión que su devoción ardiente le impetro de la Santidad de Clemente X, Missa y rezo para toda España, en la Embaxada de su obediencia. Celebrose la Fiesta en la Iglesia de la Purissima Concepcion de Religiosas Franciscanas Españolas de esta Ciudad de Napoles a los 30 de Abril de 1671.* [s. l. - s. i.]. [s. a.]. 2 hs. + 37 págs. 20 cm.

Carece de portada.

—Ded. a la Reyna [1671] por el Duque de Segorbe y Cardona.—Texto.

MADRID. *Nacional.* R-Varios, 138-19.

171

[SERMON de Fr. Martín de Villanueva]. (En COLLECTANEA *de Sermones... Madrid.* Tomo I. 1680. 4.ª Parte, págs. 14-27).

MADRID. *Nacional.* 3-66.781.

172

SACRAS eloqventes oraciones que oró y compuso... ——... *Sacalas a la luz del mundo... Fr. Juan Bautista Aguilar...* Valencia. Imp. del Real Convento de Ntra. Sra. del Remedio. 1697. 24 hs. + 412 págs. + 10 hs. 20,5 cm.

—Ded. a Fr. Joseph Fausto de Toledo, Ministro General del Orden de la Stma. Trinidad, por Fr. Juan Bautista Aguilar. Apr. de Fr. Estevan Gisbert.—L. O.—Apr. de Fr. Joseph Rodriguez.—Noticia y elogio del autor, por Fr. Gerónimo Giberto.—Escribe a quien lee, Fr. Juan Bta. Aguilar. — Annagrama latino. — Tabla de las oraciones.—Texto.—Indice de las cosas más notables.

SEVILLA. *Universitaria.* 135-6.

Aprobaciones

173

[CENSURA de Fr. Martín de Villanueva, Fr. Manuel Torres y Fr. Eugenio de Veneras. Alcalá, 21 de marzo de 1659]. (En Delgadillo, Cristóbal. *Question moral si en la primera regla de nuestra madre S. Clara, la observancia del silencio y las otras cosas (fuera de las que expresó Eugenio IV) obliga a culpa venial.* Madrid. 1666. Prels.)

MADRID. *Nacional.* V.E.-5-23.

174

[APROBACION. Alcalá, 22 de mayo de 1659]. (En Delgadillo, Cristóbal. *Questión moral, o resolución de algunas dudas, acerca de la frequente confessión...* Madrid. 1660. Prels.)

MADRID. *Nacional.* R-Varios, 169-63.

175
[*APROBACION. Alcalá, 10 de junio de 1662*]. (En Martínez, Juan. *Discursos teológicos...* Alcalá. 1664. Preliminares).
MADRID. *Nacional.* 3-88.

176
[*CENSURA. Alcalá, 16 de diciembre de 1665*]. (En Martín, Andrés. *Afecto panegyrico, filial obsequio... de D. Francisco Ximénez de Cisneros...* Alcalá. 1665. Prels.)
MADRID. *Nacional.* R-Varios, 153-19.

177
[*APROBACION. Alcalá, 20 de febrero de 1666*]. (En Martínez de Casas, José. *Glorias sin dudas, que suponen las pruebas del mysterio de la Purissima Concepción...* Alcalá. 1666. Prels.)
MADRID. *Academia de la Historia.* 9-17-3-3.511.

178
[*APROBACION. Alcalá, 27 de febrero de 1666*]. (En Reinoso, Alonso. *Oración sacra y evangélica del nuevo apóstol Santo Thomas de Villanueva...* Alcalá. 1666. Prels.)
MADRID. *Academia de la Historia.* 9-17-4-3.546.

179
[*APROBACION. Alcalá, 27 de febrero de 1666*]. (En Reinoso, Alonso. *Fúnebre oración en las célebres exequias... de... Felipe IV...* Alcalá. 1666. Prels.)
MADRID. *Nacional.* R-Varios, 113-27.

180
[*APROBACION, por —— y Francisco Ignacio de Porres. Alcalá, 15 de octubre de 1667*]. (En Morales Mayorga, José. *Pedro triunfante... Oraración predicada el día de su glorioso martyrio...* Alcalá. 1667. Prels.)

MADRID. *Academia de la Historia.* 9-17-4-3.546.

181
[*CENSURA. Alcalá, 19 de abril de 1668*]. (En Pareja, Jacinto de. *Sermón...* Alcalá. 1668. Prels.)
MADRID. *Nacional.* V.E.-132-18.

182
[*APROBACION. Roma, 14 de mayo de 1676*]. (En Molinos, Miguel de. *Guía espiritual.* Madrid. 1676. Prels.)
MADRID. *Nacional.* R-22.538.

ESTUDIOS

183
REP: N. Antonio, II, pág. 113; Antonino de la Asunción, I, págs. 372-388; Porres, B., en DHEE, II, pág. 1114.

IBARRA (ANTONIO DE)
Doctor. Examinador del arzobispado de Toledo. Párroco de San Ginés, en Madrid.

Aprobaciones

184
[*APROBACION. Madrid, 23 de noviembre de 1667*]. (En Castelblanco, Simón de. *Virtudes y milagros en vida y muerte del B. P. Fr. Juan de Sahagún...* Madrid. 1669. Prels.)
MADRID. *Nacional.* 3-37.341.

185
[*CENSURA. Madrid, 8 de octubre de 1668*]. (En Filguera, Manuel. *Tesoro Católico...* Madrid. s. a. Prels.)
MADRID. *Nacional.* 3-48.700.

186
[*APROBACION. Madrid, 11 de noviembre de 1668*]. (En Remírez de Arellano, Gabriel. *Oración gratulatoria... de la Bienaventurada Rosa de Santa María...* Madrid. 1668. Prels.)
SEVILLA. *Universitaria.* 110-40 (16).

187
[*APROBACION. Madrid, sin fecha*]. (En Hansen, Leonardo. *La bienaven-*

turada Rosa peruana de Santa María... Traducida por Fr. Jacinto de Parra. Madrid. 1668. Prels.)

MADRID. *Nacional.* 2-9.125.

188
[*CENSURA. Madrid, 30 de enero de 1669*]. (En Escudero de la Torre, Fernando Alonso. *Historia de los célebres santuarios del Adelantamiento de Cazorla.* Madrid. 1669. Prels.)

MADRID. *Nacional.* R-13.940.

189
[*APROBACION. Madrid, 7 de agosto de 1669*]. (En Lucas de la Madre de Dios, Fray. *Sermón... en la canonización de San Pedro de Alcántara.* Madrid. 1669. Prels.)

MADRID. *Nacional.* R-Varios, 138-22.

190
[*APROBACION. Madrid, 22 de junio de 1669*]. (En Cepeda, Gabriel. *Historia de... Ntra. Sra. de Atocha.* Madrid. 1670. Prels.)

MADRID. *Nacional.* 2-46.370.

191
[*APROBACION. Madrid, 19 de octubre de 1669*]. (En Martínez de las Casas, José. *Sermón diez y siete de S. Pedro de Alcántara.* Madrid. 1670. Al fin).

MADRID. *Nacional.* R-Varios, 199-56.

192
[*APROBACION. Madrid, 6 de noviembre de 1670*]. (En Matienzo, Juan Luis de. *Tratado... en que se declara la debida pronunciación de las dos lenguas Latina i Castellana.* Madrid. 1671. Prels.)

MADRID. *Nacional.* R-7.825.

193
[*CENSURA. Madrid, 17 de diciembre de 1672*]. (En Lobera y Salvador, Miguel Juan de. *Santa Isabel, Reyna de Portugal... Sermón...* Madrid. 1672. Prels.)

MADRID. *Nacional.* V-280-7.

194
[*CENSURA. Madrid, 28 de julio de 1675*]. (En Páramo y Pardo, Juan de. *El cortesano del cielo.* Madrid. 1675. Prels.)

MADRID. *Nacional.* 2-69.874.

IBARRA (CARLOS DE)

Vizconde de Centenera. Capitán General de la Real Armada de la carrera de las Indias.

EDICIONES

195
VICTORIA que Miguel de Vidazaval, almirante de la escuadra de Cantabria, tuvo contra cinco navios de corsarios turcos, y de como los rindió... Sacada de una carta que el veedor general de la armada Real, y don Carlos de Ybarra, general de la flota de Nueva España escribieron a una persona de esta ciudad de Sevilla. Sevilla. Francisco de Lyra. 1618. Fol.

Ref. a Luis Cabrera, *Relaciones,* n.° 120. (Escudero, n.° 1.164).

196
Por el señor don ——... almirante general de la armada de la guarda de las Indias. Madrid. Viuda de Iuan Gonçalez. 1634. Fol.

LONDRES. *British Museum.* 1324.i.(12).

197
RELACION qve... embio de mar en fuera, a estas Prouincias, al Excelentissimo señor Virrey Marques de Cadereyta, del sucesso de sus batallas, y como venia a ellas. Este año de 1638. Méjico. Francisco Salbago. 1638. 2 hs. Fol.

Medina, *México,* II, n.° 506.

LONDRES. *British Museum.* 9770.k.(2).

IBARRA (CLARA DE)

198   *EDICIONES*

[*AL autor. Endechas*]. (En Palomares, Tomás de. *Estilo nvevo de Escritvras Pvblicas...* Sevilla. 1645. Prels.)

MADRID. *Nacional.* H.A.-20.757.

IBARRA (DIEGO DE)

Mercader vizcaíno. Vecino de Madrid.

199   *EDICIONES*

[*CARTA escrita por Diego de Ybarra, mercader vizcayno vezino de la Corte de Madrid, a Ioan Bernal su correspondiente en la ciudad de Cordoua, en que le da vna breue relacion del estado de todas las cosas notables, que oy passan en Europa, particularmente de los buenos sucessos del Duque de Ossuna, con la presa que vltimamente hizo de tres galeras, con mas de quatrocientos mil ducados*]. [Córdoba. Francisco de Cea]. [1617]. 2 hs. con un grab. 28 cm.

Carece de portada.
—Texto.—Colofón.
Valdenebro, n.º 97.

MADRID. *Nacional.* R-Varios, 34-25; V-226-33.

IBARRA (DIEGO)

Licenciado.

200   Poesías sueltas

[*QUINTILLAS*]. (En Mesía de la Cerda, Pedro. *Relacion de las fiestas... que... Cordova ha hecho a su Angel Custodio.* Córdoba. 1653, fols. 87r-88r).

MADRID. *Nacional.* R-4.036.

IBARRA (FR. DIEGO DE)

Mercedario. Maestro en Teología. Regente de los Estudios y Colegio de San Laureano. Secretario general de las provincias de la Nueva España. Dos veces Visitador general de la provincia de Méjico. Comendador del convento de la Merced de Sevilla.

201   Aprobaciones

[*APROBACION. Sevilla, 21 de noviembre de 1691*]. (En Palafox y Mendoza, Juan de. *Vida interior...* Sevilla. 1691. Prels.)

MADRID. *Nacional.* 2-20.633.

202   OBRAS LATINAS

AVSPICATISSIMO Minervae scintillanti pantheoni... Hos theologicos ex Angelico S. Thomae Aquinatis fonte exhaustos tivulos defendendos... [Zaragoza. Paschasium Bueno]. [s. a., pero 1682]. 2 hs. + 22 págs. + 1 h. 20 cm.

Jiménez Catalán, *Tip. zaragozana del siglo XVI*, n.º 991.

MADRID. *Nacional.* V.E.-148-14.

IBARRA (P. DIEGO DE)

Jesuita.

EDICIONES

203   Aprobaciones

[*APROBACION. Madrid, 8 de enero de 1614*]. (En Sebunde, Raimundo. *Diálogos de la naturaleza del Hombre...* Madrid. 1614. Prels.)

204

[*APROBACION. Madrid, 24 de abril de 1614*]. (En Ordóñez de Cevallos, Pedro. *Quarenta triunfos de la santissima Cruz de Christo...* Madrid. 1614. Prels.)

205

[*APROBACION. Madrid, 30 de abril de 1614*]. (En Gurmendi, Francisco de. *Doctrina phisica y moral de Príncipes.* Madrid. 1615. Prels.)

MADRID. *Nacional.* 2-14.975.

206

[*APROBACION. Madrid, 17 de diciembre de 1615*]. (En Antonio de Córdoba, Fray. *Dilucida Expositio super Regulam Fratrum Minorum...* Madrid. 1616. Prels.)

207

[*CENSURA. Madrid, 21 de enero de 1651, ¿por 1615?*]. (En Cano y Urreta, Alonso. *Días de Jardín.* Madrid. 1619. Prels.)

IBARRA (FRANCISCO DE)

Capitán, destinado en Flandes.

CODICES

208

«*La guerra del Palatinado*».

Letra del s. XVII. 175 hs. 203 × 142 mm.
Morel-Fatio, n.º 194.

PARIS. *Nationale.*

EDICIONES

209

RELATION des campagnes du Bas-Palatinat en 1620 et 1621. [*Edition et étude de A. Morel-Fatio*]. (En *L'Espagne au XVIᵉ et au XVIIᵉ siècle...* Heilbronn. 1878, págs. 315-488).

MADRID. *Nacional.* R-24.073.

IBARRA (JUAN DE)

CODICES

210

[*Carta. Madrid, 23 de setiembre de 1590*].

Autógrafa y firmada. 320 × 220 mm. Dice «Juan de Ybarra».
Sobre cuestiones económicas.

MADRID. *Nacional.* Mss. 9.465 (fols. 295-96).

IBARRA (JUAN DE)

EDICIONES

211

[*DEDICATORIA. Madrid, 18 de abril de 1655*]. (En Mexía de Cabrera, Diego. *Practica y estilo iudicial en defensa de la inmunidad del Fuero Eclesiastico...* Madrid. 1655. Prels.)

MADRID. *Nacional.* 3-11.881.

IBARRA (FR. JUAN DE)

Dominico.

212

[*APROBACION, 14 de mayo de 1681*]. (En Ranzón, José. *Sermón panegírico de la Inmaculada Concepción de María.* Lima. 1681. Prels.)

Medina, *Lima*, II, n.º 525.

IBARRA (JUAN ANTONIO DE)

N. en Sevilla. Secretario y Contador del Consulado y Lonja de Sevilla.

CODICES

213

«*Soneto*».

En Alvarez, Luis. *Grandeças, antiguedad y nobleça del Barco de Auila y su origen.* Mss. del XVII.

MADRID. *Nacional.* Mss. 7.866. (Prels.)

EDICIONES

214

ENCOMIO de los ingenios sevillanos en la fiesta de los Santos Inacio de Loyola, i Francisco Xavier. Sevilla. Francisco de Lyra. 1623. 4 hs. + 81 fols. + 2 hs. 4.º

—Apr. de Lope de Vega Carpio.—S. Pr. El Contador Luis de Troya, a Iuan Antonio de Ibarra. [«Este encomio es un traslado...»].—Ded. a D. Iuan de Villela, cavallero de Santiago, etc.—Aplauso público.—Texto.

Al elogiar a los escritores sevillanos, reproduce las poesías siguientes:
1. Marqués de Tarifa. *A una soledad.* [«Desierto campo de mi voz cansada...»]. (Fols. 2v-3r).
2. Fernando de Herrera. *A una hermosura.* [«Ardientes hebras, do se ilustra el oro...»]. (Fol. 3).
3. Iuan de Arguijo. *A la osadia de Faetón.* [«Pudo quitarte el nuevo atrevimiento...»]. (Fol. 3v).
4. Alonso de la Serna. *Imitación de Mar-*

cial. [«A Lusco su Dotor aconsejó...»]. (Fol 4*r*).

5. Iuan de Espinosa. *A la Alameda de Sevilla.* [«Sacras plantas de Alcides, que el dichoso...»]. (Fol. 4*v*).

6. Francisco de Rioja. *A Clori desengañada.* [«No se acredita el día, antes se infama...»]. (Fols. 4*v*-5*r*).

7. Antonio Ortiz Melgarejo. *A Dido.* [«Quando del guesped Teucro Elisa mira...»]. (Fol. 5).

8. Geronimo de Villanueva. *Fe no estimada, i desden solicitado.* [«Bien, enseñado en tu desdicha, miro...»]. (Fols. 5*v*-6*r*).

9. Diego Felix Quijada. *A Dido.* [«Oyó Elisa, i miró, i abrió las puertas...»]. (Folio 6*r*).

10. Iuan Antonio de Ybarra. [«Afecta, o joven Sol, en breves sumas...»]. (Fol. 7*r*).

11. Iuan Antonio de Ibarra. [«Traslada Publico en un quadrillo a Isa...»]. (Folio 9*r*).

12. Diego Felix Quixada. *Selva.* [«Plectro devoto, aunque desecho i rudo...»]. (Folios 13*r*-15*r*).

—Certamen:

13. *Poesía latina de Diego Alberto de Mendoça.* (Fol. 18*r*).

14. *Poesía latina Anónima.* (Fols. 18*v*-19*v*).

15. *Poesía latina de Juan de Robles Ribadeneira.* (Fol. 19*v*).

16. *Poesía latina de Pedro de Jaen.* (Folio 20).

17. *Poesía latina de Guillermo Philipe.* (Folios 20*v*-21*v*).

18. *Poesía latina de Roberto Barreto.* (Folios 21*v*-22*v*).

19. *Poesía latina de Estevan de Villareal.* (Folios 22*v*-23*r*).

20. *Soneto de Juan Antonio de Ybarra.* [«Si el Sol por solo es sol, i porque anima...»]. (Fol. 25).

21. *Soneto de Juan Antonio de Ybarra.* [«Mitad del alma suya tierna i pia...»]. (Folio 25*v*).

22. *Soneto del Doctor Ortega.* [«Crió el Autor de las demas Estrellas...»]. (Fol. 26).

23. *Soneto de Diego Felix Quixada.* [«En dos cielos dos Soles, dos Planetas...»]. (Folio 26*v*).

24. *Soneto de Diego Manrique de Fuentes.* [«Navarro Marte, Marte Guipuzcoano...»]. (Folio 27*r*).

25. *Soneto de Geronimo Principe.* [«Triunfo del fiel, i del gentil trofeo...»]. (Fol. 27*v*).

26. *Soneto de Cristovalina de Alarcon.* [«Sale dando matizes de escarlata...»]. (Folio 28*v*).

27. *Soneto de Jvan Mendez de Sotomayor.* [«Hiriendo el Sol con rayo penetrante...»]. (Fol. 29*r*).

28. *Soneto de Pedro de Cardenas.* [«Castor i Polux nauticos fulgores...»]. (Fol. 29*v*).

29. *Soneto de Martin Silvestre de la Cerda.* [«Dos mundos hizo Dios de un mundo solo...»]. (Fols. 29*v*-30*r*).

30. *Soneto de Martin Silvestre de la Cerda.* [«Dos Serafines (con amor ardientes...»]. (Fol. 30*r*).

31. *Soneto de Juan de Xaurigui.* [«Del Americo Reino, i nuestro mundo...»]. (Folio 30*v*).

32. *Soneto de Rodrigo Fernández de Ribera.* [«Halló en su ocaso el Sol un nuevo Oriente...»]. (Fol. 31*r*).

33. *Soneto de Martin de Ocaña.* [«La tierra fertil, que produze estrellas...»]. (Folio 31).

34. *Soneto de Juan Ochoa de Vasterra.* [«En carroça de amor, con abrasados...»]. (Folios 31*v*-32*r*).

35. *Soneto de Fr. Pedro Beltrán.* [«Sobre la Iglesia en Arca Fluctuante...»]. (Fol. 32).

36. *Soneto de Geronimo de Villanueva.* [«Dos superiores luzes, dos Planetas...»]. (Folios 32*v*-33*r*).

37. *Soneto de Iorge Lopez.* [«Fenix Inacio, en llamas convertido...»]. (Fol. 33*r*).

38. *Soneto de Bernardo Luis de Cardenas.* [«Si a Iupiter, benevolo Planeta...»]. (Folio 33*v*).

39. *Soneto de Agustin de Quixada.* [«Del Templo dos colunas eminentes...»]. (Folio 34).

40. *Soneto de Francisco de Lyra.* [«La barca del Apostol mas celoso...»]. (Folio 34*v*).

41. *Soneto de Iuan Antonio Bejarano.* [«Si con tanto esplendor ilustra i dora...»]. (Folio 35*r*).

42. *Soneto de Alonso de Bonilla.* [«Planeta i Sol fue Inacio en la assistencia...»]. (Folio 35).

43. *Soneto de Francisco Manuel i Argote.* [«Parten el orbe, que en su luz se baña...»]. (Fols. 35*v*-36*r*).

44. *Soneto de Domingo de Lecue.* [«Dos Planetas, dos Soles refulgentes...»]. (Folio 36*r*).

45. *Glosa de Martin Silvestre de la Cerda.* [«Dió por compañia a Moyses...»]. (Folio 40*v*).

46. *Glosa del Doctor Meñaca.* [«Fundada su Religion...»]. (Fols. 40*v*-41*r*).

47. *Glosa de Luys Barrionuevo.* [«Dos Reynos confederados...»]. (Fol. 41).

48. *Glosa de Bernardo Luys de Cardenas.* [«Dos valerosos soldados...»]. (Fols. 41v-42r).

49. *Glosa de Iuan Antonio Ibarra.* [«Quiere Dios hacer empleo...»]. (Fol. 42).

50. *Glosa de Cristovalina de Alarcon.* [«Como en rayo de luz pura...»]. (Fols. 42v-43r).

51. *Glosa de Iuan de Xaurigui.* [«Viendo que un raro valor...»]. (Fol. 43r).

52. *Glosa de Fr. Pedro Beltran.* [«Quando el yelo del pecado...»]. (Fol. 43v).

53. *Glosa de Fr. Pedro Beltran.* [«En las provincias del suelo...»]. (Fols. 43v-44r).

54. *Glosa de Geronimo Principe.* [«Disculpa puede tener...»]. (Fol. 44r).

55. *Glosa de Geronimo Principe.* [«Hazen guerra en esta edad...»]. (Fol. 44v).

56. *Glosa de Rodrigo Fernandez de Ribera.* [«Mandó Dios con gala tanta...»]. (Folio 45r).

57. *Glosa de Fernando de Viedma.* [«Dos insignias á labrado...»]. (Fol. 45).

58. *Glosa de Tomas de Vibar.* [«Llegó el ardiente desseo...»]. (Fols. 45v-46r).

59. *Cancion de Juan de Jaurigui.* [«Inacio invicto, i tu Xavier valiente...»]. (Folios 47r-48v).

60. *Cancion de Martin Silvestre de la Cerda.* [«Los Cantabros Jasones, los Teseos...»]. (Fols. 48v-50v).

61. *Cancion de Geronimo Principe.* [«Fue obstinación la culpa (escarmentada)...»]. (Folios 50v-52r).

62. *Cancion de Geronimo de Villanueva.* [«Llamas de inmenso amor, devoto aliento...»]. (Fols. 52v-55r).

63. *Cancion de Rodrigo Fernández de Ribera.* [«Vio el soberano Agricultor un día...»]. (Fols. 55v-58r).

64. *Cancion de Fr. Geronimo Pancorvo.* [«La fabrica tembló, gimio el famoso...»]. (Folios 58r-59v).

65. *Cancion de Fr. Pedro Beltran.* [«Negros bolcanes de alquitran fogoso...»]. (Folios 59v-62v).

66. *Cancion de Francisco Lopez Parraga.* [«El espacioso mar siempre alterado...»]. (Folios 63r-64r).

67. *Cancion de Alonso de Bonilla.* [«El cielo ostenta, quando aplaude el mundo...»]. (Fols. 64r-65v).

68. *Cancion de Bartolome de Abreu.* [«En perezoso sueño sepultado...»]. (Fols. 66r-68v).

69. *Cancion de Pedro de Rueda.* [«Era de sombras pielago surcado...»]. (Fols. 69r-70v).

70. *Canción de Antonio de Escobar.* [«El Sol Inacio, en el sobervio monte...»]. (Folios 70v-72r).

71. *Octavas de Diego Felis Quijada.* [«Gracias te solicite agradecida...»]. (Fol. 73v).

72. *Octavas de Juan de Xaurigui.* [«El ingenio maior en plectro, o pluma...»]. (Folio 74r).

73. *Octavas de Juan Antonio de Ybarra.* [«Voz debil, instrumento mal regido...»]. (Folio 74v).

74. *Octavas de Geronimo de Villanueva.* [«El gran Filipo, a quien la frente humilla...»]. (Fol. 75).

75. *Octavas de Fr. Geronimo Pancorvo.* [«A ti que en siete montes la suprema...»]. (Folios 75v-76r).

76. *Octavas de Toribio Martin.* [«Liberal a tu nombre de augustissimo...»]. (Folios 76v-77r).

77. *Octavas de Fr. Luis Beltran.* [«Sacro Piloto de la nao boiante...»]. (Fol. 77r).

78. *Octavas de Alonso Diaz.* [«Soberano Pastor Decimo quinto...»]. (Fols. 77v-78r).

79. *Octavas de Martin de Ocaña.* [«Dos soles, de dos cielos generosos...»]. (Folio 78).

80. *Tercetos de Geronimo de Villanueva.* [«El Capitan de aquella Compañia...»]. (Folios 78v-79v).

81. *Tercetos de Juan Batista Arbolanche.* [«Ignacio fatigado con el peso...»]. (Folio 79).

82. *Decimas de Diego Felix Quijada.* [«En correspondencia autora...»]. Fols. 79v-80r).

83. *Decimas de Toribio Martin.* [«Olvidada Musa mia...»]. (Fol. 80).

84. *Octavas de Alonso Diaz.* [«Alegre le vienes Juancho de motrico...»]. (Fol. 81).

85. *Soneto de Luis Quadrado.* [«Inacio luzes donde sol te pones...»]. (Fol. 81v).

86. *Soneto de Bernardo Luis de Cardenas.* [«Juras a Dios, pues santo estás Loiolas...»]. (Fol. 81v).

87. *Romance de Geronimo de Villanueva.* [«Juancho, tambien versos hazes...»]. (Folios 81v-82v).

88. *Soneto de Tomas Perez de Olaco.* [«Inacio de Loiola, do el sol pones...»]. (Folio 82v).

89. *Soneto de Bernardo Luis de Cardenas.* [«Al muchachos del patria de Loiolas...»]. (Folio 82v).

90. *Soneto del mismo.* [«Como el virote sales de ballestas...»]. (Fol. 82v).

91. *Soneto Anónimo.* [«Cristianas Musas, que en eroico zelo...»]. (Fol. 83v).

Gallardo, III, n.º 2.565; Escudero, n.º 1.272.

MADRID. *Palacio.* I.C.179.—NUEVA YORK. *Hispanic Society.*

215

——. ——. [*Edición de 218 ejemplares, dirigida por Antonio Pérez Gómez*]. [Valencia. Tip. Moderna]. [1950]. 5 hs. + 83 fols. + 3 hs. 24,5 cm.

Reproducción exacta de la anterior.

BARCELONA. *Central.* Res. 576-8.º—MADRID. *Nacional.* 1-107.535.

Poesías sueltas

216

[*AL Autor. Décimas*]. (En Angulo y Pulgar, Martín de. *Egloga fvnebre a Don Lvys de Gongora. De versos entresacados de svs obras.* Sevilla. 1638. Prels.)

MADRID. *Nacional.* R-Varios, 163-55.

217

[*AL Autor. Soneto*]. (En Plata, Juan de la. *Discvrso en exaltación de las sagradas imagenes de Maria Santissima... sacrilegamente injuriadas a manos de la heretica perfidia...* Sevilla. 1638. Prels.)

MADRID. *Nacional.* R-Varios, 163-2.

218

[*SONETO*]. (En Grande de Tena, Pedro. *Lágrimas panegíricas a la temprana muerte del... Dr. Juan Pérez de Montalbán.* Madrid. 1639, fol. 58r).

MADRID. *Nacional.* 2-44.053.

219

[*AL autor. Soneto*]. (En Palomares, Tomás de. *Estilo nvevo de Escritvras Pvblicas...* Sevilla. 1645. Prels.)

MADRID. *Nacional.* HA-20.757.

220

[*POESIAS*]. (En Paracuellos Cabeza de Vaca, Luis. *Elogios a Maria Santissima.* Granada. 1651).

1. *Romance.* (Fols. 249v-251v).

2. *Soneto.* (Fol. 291r).
3. *Glossa.* (Fols. 300v-301v).

MADRID. *Nacional.* 3-27.884.

221

[*AL Autor. Décimas*]. (En Zapata, Melchior. *Rabula Burlesca de Acteón y Diana.* [s. l. - s. a.]. Prels.)

MADRID. *Nacional.* R-Varios, 157-4.

OBRAS LATINAS

222

[*HEXAMETROS*]. (En Angulo y Pulgar, Martín de. *Egloga fvnebre a Don Lvys de Gongora. De versos entresacados de svs obras.* Sevilla. 1638. Prels.)

MADRID. *Nacional.* R-Varios, 163-55.

ESTUDIOS

223

REP: Méndez Bejarano, I, n.º 1.254.

IBARRA (LORENZO DE)
Librero.

EDICIONES

224

[*DEDICATORIA*]. (En Vieyra, Antonio de. *Sermones varios...* Madrid. 1662. Prels.)

MADRID. *Nacional.* 5-10.036.

225

[*DEDICATORIA*]. (En Busembaum, Hermann. *Medula de la Teologia moral... Traducida por Vicente Antonio Ibañez de Aoyz...* Madrid. 1664. Preliminares).

MADRID. *Nacional.* 3-71.753.

226

[*DEDICATORIA a D. Guillén de Moncada Aragón, Principe de Paterno, etc.*]. (En Martinio, Martín. *Tártaros en China. Trad. por Esteban Angulo y Zúñiga.* Madrid. 1665. Preliminares).

MADRID. *Nacional.* U-3.859.

IBARRA (FR. LUIS DE)

Carmelita calzado. Doctor y Catedrático de Prima de la Universidad de Toledo. Predicador real. Prior de los conventos de Toledo y Madrid.

EDICIONES

Aprobaciones

227

[*APROBACION. Madrid, 2 de diciembre de 1682*]. (En Calahorra, Juan de. *Chrónica de la provincia de Syria...* Madrid. 1684. Prels.)

MADRID. *Nacional.* U-7.478.

228

[*APROBACION. 2 de noviembre de 1685*]. (En Zevallos, Blas Antonio de. *Libro nuevo. Flores de los yermos...* Madrid. 1686. Prels.)

MADRID. *Nacional.* 3-75.941.

229

[*APROBACION*]. (En Ciria y Raxis, Pedro de. *Vidas de santas y mugeres ilustres de el Orden de S. Benito...* Tomo I. Granada. 1686. Prels.)

MADRID. *Nacional.* 3-52.905.

230

[*DICTAMEN. Madrid, 1 de agosto de 1687*]. (En Porres y Valdivieso, Agustín de. *Oración evangélica...* Madrid. 1687. Prels.)

MADRID. *Nacional.* V.E.-70-5.

231

[*APROBACION. Madrid, 1 de diciembre de 1687*]. (En López Magdaleno, Alonso. *Compendio historial del aparecimeinto de Nuestra Señora de la Salceda.* Madrid. 1687. Preliminares).

MADRID. *Nacional.* 2-63.107.

232

[*APROBACION. Madrid, 5 de junio de 1689*]. (En Marcelino de Pise, Fray. *Quarta parte de las Chronicas de los frayles menores capuchinos de S. Francisco... Traducida por Fr. Josef de Madrid.* Madrid. 1690. Prels.)

MADRID. *Nacional.* 3-56.876.

233

[*APROBACION*]. (En Vera Tassis y Villarroel, Juan de. *Noticias historiales de la enfermedad, muerte y exequias de... Doña María Luisa de Orleans...* Madrid. 1690. Prels.)

MADRID. *Nacional.* R-22.858.

234

[*APROBACION. Madrid, 20 de junio de 1691.* (En Abréu, Andrés de. *Vida de serafin en carne y vera efigies de Christo San Francisco de Assis...* Madrid. 1692. Prels.)

BARCELONA. *Central.*

IBARRA (MIGUEL DE)

N. en Méjico. Presbítero. Doctor. Juez ordinario de testamentos, capellanías y obras pías del arobispado de Méjico. Catedrático de Decreto en su Real Universidad.

EDICIONES

235

[*RELACION de meritos*]. [s. l. - s. i.]. [s. a.]. 2 hs. Fol.

—Texto, fechado en Méjico, a 6 de mayo de 1647.

Medina, *México*, II, n.° 649.

236

ALEGACIA de méritos... Méjico. Iuan Ruyz. 1650. 9 hs. + 6 fols. Fol.

—Certificación de Cristóbal de la Mota Osorio.—Ded. al arzobispo D. Iuan de Mañozca, precedida de su escudo.—Elogio del P. Matías de Bocanegra.—Poemas de Simón Esteban Beltrán de Alzate, Juan Osorio de Herrera, Nicolás de Bonilla Bastida, Cristóbal Grimaldo de Herrera, Bernardo de Quezada, Cristobal Negrete de Vera, Juan de Guevara, Cristobal Bernardo de la Plaza, Domingo de Antunez, Pedro de Armendariz, Miguel de Perea Quintanilla y Juan Montaño Saavedra.

Medina, *México*, II, n.º 702.

237
MEMORIAL de méritos... [s. l. - s. i.]. [s. a.]. 6 hs. Fol.

—Texto, fechado en Méjico, a 13 de diciembre de 1658.

Medina, *México*, II, n.º 851.

Aprobaciones
238
[*APROBACION. Méjico, 26 de agosto de 1666*]. (En Ribera, Diego de. *Descripción poetica de las funerales pompas... a... Philipo IV...* Méjico. 1666. Prels.)

Medina, *México*, II, n.º 958.

Obras latinas
239
ANNVÆ Relectiones ac Canonice Iuris Explicationes in dvas parte divisæ... Pars prima. Méjico. Viuda de Bernardo Calderón. 1675. 30 hs. + 329 fols. + 16 hs. 18,5 cm.

Medina, *México*, II, n.º 1130.

IBARRA
(FR. PEDRO PASCUAL DE)
N. en Alicante. Carmelita. Maestro en Artes y Doctor en Teología por la Universidad de Valencia. Catedrático de Metafísica en ella. Prior del convento de Valencia, donde m.

EDICIONES
240
SERMON en la profession, y velo de la Señora Doña Maria Zanoguera; y en la ingression, y abito de la Señora Doña Francisca Zanoguera, hermanos, en el Religiosissimo Monasterio de San Christoval, de la Orden de Canonigas Reglares de San Agustin de la ciudad de Valencia. Valen-

cia. Bernardo Nogués. 1655. 4 hs. + 20 págs. 20 cm.

Ximeno; Herrero Salgado, n.º 448.

241
[*SERMON*]. (En Ortí, Marco Antonio. *Segundo centenario de los años de la canonización de... San Vicente Ferrer...* Valencia. 1656, págs. 256-91).

MADRID. *Nacional.* R-27.740.

ESTUDIOS
242
REP: Ximeno, II, págs. 10-11.

IBARRA CARDENAS Y FIGUEROA (JOSE DE)
Maestro. Prior de la parroquia de Santa María la Mayor de Andújar.

EDICIONES
243
ORACION evangelica panegyrica, en la fiesta qve celebró la muy noble y leal ciudad de Andujar a los dos braços, reliquias de san Eufrasio Martir su Obispo, y de santa Potenciana Virgen, sus Patronos, en el Conuento de san Eufrasio de Religiosos de la Santissima Trinidad, a 15 de Mayo de 1652... Granada. Imp. Real, en casa de Baltasar de Bolibar. 1652. 4 hs. + 12 fols. 20 cm.

—Ded. a D. Fernando de Andrade y Castro, Arçobispo Obispo de Iaen, etc.—Apr. del Dr. Francisco Sanchez y Salazar.—L. Texto.

MADRID. *Nacional.* R-Varios, 4-2.—SEVILLA. *Universitaria.* 113-48 (5).

Poesías sueltas
244
[*GLOSA*]. (En Núñez Sotomayor, Juan. *Descripción panegyrica de las fiestas que la S. Iglesia Catedral de Jaén celebró...* Málaga. 1661. Págs. 579-580).

MADRID. *Nacional.* 2-7.347.

IBARRA Y ROJAS
(FR. MANUEL)

Rector del Colegio de San Gregorio de Valladolid.

EDICIONES

Aprobaciones

245

[*APROBACION. Cuenca, 18 de agosto de 1654*]. (En Estrada y Bocanegra, Cristóbal de. *Triunfo de la Fe.* Cuenca. 1654. Prels.)

MADRID. *Nacional.* R-12.706.

246

[*APROBACION*]. *Valladolid, 26 de septiembre de 1656*]. (En Crema, Juan Antonio. *Suma espiritual.* Valladolid. 1657. Prels.)

MADRID. *Nacional.* 2-46.169.

IBARROLA (NICOLAS)
EDICIONES

247

[*POESIAS*]. (En JUSTA *literaria... a San Juan de Dios...* Madrid. 1692).

1. *Soneto.* (Pág. 97).
2. *Redondillas.* (Págs. 276-78).

MADRID. *Nacional.* R-15.239.

IBARROLA Y AYALA (JUAN)
EDICIONES

248

[*DEDICATORIA a D. Martín Idiaquez, Secretario del Consejo de Estado de S. M.*]. (En Ayala, Fr. Lorenzo. *Sermón... en las exequias a... Felipe II...* Valladolid. 1598, pág. 2).

MADRID. *Nacional.* R-26.157.

IBARZ (JOSE)

Licenciado.

EDICIONES

Aprobaciones

249

[*CENSURA. Zaragoza, 24 de febrero de 1560*]. (En Bondía, Ambrosio. *Cytara de Apolo.* Zaragoza. 1650. Prels.)

MADRID. *Nacional.* R-4.083.

IBASSO Y MALAGON
(JUAN DE)

N. en Baza. Doctor. Maestro de Pajes de Felipe IV. Canónigo de Málaga. Predicador real.

CODICES

250

[*Poesías*].

Letra del s. XVII. 195 × 145 mm. Es un Cancionero.

1. *Don Juan Ibazo respondio a esta decima la siguiente.* [«De si y de no respondeis...»]. (Fol. 171v). Se refiere a la composición anterior, titulada *El Dr. Juan de Salinas, canonigo de la Sta. Iglesia de Seuilla, tenia en custodia un terno de terciopelo carmesí de la dicha Iglesia y lo pidio prestado el Colegio de la compañia para la fiesta de San Hermenegildo y no lo dio, respondiendo con esta decima.*
2. *Contra réplica.* [«Quien viere la emulación...»]. (Fol. 172r). Alude a la *Réplica* de Salinas a la anterior, que precede.

MADRID. *Nacional.* Mss. 3.794.

251

«*Romance. A la caida que dio una señora. Respondíle estando en la cama malo de un pie*».

En «Parnaso Español, X».
«Desde la cama, señor...».

MADRID. *Nacional.* Mss. 3.920 (fols. 310r-311r).

252

Romance de Dn. —— colgando a Dn. Perafán de Ribera.

Letra del s. XVII. 210 × 150 mm.

SEVILLA. *Colombina.* 83-3-36.

253

«*Bersos*».

Letra del s. XVII. 8 fols. 201 mm. Perteneció a Jerez de los Caballeros y a Huntington.
Contiene cinco composiciones.
Rodríguez-Muñino y Brey, II, pág. 257.

NUEVA YORK. *Hispanic Society.*

254

«*La celebre y aplaudida Pintura que hizo* ——...».

Letra del s. XVII. 11 fols. 198 mm. Perteneció a Jerez de los Caballeros y a Huntington.
Rodríguez-Muñino y Brey, II, pág. 258.
NUEVA YORK. *Hispanic Society.*

EDICIONES

Aprobaciones

255

[*APROBACION. Málaga, 12 de enero de 1668*]. (En Peralta Castañeda, Antonio de. *Historia de Tobías.* Málaga. 1667. Prels.)
MADRID. *Nacional.* 2-16.754.

256

[*CENSURA. Málaga, 8 de agosto de 1679*]. (En Sánchez de Villamayor, Andrés. *Exclamación a los heroicos hechos del ... principe de los Stylitas San Simeón.* Sevilla. 1680. Prels.)
MADRID. *Nacional.* 3-68.115.

IBAZO (JUAN)

V. IBASSO Y MALAGON (JUAN DE)

IBERO (FR. IGNACIO FERMIN)

N. en Pamplona (c. 1550). Cisterciense. Abad perpetuo del monasterio de Fitero. General de su Orden en España.

EDICIONES

Aprobaciones

257

[*PARECER y Censura. Madrid, 16 de septiembre de 1610*]. (En Daza, Antonio. *Historia, vida y milagro de... Juana de la Cruz.* Madrid. 1610. Preliminares).
MADRID. *Nacional.* 2-46.171.

OBRAS LATINAS

258

EXORDIA Sacri Ordinis Cisterciensis... Fitero. Real Monasterio. 1606.

Pérez Goyena, II, n.º 230. (Con facsímil de la portada).

259

——. Pamplona. Nicolás de Assiayn. 1621. 2 hs. + 266 págs. Fol.
Pérez Goyena, II, n.º 354.
MADRID. *Nacoinal.* R-14.007.—SANTIAGO DE COMPOSTELA. *Universitaria.*

260

——. Pamplona. 1631.
Dudosa. (Pérez Goyena, II, n.º 429).

261

EXORDIUM minus (ita vocant) Ordinis Cisterciensis pluribus locis auctum et notis illustratum. Fitero. 1610. Fol.
Cit. en Pérez Goyena, II, n.º 266.

IBO CALDERON (TOMAS DE)

EDICIONES

262

SUCESO verdadero de la... batalla que Miguel Vidazaval, almirante de la escuadra de Cantabria, tuvo dia de San Juan Bautista, en el Estrecho de Gibraltar con diez naos olandesas... Sacado de una carta que desde Cadiz envió a Sevilla ——, *veedor general de la armada Real.* Sevilla. Francisco de Lyra. 1618. Fol.
Ref. a Luis Cabrera, *Relaciones,* n.º 119. (Escudero, n.º 1.163).

IBORRA Y DE MECA (ANA)

EDICIONES

263

[*SONETO de Ana Yuorra y de Meca*]. (En Moradell, Vicente Miguel de. *Historia de S. Ramón de Peñafort...* Barcelona. 1603. Prels.)
MADRID. *Nacional.* R-3.259.

ICANI (ANTONIO)

EDICIONES

264

BREVE discurso a favor de los Ca-

pitanes Felix Sero y Miguel Palerm...
Sobre la legitimidad de la presa de
los ochenta y cuatro turcos y moros
que hicieron en la Saetia Francesa
del Patron Rimbao. [s. l. - s. i.].
[1650]. Fol.
Palau, VII, n.º 117.796.

ICIAR (JUAN DE)

N. en Durango (1522 ó 1523). Vivió en Zaragoza dedicado a escribir libros eclesiásticos. Hacia 1573 se retiró a Logroño, orde-
nándose de sacerdote, y allí murió, después de 1573.

EDICIONES

Ortografía práctica

265

RECOPILACION subtilissima intitv-
lada Orthographia pratica: por la
qual se enseña a escriuir perfecta-
mente: ansi por pratica como por
geometria todas las suertes de letras
que mas en nuestras España y fuera
della se vsan. Hecho y experimenta-
do por Iuan de Yciar... Y cortado
por Iuan de Vingles... Zaragoza. Bartholome de Nagera. 1548. 68 hs. con
grabs. 19 cm.

—Ded. a D. Hernando de Aragon, Duque
de Calabria, Visorrey y Capitan General del Reyno de Valencia, precedida de
su escudo.—En loor del autor un su amigo. [«Las hijas de tespis que al grande
nason...»].—Poesia latina.—Retrato.—Texto.—Láminas.—Trata del modo como este
libro se hizo.
Sánchez, I, n.º 278.

MADRID. *Academia de la Historia.* 2-6-9-
3.456. *Nacional.* R-8.611 (ex libris de C. A.
de la Barrera).—NUEVA YORK. *Hispanic So-*
ciety.—PALMA DE MALLORCA. *Pública.*—SAN LO-
RENZO DEL ESCORIAL. *Monasterio.* 33-V-I (sólo
36 láminas).

—*Ortografía práctica... Presentación: Luis*
Sánchez Belda.—Introducción: Justo Gar-
cía Morales. Madrid. Ministerio de Educación y Ciencia. [s. a., 1973]. 17 págs. +
54 hs. 22,5 cm. (Col. Primeras Ediciones, 1).
BARCELONA. *Central.*—MADRID. *Nacional.* D.L.-
4.030.

266

ARTE subtilissima, por la qual se
enseña a escreuir perfectamente. He-
cho y experimentado y agora de
nueuo añadido por Iuan de Yciar.
Zaragoza. Pedro Bernuz. A costa de
Miguel Cepilla. 1550 [20 de julio].
2 + 80 hs. orladas con grabs. 20 cm.

—Epístola. Al Principe D. Phelipe.—Epístola. Al Lector.—Retrato del autor.—Lámina.—Texto.—Poesía de un amigo del
autor. — Poesía latina. — Otra de Blasij
Spesij.—Escudo del impresor.—Colofón:
«... el presente libro llamado Ortographia
Practica...».
Sánchez, I, n.º 301.—No citado por Picatoste, que da como primera ed. la de Zaragoza, 1559.

CHICAGO. *Nowberry Library.* — LONDRES. *Bri-*
tish Museum. C.31.h.4. [Falto de portada].
MADRID. *Nacional.* R-9.074; R-31.877.—PARIS.
Arsenal. BA.85c.A.14639. *Rés. Nationale.* Rés.
V.1463.

— — —

—Facsímil, con trad. por Evelyn Schuck-
burgh. Introd. by Reynolds Stone. Londres. 1960.
NUEVA YORK. *Hispanic Society.*

267

ARTE svbtilissima por la qual se
enseña a escreuir perfectamente. He-
cho y experimentado, y agora de
nueuo añadido por ——. [Zaragoza.
Steuan Najara *(sic)*]. A costa de Miguel de Çapila. 1553 [23 de julio].
80 hs. 4.º

—Epistola al Principe Don Phelipe.—Retrato del autor.—Epistola al lector.—Texto.
En loor del autor un su amigo.—Poesía
latina.—Colofón.
Sánchez, II, n.º 344.

MADRID. *Nacional.* R-7.054; R-16.948.—SANTIAGO
DE COMPOSTELA. *Universitaria.* — WASHINGTON.
Congreso.

268

——. [Zaragoza]. [s. i.]. A costa
de Miguel de Çapila. 1555. 48 hs. 8.º
Sánchez, II, n.º 377; Salvá, II, n.º 2.288
(reproduce el retrato del autor).

269

——. Zaragoza. [s. i.]. A costa de Miguel de Suelves. 1556. 4.º

270

LIBRO svbtilissimo por el qual se enseña a escreuir y contar perfectamente el qual lleva el mesmo horden que tiene el maestro con su discípulo. [Zaragoza. Viuda de Esteuan de Nagera. A costa de Miguel de Çapila]. [1559, 21 de junio]. 82 fols. 8.º

Sánchez, II, n.º 403.

CHICAGO. *Nowberry Library.*—MADRID. *Nacional.* R-7.354; R-8.657.—PARIS. *Nationale.* Rés. p.Z.158.

271

——. [Zaragoza. Viuda de Bartolomé de Nagera. A costa de Miguel de Suelues alias Çapila]. [1564, 22 de febrero]. 58 hs. 4.º

Salvá, II, n.º 2.289; Sánchez, II, n.º 446. BARCELONA. *Central.* Res. 1112-8.º [Falto de las cuatro primeras hojas].—BERKELEY. *University of California.* — MADRID. *Nacional* R-5.356; R-8.599. — MONTPELLIER. *Municipale.* 9.723. — NUEVA YORK. *Columbia University.* VIENA. *Nacional.* 74.G.100.

272

——. [Zaragoza. s. i. A costa de Miguel de Suelues alias Çapila]. 1566. 52 hs. 4.º gót.

Sánchez, II, n.º 464.

BARCELONA. *Universitaria.*—MADRID. *Nacional.* R-13.716.—NUEVA YORK. *Columbia University.* OVIEDO. *Universitaria.*

273

——. Sevilla. Alonso de la Barrera. 1596. 53 fols. 19 cm.

BARCELONA. *Central.* Res. 466-12.º — LONDRES. *British Museum.* C.31.d.27.

Aritmética práctica

274

LIBRO intitulado Arithmetica practica, muy util y prouechoso para to-da persona que quisiere exercitarse en aprender a contar, agora nueuamente hecho por——.... [Zaragoza. Pedro Bernuz. A costa del auctor y de Miguel de Çapila]. [1549, 16 de febrero]. 4 + 56 fols. gót. 28 × 19 cm.

—Port. a dos tintas con orla fechada en 1548.—Ded. al Conde de Fuentes, D. Juan Fernandez de Heredia.—Tabla.—El autor a los leyentes.—Retrato del autor a los 25 años.—Texto.—Colofón.—Escudo del impresor.

Salvá, II, n.º 2.581 (con facsímil de la portada); Sánchez, I, n.º 285.

LONDRES. *British Museum.* C.62.h.5 (ex libris de Salvá).

275

ARTE breve y provechoso de cuenta castellana y arithmetica, agora nueuamente en esta postrera impression se han añadido vnas cuentas sacadas del libro de fray Iuan de Ortega. [Zaragoza. En casa de la viuda de E. de Nagera, a costa de Miguel de Çapila]. 1559. 60 págs. 20 × 14 cm.

Con el «Libro subtilissimo por el cual se enseña a escriuir». 1559.

CHICAGO. *Newberry Library.* — PARIS. *Nationale.* Rés.p.2.160.

«Libro en el cual hay muchas suertes de letras...»

276

LIBRO en el qual hay muchas suertes de letras historiadas con figuras del viejo Testamento y la declaracion dellas en coplas, y tambien un abecedario con figuras de la Muerte. [s. l.-s. i.]. [1555]. 1 h. + 26 láms. 18 × 13 cm.

—Ded. a D. Diego de los Cobos, Marqués de Camarasa, etc.—Láminas orladas.

Salvá, II, n.º 2.308; Sánchez, I, n.º 377.

CHICAGO. *Nowberry Library.*—LONDRES. *British Museum.* C.53.c.24 (ex libris de H. Detailleur).

Estilo de escribir cartas

277

COSA nveva. Este es el estilo de escreuir cartas mensageras. Zaragoza. Bartholomé de Nagera. 1547. 8 hs. + 145 fols. 4.º

278

NUEVO Estilo d'escreuir Cartas mensageras sobre diuersas materias... Zaragoza. [Agustín Millán]. A costa de Miguel de Çapila. 1552 [12 de julio]. 102 hs. 4.º gót.

—Retrato del autor.—Carta del autor para el Illustre Señor Ruy Gomez de Silua. De un amigo del author al lector.—Texto.—Colofón.

Sánchez, II, n.º 329.

BOSTON. *Public Library.*—MADRID. *Nacional.* R-31.491; R-2.178 (incompleto). *Palacio.*

279

NUEVO estilo de scriuir cartas mensageras sobre diuersas materias... Zaragoza. Viuda de Bartholomé de Nagera. 1569. 73 fols. + 3 hs. 8.º gót.

Sánchez, II, n.º 481.

280

NUEVO estilo de escreuir cartas mensageras, sobre diuersas materias. Alcalá de Henares. Por I. Gracian. A costa de I. Gutierrez. 1571. 112 págs. 14 cm.

CHACAGO. *Newberry Library* (imperfecto).

ESTUDIOS

281

ALONSO GARCIA, DANIEL. *Ioannes de Yciar, Caligrafo durangués del siglo XVI (1550-1950).* [Bilbao]. Junta de Cultura de Vizcaya. 1953. 118 páginas con 8 láms. + 1 h. + 1 lám. 26 cm.

MADRID. *Nacional.* V-4.377-21.

282

REP: N. Antonio, I, págs. 712-13; Picatoste, págs. 155-56; Rico Sinobas,, págs. 186-94; Cotarelo, *Calígrafos,* I, n.º 530; T. Marín, en DHEE, II, pág. 1117.

ICIZ (LEONOR DE)

EDICIONES

283

[SONETO]. (En Ercilla y Zúñiga, Alonso de. *Primera, Segunda, y Tercera Partes de la Araucana.* Madrid. 1590. Prels.)

«IDEA espiritual...»

EDICIONES

284

IDEA espiritual de varias devociones para formarse en el Señor el discipulo de San Thomas de Aquino. Barcelona. Rafael Figueró. 1690.

Palau, VII, n.º 117.864.

«IDEA y proceder de Francia...»

CODICES

285

«Ydea y proceder de Francia desde las paces de Nimega».

Letra del s. XVII. 66 págs. 210 × 150 mm.

SEVILLA. *Colombina.* 85-4-1. Papeles varios.

EDICIONES

286

IDEA, y Proceder de Francia desde las Pazes de Nimega, hasta la Primavera del Año 1684. Barcelona. Rafael Figueró. 1684. 50 fols. 8.º

—Texto.

Atribuida a Astrea Belgrado y a Manuel de Lira.

MADRID. *Nacional.* R-Varios, 173-44; 3-29.789.

287

IDEA y Proceder de Francia, desde las pazes de Nimega, hasta la Primavera del año 1684. Colonia. Christian Warsager. 1684. 1 hs. + 96 págs. 14,5 cm.

—Texto.

BARCELONA. *Central.* F. Bon. 181.— MADRID. *Nacional.* 3-29.789.—MONTPELIER. *Municipale.* 9834.—NUEVA YORK. *Hispanic Society.*—SANTIAGO DE COMPOSTELA. *Universitaria.*—SEVILLA. *Universitaria.* 80-237.

288

IDEA y proceder de Francia... [s. l. - s. i.]. [s. a.].

MONSERRAT. *Monasterio.* D.VIII.12.128.

«IDEAS del Púlpito...»

EDICIONES
289

IDEAS del pvlpito y Teatro de varios predicadores de España en diferentes sermones panegyricos, de ocasion, fvnebres, y morales. Tomo I. Barcelona. Sebastian y Iayme Matevad. A costa de Carlos Zevallos Saavedra. 1638. 23 hs. + 534 págs. + 25 hs. 20,5 cm.

—Pr. por diez años.—Apr. del P. Vicente Navarro.—Censura de Fr. Iuan de S. Alberto.—Ded. de Carlos Ceuallos Zaavedra a Melchor Centellas de Borja.—Pról. al lector.—Indice de autores y sermones.—Indice en que se ajustan a los Evangelios del Año los discursos de la obra.—Advertencia al lector.—Textos.—Indice de propuestas y discursos que contienen los sermones.—Indice de lugares de la Sagrada Escritura en latín.—Tabla de cosas notables.

Contenido:
1. *Sermon que predico a la fiesta de San Francisco de Borja... el P. Ivan Antonio Uson.* (Págs. 1-36).
—Censura de Fr. Juan de Aguilar.—L. V.—Ded. del autor al Principe de Esquilache.—Texto.
2. *Al Supremo Consejo de la Santa Inqvisicion. Sermon de los desagravios de Iesv Christo nuestro Señor. Posteriores glorias de su Crvz y feliz escandalo del Iudio... Predicole en la festividad de la Crvz en santo Domingo el Real el M.R.P.M. Fr. Francisco Boil.* (Págs. 38-66).
—Ded. de la Congregación del Tribunal de la Inquisición y Familiares de la Corte a Felipe IV. (Pág. 38).—Texto.
3. *Sermon predicado el dia de San Pedro Advincvla en el Real Convento de la Encarnacion... por el P. Francisco Pimentel.*

—Ded. al Conde Duque. (Pág. 68).—Texto. (Págs. 69-93).
4. *Sermon que predico en el Capitulo General, qve celebró la Religion Serafica en la Imperial Toledo el año de 1633... Fr. Miguel de Auellan.* (Págs. 94-110).
5. *Oracion fvneral panegirica... a las Exequias que el Duque de Sessa consagró a... Lope Felix de Vega Carpio. Dixola el P. M. Fr. Ignacio de Vitoria.*
—Ded. a D.ª Ana de Guzmán. (Págs. 112-114).—Texto. (Págs. 115-55).
6. *Acción de Gracias del Sacro y Supremo Consejo de Aragon, y sermon que se predico a svs Reales Fiestas celebradas en su Real Convento de Nuestra Señora de la Merced este año de 1636. Domingo 21 de Setiembre. Por. Fr. Francisco Boyl.*
—Ded. a Geronimo de Villanueua. (Págs. 157-58).—Texto. (Págs. 159-91).
7. *Aclamacion del agradecimiento. Sermon que predico el... P. Placido Mirto Frangipane en la fiesta que la Serafica Religion de S. Francisco celebró en el Templo de las Descalças de Madrid... por la Protección alcançada de... Francisco Barberino.* (Págs. 192-240).
8. *Sermon que predico el P. Iuan Antonio Vson... a la Santa memoria que celebró el Colegio mayor de San Ilefonso de... Francisco Ximenez de Cisneros.* (Págs. 241-271).
9. *Sermon en la translacion de... Santiago. Predicado a... Felipe IIII, en su Capilla... Por Fr. Pedro de Santiago.* (Págs. 272-303).
10. *Sermon que predico el P. Agustin de Castro... en las exequias que el Colegio Imperial desta Corte hizo a... Soror Margarita de la Cruz.* (Págs. 304-31).
11. *Sermon para la traycion de Ivdas compvesto por el P. Fr. Diego Niseno.* (Págs. 332-67).
12. *Sermon para los mysterios de la sed que Christo padecio en la Cruz. Compvesto por el P. Fr. Diego Niceno.* (Págs. 368-406).
13. *Sermon que se predico dia de S. Olalla... en su Parroquia de Murcia por el Lic. Andres de Saluatierra.*
—Ded. a Thomas Martinez Galtero. (Págs. 408-9).—Texto. (Págs. 409-27).
14. *Sermon predicado en el Imperial Convento de las Descalças, a las honras de la Reyna de Polonia Constança de Avstria por Fr. Christoual de Torres.*
—Ded. a Felipe IV. (Págs. 429-30).—Texto. (Págs. 431-66).

15. *Sermon a la Honoracion Annval que el insigne Mayor de San Ildefonso haze a... Francisco Gimenez de Cisneros... Predicado por el P. Pedro Gonçalez Galindo.* (Págs. 468-500).
16. *Maria. Sermon de sv augvstissimo nombre. Predicole en el Convento de la Santissima Trinidad el M. Fr. Hortensio Felix Parauicino.*
—Ded. a Leonor María de Guzmán. (Págs. 502-4).—Texto. ((Págs. 505-34).
MADRID. *Nacional.* 6.i.3014.—PAMPLONA. *General de la Diputación Foral.* 109-3-2/132.—ROMA. *Casanatense.*

IDIAQUEZ (FRANCISCO)

Canónigo de la catedral de Toledo.

EDICIONES

290

[*CANCION*]. (En Jiménez Patón, Bartolomé. *Eloquencia Española en Arte.* Toledo. 1604. Prels.)

IDIAQUEZ (JUAN)

Comendador mayor de León. Del Consejo de Estado.

CODICES

291

«*Carta... a su Hijo: es muy buena y se merece ver*».

Letra del s. XVII. 300 × 208 mm. En colección de *Manuscritos curiosos sacados de los archivos reales,* por el conde de Pötting en 1671.
Kraft, pág. 11.
VIENA. *Nacional.* Mss. 5685[h] (fols. 50r-52v).

292

«*Avisos... a D. Alonso su Hijo quando le embió a Flandes*».

Letra del s. XVIII.
MADRID. *Nacional.* Mss. 10.857 (fols. 67r-67 bis v).

293

«*Discurso... sobre la muerte del Príncipe de Inglaterra, hijo de Jaime I, Año 1609*».

Letra del s. XVII. Fol.
Gayangos, I, pág. 744.

LONDRES. *British Museum.* Add. 6902 (fols. 74v-75v).

294

«*Discurso del Comendador Mayor de León sobre el estado de las cosas de Francia y de España, y las platicas de casamiento entre ambas coronas*».

Original. Fol.
Gayangos, III, pág. 377.
LONDRES. *British Museum.* Add.28.421 (fols. 160-62).

295

«*Relacion de lo que passó en 29 de Julio, entre el Embaxador de Francia y el Comendador Mayor de Leon sobre las conferencias de Aldayde; con cartas de Don ——, contestaciones del Secretario Juan de Ciriça y carta del Duque Marques de Denia de 30 de Julio, 1 y 2 de Agosto de 1614*».

Letra del s. XVII. Fol.
Gayangos, III, pág. 377.
LONDRES. *British Museum.* Add.28.421 (fols. 172-78).

ESTUDIOS

296

PEREZ MINGUEZ, F. *Don Juan de Idiáquez, embajador y consejero de Felipe II (1514-1614).* (En *Revista Internacional de Estudios Vascos,* XXII, San Sebastián, 1931, págs. 485-522; XXIII, 1932, págs. 70-129, 301-375, 569-619; XXIV, 1933, págs. 225-282; XXV, 1934, págs. 131-89, 385-417).

IDIAQUEZ (MARTIN DE)

CODICES

297

«*A Felipe II. Informe de las cosas de Francia desde Anveres a 19 de Junio de 1594*».

Letra del s. XVI. 320 × 200 mm.
Inventario, II, pág. 303.
MADRID. *Nacional.* Mss. 775 (fols. 427-31).

IDIAQUEZ ISASI (JUAN)

Caballero de Santiago. Conductor de Embajadores.

EDICIONES

Aprobaciones

298

[APROBACION. Madrid, 15 de diciembre de 1683]. (En Sagredo, Juan. Memorias históricas de los monarcas otomanos. Traducidas por Francisco de Olivares Murillo. Madrid. 1684. Prels.)

MADRID. Nacional. 3-8.926.

IFFELMUYDENS

Capitán.

EDICIONES

299

[RELACION cierta y verdadera del reencuentro y combate que tuvo la flota holandesa que venía de Smir, en el Canal, con 17 navios de guerra reales ingleses, relatada en la corte de la Haya por el capitán ——. Madrid. Francisco Nieto. 1692. 4 hs. Fol.

IGALINI (FRANCISCO DE)

Noble veneciano.

EDICIONES

300

[MEMORIA sumaria, que contiene las razones, que deben obligar a los Principes Confederados Catolicos, para contribuir al restablecimiento de su Magestad Britanica]. [San Sebastián. A costa de Pedro de Huarte, s. i.]. [1697]. 11 hs. 19 cm.

Carece de portada.
—Texto.

MADRID. Nacional. V.E.-4-5.

IGARZA (P. ALONSO)

EDICIONES

301

[APROBACION, 20 de mayo de 1661]. (En Apolinar, Francisco. Suma moral, y resumen brevissimo de todas las obras del Doctor Machado. Madrid. 1661. Prels.)

BURGOS. Pública. 49-70.

IGARZA (P. JUAN DE)

N. en 1606. Jesuita desde 1623. Profesor de varias materias en el Colegio Imperial de Madrid. Calificador de la Inquisición.

EDICIONES

302

[APROBACION]. (En Pizarro de Carvajal, Alvaro José. Prendas del soldado magnánimo. Toledo. 1649. Prels.)

MADRID. Nacional. U-2.892.

OBRAS LATINAS

303

[CENSURA. Madrid, 12 de agosto de 1658]. (En Delgadillo, Cristóbal. Tractatus de venerabili Eucharistiae mysterio. Alcalá. 1660. Prels.)

MADRID. Nacional. 3-53.470.

IGLESIA (FR. NICOLAS DE LA)

V. NICOLAS DE LA IGLESIA (Fray)

«IGLESIAS y Provincias que veneran por Santo...»

EDICIONES

304

[IGLESIAS, y Provincias, que veneran por Santo al Glorioso san Lucifero Confessor, Arçobispo de Caller, y Primado de Cerdeña, y Corcega, desde el año del Señor de 374]. [s. l. - s. i.]. [s. a.]. 13 fols. 31 cm.

MADRID. Academia de la Historia. Jesuitas, t. 214, n.° 25.

IGNACIO (FR. FRANCISCO)

N. en Plasencia. Agustino desde 1630.
M. en 1684.

CODICES

305

«*Manifestaciones de la divina voluntad en orden a la fundacion del convento de la Serradilla*».

56 hs. 4.º
Santiago Vela, III, n.º 685.
MADRID. *Nacional*. Mss. 6.072.

EDICIONES

306

VIDA de la Venerable Madre Isabel de Iesvs, Recoleta Agvstina, en el Convento de San Ivan Bavtista de la villa de Arenas. Dictada por ella misma, y añadido lo que falto de sv dichosa muerte... Madrid. Francisco Sanz en la Impr. del Reyno. A costa de Gabriel de Leon. 1672. 16 hs. + 382 págs. + 9 hs. 4.º

V. ISABEL DE JESUS (Sor)

MADRID. *Nacional*. R-28.253.—SEVILLA. *Universitaria*. 70-97; 124-83.

307

————. Madrid. Viuda de Francisco Nieto. 1675. 10 hs. + 470 págs. + 5 hs. 8.º

MADRID. *Nacional*. 2-7.561. — MONSERRAT. *Monasterio*. B.CLIII.8.56.

308

PRINCIPIO y origen de la milagrosa imagen del Santísimo Cristo de la Victoria, titular del convento de Madres Recoletas de N. P. San Agustín en la villa de la Serradilla, Diócesis de Plasencia. Reimpresa... Plasencia. Impr. de Ramos. 1849. 62 págs. + 2 hs. 8.º

«Debió imprimirse por primera vez en 1675» (Santiago Vela, III, pág. 685).

ESTUDIOS

309

REP: N. Antonio, I, pág. 434; Santiago Vela, III, págs. 683-86.

IGNACIO (FR. MARTIN)

V. LOYOLA (FR. MARTIN IGNACIO DE)

IGNACIO DE JESUS MARIA (Fray)

EDICIONES

310

[*CENSURA. Madrid, 13 de marzo de 1638*]. (En González Barroso, Agustín. *Memorial en defensa del hábito que debe traer la Sagrada Religión Premonstratense*. Barcelona, s. a. Al fin).

MADRID. *Nacional*. R-Varios, 134-34.

IGNACIO DE LOYOLA (San)

N. en Loyola (1491). Sirvió al contador mayor del Rey Católico D. Juan Velázquez de Cuéllar en su palacio de Arévalo y luego al duque de Nájera. Resulta herido en la defensa del castillo de Pamplona contra los franceses (1521). Durante su convalecencia, se produce su conversión y decide ir peregrinando a Jerusalén. Se detiene en Monserrat y Manresa, pasa luego a Roma y Venecia y llega a los Santos Lugares. Al regreso cursa estudios en Barcelona, Alcalá y París. Marcha a Roma, donde Paulo III aprueba la fundación de la Compañía de Jesús (1540), a cuyo gobierno se consagra hasta su muerte, ocurrida allí en 1556. Beatificado en 1609 y canonizado en 1622.

BIBLIOGRAFIA

311

BACKER, AUGUSTIN Y ALOYS DE. *Bibliothèque de la Compagnie de Jésus. Nouvelle édition par Carlos Sommervogel*. Bruselas, etc. 1890-1960. 12 vols.

Tomo V (1894), cols. 59-124: *Loyola, saint Ignace de*. Ediciones de sus obras.
Tomo X, cols. 1643-50: *S. Ignace de Loyola*. Obras de jesuitas sobre él.
Tomo XI, cols. 1484-529: *S. Ignace de Loyola*. Obras sobre él de autores no jesuitas. Supplément, par Ernest M. Rivière. Tomo II, cols. 557-58 y 1139. Adiciones y rectificaciones a la bibliografía.

312

WATRIGANT, HENRI; PAUL DE-
BUCHY y JOSEPH DUTILLEUL.
Bibliographie des récentes publica-
tions sur les «Exercices spirituels»
et sur les retraites (1904-1923). (En
Collection de la Bibliothèque des
Exercices, XII, Enghien, 1907;
XXIV, 1909; XXXVI, 1911; XLVIII,
1913; LX, 1919; LXXII, 1921, y
LXXXIV, 1923).
Siete fascículos de 20 a 40 págs.

313

MONTAÑÉS FONTELA, LUIS. *Edi-*
ciones hispánicas del libro de los
«Ejercicios». (En *Bibliografía His-*
pánica, VII, Madrid, 1948, págs. 181-
206).

314

IPARRAGUIRRE, IGNACIO. *Orien-*
taciones sobre la literatura de los
«Ejercicios» en los tres últimos de-
cenios. (En *Manresa*, XXI, Madrid,
1949, págs. 257-78).

315

PINARD DE LA BOULLAYE, H. *La*
spiritualité ignatienne. Bibliographie
sommaire. (En *Revue d'Ascétique et*
de Mystique, XXVI, Toulouse, 1950,
págs. 238-83).

316

RAITZ VON FRENTZ, E. y J. B.
DRÜDING. *Exerzitien-Bibliographie*.
Friburgo. 1950.
Tir. ap. de *Paulus*, n.º 52, pág. 29.

317

IPARRAGUIRRE, IGNACIO. *Biblio-*
grafía de Ejercicios ignacianos. (En
Manresa, XXIII, Madrid, 1951, págs.
219-26; XXIV, 1952, págs. 183-99;
XXV, 1953, págs. 217-26; XXVI, 1954,
págs. 147-58; XXVII, 1955, págs. 157-
164; XXX, 1958, págs. 149-62).

318

GRENON, PEDRO. *Bibliografía de*
los *«Ejercicios Espirituales» de San*
Ignacio en Córdoba hasta 1900. (En
Ciencia y Fe, IX, San Miguel, 1953,
págs. 37-72).

319

DAMAN, PAUL, y JEAN-FRANÇOIS
GILMONT. *Bibliographie ignatienne*
(1894-1955). Les livres et les articles
concernant saint Ignace de Loyola,
sa vie, ses écrits, sa spiritualité. Lovaina. Facultés Saint-Albert. 1956.
Litografiada.

320

[HERRERO GARCIA, MIGUEL]. *Ho-*
menaje bibliográfico a San Ignacio
de Loyola en el IV Centenario de su
muerte (1556-1956). Cincuenta impre-
sos ignacianos de una colección par-
ticular. (En *Bibliografía Hispánica*,
XV, Madrid, 1956, págs. 198-212).
Tirada aparte. Madrid. 1956. 24 págs.

321

JUAMBELZ, JESUS. *Bibliografía so-*
bre la vida, obras y escritos de San
Ignacio de Loyola. 1900-1950… Madrid. Razón y Fe. 1956. 118 págs. +
1 h. 22 cm.

Parte I: Biografías; Parte II. Comentarios
a sus obras y escritos.
a) Batllori, M., en *Archivum Historicum*
Societatis Jesu, XXV, Roma, 1956, págs.
638-39.
b) C. P., en *Brotéria*, LXIII, Lisboa, 1956,
pág. 570.
c) Teresa León, T., en *Hispania Sacra*,
X, Madrid, 1957, págs. 222-23.
d) Thiry, A., en *Nouvelle Revue Théolo-*
gique, LXXXVIII, Lovaina, 1956, pág. 766.
e) Willaert, L., en *Revue d'Histoire Eccle-*
siastique, LIV, Lovaina, 1959, págs. 560-61.
MADRID. *Consejo General*.—WASHINGTON. *Con-*
greso. 57-20252.

322

JUAMBELZ, JESUS. *Bibliografía so-*
bre la vida de San Ignacio de Loyola
(1900-1956). (En *Razón y Fe*, CLIII,
Madrid, 1956, págs. 351-99).

323

IPARRAGUIRRE, IGNACIO. *Orientaciones bibliográficas sobre San Ignacio de Loyola.* Roma. Instituto Historicum S. I. 1957. 152 págs. 20 cm.

a) Bustamante, M., en *Manresa*, XXX, Madrid, 1958, pág. 173.
b) Eulogio de la Virgen del Carmen, Fray, en *Ephemerides Carmeliticae*, LIX, Roma, 1958, págs. 296-98.
c) Granero, J. M., en *Razón y Fe*, CLVIII, Madrid, 1958, págs. 38-88.
d) M. O., en *Estudios Eclesiásticos*, XXXIII, Madrid, 1959, pág. 381.
e) O'Callagham, J., en *Analecta Sacra Tarraconensia*, XXXIV, Barcelona, 1961, páginas 28-29.
f) Rahner, H., en *Archivum Historicum Societatis Jesu*, XXVI, Roma, 1957, pág. 144.
g) Ricard, R., en *Bulletin Hispanique*, LX, Burdeos, 1958, págs. 263-68.
h) S., en *La Ciencia Tomista*, LXXXV, Salamanca, 1958, págs. 374-75.
i) Thiry, A., en *Nouvelle Revue Théologique*, LXXX, Lovaina, 1958, pág. 652.
j) Vives, J., en *Analecta Sacra Tarraconensia*, XXIX, Barcelona, 1956, pág. 429.
MADRID. *Consejo. Instituto «M. de Cervantes».* XXXII-38. *Particular de «Razón y Fe».* Ab-IV-156.—WASHINGTON. *Congreso.* 57-58744.

324

MARTINI, A. *Spigolature bibliografiche sul quarto centenario ignaziano.* (En *La Civiltà Cattolica*, CVIII, Roma, 1957, págs. 294-306).

325

GILMONT, JEAN - FRANÇOIS et PAUL DAMAN. *Bibliographie Ignatienne (1894-1957). Classement méthodique des livres et articles concernant saint Ignace de Loyola, sa vie, les Exercices spirituels, les Constitutions, ses autres écrits et sa spiritualité. Préface du P. Hugo Rahner.* París-Lovaina. Desclée de Brouwer. 1958. XXVIII + 254 págs. 23,5 cm. (Museum Lessianum).

a) A. de L., en *Brotéria*, LXVII, Lisboa, 1958, págs. 236-37.

b) D. M., en *Brotéria*, LXVII, Lisboa, 1958, págs. 237-38.
c) Dalmases, C. de, en *Archivum Historicum Societatis Jesu*, XXX, Roma, 1961, págs. 270-272.
d) Granero, J. M., en *Razón y Fe*, CLIX, Madrid, 1959, pág. 217.
e) Thiry, A., en *Nouvelle Revue Theologique*, LXXX, París, 1958, pág. 652.
MADRID. *Particular de «Razón y Fe».* SE-Xa-158-2.—WASHINGTON. *Congreso.* A.59-5984.

326

IPARRAGUIRRE, IGNACIO. *Répertoire de spiritualité ignatienne. De la mort de saint Ignace à celle du P. Aquaviva (1556-1615).* Roma. Institutum Historicum S. J. 1961. 268 págs. 20 cm.

a) Bernard-Maitre, H., en *Revue d'Histoire d'Église de France*, XLIX, París, 1963, págs. 117-19.
b) Certeau, M. de, en *Recherches de Science Religieuse*, LI, París, 1963, págs. 330-31.
c) Cusson, G., en *Sciences Ecclesiastiques*, XV, Bruselas, 1963, págs. 308-9.
d) Fortunato de Jesús Sacramentado, Fray, en *Revista de Espiritualidad*, XXIII, Madrid, 1964, pág. 325.
e) Gensac, H. de, en *Revue d'Ascétique et de Mystique*, XXXIX, Toulouse, 1963, páginas 116-17.
f) Larkin, en *The Catholic Historical Review*, XLVIII, Washington, 1962-63, págs. 514-15.
g) McClelland, I. L., en *Bulletin of Hispanic Studies*, XL, Liverpool, 1963, págs. 56-57.
h) Ruysschaert, en *Revue d'Histoire Ecclésiastique*, LIX, Lovaina, 1964, pág. 545.
i) Silberer, en *Geist und Leben*, XXXVI, Munich, 1963, págs. 395-96.
j) Vives, J., en *Analecta Sacra Tarraconensia*, XXIV, Barcelona, 1961, págs. 29-30.
MADRID. *Nacional.* I.B.-28.140.

327

IPARRAGUIRRE, IGNACIO. *Comentarios de los Ejercicios ignacianos (siglos XVI-XVIII).* Roma. Institutum Historicum S. J. 1967. 348 págs.

a) R. R., en *Bulletin Hispanique*, LXX, Burdeos, 1968, pág. 268.
MADRID. *Particular de «Razón y Fe».* L-IV-435.—WASHINGTON. *Congreso.* 68-139329.

328

IPARRAGUIRRE, IGNACIO. *Contemporary trends in studies on the Constitutions of the Society of Jesus. Annotated bibliographical orientations. Translated by Daniel F. X. Meenan.* St. Louis. Institute of Jesuit Sources. 1974. XX + 74 págs. 23 cm.

WASHINGTON. *Congreso.* 74-77120.

329

RUIZ JURADO, MANUEL. *Orientaciones bibliográficas sobre San Ignacio de Loyola.* Tomo II. *(1965-1976).* Roma. Institutum Historicum S. I. 1977. XV + 150 págs. 16.º (Subsidia ab Historiam S. I., 8).

Continuación de la obra de Iparraguirre.
a) Granero, J. M., en *Archivum Historicum Societatis Iesu*, XLVII, Roma, 1978, pág. 378.

330   *CODICES*

[*Exercicios espirituales*].

Letra del s. XVI. 64 fols. 210 × 140 mm.
Suele denominarse «autógrafo», aunque sólo tiene correcciones de manos del autor. Publicado por el P. Codina en *Monumenta ignatiana*. (V. Dalmases, *Notas ignacianas*, en *Estudios Eclesiásticos*, XXIV, Madrid, 1950, págs. 98-101).

— — —

—Reproducción fototípica. Roma. Stab. Danesi. 1908. XI págs. + 64 fols. de facs. 26,5 cm.

BARCELONA. *Central.*—MADRID. *Fundación Universitaria Española.* — N a c i o n a l. 2-74.644. *Particular de «Razón y Fe».* Kb-II-1-1-2.— S. LOUIS. *St. Louis University.*

331

[*Exercicios espirituales*].

Letra de fines del s. XVI. 211 fols. 102 × 70 mm.
Miquel, IV, págs. 322-24.

BARCELONA. *Universitaria.* Mss. 1843.

332   Constituciones

[*Constituciones*].

Copia del texto del primer borrador de hacia 1547.

333

[————].

Copia del texto presentado en 1550.

334

[*Constituciones de la Compañía de Jesús y sus declaraciones*].

Copia, con correcciones del autor, que suele denominarse «autógrafo». 1556.

— — —

—Reproducción fototípica del original. Roma. Stab. Danesi. 1908. XV págs. + facs. Fol.

Cartas

335

«*Carta del padre Ignacio a los hermanos de la Compañía de Jesús en España*».

Letra del s. XVII. 310 × 215 mm.
Comienza: «Mucha consolacion me da hermanos charissimos...». Sin fecha.

MADRID. *Nacional.* Mss. 3.620 (fols. 89*r*-91*r*).

336

[*Copias de cartas de ———— y documentos relativos a él, enviadas al P. Joaquín Thoubeau*].

Letras de los ss. XVI, XVII y XVIII. 172 fols. 332 × 222 mm.
Morel-Fatio, n.º 527.

PARIS. *Nationale.* Mss. 380.

EDICIONES

Obras completas

337

MONUMENTA Ignatiana. Madrid. 1903-11. 19 vols. 24 cm.

Serie I. *Epistolae et Instructiones.* 1903-11. 12 vols.
Serie II. *Exercitia Spiritualia.* 1919. 1282 págs.
Serie III. *Constitutiones Societatis Jesu.* — *Regulae Societatis Jesu.* 1934-48. 4 vols.
Serie IV. *Scripta.* 1904-18. 2 vols.

BARCELONA. *Central.* [Serie I].—PAMPLONA. *General de la Diputación Foral.* 109-2-4/44-45. [Serie I].

338

OBRAS Completas. Introducciones, notas y comentarios del P. Victoriano Larrañaga. Madrid. Edit. Católica. 1947-... (Biblioteca de Autores Cristianos, 24).

I. *Autobiografía* y *Diario espiritual.* XII + 881 págs.

a) Otilio, Fray, en *El Monte Carmelo*, LI, Burgos, 1947, págs. 370-71. (Del I).

b) Román (P.), en *Revista de Espiritualidad*, VII, Madrid, 1948, págs. 121-22. (Del I).

MADRID. *Consejo. General. — Nacional*. 6.i.- 12.037; etc. *Particular de «Razón y Fe».* SE-51-B-2.

339

OBRAS Completas. Edición manual. Transcripción, introducciones y notas de... Ignacio Iparraguirre... Con la Autobiografía de San Ignacio editada y anotada por... Cándido de Dalmases... Madrid. La Editorial Católica. 1952. V + 80* + 1.075 págs. 22 cm. (Biblioteca de Autores Cristianos, 86).

a) A. R. M., en *Revista Española de Teología*, XIII, Madrid, 1953, pág. 442.

b) C. M. S., en *Manresa*, XXIV, Madrid, 1952, págs. 413-14.

c) F. V., en *La Ciencia Tomista*, LXX, Salamanca, 1953, págs. 161-62.

d) Filograssi, G., en *Gregorianum*, XXXVII, Roma, 1956, págs. 653-54.

e) J. F. del Niño Jesús, Fray, en *El Monte Carmelo*, LXI, Burgos, 1953, págs. 93-94.

f) Mateos, F., en *Estudios Eclesiásticos*, XXVIII, Madrid, 1954, págs. 262-63.

g) Merino, Diosdado, en *Archivo Ibero-Americano*, XIII, Madrid, 1953, pág. 116.

h) Oromi, M., en *Verdad y Vida*, V, Madrid, 1953, págs. 115-16.

i) Raitz von Frentz, E., en *Archivum Historicum Societatis Jesu*, XXII, Roma, 1953, págs. 571-73.

j) Zúñiga, I., en *Estudios*, IX, Madrid, 1953, pág. 198.

GRANADA. *Universitaria*. XI-4-3.—MADRID. *Consejo General.*

— — —

—2.ª ed. corr. y aum. 1963. XIII + 1021 págs.

k) Fiorito, M. A., en *Stromata*, XXI, San Miguel (Argentina), 1965, págs. 661-62.

l) Segovia, A., en *Archivo Teológico Granadino*, XXVII, Granada, 1964, págs. 389-90.

MADRID. *Nacional*. 4-50.254. *Particular de «Razón y Fe».* S.E.-51-D-17.

Obras varias

340

AUTOBIOGRAFIA. Ejercicios espirituales. Madrid. Aguilar. 1961. 338 págs. 12 cm. (Colección Crisol, 39 bis).

MADRID. *Nacional*. 1-220.980. — WASHINGTON. *Congreso*. 65-52422.

— — —

—2.ª ed. 1966.

MADRID. *Nacional*. 4-65.275.

Ejercicios espirituales

341

EXERCICIOS Spiritvales. Roma. Collegio Romano de la Compañia de Iesus. 1615. 4 hs. + 210 págs. 16.º

BARCELONA. *Central*. Toda, 6-II-6.

342

———. Salamanca. 1623.

SEVILLA. *Colombina*. 18-4-56.

343

———. Sevilla. Francisco de Lyra. 1628. 178 fols. 24.º

Palau, XIX, n.º 291.347.

344

EXERCICIOS espirituales en el camino de la perfección. Mallorca. Herederos de Gabriel Guasp. 1650. 4.º

345

EXERCICIOS espirituales de N. P. S. Ignacio, para mejor caminar á la perfeccion por la via Purgatiua, Illuminatiua, y Unitiua. Toledo. Francisco Calvo. 1663. 55 hs. 20 cm.

—Advertencias para el Padre que da los exercicios.—Advertencias para la oración. Texto.

Pérez Pastor, *Toledo*, n.º 566.

MADRID. *Nacional*. 7-16.151.

346

PRACTICA de los Exercicios Espirituales... [Roma. Varese]. [1665]. 24 hs. 8.º

Toda, *Italia*, II, n.º 2.367.
BARCELONA. *Central*. Toda, 9-II-5.

347

———. Gerona. José Bró. [s. a., 1680]. 132 págs. con un retrato del autor. 4.º

BARCELONA. *Universitaria*. B-71-6-17/18. — MADRID. *Nacional*. 2-66.518.

348

———. Palma de Mallorca. Herederos de Gabriel Guasp. 1686. 61 págs. 20 cm.

MADRID. *Nacional*. V.E.-133-6 (falta de portada).

349

Ejercicios de San Ignacio. [Méjico. María de Benavides, Vda. de J. de Ribera]. [1690]. 44 fols. 4.º

Medina, *México*, III, n.º 1.472.

350

———. Acomodados a el estado y profesion religiosa de la Señoras Virgenes, Esposas de Christo. Barcelona. Martí. [s. a., 1725?]. 132 págs. 4.º

BARCELONA. *Central*.—GRANADA. *Universitaria*. A-12-194.

351

———. Madrid. [s. i.]. 1725. 498 págs.

MONSERRAT. *Monasterio*. D.XIX.12468.

352

EXERCICIOS espirituales en el camino de la perfección... Barcelona. J. Giralt. 1732. 131 págs. 8.º

BARCELONA. *Universitaria*. 169-5-21. — MONSERRAT. *Monasterio*. D.XIX.8.64.

353

EXERCICIOS espirituales... Con una Introducción para formar el devido aprecio de estos Exercicios... Valencia. J. Dolz. 1733. 2 partes en 1 vol. 15,5 cm.

BARCELONA. *Seminario Conciliar.—Universitaria*. C.212-6-23.—MADRID. *Nacional*. 2-29.908.

354

EXERCICIOS espirituales en el camino de la perfección. Barcelona. Pablo Nadal. 1746. 131 págs. 24 cm.

BARCELONA. *Central.—Seminario Conciliar.— Universitaria*. B.57-4-11.—MADRID. *Nacional*. 3-58.714.

355

———. Calatayud. Gabriel Aguirre. 1749. 261 págs. 12.º

MONSERRAT. *Monasterio*. D.XIX.12308.

356

———. Sevilla. Imp. de los Recientes. 1749. 235 págs. + 4 hs. 8.º

Escudero, n.º 2.303.

357

———. Madrid. Joachín Ibarra. [s. a.]. 284 págs. 8.º

L. de 15 diciembre 1756.

358

EXERCICIOS Espirituales. Madrid. Joachín Ibarra. 1758. 286 págs. 15 cm.

MADRID. *Nacional*. 2-25.042.—WASHINGTON. *Congreso*. 59-56230.

359

EJERCICIOS espirituales... explicados por el P. Luis Bellecio... Madrid. [Imp. de Aguado]. 1879. LXIV + 542 págs. + 3 hs. 16,5 cm.

MADRID. *Nacional*. 3-78.445.

360

EJERCICIOS espirituales, explicados por Ramón García. Bilbao. El Mensajero del Corazón de Jesús. 1894. 465 págs.

— — —

—Nueva ed., corregida y aumentada por Vicente Agustí. Madrid. Apostolado de la Prensa. 8.ª ed. 1940. 431 págs. 16 cm.

MADRID. *Nacional*. 4-3.435.

—9.ª ed. 1945. 509 págs. 15 cm.

MADRID. *Nacional*. 4-24.464.

361

EJERCICIOS *Espirituales... En su texto original.* Madrid. Apostolado de la Prensa. 1904. 246 págs. 16.º

— — —

—1916.
—1941.
MADRID. *Nacional.* 4-2.178.

362

EXERCITIA *Spiritualia...* Madrid. Tip. Succ. Rivadeneyrae. 1919. 1282 págs. 8.º (Monumenta Ignatiana. Serie 2.ª).

Edición crítica, por el P. Codina, que en las págs. 221-563 ofrece a cuatro columnas el autógrafo y las tres traducciones latinas (primera de hacia 1534, «vulgata» o de Frusio y del P. Roothaan).

363

EJERCICIOS *Espirituales... I. Texto original. II. Traducción del P. Roothaan.* Bilbao. El Mensaje del Corazón de Jesús. 1922. 400 págs. 16.º

364

EJERCICIOS *espirituales... Explicados por el P. Antonio María Claret y Clará.* Madrid. Edit. del Corazón de María. 1926. 8.º

— — —

—10.ª ed. Madrid. Edit. Coculsa. 1942. 542 págs. 14 cm .
MADRID. *Nacional.* 4-6.814.

365

EJERCICIOS *espirituales... explicados en latín por el P. Jacobo Nouet. Traducidos por otro Padre de la Compañía de Jesús.* Barcelona. Imp. y Edit. E. Subirana. [s. a.]. 244 págs. 32.º

366

EXERCITIA *Spiritualia... Textus hispanus et versio litteralis autographi hispani auctore... P. Joannes Roothaan... ex editione romana anni 1852.* Turín - Roma. Edit. Marietti. 1928. XX + 354 págs. 16.º (Monumenta Historica Societatis Jesu).

367

EJERCICIOS *Espirituales... Texto castellano seguido de varios apéndices.* Barcelona. Edit. Librería Religiosa. 1936. 249 págs. 16.º

368

EJERCICIOS *Espirituales. Prólogo del P. J. A. de Laburu.* Buenos Aires. Edit. Difusión. 1938. 142 págs. 16.º

MADRID. *Particular de «Razón y Fe».* Kb-IV-41.

369

EJERCICIOS *espirituales... Autógrafo español.* Madrid. Apostolado de la Prensa. 1943. 182 págs. 13 cm.

Reproduce el texto de la ed. de Turín-Roma. 1928.

MADRID. *Nacional.* 4-11.841.

— — —

—1947.
MADRID. *Nacional.* 4-29.984.
—7.ª ed. 1950.
—9.ª ed. 1956.
MADRID. *Nacional.* 1-205.629.
—10.ª ed. 1962.
MADRID. *Nacional.* 4-49.585.

370

EJERCICIOS *espirituales... Exploración de las meditaciones y documentos en ellos contenidos por el P. Antonino Oraá.* Madrid. Edit. «Razón y Fe». 1941.

— — —

—2.ª ed. 1945. 2 tomos en 1 vol. 16 cm.
—3.ª ed. 1947.
—4.ª ed. 1947.
—5.ª ed. 1954.
MADRID. *Particular de «Razón y Fe».* Kb-IV-93-2.
—6.ª ed. 1960. XXXII + 1292 págs.
MADRID. *Nacional.* 1-217.802.

371

EJERCICIOS *espirituales. Prólogo de José María Pemán.* Madrid. Atlas. 1944. 324 págs. 19,5 cm. (Colección Cisneros, 63).

MADRID. *Nacional.* 1-100.238.

372

EJERCICIOS espirituales. Directorio y documentos de ——. Glosa y vocabulario... por el P. José Calveras. Barcelona. Balmes. 1944. 519 págs. 16,5 cm.

MADRID. Consejo. General. — Nacional. 1-100.285.

———

—Ed. reducida. 1958. 264 págs.
a) F. C., en Virtud y Letras, El Cedro (Colombia), 1959, n.º 71-72, pág. 347.
BARCELONA. Central. — Madrid. Nacional. 7-29.462.

373

COMO es el Libro de los Ejercicios. Texto y comentario de Luis María Jiménez Font. Madrid. Edit. «Razón y Fe». 1946. 262 págs. 15 cm.

374

EJERCICIOS (Los) espirituales de ——. Anotados por el P. Juan Roothaan... Introducción y traducción de las notas por el P. Teodoro Toni. Bilbao. El Mensajero del Corazón de Jesús. [s. a., ¿1947?]. 557 págs. 13,5 cm.

MADRID. Nacional. 4-29.981.

———

—2.ª ed. Zaragoza. Hechos y Dichos. 1953. 400 págs.
—3.ª ed., revisada y aumentada. Zaragoza. Hechos y Dichos. [s. a., 1959]. 503 págs. 15,5 cm.
MADRID. Nacional. 7-42.597.

375

EJERCICIOS espirituales. Explicados y dispuestos para ocho días de retiro por... Luis Belecio... Traducidos del latín por otro Padre... Madrid. Apostolado de la Prensa. 1945. 512 págs. 15,5 cm.

376

DIAS (Unos) en la soledad. Ejercicios espirituales de ——, dirigidos por el cardenal Pedro Segura y Sáenz, en la Catedral de Sevilla. Sevilla. Edit. Edelce. 1950. XXIII + 248 págs. + 3 hs. + 4 láms. 16 cm.

377

EJERCICIOS (Los)... para ocho días, por... Guillermo Ubillos... Bilbao. El Mensajero del Corazón de Jesús. 1942. 550 págs.

———

—3.ª ed. 1947. 624 págs. 17 cm.

378

EJERCICIOS espirituales. Prólogo de Carlos Aldunate Lyon. Santiago de Chile. Edit. del Pacífico. 1956. 160 págs.

379

EJERCICIOS espirituales. Compendio por A. Oráa. Zaragoza. Hechos y Dichos. 1956. XVI + 158 págs.

a) Segura, F., en Razón y Fe, CLVI, Madrid, 1957, pág. 120.
MADRID. Particular de «Razón y Fe». Kb-V-48.

380

TEXTO original del libro de los Ejercicios espirituales. Barcelona. Edit. Religiosa.

———

—3.ª ed. 1958. 252 págs.

381

EJERCICIOS ignacianos completos según las técnicas últimas de San Ignacio, por el P. Eusebio Hernández García. Comillas. Universidad Pontificia. 1963-... 17 cm.

MADRID. Nacional. 5-24.943 (el I)

382

EJERCICIOS espirituales. Comentario pastoral por los PP. Luis González e Ignacio Iparraguirre. Madrid. La Edit. Católica. 1965. XXXV + 1022 págs. 20 cm. (Biblioteca de Autores Cristianos).

MADRID. Nacional. 4-56.110; etc.

Constituciones

383

CONSTITUCIONES... Ed. del P. Juan José de la Torre. Madrid. 1892.

MADRID. Particular de «Razón y Fe». L-I-1.

384

CONSTITUTIONES Societatis Iesu cum declarationibus auctore ——... [Ed. y prólogo del P. Mariano Lecina]. Roma. Typ. Vaticanis. 1908. XX + 361 págs. 12.º

385

CONSTITUTIONES Societatis Iesu latinae et hispanicae cum earum declarationibus auctore ——... Roma. Apud Curiam Praepositi Generalis. 1937. XXXVII + 295 págs. dobles. + 297-393 págs. 8.º

En una página el original y en la otra la traducción latina.

MADRID. Particular de «Razón y Fe». L-III-266.

386

CONSTITUTIONES Societatis Iesu cum declarationibus auctore ——... Roma. Apud Curiam Praepositi Generalis. 1937. XXXVIII + 393 págs. 8.º

Para uso reservado.

———

—1948. LVI + 649 págs. 12.º

Autobiografía

387

AUTOBIOGRAFIA y Constitución canónica de la Compañía de Jesús. Edición y traducción en parte del latín y del italiano con introducciones y notas de José María March. Barcelona. Edit. R. Casulleras. 1920. 96 págs. 18 cm. (Biblioteca Manual sobre la Compañía de Jesús. Serie I: Textos, 1).

MADRID. Particular de «Razón y Fe». L-IV-31-1-2.

388

AUTOBIOGRAFIA. Transcripción del P. Luis González de Cámara. Buenos Aires. Editora Cultural. 1943. 127 págs. (Colección de Espiritualidad Cristiana).

389

DIARIO íntimo... (Autobiografía), escrito por Luis González de Cámara, S. J. Presentación y comentarios de Florentino Pérez. [Barcelona]. Círculo de Amigos de la Historia. [s. a., 1969]. 195 págs. + 2 hs. 18 cm.

MADRID. Nacional. 4-86.269.—WASHINGTON. Congreso. 74-16131.

390

RELATO (El) del peregrino. [Revisión, presentación y traducción del italiano de Carmen Artal]. Barcelona, etc. Labor. [s. a., 1973]. 95 págs. 19 cm. (Colección Maldoror, 20).

BARCELONA. Central. — MADRID. Nacional. V-10.148-1.

Cartas

391

[CARTA de la obediencia]. (En REGLAS de la Compañía de Iesus... Madrid. Luis Sánchez. 1600).

En cuarto lugar: Carta de nuestro B. P. Ignacio a los Padres y hermanos de la Compañía de Iesus de Portugal. Roma, 26 marzo 1553.

Pérez Pastor, Madrid, I, n.º 714.

392

[CARTA a Santo Tomás de Villanueva. Roma, 16 de abril de 1553]. (En Abas y Nicolau, Gabriel Manuel. Narraciones de las fiestas en Zaragoza... a la Canonización de Santo Tomás de Villanueva... Zaragoza. 1660, págs. 202-3).

El original se conservaba en el convento de Valencia.

ZARAGOZA. Universitaria. A-62-320.

393

CARTAS... Madrid. Imp. de la V. e Hijos de E. Aguado. 1874-89. 6 vols. 22 cm.

Con 842 en castellano.

ANN ARBOR. *University of Michigan.*—BARCELONA. *Central. — Seminario Conciliar. —* CHARLOTTESVILLE. *University of Virginia.*—CHICAGO. *Newberry Library y University of Chicago.*—MADRID. *Nacional.* 1-47.820/21. *Particular de «Razón y Fe».* L-III-298/303.—MONSERRAT. *Monasterio.* B.CXLVII.8.1. — NUEVA YORK. *Hispanic Society.*—PAMPLONA. *General de la Diputación Foral.* 185-1-5/1-6.—PARIS. *Nationale.* 8ºH.224.—ST. LOUIS. *St. Louis University.*

394

CARTAS selectas... publicadas bajo la dirección del P. Juan Isern. Buenos Aires. Edit. San Miguel. 1940. 352 págs. 12.º

395

CARTAS Espirituales. Selección y notas del P. Agustín Maciá. Madrid. Apostolado de la Prensa. 1944. 206 págs. 14 cm.

MADRID. *Nacional.* 4-14.726.

Diario espiritual

396

DIARIO Espiritual... Edición manual en el IV centenario de su santa muerte (1556-1956). Comillas. Universidad Pontificia. 1956. 186 págs. + 6 láms. + 1 h. 18 cm.

a) Batllori, M., en *Archivum Historicum Societatis Jesu,* XXV, Roma, 1956, págs. 637-38.
b) C. S. de S. M., en *Razón y Fe,* CLIV, Madrid, 1956, págs. 117-18.
c) L. H., en *La Ciudad de Dios,* CLXIX, El Escorial, 1956, págs. 350-60.
d) Martins, M., en *Brotéria,* LXIII, Lisboa, 1956, págs. 354-55.
e) Rubí, P. B. de, en *Estudios Franciscanos,* LVIII, Barcelona, 1957, págs. 143-44.
f) Schneider, B., en *Archivum Historicum Societatis Jesu,* XXV, Roma, 1956, págs. 633-635.

ITHACA. *Cornell University.*—MADRID. *Particular de «Razón y Fe».* L-IV-410.

Antologías

397

MEMORIAL de algunos dichos y hechos de ——, escrito por Luis González de Cámara... Madrid. Nieto y Cía. 1921. XII + 233 págs. 12.º

398

TEXTOS ignacianos. Roma. Centri Ignatiani Spiritualitatis. 1974. Varias paginaciones. 24 cm. (Subsidia, 8).

MADRID. *Particular de «Razón y Fe».* Ac-34-C.

OBRAS LATINAS

Epístolas

399

De obedientiae virtute, epistola. (En Aquaviva, C. *Industriae ad curandos animae morbos...* París. 1673, págs. 272-301).

WASHINGTON. *Congreso.*

TRADUCCIONES

a) ALEMANAS

Ejercicios espirituales

400

Die Exercitien des heil. Vaters Ignatii in deutsche Verse. [*Por el P. J. Taschel*]. Grätz. 1707. 8.º

401

Geistliche Uebungen oder Exercitien. Mainz. 1745. 8.º

402

——. Augsburg. 1747.

403

Die Geistlichen Übungen. Eingeleitet und übertragen von F. Weinhandl. Munich. Allg. Verlagsanstalt. 1921. 193 págs. 8.º (Katholikon, 1).

404

Geistliche Übungen. Nach dem spanischen Urtext übertragen von Alfred Feder. Regensburg. Verlagsanstalt vom. J. Manz. 1924. XI + 191 págs. 8.°

— — —

—Friburgo. Herder. 1939. 184 págs. 12.°
—1940. 280 págs. 12.°
—1950. X + 199 págs. 12.°

405

Die Geistlichen Übungen... Aus dem spanischen Originaltext übersetzt von Rud. Handmann. Linz. Verlag Akad. Pressverein. 1926. 194 págs. 12.°

406

Das Exerzitienbuch des hl. Ignatius von Loyola. Erklärt und in Betrachtungen vorgelegt von ——. *Nach dem Tode des Verfassers herausgegeben von Walter Sierp.* Friburgo. Herder. 1926-29. 3 vols.

Hay trad. al castellano, francés e italiano.

407

Die Exerzitien. Übertragen von Hans Urs von Balthasar. Luzern. Josef Stocker. 1946. 159 págs. 12.°

408

Geistliche Briefe. Übertragen und eingeleitet von Otto Karrer. Neu durchgeschen und vermehrt von Hugo Rahner. Einsiedeln, etc. Benziger & Co. 1942. 287 págs. + 1 lám. 22 cm.

MADRID. *Nacional.* 1-100.315.

409

Geistliche Briefe. Eingeführt von H. Rahner. Einsiedeln, etc. Bezinger. 1956. 340 págs.

a) Schneider, B., en *Archivum Historicum Societatis Jesu,* XXV, Roma, 1956, págs. 633-35.

410

Seine geistliche. Gestalt und sein Vermächtnis, 1556-1956. Herausgegeben von Friedrich Wulf unter Mitarbeit von Hugo Rahner, Hubert Becher, Hans Wolter, Josef Stierli, Adolf Haas, Heinrich Bacht, Lambert Classen und Karl Rahner. Würzburg. Echter-Verlag. 1956. 408 págs. 8.°

a) Iparraguirre, I., en *Archivum Historicum Societatis Jesu,* XXV, Roma, 1956, págs. 631-32.

MADRID. *Particular de «Razón y Fe».* Lc-III-29.

411

Geistliche Übungen. Nach der Übers. von Alfred Feder neu hrg. von Emmerich Raitz v. Frentz. Anhang: Die Methode der Exerzitien nach ihren ältesten Erklärungen Exerzitien - Bibliographie. Friburgo. Herder. 1961. XII + 200 + 88 págs. 8.°

Autobiografía

412

Die Bekenntnisse des Ignatius von Loyola Stifters der Gesellschaft Jesu übersetzt von Heinrich Böhmer. Leipzig. Th. Weicher. 1902. XIII + 66 págs. 8.°

413

Lebenserinnerungen des hl. Ignatius von Loyola. Nach dem spanisch-italianischen Urtext übertragen, eingeleitet und mit Anmerkungen versehen von Alfred Feder. Regensburg. Verlag Josef Kösel & Friedrich Pustel. 1922. XI + 139 págs. 12.°

Cartas

414

Geistliche Briefe und Unterweisungen. Gesammelt und übertragen ins Deutsch von O. Karren. Friburgo. Herder. 1922. 298 págs. 12.°

MADRID. *Particular de «Razón y Fe».* L-IV-28.

— — —

—2.ª ed. Einsiedeln-Köln. Benziger. 1942. 287 págs. 12.°

415

Briefwechsel mit Frauen. Edit. Hugo Rahner. Friburgo. Herder. 1956. XXIV + 648 págs. 23 cm.

a) Dalmases, C. de, en *Estudios Eclesiásticos*, XXXII, Madrid, 1958, págs. 371-72.
b) Forsyth, C. E., en *The Catholic Historical Review*, XLII, Washington, 1956, páginas 395-96.
c) Olphe-Galliard, M., en *Revue d'Ascétique et de Mystique*, XXXII, Toulouse, 1956, págs. 249-52.
d) Schneider, B., en *Gregorianum*, XXXVII, Roma, 1956, págs. 655-56, y en *Archivum Historicum Societatis Jesu*, XXV, Roma, 1956, págs. 635-37.
MADRID. *Particular de «Razón y Fe».* SE-48-E-5.

Diario espiritual

416

Aus dem Geistlichen Tagebuch... Nach dem Spanischen Urtext übertragen, eingeleitet und mit Anmerkungen versehen von Alfred Feder. Regensburg. Verlag Josef Kösel & Friedrich Pustet. 1922. VII + 127 págs. 12.º

417

Der Bericht des Pilgers. Überzetzt und erläutert von Bruchart Schneider. Friburgo. Herder. 1956. VIII + 189 págs. 18,5 cm.

a) Batllori, M., en *Archivum Historicum Societatis Jesu*, XXV, Roma, 1956, págs. 637-38.
b) Thiry, en *Nouvelle Revue Theologique*, LXXX, París, 1958, pág. 653.

— — —

—2.ª ed. 1963.

Reglas

418

Statuten, gemeiner Befragung der Gesellschaft Jesu. Meyntz. Casparem Behm. 1576. 33 hs. 8.º

b) CASTELLANAS

419

REGLAS de la Compañía de Jesús. Toledo. En la Casa Profesa. 1591. 126 págs. 16.º

— — —

—*Reglas de la Compañía de Iesvs, y la Car-*

ta de la obediencia de nuestro B. P. Ignacio. Madrid. Luis Sanchez. 1600. 203 fols. 11.º
—*Reglas de la Compañía de Jeús.* Nápoles. Miguel Luis Muzio. 1703. 144 págs. 12.ª
—Méjico. María de Rivera. 1742. 179 págs. + 1 h. 16.º
—Madrid. Francisco Martínez Dávila. 1811. 166 págs. 12.º
—Madrid. Aguado. 1826. 159 págs. 18.º
—Méjico. Imp. de L. Abadiano y Valdés. 1853. 149 págs. 12.º

c) CATALANAS

420

Exercicis Espirituals... Traducció catalana del P. Lluis Vidal. Barcelona. Edit. Ibérica. 1913. 196 págs. 12.º

— — —

—Barcelona. 1924.
MADRID. *Particular de «Razón y Fe».* Kb-V-7.

Cartas

421

Cartes espirituals... escollides, anotades y traduides les llatines i italianes, por el P. Ignaci Casanovas. Barcelona. Foment de Pietat. 1931. 2 volúmenes. 16.º

— — —

—Barcelona. Joseph Porter. 1936. 2 vols. 12.º
MONSERRAT. *Monasterio.* D.XIX.8.653.

d) ESPERANTO

422

SPIRITAJ Ekzercadoj. (Rekte tradukitaj el la Hospana originado lau eldono de «El Mensajero del Corazón de Jesús»). Zaragoza. Libr. General. 1952. 206 págs. 13 cm.

MADRID. *Particular de «Razón y Fe».* Kb-V-34.

e) FRANCESAS

423

[*EXERCICES spirituels*]. [Lille. Imp. de P. de Rache]. [1614]. 130 págs. 8.º

Trad. por Jennesseaux. Carece de título.
PARIS. *Nationale.* D.42402.

424

Les Exercices spirituels... París. Regnauld Chaudierre. 1619. 200 págs. 12.º

425

Les vrais Exercices Spiritvels... París. Sebastien Huré. 1619 [24 abril]. 407 págs. 12.º
PARIS. *Nationale.* D.42434.

— — —

—Edition seconde, reueue, corrigée et augmentée. París. Iean Foüet. 1620. 11 hs. + 413 págs. + 57 hs. 12.º
—3.ª ed. París. Jean Foüet. 1628. 11 hs. + 413 págs. + 57 hs. 12.º
PARIS. *Nationale.* D.42435.

426

Les Exercises Spiritvels... Traduits du Latin en François par un Pere de la mesme Compagnie. Amberes. Michel Cnobbaert. 1673. 268 págs. 8.º

427

————. París. Jean François Dubois. 1688. 202 págs. 8.º

428

EXERCISES spirituals... traduites du latin par le P. Pierre Jennesseaux. París. Société de Saint-Victor. 1854. XXV + 376 págs. 8.º
PARIS. *Nationale.* D.42418.

— — —

—París. 1857.
PARIS. *Nationale.* D.42419.
Hay numerosas reed. posteriores, hasta:
—París. Gigord. 1918. 240 págs. 32.º
—23 ed., revue et corrigée par le P. Pinard de la Boullaye. París. J. de Gigord. 1948. XIX + 266 págs. 12.º
MADRID. *Particular de «Razón y Fe».* Kb-IV-102.

429

EXERCICES Spirituals... Traduits sur l'Autographe espagnol par le P. Paul Debuchy. París. P. Lethielleux. 1910. 231 págs. 16.º

430

Le livre des Exercices... expliqué et présenté sous la forme de considérations par le R. P. M. Meschler, édit. après la mort de l'auteur par W. Sierp. Traduction de Ph. Mayoyer. París. P. Lethielleux. 1930. 3 vols. 8.º

a) X., en *Estudios Franciscanos,* XL, Sarriá, 1930, págs. 423-24.
BARCELONA. *Seminario Conciliar.*

431

EXERCICES Spirituels... Introduction de A. Brou. Traduction du P. Paul Doncoeur... París. Edit. de l'Orante. 1939. XI + 206 págs. 12.º

— — —

—1946.

432

Le petit livre des Exercices traduit et adapté [par le P. Pierre Delattre et J. Konn]. Bruselas. Edit. Universelle. 1939. 94 págs.

433

EXERCISES spirituels selon la méthode de Saint Ignace. Ed. par Henri Pinard de la Boullaye. París. Beauchesne. 1944-47. 4 vols.

I. *Les exercises;* II. *Retraites et triduums, Les étapes de rédaction des Exercises de saint Ignace;* III. *Retraites et triduums;* IV. *Conférence, examen.*

434

EXERCICES Spirituels... Lille. S.I.L.C. 1953. 139 págs. 16.º

Reproduce la ed. del P. Pinard. París. 1948.

435

EXERCICES spirituels. Traduits et annotés par François Courel. París. Desclée de Brouwer. 1960. 231 págs. 17 cm. (Coll. Christus. Textes, 5).

a) Bernard-Maître, H., en *Revue d'Histoire de l'Eglise de France,* XLVI, París, 1960, n.º 143, págs. 116-19.
b) Labourdette, M. M., en *Revue Thomiste,* LXIII, París, 1963, pág. 629.
c) Lewis, J. en *Sciences Ecclésiastiques,* XIII, 1961, págs. 249-55.
d) Olphe-Galliard, M., en *Revue d'Ascétique et de Mystique,* XXXVII, Toulouse, 1961, págs. 87-100.
MADRID. *Particular de «Razón y Fe».* Ac-16.

Constituciones

436

CONSTITUTIONS de la Compagnie de Jésus... París. Desclée de Brouwer. [1967]. 2 vols. 20 cm. (Collection Christus. Textes, 23-24).

I. Traduction du texte officiel, notes et index par François Courel, 315 págs.
II. Introduction a une lecture, par François Roustang. Traduction du texte primitif par François Courel.

a) Dalmases, C., en *Archivum Historicum Societatis Iesu*, XXXVI, Roma, 1967. págs. 300-6.

MADRID. *Nacional.* 4-101.223/24. *Particular de «Razón y Fe».*

Autobiografía

437

Le Récit du pèlerin. Saint Ignace raconté par lui-même au Père L. Gonzàles de Camara. Première traduction française [par Eugène Thibaut]. Lovaina. 1922. VI + 103 págs. 8.º

— — —

—2.ª ed. Bruges, etc. Charles Beyaert. 1924. 183 págs. 19 cm. (Museum Lessianum. Section ascétique et mystique, 15).

MADRID. *Nacional.* V-1.895-2.—MONSERRAT. *Monasterio.* D.XIX.12.1533, n.º 15.

—3.ª ed. entièrement refondue parA . Thiry. Brujas-París. Desclée. 1956. 152 págs. (Museum Lessianum).

a) Batllori, M., en *Archivum Historicum Societatis Jesu*, XXV, Roma, 1956, págs. 637-638.

b) Bustamante, M., en *Manresa*, XXIX, Madrid, 1957, págs. 74-75.

c) C. P., en *Brotéria*, LXIII, Lisboa, 1956, pág. 358.

d) Dupuis, E., en *Nouvelle Revue Theologique*, LXXXVIII, París, 1956, págs. 766-67.

e) Schneider, B., en *Gregorianum*, XXVII, Roma, 1956, págs. 654-55.

DURHAM. *Duke University.*—WASHINGTON. *Congreso.* NUC66-16389.

438

Autobiographie. Trad., introd. et notes par Alain Guillermou. París. Éds. du Seuil. 1962. 188 págs. (Livre de vie, 27).

BARCELONA. *Seminario Conciliar.* — EVANSTON. *Northwerstern University.*—WASHINGTON. *Congreso.* NUC65-64308.

Cartas

439

Lettres... Traduites en français par le P. Marcel Bouix. París. Lecoffre fils et Cie. 1870. XII + 644 págs. 8.º

Incluye algunas inéditas.

440

Lettres spirituelles choisies et traduites par le R. P. Paul Dudon. París. Edit. Spes. 1933. 247 págs. 19 cm. (Collection Maitres Spirituels).

MADRID. *Nacional.* 1-86.280.

441

Lettres. Traduites et commenteés par Gervais Dumeige. París. Desclée de Brouwer. 1959. 528 págs. con ilustr. (Coll. Christus).

a) A. L., en *Brotéria*, XLIX, Lisboa, 1959, pág. 344.

b) Adolfo de la Madre de Dios, Fray, en *Salmanticensis*, VI, Salamanca, 1961, págs. 846-47.

c) G[arcía] Villoslada, R., en *Estudios Eclesiásticos*, Madrid, 1961, n.º 13, pág. 397.

d) Iparraguirre, I., en *Archivum Historicum Societatis Jesu*, XXIX, Roma, 1960, págs. 149-51.

e) Olphe-Galliard, M., en *Revue d'Ascétique et de Mystique*, XXXV, Toulouse, 1959, págs. 332-36.

f) Ricard, R., en *Bulletin Hispanique*, LXII, Burdeos, 1960, págs. 209-10.

MADRID. *Particular de «Razón de Fe».* Ac-16.

442

Lettres spirituelles. Texte établi et présenté par M. Olphe-Galliard. París. Desclée. 1962. 324 págs. (Coll. Christus, 8).

a) Labourdette, M. M., en *Revue Thomiste*, XLIII, París, 1963, pág. 630.

443

Correspondence avec les femmes de zon temps. Ed. Hugo Rahner. París. 1964. 2 vols.

a) D. M., en *Brotèria*, LXXX, Lisboa, 1965, pág. 809.

b) Giuliani, M., en *Études*, París, 1965, págs. 278-79.

MADRID. *Nacional.* 4-80.735/36. *Particular de «Razón y Fe».* Ac-16.—PRINCETON. *Princeton University.* — WASHINGTON. *Congreso.* NUC 66-69139.

Diario espiritual

444

Journal spirituel. Traduit et commenté par Maurice Giuliani. París. Desclée de Brouwer. 1959. 148 págs. con ilustr. + 4 láms. 20 cm. (Coll. Christus).

a) Adolfo de la Madre de Dios, Fray, en *Salmanticensis*, VIII, Salamanca, 1961, pág. 846.

b) Iparraguirre, I., en *Archivum Historicum Societatis Jesu*, XXIX, Roma, 1960, págs. 149-51.

c) Labourdette, M. M., en *Revue Thomiste*, LXIII, París, 1963, págs. 629-30.

d) Olphe-Galliard, M., en *Revue d'Ascétique et de Mystique*, XXXV, Toulouse, 1959, págs. 332-36.

e) Ricard, R., en *Bulletin Hispanique*, LXII, Burdeos, 1960, págs. 209-10.

f) Teresa León, T., en *Hispania Sacra*, XI, Madrid, 1958, págs. 499-500.

g) Vermeylen, A., en *Les Lettres Romanes*, XV, Lovaina, 1961, págs. 196-98.

MADRID. *Particular de «Razón y Fe».* Ac-16.

Antologías

445

Étincelles de l'amour divin, extraits de la Vie et des Oeuvres de Saint Ignace de Loyola. Trad. Paul Mury. Bruselas. Vromant. 1903. 453 págs.

446

L'Honneur et Service de Dieu. Textes et témoignages recuillis par le P. Paul Doncoeur. París. A l'Orante. 1944. 208 págs.

447

Saint Ignace de Loyola, directeur d'âmes. [Sel. par] Henri Pinard de la Boullaye. París. Aubier. 1946. LXXX-+ 362 págs. (Les Maîtres de la Spiritualité chrétienne).

448

Textes choises et présentés par Charles Lambotte. Introduction par Georges Dirks. Namur. Éditions du Soleil levant. [1957]. 189 págs.

449

Soldat de Dieu, saint Ignace de Loyola. Version française de Pierre Chambard. Tours. Mame. 1957. 225 págs. (Sélection Mame, 18).

450

La Spiritualité ignatienne. Textes choisis et présentés par Henry Pinard de la Boullaye. París. Plon. 1949. L + 457 págs. (Bibliothèque spirituelle du chrétien lettré).

MADRID. *Particular de «Razón y Fe».* L-IV-420.

451

SENTENCES choisies... Ed. par H. Pinard de la Boullaye. (En *Revue de Ascétique et de Mystique*, XXII, Toulouse, 1946, págs. 76-96).

Texto latino, traducción francesa y notas de las fuentes de 37 sentencias tomadas en su mayoría de los *Scintillae ignatianae* de G. Hevenesi, Ratisbona, 1919.

f) INGLESAS

Ejercicios espirituales

452

The Spiritual Exercises... St. Omer. [s. a.]. 156 págs. 12.º

453

The spiritual Exercises, edited by Rev. Orby Shipley. Londres. 1870. 12.º

454

*The Text of the Spiritual Exercices...
Translated from the original Spanish.* Londres. Burns Oates. 1913. IX + 125 págs. 16.º

— — —

—1952. XII + 134 págs.

455

The Spiritual Exercises. Translated from the Autograph by Father Elder Mullan. Nueva York. P. J. Kennedy and Sons. 1914. XIX + 205 págs. 16.º

456

The Spiritual Exercises. Spanish and english with a continous commentary by Joseph Rickaby. Londres. Burns Oates. 1915. XII + 234 págs. 8.º

457

The Spiritual Exercises. Litterally Translation from the original Spanish by a Benedictine of Stanbrook. Edited by C. Lattey. St. Louis. B. Herder Book. 1928. XII + 163 págs. 12.º

458

The Text of the Spiritual Exercises. Reprint from Fourth Editon. Revised made by John Morris. Westminster, Md. The Newman Bookshop. 1943. 125 págs. 12.º

— — —

—5.ª ed. Londres. Burns, Oates and Washbourne. 1952. XIV + 135 págs.

459

The Spiritual Exercices... Transl. by Louis J. Puhl. Westminster. Newman Press. 1951. XIII + 216 págs. 8.º

460

The spiritual exercises. Transl. by Thomas Corbishley. Nueva York. Kennedy. 1963. 124 págs.

461

The spiritual exercises. New transl. based on studies in the language of the autograph. Allabay, Bombay. St. Paul Publications. 1963. 173 págs.

462

The spiritual exercises. Transl. by A. Mottola. Introduction by R. W. Gleason. Nueva York. Doubleday. 1964. 200 págs. (Image books).

BARCELONA. *Universitaria.* D.282-7-21.

Autobiografía

463

The autobiography... Edited by J. F. X. O'Conor. Nueva York, etc. Benziger brothers. 1900. 166 págs. 14 cm.

— — —

—Fotoreprod. Ann Arbos, Mich. University Microfilms. 1973.

WASHINGTON. *Congreso.* 75-94616.

464

St. Ignatius' own story, as told to Luis González de Cámara; with a sampling of his letters. Translated by William J. Young. Chicago. H. Regnery Co. 1956. 138 págs. 22 cm.

WASHINGTON. *Congreso.* 56-10674.

465

The autobiography..., with related documents. Edited with introduction and notes by John C. Olin. Translated by Joseph F. O'Callaghan. Nueva York. Harper & Row. [1974]. VII + 122 págs. con ilustr. 21 cm. (Harper torchbooks).

WASHINGTON. *Congreso.* 73-7468.

Cartas

466

Letters and Instructions... Translated from the new Spanish Edition by D. F. O'Leary. Selected and edited with Notes by Alban Goodier. Londres. Herder. 1914. XI + 117 págs. 12.º (The Catholic Library, 1).

467

Letters. Ed. and transl. by William Young. Chicago. Loyola University Press. 1959. 463 págs.

a) Iparraguirre, I., en *Archivum Historicum Societatis Jesu,* XXIX, Roma, 1960, págs. 149-51.

WASHINGTON. *Congreso.* 59-13459.

468

Letters to women. Transl. by K. Pond and S. A. H. Weetman. Friburgo. Herder, etc. 1960. XXII + 565 págs.

a) Hanlon, en *The Catholic Historical Review,* XLVII, Washington, 1961, págs. 218-221.

WASHINGTON. *Congreso.* 59-14069.

— — —

—Nueva York. Harper. 1960.

WASHINGTON. *Congreso.* 59-14554.

g) ITALIANAS

Obras

469

Gli Scritti. A cura di Mario Gioia. Turín. UTET. 1977. 1120 págs. 8.º (Classici delle religione. IV. La religione cattolica).

470

Lettere e scritti scelti a cura di Pio Bondioli. Milán. Istituto Editoriale Italiano. 1928. 246 págs. 12.º (Biblioteca dei Santi, 23).

Ejercicios espirituales

471

ESERCITII spirituali. Roma. Collegio Romano. [Apud Zannettum]. 1609. 122 hs. 12.º

— — —

—1625.

—Roma. L'eredi de Manulfo Manolfi. 1649. Toda, *Italia,* n.º 2.366.

472

Esercitii Spirituali... Roma. Varese. 1673. Sin fol. 8.º

GAINESVILLE. *University of Florida.* — PROVIDENCE. *Brown University.*

473

Esercitii Spiritvali... Con vna Breve Istruttione di meditare, cauata da medesimi Esercitii. Roma. Gio. Giacomo Komarek. 1691. 92 págs. + 2 hs. + 24 láms. 8.º

BARCELONA. *Central.* Toda, 9-II-11. — CHAPEL HILL. *University of North Carolina.*—MADRID. *Nacional.* 4-104.074. — NUEVA YORK. *Hispanic Society.*—SANTIAGO DE COMPOSTELA. *Universitaria.*—ST. LOUIS. *St. Louis University.*

474

Esercizi Spirituali preceduti dalla sua Autobiografia. Prefazione di Giovanni Papini. Cronologia e Bibliografia. Florencia. Libr. Edit. Fiorentina. 1928. XXXII + 199 págs. 12.º

475

Gli Esercizi Spirituali. Traduzione e commento del P. Luigi Ambruzzi. Florencia. Salani. 1944. 373 págs. 12.º (I libri della fede, 10).

— — —

—1958.

476

Esercizi spirituali. Trad. dall'originale spagnolo, introd. e disposizione sistematica di Armando Guidetti. Roma. La Civiltà Cattolica. 1960. 181 págs. 15,5 cm.

477

Esercizi spirituali, trad. da G. Gamboni. Pescara. Ed. Paolini. 1961. 154 págs.

MONSERRAT. *Monasterio.* D.XIX.12.º1773.

Autobiografía

478

Autobiografia e diario spirituale. Traduzione de F. Guerello. Introd. e note di G. Rambaldi. Florencia. Libr. Edit. Fiorentina. 1959. 278 págs.

a) Iparraguirre, I., en *Archivum Historicum Societatis Jesu*, XXIX, Roma, 1960, págs. 149-51.

CAMBRIDGE, Mass. *Harvard University.*

Cartas

479

S. Ignacio de Loyola nelle sue lettere. Traduzione e commento di P. Giuseppe Tessarolo. Milán. Ediz. Letture. 1955. 191 págs. 8.º

a) Schneider, B., en *Archivum Historicum Societatis Jesu*, XXIX, Roma, 1960, págs. 633-35.

480

Ignazio di Loyola e le donne del suo tempo. A cura di H. Rahner. Milán. Ediz. Paoline. 1968. 734 págs. con ilustr. 22 cm.

PROVIDENCE. *Brown University.*—WASHINGTON. *Congreso.* 75-11035.

h) LATINAS

Exercitia Spiritualia

481

EXERCITIA Spiritvalia. Roma. Antonium Bladum. 1548, 11 de septiembre. 114 hs. 8.º

Traducción hecha por el P. Andrés Frusio, o des Freux, por encargo de San Ignacio, para presentarla a Paulo III.
Toda, *Italia*, II, n.º 2.358.
PARIS. *Nationale.* Rés. D.42394.—TOLEDO. *Pública.*

———

—Reprod. en fototipia. Friburgo. Herder. 1910. 226 págs. 8.º
Reproduce el ejemplar de Enghien (Bélgica).
PARIS. *Nationale.* D.86568.
—Reprod. facsímil. Buenos Aires. Sebastián de Amorrortu. 1947.
Reproduce el ejemplar del Colegio del Salvador, de Buenos Aires, con anotaciones mss. del P. Polanco.
CHARLOTTESVILLE. *University of Virginia.*—MADRID. *Nacional.* H.A.-21.168.—MONSERRAT. *Monasterio.* D.XIX.12.1837.—ST. LOUIS. *St. Louis University.*

482

EXERCITIA spiritvalia. Coimbra. [Per Joannem Barrerium]. 1553. 238 págs. 8.º

483

———. Viena. In ædibus Cæsarei Collegi dictæ Societatis. 1563. 141 fols. 12.º

SANTIAGO DE COMPOSTELA. *Universitaria.*

———

Otras ediciones:
—Burgos. Felipe de Junta. 1574. 284 págs. 16.º
GRANADA. *Universitaria.* C-40-153.—MADRID. *Nacional.* R-30.500.—TOLEDO. *Pública.*
—Roma. In Collegio Societatis Iesu. 1576. 4 hs. + 280 + 16 págs. 24.º
Toda, *Italia*, II, n.º 2.359.
PARIS. *Nationale.* D.42395.—ST. LOUIS. *St. Louis University.*—WASHINGTON. *Congreso. Priority Collection.*
—Tolosa. Ex Typ. sub signo Nominis Iesu. 1593. 179 págs. 16.º
LYON. *Municipale.* 802.676.—PARIS. *Nationale.* D.42393.
—Roma. In Collegio Societatis Iesu. 1596. 254 págs. + 5 hs. 16.º
Toda, *Italia*, I, n.º 2.360.
BARCELONA. *Central.*—*Universitaria.*—CHICAGO. *Newberry Library.*
—Valencia. Felipe Mey. 1598. 240 págs. 8.º
LYON. *Municipale.* 802.677.
—Valencia. Felipe Mey. 1599. 1 h. + 190 páginas + 2 hs. 13 × 7 cm.
—Port.—Págs. 1-9: Approbatio.—Págs. 10-12: Ad lectorem.—Págs. 13-31: Annotationes.—Texto (págs. 31-190).—Colofón.
MADRID. *Nacional.* 2-11.382 (procede del Colegio de Alcalá). *Palacio.*—VALENCIA. *Pública.* Col. Nicolau Primitiu, L, 17.229.
—Mussiponti. In Collegio Societatis Iesu. 1605. 256 págs. 16.º
PARIS. *Nationale.* D.42396.
—Roma. In Collegio Rom. eiusdem Societatis. 1606. 150 págs. + 3 hs. 8.º
Toda, *Italia*, II, n.º 2.362.
MONSERRAT. *Monasterio.* D.XIX.12.901.—NUEVA YORK. *Hispanic Society.*—PARIS. *Nationale.* D.42396 bis (2).
—*Esercitii spirituali...* Roma. Zannettum. 1608. En hojas sueltas: 61 pliegos de 2 hs. cada uno, con grabados. Impreso por una cara.

CAMBRIDGE, Mass. *Harvard University.*

—Roma. In Collegio Romano eiusdem Societatis. 1615. 2 hs. + 150 págs. orladas y con grabs. 4.°
SANTIAGO DE COMPOSTELA. *Universitaria.*
—Amberes. Michal Knobbaert. 1676. 279 págs. con 54 grabs. 8.°
GRANADA. *Universitaria.* A-33-245.—MONSERRAT. *Monasterio.* D.XIX.12.842.
—*EXERCITIA spiritualia. Textuum antiquissimorum nova editio. Lexicon textus Hispani. Opus inchoavit Iosephus Calveras, absolvit Candidus de Dalmases.* Roma. Institutum Historicum Societatis Iesu. 1969. XLVII + 801 págs. con ilustr. (Monumenta Historica Societatis Jesu, 100).
CAMBRIDGE, Mass. *Harvard University.*—MADRID. *Fundación Universitaria Española.*—NUEVA YORK. *Fordham University.*—WASHINGTON. *Congreso.* 73-8950.

Directorium Exercitiorum...

484

DIRECTORIUM Exercitiorum... Roma. Collegium Societatis Iesu. 1591. 104 págs. + 1 h. 16 cm.

GRANADA. *Universitaria.* A-39-304. — MADRID. *Nacional.* R-28.475.—MONTPELLIER. *Municipale.* 4.372.—TOLEDO. *Pública.*

— — —

—*DIRECTORIVM Exercitorvm Spiritvalivm.* Florencia. Philippum Iunctam. 1599. 4 hs. + 183 págs. + 23 hs. 16.°
Toda, *Italia,* II, n.° 2.361.
—*DIRECTORIUM in Exercitia Spiritvali.* Roma. In Collegio Romano Societatis Iesu. 1606. 143 págs. + 7 hs. 8.°
Toda, *Italia,* II, n.° 2.363.
NUEVA YORK. *Hispanic Society.*
—Roma. In Collegio Romano... 1615. 143 págs. 4.°
SANTIAGO DE COMPOSTELA. *Universitaria.*

Regulae Societatis Iesu

485

REGULÆ Societatis Iesu. Roma. In Collegio ejusdem Societatis. 1580. II + 234 págs. 8.°

Toda, *Italia,* II, n.° 2.383.
PARIS. *Nationale.* H.17812.

— — —

—Roma. In Collegio ejusdem Societatis. 1582. 68 págs. 12.°

MADRID. *Nacional.* R-18.527.—PARIS. *Nationale.* Rés. H.2042.
—*REGULÆ Societatis Iesv.* Burgis. Apud Philippum Iuntam. 1583. 279 págs. + 2 hs. 16 cm.
MADRID. *Nacional.* R-27.005.
—Roma. In Collegio eiusdem Societatis. 1583. 309 págs. + 35 hs. 8.°

Constitutiones Societatis Iesu

486

CONSTITVTIONES Societatis Iesv. Roma. In œdibus Societatis Iesu. 1559. 5 hs. + 1 blanca + 52 + 159 págs. + 4 hs. 15 cm.

Trad. del original castellano por el P. Polanco.
MADRID. *Nacional.* R-19.544.

— — —

—Roma. V. Helianum. 1570. 160 págs. 8.°
Toda, *Italia,* II, n.° 2.379.
MADRID. *Nacional.* R-2.382.—PARIS. *Nationale.* E.9829.
—Roma. In Collegium eiusdem Societatis. 1583. 309 págs. + 34 hs. 18 cm.
Toda, *Italia,* II, n.° 2.384.
MADRID. *Nacional.* 2-69.903.
—Roma. In Collegio Romano ejusdem Socieatis. 1606. 311 págs. 8.°
MADRID. *Nacional.* 3-5.867.—PARIS. *Nationale.* H.13699.

Epístolas

487

EPISTOLAE S. Ignatii Loyola. Bolonia. 1804. XIX + 669 págs.

Con 97 cartas.
BARCELONA. *Universitaria.* C.195-5-21.—PRINCETON. *Princeton University.*—ST. LOUIS, Mis. *St. Louis University. School of Divinity Library.*

— — —

—Bolonia. 1837.
MUNDELEIN, Ill. *Saint Mary of the Lake Seminary.*

488

[*EPISTOLARIO*]. (En Genelli, Ch. *Das Leben des Hl. Ignatius von Loyola.* Insbruck. 1848, págs. 423-519).

Scintillae Ignatianae

489
HEVENESI, GABRIEL. *Scintillae Ignatianae sive S. Ignatii de Loyola... apophtegmata sacra per singulos anni dies distribuita...* Viena. 1705.

— — —

—Graeci. 1712.
CHICAGO. *University of Chicago.*
—Colonia. 1715.
PARIS. *Nationale.* D.86988.
—Praga. 1751.
CAMBRIDGE, Mass. *Harvard University. Andover-Harvard Theological Library.*
—Sevilla. Francisco Sánchez Reciente. 1753. 8 hs. + 424 págs. 8.º
SEVILLA. *Universitaria.*
—Méjico. 1756.
BERKELEY. *University of California. Bancroft Library.*—MADRID. *Nacional.* 2-34.754.
—Ratisbona. G. Pustet. 1919. VII + 474 págs. 16.º
CLEVELAND. *John Carroll University.*—CHARLOTTESVILLE. *University of Virginia.*

i) PORTUGUESAS

490
Exercicios espirituais. Tradução pelo P. Balduino Rambo. Porto Alegre. Tip. do Centro. 1938.

491
Exercicios espirituais. Trad. de Joaquim Abranches. Braga. Mensageiro do Coração de Jesus. 1961. 292 págs.

j) VASCAS

492
Loiolako Iñazio Donearen Gogo-Jardunak. Ejercicios espirituales... Primera versión vasco-castellana... traducida e ideológicamente ordenada por Luis Equía Rezola... Prólogo de Manuel Secuona... Bilbao. La Gran Enciclopedia Vasca. 1970. 77 págs. + 2 hs. 23,5 cm.
MADRID. *Nacional.* V-8.002-16.

ESTUDIOS

HISTORIOGRAFÍA

493
RAHNER, HUGO *Iñigo López de Loyola. Ein Überblick über die neueste Ignatiusliteratur.* (En *Stimmen der Zeit*, CXXXVIII, Friburgo, 1941, págs. 94-100).

Hay versión sintetizada y modernizada en la introducción a su trad. alemana de las cartas de San Ignacio, 3.ª ed., 1956, págs. 34-48.

494
IPARRAGUIRRE, IGNACIO. *Historiografía ignaciana.* (En su ed. manual de las *Obras completas* de San Ignacio, Madrid, 1952, págs. 7*-66*).

495
GARCIA VILLOSLADA, RICARDO. *La figura histórica de San Ignacio de Loyola a través de cuatro siglos.* (En *Razón y Fe*, CLIII, Madrid, 1958, págs. 45-70).

MISCELÁNEAS

496
LARRAÑAGA, VICTORIANO. *San Ignacio de Loyola. Estudios sobre su vida, sus obras, su espiritualidad.* Zaragoza. Hechos y Dichos. [1956]. XVI + 366 págs. + 2 hs. 24 cm.

a) Dalmases, C. de, en *Archivum Historicum Societatis Jesu*, XXVII, Roma, 1958, págs. 136-37.
b) Rey, E., en *Razón y Fe*, CLV, Madrid, 1957, págs. 402-3.

497
LETURIA, PEDRO DE. *Estudios ignacianos. Revisados por el P. Ignacio Iparraguirre.* Roma. Institutum Historicum S. J. 1957. 2 vols. 24,5 cm. (Bibliotheca Instituti Historici S. J., 10-11).

I. Estudios biográficos; II. Estudios espirituales.
a) A[rocena], F[austo], en *Boletín de la*

R. *Sociedad Vascongada de Amigos del País*, XIII, San Sebastián, 1957, págs. 371-372.

b) Granero, J. M., en *Manresa*, XXX, Madrid, 1958, pág. 69.

c) Juan Bosco de Jesús Sacramentado, Fray, en *Revista de Espiritualidad*, XVI, Madrid, 1957, págs. 412-13.

d) Lynch, C. J., en *The Catholic Historical Review*, XLIV, Washington, 1958, págs. 181-82.

e) Mansilla, D., en *Hispania Sacra*, X, 1957, págs. 221-22.

f) Rahner, H., en *Archivum Historicum Societatis Jesu*, XXVII, Roma, 1958, págs. 135-36.

g) Ricard, R., en *Bulletin Hispanique*, LX, Burdeos, 1958, págs. 123-25.

h) Schneider, B., en *Gregorianum*, XXXIX, Roma, 1958, págs. 173-74.

i) Thiry, A., en *Nouvelle Revue Théologique*, LXXX, Lovaina, 1958, pág. 654.

j) Vives, J., en *Analecta Sacra Tarraconensia*, XXIX, Barcelona, 1956, págs. 427-428.

MADRID. *Consejo. Instituto «M. de Cervantes».* VI-102.—WASHINGTON. *Congreso.* 59-3745.

498
[*CONGRESO NACIONAL IGNACIANO. Barcelona, 1956*]. *San Ignacio de Loyola ayer y hoy. Proyecciones ignacianas sobre la crisis científica, teológica y religiosa de nuestro tiempo.* [Barcelona. Gráfs. Casulleras]. 1958. 591 págs. 24 cm.

MADRID. *Consejo. General. — Nacional.* 1-211.404. — *Particular de «Razón y Fe».* L-III-429.

BIOGRAFÍA

499
RIBADENEIRA, PEDRO. *Vita Ignatii Loialae, Societatis Iesu fundatoris...* Nápoles. 1572.

MADRID. *Nacional.* 3-35.246.

500
————. *Vida de Ignacio de Loyola, fundador de la religión de la Compañía de Jesús...* Madrid. 1583.

MADRID. *Nacional.* R-29.360.

— — —

Para otras ed. v. RIBADENEIRA, PEDRO DE.

501
[MAFFEI, GIOVANNI PIETRO]. MAFFEIUS, JOANNES PETRUS. *De Vita et Moribus Ignatii Loiolae, qui Societatum Iesv fundavit, Libri III.* Roma. Ap. Franciscum Zannettum. 1585.

MADRID. *Nacional.* 2-70.978; 3-35.328.

— — —

—*Ignatii Loiola vita...* Roma. Bern. Donangelum. 1587.

MADRID. *Nacional.* 3-29.020.

Muchas ed. posteriores.

502
VITA Beati P. Ignatii Loiolae Societatis Iesu fundatoris. Roma. [s. i.]. 1609. 79 láms. con texto al pie + 6 hs. 18,5 cm.

En 79 láminas, preparadas por el P. Lancicio.

BARCELONA. *Central.* Res. 1544-12.º

503
VITA Beati Patris Ignatii Loyolae religionis Societatis Iesu fundatoris... Amberes. 1610.

En 15 láminas. Texto del P. Ribadeneyra.

504
BINET, ÉSTIENNE. *Abbrégé de la vie éminente de S. Ignace de Loyola, fondateur de la religion de la Compagnie de Jésus...* París. S. Chappelet. 1622. 262 págs. 16.º

PARIS. *Nationale.* Oo.420.

505
MAYR, GEORGIUS. *Vita sancti Ignatii Loiolae Societatis Iesu fundatoris.* Augustae. 1622.

En cien imágenes, con pies en latín. Se hizo otra ed. simultánea con dos textos en alemán.

506
NIEREMBERG, JUAN EUSEBIO. *Vida del glorioso San Ignacio de*

Loyola. Madrid. Imp. del Reyno. 1631. 4 hs. + 198 fols. + 3 hs. 15 cm.
MADRID. *Nacional.* 3-13.803.

— — —

Para las numerosas reimpresiones, véase: NIEREMBERG (P. JUAN EUSEBIO).

507

BARTOLI, DANIELLO. *Della vita e dell'istituto di S. Ignatio fondatore della Compagnia di Giesu.* Roma. 1650.

— — —

—Editione seconda accresciuta dall'autore. Roma. Ignatio de Lazari. 1659.
MADRID. *Nacional.* 2-69.323.
—3.ª ed. Venecia. 1673.
MADRID. *Nacional.* 2-20.930.
—*De vita et instituto S. Ignatiii Societatis Jesu fundatoris...* Ex Latine redditi, a P. Ludovico Janisio. Lugduni. Sumpt. Laurentii Anisson. 1665.
BARCELONA. *Seminario Conciliar.*—MADRID. *Nacional.* 2-31.189.

508

BUSSIÈRES, JEAN DE. *La Vie de S. Ignace de Loyola, fondateur de la Compagnie de Jésus.* Lyon. A. Molin. 1670. 475 págs. 12.º
PARIS. *Nationale.* H.10821.

509

BOUHOURS, DOMINIQUE. *La Vie de saint Ignace, fondateur de la Compagnie de Jésus.* París. S.-Anbre-Cramoisy. 1679. XII + 495 págs. + Tabla. 4.º
LYON. *Municipale.* 103.473.—MADRID. *Nacional.* 3-17.830. — PARIS. *Nationale.* Oo.425; Rés. H.719.
Hay numerosos reed. de los siglos XVII, XVIII y XIX.

510

GARCIA, FRANCISCO. *Vida, virtudes y milagros de San Ignacio de Loyola.* Madrid. Iuan García Infanzón. 1685. 12 + 651 + 2 hs. 20 cm.
V. *B. L. H.*, X, n.º 6139.

511

[PIEN] PINIUS, IOANNES. *Acta S. Ignatii Loyolae, fundatoris clericorum regularium S. I.* Amberes. 1731.
Edición aparte del tomo VII correspondiente al 31 de julio de Acta SS. de los Bolandos.

512

FLUVIA, FRANCISCO JAVIER. *Vida de San Ignacio de Loyola...* Barcelona. 1735.

513

——. ——. Barcelona. Pablo Nadal. 1753. 2 vols. con un retrato. 8.º
BARCELONA. *Central.* R (2)-8.º-247[248.—MADRID. *Facultad de Filosofía y Letras.—Nacional.* 2-27.619/20; 3-68.132/33.

514

GENELLI, CHRISTOPH. *Das Leben des hl. Ignatius von Loyola...* Insbruck. 1848.

— — —

—2.ª ed. por V. Kolb. Viena. 1894.
—3.ª ed. Regensburg. Pustet. 1920. XXIV + 615 págs. 8.º
—*The life of St. Ignatius Loyola...* Londres. 1849. 2 vols.
—*La vie de Saint Ignace de Loyola. Traduit par Charles Sainte-Foi.* París. E. Thunot et Cie. 1857. 2 vols. 18 cm.
MADRID. *Nacional.* 7·19.910/11.

515

[ORLIAC, J. M. S.] DAURIGNAC, J. M. S. [seud.] *Histoire de S. Ignace de Loyola, fondateur de la Compagnie de Jésus.* París. Bailly, Durry et Cíe. 1859. 2 vols.
MADRID. *Nacional.* 1-75.885.

516

ARANA, JOSE IGNACIO. *San Ignaico Loyolacoaren, bicitza laburtua euskaraz eta gaztelaniaz. Compendio de la vida de San Ignacio de Loyola en bascuence y castellano.* Bilbao. Imp. de Larumbe Hnos. 1872. 2 hs. + 294 págs. + 1 h. 21 cm.
BILBAO. *Provincial.* V-2-2-72; V-2-1-24.

517

CASTELAR, EMILIO. [*San Ignacio de Loyola*]. (En *La revolución religiosa*. Tomo IV. Barcelona. Montaner y Simón. 1883. 885 págs.)

a) [Alarcón, Julio]. J. M. y Saj. *San Ignacio de Loyola según Castelar. Genialidades.* Bilbao. El Mensajero del Corazón de Jesús. 1892. 276 págs.

BARCELONA. *Central.* 27.Fol.14.—MADRID. *Nacional.* 2-83.054.

518

ARAGON FERNANDEZ, ANTONIO. *San Ignacio de Loyola y la Compañía de Jesús*. Barcelona. B. Baseda. 1889. XV + 204 págs. con ilustr.

BARCELONA. *Seminario.*—MADRID. *Consejo. General.*

519

NIEUWENHOFF, W. VAN. *Leven van den H. Ignatius van Loyola.* Amsterdan. G. Borg. 1891. 2 vols. 8.º

— — —

—*Leben des heiligen Ignatius von Loyola.* Regensburg. Habbel. 1901. 2 vols. 12.º

520

POLANCO, JUAN ALFONSO DE. *Vita Ignatii Loiolae et rerum Societatis Iesu*. Madrid. 1894-98. 6 vols.

Obra fundamental.
Tomos I-V, ed. por José M.ª Vélez; el VI por Vicente Agustí, con un índice de toda la obra por Mariano Lecuz.

521

GOTHEIN, EBERHARD. *Ignatius von Loyola und die Anfänge der Gegenreformation*. Halle. Niemeyer. 1895. XII + 795 págs.

a) Kreiten, W., en *Stimmen im Maria Laach*, XLIX, Maria Laach, 1895, págs. 527-544.

— — —

—*Ignazio di Loiola. Trad. di A. Bortolini.* Venecia. La Nuova Italia. 1927. 84 págs.

522

JOLY, HENRI. *St. Ignace de Loyola.* París. Lecoffre. 1899. VII + 227 págs. + 1 h. 18 cm. (Les Saints).

BARCELONA. *Central.* 23-8.º-1135.—PARIS. *Nationale.* 8.ºH.6227.

—9.ª ed. 1913.
—11.ª ed. 1925. 227 págs.
—12.ª ed. París. Gabalda. 1925. VII + 227 págs. 18 cm.

MADRID. *Nacional.* 1-87.929.

—*Sant'Ignazio di Loyola.* Roma. Desclée e Lefebvre. 1907. 224 págs. 8.º (I Santi, 19).
—*St. Ignatius of Loyola. Trans. by Muldred Partridge.* Londres. Burns Oates & Washbourne. 1914. XIV + 262 págs. (The Saints).

523

SALCEDO RUIZ, ANGEL. *Ignacio de Loyola. Narración histórica.* Madrid. La Ultima Moda. 1899. 32 págs. 18,5 cm. (Glorias de Espaya, 16).

MADRID. *Consejo. General.*

524

ASTRAIN, ANTONIO. *San Ignacio de Loyola, 1540-1566.* Madrid. 1902. CX + 716 págs. Tomo I de su *Historia de la Compañía de Jesús en la Asistencia de España*.

MADRID. *Nacional.* 5-1.021.

— — —

—2.ª ed. 1912.
—Fragmento (págs. 641-55): *Semblanza de San Ignacio de Loyola*. Valladolid. Propaganda Social. [s. a.]. 16 págs. 8.º

525

THOMPSON, FRANCIS. *St. Ignatius Loyola. Edited by John H. Pollen.* Londres. Burns and Oates. 1909. VIII + 326 págs. con 100 ilustr. 8.º

— — —

—1910.
—1913.
—1951.
—*Ignatius von Loyola. Ein Heiligenleben. Aus d. Engl. von Helene v. Reuss.* Kempten. J. Kösel. 1912. XVI + 318 págs. 8.º
—*De Heilige Ignatius van Loyola. In het Nederlandsch bewerkt door H. Kooyman.* Leiden. H. J. Dieben. 1915. VIII + 186 págs. 8.º
—2.ª ed. Wassenaar. Dieben. 1935. 296 págs.

526

BÖHMER, HEINRICH. *Studien zur Geschichte der Gesellschaft Jesu.* Tomo I: *Loyola.* Bonn. A. Kalkenrath. 1914. VI + 343 + 104 págs. 8.º

— — —

—*Ignatius von Loyola.* Leipzig. Koehler und Amelang. 1941. 417 págs. 8.º
—Stuttgart. K. F. Koehler. 1951. 354 págs. 8.º

527

DESDEVISES DU DEZERT, G. *Saint Ignace de Loyola.* (En *Revue Hispanique,* XXXIV, Nueva York-París, 1915, págs. 1-71).

528

PEY-ORDEIX, S. *Historia crítica de San Ignacio de Loyola.* Tomo I: *Su juventud.* Madrid. A. Marzo. 1916. 320 págs. 4.º

MADRID. *Particular de «Razón y Fe».* L-III-173.

529

MARTINDALE, CYRIL C. *St. Ignatius Loyola.* (En *In God's Army. I. Commanders - in - Chief.* Londres. Burns Oates. 1917).

— — —

—2.ª ed. rev. 1921.
—*Saint Ignace de Loyola. Traduit par Abel Dechène.* París. Lethilleux. 1930. 172 págs. 8.º
MADRID. *Particular de «Razón y Fe».* L-IV-22.

530

ASTRAIN, ANTONIO. *Vida breve de San Ignacio de Loyola, fundador de la Compañía de Jesús.* Bilbao. Mensajero del Corazón de Jesús. 1921. 132 págs. 12.º

MADRID. *Particular de «Razón y Fe».* L-IV-29.

— — —

—2.ª ed. 1934.
—*Vie abrégée de saint Ignace de Loyola, fondateur de la Compagnie de Jésus. Trad. por Christian Lamy de la Chapelle.* Zaragoza. Hechos y Dichos. 1954. 133 págs.

—3.ª ed. Zaragoza. Hechos y Dichos. 1956. 176 págs.
a) J. It., en *Razón y Fe,* CLIV, Madrid, 1956, pág. 120.
—*Breve vita di S. Ignazio di Loyola, fondatore della Compagnia di Gesù. Traduzione dalla Spagnuolo.* Nápoles. Ufficio succursale della Civiltà Cattolica. 1925. VII + 156 págs. 12.ª
—*Der hl. Ignatius von Loyola... Aus dem spanischen von Emil Weber.* Weisbaden. H. Rauch. 1924. 183 págs. 8.º
—*A Short Life of St. Ignatius Loyola. Translation by Robert Hull.* Londres. Benziger. 1928. 110 págs. 12.º
—2.ª ed. 1940. IX + 116 págs.
—Bombay. 1955-56. 116 págs.

531

CASANOVAS, IGNACIO. *Sant Ignasi de Loyola, fundador de la Companya de Jesús.* Barcelona. Foment de Pietat Catalana. 1922. 402 págs. 12.º

BARCELONA. *Central.* A.23-8.º-600.

— — —

—*Sant Ignasi de Loyola, autor dels Exercicis Espirituals, fundador de la Companyia de Jesús.* 2.ª ed. corr y aum. 1930. XXIX + 420 págs. 12.º (Biblioteca dels Exercicis Espirituals, 1).
BARCELONA. *Central.* A-24-8.º-660.
—*San Ignacio de Loyola, fundador de la Compañía de Jesús. Traducción del catalán por Antonio Viladevall.* Madrid. Edit. Razón y Fe. 1930. 304 págs. 8.º
MADRID. *Particular de «Razón y Fe».* La-IV-1.
—*San Ignacio de Loyola, fundador de la Compañía de Jesús. Versión de la segunda edición catalana del P. Manuel Quera.* Barcelona. Balmesiana. 1944. 398 págs. 19 cm.
BARCELONA. *Central.*—MADRID. *Consejo. General.*—*Particular de «Razón y Fe».* L-IV-368.
—2.ª ed. 1954 (Obras del P. Casanovas, 5).
a) B. N., en *Manresa,* XXIX, Madrid, 1957, pág. 72.
b) C. S. de S. M., en *Razón y Fe,* CLIV, Madrid, 1956, pág. 118.
c) Iparraguirre, I., en *Estudios Eclesiásticos,* XXX, Madrid, 1956, pág. 516.
d) P., en *La Ciencia Tomista,* LXXXIII, Salamanca, 1956, págs. 150-51.
MADRID. *Nacional.* 7-28.803. — *Particular de «Razón y Fe».* L-IV-368-2.
—Buenos Aires. Difusión. 1859 (sic). 320 págs.

532

MARCOS, BENJAMIN. *San Ignacio de Loyola...* Madrid. Caro Raggio. 1923. XXIV + 368 págs. (Los grandes filósofos españoles).

BARCELONA. *Central.* A.23-8.º-607.—MADRID. *Particular de «Razón y Fe».* L-IV-20.

533

FULOP-MILLER, RENÉ. *Macht und Geheimnis der Jesuiten. Eine Kultur und Geisteschichte.* Berlín. 1929.

———

—2.ª ed. Berlín. Th. Knaur Nachf. 1932.
—Tr. fr. París. Plon-Nourrit. 1933.
—Tr. ital. Verona. Mondadori. 1931.
—Madrid. Espasa-Calpe. 1946.
—*El poder y los secretos de los jesuitas. Monografía de cultura histórica.* Trad. de Javier Bueno. Madrid. Biblioteca Nueva. 1931. 570 págs. + 77 láms. 23 cm.
BARCELONA. *Central.* 23-8.º-248.
—Buenos Aires. Espasa-Calpe Argentina. 1970.
BARCELONA. *Central.*

534

SALAVERRIA, JOSE MARIA. *Loyola.* Madrid. Edit. La Nave. 1929. 251 págs. con 4 láms. 16 cm. (Grandes Figuras Históricas).

a) Alonso Bárcena, F., en *Razón y Fe,* LXXXV, Madrid, 1929, págs. 422-38.
b) Ibeas, B., en *Religión y Cultura,* IX, Madrid, 1930, págs. 285-87.
c) Pitollet, C., en *Revue des Langues Romances,* LXV, Montpellier, 1928, págs. 347-350.
BARCELONA. *Central.* 23-8.º-48.—MADRID. *Facultad de Filosofía y Letras.* — *Nacional.* 2-80.895.

535

ROSA, ENRICO. *Il buon soldato di Cristo e la sua milizia. S. Ignazio di Loiola e le origini della Compagnia di Gesu.* Roma. Civiltà Cattolica. [1927]. VII + 229 págs.

536

COSTER, ADOLPHE. *Juan de Anchieta et la famille de Loyola, avec une introduction par G. Desdevises du Dezert.* París. Libr. C. Klincksieck. 1930. XXIII + 322 págs. 8.º

a) Pérez Arregui, J. M., en *Razón y Fe,* XCV, Madrid, 1931, págs. 324-47; XCVI, págs. 203-25; XCVII, págs. 201-15; XLVIII, 1932, págs. 179-90, y en *Archivum Historicum Societatis Jesu,* I, Roma, 1932, págs. 130-31.
Considerada por los jesuitas como una de las falsificaciones más famosas de la biografía, por su pretensión de llenar las lagunas existentes en ella y de depurar la imagen forjada por sus seguidores.

537

KOLB, VIKTOR. *Das leben des hl. Ignatius von Loyola...* Friburgo. Herder. 1931. 159 págs. 8.º

a) Raitz v. Frentz, E., en *Archivum Historicum Societatis Jesu,* I, Roma, 1932, págs. 320-21.

———

—*Der heilige Ignatius von Loyola...* Viena. Verlag Buchhandlung Verein Volkcbildung. 1927. 40 págs. 16.º

538

HUONDER, ANTON. *Ignatius von Loyola. Beiträge zu seinem Charakterbild. Herausgegeben von Balthasar Wilhelm.* Colonia. Katholische Tat-Verlag. 1932. XVI + 371 págs. 8.º

a) Leturia, P., en *Archivum Historicum Societatis Jesu,* II, Roma, 1933, págs. 310-16.

———

—*Ignazio de Loyola. Studio del carattere.* 2.ª ed. Roma. La Civiltà Cattolica. 1953. 428 págs. 8.º

539

DUDON, PAUL. *Saint Ignace de Loyola.* París. Beauchesne. 1934. XX + 664 págs. 4.º

———

—*San Ignacio de Loyola. Traducción castellana de la 3.ª ed. francesa, por el P. Joaquín Cardoso.* Méjico. Buena Prensa. 1945. X + 569 págs. 23,5 cm.
—2.ª ed. 1955.
a) I. M. U., en *Razón y Fe,* CLIV, Madrid, 1956, pág. 117.
—*St. Ignatius of Loyola. Translated by William J. Young.* Milwaukee. Bruce. 1949. XIV + 484 págs. 8.º

540

MARCUSE, LUDWIG. *Ignatius von Loyola.* Amsterdam. Querido. [Nimega. N. V. Druckerii]. 1935. 379 págs. 21 cm.

BARCELONA. *Central.* A.23-8.º-608.—MADRID. *Nacional.* 1-102.101.

—— —— ——

—Hamburgo. Rowohlt. 1956. 246 págs.
—Nueva ed. abreviada. Leck, Clausen et Bosse. 1956.
—*Ignace de Loyola, 1491-1556, Le Dictateur des âmes. Traduction française de Pierre Degon.* París. Payot. 1936. 329 págs. 23 cm. MADRID. *Consejo. General.*
—*Soldier of the Church. The life of Ignatius Loyola.* Tr. and ed. by Christopher Lazare. Nueva York. Simon and Schuster. 1939. V + 352 págs. 8.º

541

HARVEY, ROBERT. *Ignatius Loyola. A General in the Church Militant.* Milwaukee. Bruce. 1936. XVII + 273 págs. (Science and Culture Series).

542

BLUNCK, RICHARD. *Der Schwarze Papst. Das Leben des Ignatius von Loyola.* Berlín. Holle & Co. 1937. 355 págs. 8.º

a) Knelter, C. A., en *Zeitschrift für Aszese und Mystik,* XII, Munich, 1938, págs. 232-233.

543

HOLLIS, CHRISTOPHER. *St. Ignatius.* Londres. Sheed and Ward. 1931. 287 págs. 8.º

El autor era anglicano.

—— —— ——

—*San Ignacio de Loyola. Trad. por Gina H. de Sala, revisada por A. Ennis.* Buenos Aires. Edic. del Tridente. 1946. 316 págs. 24 cm.
MADRID. *Consejo. General.*—*Nacional.* 4-9.949.
—*Sant' Ignazio di Loyola. Traduzione di O. Nemi ed H. Furst.* Milán. Longanesi & C. 1948. 337 págs. 12.º
—*Sint Ignatius. Vertaald uit het Engels door H. Wagemans.* Haarlem en Antwerpen. J. H. Gottmer. 1949. 327 págs. 8.º

544

SOLANES, FELIPE. *San Ignacio de Loyola, fundador de la Compañía de Jesús.* Barcelona. Castalia. [1940]. 61 págs. 8.º (Vidas Santificadas).

—— —— ——

—3.ª ed. Bilbao. Mensajero del Corazón de Jesús. 1953. 111 págs.
MADRID. *Particular de «Razón y Fe».* L-IV-37.

545

ARTECHE, JOSE DE. *San Ignacio de Loyola. Biografía. Prólogo de Pedro de Leturia.* Barcelona. Herder. 1941. 336 págs. 8.º

MADRID. *Particular de «Razón y Fe».* Lo-IV-23.

—— —— ——

—2.º ed. Bilbao. Mensajero del Corazón de Jesús. 1947. 397 págs.
—Barcelona. Libr. Herder. 1951? 332 págs. 17 cm.
a) C. S. de S. M., en *Razón y Fe,* CLIV, Madrid, 1956, págs. 262-63.

546

GIORDANI, IGINO. *Ignazio di Loiola, general di Cristo.* Florencia. Adriano Salani. 1941. 397 págs. con ilustr. 12.º

547

G[ONZALEZ] OLMEDO, FELIX. *Introducción a la vida de San Ignacio de Loyola.* Madrid. Espasa - Calpe. 1944. 317 págs. + 1 h. 19,5 cm.

BARCELONA. *Central.* 23-8.º-140.—MADRID. *Facultad de Filosofía y Letras.* — *Nacional.* 1-99.032.

548

BLUNCK, R. *Ignatius von Loyola. Leben und Werk.* Hamburgo. Hammerich et Lesser. 1947. 352 págs.

549

LETURIA, PEDRO. *El gentilhombre Iñigo López de Loyola.* Barcelona. Edit. Labor. [Galve]. 1941. 283 págs. + XVI láms. 19 cm. (Colección Pro Ecclesia et Patria, 20).

BARCELONA. *Central.* — MADRID. *Consejo. General.—Consejo. Patronato «Menéndez Pelayo».* SA-1.522. — *Facultad de Filosofía y Letras.—Nacional.* F-2.051.

— — —

—*El gentilhombre Iñigo López de Loyola en su patria y en su siglo.* 2.ª ed. corregida. Barcelona. Edit. Labor. 1949. 317 págs. + XVI láms. 18,5 cm.

a) Uribe, P., en *Archivo Ibero-Americano,* XII, Madrid, 1952, pág. 373.

MADRID. *Consejo. General.*

—Montevideo. Edit. Mosca. 1938. XVI + 303 págs. + 25 láms. 19,5 cm.

MADRID. *Instituto de Cultura Hispánica.*

—*Iñigo de Loyola. Translated by Aloysius J. Owen.* Syracuse, N. Y. Le Moyne College Press. 1949. XIII + 209 págs. 24 cm.

—Reprint. Chicago. 1965.

WASHINGTON. *Congreso.* 65-7656.

550

MARTINEZ FRIERA, JOAQUIN. *Ignacio de Loyola, capitán del Imperio.* Madrid. Edit. Gran Capitán. 1947. 179 págs. + 1 láms. 20 cm. (Milicia de España, 11).

BARCELONA. *Central.* 23-8.º-272.—MADRID. *Consejo. General.—Particular de «Razón y Fe».* Lc-IV-17.

551

VICUÑA, ALEJANDRO. *Loyola.* Santiago de Chile. Tip. Chilena. 1950. 249 págs. 8.º

a) Iparraguirre, I., en *Manresa,* XXIV, Madrid, 1952, págs. 416-17.

552

MATT, LEONARD VON, y HUGO RAHNER. *Ignatius von Loyola.* Zürich. NZN Bunchverlag. 1955. 336 págs. con fotografías de Leonard von Matt. 25 cm.

a) Batllori, M., en *Archivum Historicum Societatis Jesu,* XXV, Roma, 1956, págs. 617-18.

b) Bradford, C., en *The Catholic Review,* XLIII, Edimburgo, 1957, págs. 58-59.

MADRID. *Particular de «Razón y Fe».* L-IV-446.—WASHINGTON. *Congreso.* A-56-2808.

— — —

—*St. Ignatius of Loyola. A Pictorial Biography. Translated by John Murray.* Londres. Longmans, Green & Co. [1956]. VI + 106 págs.

—Nueva York. [Universe Books]. 1963. 48 pags. + 72 ilustr. 18 cm.

WASHINGTON. *Congreso.* 63-18343.

—*Ignace de Loyola.* Brujas. Desclée de Brouwer. 1955. 355 págs. + 226 láms. 24 cm.

c) C. P., en *Brotéria,* LXIV, Lisboa, 1957, pág. 11.

d) E. S., en *Revista de Archivos, Bibliotecas y Museos,* LXII, Madrid, 1957, pág. 388.

e) Thiry, A., en *Nouvelle Revue Theologique,* LXXXVII, París, 1956, p. 768.

MADRID. *Nacional.* 1-209.734.

—*Ignacio de Loyola. Pórtico y versión: E. Larracoechea.* Bilbao. Desclée de Brouwer. 1956. 347 págs. + 226 láms. + 1 mapa. 25 cm.

f) Estal, J. M. del, en *La Ciudad de Dios,* CLXIX, El Escorial, 1956, págs. 203-4.

g) Mesa, C., en *La Ilustración del Clero,* XLIX, Madrid, págs. 286-87.

h) Meseguer, P., en *Razón y Fe,* CLIV, Madrid, 1956, págs. 115-16.

BARCELONA. *Central.* 23-4.º-68.—MADRID. *Consejo. General. — Nacional.* F-5.309. *Particular de «Razón y Fe».* Ac-14.

—2.ª ed. 1962. 330 págs. + 226 láms. + 4 hs. 25 cm.

MADRID. *Nacional.* 4-50.642.

—*Ignatius von Loyola. Nederlandse bewerking van Fr. Van Bladel.* Brujas. Desclée de Brouwer. 1955. 336 págs. con ilustr. 8.º

—*Ignacio di Loyola. Traduzione di Angelo Martini.* Génova. Stringa. 1955. 336 págs. con ilustr. 8.º

—*Inácio de Loyola. Tradução de Lucia J. Villela.* Brujas. Desclée de Brouwer. 1956. 36 págs. + 226 láms. + 2 mapas.

i) C. P., en *Brotéria,* LXIV, Lisboa, 1957, pág. 111.

—*Ignace de Loyola.* París. Edit. Desclée de Brouwer. 1955. 336 págs. + 226 fotografías.

j) A. de L., en *Brotéria,* XLII, Lisboa, 1956, págs. 377-78.

k) J. G. de la S., en *La Ciencia Tomista,* LXXXIII, Salamanca, 1956, págs. 452-53.

MADRID. *Nacional.* 1-209.734.

553

PAPASOGLI, GIORGIO. *Sant' Igna-zio di Loyola.* Roma. Ediz. Paoline. 1955. 512 págs. 22 cm.

a) Filograssi, G., en *Gregorianum*, XXXVII, Roma, 1956, págs. 658-59.
b) Mondrone, D., en *La Civiltà Cattolica*, Roma, 1955, n.º 4, págs. 174-79.
BARCELONA. *Central.* 23-8.º-1345.

— — —

—2.ª ed. 1956.
c) Iparraguirre, I., en *Archivum Historicum Societatis Jesu*, XXV, Roma, 1956, págs. 621-24.
d) Thiry, A., en *Nouvelle Revue Théologique*, LXXXVIII, París, 1956, pág. 769.
BOSTON. *Public Library.*—WASHINGTON. *Congreso.* 56-39334.

—3.ª ed. Milán. Ancora. 1965. 542 págs.
WASHINGTON. *Catholic University of America Library.*

—*San Ignacio de Loyola.* Trad. de Carlos Moreno Pérez. Barcelona. Edic. Eler. 1956. 489 págs. 24 cm.
e) B., en *La Ciencia Tomista*, LXXXIV, Salamanca, 1957, pág. 527.
f) Rey, E., en *Razón y Fe*, CLV, Madrid, 1957, págs. 404-5.
g) Rodríguez, S., en *La Ciudad de Dios*, CLXII, El Escorial, 1958, pág. 149.
MADRID. *Consejo. — Nacional.* 1-208.510.—*Particular de «Razón y Fe».* Lo-III-23.

—*Saint Ignatius of Loyola.* Transl. by Paul Garvin. Staten Island, N. Y. Society of Saint Paul. 1959. 351 págs. con ilustr. 22 cm.
WASHINGTON. *Congreso.* 58-12224.

554

PERROY, HENRY. *Ignace de Loyola.* Lyon. E. Vitte. 1955. 155 págs. 19 cm.

WASHINGTON. *Congreso.* A-55-4877

555

BRAUN, A. B. *Santo Inácio de Loyola, fundador da Companhia de Jesus.* Petrópolis. Vozes. 1956. 278 págs.

556

GARCIA VILLOSLADA, R. *Ignacio de Loyola. Un español al servicio del*

Pontificado. Zaragoza. Hechos y Dichos. 1956. 463 págs. + 6 láms. 26 cm.

a) E., en *Razón y Fe*, CLIV, Madrid, 1956, págs. 114-15.
b) E. R., en *Fomento Social*, XI, Madrid, 1956, págs. 260-61.
c) F. A., en *Boletín de la R. Sociedad Vascongada de Amigos del País*, IX, San Sebastián, 1956, pág. 232.
d) Martini, A., en *Archivum Historicum Societatis Jesu*, XXV, Roma, 1956, págs. 618-29.
e) Odriozola, A., en *Insula*, XII, Madrid, 1957, n.º 124, pág. 6.
f) Rey, E., en *Razón y Fe*, CLIV, Madrid, 1956, págs. 114-15.
g) Rivera, J. F., en *Salmanticensis*, V, Salamanca, 1958, págs. 265-66.
h) Zunzunegui, José, en *Surge*, XIV, Vitoria, 1956, pág. 139.

557

GUILLERMOU, ALAIN. *La vie de saint Ignace de Loyola.* París. Edit. der Seuil. 1956. 277 págs. 18 cm.

a) D. M., en *Broteria*, LXVII, Lisboa, págs. 347-48.
b) Iparraguirre, I., en *Archivum Historicum Societatis Jesu*, XXV, Roma, 1956, págs. 621-24.
c) Kemp, R., en *Nouvelles Littéraires*, París, 19 de julio de 1956.
d) Sauvard, G., en *Revue de l'Histoire des Religions*, CLIII, París, 1958, págs. 116-117.
MADRID. *Nacional.* 1-205.173. — WASHINGTON. *Congreso.* A57-2472.

— — —

—1960. 187 págs. 18 cm.
MADRID. *Nacional.* V-6.170-22.

—*Ignatius von Loyola in Selbstzeugnissen und Bilddokumenten...* [Hamburgo]. Rowohlt. 1962. 176 págs. 19 cm. (Rowhlt Monographien, 74).
MADRID. *Nacional.* V-10.829-1.

—*San Ignacio.* Madrid. 1963. 18 cm.
MADRID. *Nacional.* 1-227.577.

558

PURCELL, MARY. *The First Jesuit, St. Ignatius Loyola.* Dublín. M. H. Gill and Son. 1956. XL + 387 págs. 21 cm.

a) Iparraguirre, I., en *Archivum Historicum Societatis Jesu*, XXV, Roma, 1956, págs. 621-24.
b) Leeber, J., en *Razón y Fe*, CLIV, Madrid, 1956, pág. 38).
WASHINGTON. *Congreso*. 56-9997.

559

SANZ BURATA, LUIS. *San Ignacio de Loyola...* Barcelona. Edit. Vilamala. [1956]. 71 págs. con ilustr. 24 cm.

a) Rey, E., en *Razón y Fe*, CLV, Madrid, 1957, pág. 406.

560

BERNARDEZ, JOSE. *San Ignacio de Loyola*. Madrid. Apostolado de la Prensa. 1959. 123 págs. 16,5 cm. (Vidas ejemplares.)
MADRID. *Nacional*. V-3.954-19.

561

ZANNA, LORENZO DEL. *Il capitano di fuoco*. Roma. Stella Matutina. 1962. 295 págs. con ilustr. (Coll. agiografica per adolescenti, 4).

a) Mondrone, D., en *La Civiltà Cattolica*, III, Roma, 1963, pág. 365.

—————

—2.ª ed. 1968. 174 págs. 16 cm.
WASHINGTON. *Congreso*. 70-537672.

562

THOMPSON, FRANCIS. *Saint Ignatius Loyola. Ed. by John H. Pollen. Introd. by James Brodrick*. Londres. Burns & Oates. 1962. XXVII + 191 págs. (Universe Books).

563

PETRI, LAURA. *Ignatius Loyola. En bok om att hjälpa själar. Inledning av Gunnar Hillerdal*. Estocolmo. Natur och Kultur. 1963. 305 págs.
WASHINGTON. *Congreso*. 65-45800.

564

PÖSCHL, MATTHIAS. *Ignatius von Loyola*. Donauwörth. L. Auer. 1963. 88 págs.

565

ELIZALDE, IGNACIO. *San Ignacio de Loyola*. Plasencia. Sánchez Rodrigo. 1963. 140 págs. 19,5 cm. (Hijos ilustres de España, 31).
MADRID. *Nacional*. 7-54.264.

566

GRANERO, JESUS MARIA. *San Ignacio de Loyola. Panoramas de su vida*. Madrid. Razón y Fe. [1967]. XXXI + 554 págs. 22,5 cm.
MADRID. *Consejo. General.—Facultad de Filosofía y Letras.—Nacional*. 4-71.814.

567

GRANERO, JOSE MARIA. *San Ignacio de Loyola, fundador de la Compañía de Jesús*. Asunción. Edics. Loyola. 1976. 32 págs. 8.º (Colección Azul, 2).

568

RAHNER, HUGO. *Ignatius: the man and the priest*. Roma. Centrum Ignatianum Spiritualitatis. 1977. 124 págs. 8.º

569

ROIG, ROSENDO. *Iñigo de Loyola*. Bilbao. El Mensajero. 1978. 400 págs. (Col. de bolsillo).

570

DALMASES, CANDIDO DE. *El Padre Maestro Ignacio. Breve biografía ignaciana*. Madrid. Editorial Católica. 1979. XIV + 250 págs. 15 cm. (Biblioteca de Autores Cristianos popular, 22).
MADRID. *Nacional*. 4-161.452.

ASPECTOS PARCIALES

Familia y nacimiento

571

LEGARDA, ANSELMO DE. *Rasgos vizcaínos de San Ignacio*. (En Boletín de la R. Sociedad Vascongada de

Amigos del País, VIII, San Sebastián, 1952, págs. 361-70).

572
MOURLANE MICHELENA, PEDRO. *Sobre el linaje y los apellidos de San Ignacio de Loyola.* (En *Bolívar,* Bogotá, 1954, n.º 29, págs. 639-46).

573
AROCENA, FAUSTO. *El abuelo materno de San Ignacio.* (En *Archivum Historicum Societatis Jesu,* XV, Roma, 1956, págs. 7-14).

574
LETURIA, PEDRO DE, y MIGUEL BATLLORI. *Documenta duo Vaticana de familia Loyola atque de Sancto Ignatio.* (En *Archivum Historicum Societatis Jesu,* XXV, Roma, 1956, págs. 15-26).

575
AREITIO, DARIO DE. *Nuevos datos sobre el abuelo materno de San Ignacio de Loyola.* (En *Archivum Historicum Societatis Jesu,* XXVI, Roma, 1957, págs. 218-29).

a) F. A., en *Boletín de la R. Sociedad Vascongada de Amigos del País,* XIV, San Sebastián, 1958, págs. 94-95.

576
LETURIA, PEDRO DE. *Disertación crítica sobre el año del nacimiento de San Ignacio.* (En *Estudios ignacianos,* I, Roma, 1957, págs. 55-68).

Niñez en Loyola (1491-1506)
577
PEREZ ARREGUI, JUAN MARIA. *San Ignacio en Azpeitia. Monografía histórica.* Madrid. Razón y Fe. 1921. XXXI + 180 págs. con ilustr. 12.º

578
PEREZ - ARREGUI, JUAN MARIA. *San Ignacio en Azpeitia. Monografía*

histórica. Prólogo de Carmelo de Echegaray. Zarauz. Edit. Icharopena. 1956. 190 págs. 19 cm.

a) J. I., en *Razón y Fe,* CLVII, Madrid, 1958, pág. 319.
b) P. A., en *Boletín de la R. Sociedad Vascongada de Amigos del País,* XII, San Sebastián, 1956, págs. 235-36.

Arévalo (1506-1517)
579
FITA, FIDEL. *San Ignacio de Loyola en la corte de los Reyes de Castilla.* (En *Boletín de la Real Academia de la Historia,* XVII, Madrid, 1890, págs. 492-590).

580
IPARRAGUIRRE, I. *Viajes de Iñigo de Loyola anteriores a 1518.* (En *Archivum Historicum Societatis Jesu,* XXVI, Roma, 1957, págs. 230-51).

La dama
581
LETURIA, PEDRO DE. *Notas críticas sobre la dama del capitán Loyola.* (En *Archivum Historicum Societatis Jesu,* V, Roma, 1936, págs. 84-92).

Reed. con el título de *Notas críticas sobre la dama de Iñigo de Loyola,* en sus *Estudios ignacianos,* I, Roma, 1957, págs. 87-96.

582
LLANOS Y TORRIGLIA, FELIX DE. *El capitán Iñigo de Loyola y la dama de sus pensamientos.* (En *Razón y Fe,* CXXIV, Madrid, 1941, págs. 33-69).

Reed. en *Santas y Reinas. Apuntes biográficos.* Madrid. Fax. 1942, págs. 317-56.

583
LETURIA, PEDRO DE. *Damas vascas en la formación y transformación de Iñigo de Loyola.* (En HOMENAJE a D. Julio de Urquijo e Ybarra, II, San Sebastián, 1949, págs. 7-24).

Reed. en sus *Estudios ignacianos,* I, Roma, 1957, págs. 69-85.

Período 1517-1521

584

CREIXELL, JUAN. *El triple desengaño: Preámbulo de la conversión, 1517-1521.* Barcelona. Gráfs. Marina. 1949. 31 págs. 8.º (Vindicias, 14).

Pamplona (1521) - Loyola (1521-22)

585

DUDON, PAUL. *Ignace de Loyola au siège de Pampelune (1521-1921).* (En *Études,* CLXVIII, París, 1921, págs. 25-32).

586

LETURIA, P. *Datos inéditos sobre la acción militar de Iñigo de Loyola en Pamplona.* (En *Revue Internationale des Études Basques,* XXI, París, 1930, págs. 431-40).

587

LETURIA, PEDRO DE. *De cómo Iñigo de Loyola se encerró voluntariamente en el castillo de Pamplona.* (En *Razón y Fe,* CXIV, Madrid, 1938, págs. 341-58).

588

ASCUNCE, ENRIQUE. *Iñigo de Loyola, capitán español y el Castillo de Pamplona. Prólogo del general Millán Astray.* Madrid. Aguado. [1941]. 226 págs. + 5 láms. 24,5 cm.

MADRID. *Consejo. General.—Nacional.* 4-3.554.

589

PEREZ GOYENA, ANTONIO. *Venida de Iñigo de Loyola a Pamplona.* (En *Hispania Sacra,* II, Madrid, 1949, págs. 217-35).

590

——. *Iñigo de Loyola en Pamplona. (Puntos oscuros).* (En HOMENAJE a D. Julio de Urquijo, I, San Sebastián, 1949, págs. 311-23).

591

RECONDO, JOSE MARIA. *Iñigo de Loyola en la fortaleza mayor de Santiago.* (En *Príncipe de Viana,* XVII, Pamplona, 1956, págs. 39-77).

592

RECONDO, JOSE MARIA. *Itinerario de Iñigo de Loyola herido: Pamplona, Loyola, 1521.* (En *Razón y Fe,* CLIII, Madrid, 1956, págs. 205-20).

593

F. A. *El viaje de Iñigo de Loyola herido.* (En *Boletín del Instituto Americano de Estudios Vascos,* XVII, Buenos Aires, 1961, pág. 436).

594

J. L. M. *Camino recorrido por Iñigo de Loyola desde Pamplona, donde fue herido hasta Azpeitia y su casa solariega de Loyola.* (En *Boletín de la R. Sociedad Vascongada de Amigos del País,* año XX, San Sebastián, 1964, págs. 168-71).

Monserrat (1522)

595

CREIXELL, JUAN. *San Ignacio en Monserrat.* Barcelona. Edit. Casals. 1913. 84 págs. + 12 láms. 8.º

BARCELONA. *Central.* A.23-8.º-604.

596

CREIXELL, JUAN. *San Ignacio de Loyola. Estudio crítico y documentado de los hechos ignacianos relacionados con Montserrat, Manresa y Barcelona.* Barcelona. Eugenio Subirana. 1922. 2 vols. 16 cm.

MADRID. *Nacional.* 2-86.303. — *Particular de «Razón y Fe».* L-III-11.

597

MARCH, JOSEP. *La vetlla de les armes de Sant Ignasi de Loiola a Montserrat en relació amb la sagrada li-*

túrgia i la historia. Barcelona. Llibreria Religiosa. 1922. 19 págs. 12.º
Conferencia.

598
ALBAREDA, ANSELMO M. *Sant Ignasi a Montserrat.* Montserrat. Monestir. 1935. 248 págs. 8.º

599
LETURIA, PEDRO. *San Ignacio en Montserrat.* (En *Manresa*, XII, Madrid, 1936, págs. 153-67).

600
CODINA, ARTURO. *Sant Ignasi a Montserrat.* (En *Archivum Historicum Societatis Iesu*, VII, Roma, 1938, págs. 104-17, 257-67).
Crítica de la obra de A. Albareda.

601
LETURIA, PEDRO DE. *¿Hizo San Ignacio en Montserrat o en Manresa vida solitaria?* (En *Hispania Sacra*, III, Madrid, 1950, págs. 251-318).
Reed. en sus *Estudios ignacianos*, I, Roma, 1957, págs. 113-78.

602
CALVERAS, JOSE. *San Ignacio en Monserrat y Manresa a través de los procesos de canonización.* Barcelona. Libr. Religiosa. 1956. 299 págs. con ilustr.
a) Germán, en *El Monte Carmelo*, LXV, Burgos, 1957, págs. 113-14.
b) Granero, J. M., en *Manresa*, XXX, Madrid, 1958, págs. 70-71.
c) Llorca, B., en *La Ciencia Tomista*, LXXXIV, Salamanca, 1957, págs. 511-12.
d) Quera, M., en *Estudios Eclesiásticos*, XXXII, Madrid, 1958, págs. 371-74.
e) Rodríguez, S., en *La Ciudad de Dios*, CLXXI, El Escorial, 1958, pág. 149.
f) Vives, J., en *Analecta Sacra Tarraconensia*, XXX, Barcelona, 1957, págs. 391-92.
MADRID. *Consejo. General.* — *Particular de «Razón y Fe».* Lc-IV-32.

603
PUIG, IGNACIO. *1: San Ignacio en Monserrat. La vela de las armas. 2: San Ignacio de Loyola en la ciudad de Barcelona. 3: La grotte de Saint Ignace à Manrese.* Barcelona. Rev. Ibérica. 1956. 3 vols.
a) C. S. de S. M., en *Razón y Fe*, CLIV, Madrid, 1956, pág. 118.

Manresa (1522-23)

604
CREIXELL, JUAN. *San Ignacio en Manresa. Reseña histórica de la vida del Santo (1522-1523).* Barcelona. Tip. de la Viuda de P. Palau. 1914. 212 págs. con ilustr. 8.º
BARCELONA. *Central.* A.23-8.º-604.—MADRID. *Particular de «Razón y Fe».* L-III-10.

605
NONELL, JAIME. *Manresa Ignaciana. Nuevo album histórico.* Manresa. Imp. de San José. 1915. 190 págs. con ilustr. + 1 plano.

606
——. *La Cueva de San Ignacio en Manresa, desde que se recogió en ella el Santo hasta nuestros días.* Manresa. Imp. de San José. 1918. 199 págs. 8.º

607
CREIXELL, JUAN. *San Ignacio de Loyola tuvo revelación en Manresa de la futura Compañía de Jesús?* Barcelona. Gráfs. Marina. 1949. 29 págs. 8.º (Vindicias Ignacianas, 11).

608
PUIG, IGNACIO. *Recuerdos ignacianos en Manresa.* Barcelona. Imp. de la Revista Ibérica. 1949. 132 págs.

609
PUIG, IGNACIO. *Album de Manresa Ignaciana en cinco idiomas, precedido de una introducción.* Barcelona. Imp. Revista Ibérica. 1950. 290 págs. + 92 ilustr. 12.º

610

——. *La Cueva de San Ignacio en Manresa*. Barcelona. Revista Ibérica. 1953. 30 págs. + 2 mapas + 16 láms. 12.º

BARCELONA. *Central*. 23-12.ºC.11/25.

611

QUERA, MANUEL. *Sobre la vida «selvática» de San Ignacio antes o después de su bajada a Manresa*. (En *Manresa*, XXIV, Madrid, 1952, págs. 165-76).

612

COLL, J. M. *San Ignacio de Loyola y el convento de Santo Domingo de Manresa*. (En *Analecta Sacra Tarraconensia*, XXIX, Barcelona, 1956, págs. 313-43).

613

PUIG, IGNACIO. *La cueva de San Ignacio en Manresa*. Barcelona. Revista Ibérica. 1956. 30 págs.

a) C. S. de S. M., en *Razón y Fe*, CLIV, Madrid, 1956, pág. 118.

614

QUERA, MANUEL. *El rapto de San Ignacio en Manresa*. (En *Revista de Espiritualidad*, XV, Madrid, 1956, págs. 27-44).

615

SARRET Y ARBOS, JOAQUIN. *San Ignacio de Loyola y la ciudad de Manresa*. Manresa. Imp. de A. Montaña Alsina. 1956. (Publicaciones de los Amigos de la Historia de Manresa, 2).

Jerusalén (1523)

616

CALVERAS, JOSE. *¿Pudo la peste retrasar por un año la peregrinación de San Ignacio a Jerusalén?* (En *Analecta Sacra Tarraconensia*, XXVII, Barcelona, 1954, págs. 23-44).

617

LETURIA, PEDRO DE. *Jerusalén y Roma en los designios de San Ignacio de Loyola*. (En *El Siglo de las Misiones*, Burgos, núm. extraordinario, 1929).

Reed. en sus *Apuntes ignacianos*. Madrid. 1930, págs. 59-91, y en *Estudios ignacianos*, I, Roma, 1957, págs. 181-200.

618

ARCE, P. A. *Iñigo de Loyola en Jerusalén (1523). Nuevos datos*. (En *Revista Javeriana*, XLVIII, Bogotá, 1957, págs. 106-14).

Barcelona (1524-26)

619

HERNANDEZ, PABLO. *Casa de San Ignacio de Loyola en Barcelona. Noticia histórica de ella, y su estado actual*. Barcelona. Imp. Edit. Barcelonesa. 1917. 121 págs. 8.º

620

DALMASES, CANDIDO. *Los estudios de San Ignacio en Barcelona (1524-1526)*. (En *Archivum Historicum Societatis Jesu*, X, Roma, 1941, págs. 283-93).

621

PUIG, IGNACIO. *San Ignacio de Loyola y Barcelona. Monografía histórica...* Barcelona. Imp. de la Revista Ibérica. 1955. 153 págs.

a) C. S. de S. M., en *Razón y Fe*, CLIV, Madrid, 1956, pág. 118.

622

BATLLORI, MIQUEL. *Sobre l'humanisme a Barcelona durant els estudis de Sant Ignasi: 1524-1526*. (En *Quaderni Ibero-Americani*, III, Turín, 1956, págs. 219-31).

623

CREIXELL, JUAN. *San Ignacio en Barcelona. Reseña histórica de la*

vida del Santo en el quinquenio de 1523 - 1528. Barcelona. Edit. Casals. 1908. 181 págs. + 41 láms. 4.º
BARCELONA. *Central.* A.23-4.º-107.—MADRID. *Particular de «Razón y Fe».* L-III-9.

624
DALMASES, CANDIDO DE. *Los estudios de San Ignacio en Barcelona (1524-1526).* (En *Archivum Historicum Societatis Jesu,* X, Roma, 1941, págs. 283-93).

625
GARCIA MIRALLES, M. *La casa de San Ignacio de Loyola en Barcelona.* (En *Analecta Sacra Tarraconensia,* XXX, Barcelona, 1957, págs. 329-41).

626
GARCIA MIRALLES, M. *Dos documentos inéditos sobre la casa de San Ignacio en Barcelona.* (En *Analecta Sacra Tarraconensia,* XXXVI, Barcelona, 1963, págs. 371-79).

Alcalá (1526-27)
627
SERRANO Y SANZ, MANUEL. *San Ignacio de Loyola en Alcalá de Henares. Estudio histórico.* Madrid. Imp. de Juan Iglesias. 1895. 46 págs. 20 cm.
MADRID. *Nacional.* V-34-26.

628
FITA, FIDEL. *Los tres procesos de San Ignacio de Loyola en Alcalá de Henares. Estudio crítico.* (En *Boletín de la R. Academia de la Historia,* XXXIII, Madrid, 1898, págs. 422-61).

629
——. *San Ignacio de Loyola en Alcalá de Henares. Discusión crítica.* (En *ídem,* págs. 512-36).

630
LONGHURST, J. E. *Saint Ignatius at Alcalá: 1526-1527.* (En *Archivum Historicum Societatis Jesu,* XXVI, Roma, 1957, págs. 252-56).

Salamanca (1527)
631
BELTRAN DE HEREDIA, VICENTE. *Estancia de San Ignacio de Loyola en San Esteban de Salamanca.* (En *La Ciencia Tomista,* LXXXIII, Salamanca, 1956, págs. 507-28).

632
CODINA, ARTURO. *La estancia de San Ignacio en el convento de San Esteban de Salamanca.* (En *Archivum Historicum Societatis Jesu,* IV, Roma, 1935, págs. 111-23).

París (1528-35)
633
CERECEDA, FELICIANO. *El voto de Montmartre (1534-1934).* (En *Sal Terrae,* XXIII, Santander, 1934, págs. 721-29).

634
BERNARD - MAITRE, HENRI. *Les fondateurs de la Compagnie de Jésus et l'humanisme parisien de la Renaissance (1525-1536).* (En *Nouvelle Revue Théologique,* LXII, París, 1950, págs. 811-33).

635
LARRAÑAGA, VICTORIANO. *Los estudios superiores de San Ignacio en París, Bolonia y Venecia.* (En *Razón y Fe,* CLIII, Madrid, 1956, págs. 221-242).

636
ROUQUETTE, ROBERT. *Ignace de Loyola dans le Paris intellectuel du XVIe siècle.* (En *Études,* CCXC, París, 1956, págs. 18-40).

Flandes (1529-31)

637
REMBRY, E. *Saint Ignace de Loyola à Bruges. Une page d'histoire locale.* (En *Annales d'études de l'histoire et des antiquités de la Flandre,* XLVIII, 1898, págs. 221-68).

638
DUDON, PAUL. *La recontre d'Ignace de Loyola avec Luis Vives à Bruges (1528-1530).* (En ESTUDIOS *eruditos in memoriam de Adolfo Bonilla y San Martín,* II, Madrid, 1930, págs. 153-61).

Azpeitia (1535)

639
FERNANDEZ ZAPICO, DIONISIO. *Recibimiento hecho a San Ignacio de Loyola en Azpeitia en 1535.* (En *Archivum Historicum Societatis Jesu,* IV, Roma, 1935, págs. 322-26).

640
LARRAÑAGA, VICTORIANO. *La venida de San Ignacio desde París a Azpeitia en la primavera de 1535.* (En *Boletín de la R. Sociedad Vascongadas de Amigos del País,* IV, San Sebastián, 1948, págs. 36-51).
Reed. en *San Ignacio de Loyola. Estudios sobre su vida...* Zaragoza. 1956, págs. 3-17.

Valencia (1535)

641
TARRE, MANUEL. *San Ignacio en Valencia.* 2.ª ed. Valencia. Toroncher. 1944. 28 págs. 8.º

Roma (1537-56)

642
TACCHI VENTURI, PIETRO. *Le case abitate in Roma da S. Ignazio di Loiola secondo un inedito documento del tempo.* Roma. Tip. Poliglotta della S. C. de Propaganda Fide. 1899. 72 págs. + 4 láms. 4.º

—*La prima casa di S. Ignazio di Loyola in Roma o le sue cappellette al Gesù.* 2.ª ed. mejorada. Roma. 1951. 62 págs. con ilustr. 12.º
—*La casa de San Ignacio de Loyola en Roma. Descripción histórica.* Trad. por el P. Tomás Travi. Roma. Capillitas de S. Ignacio. 1928. 70 págs. 8.º

643
CASTELLANI, GIUSEPPE. *La solenne professione di Sant' Ignazio di Loiola e di cinque dei primi compagni in S. Paolo fuori le mura (22 aprile 1541).* (En *Archivum Historicum Societatis Jesu,* X, Roma, 1941, págs. 1-16).

644
LETURIA, PEDRO DE. *Importancia del año 1538 en el cumplimiento del «Voto de Montmatre».* (En *Archivum Historicum Societatis Jesu,* IX, Roma, 1940, págs. 188-207).
Reed. en sus *Estudios ignacianos,* I, Roma, 1957, págs. 201-21.

645
LETURIA, PEDRO DE. *La primera misa de San Ignacio y sus relaciones con la fundación de la Compañía.* (En *Manresa,* XIII, Madrid, 1940, págs. 63-73).
La dijo el 24 de junio de 1537 en Santa María la Mayor de Roma, año y medio después de haber sido ordenado sacerdote. Reed. en sus *Estudios ignacianos,* I, Roma, 1957, págs. 223-35.

646
BEGUIRISTAIN, JUSTO. *El apostolado eucarístico de San Ignacio de Loyola.* Buenos Aires. Amorrortu. 1945. 88 págs.

— — —

—*The eucharistic apostolate of St. Ignatius Loyola.* Translated by Julin H. Collens. [Cambridge?, Mass. 1955]. 55 págs. 20 cm.
WASHINGTON. *Congreso.* 55-26431.

647

LETURIA, PEDRO DE. *Origine e senso sociale dell'apostolato di S. Ignacio di Loyola in Roma.* (En MIS-CELLANEA *Pio Paschini,* II, Roma, 1949, págs. 223-50).

Reed. en sus *Estudios ignacianos,* I, Roma, 1957, págs. 257-83.

648

LETURIA, PEDRO DE. *San Ignacio de Loyola y el Año Santo de 1550.* (En *Razón y Fe,* CXLII, Madrid, 1950, págs. 521-537).

Reed. en sus *Estudios ignacianos,* I, Roma, 1957, págs. 427-45.

Muerte

649

DALMASES, CANDIDO DE. *La muerte de San Ignacio.* (En *Razón y Fe,* CLIV, Madrid, 1956, págs. 9-28).

Varios

650

RUIZ AYUCAR, E. *Arévalo, lugar ignaciano. El contador Velázquez y el joven Iñigo de Loyola.* (En *Estudios Abulenses,* Avila, 1955, n.º 4, págs. 5-17).

651

AROCENA, FAUSTO. *Problemas históricos guipuzcoanos en la vida de San Ignacio.* San Sebastián. Diputación de Guipúzcoa. 1956. 107 págs. + 4 láms. + facs. 24,5 cm.

a) Candal, M., en *Archivum Historicum Societatis Jesu,* XXV, Roma, 1956, págs. 626-27.
b) G[ómez] Molleda, M. D., en *Hispania,* XVI, Madrid, 1956, págs. 626-27.
c) Ricard, R., en *Bulletin Hispanique,* LIX, Burdeos, 1957, págs. 114-15.
MADRID. *Nacional.* V-3.313-24. — WASHINGTON. *Congreso.* 58-49227.

652

BRODRICK, JAMES. *Saint Ignatius Loyola. The pilgrim years.* Londres.

Burns and Oates. 1956. 372 págs. con ilustr. 22 cm.

Su vida de peregrino, hasta 1539.
a) Butler, B. C., en *The Month,* CCII, Londres, 1956, págs. 45-48.
b) Callahan, H. A., en *Thought,* XXXII, Nueva York, 1957, pág. 470.
c) D. M., en *Brotéria,* LXIV, Lisboa, 1957, p. 242.
d) Haynes, R., en *Time and Tide,* Londres, 1956, págs. 915-16.
e) Iparraguirre, I., en *Archivum Historicum Societatis Jesu,* XXV, Roma, 1956, págs. 621-24.
f) Oroz, J., en *Augustinus,* II, Madrid, 1957, pág. 275.
g) Raymond, J., en *New Statesman and Nation,* 21-VII-1956, págs. 77-78.
h) Suarez, A., en *Quarterly Journal,* Londres, 1956, n.º 23, pág. 18.
i) Sykes, N., en *Spectator,* 1956, págs. 293-294.
j) Woods, A. S., en *Catholic World,* Nueva York, sept. 1956, pág. 77.
WASHINGTON. *Congreso.* 56-58786.
—Nueva York. Farrar, Straus and Cudahy. 1956. 372 págs. con ilustr. 22 cm.
WASHINGTON. *Congreso.* 56-14104.
—*San Ignacio de Loyola. Años de peregrinación.* Trad. de Felipe Ximénez de Sandoval. Madrid. Espasa-Calpe. 1956. 373 págs. + 36 láms. 22,5 cm. (Col. Grandes Biografías).
k) B. Ll., en *La Ciencia Tomista,* LXXXIV, Salamanca, 1957, págs. 526-27.
l) Rey, E., en *Razón y Fe,* CLV, Madrid, 1957, págs. 403-4.
ll) Rodríguez, S., en *La Ciudad de Dios,* CLXXI, El Escorial, 1958, pág. 149.
BARCELONA. *Central.* 23-8.º-573.—MADRID. *Particular de «Razón y Fe».* Lc-III-25.
—*S. Ignace de Loyola. Les années du pélerin.* Trad. par J. Boulangé. París. Edit. Spes. 1956. 364 págs. 8.º
ll) Iparraguirre, I., en *Archivum Historicum Societatis Jesu,* XXV, Roma, 1958, págs. 621-24.

653

MARAÑON, GREGORIO. *Notas sobre la vida y la muerte de San Ignacio de Loyola.* (En *Archivum Historicum Societatis Jesu,* XXV, Roma, 1956, págs. 134-55).

654

MICO BUCHON, J. L. *Lérida en las rutas de Ignacio de Loyola.* (En *Ilerda*, Lérida, 1956-57, n.º 20-21).

655

GRANERO, J. M. *Hacia una biografía ignaciana.* (En *Manresa*, XXX, Madrid, 1958, págs. 361-84).

656

MUNTANÉ, A. *Iñigo e Ignacio.* (En *Manresa*, XXXIII, Madrid, 1961, págs. 61-65).

657

MOMERGUE, M. *Un point de vue sur l'itinéraire d'Ignace de Loyola.* (En *Prière et Vie*, CXXXVII, Toulouse, 1962, págs. 407-12).

658

SILOS, L. R. *Cardoner in the life of Saint Ignatius of Loyola.* (En *Archivum Historicum Societatis Jesu*, XXXIII, Roma, 1964, págs. 3-43).

Documentos

659

Véase Iparraguirre, *Orientaciones...*, págs. 15-20.

660

FONTES narrativi de S. Ignatio de Loyola et de Societatis Iesu initiis. Roma. 1943-60. 3 vols. (Monumenta Historica, 85).

Tomo I: *Narrationes scriptae ante annum 1557. Ediderunt Dionysius Fernández Zapico et Candidus de Dalmases, cooperante Petro Leturia.* 1943.
Tomo II: *Narrationes scriptae annis 1557-1574. Edidit Candidus de Dalmases.* 1951.
Tomo III: *Narrationes scriptae ab anno 1574 ad initium saeculi XVII.* 1960. XXXVI + 866 págs.
a) León, Teresa, en *Hispania Sacra*, XII, Madrid, 1960, pág. 485.

BARCELONA. *Central.*—MADRID. *Fundación Universitaria Española.*

661

SOLÁ, FRANCISCO DE PAULA. *El original del proceso para la canonización de San Ignacio de Loyola, celebrado en Barcelona, Manresa y Montserrat.* (En Colegio Notarial de Barcelona. *Estudios históricos y documentos de los Archivos de Protocolos.* Tomo I. Barcelona. [Imp. J. Sabater Bros]. 1948, págs. 9-40).

Conservado en el Archivo Notarial de Protocolos de Barcelona.

662

DALMASES, CANDIDO. *Fontes documentales de S. Ignatio de Loyola. Documenta de S. Ignatii familia et patria, iuventute, primis sociis. Collegit et edidit* ——. Roma. Institutum Historicum S. I. 1977. L + 878 págs. 8.º (Monumenta historica S. I., 115).

Iconografía

663

TACCHI VENTURI, PIETRO. *S. Ignazio di Loiola nell'arte dei secoli XVII e XVIII.* Roma. Alberto Stock. 1929. 39 págs. + 32 láms. 8.º

———

—*San Ignacio de Loyola en el arte de los siglos XVII y XVIII.* Roma. Alberto Stock. 1929. 39 págs. + 32 láms. 8.º
—*S. Ignace de Loyola dans l'art des XVIIe et XVIIIe siècle.* Roma. Alberto Stock. 1929. 37 págs. + 33 láms. 8.º
a) Dudon, Paul. *Simple note sur l'iconographie de Saint Ignace*, en *Études*, CLII, París, 1930, págs. 446-50.

664

LETURIA, PEDRO DE. *La «mascarilla» de San Ignacio.* (En *Archivum Historicum Societatis Jesu*, XII, Roma, 1943, págs. 119-34).

Reed. en sus *Estudios ignacianos*, I, Roma, 1957, págs. 461-75 + 1 lám.

665

VARGAS ZUÑIGA, ENRIQUE DE. *Iconografía artística de Ignacio de*

Loyola en Sevilla. (En *Archivo Hispalense*, XI, Sevilla, 1949, págs. 85-112).

666

CREIXELL, J. *Album histórico ignaciano.* Barcelona. 1950. 15 págs. + 16 láms.

Quince grabados antiguos, inspirados en la biografía del P. Ribadeneira. Texto en español, inglés, italiano y francés.
MADRID. *Particular de «Razón y Fe».* L-III-233.

667

LAMALLE, EDMOND. *Cornelis Cort a-t-il gravé un portrait de Saint Ignace de Loyola?* (En *Archivum Historicum Societatis Jesu*, XX, Roma, 1951, págs. 300-5).

668

ARTETA, VALENTIN. *La imagen de San Ignacio.* (En *Hechos y Dichos*, XXXI, Zaragoza, 1956, págs. 554-72).

669

HORNEDO, RAFAEL MARIA DE. *Tallas ignacianas de Gregorio Fernández y sus imitadores.* (En *Razón y Fe*, CLIII, Madrid, 1956, págs. 305-330).

670

———. *La «vera effigies» de San Ignacio.* (En *ídem*, CLIV, 1956, págs. 203-224 + 1 lám.).

671

SAENZ DE TEJADA, CARLOS. *Vida de San Ignacio de Loyola en diez láminas.* Bilbao. El Mensajero del Corazón de Jesús. 1960. 10 láms. a todo color, de 45 cm.

672

BOTTEREAU, G. *Un portrait de Saint Ignace de Loyola.* (En *Revue d'Ascétique et de Mystique*, XXXIX, Toulouse, 1963, págs. 419-32).

INTERPRETACIÓN Y CRÍTICA

673

CASTELAR, EMILIO. *San Ignacio de Loyola y el absolutismo español.* (En *Revista Hispano-Americana*, VIII, Madrid, 1882, págs. 161-76, 341-351).

674

MALZAC, MAURICE. *Ignace de Loyola. Essai de psychologie religieuse.* París. Université. Faculté de Théologie Protestante. 1898. 139 págs. 25,5 cm.

MADRID. *Nacional.* V-2.857-8.

675

VAN DYKE, PAUL. *Ignatius Loyola, the founder of the Jesuits.* Londres. Scribners. 1926. 389 págs. 8.º

— — —

—Port Washington, N. Y. Rennikat Press. [1968]. VI + 381 págs. 21 cm.
WASHINGTON. *Congreso.* 67-27659.

676

CAYUELA, ARTURO M. *San Ignacio de Loyola y la Virgen del Pilar.* (En *Aragón*, XIV, Zaragoza, 1938, pág. 183).

677

BRODRICK, JAMES. *The Origin of the Jesuits.* Londres - Nueva York. Longmans. Green and Co. 1940. VII + 274 págs.

— — —

—1942. VII + 273 págs. 22 cm.
MADRID. *Nacional.* 1-99.712.
—3.ª ed. 1945. VII + 274 págs. 12.º
—*Origines et expansion des Jésuites.* Traduit par J. Boulangé. París. Sfelt. 1950. 2 vols. 8.º
—*El origen de los jesuitas.* [*Trad. de Hilario Gómez*]. Madrid. Pegaso. [1953]. 2 vols.
MADRID. *Nacional.* 5-14.674.—*Particular de «Razón y Fe».* L-III-237.
—*Die ersten Jesuiten.* Tr. Guido Martini. Viena. Herold. 1956. 289 págs.

678

CABO, ENRIQUE DE. *San Ignacio y la Contrarreforma*. Bilbao. Edics. de Conferencias y Ensayos. 1943. 47 págs. + 2 láms. 17,5 cm.

MADRID. *Consejo. General.*

679

ORTIZ DE URBINA, IGNACIO. *San Ignacio de Loyola y los orientales*. [Madrid]. Edics. Centro de Estudios Orientales. [1950]. 88 págs. + 1 h. 22 cm.

680

ARELLANO, TIRSO. *El sentimiento poético en San Ignacio de Loyola*. (En *Manresa*, XXIV, Madrid, 1952, págs. 99-109).

681

QUERA, MANUEL. *Ignacio de Loyola y su histórica formación espiritual*. Santander. Sal Terrae. 1955. 125 págs. 18,5 cm.

a) D. V., en *Virtud y Letras*, XV, El Cedro (Colombia), 1956, págs. 233-34.
b) David del Niño Jesús, Fray, en *El Monte Carmelo*, LXIV, Burgos, 1956, págs. 105-106.
c) Micó Buchón, J. L., en *Razón y Fe*, CLIV, Madrid, 1956, págs. 116-17.
d) Santiago de San José, Fray, en *Revista de Espiritualidad*, XV, Madrid, 1956, págs. 237-38.
e) Soto, A., en *La Ciudad de Dios*, CLXIX, El Escorial, 1956, págs. 358-59.

MADRID. *Particular de «Razón y Fe»*. Lc-IV-20.

682

TESSAROLO, GIUSEPPE. *S. Ignazio de Loyola nelle sue lettere*. Milán. Ediz. Letture. 1955. 191 págs.

a) Flick, M., en *Gregorianum*, XXXVII, Roma, 1956, pág. 657.
b) P. M., en *Razón y Fe*, CLIV, Madrid, 1956, pág. 119.

683

ELIZALDE, I[GNACIO]. *San Ignacio de Loyola y el antiguo teatro jesuíti-co*. (En *Razón y Fe*, CLIII, Madrid, 1956, págs. 289-34).

684

ENGLADER, CLARA. *Ignatius von Loyola und Johannes von Polanco. Der Ordensstifter und sein Sekretär*. Regensburg. Pustel. 1956. 313 págs. + 3 láms. 22 cm.

a) Dalmases, C. de, en *Estudios Eclesiásticos*, XXXII, Madrid, 1950, págs. 257-58.
b) Livima, A., en *Gregorianum*, XXXVIII, Roma, 1957, págs. 157-58.
c) Martini, A., en *Archivum Historicum Societatis Jesu*, XXVI, Roma, 1957, págs. 101-2.
d) Reid, J. K. S., en *Erasmus*, IX, Basilea, págs. 580-82.

MADRID. *Nacional.* 1-205.744.

685

ESCOBAR, ALFONSO. *San Ignacio de Loyola*. Méjico. Buena Prensa. 1956. 96 págs. 17 cm.

a) Segura, F., en *Estudios Eclesiásticos*, XXXIII, Madrid, 1959, págs. 376-77.

686

PRZYWARA, ERICH. *Ignatianish. Vier Studien zum vierhundertsten Todestag des heiligen Ignatius von Loyola*. Francfort. Knecht. 1956. 149 págs.

a) Eulogio de San Juan de la Cruz, Fray, en *Revista de Espiritualidad*, XVI, Madrid, 1957, págs. 272-73.
b) Fiorito, M. A., en *Razón y Fe*, XIV, Madrid, 1958, págs. 300-2.
c) Iparraguirre, I., en *Archivum Historicum Societatis Jesu*, XXV, Roma, 1956, págs. 629-31.
d) Reinhardt, K. F., en *Books Abroad*, XXXI, Normau, 1957, pág. 291.

687

QUINTERO, JOSE HUMBERTO. *La labor de San Ignacio en la reforma de la Iglesia*. Mérida. Universidad de los Andes. [s. a., ¿1956?]. 29 págs. 24 cm.

Discurso.

WASHINGTON. *Congreso.* 67-37818.

688

VALLE, FLORENTINO DEL. *Sentido social en San Ignacio*. (En *Razón y Fe*, CLIII, Madrid, 1956, págs. 149-172).

689

VIANA IRIMO, LUIS MARIA. *Loyola por el Rey*. Valladolid. Libr. Casa Martín. 1956. 262 págs.

a) *Razón y Fe*, CLIV, Madrid, 1956, pág. 119.
WASHINGTON. *Congreso*. 58-28351.

690

GUILLERMOU, ALAIN. *St. Ignace de Loyola et la Compagnie de Jesus*. París. Ed. Du Seuil. 1960. 187 págs. con ilustr. 18 cm. (Maitres spirituels).

a) Flament, Pierre, en *Revue de l'Histoire des Religions*, CLX, París, 1961, págs. 110-111.
b) M. M. L., en *Revue Thomiste*, LXIII, París, 1963, págs. 628-29.
c) Olphe-Galliard, M., en *Revue d'Ascétique et Mystique*, XXXVII, Toulouse, 1961, págs. 400-2.
MADRID. *Nacional*. V-6.170-22.

———

—*San Ignacio de Loyola y la Compañía de Jesús*. Traducción por Isabel Llácer. Madrid. Aguilar. 1963. 230 págs. 18 cm. (Hombres de espíritu).
MADRID. *Nacional*. 1-227.577.

691

KRÄMER-BADONI, RUDOLF. *Ignatius von Loyola; oder, Die grössere Ehre Gottes*. Colonia. J. P. Bachem. [1964]. 267 págs. 20 cm.
WASHINGTON. *Congreso*. 66-52451.

692

——. *Ignatius von Loyola als Mensch und Theologe*. Fribourg-en-Br. Herder. 1964. 528 págs. 24 cm.

a) Mols, R., en *Nouvelle Revue Théologique*, LXXXVII, Lovaina, 1965, págs. 329-330.
WASHINGTON. *Congreso*. 65-84233.

—*Ignatius the theologian*. Lonares. 1968.
WASHINGTON. *Congreso*. 68-121938.
—*Ignatius the theologian*. Nueva York. 1968.
WASHINGTON. *Congreso*. 68-22567.

693

ROLDAN VILLER, ALEJANDRO. *San Ignacio de Loyola a la luz de la Tipología*. Roma. Centrum Ignatianum Spiritualitatis. 1980. 210 págs. 23,5 cm.

Fuentes

694

CODINA, A. *Los «Ejercicios» de San Ignacio y el «Ejercitatorio» de Cisneros*. (En *Razón y Fe*, XLVIII, Madrid, 1917, págs. 286-99, 426-36; XLIX, págs. 16-29).

695

BOEHMER, HEINRICH. *Loyola und die deutsche Mystik*. (En *Berichte über die Verhandlungen der Sächsischen Akademie der Wissenschaften*, Philol.-histor. Klasse, LXXIII, Leipzig, 1921, n.º 1, pág. 43).

696

DUDON, P. *Certaines pages des «Exercices» dépendent-elles de Saint Vicent Ferrier?* (En *Archivum Historicum Societatis Jesu*, IV, Roma, 1935, págs. 102-10).

697

RAITZ VON FRENTZ, E. *Ludolphe le Chartreux et les «Exercices» de saint Ignace de Loyola*. (En *Revue d'Ascétique et Mystique*, XXV, Toulouse, 1949, págs. 375-88).

Lenguaje

698

AGUIRRE, JORGE. *San Ignacio de Loyola y el idioma vasco*. (En *Yakintza*, San Sebastián, 1935, n.º 16, págs. 270-77).

699

MUJICA, P. *Reminiscencias de la lengua vasca en el «Diario» de San Ignacio.* (En *Revista Internacional de Estudios Vascos*, XXVII, San Sebastián, 1936, págs. 53-61).

700

CALVERAS, JOSE. *Vocabulario espiritual de los «Ejercicios».* (En *Manresa*, XV, Barcelona, 1943, págs. 73-78).

701

DIAZ-PLAJA, GUILLERMO. *El estilo de San Ignacio.* (En *El estilo de San Ignacio y otras páginas*, Barcelona, Noguer, 1956, págs. 7-51).

MADRID. *Consejo. General.*—WASHINGTON. *Congreso.*

702

PINARD DE LA BOULLAYE, H. *«Sentir», «sentimiento», «sentido» dans le style de Saint Ignace.* (En *Archivum Historicum Societatis Iesu*, XXV, Roma, 1956, págs. 416-30).

703

SOLA, SABINO. *En torno al castellano de San Ignacio.* (En *Razón y Fe*, CLIII, Madrid, 1956, págs. 243-74).

704

SOLA PEREZ RONCAL, SABINO. *Lenguaje y estilo en los escritos castellanos de San Ignacio.*

Tesis. Universidad de Madrid. 1956.

705

LOPETEGUI OTEGUI, LEON. *La lengua nativa de San Ignacio de Loyola.* (En *Boletín de la R. Sociedad Vascongada de Amigos del País*, XVII, San Sebastián, 1961, págs. 51-94).

Espiritualidad

706

BROU, ALEXANDRE. *La spiritualité de saint Ignace.* París. Beauchesne. 1914. 271 págs. 16.º

— — —

—2.ª ed. 1928. 215 págs.

707

BAYLE, CONSTANTINO. *El espíritu de Santa Teresa y el de San Ignacio.* (En *Razón y Fe*, Madrid, 1922, págs. 294-304, 323-35, 421-34; LXIII, págs. 5-21).

708

PLUS, RAOUL. *Vers Dieu par saint Ignace.* París. Bloud et Gay. 1938. 191 págs. 12.º

— — —

—*A Dio sotto la guida di Sant'Ignazio.* Versione per C. Testore. Turín. Marietti. 1940. 148 págs. 12.º
—*Hacia Dios por San Ignacio.* Trad. por C. Hilario Marín. Barcelona. Subirana. 1943. 177 págs. 12.º
MADRID. *Nacional.* 1-98.056.
—*Até Deus por S. Inácio.* Oporto. Apostolato da Imprensa. 1945. 173 págs. 12.º

709

MALDONADO DE GUEVARA, FRANCISCO. *Lo fictivo y lo antifictivo en el pensamiento de San Ignacio de Loyola.* Madrid. Edit. SAETA. 1940. 47 págs. 8.º (Publicaciones de la Universidad de Salamanca).

— — —

—Reed. en *Lo fictivo y lo antifictivo en el pensamiento de San Ignacio de Loyola y otros estudios.* Granada. Universidad. 1954.
a) González-Gallarza, R., en *Revista de Estudios Políticos*, Madrid, 1956, n.º 85, págs. 267-68.
b) Hornedo, R. M. de, en *Razón y Fe*, CLIV, Madrid, 1956, págs. 491-92.
c) Rahner, H., en *Archivum Historicum Societatis Jesu*, XXVII, Roma, 1958, págs. 137-42.
MADRID. *Consejo General.—Consejo. Patronato «Menéndez Pelayo».* 16-973.

710

LARRAÑAGA, VICTORIANO. *La espiritualidad de San Ignacio de Loyola. Estudio comparativo con la de*

Santa Teresa de Jesús. Madrid. A. C. N. de P. 1944. XI + 310 págs.

a) Jiménez Duque, B., en *Arbor*, V, Madrid, 1946, págs. 289-94).
b) Serrat, J., en *Manresa*, XIX, Madrid, 1947, págs. 372-74.
c) *Revista de Espiritualidad*, IV, Madrid, 1945, págs. 537-46.
BARCELONA. *Central.* 24-8.º167.

711

PINARD DE LA BOULLAYE, HENRI. *L'oraison mentale à la portée de tous. Les méthodes de saint Ignace.* París. Albin Michel. 1944. 48 págs. (Pages catholiques).

————

—2.ª ed. 1947.

712

ORAA, ANTONINO. *Flexibilidad de la ascética de San Ignacio.* (En *Manresa*, XVII, Madrid, 1945, págs. 145-154).

713

LARRAÑAGA, VICTORIANO. *La espiritualidad de San Ignacio de Loyola y la Reforma católica.* (En *Revista de Espiritualidad*, V, San Sebastián, 1946, págs. 155-84).

714

STEGER, ALBERT. *La place de la grâce dans la spiritualité de Saint Ignace.* (En *Nouvelle Revue Théologique*, LXX, Lovaina, 1948, págs. 561-575).

715

TRUHLAR, KARL. *La découverte de Dieu chez saint Ignace de Loyola pendant les dernières années de sa vie.* (En *Revue d'Ascétique et de Mystique*, XXIV, París, 1948, págs. 313-337).

716

SUQUIA GOICOECHEA, ANGEL. *La Santa Misa en la espiritualidad de*

San Ignacio de Loyola. Madrid. Dirección General de Relaciones Culturales. 1950. 215 págs. 8.º

a) Royo Marín, A., en *La Ciencia Tomista*, LXXX, Salamanca, 1953, págs. 354-55.
MADRID. *Facultad de Filosofía y Letras.*

717

SUQUIA GOICOECHEA, ANGEL. *La Santa Misa en la espiritualidad de San Ignacio de Loyola: la misa del nombre de Jesús.* (En *Scriptorium Victoriense*, I, Vitoria, 1954, págs. 72-99).

718

ABAD, CAMILO MARIA. *La espiritualidad de San Ignacio de Loyola.* (En *Sal Terrae*, XLIX, Santander, 1956, págs. 403-17).

719

——. *La espiritualidad de San Ignacio y la del Beato Juan de Avila.* (En *Manresa*, XXVIII, Madrid, 1956, págs. 455-78).

720

ALONSO, JOSE. *La Oración dinámica o en acción recomendada por San Ignacio de Loyola y las indicaciones sobre la misma en el Nuevo Testamento.* (En *Miscelánea Comillas*, XXV, Comillas, 1956, págs. 187-201).

721

BERTINI, G. M. *Spiritualità ignaziana.* (En *Quaderni Ibero-Americani*, III, Turín, 1956, págs. 232-33).

722

BLET, PIERRE. *Les fondements de l'obéissance ignatienne.* (En *Archivum Historicum Societatis Jesu*, XXV, Roma, 1956, págs. 514-38).

723

CILLERUELO, LOPE. *La espiritualidad en San Agustín y en San Ignacio.* (En *Manresa*, XXVIII, Madrid, 1956, págs. 351-70).

724
DURĀO, PAULO. *A espiritualidade de S. Inácio.* (En *Brotéria*, LXII, Lisboa, 1956, págs. 5-24).

725
ESTUDIOS sobre la espiritualidad de San Ignacio. Madrid. Fax. 1956. 516 págs. 24 cm.
Es el tomo XVIII de la revista *Manresa*.
a) Segura, F., en *Razón y Fe*, CLVI, Madrid, 1957, págs. 117-18.

726
GARCIA MARTINEZ, FIDEL. *La técnica ignaciana en la formación de la voluntad.* (En *Miscelánea Comillas*, XXV, Comillas, 1956, págs. 9-23).

727
GARCIA VILLOSLADA, R. *La espiritualidad ignaciana y la «devotio moderna».* (En *Manresa*, XXVIII, Madrid, 1956, págs. 315-50).

728
GONZALEZ HERNANDEZ, LUIS. *El primer tiempo de elección según San Ignacio.* Madrid. J. Fernández Herck. 1956. 235 págs. 20,5 cm. (Biblioteca de Ejercicios, 1).
a) Hernández, L., en *La Ciudad de Dios*, CLXX, El Escorial, 1957, pág. 166.
b) Segura, F., en *Razón y Fe*, CLVI, Madrid, 1957, pág. 118.

729
GRANERO, J. M. *La espiritualidad de San Ignacio. Estudio de síntesis.* (En *Manresa*, XXVIII, Madrid, 1956, págs. 489-514).

730
IPARRAGUIRRE, IGNACIO. *Fuentes y estudios de la espiritualidad ignaciana.* (En *Manresa*, XXVIII, Madrid, 1956, págs. 7-28).

731
IRIARTE, JOAQUIN. *Loyola y la es-* piritualidad seglar en sus modernas exigencias. (En *Manresa*, XXVIII, Madrid, 1956, págs. 293-312).

732
JIMENEZ DUQUE, BALDOMERO. *La espiritualidad ignaciana y la espiritualidad contemporánea.* (En *Manresa*, XXVIII, Madrid, 1956, págs. 479-86).

733
MUÑOZ, JESUS. *Lo psicológico en la espiritualidad ignaciana.* (En *Manresa*, XXVIII, Madrid, 1956, págs. 135-50).

734
REY, JUAN. *Espíritu ignaciano.* Santander. Edit. Sal Terrae. 1956. 215 págs. con láms. 16 cm.
a) C. P., en *Brotéria*, LXIII, Lisboa, 1956, pág. 236.
b) L. H., en *La Ciudad de Dios*, CLXX, El Escorial, 1957, pág. 163.

735
RICARD, ROBERT. *Deux traits de l'expérience mystique de Saint Ignace.* (En *Archivum Historicum Societatis Jesu*, XXV, Roma, 1956, págs. 431-36).

736
ROYO MARIN, ANTONIO. *La espiritualidad de San Ignacio comparada con la dominicana.* (En *Manresa*, XXVIII, Madrid, 1956, págs. 385-98).

737
SOLANO, JESUS. *Fundamentos neotestamentarios y dogmáticos de la espiritualidad ignaciana.* (En *Manresa*, XXVIII, Madrid, 1956, págs. 123-34).

738
TRUHLAR, KARL. *Die Teilnahme der ganzen Seele am mystiche Leben beim hl. Ignatius und der Klassis-*

chen Mystik. (En *Gregorianum*, XXXVII, Roma, 1956, págs. 542-56).

739

VAN ROO, W. A. *Law of the spirit and written law in the spirituality of S. Ignatius.* (En *Gregorianum*, XXXVII, Roma, 1956, págs. 417-43).

740

VILLASANTE, L. *La espiritualidad ignaciana y la franciscana. Contribución a su estudio comparativo.* (En *Manresa*, XXVIII, Madrid, 1956, págs. 399-454).

741

CONWELL, JOSEPH F. *Contemplation in action. A study in Ignatian prayer.* Spokane. Gonzaga University. 1957. 123 págs.

a) Iparraguirre, I., en *Manresa*, XXX, Madrid, 1958, págs. 292-93.

742

OLPHE-GALLIARD, M. *Spiritualité ignatienne.* (En *Revue d'Ascétique et de Mystique*, XXXIII, París, 1957, págs. 229-35, 337-39).

743

REGNAULT, L. *Monachisme oriental et spiritualité ignatienne. L'influence de saint Dorothée sur les écrivains de la Compagnie de Jésus.* (En *Revue d'Ascétique et de Mystique*, XXXII, París, 1957, págs. 141-49).

744

RICARD, ROBERT. *La place de Saint Ignace de Loyola dans la spiritualité espagnole.* (En *Revue d'Ascétique et Mystique*, XXXIII, Toulouse, 1957, págs. 121-40).

745

TERRADAS SOLER, JUAN. *La Caridad en la ascética ignaciana.* Madrid. Campaña pro Moralidad y Fe íntegra. 1957. 29 págs. + 2 hs. 16 cm.

746

IPARRAGUIRRE, IGNACIO. *Espíritu de San Ignacio de Loyola. Perspectivas y actitudes ignacianas de espiritualidad.* Bilbao. El Mensajero del Corazón de Jesús. 1958. 206 págs. + 1 h. 21,5 cm. (Espiritualidad ignaciana, 2).

a) Guerrero, E., en *Razón y Fe*, CLIX, Madrid, 1959, págs. 542-43.
b) Segovia, A., en *Estudios Eclesiásticos*, XXXIV, Madrid, 1960, pág. 111.
MADRID. *Nacional.* 7-33.310.

747

IPARRAGUIRRE, IGNACIO. *Espíritu de San Ignacio de Loyola. Perspectivas y actitudes ignacianas de espiritualidad.* Bilbao. El Mensajero del Corazón de Jesús. 1958. 206 págs. 21,5 cm. (Espiritualidad ignaciana, 2).

a) Gensac, H. de, en *Révue d'Ascétique et de Mystique*, XXXVI, París, 1960, págs. 504-505.
MADRID. *Nacional.* 7-34.582.

748

CHARMOT, FRANÇOIS. *L'union au Christ dans l'action selon Saint Ignace.* París. Bonne Presse. 1959. 320 págs.

749

MARTINI, A. *Spiritualità di Sant' Ignazio di Loyola.* (En *La Civiltà Cattolica*, CX, Roma, 1959, págs. 189-93).

750

RAHNER, K. *Spiritualité ignatienne et dévotion au Sacré Cœur.* (En *Revue d'Ascétique et Mystique*, XXXV, Toulouse, 1959, págs. 147-66).

751

BERNARD-MAÎTRE, HENRI. *Aux sources de la spiritualité ignatienne.* (En *Revue d'Ascétique et Mystique*, Toulouse, 1960, n.º 36, págs. 36-42).

752

GOIRI, SANTIAGO DE. *La apertura*

de conciencia en la espiritualidad de San Ignacio de Loyola. Bilbao. Seminario. [s. a., 1960]. XII + 403 págs. 24,5 cm.

Tesis doctoral de la Universidad Pontificia de Salamanca.

a) Andrade, L. J., en *Virtud y Letras*, El Cedro (Colombia), 1962, págs. 122-30.

b) Cabreras, C., en *Analecta Sacra Tarraconensia*, XXXIII, Barcelona, 1960, págs. 283-85.

c) Granero, J. M., en *Manresa*, XXXIII, Madrid, 1961, pág. 400.

MADRID. *Consejo. Instituto «F. Suárez».—Nacional.* 1-218.838.—WASHINGTON. *Congreso.* 63-39090.

753

LEWIS, JACQUES. *Le gouvernement spirituel, selon Saint Ignace de Loyola.* [Bruges]. Desclée de Brouwer. 1961. 138 págs. + 3 hs. 24 cm. (Studia. Recherches de Philosophie et de Theologie publiées par les Facultés S. J. de Montréal, 21).

a) Adolfo de la Madre de Dios, Fray, en *Salmanticensis*, X, Salamanca, 1963, pág. 481.

b) Dumeige, G., en *Civiltà Cattolica*, I, Roma, 1963, págs. 157-58.

c) Granero, J. M., en *Manresa*, XXXIV, Madrid, 1962, págs. 402-3.

d) Huerga, A., en *Angelicum*, XL, Roma, 1963, pág. 131.

e) J. A. S., en *Razón y Fe*, CLXVII, Madrid, 1963, pág. 203.

f) J. M. V., en *Estudios Eclesiásticos*, XXXVIII, Madrid, 1963, págs. 505-6.

g) Lasic, D., en *Antonianum*, XXXVIII, Roma, 1963, pág. 123.

h) N., en *Zeitschrif für Katholische Theologie*, LXXXV, Insbruch, 1963, pág. 108.

i) Örsv, L., en *Gregorianum*, XLV, Roma, 1964, págs. 582-83.

MADRID. *Nacional.* V-6.469-10.

754

MIECZNIKOWSKY, S. *Ministerium verbi Dei. Introductio in conceptum apostolatus Ignatiani.* Roma. 1960. XII + 84 págs.

a) Seaduto, M., en *Archivum Historicum Societatis Iesu*, XXIX, Roma, 1960, págs. 399-406.

755

MORA, ALFONSO DE LA. *La devoción en el Espíritu Santo de San Ignacio.* Méjico. Edit. Jus. 1960. 102 págs. 23 cm.

Extracto de tesis de la Pontificia Universidad Gregoriana.

a) Segura, F., en *Manresa*, XXXIII, Madrid, 1961, pág. 288.

MADRID. *Consejo. Instituto «F. Suárez».*

756

ROUGÉS, JUAN CARLOS. *El estudio hecho oración en la enseñanza de San Ignacio.* Santa Fe. Edit. Castellví. 1960. 148 págs. 24 cm.

a) Granero, J. M., en *Manresa*, XXXIV, Madrid, 1962, págs. 403-4.

WASHINGTON. *Congreso.* 63-30795.

757

LABOURDETTE, M. M. *Spiritualité ignatienne.* (En *Revue Thomiste*, LXIV, París, 1963, págs. 628-31).

758

MARUCA, DOMINICUS. *Instruments in the hand of God. A study in the spirituality of St. Ignatius Loyola.* Roma. Universitas Gregoriana. 1963. 80 págs.

759

PALMES DE GENOVES, CARLOS. *La obediencia religiosa ignaciana.* Barcelona. Subirana. [1963]. XVI + 332 págs. 20 cm.

WASHINGTON. *Congreso.* 66-85686.

760

PENNING DE VRIES, PIET. *Ignatius of de spiritualiteit der Jezüiten.* Tielt-Den Haag. Lannoo. 1964. 200 págs.

a) Iparraguirre, I., en *Archivum Historicum Societatis Iesu*, XXXIII, Roma, 1964, págs. 365-66.

b) L. M., en *Ons Geestelijk Erf*, XXXVIII, Amberes, 1964, págs. 439-40.

761

SCIACCA, M. F. *Di una interpreta-zione dialettica degli «Esercizi spirituali» di S. Ignazio di Loyola.* (En *Studi sulla filosofia moderna*, Milán, 1964, págs. 67-70).

762

GIULIANI, MAURICE. *Prière et action. Etudes de spiritualité ignatienne.* París. Desclée de Brouwer. [1966]. 178 págs. 21 cm. (Collection Christus, 21).

MADRID. *Nacional.* 4-99.873.—WASHINGTON. *Congreso.* 66-77579.

763

VRIES, PIET PENNING DE. *Discernimiento. Dinámica existencial de la doctrina y del espíritu de San Ignacio de Loyola.* [*Versión de Horacio Bojorge e Ignacio Iparraguirre*]. Bilbao. Mensajero. 1967. 223 págs. 21 cm. (Espiritualidad Ignaciana, 7).

MADRID. *Nacional.* 1-120327.

764

BOTTERAU, GEORGES. *Le rôle de «l'indifférence» dans la spiritualité ignatienne.* (En *Revue d'Ascétique et de Mystique*, Toulouse, 1969, n.º 180, págs. 395-408).

765

ROLDAN VILLER, ALEJANDRO. *La afectividad en la ascética ignaciana.* (En *Manresa*, LIII, Azpeitia, 1981, págs. 33-54).

Influencia pedagógica

766

HUGHES, THOMAS ALOYSIUS. *Loyola and the educational system of the Jesuits.* Nueva York. Scribner. 1892.

— — —

—Gross Pointe, Mich. Scholarly Press. [s. a., 1969?]. LX + 302 págs. 29 cm. (The Great educators).
WASHINGTON. *Congreso.* 74-7860.

767

MISSON, JULES. *Les idées pédagogiques de Saint Ignace de Loyola.* París. P. Lethielleux. 1932. 80 págs. 12.º (Les ideés pédagogiques, 9).

—*Las ideas pedagógicas de San Ignacio de Loyola. Traducción española de Romualdo Galdós.* Roma. Fratelli Lestini. 1933. 79 págs. 12.º

768

EGUIA RUIZ, CONSTANCIO. *Un gran promotor de Letras Humanas, San Ignacio de Loyola.* (En *Humanidades*, VI, Comillas, 1954, págs. 11-20).

769

GANSS, GEORGE E. *Saint Ignatius. Idea of a Jesuit University. A study in the History of Catholic Education including Part Four of the «Constitutions of the Society of Jesus»,* translated from the Spanish... with Introduction and Notes. Milwaukel. The Marguette University Press. 1954. XX + 368 págs. 8.º

a) Aldama, A. M. de, en *Archivum Historicum Societatis Jesu*, XXIV, Roma, 1955, págs. 337-39.
b) Arroyo, M., en *Razón y Fe*, CLV, Madrid, 1957, págs. 92-93.
c) Clarke, W. N., en *Thought*, XXXI, Rordman, 1956, págs. 311-14.
d) Cosgrove, H. P., en *Renaissance News*, IX, Nueva York, 1956, págs. 101-4.
e) Melo, M. de, en *Brotéria*, LXII, Lisboa, 1956, pág. 495.
f) Santos, A., en *Humanidades*, VII, Comillas, 1955, págs. 164-66.
WASHINGTON. *Congreso.* 54-12.965.

— — —

—1956.
WASHINGTON. *Congreso.* 56-13077.

770

GARMENDIA DE OTAOLA, ANTONIO. *Las ideas pedagógicas de San Ignacio de Loyola.* (En *Revista Española de Pedagogía*, XIV, Madrid, 1956, págs. 3-23).

Influencia literaria

771

ISERN, JUAN. *San Ignacio y su obra en el Siglo de Oro de la literatura castellana (1516-1700).* Buenos Aires. Edit. de S. Amorrortu. 1924. XI + 227 págs. 12.º

772

ELIZALDE, IGNACIO. *San Ignacio de Loyola en la poesía española del siglo XVII.* (En *Archivum Historicum Societatis Jesu,* XXV, Roma, 1956, págs. 201-40).

773

LATCHAM, RICARDO A. *San Ignacio de Loyola en los poemas mayores de inspiración jesuítica.* (En *Finisterre,* Santiago de Chile, 1956, n.º 10, págs. 3-13).

774

RUBIO ALVAREZ, FERNANDO. *Epitafios en honor de San Ignacio de Loyola de Alvaro Gómez de Castro.* (En *Razón y Fe,* CLVII, Madrid, 1958, págs. 195-98).

Ejercicios espirituales

775

PALMA, LUIS DE LA. *Camino Espiritval de la manera qve lo enseña el Bienaventurado Padre San Ignacio, en su libro de los Exercicios.* Alcalá de Henares. Juan de Orduña. 1625. 24 + 836 + 13 págs. 4.º

Para las reed. véase PALMA, LUIS DE LA.

776

IZQUIERDO, SEBASTIAN. *Práctica de los Ejercicios espirituales de nuestro Padre San Ignacio.* Roma. 1665.

Para las reed. véase IZQUIERDO (P. SEBASTIAN).

777

ROSIGNIOLI, CARLOS GREGORIO. *Noticias memorables de los Exercicios espirituales de S. Ignacio de Loyola, fundador de la Compañía de Jesús. Recogidas por el P. ——... Traducidas de Italiano en Español por... Francisco María Vellón.* Madrid. Antonio Román. 1694. 1 lám. + 8 hs. + 266 págs. + 7 hs. 20 cm.

MADRID. *Nacional.* 3-39.835.

778

[*Supein Komonjo Nihon nijüroku seijin junkyröroku*]. Yokohama. Municipal University. [1954]. 218 págs. 21 cm.

Con resumen en inglés.

779

BELLECIUS, ALOYSIUS. *Medulla asceseos seu exercitia S. P. Ignatii...* [Augustae Vindelicor et Oeniponti]. 1757.

Hay más de diez ediciones y traducciones a numerosas lenguas.

—Lipsia. 1846.

MADRID. *Nacional.* 2-91.414.

780

VILLADA, PABLO. *Nuevos ataques a los «Ejercicios Espirituales» de San Ignacio.* (En *Razón y Fe,* XXXIX, Madrid, 1914, págs. 280-97).

781

VOGT, PETER. *Die Exercitien des hl. Ignatius ausführlich dargelegt in Aussprüchen der hl. Kirchenväter.* Regensburg. Pustet. 1914. 2 vols. 8.º

782

CODINA, ARTURO. *¿En Manresa o en París?* (En *Razón y Fe,* XLIII, Madrid, 1915, págs. 202-19, 341-57).

Sobre el lugar donde fueron compuestos.

783

PORTILLO, ENRIQUE DEL. *La edición histórico-crítica de los «Ejercicios espirituales».* (En *Razón y Fe,* LII, Madrid, 1918, págs. 490-93).

784

BOUVIER, PIERRE. *L'interprétation authentique de la Méditation fondamentale dans les «Exercises Spirituels» de Saint Ignace.* Bourges. Imp. Tardy. 1922. 103 págs. 12.º

— — —

—*La interpretación auténtica de la meditación fundamental en los «Ejercicios espirituales» de San Ignacio de Loyola. Traducción y apéndices de Luis Puiggrós.* Barcelona. 1925. 216 págs. 12.º
MADRID. *Particular de «Razón y Fe».* Kb-IV-115.

785

CODINA, ARTURO. *Los orígenes de los «Ejercicios Espirituales» de San Ignacio de Loyola. Estudio histórico.* Barcelona. Biblioteca Balmes. 1926. XVI + 308 págs. 8.º
BARCELONA. *Central.*

786

BOVER, JOSE MARIA. *Santa Teresa y los «Ejercicios».* (En *Manresa*, VII, Madrid, 1931, págs. 70-73).

787

ESTEFANIA, JOSE MARIA. *San Ignacio y los Ejercicios.* (En *Revista Internacional de Estudios Vascos*, XXII, San Sebastián, 1931, págs. 304-309).

788

ZARNCKE, LILLY. *Die «Exercitia Spiritualia des Ignatius von Loyola» in ihren geisteschichtlichen Zusammenhängen.* Leipzig. Eger und Sievers. 1931. XI + 180 págs.

a) Raitz von Frentz, E., en *Archivum Historicum Societatis Jesus*, II, Roma, 1933, págs. 347-48.

789

CASANOVAS, IGNACIO. *Explanació dels «Exercicis espirituals» de Sant Ignasi de Loyola.* Barcelona. Foment de Pietat. 1932-34. Dos partes en 3 vols.
BARCELONA. *Central.* A 24-8.º-663/65.

— — —

—*Comentario y explanación de los «Ejercicios espirituales» de San Ignacio de Loyola. Traducción del catalán.* Barcelona. Edit. Balmse. 1945-48. 6 vols. (Obras del P. Casanovas, 8-13).
BARCELONA. *Central.* 081 (Cas.) 12.º—MADRID. *Particular de «Razón y Fe».* Kb-IV-145.
—2.ª ed. 1954-56.
BARCELONA. *Central.* 081-Cas.-8.º

790

MARCHETTI, OTTAVIO. *Il pensiero ignaziano negli «Esercizi spirituali».* Roma. Tip. Pont. Univ. Gregoriana. 1940. 314 págs. 8.º

a) A. C., en *Manresa*, XV, Barcelona, 1943, págs. 87-90.

— — —

—2.ª ed. Roma. La Civiltà Cattolica. 1945. XI + 431 págs. 12.º

791

CALVERAS, JOSE. *Qué fruto se ha de sacar de los Ejercicios espirituales de San Ignacio. Texto para cursillos de Ejercicios.* Barcelona. Libr. Religiosa. 1941. 360 págs. 12.º (Biblioteca de ejercicios Manresa. Serie 2).
MADRID. *Nacional.* 4-3.698.

— — —

—2.ª ed. 1950. 430 págs.

792

LETURIA, PEDRO DE. *Génesis de los ejercicios de San Ignacio y su influjo en la fundación de la Compañía de Jesús (1521-1540).* (En *Archivum Historicum Societatis Jesu*, X, Roma, 1941, págs. 16-59).
—Oña. 1941. 52 págs. 12.º
—Reed. en sus *Estudios ignacianos*, II, Roma, 1957, págs. 3-55.
—5.ª ed. 1954. XXXII + 1467 págs. 16.º

793

MARIN, CANUTO HILARIO. *Spirituali exercitia secundum romanorum pontificum documenta*. Barcelona. Libr. Religiosa. 1941. XLIII + 790 págs. 8.º (Bibliotheca Manresa. Serie III. Documenta, 1).

794

ORAA, ANTONINO. *Ejercicios espirituales de San Ignacio de Loyola. Explanación de las meditaciones y documentos en ellos contenidos.* Madrid. Razón y Fe. 1941.

— — —

—5.ª ed. 1954.
—Zaragoza. Hechos y Dichos. 1956. 148 págs.

795

QUERA, MANUEL. *El origen sobrenatural de los «Ejercicios».* Barcelona. Imp. de la «Revista Ibérica». 1941. 111 págs. 17 cm.

a) J. S., en *Manresa*, XV, Barcelona, 1943, págs. 189-90.

796

BOVER, JOSE MARIA. *Los «Ejercicios» de San Ignacio y la espiritualidad de San Pablo.* (En MEMORIA *I Congreso Nacional de Ejercicios Espirituales*, Barcelona, 1942, págs. 294-313).

797

PORTILLO, ENRIQUE DEL. *Obligación y práctica en España de los Ejercicios espirituales en el segundo tercio del siglo XVIII.* (En *Manresa*, XV, Barcelona, 1943, págs. 148-63).

798

QUERA, MANUEL. *Influjo de la Santísima Virgen en la composición del libro de los «Ejercicios».* (En *Manresa*, XV, Barcelona, 1943, págs. 64-72, 164-76).

799

PINARD DE LA BOULLAYE, HENRI. *Exercices spirituels selon la mé-*thode de Saint Ignace. París. Beauchesne. 1944-47. 4 vols.

a) Steck, K. G., en *Erasmus*, XI, Wiesbaden, 1958, págs. 162. (Del III).

800

CALVERAS, JOSE. *Los tres modos de orar en los Directorios de los «Ejercicios».* (En *Manresa*, XVII, Madrid, 1945, págs. 125-44).

801

LATOR, FERMIN. *Los «Ejercicios» y el «Diario» de N. S. Padre.* (En *Manresa*, XVII, Madrid, 1945, págs. 97-115).

802

ROIG GIRONELLA, JUAN BAUTISTA. *Teoría de los «Ejercicios espirituales» de San Ignacio. Estudio sintético.* Barcelona. Imp. de la Ed. Librería Religiosa. 1945. 57 págs. + 1 h. 24 cm.

Resumen y adaptación del libro del P. Calveras.

— — —

—2.ª ed. 1952. 113 págs.

803

CREIXELL, JUAN. *San Ignacio de Loyola. Ascética y Mística. Los «Ejercicios espirituales» relacionados con la «Autobiografía» del Santo.* Manresa. Imp. San José. 1946. 2 vols. 24,5 cm.

BARCELONA. *Central.* 23-8.º-1361/62. — MADRID. *Particular de «Razón y Fe».* Kb-III-20.

804

HERNANDEZ, EUSEBIO. *La manera tercera de ejercicios completos, según S. Ignacio.* (En *Manresa*, XIII, Madrid, 1946, págs. 101-32).

805

BASABE, ENRIQUE. *Las veinte anotaciones de los «Ejercicios».* (En *Manresa*, XIX, Madrid, 1947, págs. 275-339).

806

SOLA, J. *El Beato Fabro y los «Ejercicios Espirituales» de San Ignacio.* (En *Manresa*, XIX, Madrid, 1947, págs. 42-62).

807

IPARRAGUIRRE, IGNACIO. *Historia de la práctica de los «Ejercicios Espirituales» de San Ignacio.* Bilbao. Mensajero del Corazón de Jesús, y Roma. Instituto Histórico S. J. 1946-1955. 2 vols. 24 cm. (Bibliotheca Instituti Historici S. I., 3 y 7).

I. Práctica de los Ejercicios... en vida de su autor (1522-1556).
II. Desde la muerte de San Ignacio hasta la promulgación del Directorio oficial (1556-1599).

a) Abellán, P. M., en *Gregorianum*, XXXVII, Roma, 1956, págs. 657-58. (Del II).

b) Arellano, T., en *Razón y Fe*, CLII, Madrid, 1955, pág. 240, y en *Manresa*, XXVII, Madrid, 1955, págs. 388-89. (Del II).

c) Ismael (P.), en *Revista de Espiritualidad*, III, 1948, págs. 127-28. (Del I).

d) José Vicente de la Eucaristía, Fray, en *Revista de Espiritualidad*, XV, Madrid, 1956, pág. 366. (Del II).

e) Thiry, A., en *Nouvelle Revue Théologique*, LXXVIII, París, 1956, págs. 86-87. (Del II).

MADRID. *Particular de «Razón y Fe».* S.E.-48-E.—WASHINGTON. *Gongreso.* 45-27106 rev.

808

MONTOLIU, MANUEL. *Los «Ejercicios» de San Ignacio y el Renacimiento.* (En *Elucidario crítico.* Barcelona. 1947, págs. 185-88).

809

MUÑOZ PEREZ-VIZCAINO, JESUS. *La sugestión y los Ejercicios ignacianos.* (En *Manresa*, XIX, Madrid, 1947, págs. 168-88).

810

RAHNER, HUGO. *Ignatius von Loyola und das geschichtliche Werden seiner Frömmigkeit.* Grat. Pustet. 1947. 125 págs.

— — —

—2.ª ed. Graz, etc. Verlag Anton Pustet. 1949. 125 págs. 12.º

—*Saint Ignace de Loyola et la genèse des Exercices.* Trad. par Guy de Vaux. Toulouse. Apostolat de la Prière. 1948. 139 págs. 12.º

—París. Edit. de l'Epi. 1959. 128 págs. 19 cm.

—*De spiritualiteit van Sint Ignatius van Loyola...* Trad. P. van Gestel's - Hertogenbosch. L.C.G. Malmberg. 1953. 152 págs. 12.º

—*The spirituality of St. Ignatius Loyola; an account of his historical development.* Transl. by F. J. Smith. Westminster, Md. Newman Press. 1953. VII + 142 págs. 12.º

—*Ignacio de Loyola y su histórica formación espiritual.* Santander. Sal Terrae. 1955. 122 págs.

—*Inácio de Loyola, homem da Igreja.* Trad. José Alfredo de Souza Monteiro. Oporto. Tavares Martins. 1956. 189 págs.

811

BERNARD, HENRI. *Quel est le scribe de l'«Autographe» des Exercices spirituels.* (En MÉLANGES *offerts au R. P. Ferdinand Cavallera...* Toulouse. 1948, págs. 401-4).

MADRID. *Consejo. General.*

812

DIRKS, GEORGES. *L'interprétation du fondament des «Exercices».* (En *Revue d'Ascétique et Mystique*, XXV, Toulouse, 1949, págs. 370-74).

813

IPARRAGUIRRE, IGNACIO. *Líneas directivas de los «Ejercicios» ignacianos.* Bilbao. Mensajero del Corazón de Jesús. 1950. 62 págs.

a) Calveras, José, en *Manresa*, XXXII, Madrid, 1951, pág. 233.

MADRID. *Particular de «Razón y Fe».* Kb-IV-97.

814

PARDO MORENO, ANTONIO S. *La unión con Dios en los Ejercicios*

Espirituales de San Ignacio. (En *Revista de Espiritualidad*, IX, San Sebastián, 1950, págs. 167-79).

815
CALVERAS, JOSE. *Notas exegéticas sobre el texto de los «Ejercicios».* (En *Manresa*, XXIII, Madrid, 1951, págs. 211-19; XIV, 1952, págs. 177-182, 367-92).

816
DIEZ-ALEGRIA, J. M. *La «Contemplación para alcanzar amor» en la dinámica espiritual de los «Ejercicios» de San Ignacio.* (En *Manresa*, XXIII, Madrid, 1951, págs. 171-94).

817
DIEZ Y GUTIERREZ O'NEIL, J. L. *Meditaciones bíblicas en torno a los «Ejercicios» ignacianos.* Madrid. Edics. Rumbos. 1951. 2 vols. 21 cm.
a) J. D., en *Cultura Bíblica*, XI, Segovia, 1954, pág. 62.

818
IPARRAGUIRRE, IGNACIO. *Introduzione allo studio degli «Esercizi spirituali» di S. Ignazio.* Roma. Pontificia Universitas Gregoriana. 1951. 99 págs.

819
BATLLORI, M. *Los Ejercicios que Nadal trajo a España y las meditaciones de la muerte y del juicio (ms. 998 de la Biblioteca Nacional de México).* (En *Manresa*, XXIV, Madrid, 1952, págs. 127-44).

820
CALVERAS, JOSE. *Notas exegéticas sobre el texto de los «Ejercicios».* (En *Manresa*, XXIII, Madrid, 1951, págs. 211-19; XXIV, 1952, págs. 177-182, 367-92).

821
ENCINAS, ANTONIO. *Los Ejercicios de San Ignacio.* Santander. Edit. Sal Terrae. 1952. 816 págs. 21 cm.
a) Segura, Francisco, en *Razón y Fe*, CXLVIII, Madrid, 1953, págs. 89-90.
—4.ª ed. 1964. 1059 págs.

822
GOMEZ NOGALES, S. *Cristocentrismo en la teología de los «Ejercicios».* (En *Manresa*, XXIV, Madrid, 1952, págs. 33-52).

823
HERNANDEZ, EUSEBIO. *La contemplación de los misterios en los «Ejercicios».* (En *Manresa*, XXIV, Madrid, 1952, págs. 441-54).

824
MARIN, HILARIO. *Los «Ejercicios espirituales» de San Ignacio de Loyola. Documentos pontificios.* Zaragoza. Hechos y Dichos. 1952. 188 págs. + 2 hs. 22 cm. (Colección Doctrinas pontificias, 1).
a) C. M. M., en *Revista Javeriana*, XXXIX, Bogotá, 1953, pág. 186.
b) Esteban Romero, A., en *Revista Española de Teología*, XII, Madrid, 1952, págs. 678-79.
c) Iparraguirre, I., en *Manresa*, XXV, Madrid, 1953, pág. 84.
d) M. O., en *Estudios*, VIII, Madrid, 1952, pág. 613.
e) Z. M., en *Estudios Eclesiásticos*, XXVIII, Madrid, 1954, págs. 118-19.

825
MUÑOZ, JESUS. *Táctica psicológica para la reforma del juicio en los «Ejercicios» ignacianos.* (En *Manresa*, XXIV, Madrid, 1952, págs. 145-164).

826
NEBREDA, ALFONSO MARIA. *Contribución a un centenario. Los Ejercicios de San Ignacio de Loyola a la luz de la Estética.* (En *Humanidades*, IV, Comillas, 1952, págs. 142-63).

827

LONGHAYE, JORGE. *Meditaciones sobre los Ejercicios de San Ignacio.* Méjico. Buena Prensa. 1953. 285 págs.

828

ARELLANO, TIRSO. *A Dios por la poesía. Comentario lírico de los Ejercicios ignacianos. Selección y notas.* Zaragoza. Hechos y Dichos. 1954. XVI + 432 págs. 16 cm.

829

BRUNET, L. *«Ejercicios» de San Ignacio. Principio y fundamento.* (En *Manresa*, XXVI, Madrid, 1954, págs. 207-15).

830

CALVERAS, JOSE. *El origen de los «Ejercicios» según el P. Nadal.* (En *Manresa*, XXVI, Madrid, 1954, págs. 263-288).

831

GORRICHO, JUAN MARIA. *Meditaciones para el mes de Ejercicios de San Ignacio, acompañadas de notas aclaratorias para su mejor inteligencia.* Madrid. Coculsa. 1954. 1424 págs. 15 cm.

a) Isorna, P., en *Verdad y Vida*, XIII, Madrid, 1956, págs. 134-35.

832

MUÑANA MENDEZ, RAMON J. DE. *Luces ignacianas.* Bilbao. El Mensajero del Corazón de Jesús. 1954. 3 vols. 17,5 cm.

I. *Primera semana de Ejercicios. Meditaciones.* 646 págs.
a) Román de la Inmaculada, Fray, en *Revista de Espiritualidad*, XV, Madrid, 1956, pág. 121.
b) Segura, F., en *Razón y Fe*, CLII, Madrid, 1955, págs. 363-64.

833

EZPELETA, MANUEL. *En torno a una metodología de los «Ejercicios» ignacianos.* (En *Manresa*, XXVII, Madrid, 1955, págs. 55-58).

834

IPARRAGUIRRE, IGNACIO. *Directoria Exercitiorum spiritualium (1540-1599).* Roma. Monumenta Historica S. I. 1955. 869 págs.

a) Bonsirven, J., en *Revue d'Ascétique et de Mystique*, XXXII, Toulouse, 1956, págs. 244-45.

835

OSSA BEZANILLA, MANUEL. *El respeto a Dios en los «Ejercicios» de San Ignacio.* (En *Manresa*, XXVIII, Madrid, 1955, págs. 257-62).

836

ABAD, CAMILO MARIA. *Unas anotaciones inéditas sobre los Ejercicios de San Ignacio compuestas por el Dr. Pedro Ortiz y su hermano Fr. Francisco.* Comillas. 1956. 92 págs.

Martins, M., en *Brotéria*, LXIII, Lisboa, 1956, págs. 235-36.

837

——. *Unas «Anotaciones» del doctor Pedro Ortiz y de su hermano fray Francisco sobre los «Ejercicios espirituales» de San Ignacio.* (En *Archivum Historicum Societatis Iesu*, XXV, Roma, 1956, págs. 437-54).

838

BASABE, ENRIQUE. *Expansión de los «Ejercicios» en la Iglesia.* (En *Miscelánea Comillas*, XXV, Comillas, 1956, págs. 327-82).

839

BROUTIN, P. *Perspectives ecclésiales des «Exercices spirituels».* (En *Revue d'Ascétique et de Mystique*, XXXII, París, 1956, págs. 128-44).

840

CALVERAS, JOSE. *La inspiración de los «Ejercicios».* (En *Estudios Eclesiásticos*, XXX, Madrid, 1956, págs. 391-414).

841

CALVERAS, JOSE. *Sentido de los «Ejercicios» en el sistema espiritual de San Ignacio.* (En *Manresa*, XXVIII, Madrid, 1956, págs. 151-68).

842

CLÉMENCE, J. *Une pédagogie de la foi selon l'Evangile. La méditation du règne.* (En *Revue d'Ascétique et de Mystique*, XXXII, París, 1956, págs. 145-73).

843

FERRAZ, A. *Estructura dos «Exercicios» inacianos.* (En *Lumen*, XX, Lisboa, 1956, págs. 476-90).

844

FESSARD, GASTON. *La dialectique des «Exercices Spirituels» de Saint Ignace de Loyola.* París. Edit. Montaigne. 1956. 306 págs. 23 cm. (Coll. Théologie, 35).

a) Durão, P., en *Brotéria*, LXIII, Lisboa, 1956, págs. 355-56.
b) Granero, J. M., en *Razón y Fe*, CLVI, Madrid, 1957, págs. 505-6.
c) Holskin, H., en *Études*, CCXC, París, 1956, pág. 296.
d) Niel, en *Critique*, XIV, París, 1958, págs. 330-40.
e) Rahner, H., en *Archivum Historicum Societatis Jesu*, XXII, Roma, 1958, págs. 137-42.
BARCELONA. *Seminario Conciliar.* — WASHINGTON. *Congreso.* A60-3582.

845

HERNANDEZ, EUSEBIO. *La elección de los «Ejercicios» de San Ignacio.* (En *Miscelánea Comillas*, XXV, Comillas, 1956, págs. 115-86).

846

IPARRAGUIRRE, IGNACIO. *Los nervios de los «Ejercicios».* (En *Miscelánea Comillas*, XXVI, Comillas, 1956, págs. 235-44).

847

ITURRIOZ, JESUS. *Fruto supremo de los «Ejercicios». Elementos y modo de conseguirlos.* (En *Miscelánea Comillas*, XXVI, Comillas, 1956, págs. 223-34).

848

LARRAÑAGA, VICTORIANO. *La revisión total de los «Ejercicios» por San Ignacio, ¿en París o en Roma?* (En *Archivum Historicum Societatis Iesu*, XXV, Roma, 1956, págs. 396-415).

849

———. *Tres ideas claves de la espiritualidad ignaciana a través de su libro de los «Ejercicios».* (En *Miscelánea Comillas*, Comillas, 1956, número 25, págs. 235-66).

850

———. *La Mística en los «Ejercicios Espirituales» de San Ignacio de Loyola.* (En *Miscelánea Comillas*, XXVI, Comillas, 1956, págs. 245-63).

851

MARTELET, G. *La dialectique des «Exercices spirituels».* (En *Nouvelle Revue Théologique*, LXXXVIII, Lovaina, 1956, págs. 1043-66).

852

NADAL, COLL. *El amor divino en los «Ejercicios».* (En *Miscelánea Comillas*, XXVI, Comillas, 1956, págs. 151-164).

853

OLPHE-GAILLARD, M. *Les «Exercices spirituels» et la liturgie.* (En *Revue d'Ascétique et de Mystique*, XXXII, París, 1956, págs. 225-36).

854

SILVA, A. Los «Ejercicios espirituales» de San Ignacio. (En Mensaje, V, Santiago de Chile, 1956, n.º 52-53).

855

SOLANO, J. Jesucristo en la primera semana de los «Ejercicios». (En Miscelánea Comillas, XXVI, Comillas, 1956, págs. 165-76).

856

TADE, GEORGE THOMAS. A rhetorical analysis of the «Spiritual exercices» of Ignatius Loyola.

Tesis. Univ. de Illinois.
WASHINGTON. Congreso. Mic 56-633.

857

TEJERINA, ANGEL. Deseo, atención y docilidad a las gracias y dones divinos en los «Ejercicios» de San Ignacio de Loyola. (En Miscelánea Comillas, XXVI, Comillas, 1956, págs. 131-149).

858

VALLEJO NAGERA, A. El «Libro de los ejercicios» visto por un psicoterapeuta. (En Revista de Espiritualidad, XV, Madrid, 1956, págs. 15-28).

859

HILLER, F. L. The flexibility of the Ignatian exercises. (En Church Quarterly Review, CLVIII, Londres, 1957, págs. 333-38).

860

PEREZ ARCOS, P. B. Los «Ejercicios» de San Ignacio y la psicoterapia. (En Revista de Espiritualidad, XVI, Madrid, 1957, págs. 399-406).

861

BERNARD-MAÎTRE, H. Les annotations des deux frères Ortiz sur le traité de l'élection des «Exercices

spirituels» (vers 1541-1546). (En Revue d'Ascétique et de Mystique, XXXIV, Toulouse, 1958, págs. 393-434).

862

CALVERAS, JOSE. Ejercicios, directorio y documentos de San Ignacio. Barcelona. Balmes. 1958. 520 págs. 16 cm.

MADRID. Particular de «Razón y Fe». Kb-IV-72-1.

863

FIORITO, M. A. Memoria, imaginación, historia en los «Ejercicios» de San Ignacio de Loyola. (En Ciencia y Fe, XIV, San Miguel [Argentina], 1958, págs. 211-36).

864

FIORITO, M. A. Notas para un estudio de los «Ejercicios espirituales». (En Ciencia y Fe, XIV, San Miguel [Argentina], 1958, págs. 531-58).

865

HANSSENS, JEAN-MICHEL. L'originalité des Exercises Spirituels ignatiens. (En Revue d'Ascetique et Mystique, XXXIV, París, 1958, págs. 300-325).

866

JIMENEZ FONT, L. M. Los «Ejercicios» en su forma actual. (En Manresa, XXX, Madrid, 1958, págs. 401-7).

867

MUÑANA MENDES, RAMON J. DE. Documentos de San Ignacio sobre Ejercicios. Bilbao. El Mensajero del Corazón de Jesús. 1958. 522 págs. (Luces Ignacianas, 5).

a) Segura, F., en Razón y Fe, CLIX, Madrid, 1959, págs. 545-46.

MADRID. Particular de «Razón y Fe». K-IV-1362/63.

868

BERNARD-MAÎTRE, H. *Pour une traduction française des «Exercices» de saint Ignace: la vulgate ou l'autographe?* (En *Revue d'Ascétique et de Mystique*, XXXV, París, 1959, págs. 440-47).

869

FIORITO, M. A. *Notas para una teología de los «Ejercicios espirituales» de San Ignacio.* (En *Ciencia y Fe*, XV, San Miguel [Argentina], 1959, págs. 253-81).

870

HARDON, JOHN A. *All my liberty: Theology of the «Spiritual exercises».* Westminster, Md.-Newman Press. 1959. XXII + 208 págs.

a) Gleason, R., en *Woodstock Letters*, LXXXIX, Baltimore, 1960, págs. 81-62.
b) J. A. de la Virgen del Carmen, en *Revista de Espiritualidad*, XX, Madrid, 1961, pág. 568.
WASHINGTON. *Congreso.* 59-10405.

871

FIORITO, M. A. *Para un estudio actual de los «Ejercicios» de San Ignacio.* (En *Ciencia y Fe*, XVI, San Miguel [Argentina], 1960, págs. 189-207).

872

ROUSTANG, F. *Dialektik der «Exerzitien».* (En *Orientierung*, Zürich, 1960, págs. 244-46).

873

VACHON, A. *Introduction à la «Dialectique des Exercices» du P. Fessard.* (En *Sciences Ecclésiastiques*, XII, Montréal, 1960, págs. 351-76; XIII, 1961, págs. 57-82).

874

BERNARD-MAÎTRE, H. *Le Père Jean-Philippe Roothaan et la vulgata latina des «Exercices» de saint Ignace.* (En *Revue d'Ascétique et de Mystique*, XXXVII, Toulouse, 1961, págs. 193-212, 493-95).

875

CALVERAS, JOSE. *Acerca del copista del autógrafo de los «Ejercicios».* (En *Archivum Historicum Societatis Jesu*, XXX, Roma, 1961, págs. 245-263).

876

——. *Un ensayo primitivo de los «Ejercicios», obra de Polanco.* (En *Manresa*, XXXIII, Madrid, 1961, págs. 215-38).

877

BOROS, L. *Dialektik der Freïheit. Gaston Fessards Erhellung der ignatianischen «Exerzitien» durch Hegel.* (En *Wort und Wahrheit*, XVII, Viena, 1962, págs. 181-201).

878

BROUTIN, P. *Perspectives of the Church in the «Spiritual exercises».* (En *Woodstock Letters*, XCI, Baltimore, 1962, págs. 337-57).

879

FITZMYER, J. A. *The «Spiritual exercises» of St. Ignatius and recent Gospel studies.* (En *Woodstock Letters*, XCI, Baltimore, 1962, págs. 246-274).

880

FONDEVILA, J. M. *La doctrina de la gracia y los «Ejercicios» de San Ignacio.* (En *Manresa*, XXXIV, Madrid, 1962, págs. 163-78).

881

MACQUADE, JAMES J. *How to give the spiritual exercises of St. Ignatius to lay apostles.* Chicago. Loyola University Press. 1962. 94 págs. 24 cm.
WASHINGTON. *Congreso.* 61-18210.

882

MELIA, B. *Pedagogía de una libertad nueva según los «Ejercicios» de San Ignacio.* (En *Proyección*, IX, Granada, 1962, págs. 139-47).

883

ROIG GIRONELLA, J. *La espiritualidad de la Compañía de Jesús y los «Ejercicios espirituales».* (En *Revista de Espiritualidad*, XXI, Madrid, 1962, págs. 71-93, 316-33).

884

UMBERG, JUAN B. *Los «Ejercicios» y los sacramentos.* Santander. Sal Terrae. 1962. 220 págs.

a) Leite, en *Brotéria*, LXXV, Lisboa, 1962, págs. 231-32.

885

CALVERAS, JOSE. *Más precisiones sobre la cronología del autógrafo de los «Ejercicios».* (En *Archivum Historicum Societatis Jesu*, XXXII, Roma, 1963, págs. 322-28).

886

DOMENE, JESUS FRANCISCO. *Elementos teológicos en los «Ejercicios». Relación «gracia-método-director» a la luz de la teología espiritual.* Taichung. Manresa House, y Santander. Sal Terrae. 1963. 198 págs.

a) Fiorito, M. A., en *Ciencia y Fe*, XXI, San Miguel (Argentina), 1965, págs. 8-9.

b) Iparraguirre, I., en *Archivum Historicum Societatis Jesu*, XXXIII, Roma, 1964, pág. 366.

887

EVAIN, A. S. *Ignace et Rosmini: une page peu connue de l'histoire des «Exercices» au XIXe siècle.* (En *Revue d'Ascétique et de Mystique*, XXXIX, Toulouse, 1963, págs. 465-480).

888

FESSARD, G. *Le fondement de l'her-*

méneutique selon la XIIIe règle d'orthodoxie des «Exercices spirituels». (En *Archivio di Filosofia*, Padua, 1963, págs. 203-19).

889

GRIFFIN, R. E. *The practique of Ignatian representation.* (En *Woodstock Letters*, XCII, Baltimore, 1963, págs. 253-58).

890

HARVANEK, ROBERT F. (ed.). *Proceedings of the Institute on the Contemporary Thought and the «Spiritual exercices» of St. Ignatius of Loyola.* Chicago. Loyola University. 1963. 88 págs.

891

LEWIS, J. *La Bible et les «Exercices».* (En *Lettres du Bas-Canada*, Montreal, 1963, n.º 17, págs. 5-15).

892

MEISSNER, W. W. *Psychological notes on the «Spiritual exercises». An analysis of the interaction of nature and grace using recent developments in psychoanalytic ego-psychology.* (En *Woodstock Letters*, XCII, Baltimore, 1963, págs. 349-66; XCIII, 1964, págs. 31-58, 165-91).

893

O'CONNOR, T. R. *The Ignatian «Exercises» and the liturgical kerygma.* (En *Liturgy for the people. Essays in honor of Gerald Ellard*, Milwaukee, 1963, págs. 38-54).

894

ALEU, J. *La epistemología sobrenatural en los «Ejercicios» de San Ignacio.* (En *Revista de Espiritualidad*, XXIII, Madrid, 1964, págs. 424-41).

895

PETTY, M. *Evangelios de la infancia y «Ejercicios espirituales» de San*

Ignacio. (En *Ciencia y Fe,* XX, San Miguel [Argentina], 1964, págs. 469-480).

896

EJERCICIOS (Los) de San Ignacio a la luz del Vaticano II. Congreso Internacional de Ejercicios, Loyola, 1966. Edición... por Clemente Espinosa, S. J. Prólogo del P. Pedro Arrupe. Madrid. [Edit. Católica]. 1968. XXXII + 842 págs. 20 cm. (Biblioteca de Autores Cristianos, 280).

MADRID. *Consejo. General.*

897

BAKKER, LEO. *Freiheit und Erfahrung. Redaktionsgeschichtliche Untersuchungen über die Unterscheidung der Geister bei Ignatius von Loyola.* Würzburg. Echter Verlag. 1970. 397 págs. (Studien zur Theologie des geistlichen Lebens, III).

a) Sudbrack, J., en *Geist und Leben,* Munich, 1971, n.º 44.

898

FESSARD, GASTON. *La Dialectique des «Exercices spirituels» de S. Ignace de Loyola.* París. Aubier. 1966. 22 cm.

WASHINGTON. *Congreso.* 67-92994.

899

STANLEY, DAVID M[ICHAEL]. *A modern scriptural approach to the Spiritual exercises.* Chicago. Institute of Jesuit Sources. 1967. XVI + 358 págs. 24 cm.

WASHINGTON. *Congreso.* 67-25219.

900

CUSSON, GILLES. *Pédagogie de l'expérience spirituelle personelle, Bible et «Exercices spirituels».* Bruges, etc. Desclée de Brouwer. 1968. 427 págs. 21 cm.

WASHINGTON. *Congreso.* 75-406277.

901

SUDBRACK, JOSEF. *Fragestellung und Infragestellung der ignatianischen Exercitien.* (En *Geist und Leben,* XLIII, München, 1970, págs. 206-226).

902

LECUMBERRI CILVETI, ANGEL. *Roland Barthes y San Ignacio de Loyola. La definición semiológica de los «Ejercicios espirituales».* (En *Letras de Deusto,* XI, Deusto, 1981, págs. 5-37).

Constituciones

903

NEGRONE, JULIO. *Regulae communes Societatis Iesu commentariis asceticis illustratae.* Milán. Io. Bapt. Piccalea. 1616. 855 págs. 23 cm.

MADRID. *Nacional.* 7-13.619 (falto de portada).

— — —

—Cracovia. 1913-23. 4 vols.

904

MESCHLER, MORITZ. *Die Gesellschaft Jesu. Ihre Satzungen und ihre Erfolge.* Friburgo. Herder. 1911. XII + 307 págs. 12.º

— — —

—*La Compagnie de Jésus. Ses statuts, ser résultats.* Trad. par O. Mazoyer. París. P. Lethielleux. [s. a.]. 354 págs.
—Trad. ital. Roma. La Civiltà Cattolica. 1917.

905

AICARDO, JOSE MANUEL. *Comentario a las Constituciones de la Compañía de Jesús.* Madrid. Blass y Cía. 1918. 18 págs. 26 cm.

MADRID. *Nacional.* V-516-24.

906

———. *Comentarios a las Constituciones de la Compañía de Jesús.* Madrid. Blass y Cía. 1919-32. 6 vols. 26 cm.

MADRID. *Nacional.* 5-12.593.

907
CHASTONAY, PAUL VON. *Vom Geiste der «Konstitutionen der Gesellschaft Jesu».* (En *Zeitschrift für Aszese und Mystik*, II, Munich, 1927, págs. 49-64).

908
CHASTONAY, PAUL VON. *Die Satzungen des Jesuitenordens. Werden, Inhalt, Geistesart.* Einsiedeln - Colonia. Benziger & Co. 1938. 278 págs. 12.º

— — —
—Les Constitutions de l'Ordre des Jésuites. Leur genèse, leur contenu, leur esprit. París. Aubier. 1941. 254 págs. 12.º

909
RAHNER, HUGO. *Ignatius von Loyola und die aszetische Tradition der Kirchenväter.* (En *Zeitschrift für Aszese und Mystik*, XVII, Munich, 1942, págs. 61-77).

910
ALDAMA, ANTONIO M. DE, MAURIZIO COSTA, IGNACIO IPARRAGUIRRE y JEAN B. BEYER. *Introduzione allo studio delle Costituzioni S. J.* Roma. Centri Ignatiani Spiritualitatis. 1973. Varias paginaciones. (Subsidia, 4).
MADRID. *Particular de «Razón y Fe».* Ac-34-C.

911
CHASTONAY, PAUL DE. *L'esprit des Constitutions.* Roma. Centri Ignatiani Spiritualitatis. 1973. 105 págs. (Subsidia, 3).
MADRID. *Particular de «Razón y Fe».* Ac-34-C.

912
Le Costituzioni della Compagnia di Gesù. Commentario in otto conferenze. Roma. Centri Ignatiani Spiritualitatis. 1974. 194 págs. (Subsidia, 7).

MADRID. *Particular de «Razón y Fe».* Ac-34-C.

Autobiografía

913
LARRAÑAGA, VICTORIANO. *La autobiografía de San Ignacio de Loyola.* (En *Manresa*, XI, Madrid, 1947, págs. 1-30, 122-42, 193-213).
Reed. en *San Ignacio de Loyola. Estudios sobre su vida, sus obras, su espiritualidad.* Zaragoza. 1956, págs. 157-204.

914
COSTA, MAURIZIO. *Aspetti dello stile di elezione di S. Ignazio nell' Autobiographia.* Roma. Centri Ignatiani Spiritualitatis. 1974. 94 págs. (Subsidia, 6).
MADRID. *Particular de «Razón y Fe».* Ac-34-C.

«Diario»

915
LARRAÑAGA, VICTORIANO. *El Diario espiritual de San Ignacio en el cuarto centenario de su redacción (2 feb. 1544-27 feb. 1545).* (En *Miscelánea Comillas*, IV, Comillas, 1945, págs. 277-315).

Del oficio del secretario

916
SCADUTO, M. *Uno scritto ignaziano inedito: il «Del officio del secretario» del 1547.* (En *Archivum Historicum Societatis Jesu*, XXIX, Roma, 1960, págs. 305-28).

Epistolario

917
MARCH, JOSE MARIA. *Una carta inédita de San Ignacio a los Padres de Barcelona (3 mayo 1547).* (En *Razón y Fe*, XLIII, Madrid, 1922, págs. 273-88).

Relación con otras figuras

918

JOVY, ERNEST. *Pascal et Saint Ignace.* París. Champion. 1923.

919

MARCH, JOSE MARIA. *San Ignacio de Loyola y el B. Ramón Llull: semejanzas doctrinales.* (En *Manresa,* II, Madrid, 1926, págs. 333-50).

920

BATAILLON, MARCEL. *Autour de Luis Vives et d'Iñigo de Loyola.* (En *Bulletin Hispanique,* XXX, Burdeos, 1928, págs. 184-86).

921

DUHR, BERNHARD. *Savonarola und Loyola.* (En *Stimmen der Zeit,* CXVII, Munich, 1929, págs. 380-81).

922

ORLANDIS, RAMON. *Indole y diversidad de las consolaciones espirituales en Santa Teresa y San Ignacio.* (En *Manresa,* IX, Madrid, 1933, págs. 318-35).

923

PRZYWARA, ERICH. *Thomas von Aquin, Ignatius von Loyola, Friedrich Nietzsche.* (En *Zeitschrift für Aszese und Mystik,* XI, München, 1936, págs. 257-95).

924

GARCIA VILLOSLADA, RICARDO. *Humanismo y Contrarreforma o Erasmo y San Ignacio de Loyola.* (En *Razón y Fe,* CXXI, Madrid, 1940, págs. 5-36).

925

ROVELLA, GIUSEPPE. *L'arte della vita in due Maestri del Cinquecento: Francesco Guicciardini e Ignazio di Loyola.* (En *Civiltà Cattolica,* XCI, Roma, 1940, págs. 341-54).

926

GARCIA VILLOSLADA, RICARDO. *San Ignacio de Loyola y Erasmo de Rotterdam.* (En *Estudios Eclesiásticos,* XVI, Madrid, 1942, págs. 235-64, 399-426; XVII, 1943, págs. 75-104).

927

LARRAÑAGA, VICTORIANO. *La espiritualidad de San Ignacio de Loyola. Estudio comparativo con la de Santa Teresa de Jesús.* Madrid. Casa de San Pablo. 1944.

928

GONZALEZ-RUIZ, NICOLAS. *Dos hombres: el santo y el hereje, San Ignacio. Lutero.* Barcelona. Cervantes. 1945. 155 págs. (Vidas paralelas). MADRID. *Consejo. General. — Nacional.* 7-31.250.

929

FAVRE-DORSAZ, ANDRÉ. *Calvin et Loyola. Deux réformes.* París-Bruselas. Éditions Universitaires. 1951. 455 págs. 24,5 cm. (Bibliothèque Historique).
a) Dalmases, C. de, en *Archivum Historicum Societatis Jesu,* XXII, Roma, 1953, págs. 573-75.
b) Durão, P., en *Revista Portuguesa de Filosofía,* Braga, 1956, supl. bibl., págs. 48-49.
c) H. D., en *Scrinium,* III, Friburgo, 1952, pág. 110.
d) Rouqette, R., en *Études,* CCLXXVI, París, 1953, pág. 123.

930

MARIN, HILARIO. *San Francisco Xavier y San Ignacio de Loyola.* (En *Razón y Fe,* CXLVI, Madrid, 1952, págs. 45-58).

931

MESEGUER, PEDRO. *Fray Alonso de Madrid y San Ignacio de Loyola. Discusión de una posible influencia.* (En *Manresa,* XXV, Madrid, 1953, págs. 159-83).

932

RICHTER, FRIEDRICH. *Martin Luther und Ignatius von Loyola, Re-
präesentanten Zweizer veisteswelten.*
Stuttgart-Dagerloch. Otto Scholz
Verlag. [1954]. 288 págs. con ilustr.
8.º

a) Iparraguirre, I., en *Archivum Historicum Societatis Jesu*, XXIV, Roma, 1955,
págs. 436-37.
b) V. C., en *Augustinus*, II, Madrid, 1957,
págs. 111-12.
MADRID. *Particular de «Razón y Fe».* 1-III-
481.—WASHINGTON. *Congreso.* A-55-4146.

— — —

—*Martín Lutero e Ignacio de Loyola, re-
presentantes de dos mundos espirituales.
Traducción de Constantino Ruiz Garrido.
Prefacio de Angel Santos.* Madrid. Edic.
Fax. 1956. XXXII + 352 págs. 20 cm.
c) Esteban Romero, A., en *Revista Española de Teología*, XVIII, Madrid, 1958,
págs. 231-34.
d) Gutiérrez, D., en *La Ciudad de Dios*,
CLXX, El Escorial, 1957, págs. 154-55.
e) Llorca, B., en *La Ciencia Tomista*,
LXXXIV, Salamanca, 1957, págs. 524-25.
f) Meseguer, J., en *Archivo Ibero-Americano*, XX, Madrid, 1960, pág. 128.
g) Pedro de Alcántara, Fray, en *Verdad
y Vida*, XV, Madrid, 1957, págs. 482-83.
h) Segura, F., en *Razón y Fe*, CLVI, Madrid, 1957, págs. 120-21.
i) Teresa León, T., en *Hispania Sacra*, X,
Madrid, págs. 219-20, y en *Cuadernos Hispanoamericanos*, Madrid, 1958, n.º 98, págs.
254-255.
j) Veny Ballester, A., en *Estudios Lulianos*, II, Palma de Mallorca, 1958, pág. 121.
MADRID. *Particular de «Razón y Fe».* Lc-
IV-24.

—*Martin Luther and Ignatius Loyola,
spokesmen for two wolds of belief. Trans.
by G. and L. F. Zwinger.* Westminster,
Md. Newman Press. 1960. 248 págs.
WASHINGTON. *Congreso.* 60-10728.

—*Martino Lutero e Ignazio di Loyola.* Roma. Ediz. Paoline. 1959. 250 págs.

933

SABATER Y MUT, JOSE. *San Ignacio de Loyola y el Beato Ramón.
Analogías biográficas y psicológicas.*
(En *Studia Monographica et Recen-*
*siones edita a Maioricen. Schola Lu-
llistica*, facs. XII-XIII, 1955).
Tir. ap.: Barcelona. Grafs. Miramar. 1955.
26 págs. 25 cm.
MADRID. *Consejo. Instituto «F. Suárez».*

934

CILLERUELO, LOPE. *La espiritualidad en San Agustín y en San Ignacio.* (En *Manresa*, XXVIII, Madrid,
1950, págs. 351-70).

935

FIDELE DE ROS. *Saint Ignace et
Alonso de Madrid.* (En *Revue d'Ascétique et de Mystique*, XXXII, Toulouse, 1956, págs. 196-214).

936

LARRAÑAGA, VICTORIANO. *Influencia de los ejercicios y de la espiritualidad cristocéntrica ignaciana
en el alma de Santa Teresa de Jesús.* (En *San Ignacio de Loyola. Estudios sobre su vida, sus obras, su
espiritualidad.* Zaragoza. 1956, págs.
335-66).

937

LARRAÑAGA, VICTORIANO. *San
Ignacio de Loyola y San Juan de la
Cruz: convergencias y divergencias.*
(En *Revista de Espiritualidad*, XV,
Madrid, 1956, págs. 138-51, 261-76).
Reed. en *San Ignacio de Loyola. Estudios...*
Zaragoza. 1956, págs. 311-33.

938

REDLICH, VIRGIL. *Benedikt und
Ignatius. Zwei geistige Welten.* (En
Benediktinische Monatschrift,
XXXII, Beuron, 1956, págs. 265-74).

939

SAINZ RODRIGUEZ, PEDRO. *San
Ignacio de Loyola y Erasmo.* (En
MISCELÁNEA *de estudios dedicados al
Dr. Fernando Ortiz.* La Habana. 1956,
págs. 1305-15).

940

OLPHE-GAILLARD, M. *Érasme et Ignace de Loyola.* (En *Révue d'Ascétique et de Mystique,* XXXV, Toulouse, 1959, págs. 337-52).

941

VAN STOCKUM, T. C.*Johannes Calvijn en Ignatius van Loyola, polaire tegenstelling of omgekeerde symmetrie?* (En *Nederlandse Theologisch Tijdschrift,* XIV, 1960, págs. 430-49).

942

CHARMOT, FRANÇOIS. *Deux maîtres, une spiritualité. Ignace de Loyola. François de Sales.* París. Eds. du Centurion. 1963. 320 págs.

a) J. M. F., en *Nouvelle Revue Théologique,* LXXXV, Lovaina, 1963, pág. 662.
MADRID. *Consejo. General.*

— — —

—*Ignatius Loyola and Francis de Sales.* Translated by Sister M. Renelle. St. Louis. B. Herder Book Co. 1966. X + 251 págs. 21 cm.
WASHINGTON. *Congreso.* 66-170-96.

943

GARCIA VILLOSLADA, RICARDO. *Loyola y Erasmo. Dos almas, dos épocas.* Madrid. Taurus. [1965]. 339 págs. 21 cm. (Ensayistas de hoy, 42).
MADRID. *Consejo. General.* — *Nacional.* 4-61.317.

944

BARTHES, ROLAND. *Sade, Fourier, Loyola.* París. Edit. du Seuil. [1971]. 187 págs. con ilustr. 21 cm. (Collection Tel quel).
WASHINGTON. *Congreso.* 72-3064202.

IGNACIO DE SAN FELIU (Fray)

Capuchino. Provincial. Definidor de la provincia de Cataluña.

EDICIONES

945

[*APROBACION. Barcelona, 24 de noviembre de 1678*]. (En Félix de Barcelona, Fray. *Tratado póstumo...* Barcelona. 1679. Prels.)
BARCELONA. *Universitaria.* B.63-4-2.

IGNACIO DE SANTO DOMINGO (Fray)

Dominico. De la provincia de Portugal.

EDICIONES

946

[*APROBACION*]. (En Díaz, Nicolás. *Tratado del Iuyzio final.* Valladolid. 1588. Prels.)
MADRID. *Nacional.* R-33.699.

IGNACIO DE SEVILLA (Fray)

Jeronimo.

CODICES

947

«*Origen y compendio historial de la gran casa de Niebla... Año de 1674*».
Letra del s. XVII. 111 hs. 4.º
Gallardo, IV, n.º 3932.

IGNACIO DE VICTORIA o VITORIA (Fray)

Agustino.

V. VICTORIA (FR. IGNACIO DE)

ILDEFONSO DE ALCARAZ (Fray)

Capuchino. Lector de Teología. Definidor de la provincia de las dos Castillas. Predicador real.

EDICIONES

948

[*APROBACION. Madrid, 27 de octubre de 1695*]. (En Carrasco del Saz y Saavedra, Diego José. *Discursos morales...* Madrid. 1696. Prels.)
MADRID. *Nacional.* 3-54.136.

ILIBARNE (FR. VALERIO)

EDICIONES

949

[*EMPRESA*]. (En Díez de Aux, Luis.

Compendio de las fiestas que ha ce-lebrado... Çaragoça... Zaragoza. 1619, pág. 226).

MADRID. *Nacional.* R-4.908.

«ILUSTRACION a las noticias laureadas...»

EDICIONES

950

ILVSTRACION a las noticias Lav-readas Qve se publicaron de la Glo-riosissima defensa de la muy Noble, y muy Leal Ciudad de Girona, sitia-da del Exercito de Francia, y de su liberacion, con el destrozo, y ruina de la mejor, y mas lucida parte del mesmo Exercito. Circunstancias mas compuestas, distintas, y curiosas, sa-cadas de cartas, dignas del mayor credito. Publicadas oy Lunes á 12 de Junio 1684. [s. l.-Sebastian de Ar-mendariz]. [s. a.]. Folios 213r-220v. 19,5 cm.

—Texto.

MADRID. *Nacional.* R-Varios, 116-20 y 122-27.

ILUSTRADO (El)

EDICIONES

951

[*AL Sepulcro del Doctor Balthasar Andrés*]. (En MAUSOLEO, *que cons-truie la Academia de los Anhelantes de... Çaragoça: a la memoria del Dr. Balthasar Andrés de Uztarroz...* Lé-rida. 1636, págs. 32-34).

MADRID. *Nacional.* R-15.022.

ILLANAS (FR. ALFONSO DE)

Dominico.

EDICIONES

952

[*EPISTOLA a fray Carlos de Bayo-na. Alcalá de Henares, 10 de octu-bre de 1656*]. Edición de J. López de Toro. 1970.

Sobre la inauguración de la iglesia de San-to Tomás, de Madrid.

ESTUDIOS

953

LOPEZ DE TORO, JOSE. *Una epís-tola con valor de crónica.* (En *Bo-letín de la Real Academia de la His-toria,* CLXVI, Madrid, 1970, págs. 167-85).

ILLESCAS (ALONSO DE)

Licenciado.

EDICIONES

954

[*APROBACION. Madrid, 14 de agos-to de 1614*]. (En Heliodoro. *Historia etiópica de los amores de Teágenes y Cariclea.* Traducida por Fernando de Mena. Madrid. 1615. Prels.)

MADRID. *Nacional.* R-5.565.

955

[*APROBACION. Madrid, 27 de sep-tiembre de 1614*]. (En Villaviciosa, José de. *La Moschea.* Cuenca. 1615. Prels.)

MADRID. *Nacional.* R-12.012.

956

[*APROBACION. Madrid, 16 de junio de 1616*]. (En Vega Carpio, Lope de. *Séptima parte de sus Comedias.* Ma-drid. 1617. Prels.)

MADRID. *Nacional.* R-14.100.

957

[*APROBACION. Madrid, 16 de junio de 1616*]. (En Vega Carpio, Lope de. *El Fénix de España... Octava parte de sus Comedias...* Barcelona. 1617. Prels.)

MADRID. *Nacional.* R-24.988.

958

[*APROBACION. Madrid, 13 de mar-zo de 1617*]. (En Herrera, Pedro de. *Descripción de la Capilla de Ntra. Sra. del Sagrario...* Madrid. 1617. Prels.)

MADRID. *Nacional.* 2-42.682.

959

[*APROBACION. Madrid, 29 de enero de 1619*]. (En Salas Barbadillo, Alonso Jerónimo de. *Segunda parte del Cavallero puntual...* Madrid. 1619. Prels.)

960

[*APROBACION. Madrid, 30 de agosto de 1619*]. (En Salas Barbadillo, Alonso Jerónimo de. *El subtil cordobés Pedro de Urdemalas.* Madrid. 1620. Prels.)

MADRID. *Nacional.* R-11.969.

ILLESCAS (GONZALO DE)

N. en Dueñas (c. 1518). Estudió en la Universidad de Salamanca. Residió en Venecia (por 1550), Roma y Valladolid (por 1559). Abad de San Frontes en Zamora y beneficiado de Dueñas, donde m. (c. 1583).

CODICES

961

«*Mistica Theologia en la qual se muestra El Verdadero Comino para subir al cielo, conforme a todos los estados de la vida humana. Compuesta en lengua portuguesa por... Fray Sebastian Toscano... Traduzida en Romance por el Doctor Illescas su intimo amigo. 1572*».

Autógrafo de Illescas. 72 hs. 4.º Original que sirvió para la impresión, que se guardaba en la biblioteca de D. José Sancho Rayón.

—Ded. del autor al Rey de Portugal.—Texto.—Apr. del Dr. Barriovero.

V. Pérez Pastor, *Madrid*, I, n.º 69.

EDICIONES

«Historia pontifical» (1.ª parte)

962

PRIMERA parte de la Historia pontifical y catholica... Dueñas. Bernardino de Santo Domingo. 1565.

Todas las ediciones anteriores a 1573 fueron prohibidas en los *Index* de Madrid, 1583-1667.

963

HISTORIA pontifical y catholica... Salamanca. Domingo de Portonariis. 1569. 8 hs. + 386 fols. a 2 cols. + 16 hs. 28 cm.

—L. real al autor para que pueda volver a imprimir esta obra (1567).—T.—E.—Pr. al autor por diez años (1564).—Censura de Fr. Alonso de Orozco (1564).—Censura de Pedro Iuan de Lastanosa sobre las nuevas Addiciones (1567).—Censura y parescer de Francisco Sancho, Fr. Gaspar de Torres y M.º Leon.—Los authores que fue necessario ver para la composicion de la Historia.—Ded. a Fr. Bernardo de Fresneda, Obispo de Cuenca.—Poesía latina de Fr. Hieronymus Roman.—Tres de Francisco García. — Dos de Adrian Ghermart, tipografo.—Soneto de Lope de Salinas. [«Los que ya el cuerpo al poluo en mortal velo...»].—Soneto. [«Catholica region, pueblo constante...»].—Soneto de Lope de Salinas, quanto esta impression exceda a la passada. [«Qual piadoso Pelicano, que abierto...»].—Poesia latina de Fr. Hieronymus Roman.—Otra de autor incierto.—Soneto en Dialogo, entre las Lenguas Latina y Castellana. [«—¿Quien eres tu, que vas tan enramada?...»].—Prologo, y Argumento, al Christiano Lector. Gonçalo de Gironda, al Lector. [«Lector, si quieres ver los tristes llantos...»].—El mesmo en Dialogo. [«Quien eres bella Nympha, coronada...»].—Texto.—Tablas. Escudo del impresor.

CHICAGO. *Newberry Library.*—MADRID. *Nacional.* R-32.104.

964

HISTORIA pontifical y catholica... Nueuamente por el Consejo Real vista y examinada, y por orden del Consejo de la Sancta y general Inquisicion corregida, y limada. Y por el mismo Author en muchos lugares añadida en esta tercera impression. Salamanca. Domingo de Portonariis. 1573. 15 hs. + 392 fols. + 14 hs. 27 cm.

Con Apr. de Fr. Alonso de Horozco (1564), Fr. Iuan de Robles (1564), Pedro Iuan de Lastanosa (1567), Fr. Miguel de Medina (1572) y Hieronymo Çurita (1572).

GENOVA. *Universitaria.* 2.G.IV.14. — MADRID. *Nacional.* R-28.705; etc. *Senado.*—PARIS. *Nationale.* H.2057. — ROMA. *Vaticana.* Stamp. Barb. U.IV.36.

965

———. Burgos. Martín de Victoria. 1578. [Colofón: 1577]. 34 hs. + 392 fols. 28,5 cm.

BARCELONA. *Universitaria.* — LONDRES. *British Museum.* C.81.f.3. — MADRID. *Nacional.* R-28.568 (ex libris de Gayangos). *Palacio.* VII-70. — MALAGA. *Pública.* 24.714. — NUEVA YORK. *Hispanic Society.* — PARIS. *Nationale.* H.2058.—VIENA. *Nacional.* 43.R.1.—WASHINGTON. *Congreso.*

966

———. Salamanca. Gaspar de Portonariis. 1577. 7 + 392 + 16 fols. 29 cm.

MADRID. *Facultad de Filosofía y Letras.* 14.011.--MINNEAPOLIS. *University of Minnesota.*

967

———. Nueuamente por el Consejo Real vista y examinada, y por orden del Consejo de la Sancta y general Inquisicion corregida, y limada: y por el mismo Author en muchos lugares añadida en esta tercera impression. Burgos. Martín de Victoria. 1578. 34 hs. + 392 fols. 28,5 cm.

MADRID. *Nacional.* R-28.568 (ex libris de Gayangos).

968

———. Por el mismo Author en muchos lugares añadida en la quarta impression. Zaragoza. Domingo de Portonariis Ursino. 1583. 22 hs. + 362 fols. 28 cm.

—L. V.—L. del Gobernador de Aragón.—Pareceres de Fr. Alonso de Orozco; Fr. Juan de Robles; Pedro Juan de Lastanosa; Fr. Juan de Leon; Fr. Felipe de Urrias; Francisco Sancho; Fr. Gaspar de Torres; Fr. Luis de León; Fr. Francisco de Alcocer; Fr. Miguel de Medina y Jerónimo Zurita.—Ded.—Al lector. Octava.—Soneto de Lope de Salinas.—Soneto en dialogo.—Prologo.—Autores citados. Tablas.—Texto.—Colofón.

«No hemos logrado ver más ejemplar que el de la biblioteca de las Escuelas Pías de Alcañiz». (Sánchez, II, n.º 606).

BARCELONA. *Universitaria.*—GRANADA. *Universitaria.* A-34-118 [falto de portada].—LA VID. *Monasterio.*—TERUEL. *Pública.*—VIENA. *Nacional.* 42.E.S.—ZARAGOZA. *Universitaria.* G-61-98.

969

———. Barcelona. Iayme Cendrad. A costa de la Viuda Bages. 1584. 8 hs. + 309 fols. + 15 hs. Fol.

BARCELONA. *Seminario Conciliar.* Res. 27 Ille.

970

———. 5.ª impresión. Barcelona. Jayme Cendrad. 1589. 8 hs. + 309 fols. + 15 hs. 30 cm.

Portada a dos tintas.

BARCELONA. *Central.* 11-VII-39; 1-VI-6. — MILAN. *Ambrosiana.* S.T.C.XII.32. — TERUEL. *Pública.*

971

———. Brujas. 1589.

Palau, VII, n.º 118.422.

972

———. Zaragoza. Domingo de Portonariis. 1593.

Palau, VII, n.º 118.422.

973

———. 5.ª impresión. Barcelona. [Iayme Cendrat]. A costa de Miguel Menescal. 1596. 8 hs. + 272 fols. a 2 cols. + 14 hs. 29 cm.

Con prels. antiguos.

BARCELONA. *Instituto Municipal de Historia.* B.1596-fol.(1).—GRANADA. *Universitaria.* A-34-117. — MADRID. *Nacional.* R-21.774. — NUEVA YORK. *Hispanic Society.*

974

———. Barcelona. Sebastián de Cormellas. 1602. 7 hs. + 278 págs. + 14 hs. 29,5 cm.

—Prels. fechados en 1564, 1567, 1572 y 1588.
—Al lector en argumento de la historia. Octava. [«Lector si quieres ver los tristes llantos...»].
—Don Lope de Salinas, quanto esta impressión excede a la pasada. Soneto. [«Qual piadoso pelicano, que abierto...»].

—Soneto en dialogo entre las lenguas castellana latina. [«—¿Quien eres tu que vas tan enramada?...»].

BARCELONA. *Instituto Municipal de Historia.* B.fol.1602(1).—*Univeristaria.*—GRANADA. *Universitaria.* A-6-188 [falto de portada].—PARIS. *Nationale.* Res.H.350. *Santa Genoveva.* H.F.º433.—ZARAGOZA. *Seminario de San Carlos.* 35-3-9. *Universitaria.* G-20-18.

975

———. Barcelona. Jaime Cendrat. A costa de Jerónimo Margarit. 1606. 8 hs. + 278 fols. a 2 cols. + 14 hs. 30 cm.

BARCELONA. *Central.* 1-VI-5.—*Instituto Municipal de Historia.* B.1606-fol(2).—*Universitaria.* — GENOVA. *Universitaria.* 3.K.III.27. — MADRID. *Academia de la Historia.* 4-1-4-216. — *Nacional.* 5-5.906 (falto de portada). ZARAGOZA. *Seminario de San Carlos.* 35-3-3/8.

976

———. Barcelona. Sebastián de Cormellas. 1606. 8 hs. + 278 fols. a 2 cols + 13 hs. 29,5 cm.

Prels. fechados en 1572, 1581, 1588 y 1589. BARCELONA. *Instituto Municipal de Historia.* B.1606.fol(3). *Universitaria.* — MADRID. *Nacional.* 5-5.770. — PAMPLONA. *General de la Diputación Foral.* 109-1-5/54.—PARIS. *Nationale.* H.2060.

977

———. 5.ª impresión. Barcelona. M. Menescal. 1606.

PARIS. *Nationale.* H.2060.

978

———. Barcelona. Sebastián de Cormellas. 1608.

979

———. Barcelona. Lucas Sánchez. A costa de Hieronimo Margarit. 1609. 4 hs. + 556 págs. + 26 hs. Fol.

980

———. Madrid. Impr. Real, por Juan de la Cuesta. 1613. 616 + 31 págs. 30 cm.

Mandada expurgar. (*Index* de 1667, pág. 415).

LONDRES. *British Museum.* C.82.g.8. — PARIS. *Mazarina.* 5265 E.F. — VANCOUVER (Canadá). *University of British Columbia.* — VALLADOLID. *Universitaria.* 3.112.

981

———. Barcelona. Sebastián de Cormellas. 1622.

Mandada expurgar. (*Index* de 1667, pág. 465).

BARCELONA. *Instituto Municipal de Historia.* B.1622-fol(1).—GRANADA. *Universitaria.* A-34-122.—LYON. *Municipale.* 102.672.—MADRID. *Archivo Histórico Nacional.* 2317. *Nacional.* 5-5769. *Seminario Conciliar.*—PARIS. *Nationale.*—SAN LORENZO DEL ESCORIAL. *Monasterio.* 132-1-13.—SEVILLA. *Universitaria.* 153-158.

982

———. Madrid. Melchor Sánchez. A costa de Gabriel de León. 1652. 8 hs. + 550 págs. a 2 cols. + 16 hs. 30 cm.

—Port. a 2 tintas: roja y negra.—Prologo, Argumento. Al christiano lector.—T.—Pr. a Gabriel de Leon.—E.—Al Lector en argumento de la Historia. [«Lector si quieres ver los tristes llantos...»].—Lope de Salinas, quanto etsa Impression excede a la passada. Soneto. [«Qual piadoso Pelicano, que abierto...»].—Soneto en dialogo entre las lenguas Latina y Castellana. [«...¿Quien eres tu que vas tan entramada?...»]. — Los Autores que fue necessario ver para la composicion desta Historia.—Ded. a D. Baltasar de Moscoso y Sandoval, cardenal, arçobispo de Toledo, etc., precedida dd su escudo, por Gabriel de Leon.—Texto.—Tablas.

BARCELONA. *Universitaria.*—CORDOBA. *Pública.* 35-115.—FILADELFIA. *Library Company.*—GRANADA. *Universitaria.* A-23-70; etc.—LONDRES. *British Museum.* 205.e.10; etc.—LYON. *Municipale.* 10.738.—MADRID. *Nacional.* 2-64.517. MONSERRAT. *Monasterio.* LXXXVIII.4.º1. — NUEVA YORK. *Public Library.*—PAMPLONA. *General de la Diputación Foral.* 109-5-4/56.— SAN LORENZO DEL ESCORIAL. *Monasterio.* M.6-1-6/10.—SANTIAGO DE COMPOSTELA. *Universitaria.*—WASHINGTON. *Congreso.*

«Historia pontifical» (2.ª parte)

983

SEGVNDA parte de la Historia pon-

tifical, y catholica... Salamanca. Vincente de Portonarijs. 1573. 485 fols. a 2 cols. + 11 hs. 26,5 cm.

—L. real para una nueva impresión (1571). Prórroga del Pr. por seis años más (1572). Texto.—Al Autor. Soneto de Lauri Valdedesio. [«Illescas de mil flores coronado...»].—Colofón. Escudo del impresor. Tablas.—Escudo del impresor.
GRANADA. *Universitaria.* A-34-128.—LA VID. *Monasterio.*—MADRID. *Instituto de Estudios Políticos.*—*Nacional.* R-28.706; R-32.115.—ROMA. *Vaticana.* Stamp. Barb. U.IV.37.

984

———. 3.ª impresión. Burgos. Martín de Vitoria. 1578. [Colofón: 1577]. 485 fols. a 2 cols. + 1 h. 28 cm.

—L. y prórroga del Pr.—Texto.—Soneto de Lauri Valdesio.—Colofón.
MADRID. *Nacional.* R-28.569 (ex libris de Gayangos).

985

———. Burgos. Martín de Vitoria. 1578. [Colofón: 1577]. 485 págs. + 1 h. 27,5 cm.

—Pr.—Texto.—L. del Consejo.—Soneto de L. Valdesis.—Colofón.
MADRID. *Nacional.* R-28.569.—*Palacio.* VII-71. MALAGA. *Pública.* 13.019.—NUEVA YORK. *Hispanic Society.*—PARIS. *Nationale.* H.2059.—SAN LORENZO DEL ESCORIAL. *Monasterio.* M.15-I-21. VIENA. *Nacional.* 43.R.1.

986

———. Zaragoza. Domingo de Portonariis Ursino. 1583. 456 fols. + 10 hs. 4.º

—Licencias.—T.—Texto.—Tabla.—Colofón. Sánchez, II, n.º 607.
MADRID. *Nacional.* 2-42.211. — TARRAGONA. *Pública.* VIII-1.541. — ZARAGOZA. *Universitaria.* G-61-99.

987

———. Burgos. Felipe de Junta. M. de Victoria. 1583.

988

———. Barcelona. Sebastián de Cormellas. 1592. 30 cm.

Con prels. antiguos, fechados de 1564 a 1589.
MADRID. *Nacional.* 5-5.770.

989

———. Barcelona. Sebastián de Cormellas. 1595.
MADRID. *Academia de la Historia.* 15-3-9-7.

990

———. Barcelona. Iayme Cendrat. 1596.
BARCELONA. *Instituto Municipal de Historia.* NUEVA YORK. *Hispanic Society.*

991

———. Barcelona. Sebastián de Cormellas. A costa de Iuan de Bonilla. 1602. 2 vols. 30 cm.
BARCELONA. *Universitaria.* 63-1-2/3.—LONDRES. *British Museum.* C.81.g.1.

992

———. Barcelona. Jaime Cendrat. A costa de Jerónimo Margarit. 1606. 364 fols. + 10 hs. 31 cm.
BARCELONA. *Universitaria.* 63-2-16. — BURGOS. *Pública.* — SEVILLA. *Particudar de don S. Montoto.* 4-1-13.

993

———. Madrid. Iuan de la Cuesta. 1613. 2 hs. + 782 págs. + 11 hs. Fol.
Pérez Pastor, *Madrid,* II, n.º 1227.
VALLADOLID. *Universitaria.* 3.113.

994

SEGVNDA parte de la Historia pontifical y catolica... Barcelona. Sebastián de Cormellas. 1621. 364 págs. 30 cm.
MINNEAPOLIS. *University of Minnesota.*

995

———. Barcelona. Sebastián de Cormellas. 1622. 364 fols. a 2 cols. + 10 hs. 28,5 cm.

—Ls.—Texto.
BARCELONA. *Instituto Municipal de Historia.* B.1622-fol(1). — LONDRES. *British Museum.* 4855.f.7.—MADRID. *Archivo Histórico Nacional.*

996

——. 5.ª impresión. Madrid. Melchor Sánchez. A costa de Gabriel de León. 1652. 4 hs. + 742 págs. a 2 cols. + 10 hs. 30 cm.

Prels. antiguos y Ded. a D. Diego de Riaño y Gamboa, Presidente de Castilla, por Gabriel de León.

CORDOBA. *Pública.* 32-193.—FILADELFIA. *Library Company.*—MADRID. *Nacional.* 2-64.518.—MONSERRAT. *Monasterio.* B.LXXXVIII.4.°1.—NUEVA YORK. *Public Library.*—WASHINGTON. *Congreso.*

Fragmentos

997

JORNADA de Carlos V a Túnez. Edición estereotípica. Madrid. Real Academia Española. 1804. 3 hs. + 41 págs. 18 cm.

Reproducción del capítulo XXVII de la *Historia pontifical.*

GRANADA. *Universitaria.* F-7-6-9; etc.—MADRID. *Academia de la Historia.* 2-4-6-2.152; 3-8-5-8.882; etc. *Consejo. Patronato «Menéndez Pelayo».* LE-282.

———

Reimpresión: 1929.

998

JORNADA de Carlos V a Túnez. Edición de Cayetano Rosell. (En HISTORIADORES *de sucesos particulares.* Tomo I. Madrid. 1876, págs. 451-58. Biblioteca de Autores Españoles, 21).

999

UN capítulo de su «Historia pontifical» sobre la conquista de la Nueva España. (En Leonardo de Argensola, Bartolomé. *Conquista de Méxíco...* Introducción por Joaquín Ramírez Cabañas. Méjico. P. Robredo. 1940).

———

Continuaciones
—Tercera parte (1608). V. BAVIA (Luis de).
—Cuarta parte (1612). V. BAVIA (Luis de).
—Quinta parte (1612). V. GUADALAJARA y XAVIER (Fr. Marcos de).
—Sexta parter (1678). V. BAÑOS DE VELASCO (JUAN).

«Imagen de la vida cristiana» de H. Pinto (Segunda parte)

1000

SEGUNDA parte de los Dialogos de la Imagen de la vida Christiana... Compuestos por... fray Hector Pinto... Traduzidos de lengua Portuguesa en Romance Castellano, por... ——... Zaragoza. Pedro Sanchez dezpeleta. A costa de Pedro Yuarra y Iuan de la Cuesta. 1576. [Colofón: 1577]. 8 hs. + 419 fols. + 1 h. en blanco + 6 hs. 8.°

—L.—Censura de Juan Lorenzo Axara.—Ded. al Príncipe D. Duarte, nieto del Rey D. Manuel.—San Jerónimo en el desierto (grab.).—Texto.—Tabla.

Sánchez, II, n.° 526.

1001

——. [Salamanca. Gaspar de Portonariis]. 1576. 7 hs. + 438 fols. 14,5 cm.

—Pr. — Ded., por Fernando de Naveda. — Ded. al príncipe D. Duarte, por el autor. L. de 1574.—Texto.

ROMA. *Vaticana.* Stamp. Barb. U.XIV.58. — SEVILLA. *Universitaria.* 105-12.

1002

SEGVNDA parte de los Dialogos de la Imagen de la vida Christiana... Compuestos por... fray Hector Pinto... Traduzidos de lengua Portuguesa en Romance Castellano, por... ——... Alcalá de Henares. Iuan Iñiguez de Lequerica. A costa de Blas de Robles. 1580. 8 hs. + 438 págs. + 1 h. 14,5 cm.

—Pr. a Hernando de Naueda por seis años. Ded. al Licdo. Iuan Diez de Fuenmayor, cauallero de Calatrava, etc., por Fernando de Naueda. («Entre otros papeles que al tiempo de su muerte dexo en mi poder el doctor Gonçalo de Illescas, Abbad de San Frontes, que compuso la Historia Pontifical, con quien yo tuue mucha amistad, fue este libro de la segunda parte de los Dialogos de Fray Hector Pinto que el en su vida traduxo de lengua Portuguesa en Castellana...»).—Ded. al Principe D. Duarte, nieto del Rey D. Manuel, por el autor. — Grab. — Apr. de Ioannes Laurentius Axara.—Texto.—Colofón.—Grab.

J. Catalina García, *Tip. complutense*, número 559.

COIMBRA. *Universitaria*. R-5-21.—CORDOBA. *Pública*. 16-19; VI-5-12.—MADRID. *Nacional*. R-29.604.—PAMPLONA. *General de la Diputación Foral*. 109-4-1/73.

1003

SEGVNDA parte de los Dialogos de la Imagen de la vida Christiana... Compuestos por... fray Hector Pinto. Traduzidos, por... ——... Alcalá. Juan de Lequerica. A costa de Diego Martinez. 1582. [Colofón: 1583]. 8 hs. + 438 fols. + 1 h. 14,5 cm.

—L. real a Luys Velazquez Garçon, librero estante en la Corte, por una vez (1582). Epistola Ded. al Licdo. Ioan Diez de Fuenmayor, caballero de Calatrava, por Fernando de Naueda.—Ded. al Principe D. Duarte, por el autor.—Grab.—Apr. de Juan Lorenzo Axara (1574).—Texto.—Colofón.—Grab.

MADRID. *Nacional*. R-29.532; R-9.532.

1004

DIALOGOS de la imagen de la vida christiana... Segunda Parte. Compuesto por... fray Hector Pinto... Traduzidos... por ——. Medina del Campo. Francisco del Canto. A costa de Pedro Landri. 1585. [Colofón: 1584]. 8 hs. + 438 fols. 14 cm.

—L. real a Pedro Landri, por una vez (1584).—Ded. al Licdo. Ioan Diez de Fuenmayor, cauallero de Calatraua, por Fernando de Naueda.—Ded. del autor.—Apr. de I. L. Axara (1574).—Lámina.—Texto.—Colofón.

MADRID. *Nacional*. R-8.936 (ex libris de la Condesa del Campo de Alange).

1005

DIALOGOS de la imagen de la vida christiana. Segunda parte... Compuestos por... Fray Hector Pinto... Traduzidos de lengua Portuguesa en Romance Castellano, por ——... Me-

dina del Campo. Francisco del Canto. A costa de Pedro Landri. 1585. [Colofón: 1584]. 7 hs. + 438 fols. 13,5 cm.

—L. real a Pedro Landri, librero, por una vez (1584).—Ded. al Licdo. Ioan Díez de Fuenmayor, cauallero de Calatraua, etc., por Fernando de Naueda.—Ded. al Príncipe D. Duarte, por el autor.—Apr. de Juan Lorenzo Axara.—Texto.—Colofón.

Gallardo, III, n.º 3.482; Pérez Pastor, *Medina*, n.º 206.

MADRID. *Nacional*. R-31.106; R-8.936 (ex libris de la condesa del Campo de Alange).

1006

DIALOGOS de la imagen de la vida christiana. Segvnda parte... Por... fray Hector Pinto... Traducidos... por... ——... Salamanca. Diego Cusío. A costa de Ambrosio Duport. 1594. 14 hs. + 2 blancas + 480 fols. 15 cm.

—Apr. de I. L. Axara (1564).—E.—L.—Epístola ded. a I. de Diez de Fuenmayor, por F. de Naueda.—Ded. al Príncipe D. Duarte, por el Autor.—Tabla.—Texto.

MADRID. *Nacional*. R-31.094.—SAN LORENZO DEL ESCORIAL. *Monasterio*. 33-V-30/31.

1007

IMAGEN de la vida Christiana... Por... Fray Hector Pinto... Traduzidos... [por ——]. Alcalá de Henares. En casa de Iuan Gracian que sea en gloria. A costa de Iuan de Barma. 1595. 8 hs. + 360 fols. + 20 hs. 4.º

J. Catalina García, *Tip. complutense*, número 709.

CORDOBA. *Pública*. 21-97.—GRANADA. *Universitaria*. A-11-212.—MADRID. *Nacional*. R-12.697.—NUEVA YORK. *Hispanic Society*. — SAN DIEGO. *University of California*.—SEVILLA. *Universitaria*. 22-47; 75-96.

«Mística Teología» (Trad.)

1008

MISTICA Theologia, de Fr. Sebastian Foscari, traducida por —— Madrid. 1573. 122 fols.

Según Q. Aldea el verdadero nombre del autor era Sebastián Toscano y su nacionalidad portuguesa.

ESTUDIOS

1009

[*DOCUMENTOS sobre la impresión de la «Historia pontifical y católica»*]. (En Pérez Pastor, Cristóbal. *Bibliografía madrileña*. Tomo II. Madrid. 1906, págs. 254-55).

1010

PFANDL, L. *Gonzalo de Illescas und die älteste spanische Papstgeschichte.* (En *Gesammelte Aufsätze zur Kulturgeschichte Spaniens*, III, Münster, 1931, págs. 21-54).

1011

ALDEA, QUINTIN. *Illescas, Gonzalo de.* (En *Diccionario de Historia eclesiástica de España*. Tomo II. Madrid. C.S.I.C. 1972, págs. 1190-91).

1012

ROLDAN PEREZ, ANTONIO. *Gonzalo de Illescas y la «Historia Pontifical».* (En Estudios *literarios dedicados al profesor Mariano Baquero Goyanes*. Murcia. 1974, págs. 587-638).

1013

REP: N. Antonio, I, pág. 557.

«IMAGEN...»

CODICES

1014

«*Imagen, o espejo de las obras de Dios, donde se conoce algo de su infinidad según nuestra finita capacidad*».

Letra del s. XVII. 229 hs. a 2 cols., con dibujos. 320 × 220 mm.

«Es un tratado de Astronomía, con ribetes de Astrología, en el que se hallan mezcladas la mitología y la historia sagrada y profana... ¿será el autor benedictino?» (Zar-

co, I, págs. 31-32). Referencias a hechos que le ocurrieron en Galicia en 1634.

SAN LORENZO DEL ESCORIAL. *Monasterio.* b.I.18.

IMPARATO (P. JOSE)

Clérigo menor. General de su Orden.

EDICIONES

1015

[*CENSURA. Valladolid, 31 de julio de 1604*]. (En Guerra, Miguel de la. *Confortación y consuelo de pusilánimes*. Valladolid. 1607. Prels.)

MADRID. *Nacional.* 3-56.592.

IMPERIAL (FR. PEDRO)

Jerónimo.

EDICIONES

1016

[*ROMANCE*]. (En Luis de Santa María, Fray. *Octava sagradamente culta...* Madrid. 1664. Págs. 138-39).

MADRID. *Nacional.* 4-6.289.

IMPERIAL (FR. PEDRO JUAN)

N. en Valencia. Dominico desde 1602. Predicador general. Se trasladó a Génova en 1637. M. en Valencia (1639).

CODICES

1017

«*Breve Relacion de los sucessos de la Republica de Genova desde su fundacion, y Raza de la casa de Imperial, una de las veinte y ocho familias nobles de ella*».

El original se conservaba en el convento de Dominicos de Valencia.

EDICIONES

1018

SERMON en alabança de el Beato P. Francisco de Borja... Valencia. Juan Bautista Marzal. 1627. 16 fols. 20 cm.

Ximeno; Herrero Salgado, n.º 255.

BARCELONA. *Universitaria.*

1019

———. Génova. Pedro Juan Calenzán y Juan María Farsón. 1637. 4.º

Ximeno.

ESTUDIOS

1020

REP: Ximeno, I, pág. 344.

«IMPORTANCIA...»

EDICIONES

1021

IMPORTANCIA de la lección espiritual muy útil, y provechosa para el alma. Madrid. [s. i.]. 1673. 16 págs.

MONSERRAT. *Monasterio.* D.XIX.12.1313.

«IMPRESA de Túnez»

V. MEXIA (PEDRO)

«INAUDITO y ejemplar castigo...»

EDICIONES

1022

INAUDITO (El mas), y exemplar castigo qve la Divina Magestad execvtó en vnos mal entretenidos mancebos, los quales se han quedado baylando hasta oy, por aver tenido poca reverencia a la Divina Magestad del Cuerpo de Christo Redentor nuestro Sacramentado, llevandolo por Viático a vna enferma. Svcedió en la Villa de Morales, Obispado de Zamora, por el mes de Diziembre del año passado de 1674. Granada. Francisco de Ochoa. 1675. 2 hs. a 2 cols. 20 cm.

En verso.

MADRID. *Nacional.* V.E.-120-17.

INCA (FR. JUAN)

Francisco. Definidor de la provincia de Valencia.

CODICES

1023

«*Historia de la Provincia de Valencia de la orden de San Francisco*». Ref. a Wadingo. (N. Antonio).

ESTUDIOS

1024

REP: N. Antonio, I, pág. 713.

«INCENDIOS (Los) de la montaña de Soma»

EDICIONES

1025

INCENDIOS (Los) de la montaña de Soma. Nápoles. Egidio Luengo. 1632. 38 págs. 28 cm.

—Texto.—L.

MADRID. *Nacional.* R-Varios, 214-21.

«INCLINACIONES...»

EDICIONES

1026

INCLINACIONES humanas en discursos poéticos. Sevilla. 1581. 8.º

Ref. a Gayangos. (Escudero, n.º 710).

INCOGNITO (EL)

CODICES

1027

«*Horoscopo*».

Letra del s. XVII. 4 + 66 fols. 222 × 160 mm. «Urganda la santa dueña...». Jones, I, n.º 108.

ROMA. *Vaticana.* Barb. lat. 3510.

1028

«*Varias y selectas Poesías del Incógnito. Ms.*».

22 hs. + 274 fols. Propiedad de Foulché-Delbosc, que lo editó.

EDICIONES

1029

[*DEZIMA*]. (En Camerino, José. *La Dama Beata.* Madrid. 1655. Prels.)

MADRID. *Nacional.* R-5.801.

1030

RIMAS del Incógnito. Editadas por R. Foulché-Delbosc. (En *Revue Hispanique*, XXXVII, Nueva York - París, 1916, págs. 251-456).

Págs. 251-57: Estudio; 258-456: Edición.

OBRAS ATRIBUIDAS

1031

El desengaño de amor. Comedia.

La supone suya Foulché-Delbosc. Distinta de *Desengaños de amor,* de Juan Calvo, citada por La Barrera.

INCULTO (EL)

EDICIONES

1032

[*ALUDIENDO a la Empresa que dedicó El Solitario al estudioso Genio del Doctor Balthasar Andrés*]. (En MAUSOLEO, *que construie la Academia de los Anhelantes de... Çaragoça: a la memoria del Dr. Balthasar Andrés de Uztarroz...* Lérida. 1636, págs. 30-32).

MADRID. *Nacional.* R-15.022.

INCUNCTIS (PEDRO)

EDICIONES

1033

[*SATIRA*]. (En Felices de Cáceres, Juan Bautista. *El Cavallero de Avila. Por la Santa Madre Teresa de Iesus...* Zaragoza. 1623, págs. 476-82).

MADRID. *Nacional.* R-2.407.

«INDIVIDUAL y verdadera relación...»

EDICIONES

1034

[*INDIVIDUAL, y verdadera relacion del horrible y espantoso terremoto sucedido en Napoles, y mas partes del Reyno el dia 5 de junio de 1688...*]. [Sevilla. Thomas López de Haro]. [1688]. 4 hs. 30 cm.

MADRID. *Nacional.* R-Varios, 69-73.

INES DE LA CRUZ (Sor)

En el siglo Jerónima Nicolini. N. en Alicante (1588), de familia oriunda de Génova y fue hermana del canónigo escritor Sebastián Nicolini. Primero dominica y desde 1613 agustina descalza. M. en 1651.

CODICES

1035

[*Vida*].

Usada por Fr. Jaime Jordán, en su *Historia de la provincia de la Corona de Aragón, de la Sagrada Orden de los Hermitaños de Nuestro Padre San Agustín,* II, págs. 613-66.

ESTUDIOS

1036

REP: Serrano y Sanz, I, pág. 289.

INES FRANCISCA DE LA VISITACION (Sor)

N. en Madrid (1690), hija de D. Manuel Zúñiga y Fonseca, conde de Monterrey. Agustina recoleta desde 1656. Priora del convento de Salamanca (1682), donde m. (1715).

CODICES

1037

«*Vida exemplar de N. muy V. M. Ignés de la Visitación*».

SALAMANCA. *Convento de Agustinas.*

ESTUDIOS

1038

ABELLA PARRA, PEDRO. *Una hija de los condes de Monterrey: la V. M. Inés Francisca de la Visitación.* Salamanca. Imp. Calatrava. 1923. 2 hs. + 76 págs. + 10 láms. 24 cm.

1039

REP: Santiago Vela, VIII, págs. 342-43; A. Manrique, en DHEE, II, pág. 1192.

INFANTAS (ANTONIO DE LAS)

EDICIONES

1040

[*SONETO*]. (En Guzmán, Juan de. *Relación de las honras que se hicieron en... Cordova a... D.ª Margarita de Austria.* Córdoba. 1612, fols. 5v-6r).

MADRID. *Nacional.* R-11.699.

INFANTAS Y AGUAYO (FRANCISCO DE LAS)

N. en Córdoba. Veinticuatro de la ciudad.

EDICIONES

1041

MEMORIAL, y Recopilacion, hecha de orden de la muy noble y muy leal Ciudad de Cordoua, al Obsequio y Fiesta, que se hizo, en la entrada de la Milagrosa Imagen del Santissimo Christo de las Mercedes, el dia... 25 de Março... de 1650... [Córdoba. Saluador de Cea Tesa]. [1650]. 4 hs. 4.º

—Texto.—Extracto del acuerdo del Cabildo de Córdoba para que se imprimiera este papel.—Colofón.

Valdenebro, n.º 191; Ramírez de Arellano, I, n.º 863.

SEVILLA. *Universitaria*. 110-60 (6).

ESTUDIOS

1042

REP: Ramírez de Arellano, I, pág. 281.

INFANTE (FERNANDO)

Doctor. Médico de la Reina.

EDICIONES

1043

TEATRO de la Salvd, Baños de Sacedon, hallados del D. ——... y añadido del Doctor D. Ivan de la Torre y Balcarcel... [s. l. - s. i.]. [s. a.]. 6 hs. + 56 fols. 20,5 cm.

—Apr. de Francisco de Peralta.—Apr. del P. Pedro de Esquivel (1676).—Ded. a D. Pedro Niño de Guzmán, Marqués de Montealegre, etc.—Prólogo al lector.—Texto. Notas: «Acabose este escrito... en Madrid a 24 de Iunio de 1663...».

MADRID. *Nacional*. 3-45.652.

INFANTE (FR. JERONIMO)

EDICIONES

1044

[APROBACION. Segovia, 8 de diciembre de 1690]. (En Francisco de San Marcos, Fray. *Historia del ori-*

gen y milagros de Nuestra Señora de la Fuencisla de Segovia. Madrid. 1692. Prels.)

MADRID. *Nacional*. 2-61.690.

1045

[APROBACION]. (En Rodríguez de Neira, Francisco. *Historia de la vida del divino Hieroteo*... Madrid. 1693. Prels.)

MADRID. *Nacional*. 3-22.238.

INFANTE (FR. MIGUEL)

EDICIONES

1046

[MEDIAS Canciones]. (En Manrique de Luján, Fernando. *Relación de las fiestas de... Salamanca en la beatificación de la Sta. M. Teresa de Jesús*... Salamanca. 1615, págs. 105-6).

MADRID. *Nacional*. R-4.471.

INFANTE DE OLIVARES (JUAN)

CODICES

1047

[Traducción del dístico... Inveni portum].

Letra del s. XIX. Tomo I. 220 × 160 mm. En un Cancionero reunido por C. A. de la Barrera. «Hallo puerto la vida; arribo al puerto...». Artigas, pag. 121.

SANTANDER. *Menéndez Pelayo*. Mss. 80 (fol. 308r).

ESTUDIOS

1048

REP: Méndez Bejarano, I, n.º 1.266.

INFANTE Y ORTEGA (MIGUEL)

Doctor.

EDICIONES

1049

[SONETO]. (En Herrera, Pedro de. *Descripción de la Capilla de Ntra. Sra. del Sagrario*. Madrid. 1617. 4.ª Parte, fols. 93v-94r).

MADRID. *Nacional*. 2-42.628; 3-59.097.

INFANTE DE ROBLES (FERNANDO)

N. en Carrión. Estudió en Alcalá. Licenciado en Medicina. Médico del Hospital General de Madrid.

EDICIONES

1050

A D. Antonio de Contreras, noble, ilvstre, y docto, cavallero del Orden de Calatrava... ——... Para eterna memoria P.D.O. su Theatro Militar sobre las Armas Españolas declamado, con la Dedicatoria Genealogica, que escribe Año M.DC.XL.VII. Madrid. Diego Díaz de la Carrera. [s. a.]. 11 hs. 20,5 cm.

MADRID. *Nacional.* R-Varios, 46-5.

1051

[*JEROGLIFICO*]. (En Oña, Tomás de. *Fenix de los ingenios... certamen que se dedicó a... N. S. de la Soledad...* Madrid. 1664, fol. 130*v*).

MADRID. *Nacional.* 3-24.619.

«INFORMACION en Derecho...»

EDICIONES

1052

[*INFORMACION en Derecho por la pvrissima, y limpissima Concepcion de la siempre Virgen Madre de Dios y Señora nuestra, Concebida sin mancha, ni deuda de pecado Original. En dedicación de la hazaña de las Donzellas de Simancas, a la Real Ciudad de León*]. [s. l. - s. i.]. [s. a.]. 49 fols. 19,5 cm.

Carece de portada.
—Texto (los dos primeros capítulos en latín, los restantes en castellano).—Indice.
MADRID. *Nacional.* V-295-20 (ex libris de Gayangos).

«INFORME auténtico...»

EDICIONES

1053

INFORME autentico de la portento-sa demonstracion de Sabiduria que hizo en Mexico el Padre Presentado Fray Francisco Naranjo, de la Orden de santo Domingo, criollo de la dicha Ciudad. [s. l. - s. i.]. [s. a.]. 2 hs. Fol.

Por 163.?
SEVILLA. *Universitaria.* 111/92[19].

«INFORME en Derecho...»

1054

INFORME en derecho. Sobre la aparición, y ajuste de la verdad. Discurso Metaphorico, Historico, Catholico, Moral, y Politico presente! Compuesto por el Estado de las cosas. [s. l. - s. i.]. 1662. 26 hs. 4.º

Palau, VII, n.º 119.389.
CORDOBA. *Pública.* 3-72.

«INGENIO (Un) de esta Corte»

V. el título de la obra correspondiente.

INGENIO (UN) RETIRADO

EDICIONES

1055

INGENIO (Vn) retirado, en su Aldea, aviendo llegado a sus manos los papeles de la Corte, escrive, en sus soledades este al Rey Nuestro Señor (que Dios guarde). [Madrid. Antonio Bizarrón]. [s. a.]. 8 págs. 4.º

SANTIAGO DE COMPOSTELA. *Universitaria.*

INGENIO (UN) SEVILLANO

EDICIONES

1056

[*RELACION nveva, La ossadia castigada, y el amor agradecido...*]. [s. l. - s. i.]. [s. a.]. 2 hs. a 2 cols. 20 cm.

Carece de portada.
«—Salí, Don Carlos amigo...».
MADRID. *Nacional.* R-Varios, 35-98.

«INGENUA y desnuda relación...»

EDICIONES

1057

INGENVA y desnvda Relacion de lo svcedido en Genova en Mayo de 1684. [s. l.-s. i.]. [s. a.]. 32 págs. 20 cm.

MADRID. *Nacional.* R-Varios, 124-19.

INGLES (H. B.)

1058

[DECIMAS]. (En Faria y Sousa, Manuel de. *Escuriale. Per I. Anglum. Horat. lib. L. O el XV. Traducida por* ——. Madrid. 1638. Prels.)

MADRID. *Nacional.* V.E.-153-33.

«INNOVACION de las Constituciones...»

EDICIONES

1059

INNOVACION de las constituciones y decretos en favor de la sentencia, que afirma, que el Alma de la Santissima Virgen en el instante que fue criada... fue preservada del pecado original... ha sido hecha por... Alexandro VII. Zaragoza. Juan de Ybar. 1662. 2 hs. 30 cm.

—Texto.

MADRID. *Nacional.* V.E.-181-26.

1060

INNOVACION de las Constituciones y decretos que han salido en favor de la Sentencia que afirma ser el Alma de la Bienaventurada Virgen Maria... hecha por el Papa Alexandro VII. Granada. Imprenta Real. 1662. 2 hs. 29 cm.

—Texto.

MADRID. *Nacional.* V.E.-185-43.

«INOCENCIA (La) acreditada...»

EDICIONES

1061

INOCENCIA (La) acreditada con los golpes de una injusta persecución. Defensa del Honor para perpetua memoria de la Verdad. Pamplona. 1695. 39 fols. 29 cm.

—Texto.

CORDOBA. *Pública.* 2-95.—MADRID. *Nacional.* R-Varios, 180-1. — SEVILLA. *Universitaria.* 112-137 (17).

INOJOSA

V. HINOJOSA

INSAUSTI (PEDRO DE)

N. en Zaragoza. Infanzón. Jurado de la ciudad en 1564.

EDICIONES

1062

RUBRICA y repertorio de los Estatutos y Ordinaciones de la ciudad de Zaragoza, por —— *y Bernardo de Bordalva.* Zaragoza. 1548. Fol.

Latassa.

ESTUDIOS

1063

REP: Latassa, 2.ª ed., II, págs. 42-43.

INSAUSTI (FR. SIMON DE)

Agustino.

EDICIONES

1064

[APROBACION. Zaragoza, 16 de enero de 1625]. (En Zeyta, Juan de. *Sermones de Christo...* Traducidos por Fr. Hernando de Camargo. Zaragoza. 1625. Prels.)

MADRID. *Nacional.* 3-56.882.

1065

[APROBACION]. (En Arbues, Luis Vicente de. *Discurso y verdadera inteligencia del Fuero de Aragón lla-*

mado de nueve por ciento... Zaragoza. 1647. Al fin).

«INSCRIPCION...»

EDICIONES

1066

INSCRIPCION, qve los mvi Ilvstres Señores Ivrados de la Imperial Civdad de Çaragoça mandaron gravar con letras de oro, en la base de la hermosa Cruz, qve erigieron sobre... la pvente de piedra. [Zaragoza. s. i.]. [1659]. 2 hs. Fol. máximo.

Texto latino y trad. castellana por el P. Juan Antonio Jarque.
Palau, VII, n.º 119.892.

1067

INSCRIPCION de la primera piedra en la nueva Iglesia del Collegio de la Compañia de Jesus de Barcelona. An. Diu. MDCLXXXI, Die VIII April. [Barcelona]. [1681]. 2 hs. Fol.

Palau, VII, n.º 119.893.

1068

[INSCRIPCION en el marmol del sepvlcro de la Excelentissima Señora Duquesa, y Señora de Yxar, está en el Coro de la Cartuxa de Aula Dei de Zaragoça]. [s. l.-s. i.]. [s. a.]. Una hoja orlada, impresa por una sola cara. 42 × 31 cm.

—Epitafio en latín.
MADRID. *Nacional.* V.E.-204-67.

«INSCRIPCION fúnebre...»

EDICIONES

1069

INSCRIPCION Funebre y breve discurso, en varios versos castellanos, a la muerte, o transito del Reverendissimo Padre Iuan Eusebio de Nieremberg de la Compañia de Iesús, dedicado a la Feliz memoria de su nombre. Año 1658. Madrid. Domin-

go García Morras. [s. a.]. 11 fols. 20 cm.

—Apr. de Fr. Benito de Ribas.—Elogio y Ded.—Texto.

1. *Oración Funebre.* [«En la Corte de Philippo...»]. (Fols. 3r-5v).
2. *Glossa.* [«Quiso la Parca atrevida...»]. (Fols. 6r-7r).
3. *Romance.* [«Intentó la Parca adusta...»]. (Fols. 7r-9v).
4. *Soneto Heroico a la misma muerte.* [«Dichoso tu, que siempre con desvelo...»]. (Fol. 10r).
5. *Redondillas a la Boveda en que esta sepultado su cuerpo.* [«Con Admiracion de verte...»]. (Fols. 10v-11r).
6. *Epitafio a la misma boveda.* [«En tan terrestre, y funebre aposento...»]. (Fol. 11v).

MADRID. *Nacional.* R-Varios, 164-68.

1070

INSCRIPCION fvnebre al real tumulo de la avgvstissima Reyna Madre, nvestra Señora, doña Maria-Ana de Avstria, (que esta en gloria:) Escriviala D. J. d. l. H. M. [s. l.-s. i.]. 1696. 4 fols. orlados. 20 cm.

—Texto, en octavas. [«Fue este trofeo tragico, que advierte...»].

¿De Juan de la Hoz y Mota?
MADRID. *Nacional.* R-Varios, 106-29.

«INSIGNE victoria...»

EDICIONES

1071

INSIGNE victoria que el señor Marques de Guadalcazar, Virrey en el Reyno del Peru, ha alcançado en los puertos de Lima, y Callao, contra una armada poderosa de Olanda, despachada por orden del Conde Mauricio... [s. l.: Sevilla]. [Simon Faxardo]. [s. a.: 1625]. 2 hs. Fol.

—Texto.—Colofón.
No citada por Escudero.
SEVILLA. *Universitaria.* 109-85 (134).

1072

———. [Lisboa]. [1625]. 4 págs. 4.º
Palau, VII, n.º 119.910.

«INSIGNE y célebre victoria…»

EDICIONES

1073

[*INSIGNE y celebre victoria qve por el Catolicissimo Rey de España Filipe IIII nuestro Señor, ha alcançado el señor Marques Ambrosio Espinola, General en los Estados de Flandes, al qual se entregó y rindió la ciudad de Breda á cinco días del mes de Iunio de 1625. Refierese del modo y forma que los enemigos se entregaron, el pacto y conciertos que de vna y otra parte se hizieron; con otras cosas de sumo gusto y alegría para los Catolicos*]. [Sevilla. Simón Faxardo]. [1625]. 2 hs. 30 cm.

Carece de portada.
GRANADA. *Universitaria.* A-31-143 (49).—MADRID. *Nacional.* V-224-66. — SEVILLA. *Universitaria.* 109-85 (181 y 209).

1074

———. [s. l.- s. i.]. [s. a.]. 5 hs.
Salvá, n.º 3.108.

1075

———. *Edición de José Palanco Romero.* (En *Relaciones del siglo XVII…* Granada. 1926, pág. 87).

«INSINUACION heroica…»

EDICIONES

1076

INSINUACION heroyca y recomendación honorífica, a la memoria del Padre Maestro Fr. Raymundo Lumbier, de la Orden de N. S. del Carmen. Relación que hace y dirige a los poetas de España un religioso de la misma Orden. [Zaragoza. s. i.]. [s. a.]. 4 hs. 4.º
Palau, VII, n.º 119.915.

«INSTITUCION…»

EDICIONES

1077

INSTITUCION de la Religion Christiana. Wittemberg. 1536.

1078

INSTITVCION (La): Difiniciones y actos capitvlares de la inclita caualleria de la orden de Calatraua. Hechos y resumidos en este libro por el capitulo general y diffinidores del, que se celebro en la villa de Madrid, en fin del año de mil y quinientos y cinquenta y vno. Toledo. Iuan de Ayala. 1552. 8 hs. + 60 fols. Fol.
Pérez Pastor, *Toledo,* n.º 254.

1079

INSTITUCION para aprender los principios de la lengua Hespañola. Lovaina. Gravio. 1555. 8.º
Palau, VII, n.º 119.947.

1080

INSTITVCION (La), o fvndacion y summario de indulgencias, de la sanctissima Trinidad: de la redempcon de Captiuos. Salamanca. Mathias Mares. 1569. 46 hs. 14 cm.

—L. V.—Al lector.—Texto.—Colofón.
SAN LORENZO DEL ESCORIAL. *Monasterio.* 21-V-30.

1081

INSTITUCION (La) o fundacion y sumario de indulgencias de la Sanctissima Trinidad, de la Redempcion de captivos. Madrid. Pierres Cosin. 1576. 50 hs. 8.º

Ref. al Boletín de la Librería de M. Murillo. (Pérez Pastor, *Madrid,* I, n.º 108).

1082

———. Valencia. Viuda de Pedro de Huete. 1585. 39 fols. 8.º
Idem.

1083

———. Salamanca. 1587.
SAN LORENZO DEL ESCORIAL. *Monasterio.* 23-V-18.

1084

———. Barcelona. Ioan Amello. 1611. 8 hs. + 33 fols. + 1 h. 8.º
Palau, VII, n.º 119.949.

V. además: «UTIL y breve Institución…»

«INSTRUCCION de enfermeros...»

EDICIONES

1085

INSTRVCCION de Enfermeros, y consvelo a los afligidos enfermos. Y verdadera pratica de como se han de aplicar los remedios que ordenan los medicos... Compvesta por los Hermanos de la Congregacion del Hermano Bernardino de Obregon, en el Hospital general de Madrid. Madrid. Impr. Real. 1617. 4 hs. + 219 págs. + 5 hs. 14,5 cm.

—Pr. a los Hermanos del Hospital General de Madrid por diez años. («Por quanto por parte de vos... nos fue fecha relacion, que auiades sacado algunas cosas para prouecho espiritual vuestro, de los papeles que os auía dexado escritos el Hermano Bernardino de Obregón...»).—Apr. del P. Antonio Colaço.—Apr. de Simón Rodríguez.—E.—T.—Texto.—Tablas. Colofón.

MADRID. *Nacional.* R-14.608.

1086

INSTRVCCION de Enfermeros, para aplicar los remedios a todo genero de enfermedades, y acudir a muchos accidentes que sobreuienen en ausencia de los Medicos. Compvesto por los Hermanos de la Congregación del Hermano Bernardino de Obregon, en el Hospital General de Madrid, y agora nueuamente por el Hermano Andres Fernandez... corregido y emendado, y añadidas muchas, y notables aduertencias... Madrid. Impr. Real. 1625. 8 hs. + 229 fols. 14 cm.

—Pr. a Andrés Fernández por diez años (1623).—E.—T.—L. V.—Apr. del Licdo. Soto.—Apr. del P. Antonio Colaço.—Grab. Ded. al Licdo. Pedro Fernandez Nauarrete, Canónigo de la catedral de Santiago, etc., por el H. Andres Fernandez.—Tabla. Texto.

MADRID. *Nacional.* U-7.048.

1087

————. Zaragoza. 1664. 4 fols. + 220 págs. + 4 hs.

Palau, VII, n.º 120.190.

«INSTRUCCION de la forma...»

EDICIONES

1088

INSTRUCCION de la Forma que han de guardar los veedores, y Ministros del Contravando, Corregidores y justicias Ordinarias, como subdelegados del Consejo de Guerra, en sustanciar los censos del Contravando, en conformidad de las Reales Cedulas, y Prematica de 31 de Enero de 1650. [s. l.-s. i.]. [1650]. 2 hs. 31,5 cm.

—Texto.

MADRID. *Nacional.* R-Varios, 190-50.

1089

INSTRUCCION de la forma, y orden que se ha de guardar, y cumplir en la administracion, predicacion y cobrança de la Bula de la Santa Cruzada, junto con la de Difuntos, Composicion, y Laticinios, que la Santidad del Papa Vrbano Octauo de felice recordación concedió al Rey nuestro Señor, para ayudar a los grandes gastos que se hazen en la defensa de la Christiandad, y en la guerra contra Infieles, y Hereges, y enemigos de nuestra Santa Fe: Los quales se han de publicar, y predicar el año que viene de 1664. [s. l.-s. i.]. [s. a.]. 7 fols. 31,5 cm.

CORDOBA. *Pública.* 2-132. [Incompleto].

1090

[INSTRUCCION de la forma en que se ha de executar el embargo, y repressalia, que su Magestad ha mandado hazer en los bienes, y hazienda de Franceses, que se hallaren en *todos sus Reinos, y Señoríos*]. [s. l. - s. i.]. [s. a.]. 2 hs. 31 cm.

MADRID. *Nacional.* R-Varios, 64-69.

«INSTRUCCION de novicios...»

EDICIONES

1091

INSTRUCCION de Novicios de la Orden de Descalços de Nuestra Señora de la Merced, Redempcion de Cautivos. Dispuesta por Orden, y Decreto del Capitulo General, celebrado en el Desierto de Santa Cecilia, de la Villa de Ribas, año de 1649. Sevilla. Juan Lorenzo Bispo. 1651. 2 hs. + 366 págs. + 3 hs. 14,5 cm.

—Ded. a los Padres Maestros de Novicios de la Orden de Descalzos de N. Señora de la Merced, por Fr. Francisco de San Joseph.—Texto.—Tabla.

Escudero, n.º 1.647.

MADRID. *Nacional.* 3-12.021.

1092

INSTRUCCION de novicios de la Orden Descalza... Madrid. 1651.

MONSERRAT. *Monasterio.* B.CLI.1247.

«INSTRUCCION de religiosos...»

EDICIONES

1093

INSTRVCCION de Religiosos del Orden de N. P. S. Benito, y Exercicios espirituales. Sacados de las Obras de los Venerables Padres Fr. García de Cisneros, Ludovico Blosio, y Fr. Antonio de Alvarado, Abbades de la misma Religion. Por orden de... Fray Antonio de Heredia, General de la Congregacion de España, e Inglaterra. Salamanca. Lucas Pérez. 1672. 1 lám. + 4 hs. + 454 págs. + 8 hs. 20 cm.

—Lámina.—Port.—Apr. de Fr. Mauro de Somoza.—L. V.—Censura de Fr. Phelipe Vahamonde y Fr. Ioseph Saenz de Aguirre.—Texto.—Indice.

MADRID. *Nacional.* 3-64.933; 7-44.461.—SANTIAGO DE COMPOSTELA. *Universitaria.*

«INSTRUCCION para asegurar...»

EDICIONES

1094

[*INSTRUCCION para assegurar, quanto con la divina gracia fuere possible, que ninguno de los Negros, que vienen de Guinea, Angola, y otras Provincias de aquella Costa de Africa, carezca de el Sagrado Baptismo*]. Sevilla. Iuan Francisco de Blas. [s. a.]. 8 fols. 19 cm.

MADRID. *Academia de la Historia.* Jesuitas, t. 163, n.º 67.

«INSTRUCCION para criar los novicios...»

EDICIONES

1095

INSTRVCCION para criar los novicios Carmelitas Descalços. Compvesta por Maestros de Nouicios de la misma Religion. Madrid. Bernardo de Villa Diego. 1677. 8 hs. + 271 págs. 15 cm.

—Pr. a la Orden de N. S. del Carmen Descalzo por diez años.—L. O.—Apr. de Fr. Francisco Gonçalez.—Apr. de Fr. Iuan Bautista, Fr. Blas de San Alberto y Fr. Iuan de Iesus Maria.—Mandato del Definitorio General, para que se imprima, y guarde.—Tabla.—Prólogo.—Texto.

MADRID. *Nacional.* 3-12.029.

1096

INSTRUCCION para criar las novicias carmelitas descalzas, en todos los Conventos de la Religion. Madrid. Bernardo de Villa-Diego. 1691. 7 hs. + 242 págs. 14,5 cm.

—L. O.—Tabla.—Prólogo.—División.—Texto.

MADRID. *Nacional.* 3-12.032.

«INSTRUCCION que han de guardar...»

EDICIONES

1097

[*INSTRVCCION qve han de gvardar los Comissarios del Santo Oficio de*

la Inquisicion, en las causas y nego-
cios de Fé, y los demas que se ofre-
cieren]. [s. l. - s. i.]. [s. a.]. 8 fols.
19,5 cm.

Carece de portada.
MADRID. *Nacional*. R-Varios, 22-73.

«INSTRUCCION y advertencia...»

EDICIONES

1098

*INSTRUCTION y aduertimiento pa-
ra la obseruacion de los eclypses de
la luna, y cantidades de las sombras
que su Magestad manda hazer, este
año de mil y quinientos y setenta y
siete y quinientos y setenta y ocho,
en las ciudades y pueblos de las yndias: para verificar la longitud, y altura de ellos...* [s. l. - s. i.]. [s. a.].
2 hs. Fol.

Pérez Pastor, *Madrid*, I, n.º 129. (La supone
de Madrid, 1578).

«INSTRUCCION y doctrina...»

EDICIONES

1099

*INSTRVCCION y Dotrina de Novi-
cios, con la qual se han de criar los
nueuos Religiosos en esta santa Prouincia de San Ioseph, de los Descalços de la Regular Obseruancia de los
Menores. Añadióse al fin la forma de
dar el habito, y profession a los Nouicios. Madrid.* Bernardo de Villa-
Diego. 1670. 2 hs. + 96 págs. 20,5 cm.

—Prólogo al Lector.—Texto.
MADRID. *Nacional*. 3-68.626.

«INSTRUCCION y forma...»

EDICIONES

1100

[*INSTRVCION y forma que se ha
de tener y guardar en la publicacion,
predicacion, administracion, y cobrança de la Bula de la Santa Cru-*
zada, de la sexta predicacion, de la
tercera concession, fecha por... Six-
to V...]. [s. l. - s. i.]. [s. a.]. 13 fols.
Fol.

Carece de portada.
—Texto, fechado en Madrid a 25 de noviembre de 1608.

Pérez Pastor, *Madrid*, II, n.º 1003.

«INSTRUCCION y memoria...»

EDICIONES

1101

*INSTRUCTION y memoria de las
diligencias y relaciones que se han
de hazer y embiar a su Magestad,
para la description y historia de los
pueblos de España, que manda se
haga para honrra y en noblescimien-
to destos reynos.* [s. l. - s. i.]. [s. a.].
2 hs. Fol.

Pérez Pastor, *Madrid*, I, n.º 95. (La supone
de Madrid, 1575).

1102

*INSTRUCCION y Memoria de las
relaciones que se han de hacer y en-
viar a S. M. para la descripcion y
historia de los pueblos de España,
que manda se haga para la honra y
ennoblecimiento de estos reinos.* [s.
l. - s. i.]. [s. a.].

Pérez Pastor, *Madrid*, I, n.º 128. (La supone
de Madrid, 1578, y con dos hojas en folio).

«INTERESES de los Príncipes...»

CODICES

1103

*«Intereses de los Principes y estados
de Alemania. Discurso de los particulares Intereses con que mueben todos los Electores, Principes, y Ordenes del Romano Imperio».*

Letra del s. XVII. 27 fols. 290 × 200 mm.
Kraft, pág. 9.
VIENA. *Nacional*. 5678.

INTERIAN DE AYALA
(FR. JUAN)

N. y m. en Madrid (1656-1730). Mercedario. Catedrático de Filosofía y de Lengua Sagrada en la Universidad de Salamanca.

1104   *EDICIONES*

SERMON, que en el día de la Natividad de Nuestra Señora y a su milagrosa imagen del Canto, única patrona... de Toro... predicó ——. Salamanca. Eugenio Antonio García. [s. a., 1694]. 8 hs. + 25 págs. 4.º

—Ded. a Fr. Iuan Antonio de Velasco, General de la Orden.—Apr. del P. Francisco Solís.—L. O.—Texto.
SANTIAGO DE COMPOSTELA. *Universitaria.*

1105

EPITOME de la admirable vida, virtudes, y milagros de Santa María de Cervellón, comúnmente llamada de Socos, primera religiosa del Real, y Militar Orden de Nuestra Señora de la Merced... Salamanca. Eugenio Antonio García. [s. a.]. 27 hs. + 1 lám. pleg. + 168 págs. 20,5 cm.

—Cita de Nazianzeno.—Ded. a D. Fernando de Aragón Moncada, Duque de Montalto, etc., por Fr. Iuan Antonio de Velasco, Maestro General de la Merced (1595). (Señala su parentesco con Sta. María de Socos).—Apr. de Fr. Rodrigo de Castro y Mena (1695).—L. O. (1695).—Censura de Fr. Miguel Pérez (1695).—L. V. (1695).—Censura del P. Pedro Abarca (1695).—S. Pr. al autor por diez años (1695).—S. T. (1695).—E. (1695).—Al letor.—Tabla de los capítulos. — Santa María de Cervellón (grab.).—Texto.—Protesta del Autor.
MADRID. *Nacional.* 3-62.742.—MONSERRAT. *Monasterio.* B.CLI.8.43.

1106

SERMON del glorioso San Nicolás Obispo que en la Real Capilla de San Gerónimo de esta Universidad predicó ——... Salamanca. Eugenio Antonio García. [s. a.]. 2 hs. + 24 págs. 18,5 cm.
SALAMANCA. *Universitaria.* 56.090.—SANTIAGO DE COMPOSTELA. *Universitaria.*

1107

RELACION de las reales exeqvias, qve la mvy Insigne Vniversidad de Salamanca celebró a la immortal memoria, y Augusto nombre de la Serenissima Señora Reyna Doña Maria-Anna de Avstria... Salamanca. María Estévez. 1696. 4 hs. + 151 págs. 20,5 cm.

—Escudo real. — Ded. a Carlos II. — Texto.—Pág. 49: *Oración, que en las solemnes exequias... dixo... Fr. Francisco Solís...*—Págs. 51-92: Texto de la Oración.—Pág. 96: *Poesías fúnebres, y Geroglíficos, que se ofrecieron para el túmulo, y adornaron el patio de las Escuelas mayores...*
MADRID. *Nacional.* R-31.191.—SANTIAGO DE COMPOSTELA. *Universitaria.*

1108

SERMON, que en las solemnes exequias, que el Colegio de la Vera-Cruz del Real Orden de Nuestra Señora de la Merced de la Vniversidad de Salamanca, celebró a la piadosa, e inmortal memoria del Rmo. Señor N. P. M. Fr. Ivan Antonio de Velasco... Maestro General de todo el... Orden de nuestra Señora de la Merced... predicó ——... Salamanca. Eugenio Antonio García. 1698. 8 hs. + 28 págs. orladas. 19 cm.

—Cita latina.—Ded. a D. Juan de Isla, arzobispo de Burgos, etc.—Censura de Fr. Iuan de Montalván.—L. V.—Apr. de Fr. Luis Alonso de Robles.—L. O.—Texto.
MADRID. *Nacional.* R-Varios, 46-1. — SEVILLA. *Universitaria.* 113-128 (16).—ZAMORA. *Pública.* D-11-458.

1109

SERMON que en las exequias que la Universidad de Salamanca celebró a la... memoria del Dr. D. Marcos Aurelio de Medina... dixo ——... Salamanca. Eugenio Antonio García. 1700. 8 hs. + 32 págs. 19 cm.
SALAMANCA. *Universitaria.* 56.090. — SANTIAGO DE COMPOSTELA. *Universitaria.*—SEVILLA. *Universitaria.* 113-128 (8).

1110

VARIOS Sermones predicados a diversos assumptos... Dalos a la Estampa el P. Fr. Francisco de la Cruz... Primera parte. Salamanca. Gregorio Ortiz Gallardo. 1703. 15 hs. + 390 págs. a 2 cols. + 17 hs. 4.º

MADRID. *Nacional.* 2-56.305.—SEVILLA. *Universitaria.* 90-49; 98-64.

1111

———. 2.ª edición. Madrid. Gregorio Hermosilla. 1722. 16 hs. + 487 págs. + 20 hs.

SANTIAGO DE COMPOSTELA. *Universitaria.*

1112

RELACION de las demonstraciones de accion de gracias, y regocijo, qve celebró La Vniversidad de Salamanca. Por el deseado, y feliz nacimiento del Serenissimo Principe... Lvis Primero deste nombre en España, escrita... [por Fr. ——— y Manuel Martinez Carvajal]. Salamanca. Maria Estevez. 1707. 1 h. + 160 págs. 4.º

En las págs. 37-67 incluye un *Sermón* suyo. SANTIAGO DE COMPOSTELA. *Universitaria.*

1113

SERMON fvnebre, qve en las Exeqvias qve la Universidad de Salamanca celebró a la piadosa y Venerable memoria del Ilustrissimo Señor Doct. Don Diego de la Cueva y Aldana, Colegial de Santa Cruz... y Obispo meritissimo de Valladolid... Predicó ———... Salamanca, María Estévez, Viuda. 1708. 10 hs. + 39 págs. 4.º

SANTIAGO DE COMPOSTELA. *Universitaria.*

1114

NOTICIAS de la enfermedad y muerte de Doña Maria Luisa de Saboya, Reina de España. Madrid. 1715. 4.º

1115

ORACION funebre de Luis el Grande. Madrid. 1715.

1116

Fleury, Claudio. *Catecismo histórico, que contiene en compendio la Historia sagrada y la Doctrina christiana. Traducido por ———.* Madrid. M. Román. 1718. 2 vols.

MADRID. *Nacional.* 3-72.605/6.

———

—Madrid. 1728. 2 tomos en 1 vol. 8.º
MADRID. *Nacional.* 2-3.431.
—Valencia. Josef García. 1728. 2 vols. con 14 láms. 8.º
SANTIAGO DE COMPOSTELA. *Universitaria.*
—Madrid. Imp. del Convento de la Merced. 1768. 2 tomos en 1 vol. 8.º
MADRID. *Nacional.* 2-3.217.
—Madrid. Imp. de Pedro Marín. 1775. 15 cm.
MADRID. *Nacional.* 4-32.894.
—Mallorca. Salvador Savall. 1777. 2 vols.
MADRID. *Nacional.* 3-7.152/53.
—Valladolid. Sucesor de Santander. 1799. VIII + 480 págs. 8.º
—Madrid. Viuda de Barco López. 1805. 2 vols.
MADRID. *Nacional.* U-6.045/46; 3-43.222/23.
—Zaragoza. Imp. Heras. [s. a.]. 2 vols. 15 cm.
MADRID. *Nacional.* 5-14.512 [El II].
—Barcelona. Juan Francisco. Piferrer. [s. a.].
BARCELONA. *Universitaria.* B.55-9-36.
—Manila. Imp. del R. Colegio de Santo Thomás. 1801. 2 vols. 13 cm.
MADRID. *Nacional.* R-33.017/18.
—Madrid. Núñez. 1819. 8.º
MADRID. *Nacional.* 1-13-820.

Hay otras muchas ed. sin nombre de traductor.

1117

VARIOS Sermones predicados en diversas ocasiones y a diversos assumptos... Segunda parte. Madrid. Eusebio Fernández de Huerta. 1720. 11 hs. + 564 págs. 20 cm.

MADRID. *Facultad de Filosofía y Letras.* 9150. *Nacional.* 2-56.306.

1118

SERMON que en las solemnes exequias que celebró la Real Academia Española a la inclita memoria del Excmo. Sr. el Señor D. Juan Manuel

Fernández Pacheco, Marqués de Villena... Madrid. Francisco del Hierro. 1721. 14 hs. + 47 págs. 19 cm.
Herrero Salgado, n.º 1677.
MADRID. *Particular de D. Miguel Herrero García.*

1119

EXAMEN diligente de la Verdad. Demostraciones Históricas del estado religioso de S. Pedro Pascual de Valencia... En Respuesta de lo que tiene escrito... Juan Ferreras... Madrid. Gregorio Hermosilla. 1721. 16 hs. + 216 págs. 21 cm.
MADRID. *Nacional.* 2-67.470.—SEVILLA. *Universitaria.* 49-34.

1120

BREVE elogio y ceñida relación de la vida, enfermedad y muerte del Serenísimo Sr. D. Francisco Farnesio duque de Parma, y de las exequias que se le hicieron en el Real Convento de la Encarnación. Madrid. 1728. 4.º
Alvarez y Baena.

1121

[MEMORIAL impreso... en que pide a sus Superiores la eximan de las Oposiciones y pretensiones de Cátedra de Artes, etc. Lo escribió a los 30 años de su edad, once de Catedrático de Lengua]. [s. l. - s. i.]. [s. a.].
MADRID. *Nacional.* Mss. 2448 (fol. 69).

1122

SERMON de San Nicolás Obispo celebrándose en la Capilla Real de San Gerónimo de la Universidad de Salamanca la elección digníssima de Rector de dicha Universidad en la persona del Sr. D. Iuan Francisco Ibarburu y Vilbao la Vieja... Salamanca. Gregorio Ortiz Gallardo. [s. a.]. 6 hs. + 10 (?) págs. 4.º
MADRID. *Particular de D. Miguel Herrero García.* (Incompleto al fin).

1123

[POESIAS]. (En POETAS *líricos del*

siglo XVIII. Edición de L. A. de Cueto. Tomo III. Madrid. 1875, págs. 484-486. Biblioteca de Autores Españoles, 67).

Aprobaciones

1124

[APROBACION. Madrid, 27 de abril de 1726]. (En Félix de Alamin, Fray. *Thesoro de beneficios escondidos en el Credo.* Madrid. 1727. Prels.)
MADRID. *Nacional.* 3-6.326.

OBRAS LATINAS

1125

HUMANIORES atque amoeniores ad Musas excursus: sive Opuscula Poetica... Quae in lucem edit Fr. Franciscus de Ribera. Madrid. Ex Typ. Conventus prefati Ordinis. 1729. 16 hs. + 187 págs. 15 cm.

Port. a dos tintas: roja y negra.
Colección de poesías latinas, algunas traducidas en verso, y con seis sonetos al final.
CHICAGO. *University of Chicago.*—MADRID. *Nacional.* 3-57.245.

1126

PICTOR Christianus eruditus, sive de erroribus, qui passim admitemdur. Madrid. 1730. 12 hs. + 415 págs. Fol.
MADRID. *Nacional.* B.A.-5771. — PARIS. *Nationale.* D.1825. — SANTIAGO DE COMPOSTELA. *Universitaria.*

1127

———. París. 1765. 12.º
MADRID. *Nacional.* 3-68.438.

1128

[APROBACION. Salamanca, 5 de diciembre de 1697]. (En Noboa, Gabriel de. *Palaestra mariana apologótica...* Salamanca. 1699. Prels.)

TRADUCCIONES
a) Castellanas

1129

PINTOR (El) christiano y erudito, o tratado de los errores que suelen cometerse freqüentemente en pintar y esculpir las imágenes sagradas... Traducido por Luis de Durán y de Bastero. Madrid. Joachin Ibarra. 1782. 2 vols. 4.º

CAMBRIDGE, Mass. *Harvard University.*—CHICAGO. *University of Chicago.*—MADRID. *Facultad de Filosofía y Letras.* 1235 [EI I]. *Nacional.* E-33; 6.i.-1.959. — PARIS. *Nationale.* V.12593 - 12594. — SEVILLA. *Universitaria.* 41 - 251.—WASHINGTON. *Congreso.* 34-17462.

1130

————. Barcelona. Verdadera Ciencia Española. [Imp. Subirana]. 1883. 3 vols. 8.º

WASHINGTON. *Congreso.* 33-35201.

b) Italianas

1131

ISTRUZIONI al pittor cristiano ristretto dell'opera di ———... Fatto da Luigi Napoleone. Cittadella con note storiche ed artistiche del medessimo. Ferrara. Co'tipi dell'editore Dominico Taddei. 1854. 4 hs. + 372 págs. 4.º

Toda, *Italia*, IV, n.º 5.871.

ESTUDIOS

1132

VIDAL, MANUEL. *Oración fúnebre que la Universidad de Salamanca celebró en su Real Capilla... en memoria... de... Fr. Juan Interián de Ayala...* Salamanca. García de Honorato. 1731. 4 hs. + 10 págs.

SANTIAGO DE COMPOSTELA. *Universitaria.*

1133

ARAUJO-COSTA, LUIS. *Los funerales del Duque de Parma.* (En *Revista de Bibliografía Nacional*, IV, Madrid, 1953, págs. 5-16 y una lámina).

1134

PLACER, GUMERSINDO. *Notas para una bibliografía del P. Juan Interián de Ayala, Mercedario.* (En *Estudios*, XXIII, Madrid, 1967, págs. 75-89).

1135

REP: Alvarez y Baena, III, págs. 291-94; Placer, G., en DHEE, II, pág. 1206.

«INTERROGATORIO...»

EDICIONES

1136

INTERROGATORIO para todas las Ciudades, Villas y lugares de Españoles, y Pueblos de naturales de las Indias Occidentales, Islas y Tierra firme: al qual se ha de satisfazer, conforme a las preguntas siguientes, auiendolas aueriguado en cada pueblo con puntualidad y cuydado. [s. l. - s. i.]. [s. a.]. 8 hs. Fol.

—Texto.

«Se hizo, y publicó... el año 1604, siendo el Conde de Lemos Presidente del Consejo de Indias» (Pérez Pastor, *Madrid*, II, número 871).

1137

INTERROGATORIO por donde han de ser examinados los testigos que fueren presentados por el P. Fr. Martin Sobejano..., en la información sumaria, que se ha de hazer por autoridad ordinaria de D. Miguel Escartin, Obispo de Tarragona de la Vida, Virtudes y Milagros, y obras maravillosas, que Dios nuestro Señor se ha servido de obrar por medio de la Venerable Virgen, y Sierva suya. Sor Maria de Jesús, Religiosa, profesa y Abadessa que fue en el Convento de las Descalzas (extramuros de la Villa de Agreda) de la Inmaculada Concepción de la Virgen Santissima, Madre de Dios y Señora nuestra de dicha santa Provincia de Burgos, y Orden de nuestro Padre San Francisco. Zaragoza. Iuan de Ybar. 1666. 28 págs. 29 cm.

—Texto.
MADRID. *Nacional.* R-Varios, 216-29.

1138

[INTERROGATORIO de testigos, para el Proceso de la Causa, que

pende ante el Illmo *S.*^{or} *D. Diego de Guzman, Patriarca Arzobispo de Sevilla cerca de la excelente Vida, heroicas Virtudes, y milagrosas Obras del Señor Rey don Fernando el III, que ganó a Sevilla y a toda la Frontera, llamado El Santo].* [s. l. - s. i.]. [s. a.]. 19 fols. 30 cm.

—Texto.
MADRID. *Nacional.* R-Varios, 134-56.

1139

[INTERROGATORIO para la información sumaria de la vida, santidad y milagros del venerable padre Fray Geronimo de Alaviano]. [s. l. - s. i.]. [s. a.]. Una hoja. 50 cm.

—Texto.
MADRID. *Nacional.* R-Varios, 199-14.

«INTRODUCCION...»

EDICIONES

1140

INTRODUCCION al Nuevo Arbitrio del Azeyte de la ojuela, o piñol. Valencia. I. Bautista Marçal. 1630. 8 fols. 28 cm.

—Texto. En una hoja aparte, de 30 cm., se explica cómo se ha de sacar aceite de la ajuela o piñol.
MADRID. *Nacional.* R-Varios, 198-22.

«INUNDACION...»

EDICIONES

1141

INUNDACION de Sevilla por la creciente de su río Guadalquivir... Sevilla. Francisco de Lyra. 1626. 4 hs. Fol.

Escudero, n.º 1360.

«INVITATORIO de amores...»

EDICIONES

1142

INVITATORIO de amores en coplas. «Tan buen ganadico...».
Abecedarium de la Colombina, n.º 14509.

INZA (FR. JAIME)

EDICIONES

1143

[APROBACION]. (En Diego de Estella, Fray. *Libro de las excelencias y vida de San Iuan Evangelista.* 2.ª edición. Valencia. 1595. Prels.)
MADRID. *Nacional.* R-19.349.

IÑIGO (CLEMENTE)

Dignidad y Tesorero de la catedral de Tuy.

EDICIONES

1144

[DEDICATORIA a mis Santissimos Patriarcas, y Padres nuestros Santo Domingo, y el Serafín Francisco]. [En Gavarri, José. *Sermones dominicales... Sacalos a luz ——.* Madrid. 1679. Prels.)
MADRID. *Nacional.* 3-54.327.

IÑIGO (FR. GREGORIO)

EDICIONES

1145

[APROBACION]. (En Miranda, Pedro de. *El Bautista español y predicador verdadero San Rosendo...* Madrid. 1665. Prels.)
MADRID. *Nacional.* 3-35.589.

IÑIGO (JUAN BAUTISTA)

N. en Villarroya (1583). Doctor. Canónigo de la catedral de Zaragoza. M. en 1658.

EDICIONES

1146

MEMORIAL de la ivstificacion qve assiste a la Santa Iglesia de Zaragoza, en los pleitos que la ha mouido el Cabildo de la Iglesia de Nuestra Señora del Pilar Comprometidos en el Rey nvestro Señor, y en sv sacro, svpremo, y real Consejo de Aragon. Madrid. Domingo García Morras. 1656. 1 h. + 92 fols. + 3 hs. 29,5 cm.

—Texto.—Indice de Escrituras.
LONDRES. *British Museum.* C.62.h.4.(2).—MADRID. *Nacional.* R-24.037.—PARIS. *Nationale.* Fol.Ol.139.

1147

CONSULTA sobre la erección Catedral de la Iglesia de Santa María de Calatayud, si es conveniente. Zaragoza. [s. a.]. 12 págs. Fol.

Latassa.

1148

RESPUESTA al Memorial que el Cabildo de la Iglesia de Ntra. Sra. del Pilar ha dado sobre los pleitos comprometidos... Madrid. 1657. 28 págs. Fol.

Latassa.

1149

[*APROBACION. Zaragoza, 20 de 1645* (sic)]. (En Mur, Luis de. *Tiberio, ilustrado con morales y políticos discursos.* Zaragoza. 1645. Prels.)

MADRID. *Nacional.* 2-5.426.

ESTUDIOS
1150

REP: Latassa, 2.ª ed., II, pág. 43.

IÑIGUEZ (JUAN CRISOSTOMO)

Licenciado.
EDICIONES
1151

[*ROMANCE*]. (En Amada y Torregrosa, José Félix de. *Palestra numerosa austriaca...* Huesca. 1650, fol. 90r).

V. *B. L. H.*, V, n.º 2157 (88).
MADRID. *Nacional.* 2-66.981.

IÑIGUEZ (PEDRO)

N. en Vitoria. Estudiante en Salamanca.

EDICIONES
1152

RELACION en canciones Reales à la inundación y avenida de el Rio Tormes, en esta Ciudad de Salamanca a 26 de Enero de este año de 1626. Salamanca. Diego Cossío. [1626]. 2 hs. a 2 cols. 31 cm.

—Texto, dirigido a Francisco de Brizuela. [«Funebres, a su ronca accentos trompa...»].—S. L.

MADRID. *Nacional.* R-Varios, 180-36.

1153

LOORES, y Fiestas a los veynte y tres sanctos martires del Japon... Aro. Juan de Mongaston. 1628. 4.º

1154

VIDA, i mverte de nvestro benerable ermano Bernardino de Obregon Padre i Fvndador de nvestro avito de Hospitalidad en este Hospital Ieneral de Madrid i demas de España i otros Reinos. Madrid. Imp. del Reyno. 1639. 8 hs. + 132 fols. 19,5 cm.

—Frontis.—T.—E.—Censura y apr. del P. Iuan Vazquez.—L. V.—Apr. de Fr. Ioseph del Monte.—L. del Consejo.—Indice de los capitulos.—Prologo al devoto lector.—Ded. a D. Luis Fernandez de Cordoua, Duque de Sessa.—Texto.

MADRID. *Nacional.* 2-12.675.—SEVILLA. *Universitaria.* 71-109.

1155

[*EPIGRAMA*]. (En Pellicer de Tovar, José. *Anfiteatro de Felipe el Grande.* Madrid. 1631, fol. 19v).

MADRID. *Nacional.* R-7502.

IÑIGUEZ DE LEQUERICA (JUAN)

Impresor.
EDICIONES
1156

[*Al Ilustrísimo señor don Iñigo de Mendoça...*]. (En CARTAS qve los padres... Alcalá. 1575. Prels.)

MADRID. *Nacional.* R-6.654.

1157

SERMONES fvnerales, en las honras de... Felipe II.

V. «SERMONES funerales...»

IÑIGUEZ DE MEDRANO (JULIANO)

V. MEDRANO (JULIAN DE)

IÑIGUEZ Y PUEYO
(JUAN CRISOSTOMO)

N. en Daroca. Doctor en Cánones. Secretario de la provincia eclesiástica de Aragón. Deán de la Catedral de Daroca en 1671.

EDICIONES

1158

NOTICIAS de lo que ha deseado la provincia eclesiástica de Aragón en el ajustamiento de las concordias para la paga del subsidio y escusado, y de la justificación con que ha administrado la Real Hacienda. Zaragoza. 1672. 20 págs. Fol.

Latassa.

EDICIONES

1159

REP: Latassa, 2.ª ed., II, págs. 43-44

IODAR

V. JODAR

IOFFREU

V. JOFFREU

IORBA

V. JORBA

IORDAN

V. JORDAN

IORNET

V. JORNET

IOS

V. JOS

IPENZA (JERONIMO)

N. en Tarazona (1580). Doctor en Teología por la Universidad de Alcalá (1615). Canónigo de Tarazona y de Zaragoza. Rector de la Universidad de esta ciudad (1639, 1642 y 1645). Obispo de Jaca (1649). M. en 1652.

CODICES

1160

[*Sermones*].

Latassa.

EDICIONES

1161

MEMORIAL a la disertación histórica sobre la verdadera patria de Santa Orosia... de Juan de Tamayo Salazar... por la ciudad de Jaca, y en su nombre... 1650. 20 págs. 4.º

Latassa.

1162

RESPUESTA a las advertencias contra el Memorial de la ciudad de Jaca... hechas por... Juan de Tamayo Salazar, sobre la verdadera patria, sitio del martirio y lugar del sepulcro de Santa Orosia... 1651. 46 págs.

Idem.

1163

[*APROBACION. Zaragoza, 24 de enero de 1634*]. (En Arbués, Luis Vicente de. *Discurso y verdadera inteligencia del Fuero de Aragón... llamado de nueve por ciento...* Zaragoza. 1647. Al fin).

MADRID. *Nacional.* R-Varios, 192-7.

1164

[*APROBACION. Zaragoza, 6 de noviembre de 1634*]. (En Lisaca de la Maza, Bautista. *Los grados del amor de Dios.* Huesca. 1635. Prels.)

MADRID. *Nacional.* 3-55.855.

ESTUDIOS

1165

REP: Latassa, 2.ª ed., II, págs. 44-45.

IPEÑARRIETA (PEDRO)

Caballero de Calatrava. Caballerizo real.

EDICIONES

1166

[*AL Autor. Decima*]. (En Contreras, Francisco de. *Nave tragica de la In-*

dia de Portugal. Madrid. 1624. Prels.)
Dice «Ypenarrieta».

IPINARRIETA (MIGUEL)

Bachiller por la Universidad de Méjico.
Presbítero.

EDICIONES

1167
ORACION funebre en las Exequias de la Sra. Doña Nicolasa Nuñez Centeno, celebradas en la villa de Orizaba. Puebla de los Angeles. Oficina Plantiniana. 1691. 4.º
Beristain, II, pág. 106.

IPIÑA Y CERVANTES (FRANCISCO DE)

Catedrático de Gramática y Latinidad en la Universidad de Toledo.

EDICIONES

1168
SYNTAXIS Praeceptiva. Explicación del libro Quarto del Arte de Grammatica, que vulgarmente llaman de Antonio de Nebrixa. En que se trata de la Recta Composicion de las Ocho partes de la Oracion Latina. Enmiendanse algunas reglas del Arte, que dan preceptos contrarios a lo que comúnmente usaron los mejores Latinos. [Madrid. Melchor Alvarez]. [1694]. 8 hs. + 134 págs. 14,5 cm.
—Apr. del P. Joseph Antonio Garzo.—L. V. Apr. de Juan de Chozas.—Pr.—E.—S. T. Texto.
SEVILLA. *Universitaria.* 2-61.

IRAGORRI (FR. MARCOS DE)

Franciscano. De la Recolección de San Cosme, en Méjico.

EDICIONES

1169
[PARECER, 18 de agosto de 1689]. (En Castaneira, Juan de. *Epílogo mé-*

trico de la vida y virtudes de el V. P. Fr. Sebastián de Aparicio... Puebla des los Angeles. 1689. Prels.)
Medina, *Puebla,* n.º 113.

IRALA (P. MARCOS DE)

Jesuita.

EDICIONES

1170
[APROBACION]. (En Gutiérrez de Medina, Cristóbal. *Sermón panegyrico de la Natiuidad de Nra. Señora.* Méjico. 1646. Prels.)
Medina, *México,* II, n.º 629.

1171
[APROBACION. Méjico, 29 de junio de 1650]. (En Aguilar, Esteban de. *Sermón... en la solemnidad del glorioso Patriarca San Iuan de Dios.* Méjico. 1650. Prels.)
Medina, *México,* II, n.º 694.

IRANZO (JUAN)

CODICES

1172
[Poesías].
En «Flores de Baria poesía... México... 1577».
1. *Elegía... estando en lo último de la vida.*
2. *Soneto.*
MADRID. *Nacional.* Mss. 2973.

1173
REP: Méndez Bejarano, I, n.º 1.274.

IRANZO (JUAN JERONIMO)

Doctor en Derechos. Presbítero. Catedrádrático de Prima de Leyes.

EDICIONES

1174
[CENSURA y Aprobación. Valencia, 23 de abril de 1667]. (En Samper, Hipólito de. *Montesa Ilustrada.* Tomo I. Valencia. 1669. Prels.)
MADRID. *Nacional.* 2-42.504.

1175

[*APROBACION*]. (En REPETIDA *carrera del Sol de Academias...* Valencia. 1659. Prels.)

OBRAS LATINAS

1176

PRAXIS protestationum. In qua universa protestationum materia breviter elucidatur. Valencia. Typis, et sumptibus Benedicti Macé. 1667. 10 hs. + 437 págs. a 2 cols. 29 cm.

LONDRES. *British Museum.* 5384.h.3.—MADRID. *Nacional.* 3-10.798.

IRANZO (LAZARO LUIS)

Sargento mayor.

CODICES

1177

«*Novela del pródigo miserable*».

COIMBRA. *Universitaria.* Mss. 348 (fol. 178).

EDICIONES

1178

[*DOS sonetos en elogio de la obra*]. (En Castellanos, Juan de. *Elegías de varones ilustres de Indias.* Parte II. Prels. Ed. de B. C. Aribau. Madrid. Rivadeneyra. 1847, págs. 180 y 364. Biblioteca de Autores Españoles, 4).

ESTUDIOS

1179

CERVANTES SAAVEDRA, MIGUEL DE. [*Elogio*, en el *Canto de Calíope*]. (En *Primera parte de la Galatea.* Alcalá. 1585, fol. 329*r*).

MADRID. *Nacional.* Cerv.-2.538.

IRANZO DE CASTILLO (MIGUEL)

EDICIONES

1180

[*DOS Sonetos*]. (En Saavedra Guzmán, Antonio. *El peregrino yndiano.* Madrid. 1599. Prels.)

MADRID. *Nacional.* R-8.775.

IRANZO DE MOLINA (JUAN)

CODICES

1181

«*Del linage de los Molinas. Por el Arzipreste Don Juan Yranzo de Molina, sacado de ystorias y preuilegios y sepulturas que estan en el monasterio de nuestra señora de Palazuelos junto a Valladolid*».

Letra del s. XVI. 257 × 173 mm. Perteneció al conde de Pötting.

Kraft, pág. 13.

VIENA. *Nacional.* Mss. 5864 (fols. 261*r*-265*r*).

IRARRAZABAL Y ANDIA (FRANCISCO DE)

Marqués de Valparaíso.

CODICES

1182

«*El perfecto desengaño*».

Letra del s. XVII. 204 fols. 203 × 145 mm. —Ded. al Conde-Duque de Olivares.—Elogio al recogimiento y buen retiro.—Introito. Texto. Relato de la abdicación de Carlos V.

Inventario, IV, págs. 4-5.

MADRID. *Nacional.* Mss. 1105.

1183

«*El perfecto desengaño*».

Letra del s. XVII. 180 fols. 200 × 135 mm. *Inventario*, IV, págs. 47-??

MADRID. *Nacional.* Mss. 1161.

IRAULA (JUAN DE)

EDICIONES

1184

[*APROBACION*]. (En Torres, Jaime. *Divina y varia poesía.* Huesca. 1579, fol. 2*v*).

MADRID. *Nacional.* R-1.837.

IRAVEDRA (FR. FRANCISCO)

Lector de Teología, Custodio habitual y Guardián del convento de San Antonio de Padua de Granada.

EDICIONES

1185

[*APROBACION de* ——, *Fr. Salvador*

Aguayo, Fr. Gregorio Romero y Fr. Baltasar de Salazar. Granada, 2 de abril de 1681]. (En Capel, Cristóbal. *Uriae Hetheo. Noble en la sangre, claro en la vida...* Granada. 1681. Prels.)

CORDOBA. *Pública.* 2-63.

IRCANIA (LISUARTE DE)

[seud.]

EDICIONES

1186

[ROMANCE]. (En ACADEMIA, *que se celebró en esta Corte, en...* 1679]. Madrid. s. a.)

V. *B. L. H.,* IV, 2.ª ed., n.º 1580.
MADRID. *Nacional.* 2-34.892.

IREUS (GASPAR AGUSTIN)

EDICIONES

1187

[SONETO]. (En Moncayo, Juan de. *Rimas.* Zaragoza. 1652. Prels.)

MADRID. *Nacional.* R-2.642.

IRIARTE (BERNARDO)

Licenciado.

EDICIONES

1188

[CANCIONES]. (En Ferrero, Juan. *Certamen poético a... San Ramón Nonat.* Zaragoza. 1618, fols. 33r-34v).

MADRID. *Nacional.* 3-3.338.

IRIARTE (FR. MARTIN DE)

Doctor en Teología.

EDICIONES

1189

[APROBACION, de —— y Fr. Pedro de Haya. Pamplona, 20 de marzo de 1673]. (En Ramos, Diego. *Tratado de la Bula de la Santa Cruzada...* Zaragoza. 1673. Prels.)

MADRID. *Nacional.* 3-58.715.

IRIBARNE (FR. ANTONIO)

Capuchino.

EDICIONES

1190

CANDELERO Roseo, y Virgineo, cuyas luzes nos declaran ser María Santissima autora de su Rosario: y tambien que los fieles lo canten en comunidad por las calles y plaças. Se ponderan los muchos bienes, que con tan santo exercicio se siguen en los Catolicos pueblos, y los muchos males que en ellos se evitan. Se proponen los medios para establecer y aumentar tan sagrado empleo. Y el modo de practicarlo con canto, Gozos, y Ofrecimientos en otro libro pequeño a parte... Madrid. Diego Martínez Abad. 1697. 10 hs. + 398 págs. + 43 hs. 20,5 cm.

—Ded. a la Virgen María.—L. O.—Apr. de Fr. Joseph de Madrid y Fr. Juan de Pesquera. — Apr. del P. Joseph Lopez de Echaburu y Alcazar.—L. V.—Apr. de Fr. Tomás Reluz.—S. Pr.—S. T.—Al piadoso lector.—Texto.—Indice de cosas notables.

BARCELONA. *Convento de Capuchinos, de Curd. Vives y Tutó,* 23. 1-5-11.—MADRID. *Seminario Conciliar.* 9-398-44.—SAN LORENZO DEL ESCORIAL. *Monasterio.* 69-VII-26. — SEVILLA. *Universitaria.* 98-82.

1191

CANDELERO roseo, y virgineo predicable; contiene sacras ideas, y noticias para las festividades de la Divina Madre i utilissimas para todo genero de personas, sabios, e ignorantes, y comun reformacion de los christianos pueblos. Autora desta obra Maria-Santissima. Su inutil instrumento ——... Madrid. Antonio Gonçalez de Reyes. A costa de Francisco Laso. 1701. 18 hs. + 692 págs. + 36 hs. 29 cm.

MADRID. *Nacional.* 7-15.442.

1192

PRACTICA del Santissimo Rosario, con el universal concurso de los Católicos Pueblos, cantándolo por las principales plaças y calles. Con un Despertador de la conciencia, que enseña como se ha de hazer una confession y particular con las mismas licencias, privilegio y aprobaciones que el libro intitulado: Candelero Roseo, y Virgineo... Madrid. [Diego Martínez Abad]. [1697]. 107 págs. + 1 h. 13,5 cm.

—Texto.—Apr. de Fr. Thomás Reluz y Fr. Juan de Pesquera.—S. Pr.

SEVILLA. Universitaria. 110-8.

IRIBARNE (MARTIN)

Doctor.

EDICIONES

1193

[CANCION]. (En Díez de Aux, Luis. Retrato de las fiestas a la beatificación de... Santa Teresa de Jesús... Zaragoza. 1615, págs. 78-79).

MADRID. Nacional. R-457.

1194

[SONETOS]. (En Carrillo, Martín. Elogios de mugeres insignes del Vieo Testamento. Huesca. 1627).

1. A Thamar. (Fol. 44r).
2. A la Filistea muger de Samson. (Fol. 92v).

MADRID. Nacional. 2-1.026.

IRIBARNE E IRABURU (FR. JUAN)

N. en Zaragoza. Franciscano. Custodio de la provincia de Aragón y Provincial. Calificador de la Inquisición.

CODICES

1195

«Defensorio del pío voto y juramento de defender la preservación de la Madre de Dios».

Contra los escritos de Gaspar Rams según Alba. (N. Antonio).

1196

[TRATADO brevissimo de solo vna qvestion dividida en tres articvlos: en los quales irrefragablemente se prueua; que los Conventos Recoletos, y Obseruantes deben estar sujetos a la obediencia de un mesmo Prouincial, constituyendo vn cuerpo mismo de vna indiuisible Prouincia]. [s. l. - s. i.]. [s. a.]. 11 págs. 28,5 cm.

Carece de portada.

—Texto. (Fechado en Madrid, a 7 de junio de 1622).

Pérez Pastor, III, n.º 1.845. (Dice «Iribarne»).

MADRID. Nacional. V-1.017-76.

Aprobaciones

1197

[CENSURA. Zaragoza, 7 de septiembre de 1619]. (En Sessé, José de. Libro de la Cosmographia universal del Mundo... Zaragoza. 1619. Prels.)

MADRID. Nacional. R-12.741.

1198

[APROBACION. Zaragoza, 12 de noviembre de 1619]. (En Torres, Francisco de. Consuelo de los devotos de la Inmaculada Concepción de la Virgen... Zaragoza. 1620. Prels.)

MADRID. Nacional. 3-8.174.

1199

[CENSURA. Zaragoza, 24 de octubre de 1620]. (En Carrillo, Martín. Annales y Memorias cronológicas. Huesca. 1622. Prels.)

MADRID. Nacional. R-20.884.

1200

[APROBACION. Zaragoza, 2 de junio de 1653]. (En Ginto, Juan. Divina y humana poesía. Zaragoza. 1653. Prels.)

MADRID. Nacional. 6.i.-3.002.

OBRAS LATINAS

1201

COMMENTARII in qvartvm librum Sententiarum Ioannis Duns Scoti. Zaragoza. Apud Petrum Caburte y Turiasonae. Apud Didacum de la Torre. 1614-15. 2 vols. Fol.

ROMA. *Vaticana.* Stamp. Barb. F.II.23.

— — —

—Zaragoza. Pedro de Labarte. 1616. N. Antonio.

— — —

—Tarazona. 1623. Fol. N. Antonio.

1202

De Actibus humanis. Venecia. Marcum Ginamum. 1635. 4.º

N. Antonio.

— — —

—Zaragoza. 1643. MADRID. *Nacional.* 3-74.280.

ESTUDIOS

1203

REP: N. Antonio, I, pág. 713; Latassa, 2.ª ed., II, págs. 45-46.

IRIBARREN (FR. ANTONIO)

N. en Calatayud (1656). Dominico. Doctor en Teología por la Universidad de Zaragoza. Lector de Prima en el convento de dicha ciudad.

EDICIONES

1204

ORACION funebre en las honras que hizo la provincia del Carmen Observante en su Convento de Zaragoza al Reverendissimo P. M. Lumbier, que murió en 1684 a 1 de Agosto, que dijo ——. Zaragoza. Manuel Roman. 1684. 4.º

1205

ORACION panegírica de Nuestra Señora del Pilar de Zaragoza. Zaragoza. Manuel Roman. 1684. 4.º

Latassa, 2.ª ed., II, pág. 46.

1206

DOCTRINA cristiana esplicada en los misterios del Santissimo Rosario, y modo de rezarlo. Zaragoza. Manuel Roman. 1686. 8.º

Latassa, ídem, pág. 46.

1207

ORACION evangelica para la Feria Segunda despues de la Dominica tercera de Quaresma. Dixola en la Ilustre Parroquia de N. S. de el Pino de... Barcelona... [s. l. - s. i.]. [s. a.]. 2 hs. 19,5 cm.

—Ded. a Fr. Manrique de Guzmán, provincial de Tierra Santa de la Orden de Predicadores (Zaragoza, 19 de marzo de 1686).—Texto.

BARCELONA. *Instituto Municipal de Historia.* B.1686-8.º-op.6.

1208

ORACIONES evangelicas para varias festividades de Santos, y para otros diversos assvmptos. Predicadas y escritas por ——... Zaragoza. Manuel Roman. 1688. 12 hs. + 338 págs. + 5 hs. 20 cm.

—Ded. a Fr. Antonio Cloche, Maestro General de la Sagrada Religion de Predicadores.—L. O.—Apr. de Fr. Iuan Francisco de Hurtado.—Apr. de Fr. Juan de Maya Salaverría.—Apr. de Fr. Diego de Gracia.—Apr. de Fr. Jerónimo de Loste y Escartín.—L.—Al letor.—Indice de los Sermones.—Texto.—Indice de las cosas más notables.

Jiménez Catalán, *Tip. zaragozana del siglo XVII,* n.º 1084.

SEVILLA. *Universitaria.* 88-143 y 152.—ZARAGOZA. *Universitaria.* D-23-194.

1209

MEMORIA triste que padeció el Convento de San Ildefonso de Zaragoza por la muerte que violentamente le dió un loco furioso al M. R. P. M. Fr. Pedro Calvo, Prior tres veces de él, y dos Visitador de los Conventos de Santo Domingo de Aragon, en 26 de Octubre de 1688. La dijo en 27 de dichos——. Zaragoza. Manuel Román. 1689. 4.º

1210

PLATICAS Doctrinales de el Santissimo Rosario. Zaragoza. Manuel Roman. 1693. 4 hs. + 328 págs. con un grab. 15 cm.

—Ded. a Fr. Severo Thomas Anther, Obispo de Tortosa.—Resumen de las Aprs. y Ls.—Prólogo.—Texto.
Jiménez Catalán, Tip. zaragozana del siglo XVII, n.º 1181.
ZARAGOZA. Universitaria. D-25-148.

1211

————. Zaragoza. José Fort. [s. a.] 4 hs. + 327 págs. 15 cm.

ZARAGOZA. Universitaria. D-25-146.

1212

ORACION gratulatoria, por la noticia de haber extendido N. M. S. P. Inocencio XII el culto de la beata Juana, princesa de Portugal, religiosa del Orden de Santo Domingo, en la solemnidad que celebró su convento de Zaragoza. Zaragoza. Manuel Roman. 1695. 4.º

1213

AVE MARIA. Candelero roseo y virgineo... Madrid. Antonio González de Reyes. 1701.

VALLADOLID. Universitaria. 4.769.

1214

EXAMEN de confesores. Zaragoza. Román. 1705. 4 hs. + 429 págs. + 1 h. 15 cm.

ZARAGOZA. Universitaria. D-25-199.

Aprobaciones

1215

[APROBACION. Zaragoza, 28 de noviembre de 1684]. (En Juanini, Juan Bautista. Nueva idea phisica natural demonstrativa... Zaragoza. 1685. Prels.)

MADRID. Nacional. 5-5.008.

1216

[APROBACION]. (En Aguirre y Baca, Félix de. Mesa soberana del Sol... Zaragoza. 1690. Prels.)

1217

[APROBACION. Lérida, 12 de mayo de 1692]. (En Neyla, Francisco de. Alpha y Omega. Zaragoza. 1691. Prels.)

MADRID. Nacional. 3-62.557.

OBRAS LATINAS

1218

CVRSVS Philosophici. Zaragoza. Manuel Román. 1699-1701. 4 vols. 21 cm.

MADRID. Nacional. 6.i.-1.967 [el I].—ZARAGOZA. Universitaria. D-12-163/65 [3 vols.].

1219

CURSUS theologicum-moralis... Zaragoza. 1704. 9 hs. + 594 págs. + 4 hs. 29 cm.

ZARAGOZA. Universitaria. D-23-56.

IRIBARREN (JUAN DE)

N. en Calatayud. Doctor en Teología. Vicario de la parroquia de San Andrés de Zaragoza.

EDICIONES

1220

RESPUESTA al memorial dado a la imperial ciudad de Zaragoza contra la constitución «de Sepulturis». Zaragoza. 1656. 20 págs. Fol.

Latassa.

ESTUDIOS

1221

REP: Latassa, 2.ª ed., II, pág. 46.

IRIBARREN Y PLAZA (JUAN DE)

Licenciado.

EDICIONES

1222

[DEDICATORIA al Dean y Cabildo de la Santa Iglesia Metropolitana de

Zaragoza]. (En Andrés de Uztarroz, Juan Francisco. *Certamen poético de Nuestra Señora de Cogullada...* Zaragoza. 1644. Prels.)

MADRID. *Nacional.* 2-64.961.

IRIGOYEN (JUAN DE)

EDICIONES

1223

RELACION de las Missiones de la Gran China, copiada de vna carta, que escrivió de aquel Reyno vn Ministro Evangelico. [Cadiz. Christoval de Requena]. [1699]. 22 págs. 20,5 cm.

MADRID. *Academia de la Historia.* 9-17-3-3.487.

IRISARRI
(ALFONSO BERNARDO DE)

EDICIONES

1224

RETIRO de Damas. Con los exercicios, que deuen practicarse en él. Sacado sumariamente del que compuso en Idioma Francés el R. P. Francisco Guillorè... Milán. Por los Ghisulfos. [s. a.]. 8 hs. + 288 págs. 8,7 × 5 cm.

Licencias de 1887.
Toda, *Italia*, II, n.º 2423.

IROLO CALAR (GABRIEL)

V. AYROLO CALAR (GABRIEL DE)

ISAAC (Doctor)

EDICIONES

1225

ORDEN de Oraciones segun el vso Hebreo, en lengua Hebraica y vulgar Española. Traduzido por el Doctor Isac, hijo de Don Semtob Cavallero. Venecia. 322 hs. 12.º

1226

ORDEN de Oraciones segundo el vso Hebreo, en lengua Ebraica, y en Español. Traduzido por el Doctor Ishac de Don Semtob Cavallero. Venecia. Pietro e Lor. Bragadini. 1622. 540 págs. 12.º

Toda, *Italia*, II, n.º 2425.

ISABA (MARCOS DE)

Capitán. Castellano de Capua. Había m. ya en 1594.

EDICIONES

1227

CVERPO enfermo de la milicia española, con Discursos y auisos, para que pueda ser curado, vtiles y de prouecho. Compuesto por ——... Acabado por... Miguel Guerrero de Caseda... Madrid. Guillermo Druy. [A costa de M. Guerrero de Caseda]. 1594. 16 hs. + 151 fols. + 1 h. 20 cm.

—Apr. de Pedro de Velasco.—T.—Escudos de Pedro de Belasco y de Miguel Guerrero de Caseda, grabados. — E. — Pr. a Guerrero de Caseda por diez años.—Tabla de los capitulos.—Ded. a Dfl Pedro de Velasco, del Consejo de Guerra de S. M., etc., por Guerrero de Caseda.—Ded. al Rey, por el mismo.—Prólogo, con un grab. de la Virgen.—Se desculpa el Autor con los letores.—Texto (lleva al frente un grab. de Santiago).—Colofón.

Salvá, II, n.º 2632; Pérez Pastor, *Madrid*, I, n.º 437.

LONDRES. *British Museum.* 8829.bb.37. — MADRID. *Academia de la Historia.* 2-1-5-224; 2-4-8-2261.—*Nacional.* R-12.288 (ex libris de Gayangos).—NUEVA YORK. *Hispanic Society.* SANTANDER. «*Menéndez y Pelayo*». R-V-9-30. SEVILLA. *Universitaria.* 26-10.—ZARAGOZA. *Universitaria.*

ESTUDIOS

1228

[*DOCUMENTOS sobre Marcos de Isaba*]. (En Pérez Pastor, Cristóbal. *Bibliografía madrileña.* Tomo III. Madrid. 1907, pág. 390).

ISABEL DE LOS ANGELES
(Sor)

Se llamaba Isabel Márquez e Ibáñez. N. en Villacastín (1565). Carmelita descalza desde 1591. Enviada a Francia en 1601, fundó conventos en diversas ciudades. M. en Limoges (1644).

CODICES

1229

«*Once cartas espirituales al cardenal Pedro de Berulle*».
Villiers.

1230

«*Sentencias espirituales*».
Villiers.

1231

«*Exhortación a sus monjas*».
Villiers.

1232

«*Cartas en que declara su dictamen acerca de la conducta de la Religion en el punto de confesores de monjas*».
Dirigida a la M. María de Jesús en 1620.
Copia de 1761. 3 hs. Fol.
Serrano y Sanz, I, n.º 103.
MADRID. *Nacional*. Mss. 8.713 (fols. 30-32).

1233

[*Treinta y siete cartas espirituales dirigidas a varias personas. 1606-1640*].
Los originales se conservaban en el convento de Carmelitas descalzas de Salamanca.
Copia de 1761. 31 hs. Fol.
Serrano y Sanz, I, n.º 104.
MADRID. *Nacional*. Mss. 8.713 (fols. 145-75).

EDICIONES

1234

[*TRES cartas*]. (En Serrano y Sanz, Manuel. *Apuntes para una biblioteca de escritores españoles*. Tomo I. Madrid. 1903, págs. 34-36).

1235

CARTAS. Editadas y anotadas por el P. Pierre Serouet de la Croix. Burgos. Edit. El Monte Carmelo. 1963. 330 págs. 25 cm.

a) Eulogio de la Virgen del Carmen, Fray, en *Ephemerides Carmeliticae*, XVI, Roma, 1965, págs. 271-72.
MADRID. *Nacional*. 4-56.721.

1236

NUEVA carta autógrafa. (En *Ephemerides Carmeliticae*, XVII, Roma, 1966, págs. 491-506).

ESTUDIOS

1237

FRANÇOISE DE SAINTE THERESE. *Vie de la Vénérable Mère Isabelle des Anges…* Paris. A. Vitré. 1658. 448 págs. 8.º
PARIS. *Nationale*. 8.º Ln²⁷.13560.

1238

«*Vida de la M. Ysabel de los Angeles*».
Mss.
SALAMANCA. *Archivo del convento de las Carmelitas descalzas*.

1239

BOSCHE, L. VAN DEN. *Isabelle des Anges*. Tarascon. 1951.

1240

REP: Serrano y Sanz, I, págs. 38-38; A. de la V. del Carmen, en DHEE, II, pág. 1208.

ISABEL DE JESUS (Sor)

Se llamaba Isabel de Sosa y se titulaba beata profesa y Madre de la Tercera Orden de mujeres de la Orden del Carmen observante de la ciudad de Toledo, donde n. y m. (1611-1682).

CODICES

1241

«*Poesías espirituales*».
Comprende 19 composiciones. Relación de títulos y primeros versos, en Serrano y

Sanz, II, n.º 1.267, que no da otros detalles ni localización.

1242

«Canciones en que Dios descubre el camino para que las almas vayan a él por la escala secreta de la oración».

Seguidas de un largo comentario en prosa. Serrano y Sanz, II, n.º 1.268.

EDICIONES

1243

TESORO del Carmelo, escondido en el campo de la Iglesia, hallado, y descvbierto en la mverte, y vida qve de si dexó escrita, por orden de sv Confessor, la venerable ——... *Sacale a luz su Confesor el R. P. Fr. Manuel de Paredes...* Madrid. Iulian de Paredes. 1685. 50 hs. + 1 lám. + 758 págs. a 2 cols. + 9 hs. a 2 cols. 29 cm.

—Ded. a Sta. Leocadia y S. Laureo, por Fr. Manuel de Paredes.—Censura de Fr. Dionisio de Zayas.—Censura de Fr. Alonso Franco de Ulloa.—Censura de Fr. Francisco García y Castilla.—L. O.—Censura de Francisco Campuzano.—Censura de Fr. Manuel de la Torre.—L. V.—Censura de Fr. Francisco Ximenez de Mayorga.—Apr. de Fr. Gabriel de San Ioseph.—Iuyzio y Parecer de Bernardino de las Cuentas y Zayas.—Iuyzio y Parecer de Fr. Ignacio Calvo.—Iuyzio y Parecer de Andres Passano de Haro.—Iuyzio y Parecer de Fr. Ioseph de Ayllon y Roxas.—Iuyzio y Parecer de Fr. Manuel de Paredes.—Prologo.—Censura de Fr. Juan Ioseph de Baños.—Censura de Fr. Eugenio Ossorio Barba. — L. O. — Censura de Francisco Campuzano. — Censura de Fr. Manuel de la Torre.—L. V.—Apr. de Fr. Agustin de Ocaña.—E.—S. T.—Pr. al Prior y convento de Carmelitas calzados de Toledo por diez años.—Annotaciones de algunos reparos que se pueden ofrecer en lo que la V. M. escrivió por especial luz, y por obediencia en su vida. Escrita por Fr. Francisco Garcia y Castilla.—Protesta.—Retrato de la autora y firmado por Franciscus de Castro, en Toledo, 1683.—Texto.—Sermón en las honras de ——, por Fr. Francisco Clarisse.—Indice de los capitulos.

MADRID. *Nacional.* 3-55.495.

ISABEL DE JESUS (Sor)

Agustina.

EDICIONES

1244

VIDA de la Venerable Madre ——... *dictada por ella misma, y añadido lo qve falto de su dichosa mverte...* Madrid. Francisco Sanz. A costa de Gabriel de Leon. 1672. 10 hs. + 382 págs. a 2 cols. + 5 hs. a 2 cols. 20,5 cm.

—Ded. al Christo de la Vitoria de la Serradilla, por Fr. Francisco Ignacio.—Apr. de Fr. Iuan de la Torre.—L. O.—Apr. de Fr. Pedro de Salaçar.—L. V.—Apr. de Fr. Francisco de Zuazo.—E.—S. Pr. a Fr. Francisco Ignacio por diez años.—S. T.—Prologo al devoto lector.—Protesta.—Texto.—Tabla de los capitulos.

MADRID. *Nacional.* 3-7.258. — MONSERRAT. *Monasterio.* B.CLIII.8.16.—SEVILLA. *Universitaria.* 70-97; 99-28.

ISABEL MARIA DE LA SANTISIMA TRINIDAD (Sor)

CODICES

1245

«Vida de nuestra Venerable Madre Iuana de la Santísima Trinidad, duquesa que fue de Béjar, fundadora y priora del convento de las carmelitas descalças de Ecija».

Letra del s. XVII. Fechado en Lerma, a 29 de julio de 1664. 29 hs. Fol. Serrano y Sanz.

MADRID. *Nacional.* Mss.

ESTUDIOS

1246

REP: Serrano y Sanz, II, pág. 383.

ISABEL DE SAN FELIPE
(Madre)

EDICIONES

1247

[GLOSA]. (En Lazarraga, Cristóbal de. *Fiestas de la Universidad de Salamanca al nacimiento de... D. Baltasar Carlos...* Salamanca. 1630, pág. 240).

MADRID. *Nacional.* R-4.973.

ISABEL DE SAN FRANCISCO
(Sor)

CODICES

1248

«*Relación de nuestro padre fray Juan de la Cruz, particularmente de su prisión. 31 de julio de 1603*».

Autógrafa. 2 hs. Fol.
Serrano y Sanz, I, n.º 534.
MADRID. *Nacional.* Mss. 12.738 (págs. 1017-1020).

EDICIONES

1249

[SONETO]. (En Díez de Aux, Luis. *Retrato de las fiestas que a la beatificación de la... Santa Teresa de Iesus... hizo Zaragoça...* Zaragoza. 1615, pág. 71).

MADRID. *Nacional.* R-457.

1250

OBRAS Completas. Trad. y notas de Isidoro de San José. Madrid. Edit. Espiritualidad. 1958. 960 págs. 15,5 cm.

ESTUDIOS

1251

REP: Serrano y Sanz, I, pág. 299.

ISABEL DE SAN FRANCISCO
(Sor)

N. en Cambados (1611). Franciscana descalza. Abadesa del convento de Salamanca. M. en 1679.

EDICIONES

1252

[FRAGMENTOS de su Autobiogra-fía]. (En ARANDA, GABRIEL DE. *Vida de la V. M. Soror Isabel de S. Francisco...* Sevilla. 1694).

ESTUDIOS

1253

ARANDA, P. GABRIEL DE. *Vida de la V. M. Soror Isabel de S. Francisco...* Sevilla. Tomás López de Haro. 1694.

V. B. L. H., V, n.º 3560.

1254

REP: Serrano y Sanz, II, págs. 299-300.

ISABEL DE SANTO DOMINGO
(Sor)

Se llamaba Isabel de Ortega y n. en Cardeñosa (1537). Recibida como carmelita por Santa Teresa en Avila (1563). Priora de Toledo (1569), Pastrana y Avila (1604). Fundó y dirigió diversas comunidades. M. en Avila (1623).

EDICIONES

1255

[CARTAS espirituales. Fragmentos]. (En Batista de Lanuza, Miguel. *Vida de la bendita M. Isabel de Santo Domingo...* Madrid. 1638).

1256

[DECLARACIONES... en las informaciones de Zaragoza]. (En Teresa de Jesús, Santa. *Escritos.* Ed. de Vicente de la Fuente. Tomo II. Madrid. Rivadeneyra, págs. 410-11. Biblioteca de Autores Españoles, 55).

ESTUDIOS

1257

BATISTA DE LANUZA, MIGUEL. *Vida de la bendita Madre Isabel de Santo Domingo, Compañera de Santa Teresa de Jesús.* Madrid. 1633.

V .B. L. H., VI, n.º 3398.

1258

REP: Serrano y Sanz, II, págs. 389-90; A. de la V. del Carmen, en DHEE, II, pág. 1211.

ISASI (ALBERTO DE)

Abogado de los Reales Consejos.

CODICES

1259

«*Tratado Curioso en que se resuelven las dificultades que ay sobre las Comedias... 1673*».

Copia anónima de 1744. 25 págs. Dice «Ysasi».

SEVILLA. *Colombina.* 84-4-46.

EDICIONES

1260

[*SILVA*]. (En Saavedra, Ignacio de. *Gloriosos Sagrados... cultos con que la... Ciudad de Cádiz celebró fiestas a sus Tvtelares Patronos, Jesús Nazareno y Santa María Magdalena...* Cádiz. s. a.).

Dice «Yssasi».

MADRID. *Nacional.* R-Varios, 115-12.

ISASI
(FRANCISCO ARNALDO DE)

Doctor.

EDICIONES

1261

[*SERMON predicado... por el Dr. Francisco Arnaldo de Ysassi*]. (En BREVISSIMA *noticia de las exequias que se consagraron a... Don Balthasar Carlos de Avstria. En... Valladoli... de Mechoacan...* Méjico. 1647, fols. 1-24).

V. *B. L. H.,* VI, n.º 5449.

MADRID. *Nacional.* R-Varios, 155-33.

ISASI (FR. MIGUEL DE)

EDICIONES

1262

[*PARECER. Méjico, 27 de junio de 1695*]. (En Castro, José de. *Vida del Siervo de Dios Fr. Juan de Angulo y Miranda...* Méjico. 1695. Prels.)

Medina, *México,* III, n.º 1.590.

ISASI Y GUZMAN
(FR. FRANCISCO ANTONIO)

Mercedario. Definidor general. Predicador real.

EDICIONES

1263

SERMON *de la Concepción de N.ª S.ª* Alcalá de **Henares.** 1655. 4.º

Alvarez y Baena.

Aprobaciones

1264

[*APROBACION. Madrid, 29 de octubre de 1659*]. (En Ulloa Pereira, Luis de. *Versos...* Madrid. 1659. Prels.)

SAN LORENZO DEL ESCORIAL. *Monasterio.* 28-VII-6.

1265

[*APROBACION. Madrid, 7 de noviembre de 1660*]. (En Santos, Francisco. *Cárdeno lirio...* Madrid. 1696. Prels.)

MADRID. *Nacional.* 3-26.534.

1266

[*PARECER. Madrid, 8 de marzo de 1660*]. (En Briones, Bernardo de. *Oración evangélica de... S. Pedro Nolasco...* Salamanca. 1660. Prels.)

MADRID. *Nacional.* R-Varios, 3-10.

1267

[*APROBACION*]. (En Esquex, Pedro Francisco. *Sermón... al primer instante del ser de María...* Madrid. 1662. Prels.)

MADRID. *Nacional.* R-Varios, 43-96.

1268

[*APROBACION*]. (En Sánchez Ricarte, José. *Las circunstancias todas que han concurrido en la consecución del nuevo Breve de... Alexandro VII...* Madrid. 1662. Prels.)

MADRID. *Nacional.* R-Varios, 57-53.

1269

[*APROBACION. Madrid, 7 de no-*

viembre de 1663]. (En Santos, Francisco. *Alva sin crepúsculo...* Madrid. 1673. Prels.)

MADRID. *Nacional.* R-15.997.

1270

[*APROBACION. Madrid, 4 de mayo de 1665*]. (En Gregorio de Salamanca, Fray. *Compendio de las questiones selectas...* Alcalá. 1666. Prels.)

MADRID. *Nacional.* 3-55.860.

1271

[*APROBACION. Madrid, 25 de noviembre de 1665*]. (En Esquex, Pedro Francisco. *Sermón en las exequias... al Señor Rey D. Felipe IV...* Madrid. 1665. Prels.)

MADRID. *Nacional.* R-Varios, 116-7.

1272

[*APROBACION. 30 de enero de 1666*]. (En García de Escañuela, Bartolomé. *Penas en la muerte... de... Felipe IV...* Madrid. 1666. Prels.)

MADRID. *Nacional.* R-Varios, 113-28.

1273

[*APROBACION. 22 de octubre de 1667*]. (En Esquex, Pedro Francisco. *Sermón fúnebre historial en las exequias... al P. Baltasar de Loyola...* Madrid. 1667. Prels.)

MADRID. *Nacional.* R-Varios, 125-1.

1274

[*APROBACION. Madrid, 25 de octubre de 1667*]. (En Calasibeta, Manuel. *La Rosa de Palermo...* Madrid. 1668. Prels.)

MADRID. *Nacional.* U-3.233.

1275

[*APROBACION. Madrid, 17 de septiembre de 1669*]. (En Lizana, Francisco de. *Primera Escuela del Hombre Dios Christo...* Madrid. 1669. Prels.)

MADRID. *Nacional.* 3-69.253.

1276

[*APROBACION. Madrid, 6 de diciembre de 1667*]. (En Mora, Juan de. *Enigma numérico...* Madrid. 1677. Prels.)

MADRID. *Nacional.* 3-12.481.

1277

[*APROBACION. Madrid, 10 de febrero de 1672*]. (En Isidro de San Juan, Fray. *Triunfo quadragesimal de Christo...* Madrid. 1672. Prels.)

MADRID. *Nacional.* 3-54.632.

1278

[*APROBACION. Madrid, 29 de octubre de 1659*]. (En Ulloa Pereira, Luis de. *Obras.* Madrid. 1674. Prels.)

V. n.º 1264.

ESTUDIOS

1279

REP: Alvarez y Baena, II, pág. 205; Placer, II, págs. 154-56.

ISASI IDIAQUEZ (JUAN DE)

Conde de Pie-Concha.

EDICIONES

1280

COPIA de la abundancia... de la lición, qve hizo de sus estudios el Serenissimo Señor Principe N. S. D. Baltasar Carlos, delante de Felipe III... en veinte de agosto de mil y seiscientos y quarenta y uno... [s. l. - s. i.]. [s. a.]. 32 fols. 4.º

SANTIAGO DE COMPOSTELA. *Universitaria.*

ISERN (FRANCISCO)

Catedrático de Teología en las Universidades de Perpiñán y Barcelona. Canónigo de la catedral de Lérida.

EDICIONES

1281

[*APROBACION. Lérida, 7 de agosto de 1667*]. (En Aroza, Diego de. *Tesoro de las excelencias y utilidades de la Medicina.* Lérida. 1668. Prels.)

MADRID. *Nacional.* 3-45.054.

ISIDORO DE LA ASUNCION
(Fray)

CODICES

1282

«*Itinerario del P. ——, siendo visitador de la Nueva España*».

Año 1673. 91 fols. 205 × 155 mm.
Miquel, II, págs. 25-26.
BARCELONA. *Universitaria*. Mss. 514.

ISIDORO DE JESUS MARIA
(Fray)

Agustino recoleto. Prior del convento de Cavite.

EDICIONES

1283

[*SERMON del B. Estanislao Koska*]. (En Sánchez del Castellar, José. *Descripción festiva...* Manila. 1674, fols. 67r-74v).

MADRID. *Nacional*. R-33.201.

ISIDORO DE LEON
(Fray)

Capuchino.

EDICIONES

1284

MISTICO cielo en que se gozan los bienes del alma, y vida de la verdad. Adornado de tres Gerarquias, y en cada una tres Ordenes, que hazen nueve Coros de Espiritus Viadores en el Destierro; a semejança del Cielo Beatifico, y glorioso, que se adorna de tres Gerarquias y en cada una tres Ordenes, que hazen nueve Coros de espiritus comprehensores en la Patria. Dibuxado en Primera, Segunda y Tercera Parte; donde se halla la Teorica y Practica de las tres Vias del Espiritu, y se comprehende la sustancia de toda la Mistica Teologia. Primera parte. Madrid. Roque Rico de Miranda. 1685. 12 hs. + 666 págs. + 37 hs. 20,5 cm.

—Ded. a S. Francisco.—Censura y Apr. de Felix de Bustillo y Fr. Luis de Torre.—

Censura y Apr. de Fr. Antonio de Fuentelapeña.—L. O.—Censura y Apr. del P. Iuan de Palazol.—L. V.—Censura y Apr. del P. Martin de Zarandona.—Pr. a favor de Fr. Isidro de León por 10 años. E.—S. T.—Protesta.—Prologo. — Texto. — Indice general de lo que contiene.—Tabal de capítulos.—Tabla de cosas notables.

Tomo II:
Madrid. Roque Rico de Miranda. 1686. 12 hs. + 798 págs. + 15 hs. 20,5 cm.

—Ded. a Luis Cardenal Portocarrero, Arzobispo de Toledo.—Se repiten los Preliminares.—Texto.—Se repiten los Indices.

Tomo III:
Madrid. Roque Rico de Miranda. — A su costa. 1687.

—Ded. a Antonio Ramirez de Haro, Conde de Bornos.—Se repiten los Prels.—Texto.—Se repiten los Indices.

ALCALA DE HENARES. *Convento de Carmelitas Descalzas del Corpus Christi*.—MADRID. *Nacional*. 4-71.750/52.—PAMPLONA. *General de la Diputación Foral*. 109-2-1/16-18.—SAN LORENZO DEL ESCORIAL. *Monasterio*. 20-V-33/34.

ISIDORO DE SEVILLA (Fray)

EDICIONES

1285

[*DEDICATORIA al Licdo. D. Gaspar de Paz y Castillo...*]. (En Antonio de Jesús , Fray. *Epítome de la admirable vida de... Dn. Luis de Paz y Medrano...* Granada. 1688. Prels.)

MADRID. *Nacional*. 2-8.951.

ISIDRO DE SAN JUAN
(Fray)

N. y m. en Madrid (?-1699). Mercedario descalzo desde 1653. Vicario General de su Orden. Predicador real. Teólogo del Nuncio.

EDICIONES

1286

SERMON de la Concepcion Inmaculada de Maria Santissima, Señora nuestra, declarada nueuamente en el Breue de nuestro muy Santo Padre Alexandro Septimo. Predicóle en la *Hermita de nuestra Señora del Val, deuocion ilustre de la Villa, y Vniuersidad de Alcalá de Henares, en la fiesta que le consagró su Cofradía, Domingo primero de Quaresma, del año de 1662 el P.* ——... Madrid. Pablo de Val. 1662. 6 hs. + 28 págs. 19,5 cm.

—Ded. a la Virgen María.—Apr. de Fr. Bernardo de Iesus Maria.—L. O.—Censura de Diego Guerrero.—L. V.

MADRID. *Nacional.* R-24.245; R-Varios, 58-14 y 3-5 (falto de los Prels.).—SANTIAGO DE COMPOSTELA. *Universitaria.*

1287

TRIVNFOS de el poder de Dios, en las qvatro maderas sacras de la Crvz. Predicados a la adoracion del Lignum Crucis, Reliquia grande que venera todos los años con aplausos decorosos el Colegio Mayor de S. Ildefonso Vniuersidad de Alcalá, Domingo Quinto de Quaresma por la tarde. Predicóle en la Capilla del mismo Colegio... Día 26 del mes de Março, año de 1662]. Alcalá. Imprenta de la Universidad. 1662. 39 págs. 18,6 cm.

—Págs. 3-8: Ded. a D. Domingo La Fuente y Pardo. Cathedratico de Artes, etc., precedida del escudo de la Universidad. Págs. 9-11: Censura del Dr. Diego de Ros y Medrano.—Pág. 12: L. V.—Págs. 13-15: Apr. de Fr. Agustín de Sto. Thomás.—Pág. 16: L. O.—Texto (págs. 17-39).

MADRID. *Academia de la Historia.* 9-17-4-3546 (con port. rota).—*Nacional.* R-Varios, 35-99. SANTIAGO DE COMPOSTELA. *Universitaria.*

1288

[*SERMON de S. Sebastián*]. (En LAUREA *Complutense...* Alcalá. 1666, págs. 377-92).

MADRID. *Nacional.* 3-54.552.

1289

TRIVNFO evangelico de Christo y

svs Santos en varios Pregones panegíricos, hechos y dichos a differentes objetos sagrados. Salamanca. Melchor Esteuez. 1670.

Teatro primero: 522 págs.

SANTIAGO DE COMPOSTELA. *Universitaria.*

1290

TRIVNFO evangelico de Christo, y svs Santos; en varios pregones panegíricos, hechos, y dichos a diferentes objetos sagrados. 2.ª impression, con quatro Sermones añadidos. Madrid. Joseph Fernandez de Buendía. A costa de Lorenço de Ibarra. 1672-. ? vols. 21 cm.

Tomo I: 8 hs. + 488 págs. + 12 hs. Prels. de 1670.

Tomo II: 540 págs.

MADRID. *Nacional.* 3-54.807; 6.i.-2.080. — SAN LORENZO DEL ESCORIAL. *Monasterio.* 111-V-22. SANTIAGO DE COMPOSTELA. *Universitaria* [2 volúmenes].—SEVILLA. *Universitaria.* 76-69; 279-87.

1291

TRIVNFO qvadragesimal de Christo en nvestras costvmbres. Oraciones evangelicas morales, qve en las Dominicas, y Ferias mayores de la Quaresma, dixo en la Santa Iglesia Catedral de la Ciudad de Salamanca, el R. P. M. ——... Madrid. Ioseph Fernandez de Buendía. A costa de Lorenço de Ibarra. 1672. 9 hs. + 540 págs. a 2 cols. + 19 hs. a 2 cols. 21 cm.

—Ded. a D.ª Maria-Ana de Silva y Castro, Condesa-Duquesa de Linares, etc.—Apr. de Fr. Ioseph del Espiritu Santo.—L. O. Apr. de Esteuan de Aguilar y Zuñiga. L. V.—Apr. de Fr. Francisco Antonio de Isassi.—Pr. al autor por diez años.—T. Texto.—Protesta.—Elenco para los Domingos de Aduiento, y Ferias de la Semana Santa.—Tabla de los lugares de la Escritura.—Indice de las cosas mas notables.—Jaculatoria en latín.

MADRID. *Nacional.* 3-54.632; 6.i.-2.080.—SEVILLA. *Universitaria.* 223-107.

1292

——. 2.ª impression, y añadidos dos Sermones. Madrid. Ioseph Fernandez de Buendía. A costa de Lucía Muñoz. 1676. 8 hs. + 534 págs. a 2 cols. + 17 hs. 20,5 cm.

—Los mismos prels. que la de 1672, más una nota, E. y T.—Texto.—Jaculatoria. Elenco.—Tabla.—Indice.—Jaculatoria.

MADRID. *Nacional.* 3-23.190.—PAMPLONA. *General de la Diputación Foral.* 109-3-3/115.—SANTIAGO DE COMPOSTELA. *Universitaria.*—SEVILLA. *Universitaria.* 80-88.

1293

ORACION Evangelica de los Gloriosissimos Martyres S. Justo y S. Pastor, Patronos de la esclarecidas Ciudad de Alcalá de Henares, de su Illustrisima Iglesia Doctoral y de la Insigne Parroquial de esta Ciudad de Granada, á que esta unido el observantissimo Monasterio de las Religiosas de S. Clara. Con titulo de la Encarnación. Dixola á la muy Ilustre y Venerable Universidad de Beneficiados de dicha Ciudad el dia de la transfiguración de este año de 1687. Fr. ——. Granada. Conv. de la SS. Trinidad. 1687. 6 hs. + 28 págs. 19 cm.

—Ded.—2 Epigramas latinos.—Apr. de Diego Luis del Castillo.—L. V.—Parecer de Fr. Ioseph de Porras.—L. Juez.—Ded. de Martín de Valcárcel al Deán y Cabildo de la Magistral de Alcalá.—Texto.

MADRID. *Nacional.* R-Varios, 140/6.

1294

[ORACION Evangélica]. (En Ulate, Miguel. *Octava panegyrica, fiestas solemnes, en la declaracion que hizieron... Inocencio Vndezimo y Duodezimo, del Culto inmemorial del... Martyr San Pedro Armengol, y de... Santa Maria Socos...* Madrid. 1697. Págs. 309-339).

MADRID. *Nacional.* 3-26.389.

1295

[SERMON]. (En COLLECTANEA *de Sermones...* Tomo II. Madrid. 1680. 7.ª Parte, págs. 1-12).

MADRID. *Nacional.* 3-66.782.

Aprobaciones

1296

[APROBACION]. (En Gaspar de San Lorenzo, Fray. *Información última presentada en el Tribunal de la Iglesia...* Alcalá. 1676. Prels.)

J. Catalina García, *Tip. complutense,* número 1.226.

1297

[APROBACION]. (En Céspedes, Antonio de. *Sermones varios predicados en el Reyno del Perú.* Madrid. 1677. Prels.)

MADRID. *Nacional.* 3-66.846.

1298

[APROBACION. Madrid, 10 de enero de 1689]. (En Pasqual y Orbaneja, Gabriel. *Vida de San Indalecio y Almería ilustrada...* Almería. 1699. Prels.)

MADRID. *Nacional.* 3-9.297.

1299

[APROBACION. Madrid, 15 de diciembre de 1694]. (En Bernaldo de Quirós, José. *La cithara de Jesús...* Madrid. 1695. Prels.)

MADRID. *Nacional.* R-Varios, 167-22.

1300

[APROBACION]. (En Galiano Espuche, Francisco. *Apología por la controversia dogmática por el espíritu y perfección de la Ley de Gracia...* Madrid. 1696. Prels.)

MADRID. *Nacional.* 2-50.618.

ESTUDIOS

1301

REP: N. Antonio, I, pág. 828; Alvarez y Baena, II, págs. 430-31.

ISIDRO DE SAN JUAN (Fray)

Trinitario descalzo. Ministro del convento de Granada, Provincial de Andalucía, Vicario general (1632-35) y Ministro general de la Orden (1635-41). M. en Valdepeñas (1645).

EDICIONES

1302

CARTA espiritual, y exortatoria, para los religiosos descalços de la Santissima Trinidad, Redempcion de Cautiuos. Escrita por N. P. Ministro General ——. Zaragoza. Pedro Verges. 1637. 103 fols. 14 cm.

—Texto, fechado en Madrid, a 5 de enero de 1637.

MADRID. *Nacional.* 3-41.267.—SEVILLA. *Universitaria.* 86²·º-185.

1303

——. Zaragoza. 1637.

Antonino de la Asunción.

ESTUDIOS

1304

REP: Antonino de la Asunción, I, págs. 494-95.

ISIDRO DE SAN MARTIN (Fray)

N. en Pamplona. Trinitario descalzo. M. en Salamanca (1650).

EDICIONES

1305

CEREMONIAL de los Religiosos Descalzos de la Orden de la Santísima Trinidad, Redención de Cautivos. Madrid. Imp. Real. 8 hs. + 111 + 76 + 63 págs. + 7 hs. 8.º

ESTUDIOS

1306

REP: Antonino de la Asunción, II, págs. 92-93.

ISIDRO DE SAN MIGUEL (Fray)

Franciscano descalzo.

EDICIONES

1307

PARAYSO cvltivado de la mas sen-

zilla prvdencia. Virtudes practicadas en la Inocentissima Vida del V. Siervo de Dios, y portentoso varon Fr. Sebastian de Aparicio, Religioso Lego de la Regular Obseruancia de Nuestro P. S. Francisco, Hijo de la Santa Prouincia de el Santo Euangelio de Mexico. Nápoles. Iuan Vernuccio y Nicolas Layno. 1695. 14 hs. + 156 págs. + 12 hs. 22,5 cm.

—Ded. a la Reyna.—Apr. de Fr. Christoval Athanasio de la Cruz.—L. O.—Solicitud de Apr. por el V., en latin.—Apr. del P. Bartolomé Rodríguez, en latin.—L. V. Solicitud de L.—Envio a Censura.—Apr. de Fr. Iuan del Santissimo Sacramento. Prólogo. Al letor.—Protesta.—Tabla de los capitulos.—E.—Texto.—Tabla de las autoridades de la Sagrada Escritura.— Tabla de las cosas notables.

Toda, *Italia*, II, n.º 2.441.

CORDOBA. *Pública.* 35-63. — MADRID. *Nacional.* 2-67.913.—NUEVA YORK. *Hispanic Society.*—SEVILLA. *Universitaria.* 93-42.

1308

REFLEXOS de la verdad, y centellas de divino amor conque los amorosos rayos de el Sol divino de justicia alumbraron, y encendieron al Sol de la Iglesia S. Augustin, y al contemplativo portento de Penitencia S. Pedro de Alcantara. Sacadas de las Virtudes, y Doctrina de uno, y otro, para comun utilidad. Nápoles. Felice Mosca. 1698. 10 hs. + 280 págs. 8.º

Gallardo, IV, n.º 3.809; Toda, *Italia*, II, n.º 2.442.

1309

S. Miguel Archangel, Defensor de los fieles. Compendio de sus favores, y breve noticia de los servicios, conque le han obligado en todos tiempos sus devotos, Principes, y pueblos, y personas en particular. Con breve methodo de Oraciones, y Novenas para implorar su patrocinio, y prevenir sus festividades. Nápoles. Dom.

Ant. Parrino. 1706. 12 hs. + 240 págs. 12.º

Toda, *Italia*, II, n.º 2.443.

Aprobaciones

1310

[*APROBACION*]. (En Juan del Santísimo Sacramento, Fray. *Vida de... Vicente de Paul...* Nápoles. 1701. Prels.)

MADRID. *Academia de la Historia.* 3-7-4-7032.

ISLA (FR. ALONSO DE LA)

Franciscano.

EDICIONES

1311

LIBRO llamado Thesoro de virtudes muy vtil ꝛ copioso. Copilado por vn religioso portuguez de la horden d'l serafico padre sant francisco. [Medina del Campo. Pedro de Castro]. [1543, 20 de otubre]. 135 fols. + 13 hs. 4.º

Salvá, II, n.º 3916; Gallardo, IV, n.º 4449; Medina, *Biblioteca hispano-americacna*, I, n.º 119.

CAMBRIDGE, Mass. *Harvard University.* — CHICAGO. *Newberry Library.* — NUEVA YORK. *Hispanic Society.*—PROVIDENCE. *John Carter Brown Library.*

1312

LENGVA de vida, copilada por vn Religioso Portvgves de la Orden del Serafico padre nuestro sant Francisco. [Medina del Campo. Guillermo de Millis]. [1552]. 88 fols. + 8 hs. 8.º

—Pr. al autor, por cinco años, en que consta el nombre del autor.—Prologo.—Texto. Octavas a la Anunciacion de Nuestra Señora.—Tabla de capitulos.—Apr. de Fr. Alonso de Contreras.—Colofón.

Pérez Pastor, *Medina*, n.º 90.

ISLA (FR. ANTONIO DE)

Benedictino.

EDICIONES

1313

[*SONETO*]. (En Montes de Oca, Basilio. *Del Doctissimo Reverendo P. M. Fr. Basilio Ponce de Leon honor de España... Fama Postuma.* Salamanca. 1630. En texto).

MADRID. *Nacional.* R-Varios, 171-38.

OBRAS ATRIBUIDAS

1314

[*A gloria y loor de dios: y para dechado y exemplo de los fieles. Siguese el glorioso martyrio del bienauenturado padre fray Andres de espoleto: frayle de los menores de la orden del serafico padre nuestro sant Francisco. El qual martyrio recibio en la ciudad de Fez por la verdad de nuestra sagrada fe, a nueue dias del mes de Enero del año de M.D.XXXII*]. [Medina del Campo. Pedro de Castro]. [1543, 20 de octubre]. 12 hs. 23 cm. gót.

—Prologo del autor. [La primera parte es del traductor que dice que el autor fue Fray Antonio de Olaue, que la compuso en latin].—Texto.—Epistola del obispo de Mexico al capitulo general, sobre el prouecho que se hazia en las animas por los frayles de sant Francisco.—Otra del Custodio del Santo Euangelio, en la Nueva España, al comisario general de los frayles cismontanos.

——— ——— ———

Reprod. facsímil: s. d. ¿Madrid, c. 1888? MADRID. *Nacional.* R-3.951.—NUEVA YORK. *Hispanic Society.*

ISLA (P. BARTOLOME DE)

N. en Osorno (1530). Maestro en Artes por Alcalá y Sacerdote. Jesuita desde 1563. Rector del Colegio de Madrid (1572-1574). M. en 1576.

EDICIONES

1315

[*APROBACION. Madrid, 19 de octubre de 1573*]. (En Cachaguerra, Monseñor. *Tratado de la Tribulacion. Traduzido por Antonio Florez de Benavides.* Baeza. 1575. Prels.)

Dice «Padre Ysla».

MADRID. *Nacional.* R-5.908.

1316

[*APROBACION. Madrid, 26 de noviembre de 1573*]. (En Juan de Avila. *Libro espiritual que trata de los malos lenguages del Mundo*. Alcalá. 1577. Prels.)

MADRID. *Nacional*. R-25.812.

ISLA (FR. FRANCISCO DE)

EDICIONES

1317

[*APROBACION*]. (En Arce, Juan de. *En los fúnebres obsequios que en su mayor Iglesia consagró a... María Luysa de Borbón la... ciudad de Valladolid...* Valladolid. 1689. Prels.)

MADRAD. *Nacional*. 3-61.847.

1318

[*APROBACION*]. (En Gallardo Sarmiento, Juan. *Oración funebre...* Valladolid. 1696. Prels.)

Alcocer, n.º 1.023.

1319

[*APROBACION de Fr. Francisco Blanco y ——. Valladolid, 13 de septiembre de 1697*]. (En Fonseca y Leyva, Francisco de. *Sermón panegírico de Christo Sacramentado...* s. l. - s. a. Prels.)

ZAMORA. *Pública*. D-11-458.

ISLA (JUAN DE)

Arzobispo de Burgos.

EDICIONES

1320

COPIA de otra carta a vn religioso de Santa Barbara de Madrid por cuya mano le remitió Gabriel de Santa Maria los libros de que aquí se haze mencion. Sevilla. Tomás López de Haro. 1685.

NUEVA YORK. *Hispanic Society*.

ISLA (LAZARO DE LA)

N. en Génova.

EDICIONES

1321

BREVE Tratado del Arte de Artilleria, Geometria, y artificios de fuego. Madrid. Viuda de P. Madrigal. 1595. 12 hs. + 133 fols. (son 96) + 4 hs. 8.º

—T.—E.—Pr. al autor por seis años.—Apr. de Blas de Aguirre (dos).—Ded. a D. Iuan de Acuña Vela, Capitan General de Artillería, precedida de su escudo.—A los lectores.—Seis láminas.—Texto.—Tabla.

Pérez Pastor, *Madrid*, I, n.º 480.

MADRID. *Academia de la Historia*. 2-5-9-2814. *Nacional*. R-2.812.—SAN LORENZO DEL ESCORIAL. *Monasterio*. 14-VI-16.

1322

——. Valladolid. Luis Sánchez. 1603.

MADRID. *Nacional*. R-15.305 (falto de portada e incompleto al principio y al fin).

TRADUCCIONES

1323

BREVE tratado da arte da artelharia & geometria & artificios de fogo. Lisboa. Domingos Carneyro. 1676.

NUEVA YORK. *Hispanic Society*.

ESTUDIOS

1324

REP: N. Antonio, II, págs. 362; Picatoste, págs. 156-157.

ISLA ALVARADO (PEDRO)

Colegial del Mayor de San Ildefonso de la Universidad de Alcalá. Doctor. Canónigo de las catedrales de Osma y Burgos.

EDICIONES

1325

[*APROBACION. Burgos, 18 de abril de 1661*]. (En Jerónima de la Ascensión, Sor. *Exercicios espirituales...* Zaragoza. 1661. Prels.)

MADRID. *Nacional*. 2-1.563.

1326

[*APROBACION. Burgos, 20 de junio de 1665*]. (En Andrés de Santo Anastasio, Fray. *Veneración de sagradas reliquias...* Burgos. 1665. Prels.)

MADRID. *Nacional*. R-Varios, 4-1.

ISOBA (CATALINA DE)

EDICIONES

1327

[*POESIAS*]. (En Felices de Cáceres, Juan Bautista. *El Cavallero de Avila. Por la Santa Madre Teresa de Iesus...* Zaragoza. 1623).

1. *Décima*. (Prels.).
2. *Glossa*. (Págs. 422-24).

MADRID. *Nacional*. R-2.407.

ISOBA (JUAN ANTONIO DE)

Canónigo de la iglesia de los Santos Corporales de Daroca.

EDICIONES

1328

[*AL Autor. Poesía*]. (En Torres, Francisco de. *Consuelo de los devotos de la Inmaculada Concepción de la Virgen Santissima*. Zaragoza. 1620. Prels.)

MADRID. *Nacional*. 3-8.174.

1329

[*SONETO*]. (En Felices de Cáceres, Juan Bautista. *El cavallero de Avila...* Zaragoza. 1623. Prels.)

MADRID. *Nacional*. R-2.407.

ISOLA (JACINTO)

N. en Génova. Ministro de la Inquisición.

EDICIONES

1330

OBRAS... Dalas a la estampa el Dotor Iuan Antonio de la Peña... Madrid. [s. i.]. 1634. Sin fol. 8.º

—A. D. Iacinto Issola mi amigo.—Epigrama de Catalina Henriquez. [«Mirase ufana Italia con el Tasso...»]. — Epigrama de Felipe de Medina. [«Cante o Iacinto, tu sagrada Lyra...»].—Epigrama de Iuan Antonio de la Peña. [«Buele tu fama de uno al otro Polo...»].—Poema latino.—Espinelas de Domingo Gomez. [«Iacinto, si piedra y flor...»]. — Epigrama de Francisco Fernandez. [«De oy mas, o Iacinto generoso...»]. — Epigrama latino de Joannis Melanii de Alarcon.—Poesía de Laura. [«Oy la lengua castellana...»].—Texto.

CAMBRIDGE. *St. Catharine's College*.

1331

[*SONETO*]. (En ELOGIOS *al Palacio Real del Buen Retiro*. Madrid. 1635).

MADRID. *Nacional*. R-6.809.

ESTUDIOS

1332

WILSON, EDWARD. *Las Obras de D. Jacinto Issola, caballero de Génova*. (En LIBRO *Homenaje a Antonio Pérez Gómez*. Tomo II. Cieza. 1978, págs. 275-87).

ISRAEL (MENASSEH BEN)

V. MENASSEH BEN ISRAEL

ISSASI

V. ISASI

ISSASSI

V. ISASI

ISTURIZAGA (FR. JUAN DE

Mercedario. Provincial del Perú. Calificador de la Inquisición.

EDICIONES

1333

RELACION de la real y svmptvosa pompa, con qve el Señor Presidente desta Real Real (sic) *Audiencia de Quito D. Martin de Arriola... y la Señora Presidenta Doña Iosepha de Aramburu su esposa, festejaron al gloriosissimo Patriarca San Ioseph, en el Conuento de nuestra Señora de las Mercedes... Predicando a la fiesta ——... Lima. Luis de Lyra. 1652. 18 hs. + 20 fols. 18 cm.

—Apr. de Fr. Blas de Acosta.—Apr. de Fr.

Pedro de Velasco.—Poesia anonima. [«Ya de la antigua imagen de la muerte...»]. Dezimas del Hermano Francisco Mosquera a la obra. [«Si en ojos, Lector atentos...»]. — A la obra. Dezima del P. Ioseph de Lizarazu. [«En aqueste vergel sabio...»].—Otra. [«Bien puede el momo soñar...»].—Dezimas a la obra de Christoval de Arbildɔ. [«Que Adan hizo la experiencia...»].—A la obra Dezimas por Iuan de Oviedo. [«No es, no, por engrandecer...»]. — Texto. — Ded. a Fr. Ioseph Maldonado, Provincial de N. S. de las Mercedes.

Medina, *Lima*, II, n.º 346.
MADRID. *Nacional.* V.E.-49-6.

1334
SERMON en la pvblicación de la beatificación de la Beata Rosa de Santa María, Patrona del Perú. Madrid. Domingo García. 1670. 8 hs. + 24 fols. 19,5 cm.

Herrero Salgado, n.º 639.
PAMPLONA. *General de la Diputación Foral.* C.ª 66/3.548.

ITA

V. HITA

ITALIANO (FR. BERNARDO)

N. en Garrovillas. Franciscano.

EDICIONES
1335
VIAJE a la Santa Civdad de Ierusalem, verdadera, y̆ nveva descripcion suya de toda la Tierra Santa, y peregrinacion al santo monte Sinay. Napoles. Egidio Longo. 1632. 8 hs. + 512 págs. + 4 hs. 14 cm.

—Ded. al sargento mayor Iuan Zapata de Ribera, Teniente de Maestre de Campo General en el Reyno de Napoles, etc., encabezada por su escudo.—Pr. al autor por diez años.—Apr. de Fr. Micael Auellan.—Apr. de Fr. Domingo Casco.—L. V. de Madrid.—Apr. de Gil Gonzalez de Auila.—L. O.—L. V. de Napoles.—Soneto de Iuan la Porta Cortes. [«Dezir que Fenix sois, fuera bajeza...»].—E.—Texto.—Tabla.
MADRID. *Nacional.* R-11.153 (ex libris de Gayangos).

1336
TRATADO de Constantinopla, y Grandezas del Gran Turco. Nápoles. Otavio Beltran. 1633. 12.º

Heredia, IV, n.º 7121.

ESTUDIOS
1337
REP: N. Antonio, I, pág. 225.

ITURRIOZ (FR. DOMINGO DE)

Franciscano.

EDICIONES
1338
[CENSURA. Méjico, 30 de septiembre de 1645]. (En Letona, Bartolomé de. *Sermón de... Santa Clara...* Méjico. s. a. Al fin).
MADRID. *Nacional.* R-Varios, 3-15.

ITURRIZA (JERONIMO DE)

EDICIONES
1339
CARTA que escrivió... desde Orán a don Anastasio Gerónimo Obispo de Tarantasia. [s. l. - s. i.]. [s. a.]. 4 hs. Fol.

Fechada en Madrid, a 3 de octubre de 1622.
Palau, VII, n.º 122.278.

ITURRIZA (JUAN RAMON DE)

EDICIONES
1340
NACIMIENTO, patria y peregrinaciones de —— y memoria de los archivos y papeleras ordenados por el mismo. (Manuscritos inéditos del historiador vizcaíno existentes en la Casa de Mugártegui, de la Villa de Marquina). Con un informe preliminar por Carmelo de Echegaray. [San Sebastián]. Eusko-Ikaskuntza. Sociedad de Estudios Vascos. [Imp. R. Altuna]. [1920]. 16 págs. 21,5 cm.
MADRID. *Nacional.* V-895-16.

IUSA (JUAN BAUTISTA)

EDICIONES

1341

[*SONETO*]. (En Tárrega, Francisco. *Relación de las fiestas... de Valencia... en la translación de la reliquia de S. Vicente Ferrer.* Valencia. 1600, pág. 257).

MADRID. *Nacional.* R-12.414.

IUSTA

V. YUSTA

IUSTE

V. YUSTE

IVAÑEZ

V. IBAÑEZ

IVARA (SIMON DE)

EDICIONES

1342

[*SONETO*]. (En Aguilar y Prado, Jacinto de. *Compendio histórico...* Pamplona. 1629, fol. 85v).

MADRID. *Nacional.* R-6.561.

IVERT (NICOLAS)

EDICIONES

1343

[*PRESA y redvction de la villa de Monheurt a la obediencia del Christianissimo Rey de Francia Luys XIII. Traduzida de Frances en Castellano por Nicolas Iuert*]. [Barcelona. Esteuan Liberos]. [1622]. 2 hs. con un grab. 20 cm.

Carece de portada.
—Texto.—Colofón.

LISBOA. *Nacional.* Res. 255⁴⁴V.

IUIZIO

V. JUICIO

IUNTA

V. JUNTA

IXAR

V. HIJAR

IZCARA (JOAQUIN)

EDICIONES

1344

[*GEROGLIFICO*]. (En EXEQUIAS *funerales que celebró la... Universidad de Valladolid a... Ysabel de Borbón...* Valladolid. 1645, fol. 77v).

V. *B. L. H.*, IX, n.º 6066 (43).
MADRID. *Nacional.* U-1.464.

IZQUIERDO (AUSIAS)

Valenciano. Librero.

EDICIONES

1345

LUCERO de nuestra salvacion al despedimiento que hizo N. S. Jesucristo de su bendita Madre, pasos muy deuotos y contemplativos, estando en Bethania. Sevilla. Fernando Maldonado. 1582?

Maldonado no comenzó a imprimir hasta 1582, por eso la pongo en este año. (Escudero, n.º 721). No vista por nadie. (Pérez Gómez).

1346

AUTO llamado Luzero de nuestra Saluación. [c. 1595]. 4 hs. con 2 grabados.

Citado en el Catálogo de una subasta de la librería Christie's de Londres. (Pérez Gómez, pág. 501).

1347

[*AUTO llamado luzero de nuestra saluacion, que trata el despedimiento que hizo nuestro Señor Iesu Christo de su bendita madre: estando en Bethania para yr a Hierusalem. En que se contienen passos muy deuotos y razonamientos contemplatiuos,*

*en que podra el Christiano contem-
plar la passion de Christo, y com-
pasion de su bendita madre. Nueua-
mente sacado a luz por ——...*].
[Cuenca. Bartholome Selma]. [1603].
4 hs. a 2 cols. con un grab. 19,2 cm.
Carece de portada.
—Texto. [«—Madre de gran dignidad...»].
MADRID. *Nacional.* R-31.482 (ex libris de
Huth).

1348

*AUTO llamado Luzero de nuestra
Saluacion, que trata del Despedi-
miento que hizo nuestro Señor Iesu-
Christo, de su Bendita Madre, estan-
do en Betania, para ir a Ierusalen,
en que se contienen passos muy de-
uotos, y razonamientos contemplati-
vos de la Passion de Christo, y de su
Bendita Madre.* Sevilla. Bartolomé
Gómez de Pastrana. 1620. Sin fol. 4.º
Gallardo, III, n.º 2.573; Escudero, n.º 1.209;
Pérez Gómez, pág. 502.
SANTANDER. *«Menéndez Pelayo».*

1349

*DESPEDIMIENTO de Nuestro Se-
ñor Jesu-Christo, y de su Madre.
Compuesto por el Dotor Zavallos,
natural de Sevilla.* [Barcelona. Juan
Jolis]. [s. a.]. 4 hs. 4.º
El mismo texto del Auto, con variantes
sin importancia.
Pérez Gómez, pág. 502.
CIEZA. *Particular de D. Antonio Pérez Gó-
mez.*

1350

*AUTO llamado Lucero de nuestra sal-
vación...* [Madrid. Francisco Sanz].
[s. a.].
Cit. por Sancha en 1872, que lo reproduce.
Se atribuye a Inocencio de la Salceda.

1351

*AUTO llamado Lucero de nuestra
salvación... Edición de Justo de Sancha.* (En ROMANCERO y Cancionero sagrado... Madrid. Rivadeneyra. 1855,

págs. 385-88. Biblioteca de Autores
Españoles, 35).

1352

*DESPEDIMIENTO de Christo, y de
su Bendita Madre. Compuesto por
el Doctor Ceballos, natural de Sevilla.* [Madrid. Andrés de Sotos]. [s.
a.]. 4 hs. 4.º
Con cuatro versos añadidos al fin.
Pérez Gómez, pág. 503.
CIEZA. *Particular de D. Antonio Pérez Gómez.*

1353

*DESPEDIMIENTO de Cristo, y de
su Bendita Madre. Compuesto por el
Doctor Zevallos, natural de Sevilla.*
[s. l. - s. i.]. [s. a.]. 4 hs. 4.º
Al fin: «Se hallará en Málaga, en la Im-
prenta y Librería de D. Félix de Casas y
Martínez».
Pérez Gómez, págs. 503-4.
MALAGA. *Municipal.*

1354

*DESPEDIMIENTO de Christo y de
su Bendita Madre. Compuesto por
el Dr. Zavallos, natural de Sevilla.*
[Valencia. Agustín Laborda]. [s. a.].
4 hs. 4.º
Pérez Gómez, pág. 504.
MALAGA. *Municipal.*

1355

*LUCERO de Nuestra Salvación. Auto
religioso por Inocencio de la Salceda, y otras Poesías a la Pasion y
Muerte de Cristo.* [Madrid. s. i.].
[s. a., c. 1915]. Con ilustr. de Alberto Durero. 10 × 7,5 cm. (Colección
Miniatura, 10).
Pérez Gómez, pág. 504.

1356

[*AUTO llamado luzero de nuestra
saluación... Edición d A. Pérez Gómez*]. 1976.
Reproduce la ed. de Cuenca. Selma. 1603.
V. n.º 1347.

1357

HISTORIA, y fundación de nuestra Señora del Puig de Valencia. Valencia. Juan Navarro. 1575. 8.º

Ximeno.

1358

QUADERNO espiritual. Valencia. 1577. 8.º

«Contiene 8 Romances, el primero sobre la Oración de nuestro Señor en el Huerto, y los demás sobre las siete palabras que dixo en la Cruz» (Ximeno).

1359

REPRESENTACION, o Acto Sacramental de un milagro de la Virgen del Rosario. Valencia. Herederos de Juan Navarro. 1589. 8.º

Ximeno.

ESTUDIOS

1360

GILLET, J. E. *The Sources of Izquierdo's «Lucero de nuestra salvación».* (En *Modern Language Notes*, XXXVIII, Baltimore, 1923, págs. 287-90).

1361

PEREZ GOMEZ, ANTONIO. *El Auto llamado «Lucero de nuestra Salvación».* (En HOMENAJE *al Prof. Muñoz Cortés.* Murcia, 1976, págs. 491-506).

Edición (págs. 495-500); Bibliografía (págs. 501-6).

1362

REP: N. Antonio, I, pág. 180; Ximeno, I, pág. 187; La Barrera, págs. 196-97; Martí Grajales, pág. 281.

IZQUIERDO (JUAN)

Maestro. Prior de la iglesia parroquial de Calzadilla.

EDICIONES

1363

[*APROBACION. 26 de agosto de*

1597]. (En Martínez del Villar, Miguel. *Tratado del Patronato, Antigüedades, Gouierno y Varones Ilustres de... Calatayud.* Zaragoza. 1598. Prels.)

MADRID. *Nacional.* 2-62.090.

1364

[*DEZIMAS*]. (En Salcedo Olid, Manuel de. *Panegírico historial de N. S. de la Cabeza de Sierra Morena.* Madrid. 1677. Prels.)

MADRID. *Nacional.* 3-38.459.

IZQUIERDO (MELCHOR)

Bachiller.

EDICIONES

1365

[*SONETO*]. (En Meléndez, Juan, *Tesoros verdaderos de las Yndias...* Roma. 1681. Prels.)

Medina, *Biblioteca hispano-americana*, III, n.º 1.717.

IZQUIERDO (PASCUAL)

Bachiller en Artes.

CODICES

1366

«*El Tagarete. Fabvla antigva dirigida a Lice. Ninfa un tiempo hermosa del mismo Río. Por un Pastor de las riberas del Betis. Agora nuevamente aprovechada de Advertencias, Alegoría i Notas*».

Letra del s. XVII. 94 fols. 195 cm. Perteneció a Gallardo, Sancho Rayón, Jerez de los Caballeros y Huntington.

Rodríguez-Moñino y Brey. II, pág. 259.

NUEVA YORK. *Hispanic Society.*

EDICIONES

1367

PAZ i Concordia entre los Medicos Christianos. En la controversia de los polvos de Milan, con la certeza de ella. [s. l. - s. i.]. [s. a., 1631?]. 21 págs. 19,5 cm.

—Ded. al Dr. Pedro de Covarrubias i Guevara, Medico insigne de... Sevilla.—Texto. [Acaba: «De mi cama, que es mi estudio, i mi estufa a la ora sesta del día en las Kalendas de Enero, entrante el año de nuestra Reparación XXXI».
CORDOBA. *Pública.* 2-60.

IZQUIERDO (P. SEBASTIAN)

N. en Alcaraz (1601). Jesuita desde 1623. Rector de los Colegios de Murcia y Alcalá. Asistente de España. M. en Roma (1681).

EDICIONES

1368

CONSIDERACIONES de los quatro Nouissimos del Hombre. Mverte, Ivicio, Infierno, y Gloria. Roma. Por el Varese. 1672. 551 págs. 12,2 × 6,5 cm.
—Licencias.—Al christiano letor.—Texto.
MADRID. *Nacional.* 3-61.728.

1369

MEDIOS necessarios para la salvación. Roma. El Varese. 1674. 573 págs. 13 cm.
—L. O.—L. V.—Prólogo al lector.—Texto.
MADRID. *Nacional.* 3-40.850.—SEVILLA. *Colombia.* 74-1-15.

1370

————. Sevilla. Impr. de las Siete Revueltas. 1738. 4 hs. + 325 págs. + 1 h. 8.º
Escudero, n.º 2.251.

1371

PRACTICA de los Exercicios Espirituales de Nuestro Padre San Ignacio... Roma. Varese. 1665. 24 hs. 8.º
Ref. a Uriarte (Toda, *Italia,* II, n.º 2.465).

1372

PRACTICA de los Exercicios Espirituales de N. Padre S. Ignacio. Roma. Por el Varese. 1675. 120 págs. orladas con grabados. 17,5 cm.
—Advertencias a cerca destos Exercicios. Advertencias a cerca de la Oracion mental, o Meditacion.—Texto.—L.

Toda, *Italia,* II, n.º 2.466-67. (Describe dos variantes).
MADRID. *Nacional.* 3-57.188.—MONTPELLIER. *Municipale.* 1701. — MONSERRAT. *Monasterio.* D. XIX.12.1407.—SEVILLA. *Universitaria.* 78-190.

1373

PRACTICA de los exercicios espiritvales de N. Padre S. Ignacio. Puebla. Diego Fernández de León. 1685. 68 hs. 13,5 cm.
—L. del Obispo de Puebla.—Texto.
Medina, *Puebla,* n.º 91.
BOSTON. *Public Library.* — WASHINGTON. *Congreso.* 5-30962.

— — —

—Méjico. 1690.
—Valencia. 1700.
—Méjico. 1709.
—Roma. 1724.
—Madrid. 1728.
—Méjico. Imp. Nueva de la Bibliotheca Mexicana. 1756. 81 págs. 16 cm.
BERKELEY. *University of California. Bancroft.*
NEW HAVEN. *Yale University.*
—Zaragoza. Moreno. 1757. 274 págs.
MONSERRAT. *Monasterio.* D.XIX.12.1326.
—Valencia. 1760.
—Madrid. Viuda de M. Fernández. 1763. 272 págs. con 2 grabs. 18 cm.
MADRID. *Facultad de Filosofía y Letras.—Nacional.* 2-24.245.
—Méjico. 1782.
—Sevilla. Diego López de Han. [s. a.]. 177 págs. + 1 h. 12,3 cm.
MADRID. *Nacional.* 2-26.630.
—Méjico. 1808.
—Méjico. 1838.

1374

REFLEXIONES Santas ó Maximas Grandes de la vida espiritual. Para todos los meses del Año. Escritas en la Lengua Francesa por el P. Iuan de Bussiere de la Compañia de IHS. Y en la Lengua Española por ————... Roma. Varese. 1676. 336 págs. + 1 h. 12,3 cm.
—L. O.—Texto.—Indice.
MADRID. *Nacional.* 2-12.155.

1375

————. Sevilla. Manuel de la Puerta. 1732. 236 págs. 16.º
Escudero, n.º 2.188.

1376

REFLEXIONES Santas, o Máximas grandes de la vida espiritual para todos los meses del año; Escritas en la lengua francesa por el P. Juan de Busiere, de la extinguida Compañia de Jesus y traducidas por el ——... *en el año de 1732.* Madrid. Benito Cano. 1790. 288 págs. 13,5 × 7 cm.

—Texto.—Indice.
MADRID. *Nacional.* 3-60.812.

1377

DIOS solo o Congregacion de los intereses de Dios solo. Escrito en lengua francesa por... Henrico Maria Boudon. Y en la lengua Española por el ——... Roma. Varese. 1676. 234 págs. + 2 hs. 12,5 cm.

—L. O.—Texto.—Indice.
SEVILLA. *Colombina.* 87-1-22 (det.).

1378

——. Pamplona. 1731.

Backer-Sommervogel.

1379

DIOS solo, o Congregacion para los intereses de Dios solo, escrito en la lengua Francesa por el Doctor Henrico Maria Boudon; y en la Española por el ——... Madrid. Francisco Xavier García. 1762. 4 hs. + 136 págs. 15 cm.

MADRID. *Nacional.* 3-65.357.

1380

——. Barcelona. 1764.

Backer-Sommervogel.

1381

——. Madrid. 1788.

Backer-Sommervogel.

1382

FILOSOFIA del verdadero Christiano, intitulada, Piensalo bien. Contiene vn modo facil, breue, y seguro para saluarse. Tradvcido del idioma Frances, en el Castellano por vn Padre de la Compañía de Iesus. Madrid. Bernardo de Villa-Diego. A costa de Florian Anisson. 1681. 7 hs. + 206 págs. 10 cm.

—Apr. del P. Ioan de Cardenas.—L. V. de Sevilla (1681).—Censura de Francisco Fernández de Miñano.—Pr. a Florian Anisson, libreros por diez años. («Se nos hizo relacion... que aunque se avia impreso una vez en Seuilla, avia sido tanto el gasto que no avia quedado ninguno .).. E.—S. T.—Texto.—Pág. 203: *Soneto que compuso... San Francisco Xavier, a Christo Crucificado... Refierelo el Señor Obispo Caramuel en sus Conceptos Euangelicos, núm. 611.* [«No me mueue, Señor, para quererte...»].—Pág. 206: [«Sirue, a Dios, saluarte has...»].
MADRID. *Nacional.* 3-76.963.

——— ——— ———

Hay numerosas ediciones.

1383

[MEMORIAL a la Reina]. [s. l.-s. i.]. [s. a.]. 4 hs. 31,5 cm.

Carece de portada.
—Texto. Comienza: «Señora. = Sebastian Izquierdo, Asistente en Roma a Iuan Paulo Oliua General de la Compañia de Iesvs por las Provincias de España, y Indias Occidentales, se pone a los pies de V. Magestad en nombre de su Religion obligado de su oficio, y pretendiendo corresponder, y satisfacer al Real, y Catolico zelo, con que V. Magestad desea, y solicita la conversion de los innumerables Indios...».
MADRID. *Nacional.* V.E.-218-13.

1384

PROPONESE la gravissima obligacion, que la Magestad Catolica del Rey de España, y su Real Consejo de Indias parece que tienen de embiar los mayores numeros de operarios de la Compañia de Jesus, que fuere posible, a las Indias occidentales, para que se empleen en las missiones de sus Indios. Y consiguientemente de dar passo totalmente franco... a todos los sugetos estrangeros de la misma Compañia,

que puedan ir a dichas Indias... [s.
l. - s. i.]. [s. a.]. 8 fols. 30 cm.
«¿Madrid, 1732?».
«El P. ——, assistente en Roma por las
provincias de España, mandó al Procurador general de Indias en esta Corte, en
año de 1673, dar a la estampa este papel».
NUEVA YORK. *Public Library.*—ST. LOUIS, Miss.
St. Louis University.

Aprobaciones
1385
*[APROBACION. Murcia, 29 de julio
de 1647].* (En Boxados y de Llull, Alejo de. *Motetes celestiales...* Murcia.
1650. Prels.)
MADRID. *Nacional.* 3-11.206.

OBRAS LATINAS
1386
PHARUS scientiarum... Lugduni.
1654.
LYON. *Municipale.* 22.519.

1387
*PHARUS scientiarum ubi quidquid
ad cognitionem humanam humani-
tus acquisibilem pertinet, ubertim
justa atque succincte pertractatur...*
Lugduni. Sumpt. C. Bourgeat M.
Liétard. 1659. 2 tomos en 1 vol. Fol.
GENOVA. *Universitaria.* 3.M.IX.25.—LYON. *Municipale.* 22.518. — PARIS. *Nationale.* R.942-
943; Z.2013.—SANTIAGO DE COMPOSTELA. *Universitaria.*

1388
OPUS Theologicum. Roma. Typ. Va-
resiana. 1664-70. 2 vols. 34 cm.
Toda, *Italia,* II, n.° 2.464.
GENOVA. *Universitaria.* 1.D.VII.20/30.—LYON.
Municipale. 21.020.—SANTIAGO DE COMPOSTELA.
Universitaria. [El I].

1389
*PRAXIS exercitiorum spiritualium
P. N. S. Ignatii.* Roma. Typis Vale-
rii. 1678. 120 págs. 16.º
BARI. *Nazionale.* 170-B-15.

1390
*PRAXIS exercitiorum spiritualium
P. N. Ignatii.* Viena. L. Voigt. 1688.
130 págs. 12.º
PARIS. *Nationale.* D.88014.

TRADUCCIONES

a) Francesas
1391
*PRATIQUE des exercices spirituels
de S. Ignace, ou Retraite de huit
jours pour toute sorte de personnes... Traduite en françois [par J.
Drouet].* Paris. L. Guérin. 1711. XXII
+ 159 págs. 12.º
PARIS. *Nationale.* D.39163; Rés. D.39164.

b) Italianas
1392
*CONSIDERATIONI de' quattro No-
vissimi dell'Huomo...* Roma. Il Varese. 1673. 571 págs. 13 cm.
MADRID. *Facultad de Filosofía y Letras.*
8553.

1393
*PRATICA di alcuni Esercitii Spiri-
tuali S. Ignatio.* Milán. Agnelli. [s. a.,
1657?]. 79 págs. 16,5 cm.
GENOVA. *Universitaria.* 1.22.I.33.

1394
*PRATICA di alcuni esercitij spiri-
tuali di S. Ignatio.* Roma. Varese.
1686. 17 cm.
LATROBE, Penn. *Saint Vincent College and
Archabbey.*

IZQUIERDO (VICENTE)
EDICIONES
1395
[TERCETOS]. (En Díez de Aux,
Luis. *Compendio de las fiestas que
ha celebrado... Caragoça...* Zaragoza. 1619, págs. 192-94).
MADRID. *Nacional.* R-4.908.

IZQUIERDO Y AZNAR (JUAN)

N. en Velilla (1562). Doctor. Catedrático de Vísperas de Cánones en la Universidad de Lérida. Capellán real. Canónigo de la Metropolitana de Zaragoza, Vicario General de su arzobispado y Canceller de Competencias en Aragón. M. en Zaragoza (1625).

EDICIONES

1396

ESTILO y modo de proceder en el Consistorio Eclesiástico, y Metropolitano de la Ciudad de Çaragoça, en los Processos mas ordinarios que por él se lleuan... Zaragoza. Juan de Lanaja y Quartanet. 1619. 1 fol. + 40 págs. 20 cm.

Jiménez Catalán, Tip. zaragozana del siglo XVII, n.º 187.

ZARAGOZA. Universitaria.

ESTUDIOS

1397

REP: Latassa, 2.ª ed., II, págs. 49-50.

IZQUIERDO DE LAS ERAS (MELCHOR)

Bachiller.

EDICIONES

1398

[POESIAS]. (En Meléndez, Juan. Tesoros verdaderos de las Yndias en la Historia de la Gran Prouincia de San Ivan Bavtista del Perv, de el Orden de Predicadores. Roma. 1681-82. Prels.)

1. Tomo I: Soneto. Al libro.
2. Tomo III: Soneto. Al libro.

MADRID. Nacional. R-3419/21.

IZQUIERDO FLORES Y HERMOSILLA (JULIAN)

EDICIONES

1399

HISTORIA de las revoluciones de Vngría. Tomo III. Madrid. Julián de Paredes. 1689.

—Ded. a D. Juan Manuel Diego López de Zúñiga, duque de Bejar, etc., precedida de su escudo, por ——.—Apr. de Antonio Ortiz de Zuñiga.—L. O.—Apr. de Dionisio de Paredes.—Pr. al traductor por diez años.—E.—T.—Prólogo al lector.—Texto.

GRANADA. Universitaria. A-35-242. — MADRID. Nacional. 5-4.443.—SANTIAGO DE COMPOSTELA. Universitaria.

IZQUIERDO DE PIÑA (JUAN)

V. PIÑA (JUAN DE)

IZQUIERDO RECALDE (JOSE)

EDICIONES

1400

[AL Autor. Soneto]. (En Muñoz y Peralta, Juan. Escrutinio phisico medico... Sevilla. 1669. Prels.)

MADRID. Nacional. 3-44.872.

J. B. E.

CODICES

1401

[Poesías, por D. J. B. E.].

Letra del s. XVII. 315 × 215 mm.

1. A la Reina N. S. en la muerte del Rey Don Felipe IV. [«Eclipsase la luz, llorad, señora...»]. (Fol. 244).
2. Afectos de una lealtad dolorosa en la muerte del Rey N. S. Don Felipe IV. Soneto. [«Yaçe la magestad la pompa yaçe...»]. (Fol. 245).

MADRID. Nacional. Mss. 2392.

JABALQUINTO (MARQUES DE)

V. BENAVIDES (JUAN ALONSO FRANCISCO DE)

JACA (FR. ANGEL VALENTIN DE)

Cisterciense. Catedrático de Vísperas de Teología en la Universidad de Lérida.

EDICIONES

1402

[CENSURA. Zaragoza, 6 de abril de 1661]. (En Zapater, Miguel Ramón. Cister militante... Zaragoza. 1662. Prels.)

MADRID. Nacional. 3-9.106.

JACA Y BRUÑON (JOSE DE)

EDICIONES

1403

[*ROMANCE al Autor*]. (En Arrieta Arandia, Juan Antonio de. *Resumen de la verdadera destreza...* Pamplona. 1688. Prels.)

MADRID. *Nacional.* R-5.117.

«JACARA...»

EDICIONES

1404

IACARA a vn suceso notable que acontecio en el Piru. Dedicase a quantos la leyeren, o escucharen: Escrivela vn poeta que anochecio en este mundo, y amanecio en el otro. Imprimese en prensas de Indias, y coraçones de España. Pvblicase porque ninguno la ignore, y la sepan todos. [s. l. - s. i.]. [s. a.]. 3 hs. a 2 cols. 19 cm.

—Texto. [«Aqui de las Mussas musa...»].
MADRID. *Nacional.* V.E.-119-74

1405

XACARA al rendimiento de Perpiñan, y Pactos dados al Señor Marques de Flores de Auila Gouernador en él. Barcelona. Jayme Mathevat. 1642. 4 fols. 4.º

Palau, XXVIII, n.º 376.644.

1406

[*XACARA aora nvevamente compvesta; sv motivo fve por el nuevo sucesso de auer salido de la Villa de Madrid el Regimiento de la Guardia de su Magestad, que Dios guarde, a veinte y dos de Enero de mil y seiscientos y setenta y siete*]. [s. l. - s. i.]. [s. a.]. 2 hs. 19,5 cm.

—Texto. [«Presteme silencio el mundo...»].
MADRID. *Nacional.* V.E.-114-8.

1407

———. [*Edición de José Simón*

Díaz]. (En *Anales del Instituto de Estudios Madrileños,* VI, Madrid, págs. 559-63).

1408

[*XACARA en metaforas del pecado de Adan, y Eva.* [s. l. - s. i.]. [s. a.]. 2 hs. 20,5 cm.

Carece de portada.
—Texto. [«En el principio del Mundo...»].
MADRID. *Nacional.* V.E.-113-42 y 155-21.

1409

XACARA nueva; en que se da cuenta de la mayor atrocidad e inhumano delito, lastimosa, y rigurosa muerte, que ha padecido en el Rio del monte, Diego Terán, natural de la Villa de Solana, en poder de seis Vandoleros, que le robaron. Dase cuenta, como le amarraron á vn arbol, y le cortaron viuo todo su cuerpo a pedaços; horas que vivió, por devocion de Nuestra Señora del Rosario, hasta que le confessaron: prision, y castigo de los ladrones; desesperacion de vno, nombres, y oficios dellos. Sucedido á 26 de Mayo y 11 de Junio de 1678. [s. l. - s. i.]. [s. a.]. 2 hs. a 2 cols. 20 cm.

—Texto. [«Suspende su curso aquel...»].
MADRID. *Nacional.* V.E.-114-18.

1410

XACARA nueva, en que se refiere un lastimoso caso que sucedió a una donzella de la ciudad de Truxillo. Barcelona. Juan Jolis. [s. a.].

¿c. 1700?
NUEVA YORK. *Hispanic Society.*

JACINTO

Licenciado.

EDICIONES

1411

[*ROMANCE*]. (En Mendoza, Manuel. *Fiestas que el convento de Ntra. Sra. del Carmen de Valencia hizo a... Sta.*

Teresa Jesus... Valencia. 1622, págs. 105-110).

MADRID. *Nacional.* R-12.949.

JACINTO DE LA ASUNCION
(Fray)

EDICIONES
1412
[*SERMON*]. (En FESTIVO *aparato, con que la Provincia Mexicana de la Compañia de Jesús celebró... a S. Francisco de Borja...* Méjico. 1672, fols. 109-30).

Medina, *México,* II, n.º 1.061.

JACINTO DE LA MADRE
DE DIOS (Fray)

Lector de Teología.

EDICIONES
1413
[*APROBACION. Madrid, 12 de febrero de 1656*]. (En Luis de San Agustín, Fray. *Sermón de la Inmaculada Concepción de la Virgen...* Madrid. 1656. Prels.)

SEVILLA. *Universitaria.* 111-1 (5).

JACINTO DE SAN ANDRES
(Fray)

Jerónimo.

EDICIONES
1414
[*SONETO. Al segundo tomo de la obra*]. (En Meléndez, Juan. *Tesoros verdaderos de las Yndias en la Historia de la gran Prouincia de San Ivan Bavtista del Perv, de el Orden de Predicadores.* Tomo II. Roma. 1681-82. Prels.)

MADRID. *Nacional.* R-3.420.

JACINTO DE SAN FRANCISCO
(Fray)

V. FUNES DE VILLALPANDO
(FRANCISCO JACINTO)

JACINTO DE SAN JULIAN
(Fray)

EDICIONES
1415
SERMON que predicó... en fiestas de azimiento de gracias... por el nacimiento de... Don Felipe Quinto, Príncipe de las Españas... Gerona. Gerónimo Palol. 1658. Sign. A$_4$ + 2 hs. 20,5 cm.

BARCELONA. *Convento de Capuchinos, de Card. Vives y Tutó, 23.* 4-4-1. *Universitaria.* B.55-4-4.

JACINTO DE SAN MIGUEL
(Fray)

Predicador general y Prior del convento de Santo Domingo de Antequera.

EDICIONES
1416
[*CENSURA*]. (En Castro y Aguila, Tomás. *Remedios espirituales y temporales para preservar la república de peste...* Antequera. 1649. Prels.)

CORDOBA. *Pública.* 2-59.

JACINTO DE SEVILLA
(Fray)

Colegial del Mayor de San Ildefonso en Alcalá. Catedrático de Vísperas de Cánones en su Universidad.

EDICIONES
1417
[*CENSURA. Alcalá, 23 febrero 1638*]. (En González Barroso, Agustín. *Memorial en defensa del Hábito que debe traer la Sagrada Religión Premonstratense.* Barcelona. s. a. Al fin).

MADRID. *Nacional.* R-Varios, 134-36.

JACOB JUDAM ARYEH

EDICIONES
1418
TRATADO de la Arca del Testamento. Amsterdam. Nicolas Ravesteyn. 5413 [1653]. 4.º

LONDRES. *British Museum.* 482.b.57.

1419

TRATADO de los cherubim. Amsterdam. Nicolas Ravesteyn. 5414 [1654]. 4.º

LONDRES. *British Museum.* 482.b.56.

1420

RETRATO del tabernaculo de Moseh. Amsterdam. Gillis Joosten. 5415 [1654]. 4.º

LONDRES. *British Museum.* 482.b.55.

JACOBO DE JESUS (Fray)

Dominico. Provincial de Armenia alta.

EDICIONES

1421

COPIA de vna carta qve ——, Provincial de la Armenia la Alta, escriviò a la ciudad de Napoles, al M. R. P. M. Fr. Carlos de San Buenauentura, Prouincial de la Prouincia Napolitana: en que le dà cuenta de las cosas prodigiosas, que han sucedido en aquellos Reynos y el estado que tiene la Fé Catolica en ellos. Madrid. Gregorio Rodriguez. 1653. 2 hs. 20 cm.

MADRID. *Nacional.* R-Varios, 166-42.

1422

——. Sevilla. Iuan Gómez de Blas. [1653]. 2 hs. 18 cm.

GRANADA. *Universitaria.* A-31-264 (6).—MADRID. *Nacional.* V-56-96.—SEVILLA. *Colombina.* 63-2-36.

1423

——. [s. l. - s. i.]. [s. a., 1678]. 2 hs. Fol.

SEVILLA. *Universitaria.* 112-111 (49).

JACOBO DE SAN FELIPE (Fray)

Mercedario.

EDICIONES

1424

[JUICIO. Villa de Rota, 26 de mayo de 1688]. (En Jerónimo de la Concepción, Fray. *Emporio de el Orbe, Cádiz ilustrada...* Amsterdam. 1690. Prels.)

MADRID. *Nacional.* 1-22.940.

JAEN (Licenciado)

EDICIONES

1425

[POESIAS]. (En *Las fiestas con que la Universidad de Alcalá de Henares alçó los pendones por el Rey don Philipe...* Alcalá. 1556).

JAEN Y DE ORGAZ (DIEGO DE)

Licenciado.

EDICIONES

1426

[DECIMA]. (En Alonso de Maluenda, Jacinto. *Cozquilla del gusto.* Valencia. 1629. Prels.)

MADRID. *Nacional.* R-12.522.

1427

[SONETO]. (En Alonso de Maluenda, Jacinto. *Bureo de las Musas del Turia.* Valencia. 1631. Prels.)

MADRID. *Nacional.* R-4.622.

JAIME (FR. AGUSTIN)

Agustino.

EDICIONES

1428

LAURO Tarraconense. Sermón que predicó (En la fiesta que celebra la Metropolitana Iglesia de Tarragona Primada de las Españas, a la translación del Braço de la Prothomartyr de las Virgenes Santa Thecla su Patrona...). Barcelona. J. Suriá. 1695. 2 hs. + 28 págs., 12 cm.

BARCELONA. *Central.* F. Bon. 2766.—GERONA. *Pública.* A-6040.

JAIME (FRANCISCO)

EDICIONES

1429

[*OCTAVAS*]. (En Dalmau, José. *Relación de la solemnidad con que se han celebrado en... Barcelona, las fiestas a la Beatificación de la Madre S. Teresa de Iesus...* Barcelona. 1615, fols. 33*r*-34*r*).

MADRID. *Nacional.* 2-46.379.

JAIME ALBERTO (P.)

Jesuita.

EDICIONES

1430

CARTA del —— avisando el feliz tránsito del P. José de Calatayud... 1636. Zaragoza. 1637.

GRANADA. *Universitaria.* A-31-244 (10).

1431

[*SONETO*]. (En Díez de Aux, Luis. *Compendio de las fiestas que ha celebrado... Çaragoça...* Zaragoza. 1619, pág. 181).

MADRID. *Nacional.* R-4.908.

OBRAS LATINAS

1432

[*EPIGRAMA*]. (En Diego de San José, Fray. *Compendio de las solenes fiestas... en la Beatificación de N. B. M. Teresa de Jesús...* Madrid. 1615. 2.ª parte, fol. 227).

MADRID. *Nacional.* R-461.

1433

[*APROBACION. Huesca, 15 de julio de 1631*]. (En Navarro, Gaspar. *Tribunal de superstición ladina.* Huesca. 1631. Prels.)

MADRID. *Nacional.* U-5.964.

JAIME DE ALCALA (Fray)

V. ALCALA (FRAY JAIME DE)

[*B. L. H.*, V, 2.ª ed., págs. 47-48, 636 y 794]

JAIME DE CORELLA (Fray)

N. en Corella (1657). Capuchino desde 1675. Predicador real. Provincial de Navarra y Cantabria (1693). M. en Los Arcos (1699).

EDICIONES

1434

PRACTICA del Confessionario. Y explicacion de las 65 Proposiciones condenadas por la Santidad de N. S. P. Inocencio XI. Sv Materia. Los Casos mas selectos de la Theologia Moral. Sv Forma. Dialogo entre el Confessor, y Penitente. Pamplona. Juan Micon. 1686. 22 hs. + 348 págs. + 1 h. 4.º

—Grab.—Ded. a la pureza immaculada de la Concepcion gloriosa de la Reyna de los Angeles María S. Nuestra.—Apr. de Fr. Juan Bautista de Vergara y Fr. Miguel de Santo Domingo.—L. O.—Apr. de Fr. Marcos Gonzalez.—L. V.—Apr. de Fr. José de Falces.—Pr. al autor por diez años.—Censura de Fr. Miguel de Lecueder.—Indice de tratados y capitulos.—Proposiciones condenadas. — Al lector. — Lamentación contra la omisión y poco celo de algunos confesores.—Preámbulo para la inteligencia y modo de practicar este diálogo.—Texto.—Apéndice de casos reservados por algunos Obispados.—Indice de las cosas más notables.—E.

Pérez Goyena, II, n.º 751.

PAMPLONA. *General de la Diputación Foral.* 109-5-3/70; etc.

1435

——. 2.ª impression corregida y añadida por su Autor. Pamplona. Juan Micon. 1687. 24 hs. + 362 págs. 4.º

Los mismos prels. de la ed. de 1686, más una Apr. de las adiciones por Fr. Manuel de Corella.

Pérez Goyena, II, n.º 759.

BARCELONA. *Convento de Capuchinos de la calle del Card. Vives y Tutó,* 23. 3-5-1. — PAMPLONA. *General de la Diputación Foral.* 109-1-2/85.

1436

——. Zaragoza. D. Gascón. 1688.

BARCELONA. *Convento de Capuchinos de Car-*

denal *Vives y Tutó, 23.* 3-5-2. — PAMPLONA. *General de la Diputación Foral.* F.109-1-2/32.

1437

———. Burgos. Herederos de S. de Viar. 1689. 28 hs. + 375 págs. + 12 hs. 21 cm.

BARCELONA. *Convento de Capuchinos de Cardenal Vives y Tutó, 23.* 3-5-3. — PAMPLONA. *General de la Diputación Foral.* 109-3-1/102.

1438

———. Barcelona. Rafael Figueró. 1690. 24 hs. + 346 págs. 4.º

BARCELONA. *Convento de Capuchinos de Cardenal Vives y Tutó, 23.* 3-5-3. *Universitaria.*

1439

PRACTICA de el Confessonario... Segunda parte. Pamplona, Domingo de Berdala. A costa de Juan de Ayerbe y Arbizu. 1689. 15 hs. + 532 págs. a 2 cols. 4.º

—Ded. a la Virgen, con grab.—Apr. de Fr. Bernardo de Pamplona.—Apr. de Fr. José de Viana.—L. O.—Apr. de Fr. Juan de Lodosa.—L. V.—Apr. de Fr. Marcos González.—E.—L. y Pr. por diez años.—Indice de tratados y capitulos.—Peroracion deprecatoria en que se exhorta a los sacerdotes al celo por la salvacion de las almas.—Preambulo.—Texto.

Pérez Goyena, II, n.º 784.

BARCELONA. *Convento de Capuchinos de la calle del Card. Vives y Tutó, 23.* 3-5-7.—PAMPLONA. *General de la Diputación Foral.* 109-1-1/10.

— — —

Otras ediciones:

—8.ª ed. Madrid. Impr. Real, por Mateo de Llanos. 1690. 2 vols. Fol.

BARCELONA. *Convento de Capuchinos de Cardenal Vives y Tutó, 23.* 1-6-8.—CORDOBA. *Pública.* 1-152.—MADRID. *Nacional* 2-22.557; 2-40.842.—PAMPLONA. *General de la Diputación Foral.* F.109-13-5/115.

—Barcelona. 1690.

BARCELONA. *Convento de Capuchinos de Cardenal Vives y Tutó.* 3-5-5; 3-5-6.

—Madrid. Antonio Román. 1692. 20 hs. + 493 págs. 29 cm.

BARCELONA. *Convento de Capuchinos de Cardenal Vives y Tutó, 23.* 1-6-9; 1-6-10.—COR-

DOBA. *Pública.* 4-30. — MADRID. *Nacional.* R-24.230.—PAMPLONA. *General de la Diputación Foral.* F.109-13-5/159.

—13.ª ed. Madrid. 1695 [la 2.ª parte, 1694]. 2 vols.

BARCELONA. *Convento de Capuchinos de Cardenal Vives y Tutó, 23.* 1-6-10; 1-6-13.—MADRID. *Nacional.* 3-57.617. — SAN LORENZO DEL ESCORIAL. *Monasterio.* 67-IX-14.

—Barcelona. 1695.

BARCELONA. *Convento de Capuchinos de Cardenal Vives y Tutó, 23.* 1-6-12.—GERONA. *Pública.* A-6.673. — MADRID. *Nacional.* R-24.052.

—Madrid. 1696. 2 vols.

MADRID. *Nacional.* 3-55.937.

—18.ª ed. Madrid. 1698 [la 2.ª parte, 1697]. 2 vols.

BARCELONA. *Convento de Capuchinos de Cardenal Vives y Tutó, 23.* 1-6-4.—MADRID. *Nacional.* 3-55.949; 3-52.562. — SAN LORENZO DEL ESCORIAL. *Monasterio.* 91-IX-6.

—Zaragoza. Martínez. 1701.

PAMPLONA. *General de la Diputación Foral.* 109-2-2/128.

—20.ª ed. Madrid. Gerónimo de Estrada. 1701-4. 2 vols.

MADRID. *Nacional.* 3-68.748; 2-1.353; etc.

—Madrid. 1715.

SEVILLA. *Colombina.* 94-6-11.

—21.ª ed. Madrid. Manuel Román. 1717.

MADRID. *Nacional.* 1-27.534; etc.

—24.º ed. Madrid. 1734.

MADRID. *Nacional.* 3-56.405; 3-67.127.

—25.ª ed. Madrid. Herederos de Juan García Infanzón. 1743. 18 hs. + 493 págs. 30 cm.

MADRID. *Nacional.* 2-40.848; 3-56.404.—PAMPLONA. *General de la Diputación Foral.* F.109-2-7/47.

—26.ª ed. Madrid. 1751 [la 2.ª parte, 1743].

MADRID. *Nacional.* 3-55.485.

—27.ª ed. Madrid. 1757. 2 vols.

MADRID. *Nacional.* 3-56.657.

—28.ª ed. Madrid. 1767. 2 vols.

MADRID. *Nacional.* 3-53.204.

—Madrid. J. Ibarra. 1767.

MADRID. *Nacional.* 3-59.456.

1440

SUMA de la Theologia moral. Pamplona. Martín Gregorio de Zabala. 1687. 14 hs. + 527 págs. 4.º

Pérez Goyena, II, n.º 760.

BARCELONA. *Convento de Capuchinos de Cardenal Vives y Tutó, 23.* 3-5-10. — PAMPLONA. *General de la Diputación Foral.* F.38-1/71.

1441

————. Barcelona. 1690.

BARCELONA. *Convento de Capuchinos de Cardenal Vives y Tutó, 23.* 3-5-11.

1442

————. Valencia. 1690.

BARCELONA. *Convento de Capuchinos de Cardenal Vives y Tutó, 23.* 3-5-12.

— — —

Otras ediciones:

—Valencia. 1691.
MADRID. *Nacional.* 6.i.-3.497 [la Primera parte].—SEVILLA. *Colombina.* 19-4-42/43.
—Zaragoza. Magallón. 1693.
BARCELONA. *Convento de Capuchinos de Cardenal Vives y Tutó, 23.* 3-5-15. — PAMPLONA. *General de la Diputación Foral.* F.109-2-2/83.
—Barcelona. 1693.
BARCELONA. *Convento de Capuchinos de Cardenal Vives y Tutó, 23.* 3-5-14.
—Valencia. 1693. 2 vols.
MADRID. *Nacional.* 5-10.778.
—Madrid. Antonio Román. 1693.
MADRID. *Nacional.* 5-5.145; 6.i.-3.378.
—5.ª ed. Madrid. Bernardo de Villa-Diego. 1694. 18 hs. + 452 págs. + 22 hs« 30 cm.
PAMPLONA. *General de la Diputación Foral.* D.109-3-5/15. — SANTIAGO DE COMPOSTELA. *Universitaria.*
—Barcelona 1694.
BARCELONA. *Convento de Capuchinos de General Vives y Tutó, 23.* 3-5-13.
—Madrid. 1697-1723. 6 partes en 5 vols.
BARCELONA. *Convento de Capuchinos de Cardenal Vives y Tutó, 23.* 2-6-9.—MADRID. *Nacional.* 3-68.741/45.
—Zaragoza. Gaspar Thomas Martínez. A costa de Mathias de Lezaun. 1697. 12 hs. + 400 págs. 20 cm. [Primera parte].
Jiménez Catalán, *Tip. zaragozana del siglo XVII,* n.º 1.248.
ZARAGOZA. *Seminario de San Carlos.*
—Coimbra. 1697.
COIMBRA. *Universitaria.* R-22-5.
Etc.

1443

LLAVE del Cielo por la General Confesión y Santa Conversación. Pamplona. Antonio Zabala. 1694.

No existe. Cita errónea dada en Bolonia, *Biblioteca Scriptorum Ordinis FF. Minorum Capuccinorum,* Venecia, 1747, pág. 128. (Pérez Goyena, II, n.º 839).

1444

LLAVE del Cielo, con que se abren las Puertas de la Gloria a los Pecadores. Impression septima. Zaragoza. Pedro Carreras. [s. a.]. 236 págs.

—Nota sobre indulgencia concedida a los lectores.—Ded. a Ntra. Sra. del Pilar.— Apr. de Fr. Miguel de Belmonte (1691). L. V.—L. O. (1685).—Al lector.—Texto.
MADRID. *Nacional.* 3-62.257.

1445

SERMON que en la festividad de la aparición de la Santa Imagen de Nuestra Señora de Araceli, en la Ciudad de Corella, predicó... ————... Pamplona. Lázaro González de Asarta y Guillermo Francisco. 1695. 4 hs. + 23 págs. 4.º

—Ded. a D. Baltasar de Zúñiga y Guzmán, Marqués de Valero, etc.—Texto.
Pérez Goyena, II, n.º 845.

1446

ORACION fvnebre en las solemnes exeqvias, qve la Ciudad de Viana celebró a la Catholica Magestad de la Reyna Doña Mariana de Austria. Pamplona. Francisco Antonio de Neyra. [s. a., 1696]. 4 hs. + 22 págs. 4.º

—Ded. a la ciudad de Viana.—Texto.
Pérez Goyena, II, n.º 851.
MADRID. *Nacional.* R-Varios, 125-4.

TRADUCCIONES

1447

PRATICA del confessionario, e spiegazione delle proposizioni condannate da Innocenzo XI et Alessandro VII. Del R. P. Fr. Giacomo di Coreglia. Tradotta dallo Spagnuolo nell'Italiano da Fr. Pietro Francesco da Como. 4.º

Toda, *Italia,* II, n.º 2.494.

1448

PRATICA del confessionario, e spiegazione delle propòsizioni condannate da Innocenzo XI et Alessan-

dro VII, tradotta dallo spagnuolo nell'italiano da Fr. Pietro Francesco da Como. Parte I e II.

Se incluyó en el Indice de libros prohibidos por Decretos de 12 agosto 1710 y 22 junio 1712.

JAIME DE CORNELLA (Fray)

Capuchino. Provincial de Cataluña. Guardián del convento de Santa Matrona, de Barcelona.

EDICIONES

1449

COPIA de vna Carta Pastoral, que... escrivió a doze Religiosos Missionarios Apostolicos que de su Provincia embió el año passado a Cadiz, para passar a Indias a fundar... vna nueva Mission en la Isla de la Trinidad, y tierra firme de la Provincia de la Guayana... [s. l. - s. i.]. [s. a.]. 6 hs. 20,5 cm.

Fechada en Tarragona a 20 de mayo de 1687.

BARCELONA. *Central.* F. Bon. 6000.

1450

[APROBACION. Barcelona, 1 de noviembre de 1678]. (En Félix de Barcelona. *Tratado póstumo...* Barcelona. 1679. Prels.)

BARCELONA. *Universitaria.* B.63-4-2.

JALBAQUIN (Marqués de)

EDICIONES

1451

[DECIMA]. (En Salzedo Coronel, García de. *Ariadna.* s. l. [1624]. Prels.)

MADRID. *Nacional.* R-Varios, 154-34 (sin portada).

JALON (LUIS BERNARDO)

EDICIONES

1452

LETRAS de los Villancicos que se

cantaron en los Maytines de los Santos Reyes en la Santa Iglesia Metropolitana de Sevilla. Sevilla. Juan Gómez de Blas. 1652. 4 hs.

SEVILLA. *Universitaria.* 110-60.

JALPI (JUAN GASPAR)

V. ROIG Y JALPI (JUAN GASPAR)

JALPI Y JULIA (JOSE DE)

Doctor en ambos Derechos. Prior de Meyá.

EDICIONES

1453

[CENSURA. Barcelona, 7 de junio de 1676]. (En Sobrecasas, Francisco. *Oración fúnebre...* Barcelona. 1676. Prels.)

JAMARRO (JUAN BAUTISTA)

EDICIONES

1454

CONOCIMIENTO de las diez aves menores de jaula, su canto, enfermedad, cura y cría. Madrid. Imprenta Real. [Colofón: Por Iuan Flamenco]. 1604. [Colofón: 1603]. 6 hs. + 50 págs. con grabs. + 1 h. 19,5 cm.

—E.—T.—Pr.—Prologo al letor.—De Arce Solorzeno al Autor. Soneto. [«Descubre el arte de texer Minerua...»].—Texto.—Colofón.—Tabla de los capitulos y cosas contenidas en este libro.

Gallardo, III, n.º 2.575; Salvá, II, n.º 2.711. MADRID. *Academia de la Historia.* 5-5-8-2577. *Nacional.* U-1.072 (en las guardas lleva una nota ms. que dice: «Compré este libro en Burgos a 26 de Mayo de 1743. Valdrá un real de vellon. *D. Franc.º de la Torre y Arguiz».* Y debajo: «Ahora vale 20 rs.»].—NUEVA YORK. *Hispanic Society.*

1455

CONOCIMIENTO de las diez aves menores de javla... Y aora de nuevo añadidas algunas que el Autor le omitió. [s. l., Madrid. Gabriel del Barrio]. [s. a.]. 7 hs. + 92 págs. con grabs. + 2 hs.

—Advertencia que haze el que reimprime este Obras, a los Aficionados, a quien se la dedica.—L. de I Consejo.—Prologo.— Soneto de Arze Solorzeno.—Texto.—Tabla.

Del siglo XVIII.

MADRID. *Nacional.* R-20.307.

1456

CONOCIMIENTO de las Catorce Aves Menores de Jaula. Madrid. J. Doblado. 1775. 8.º

MADRID. *Nacional.* U-877.—NUEVA YORK. *Hispanic Society.*

1457

———. Edición de 300 ejemplares. Madrid. [Talls. Tip. Edic. Castilla]. 1951. XVI + 203 págs. + 5 hs. con 10 láms. 24 cm.

BOSTON. *Public Library.*—CAMBRIDGE. *Harvard University.*—MADRID. *Nacional.* 4-38.171.—NUEVA YORK. *Hispanic Society.*—WASHINGTON. *Congreso.*

1458

ALANO (El). Poema en octavas en elogio de los perros. [s. l. - s. i.]. [s. a.] 4.º

Palau, VII, n. 122.865.

1459

INDICACION de la Sangría. Valladolid. 1604. 8.º

N. Antonio.

ESTUDIOS

1460

REP: N. Antonio, I, pág. 656.

JARA (BARTOLOME DE LA)

EDICIONES

1461

BREVE Exposición de los catorze casos reservados en la observancia de la Orden de Nuestro Padre San Francisco. Por el Padre Fray Bartolomé de Xara... Sevilla. Juan Gómez de Blas. 1642. 5 hs. + 85 fols. + 2 hs. 14,5 cm.

—Apr. del P. Juan de Quirós.—L. O.—Apr. de Fr. Francisco de Valera.—L. V.—Ded. a Fr. Juan de Vergara, Ministro Provincial de Andalucia. — Prologo. — Texto.— Tabla.

SEVILLA. *Universitaria.* 167-42.

JARA (FR. FRANCISCO ANTONIO DE)

Mercedario.

EDICIONES

1462

[APROBACION. Méjico, 9 de junio de 1695]. (En Castilla, Miguel de. *Sermón del inclyto Patriarcha San Pedro Nolasco...* Méjico. 1695. Prels.)

Medina, *México,* III, n.º 1.588.

JARA (LUCAS DE LA)

Vecino de Valencia.

EDICIONES

1463

EXPVLSION de los pronosticos, y aduertencias de sus embelecos. Por Lucas de la Xara, vn tiempo lisiado deste mal. Valencia. Pedro Patricio Mey. 1618. 8 hs. 15 cm.

—Al letor.—Texto.—L.

MADRID. *Academia de la Historia.* 2-6-5-3.008 (ex libris de E. F. San Román).

JARA (LUIS)

Licenciado. Gobernador de Zafra. Primo de Cristóbal de Mesa.

1464

[SONETO]. (En Mesa, Cristóbal de. *La restauración de España.* Madrid. 1607. Prels.)

JARAMILLO (P. ANTONIO MATIAS)

N. en Zafra (1648). Jesuita desde 1665. A las islas Marianas en 1678. Rector de Manila. Procurador general de Filipinas en Madrid. M. en Ocaña (1707).

EDICIONES

1465

MEMORIAL al Rey nuestro Señor,

*por la Provincia de la Compañia de
Jesvs de las Islas Filipinas, en satis-
fación de varios escritos, y violentos
hechos, con qve a dicha Provincia
ha agraviado el Reverendo Arzobispo de Manila don Fray Felipe Pardo
del Orden de Santo Domingo.* [s. l. -
s. i.]. [s. a.]. 150 págs. 30 cm.

—Texto, a cuyo final figura el nombre del
autor, que no consta en la portada.

MADRID. *Nacional.* 2-8.366.—NUEVA YORK. *Hispanic Society.*—SANTIAGO DE COMPOSTELA. *Universitaria.*—SEVILLA. *Universitaria.* 109-94 (9).

1466

*MEMORIAL al Rey N. Señor con
varios reparos, sobre otro, que Fray
Raymundo Verart, del Sagrado Orden de Santo Domingo, y como poder aviente del R. Arzobispo de Manila, presentó a su Magestad.* [s. l.].
Antonio Román. 1691. 1 h. orlada +
28 págs. 29,5 cm.

NUEVA YORK. *Hispanic Society.*—SEVILLA. *Universitaria.* 109-94 (10).

1467

[MEMORIAL]. [s. l. - s. i.]. [s. a.].
2 hs. Fol.

—Texto, que comienza: «Señor. Antonio
Xaramillo, de la Compañia de Jesvs, Procurador General por la Provincia de Filipinas, dize: que las continuadas moles-
tias que su Religion ha padecido, y... con
que es vexada por el Reverendo Arçobispo de Manila...».

SANTIAGO DE COMPOSTELA. *Universitaria.*

1468

*APOLOGIA, la Verdad contra varias
imposturas...* Madrid. [s. i.]. 1697.
468 págs. + 1 h. 20 cm.

MADRID. *Facultad de Filosofía y Letras.* 608.

Aprobaciones

1469

*[APROBACION. Madrid, 20 de junio
de 1695].* (En Richelieu, Cardenal.

Testamento político... Traducido e
ilustrado por Juan de Espinola Baeza Echaburu. Madrid. 1696. Prels.)

SEVILLA. *Universitaria.* 24-37.

1470

*[APROBACION. Madrid, 5 de mayo
de 1699].* (En Lepe, Pedro de. *Catecismo Catholico.* Madrid. 1699.
Prels.)

MADRID. *Nacional.* 3-54.718.

JARAMILLO (DIEGO DE)

CODICES

1471

«*Coronaçion y pronósticos de los
sueños morales del capitan Diego de
Xaramillo con una justificaçion doctrinal del gouierno de principes y
reppublicas, prevenciones y varios
auisos de guerra y otros diversos discursos...*».

Original, autógrafo. 406 fols. 165 × 130 mm.
Inventario, VIII, págs. 137-39.
MADRID. *Nacional.* Mss. 2632.

EDICIONES

1472

*[DEDICATORIA a D.ª Catalina de
Mendoza, marquesa de Mondexar,
etc.].* (En López d e Ubeda, Juan.
Vergel de flores divinas. Alcalá. 1588.
Prels.)

JARAMILLO (FRANCISCO)

EDICIONES

1473

[SONETO]. (En Iudice Fiesco, Juan
Bautista. *Epitome de la virtuosa i
exemplar vida de Don Fernando
Afan de Ribera...* Palermo. 1633, pág.
88).

MADRID. *Nacional.* R-6.572.

JARAMILLO DE ANDRADA (DIEGO)

N. en Mérida. Estudiante de la Universidad de Salamanca.

EDICIONES

1474

RELACION de la lastimosa tragedia que causó la inundación del Río Tormes, en la Ciudad de Salamanca. [s. l.]. Diego de Cussio. [s. a.]. 2 hs. con un grab. Fol.

Al fin: Suma de las licencias. Salamanca, 8 de febrero de 1626.

Gallardo, III, n.º 2.576.

1475

[AL Autor. Décima]. (En Moreno, Bernabé. Historia de la civdad de Mérida. Madrid. 1633. Prels.)

MADRID. Nacional. R-14.218.

JARAVA (ANTONIO)

Capitán.

EDICIONES

1476

[A mi padre. Por... Antonio Xaraua, su humilde hijo. Dezimas]. (En Xarava del Castillo, Diego. Estado del Matrimonio. 3.ª ed. Nápoles. 1675. Prels.)

MADRID. Nacional. R-10.986.

EDICIONES

1477

[A mi padre. Dézimas]. (En Xarava de Castillo, Diego. Miserias del siglo... 2.ª impresión. Madrid. 1657. Prels.)

MADRID. Nacional. U-4.680.

JARAVA (DIEGO DE)

Regidor perpetuo de Cuenca.

1478

[QUINTILLAS]. (En Villaviciosa, José de. La Moschea poética inventiva en Octava Rima. Cuenca. 1615. Prels.)

MADRID. Nacional. R-12.012.

JARAVA (HERNANDO)

Capellán de D.ª Leonor, reina de Francia.

EDICIONES

1479

LO que en este libro esta traducido... Los siete Psalmos penitenciales. Los quince Psalmos del canticum-grado. Las lamentaciones de Jeremías. Trad. por ———. Amberes. M. Nucio. 1543. 104 fols. 8.º

Prohibido en el Index de 1583, fol. 67r.

Peeters-Fontainas, I, n.º 114.

LONDRES. British Museum. C.63.e.24.

1480

LO que en este libro esta traduzido de latin en lengua castellana con una breve exposicion es la siguiente. Los siete psalmos penitenciales. Los quince Psalmos del canticum-grado. Las lamentaciones de Jeremías. Trad. por ———. [Amberes. Martin Nucio]. [1546].

Heredia, I, n.º 48; Peeters-Fontainas, I, n.º 115.

1481

———. Amberes. Martin Nucio. 1556. 144 fols. 16.º

Salvá, I, n.º 946; Peeters-Fontainas, I, n.º 117.

LONDRES. British Museum. C.65.a.10 (1).

1482

EXEMPLO de la Paciencia de Iob. León. Sebastian Grypho. 1550. 60 fols. 15 cm.

—Texto.

Gallardo, III, n.º 2.578; Heredia, I, n.º 42.

MADRID. Nacional. U-8.858.

JARAVA (JOSE)

EDICIONES

1483

[POESIA]. (En Olivares y Butrón, Hipólito de. Concepción de María Purissima. Lima. 1631. Prels.)

Medina, Lima, I, n.º 150.

JARAVA (JUAN)

Médico.

EDICIONES

1484

PROBLEMAS o Preguntas Problematicas, ansi de Amor, como Naturales, y a cerca del vino: bueltas nueuamente de latin en lengua castellana: y copiladas de muchos y graues autores... Y un dialogo de Luciano que se dize Icaro Menippo, o Menippo el Bolador. Mas un Dialogo del uiejo, y del mancebo, que disputan del amor. Y un Colloquio de la Moxca y de la Hormiga. Lovaina. Rutgero Rescio. 1544. 194 hs. 14 cm.

—Prefacio.—Texto.—Erratas.
Peeters-Fontainas, I, n.º 627.
LONDRES. *British Museum*. C.63.e.25. — MADRID. *Nacional*. R-7.062; R-13.502.—PARIS. *Nationale*. R.12749.

1485

PROBLEMAS, o pregvntas problematicas, ansi de Amor, como naturales, y açerca del Vino: bueltas nueuamente de Latin en lengua Castellana: y copiladas de muchos y granues authores, por ———... Y vn dialogo de Luciano, que se dize Icaro Menippo, o Menippo el Bolador. Mas un Dialogo del Viejo, y del Mancebo, que disputan del amor. Y vn Colloquio de la Moxca, y de la Hormiga. Van añadidas otras muchas cosas de nueuo... [Alcalá de Henares. Ioan de Brocar]. [1546, julio]. 168 fols. 15 cm.

J. Catalina García, *Tip. complutense*, n.º 210; Picatoste, n.º 387.
MADRID. *Nacional*. R-11.096.

1486

PHILOSOPHIA (La) natvral brevemente tratada y con mucha diligencia copilada de Aristotiles, Plinio, Platon y otros graues autores por industria de maestro ———... Amberes. Martín Nucio. 1546. 80 fols. 13,5 cm.

—Fols. 1r-4r: Prefacion a los lectores. — Fols. 4v-5v: Tabla de los capitulos contenidos en el primer libro.—Texto.
Picatoste, n.º 386; Peeters-Fontainas, I, n.º 626.
BARCELONA. *Central*. — LONDRES. *British Museum*. C.62.aa.2. — SANTANDER. «*Menéndez y Pelayo*». R-I-B-107.

1487

Erasmo. *Libro de vidas, y dichos graciosos, agvdos y sentenciosos, de mvchos notables varones Griegos y Romanos, ansi y reyes y capitanes, como philosophos, y oradores antiguos: en los quales se contienen graues sentencias e auisos no menos prouechosos que deleytables. Añadiose la tabla de Cebetes philosopho, en la qual se representa toda la vida humana, para incitar los animos al vso de las virtudes*. Amberes. Iuan Steelsio. 1549. 8 hs. + 286 fols. + 8 hs. 14 cm.

—Prologo del interprete en los Apothegmas traduzidos nueuamente en España. Tabla.—Declaracion de algunos nombres de officios y dignidades.—E.—Texto.—Tabla de las sentencias y cosas principales.
Salvá, II, n.º 2.059; Peeters-Fontainas, I, n.º 387.
GRANADA. *Universitaria*. B-18-278. — LONDRES. *British Museum*. 1075.k.8; etc.—MADRID. *Nacional*. R-1.049; etc.—OVIEDO. *Universitaria*. PARIS. *Nationale*. Z.17993.—VIENA. *Nacional*. 74.W.169.—ZARAGOZA. *Universitaria*.

1488

LIBRO de Iesvs Hijo de Syrach, qv'es llamado el Ecclesiastico, traduzido de Griego en lengua Castellana. León. Sebastian Grypho. 1550. 3 hs. + 109 fols. 13,5 cm.

—Prologo del interprete Griego.—Texto.
Gallardo, III, n.º 2.577; Heredia, I, n.º 50.
MADRID. *Nacional*. U-8.866.

1489

HISTORIA de yeruas, y plantas, de Leonardo Fuchsio Aleman, docto varon en Medicina, con los nombres Griegos, Latinos, y Españoles. Tra-

dvzidos nueuamente en Español con sus virtudes y propriedades, y el vso dellas, y juntamente con sus figuras pintadas al viuo. Amberes. En la Gallina gorda, por los herederos de Arnaldo Byrcman. [Al fin: Iuan Lacio]. 1557. 8 hs. + 520 págs. + 1 h., con ilustr. 8.º

Es la obra de Dioscorides, adaptado por Leonhart Fuchs.

Peeters-Fontainas, I, n.º 350.

AMBERES. *Musée Plantin-Moretus.*

1490

HISTORIA de las yeruas, y plantas, sacada de Dioscoride Anazarbeo y otros insignes Autores, con los nombres Griegos, Latinos, y Españoles. Traduzida nueuamente en Español por ——, Medico y Philosopho, con sus virtudes y propriedades, y el vso dellas, y juntamente con sus figuras pintadas al viuo. Amberes. En la Gallina gorda, por los herederos de Arnoldo Byrcman. [Colofón: En casa de Iuan Lazio]. 1557. 2 hs. + 521 págs. con grabs. 15,5 cm.

—Prefaction a los Lectores.—Tabula latina Herbarum, quæ in hoc libro ad viuum exprimuntur.—Texto.—Colofón.

Es la misma ed. anterior, con el título y las ocho hojas preliminares cambiadas.

Peeters-Fontainas, I, n.º 351.

LONDRES. *British Museum.* 546.c.8; 450.b.2 (con port. diferente). — MADRID. *Nacional.* R-2.374.—MALAGA. *Casa de la Cultura.* R-15.034. — NUEVA YORK. *Hispanic Society.* — PARIS. *Nationale.* 8ºTe.¹⁴²36.

1491

[*La Economica de Xenophon, traducida por ——*]. (En Cicerón, Marco Tulio. *Libros... en que tracta de los Officios, de la Amicicia y de la senectud, trad. por Francisco Thamara.* Amberes. Iuan Steelsio. 1546).

Peeters-Fontainas, I, n.º 249.

BRUSELAS. *Real.*—MADRID. *Nacional.* R-5.893. NUEVA YORK. *Hispanic Society.*

1492

[*Los Paradoxos, y el Sueño de Sci-*

pion, y la Economica de Xenophon, tr. por ——]. (En Cicerón, Marco Tulio. *Libros...* Amberes. Iuan Steelsio. s. a., ¿1549?).

LONDRES. *British Museum.* 525.c.26.—MADRID. *Nacional.* R-27.234.—NUEVA YORK. *Hispanic Society.*

1493

——. (En ídem. Amberes. Ioan Steelsio. 1550).

MADRID. *Nacional.* R-12.249.

1494

——. (En ídem. Salamanca. 1582).

MADRID. *Nacional.* U-5.880.

TRADUCCIONES

a) Italianas

1495

Della filosofia natvrale di Giovan Sarava, libri quattro... Tradotta... in uolgare da Alfonso di Ulloa. Venecia. Plinio Pietrasanta. 1557. 144 págs. 16,5 cm.

CAMBRIDGE, Mass. *Harvard University.* — MADISON. *University of Wisconsin.*

1496

I quattro libri della filosofia naturale di Gian Saraua... Tradotti di Spagnuolo in Italiano da... Alfonso Ulloa... Venecia. Andrea Rauenoldo. 1565. 150 págs. 8.º

CHICAGO. *Newberry Library.*—MADISON. *University of Wisconsin.*—SANTIAGO DE COMPOSTELA. *Universitaria.* — WASHINGTON. *Folger Shakespeare Library.*

ESTUDIOS

1497

REP: N. Antonio, I, pág. 713; Picatoste, págs. 157-58; Menéndez Pelayo, *Bibliografía*, II, 1950, págs. 338-40 y 396, y *Traductores*, II, 1952, pág. 255.

JARAVA DEL CASTILLO (DIEGO)

Maestro de Campo. Caballero de Santiago.

EDICIONES

1498

MISERIA del siglo en vida, y muer-

*te, triunfo de la Religion perfecta,
moralizadas en el estado de Casada,
y Religiosa...* Barcelona. Pedro de la
Cavallería. 1637. 8.º
Palau, VII, n.º 123.119.

1499

*MISERIAS del siglo, Obligaciones
del matrimonio. Desprecio de vanidades, Conocimiento de si mismo.
Triunfo de la Religion, Explicacion
moral.* Añadido nueuamente por su
Autor en esta segunda impression.
Madrid. Pablo de Val. 1651. 20 hs. +
337 + 18 págs. + 4 hs. 15 cm.

—Dedicatoria a D. Antonio Campo-Redondo y Río, Presidente del Consejo Real
de Hazienda, etc., precedida de lámina
con su escudo firmada por Iuan de
Noort.—Apr. de Fr. Iuan Mur.—L. V.
(1637).—Apr. de Fr. Bartolome de Teuar.—Censura y Apr. de Fr. Diego Fortuna.—L. V. de Madrid (1636).—S. Pr. al
autor por diez años (1651).—S. T.—E.—
Prologo.—Advertencia. [El capítulo 40 y
último es traducción a la letra de otro
de Fr. Diego Niseno en sus *Assumptos
predicables*].—Carta a Doña Teresa Xarava de Castillo, mi hija.—Quartillas de
Bernabé Tomás de Velasco. [«Este Castillo, no solo...»].—Dezima de Fr. Francisco de Castillo. [«Icaro infeliz volante...»].—Dezima de Francisco Antonio de
Salaçar. [«Por tu espada, y tu eloquencia...»].—Dezima de Francisco de Villal-
ua. [«Con valentia enseñar...»].—Paesia
latina de Placido Carrillo y Aragon.—
Decimas de Antonio Xaraua, hijo del autor. [«De laurel sumptuosa rama...»].—
Dezima de Gutierre de Padilla. [«Contienda bien celebrada...»]. — Soneto de
Iacinto Aguilar y Prado. [«Con primor,
con ingenio, y elegancia...»].—Emblema
y explicacion en cuatro versos.—Texto
(págs. 1-337).—Capitulo XL (págs. 1-18).
Tabla de los capitulos.

MADISON. *University of Wisconsin.*—MADRID.
Nacional. U-4.680. (Con nota autógrafa de
Usoz, que dice: «El Sr. Coronel Jaraba,
tuvo me pareze [sin creerla él tal] la per-
versa intenzion al formar este Libro de
reduzir a su infeliz hija, para que se me-
tiera monja. Cosa igual, a lo que 160 años
antes hizo Hernando del Pulgar»).

1500

*COPIA de la relación de los servicios
y puestos del Maese de Campo D.*
—— *presentada en las dos Secreta-
rías de Indias para sus pretensiones.* [s. l. - s. i.]. [s. a.]. Fol.
Palau, XXVIII, n.º 376.726 [¿de Madrid,
1643?].

1501

*TRIUNFOS gozosos de Maria Sacra-
tissima concebida, santa, pura, limpia y sin mancha de pecado original. En quarenta y siete discursos,
dispuesta la inteligencia y declaracion de su esclarecida verdad.* Madrid. Mateo Fernandez. 1660. 19 hs.
+ 234 págs. + 3 hs. 20,4 cm.

—Estampa.—Ded. a la Virgen Soberana.—
Censura y Apr. de Fr. Alonso Perez.—
Censura y Apr. de Fr. Gregorio de San-
tillan.—Apr. y Censura de Fr. Fernando
de Orio.—Apr. y Censura del P. Agus-
tin de Castro.—Censura y Apr. de Fr.
Francisco Suarez.—Apr. de Fr. Diego de
Niseno.—S. L. V.—E.—S. T.—Al autor.
Epistola de Fr. Diego de Saavedra.—
Escudo. — Prologo. — Al Reyno en Cor-
tes.—Epistola a Fr. Pedro de Alva y
Astorga.—Al Autor, Epistola de Fr. Pe-
dro de Alva y Astorga.—Lamina de Gre-
gorio Forstman.—Censura del Autor.—
Texto. — Tabla de los asuntos de este
libro.
MADRID. *Facultad de Filosofía y Letras.*
7.827. *Nacional.* 3-53.817. — SAN LORENZO DEL
ESCORIAL. *Monasterio.* 48-V-6.—SEVILLA. *Uni-
versitaria.* 94-39.

1502

*MARIA Immacvlada. Su Purissima
concepcion defendida en 50 Discursos.* Añadido en esta segunda impresión tres Discursos. Nápoles. Carlos
Porsile. 1674. 28 hs. + 248 págs. +
2 hs. 21 cm.

—Lámina con escudo de Clemente X. —
Ded. a Clemente X.—Lámina de la Inmaculada, firmada por Gregorio Forst
man, en M. 1660.—A la admirable Virgen Maria sin Macula de culpa original... — L. del arzobispo de Nápoles. —

Apr. y censura de Fr. Niceforo Sebasto.—Apr. de Fr. Didacus Rubinus, en latin. — Apr. de la ed. anterior: Santillán, Orio, Castro, Suarez y Niseno.—S. L., E. T. y restante prels. de la ed. anterior.—Retrato del autor.—Texto.—Tabla de los Discursos.

MADRID. *Nacional.* 2-70.264.—PARIS. *Nationale.* D.4741.—ROMA. *Vaticana.* Stamp. Barb. V.X.127.

1503

ESTADO del matrimonio... Nápoles. Carlos Porsile. 1673. 14 hs. + 210 + 59 págs. + 5 láms. 4.º

Palau, VII, n.º 123.124.

1504

ESTADO del Matrimonio. Apariencias de svs placeres, Ebidencias de sus Pesares, Desprecio de vanidades, Conocimiento de si mismo, Religion observada, Gloria Adquirida. Terzera impresion mas dilatada. Nápoles. Carlo Porsile. 1675. 13 hs. + 3 láms. + 210 págs. + 1 lám. + 59 págs. 20 cm.

—Retrato del autor, hecho en febrero de 1674, a los 79 años de edad.—A todo biviente.—Armas del autor (grab.).—Prologo. A los que hablan, y censuran a escuras, y por mayor (con datos autobiográficos).—Advertencia: el ultimo capitulo es traducido a la letra de otro de Fr. Diego Nisseno.—Apr. de Fr. Juan Mur (1637).—L. V.—Apr. de Fr. Bartolome de Teuar (1636).—Censura y Apr. por Fr. Diego Fortuna (1651).—L. V. de Madrid (1636).—S. Pr. al autor por diez años (1651).—S. T.—Carta a D.ª Teresa Xarava de Castillo mi hija.—Quartillas, por Bernabé Tomas de Velasco. [«Este Castillo no solo...»].—Dezima de Fr. Francisco de Castillo. [«Icaro infeliz volante...»].—Dezima de Francisco de Villalva. [«Con valentía enseñar...»].—Poesía latina de Plácido Carrillo y Aragon.—Dezimas de Antonio Xaraua, hijo del autor. [«De laurel suptnosa *(sic)* rama...»].—Dezima por Gutierre de Padilla. [«Contienda bien celebrada...»].—Soneto de Iacinto Aguilar y Prado. [«Con primor, con ingenio, y elegancia...»]. — Acuerdo del Arzobispado de Nápoles designando censor.—Censura en latin por Fr. Iosé Men-

doza.—Apr. del V. de Napoles.—Solicitud de L.—Emblema (grab.).—Texto.—Tabla de los capitulos.

Toda, *Italia*, II, n.º 2.492.

BARCELONA. *Central.* Toda, 9-V-3. — MADRID. *Nacional.* R-10.986 (ex libris de Gayangos). NUEVA YORK. *Hispanic Society.*

«JARDIN de amadores...»

V. «PRIMERA parte del Jardín de amadores...»

«JARDIN de Apolo...»

EDICIONES

1505

IARDIN de Apolo. Academia celebrada por diferentes Ingenios. Recogida por Melchor de Fonseca y Almeida. Madrid. Iulian de Paredes. 1655. 13 hs. + 76 + 34 fols. 14,5 cm.

—Apr. del Licdo. Agustín de Caruajal.—L. V.—Apr. de Fr. Diego Nisseno. (Madrid, 31 de marzo de 1654).—S. L.—E.—A los que leyeren, de Diego Sotomayor Arnalte y Frías. — S. T. — Ded. al Marqués del Basto, por Melchor de Fonseca y Almeida (con datos biográficos). Texto:

1. *Cedulillas de Ioseph de Córdova y Figueroa.* (Fols. 1r-5r).
2. *Oración de Melchor de Fonseca y Almeida.* [«Contra la ciega ignorancia...»]. (Fols. 5r-18v).
3. *Soneto de Diego de la Torre.* [«De essa antorcha el ardor introducido...»]. (Fol. 19).
4. *Glossa de Diego de Sotomayor.* [«Ya no les pienso pedir...»]. (Fols. 19v-21r).
5. *Romance de Ramón Lagarriga Varón Alemán y de Cervellón.* [«Si cupiera mi cuidado...»]. (Fols. 22r-23v).
6. *Pie quebrado de Ioseph Figueroa y Córdova.* [«Fabio yo he llegado a oir...»]. (Fols. 23v-25r).
7. *Soneto de Eugenio Ortiz de Rivadeneira.* [«Quiere llorar mi amor su sentimiento...»]. (Fols. 25v-26r).
8. *Dezimas de Diego de Córdova y Figueroa.* [«A un gilguero, que cantava...»]. (Fols. 26v-28r).
9. *Romance de Ioseph de Solis.* [«Ay Lisi, y como te engaña...»]. (Fols. 28r-30r).
10. *Romance de Lorenço de Urnieta y*

Aguirre. [«Ha de allá arriba ¿á quien digo?...»]. (Fols. 30r-32v).

11. *Soneto de Iuan Velez de Guevara*. [«O lo que corre el tiempo apresurado...»]. (Fol. 33).

12. *Romance de Ambrosio de Arte*. [«Qué dolor escripto en ecos...»]. (Fols. 33v-36v).

13. *Liras de Iuan de Olivença*. [«Tu ciego Amor, que sabes...»]. (Fols. 36v-38v).

14. *Quintillas de Antonio de Espinosa*. [«Cortó una rosa al desden...»]. (Fols. 39r-40v).

15. *Soneto de Francisco de Salaçar y Cadena*. [«Memorias, es lisonja, ó es vengança...]. (Fol. 41).

16. *Romance de Francisco Perez de Amaral*. [«Absorto Pompeyo admira...»]. (Fols. 42r-45r).

17. *Glossa de Un Aventurero*. [«Ha Filis, si yo pudiera...»]. (Fols. 45r-46v).

18. *Quintillas de Otro Aventurero*. [«Fabio amigo, en el lugar...»]. (Fols. 47r-48r).

19. *Soneto de Iuan de Medina Aleman*. [«Carmin feliz, que al Alva mas hermosa...»]. (Fols. 48v-49r).

20. *Romance de Iuan Lozano*. [«Qué assombro es el que á los ojos...»]. (Fols. 49v-52v).

21. *Canción Real de Francisco Duarte de Espinosa*. [«Copia de aquella infiel endurecida...». (Fols. 53r-55v).

22. *Romance de Sebastian de Olivares Vadillo*. [«A lo barbero el Gauchoso...»]. (Fols. 56r-57v).

23. *Vexamen de Carlos Magno*. (Fols. 58r-76v).

24. *Soneto de Jeronimo de Cuellar*. [«Es de modo mi amor, tal mi cuidado...»]. (2.ª Parte. Fol. 1).

25. *Dezimas de Iuan de Solorçano*. [«Iuzgué nevado el coral...»]. (2.ª Parte. Fols. 2r-3r).

26. *Romance de Leocadio Ultrapontano*. [«Serenidad apacible...»]. (2.ª Parte. Fols. 3v-5v).

27. *Quintillas de Francisco de Bustos*. [«Estos versos he tomado...»]. (2.ª Parte. Fols. 5v-6v).

28. *Soneto de Iuan Martinez Alfonso*. [«Deten, Nise, la mano, no prosigas...»]. (2.ª Parte. Fol. 7).

29. *Madrigal de Ioseph de Reynalte*. [«No sin admiración, cándida rosa...»]. (2.ª Parte. Fols. 7v-8v).

30. *El Fenix de Antonio de Panes*. [«Donde las primeras luzes...»]. (2.ª Parte. Fols. 9r-12v).

31. *Quintillas de Francisco Antonio de Velasco*. [«De vuestra musa he buscado...»]. (2.ª Parte. Fols. 13r-14r).

32. *Soneto de Silvestre de Morales y Noroña*. [«A el verde amparo de esse amigo leño...»]. (2.ª Parte. Fols. 14v-15r).

33. *Dezimas de Christoval Alvarez Canales*. [«Celia, si lo riguroso...»]. (2.ª Parte. Fols. 15v-17r).

34. *Romance de Ioseph de Miranda y Lacotera*. [«Señora fortuna mia...»]. (2.ª Parte. Fols. 17r-19v).

35. *Redondillas de Gabriel de Rozos*. [«Pues intentas por lo bello...»]. (2.ª Parte). (Fols. 20r-22r).

36. *Soneto de Marcos Garcia*. [«Cantas Orfiudo? no, que tu instrumento...»]. (2.ª Parte. Fols. 22v-23r).

37. *Lyras de Diego Gutiérrez*. [«No es Lisi la que veo...»]. (2.ª Parte. Fols. 23v-24v).

38. *Romance de Manuel Estevan*. [«Con amoroso temor...»]. (2.ª Parte. Fols. 25r-27r).

39. *Seguidillas de Sebastian de Puelles y Escobar*. [«Erase una muchacha...»]. (2.ª Parte. Fols. 27v-28v).

40. *Soneto de Una Dama de esta Corte*. [«Artifice famoso, que elevado...»]. (2.ª Parte. Fol. 29).

41. *Glossa de Iuan de Montoya*. [«De un mudo con voz de amor...»]. (2.ª Parte. Fols. 30r-31r).

42. *Romance de Antonio de Saravia*. [«Pastorcilla venturosa...»]. (2.ª Parte. Fols. 31v-33r).

43. *Romance de Iuan Velez de Guevara*. [«Desacordado galan...»]. (2.ª Parte. Fols. 33r-34v).

MADRID. *Nacional*. R-1.551.

«JARDIN de flores.»

CODICES

1506

«Jardín de flores».

Cancionero del siglo XVII, que forma el tomo IV del titulado *Parnaso Español*.

V. *B. L. H.*, IV, 2.ª ed., n.º 3191.

«JARDIN de Sermones...»

EDICIONES

1507

IARDIN de Sermones de varios assvntos, y de diferentes oradores evangelicos. Zaragoza. Agustin Verges. A costa de Fr. Matheo Maya. 1676. 15 hs. + 600 págs. + 1 h. 20 cm.

goça en 22 de Iulio del año 1675, por el R. P. M. Fr. Raymundo Lumbier. (Págs. 556-82).

27. Sermon de la Canonización de S. Francisco de Borja, en la Casa Professa de la Compañia de Iesus de Sevilla, año 1671. Predicóle el R. P. M. Fr. Francisco Alberto de S. Cirilo. (Págs. 583-600).

Jiménez Catalán, Tip. zaragozana del siglo XVII, n.° 889.

GERONA. Pública. A-4364.—MADRID. Nacional. 5-7.770.—PAMPLONA. General de la Diputación Foral. 109-2-1/62-63.—SANTIAGO DE COMPOSTELA. Universitaria.—ZARAGOZA. Seminario de San Carlos. 16-8-12/13.

«JARDIN divino...»
1508
«Jardin diuino...».

Cancionero de 1604.
V. B. L. H., IV, 2.ª ed., n.° 3221.

«JARDIN florido...»

EDICIONES
1509
JARDIN florido, descripcion de la muy Noble, Fidelisima y Exemplar Ciudad de Tortosa, y Poema heroico de Maria Santissima de la Cinta. Escrivele un afectuoso devoto. Valencia. Benito Macé. 1676. 6 hs. + 34 fols. 4.°

Palau, VII, n.° 123.168.

JARON (JUAN PEDRO)
N. en Borgoña. Licenciado.

EDICIONES
1510
ARTE nvevamente compuesto de la Lengua Francesa por la Española, segun la nueva Correccion de Richelet. Donde se trata de la Pronunciacion, y de sus Elementos, de el modo de escrivir, de declinar, y conjugar, con algunas locuciones de las que mas se vsan. Madrid. Lucas Antonio de Bedmar y Baldivia. 1688. 4 hs. + 44 fols. 21 cm.

—Ded. a Ntra. Sra. del Carmen, precedida de un grabado, en español y francés.—Apr. de Francisco Cruzado y Aragon.—Al lector.—S. Pr. al autor por diez años.—E.—S. T.—Texto.

MADRID. Nacional. 3-38.562.—SAN LORENZO DEL ESCORIAL. Monasterio. 48-II-32.

ESTUDIOS
1511
BILLET, PEDRO PABLO. Dissertacion critica sobre una Cartilla, que con nombre de Arte, sacó a luz el Señor Iuan Pedro Iaron. (En su Gramática francesa... Madrid. 1698).

V. B. L. H., VI, n.° 4.393.

JARQUE (FRANCISCO)
Doctor. Cura Rector de la imperial villa del Potosí. Canónigo penitenciario y deán de la catedral de Santa María de Albarracín. Provisor y Vicario general de su Obispado. Comisario del Santo Oficio.

EDICIONES
1512
SACRA consolatoria del tiempo, en las gverras, y otras calamidades publicas de la Casa de Austria, y Catolica Monarquia. Pronostico de sv restavracion, y gloriosos adelantamientos. Valencia. En casa de los herederos de Chrys. Garriz, por Bern. Nogues. 1642. 12 hs. + 260 págs. 14 cm.

—Ded. a D. Fernando de Borja, Comendador Mayor de Montesa, etc.—Apr. y censura de Francisco Cruillas.—L.—Indice.—Cita de Fr. Iuan Marquez.—Texto.

MADRID. Nacional. 3-41.474.

1513
OBELISCO de piedad que la catedral de Albarracín consagra a las memorias del señor Martín de Funes. Zaragoza. Miguel de Luna. 1654.

NUEVA YORK. Hispanic Society.

1514
DECLAMACION panegyrica, en el dichoso nacimiento del Serenisimo

Principe D. Felipe el Prospero nuestro Señor. Sermón que predicó... en la pública demostración de alegría, que hizieron el Ilustrísimo Obispo, Cabildo, Ciudad, y Comunidad de Santa María de Albarrazín en 13 de Enero de 1658. Zaragoza. Miguel de Luna. [s. a.]. 4 hs. + 79 págs. 20,5 cm.

—Censura del P. Iosef de Arguillur.—Ded. a D. Christoval Crespi de Valdaura, Vice-Canceller de S. M. en la Corona de Aragon, etc.—Texto.

Medina, *Biblioteca hispano-americana*, III, n.º 1.293.
GRANADA. *Universitaria.* A-31-234 (10).

1515

VIDA prodigiosa, en lo vario de los svcesos, exemplar en lo heroico de religiosas virtudes, admirable en lo apostolico de sus empleos, del venerable Padre Antonio Briz de Montoya, Religioso Profeso, Hijo del Ilustrissimo Patriarca San Ignacio de Loyola... Zaragoza. Miguel de Luna. 1662. 8 hs. + 630 págs. + 5 hs. 20 cm.

—Ded. al Rey.—Censura del P. Juan Antonio Xarque.—Apr. del mismo.—Introducción y advertencia.—Protestación del autor.—Texto.—Indice.

Medina, *Biblioteca hispano-americana*, III, n.º 1.356; Jiménez Catalán, *Tip. zaragozana del s. XVII*, n.º 714.
MADRID. *Nacional.* B.U.-212. — ZARAGOZA. *Seminario de San Carlos.* 51-7-71.

1516

LAGRIMAS de la Piedad, y Gratitud en la Muerte ó Transito Feliz a mejor vida del Ilustrissimo Señor D. Geronimo Salas Malo Desplugas Meritisimo Obispo de Sta. Maria de Albarracin. Oracion Funebre y Panegyrica que hizo ——. Zaragoza. Ivan de Ybar. 1664. 2 hs. + 55 págs. a 2 cols. 19,5 cm.

—Ded. a Guillen Ramón de Moncada, Marques de Aytona y de la Puebla por Geronimo Perez Toyuela (sobrino del difunto).—Texto.

Jiménez Catalán, *Tip. zaragozana del siglo XVII*, n.º 728.
MADRID. *Nacional.* R-Varios, 152-24.—SANTIAGO DE COMPOSTELA. *Universitaria.*

1517

VIDA apostolica del Venerable Padre Iosef Cataldino, vno de los primeros, y mas insigne Conquistadores de las dilatadas Provincias, y barbaras Naciones del Guayrà, valeroso soldado de la Minima, y Maxima Compañia de Iesvs. Escrivela el D. D. Francisco Xarqve... Zaragoza. Iuan de Ybar. 1664. 29 hs. + 1 blanca + 264 págs. 19,5 cm.

—Ded. a D. Francisco Ramos del Manzano, Presidente de las Indias, etc. (Larga disquisición, de 28 hojas, sobre las palabras «Ramos» y «Manzano»).—Texto.

Medina, *Biblioteca hispano-americana*, III, n.º 1.383.
MADRID. *Academia de la Historia.* 13-1-9-2.693. *Nacional.* 2-67.746.

1518

INSIGNES misioneros de la Compañia de Jesvs en la Provincia del Paraguay. Estado presente de sus missiones en Tucumán, Paraguay, y Río de la Plata, que comprehende su Distrito. Pamplona. Juan Micón. 1687. 12 hs. + 432 págs. 20 cm.

—Al P. Doctor Tyrso Gonzalez, Preposito General de la Compañía de Jesus.—A los Religiosissimos Padres, y Apostolicos Missioneros, en las Provincias del Paraguay, Tucuman, y Buenos Ayres, de la Sagrada Religion de la Compañía de Jesus.—Carta de Alonso de Alarcón al autor.—Carta de Fr. Andrés Ferrer de Valdecebro al autor.—Apr. del Dr. Fermín de Rada.—L. V.—E.—T.—Texto.—Págs. 425-432: Tabla de los capítulos.

Pérez Goyena, II, n.º 769.
BLOOMINGTON. *Indiana University.*—GRANADA. *Universitaria.* A-18-289. — MADRID. *Nacional.* R-3.122.—NUEVA YORK. *Public Library.*—PROVIDENCE. *John Carter Brown Library.*—SANTIAGO DE COMPOSTELA. *Universitaria.*—SEVILLA. *Universitaria.* 152-6.—URBANA. *University of Illinois.*—WASHINGTON. *Congreso.* —ZARAGOZA. *Seminario de San Carlos.* 52-8-11.

ESTUDIOS
1519
REP: Latassa, 2.ª ed., II, págs. 54-55

JARQUE (P. JERONIMO)

N. en Orihuela de Albarracín. Hermano del P. Antonio. Jesuita. M. en Fonz (1634).

CODICES
1520
«*Advertencias evangélicas, útiles y precisas a los misioneros en la carrera de su ejercicio*».
Latassa.

ESTUDIOS
1521
REP: Latassa, 2.ª ed., II, págs. 52-53.

JARQUE (P. JUAN ANTONIO)

N. en Orihuela de Albarracín (1600). Jesuita desde 1614. M. en Zaragoza (1666).

EDICIONES
1522
ORADOR (El) Christiano, sobre el Miserere. Sacras invectivas contra los vicios, singularmente dirigidos a fomentar el santo zelo con que los Religiosos de la Compañia de Jesus se exercitan en el Ministerio apostolico de las misiones... Por el P. Ivan Antonio Xarque. Parte primera. Zaragoza. Miguel de Luna, Agustin Verges y Juan de Ibar. 1657-60. 4 vols. 20 cm.
Tomo I. 1657. 25 hs. + 388 págs. + 18 hs.
—Frontis, por Renedo.—L. O. Censura del P. Pedro de Oxea.—L.—Censura del P. Diego de Alastuet. — L. V. — Ded. a D. Diego Antonio Frances de Urrutigoyti, Obispo de Barbastro.—Indice de lo que se contiene en los cuatro tomos de la Primera parte. — Al cristiano Lector. — Texto.—Indice de los lugares de la Sagrada Escritura.
Jiménez Catalán, *Tip. zaragozana del siglo XVII*, n.º 650.
Tomo Segundo del orador Christiano. 1658. 8 hs. + 486 págs. + 15 hs. 21 cm.
—Ded. a D. Geronimo Salas Malo de Es-

plugas, Obispo de Albarrazin.—Indice.— Texto.—Indice de cosas notables.
Jiménez Catalán, *Idem*, n.º 666.
Tomo III. 1659.
Tomo Quinto (sic) del Orador Christiano... Zaragoza. A. Verges. 1660. 56 + 352 págs. 20 cm.
—Censuras de los PP. José Andrés y Agustín Grosso.—Ded. al gobierno eclesiastico y secular de Orihuela su patria y por su mano a la Virgen del Tremedal (págs. 5-51).—Indice. — Texto. — Protestación.—Indice de lugares de la Sagrada Escritura.
Jiménez Catalán, *Idem*, n.º 686.
GENOVA. *Universitaria.* 1.AA.II.31-40.—MADRID. *Nacional.* 5-6.094 (I, II, V); 6.i.-1.970 (I, II, IV).—PAMPLONA. *General de la Diputación Foral.* 109-3-2/12-17.—ZARAGOZA. *Seminario de San Carlos.* 47-6-3-8/11 [I, II y IV]; 17-5-5-25 [V].

1523
[*SERMON que predicó... en las fiestas de la canonizacion del glorioso S. Tomás de Villanueva, en la iglesia de San Agustin de Çaragoça*]. (En Abas y Nicolau, Gabriel Manuel. *Narraciones de las fiestas en Zaragoza...* Zaragoza. 1660, págs. 205-68).
ZARAGOZA. *Universitaria.* A-62-320.

1524
AVGVSTO llanto, finezas de tierno cariño, y reverente amor de la Imperial civdad de Çaragoça. En la muerte del Rey sv Señor Filipe el Grande Quarto de Castilla, y Tercero de Aragon. Publicalas ——, *por mandamiento de la misma Ciudad.* Zaragoza. Diego Dormer. 1665. 6 hs. + 453 págs. + 2 hs. 19 cm.
Jiménez Catalán, *Tip. zaragozana del siglo XVII*, n.º 746.
NUEVA YORK. *Hispanic Society.* — PAMPLONA. *General de la Diputación Foral.* 109-1-2/62.—ZARAGOZA. *Seminario de San Carlos.* 54-6-21.

1525
AVGVSTO llanto, finezas de tierno cariño, y reverente amor de la im-

perial civdad de Çaragoça. En la mverte del Rey sv Señor Filipe el Grande Quarto de Castilla, y Tercero de Aragon. Publicalas ——... por mandamiento de la misma Ciudad. Zaragoza. Diego Dormer. 1666. 8 hs. + 453 págs. + 2 láms. pleg. + 1 h. 19 cm.

—Apr. del P. Diego Antonio Fernandez.— Censura del P. Francisco Franco.—Ded. a la ciudad de Çaragoça (1665).—Ded. en la segunda impresión (1666).—Texto.—Indice.

Intercala poesías latinas y castellanas anónimas. Págs. 423-53: Oración fúnebre de Pedro Gaudioso Fernández de Lara.
Medina, *Biblioteca hispano-americana*, III, n.º 1.419; Jiménez Catalán, *Tip. zaragozana del s. XVII*, n.º 761.

MADRID. *Academia de la Historia.* 5-4-8-1.922. *Nacional.* 3-61-298.

Aprobaciones

1526

[CENSURA. Zaragoza, 15 de noviembre de 1661]. (En Xarque, Francisco. *Vida prodigiosa... del P. Antonio Ruiz de Montoya.* Zaragoza. 1662. Prels.)

MADRID. *Nacional.* B.U.-212.

Obras latinas

1527

ORATIO in divi Lvcae commendationem de eloqventiae lavdibus... Zaragoza. Pedro Verges. 1626. 1 h. + 14 págs. 20 cm.

BARCELONA. *Central.* F. Bon. 5595.

1528

——. Zaragoza. D. Latorre. 1628. 31 págs. 4.º

Palau, VII, n.º 123.215.

Estudios

1529

REP: Latassa, 2.ª ed., II, págs. 53-54.

JASON VERJA (ROQUE)

Ediciones

1530

[PARAFRASI que traduze dos fragmentos del libro IV de Retórica de B. Arias Montano]. (En ELOGIOS *de... Honorato Iuan...* Valencia. 1659. Al fin).

MADRID. *Nacional.* 2-37.971.

JAUREGUI (JUAN DE)

N. en Sevilla (1583). Caballero de Calatrava. Caballerizo de la Reina. M. en Madrid (1641).

Codices

1531

«Antídoto contra las Soledades».

Letra del s. XVII. 215 × 155 mm. En tintas roja y negra.

MADRID. *Nacional.* Mss. 3.910 (fols. 1r-29r).

1532

«Antídoto contra las Soledades de Góngora, por D. Juan de Arguijó (sic)».

Formaba parte de la Colección Salazar, tomo L-1, fols. 63-93, y ha desaparecido. También atribuye esta obra a Arguijo José Maldonado y Pardo, en el *Museo o Biblioteca Selecta del Marqués de Montealegre.* (V. Cuartero y Vargas-Zúñiga, XXVII, n.º 43.456).

1533

«Dos oraciones muy debotas para antes de confesar y comulgar... a imitacion de otras de San Buenaventura».

Letra del s. XIX. 220 × 155 mm.
—«Autor de cielo y tierra, Rey de Reyes...» (Fol. 101).
—«A tu dulce combite y sacra mesa...». (Fols. 102r-104v).
Zarco, I, págs. 310-11.

SAN LORENZO DEL ESCORIAL. *Monasterio.* &.III. 33.

1534

[Epitafios al Conde de Villamediana].

Letra del s. XVII. 295 × 205 mm.
1. [«El oficio en que traidor...»]. (Fol. 269v).

2. [«Yace aqui quien por hablar...»]. (Fol. 270).

MADRID. *Nacional*. Mss. 947.

1535

«*Epitafio al conde de Villamediana*».

«Parnaso Español», VIII. Letra del s. XVII. 220 × 150 mm.

«El oficio, a quien traydor...».

MADRID. *Nacional*. Mss. 3.919 (fol. 82).

1536

«*Explicacion de una empresa de Don Enrrique de Guzman, Agente por merced de Su Majestad, en la causa de la Limpia Concepcion*».

Letra del s. XVII. 165 × 100 mm.

Inventairo, V, pág. 95.

MADRID. *Nacional*. Mss. 1713 (fols. 207r-210v).

1537

«*La Farsalia. Original de Don Juan de Javregui*».

Letra del s. XVII. 320 fols. 215 × 150 mm. Lleva unido un recibo de 120 reales pagados por la venta de este ms. por Thomas Lucas Santovenia a Juan de Santander, en Madrid a 3 de junio de 1769.

Firmado al fin por Agustín de Arteaga y Cañizares.

MADRID. *Nacional*. Mss. 3.707.

1538

[*Sonetos*].

Letra del s. XVII. 197 × 152 mm.

1. [«Jamás por larga ausencia, amada Flora...»]. (Fol. 1).

2. [«Dame el peñasco, Sísifo, cansado...»]. (Fol. 337).

MADRID. *Nacional*. Mss. 3.795.

1539

[*Sonetos en la muerte de D. Rodrigo Calderón*].

Letra del s. XVIII. 262 × 195 mm.

Inventario, V, pág. 229.

MADRID. *Nacional*. Mss. 1818 (fol. 105v).

EDICIONES

OBRAS

1540

OBRAS. Edición, prólogo y notas de Inmaculada Ferrer de Alba. Madrid.

Espasa-Calpe. 1973 - en publ. (Clásicos Castellanos, 182).

I. *Rimas*. 1973. 1973. LXXIV + 205 págs.

Rimas

1541

RIMAS... Sevilla. Francisco de Lyra Varreto. 1618. 16 hs. + 307 págs. + 6 hs. 20 cm.

—Introducion. — De Francisco de Calatayud... [«Como en fecundo valle, al fruto opimo...»].—De Antonio Ortiz Melgarejo. [«Quien emular procura...»]. — De Melchor del Alcaçar. [«Veneré sus penso el arte...»]. — De Francisco Pacheco. [«La muda Poesia, i la eloquente...»].—De Lucas de Iauregui. [«Venera el culto tu sonora lira...»]. — De Iuan Antonio de Vera i Çuñiga. [«Quexas tan dulcemente repetidas...»]. — De Iuan de Arguijo. [«Den otros a tus pinzeles...»].—Apr. del Dr. Gutierre de Cetina, Vicario de Madrid.—Apr. de Fr. Ortensio Felix Parauicino.—Pr.—E. T.—A Don Fernando Enriquez de Ribera, Duque de Alcalá, etc. Don Iuan de Iauregui, dedicandole su Aminta (Roma, 15 de julio de 1607). De Geronimo de Avendaño. Italia a don Iuan de Iauregui. (Soneto en italiano). Di Luigi Scarlatti. (Soneto en italiano). Del medesimo. (Poesía en italiano).—Otra de Paolo Guidotto.—Soneto de Andrés del Poço. [«Desató de las inclitas arenas...»]. Soneto de Alonso de Azebedo. [«Nació junto al Eridauo abundoso...»].—Approbatio de Fr. Laurentius de Ayala.—L.—Texto.—Tabla de las composiciones.

Contenido:

1. *Aminta*. [«Quien creyera, que en esta umana forma...»]. (Págs. 1-92).

—*Rimas varias*.

2. *A Marco Antonio, en su batalla naual. Soneto.* [«Sobre las ondas, acossado Antonio...»]. (Pág. 93).

3. *A Mucio Ceuola. Soneto.* [«Librar del fuego la engañada mano...»]. (Pág. 94).

4. *A la hazaña de Don Alonso Perez de Guzman el Bueno, en la defensa de Tarifa. Soneto.* [«Las altas bozes, i rumor travieso...»]. (Págs. 94-95).

5. *Epitafio a las ruinas de Roma. Soneto.* [«El Nonbre Ausonio, que ligera i suelta...»]. (Págs. 95-96).

6. *A la edad del Año. Soneto.* [«De verdes ramas i de frescas flores...»]. (Pág. 96).

7. *Condena el fabricar soberuios Palacios.* *Soneto.* [«Ai de cuan poco sirue al arrogante...»]. (Págs. 96-97).
8. *A un Nauio destroçado en la ribera del mar. Soneto.* [«Este vaxel inutil, seco, i roto...»]. (Págs. 87-98).
9. *La Virtud a la Inuidia. Soneto.* [«Iuez, que enormes culpas no corriges...»]. (Pág. 98).
10. *En una estatua del Rei Filipo III esculpida por insigne artifice Toscano. Soneto.* [«Lisipo a solas el trasunto vero...»]. (Pág. 99).
11. *En el Tumulo que fabricó Seuilla a la Reina Doña Margarita. Soneto.* [«Oi por Vandalia insigne, i su cabeç...»]. (Págs. 99-100).
12. *Soneto amoroso.* [«Burla i blasona la corcilla o gama...»]. (Págs. 100-1).
13. *Al Sol amaneciendo. Soneto.* [«Rubio Planeta, cuya lunbre pura...»]. (Pág. 101).
14. *Soneto.* [«Si en el amado pecho más constante...»]. (Págs. 101-2).
15. *Un ausente nauegando. Soneto.* [«Iamas por larga ausencia (amada Flora)...»]. (Págs. 102-3).
16. *Soneto.* [«Dame el peñasco (Sisifo cansado...»]. (Pág. 103).
17. *Un amante abrasando las prendas de su dama. Soneto.* [«Passó la Primavera, i el verano...»]. (Pág. 104).
18. *Al Oro. Cancion.* [«Sabia Naturaleza...»]. (Págs. 105-10).
19. *La Monarquia de España, en la muerte de su Reina Doña Margarita. Elegia.* [«Ya que en silencio mi dolor no iguale...»]. (Págs. 111-15).
20. *A Don Pedro de Castro, Conde de Lemos, i Presidente de las Indias, en muerte de su ermano Don Fernando de Castro Conde de Gelues. Elegia.* [«Partio la Noche de su alvergue oculto...»]. (Págs. 116-129).
21. *A una medalla esculpida en oro, con el retrato del Rei Felipe III i una Enpresa del mismo. Madrigal.* [«Esta Inperial efigie, en oro inpressa...»]. (Págs. 130-31).
22. *Traduccion del Epigrama CXI de Ausonio, en la estatua de Dido. Madrigal.* [«Guesped, que mi semblante...»]. (Págs. 131-33).
23. *Traduccion del Epigrama I de Marcial, en que antepone el Anfiteatro de Tito Emperador a los mayores edificios del mundo. Liras.* [«No Menfis generosa...»]. (Págs. 133-34).
24. *Traducion del Epigrama XXVI de Marcial, en que celebra los Espectaculos del*

Enperador Tito. Otavas. [«Fue Augusto en sumas onras colocado...»]. (Págs. 135-36).
25. *Traduccion del Epigr. 73, lib. 8 de Marcial, a su amigo Instancio. Afirma que el Amor haze ilustres los Poetas. Cancion.* [«Instancio, cuyo onor i cortesia...»]. (Págs. 136-37).
26. *Traduccion de la III Oda de Oracio, en que condena el sobrado osar de los onbres, dandole motiuo la nauegacion que Virgilio hizo a Atenas. Cancion.* [«Nave, que por entrego...»]. (Págs. 137-40).
27. *A las estatuas de dos ermanos de Sicilia, que libraron a sus padres del mayor incendio del Etna. Imitase a Claudiano, en lo ultimo de sus obras.* [«Vivos los cuerpos ves i los senblantes...»]. (Págs. 141-43).
28. *De la felicidad de la vida. A imitacion de Pantadio, i Marcial, en sus Epigramas.* [«Engañaste, Licino, vulgarmente...»]. (Págs. 144-46)
29. *Imitacion de la primera Oda de Oracio, reduzida a la costunbre moderna. Ponderase cuan diuersas i vehementes sean las inclinaciones de los onbres. Cancion.* [«Util i cierto amigo...»]. (Págs. 147-50).
30. *La batalla naual de los de Cesar, i Decimo Bruto su General, contra los Griegos abitadores de Marsella. Descrita por Lucano en el III libro de su Farsalia, i transferida a nuestra lengua. Octavas.* [«Sobre el marino canpo el roxo Apolo...»]. (Págs. 151-69).
31. *A un amigo docto, i mal contento de sus obras. Silva.* [«Entre las oras que al estudio atenta...»] (Págs. 170-73).
32. *Dialogo etre la Naturaleza, i las dos Artes Pintura i Escultura, de cuya preeminencia se disputa, i juzga. Dedicado a los praticos, i teoricos en estas artes.* [«—Tu, venerable Maestra...»]. (Págs. 174-85).
33. *Afecto amoroso, consunicado al Silencio. Cancion.* [«Dexa tu alvergue oculto...»]. (Págs. 186-89).
34. *Acaecimiento amoroso. Silva.* [«En la espesura de un alegre soto...». (Págs. 190-197).
35. *A instancia, i en nonbre de un galan, poco lisongero con su dama. Satira.* [«Bien pensarás, o Lidia engañadora...»]. (Págs. 198-203).
36. *A una dama antigua, flaca i fea. Liras.* [«Cuando tus huessos miro...»]. (Págs. 204-205).
37. *Enigma.* [«Un cierto alcaguete soy...»]. (Págs. 206-7).
38. *Enigma.* [«Este cielo (ó vulgo loco)...»]. (Págs. 207-8).

39. *Enigma.* [«Aunque me veis tan troca-
do...»]. (Págs. 208-10).
40. *Enigma extraordinario, sobre esta palabra «Maroma» i sus letras.* [«Si en las
jarcias de la nave...»]. (Pág. 210).
41. *Difinicion de Amor, segun el uso de
los modernos.* [«Es el Amor un desden...»].
(Págs. 211-12).
42. *Al Ungaro Tiburcio, en la opresion de
Esmirna. Cancion lugubre.* [«Espirava la
luz; i el destemplado...»]. (Págs. 213-15).
— *Rimas sacras.*
43. *Traduccion de algunos Himnos de la
Iglesia: «Veni Sancte Spiritus, etc.».* [«Ven,
Deidad suprema...»]. (Págs. 217-18).
44. *«Iam lucis orto sidere, etc.».* [«Pues
ya la luz alegre...»]. (Págs. 219-20).
45. *Al santissimo Sacramento. «Pange lingua gloriosi Corporis mysterium, etc.».*
[«Mueve la boz lengua mía...»]. (Págs. 220-
222).
46. *En la festividad del Corpus. «Lauda
Sion Salvatorem, etc.». Liras.* [«O tú, Sion
dichosa...»]. (Págs. 222-28).
47. *Interpretación del Salmo 8. Trata de
las grandezas i beneficios de Dios. «Domi-
ne dominus noster, etc.». Cancion.* [«O
cuanto el nonbre vuestro...»]. (Págs. 229-
231).
48. *Exposicion del Salmo 113. Trata la
libertad de los Hebreos en Egipto: los beneficios que Dios haze a los suyos: i cuan-
ta diferencia aya de los falsos Idolos, al
verdadero Dios. «In exitu Israel de Aegip-
to, etc.».* [«Cuando de Egipto a su feliz
jornada...»]. (Págs. 232-36).
49. *Parafrasis del Salmo 136 en que se
lamentan los Hebreos de su captiuidad en
Babilonia. «Super flumina Babylonis, etc.».
Cancion.* [«En la ribera undosa...»]. (Págs.
237-40).
50. *En el dia de la Presentacion. Soneto.*
[«El justo Simeon al Verbo umano...»].
(Pág. 241).
51. *Al santissimo Sacramento. Romance
alegorico.* [«Mientras militava Cristo...»].
(Págs. 242-44).
52. *A la Inuencion de la Cruz. Epigrama.*
[«Sienpre del Redentor crucificado...»].
(Pág. 245).
53. *A la Redencion umana. Cancion.* [«La
profetica boz del labio puro...»]. (Págs.
246-49).
54. *A la Coronacion de nuestra Señora.
Soneto.* [«Sois nueva Esfera (o Virgen) que
la Mente...»]. (Pág. 250).
55. *A la purissima Concepcion de nuestra
Señora, en el dia de S. Pedro ad vincula.*

Cancion. [«Cuando prostrado *(sic)* en miseras prisiones...»]. (Págs. 251-58).
56. *A nuestra Señora. Aplicando algunos
atributos a la linpieza de su Concepcion.
Otavas.* [«Sois Palma eccelsa (o Virgen)
triunfadora...»]. (Págs. 259-61).
57. *A la Reina de los Angeles. Probando
la linpieza de su Concepcion santissima.
Cancion.* [«Plantó el Criador para el Adan
primero...»]. (Págs. 262-66).
58. *A la Assuncion de nuestra Señora:
aplicandole con puntualidad las propiedades de la Fenix. Cancion.* [«Del año escoge la sazón tenplada...»]. (Págs. 267-69).
59. *Al dichoso transito i Assuncion de
nuestra Señora. Cancion.* [«Ya la corona
i lauro generoso...»]. (Págs. 270-75).
60. *Al singular fauor que nuestra Señora
hizo a S. Ilefonso, dandole la Casulla en
la Iglesia de Toledo. Otavas.* [«Presága del
onor que la seguía...»]. (Págs. 276-79).
61. *A San Bernardo. Romance.* [«Mueve
mi lengua, Bernardo...»]. (Págs. 280-82).
62. *Al mismo Santo, cuando nuestra Señora le dio leche de sus pechos. Cancion.*
[«La sacra i viva sangre que al umano...»].
(Págs. 282-85).
63. *Discurso alegorico a la Milicia espiritual de san Bernardo, segun la verdad de
su Istoria, cuya noticia se supone.* [«Antes que el fuerte Capitan Bernardo...»].
(Págs. 285-89).
64. *A la B. Madre Teresa de Iesus, que
por espacio de veinte años fue examinada
de Dios, con perpetua sequedad i ausencia
en la oracion. Cancion.* [«Con dulce afan,
i grato desconsuelo...»]. (Págs. 290-94).
65. *Al mismo assunto. Cancion alegorica.*
[«Ronpio Teresa al alma las amarras...»].
(Págs. 294-97).
66. *A la umildad maravillosa desta Santa
en sus revelaciones, que viendo al mismo
Cristo, no lo creía: antes por consejo de
sus confessores, se santiguava i le dava
higas como a vision del Demonio.* [«Tanto
se levanta al Cielo...»]. (Págs. 297-300).
67. *Al desposorio que celebró Cristo con
la misma Santa. Liras.* [«Espiritu abrasa-
do...»]. (Págs. 300-3).
68. *A la Paloma que salio de la boca desta Santa en su muerte. Soneto.* [«La candida Paloma, onor del Suelo...»]. (Pág.
304).
69. *Epilogo mas que poetico de la vida
desta Santa.* [«Musa, si me das tu ardiente...»]. (Págs. 305-7).
Salvá, I, n.º 690; Gallardo, III, n.º 2.580;
Escudero, n.º 1.138.

LONDRES. *British Museum.* G.11316.—MADRID. *Academia de la Historia.* 14-9-6-7.010. *Facultad de Filosofía y Letras.* — *Nacional.* R-2.643.—NUEVA YORK. *Hispanic Society y Public Library.*—SANTANDER. «*Menéndez y Pelayo*». — R-IV-9-9. — SANTIAGO DE COMPOSTELA. *Universitaria.*—SEVILLA. *Universitaria.* 81-88.

1542

RIMAS. Madrid. Imp. Real. 1786. 256 págs. 16 cm.

Págs. 1-22: Prólogo.

BALTIMORE. *Peabody Institute.*—BOSTON. *Public Library.* — MADRID. *Nacional.* 1-15.220. Senado. — URBANA. *University of Illinois.*

— — —
—1819.
NUEVA YORK. *Public Library.* — SANTANDER. «*Menéndez y Pelayo*». 23.336.

1543

[*POESIAS. Edición de Adolfo de Castro*]. (En POETAS *líricos de los siglos XVI y XVII.* Tomo II. Madrid. 1857, págs. 104-50. Biblioteca de Autores Españoles, 42).

Orfeo
1544

ORFEO. Madrid. Iuan Gonçalez. 1624. 4 hs. + 34 fols. 18,5 cm.

—Ded. al Marques de Montesclaros, por Lorenzo Ramirez de Prado.—S. Pr.—S. T.—E.—Censura del Dr. Francisco Sanchez de Villanueva.—Censura del M.º Ioseph de Valdiuielso.—Ded. a D. Gaspar de Guzman, Conde de Olivares, etc.— Texto. [«Gozava juvenil el Trace Orfeo...»]. (Fols. 1r-34r).

Salvá, I, n.º 689; Pérez Pastor, *Madrid*, III, n.º 2.075.

LONDRES. *British Museum.* 11450.d.5.(2).—MADRID. *Nacional.* R-6.211; V.E.-163-1; etc. — NEW HAWEN. *Yale University.*—NUEVA YORK. *Hispanic Society.*—OVIEDO. *Universitaria.* A-199.—SANTANDER. «*Menéndez y Pelayo*». R-V-7-26.

1545

ORFEO. (En *La Farsalia.* Madrid. s. a., 1684, fols. 82r-114v).

V. n.º 1551.

1546

———. *Edición de Pablo Cabañas.* Madrid. Consejo Superior de Investigaciones Científicas. [Gráfs. Tejario]. 1948. XXI + 111 págs. 17,5 cm. (Biblioteca de Antiguos Libros Hispánicos. Serie A, XIII).

a) Mac Lean, M. D., en *Hispanic Review*, XVII, Filadelfia, 1949, págs. 181-82.
MADRID. *Consejo. General.* — *Nacional.* V-2.985-6.

1547

ORFEO. Santiago de Chile. Cruz del Sur. 1943. 137 págs. 13,5 cm. (Col. La Fuente escondida).

Prólogo de J[osé] R[icardo] [M]orales.

WASHINGTON. *Congreso.* 45-874.

1548

ORFEO. Edición de 75 ejemplares numerados. Madrid. Turner. 1980. 118 págs. con ilustr. 38 × 29 cm.

Con cinco aguafuertes y una viñeta de José Hernández.

Discurso poético
1549

DISCVRSO poetico. Madrid. Iuan Gonçalez. 1624. 2 hs. + 40 fols. 20 cm.

—S. T.—E.—S. Pr.—Ded. a D. Gaspar de Guzman, Conde de Olivares, etc.—Texto.
Gallardo, III, n.º 2.581; Salvá, I, n.º 688; Pérez Pastor, *Madrid*, III, n.º 2.076.

CAMBRIDGE, Mass. *Harvard University.*—FILADELFIA. *University of Pennsylvania.*—MADRID. *Nacional.* R-4.521. — NUEVA YORK. *Hispanic Society.*—OVIEDO. *Universitaria.* A-198.—ZARAGOZA. *Seminario de San Carlos.* 50-7-8.

1550

DISCURSO poético (Madrid, 1624). [*Edición de Antonio Pérez Gómez*]. Tirada de 225 ejemplares. Cieza. «... la fonte que mana y corre...». 1957. XIII + 123 págs. + 2 hs. 17,5 cm. (Duque y Marqués, 10).

MADRID. *Consejo. General.*

«La Farsalia» (trad.)

1551

FARSALIA (La), poema español, escrito por ——... Sacale a lvz Sebastian de Armendariz... Madrid. Lorenzo García. A costa de Sebastián de Armendariz. [s. a.]. 239 + 114 fols. 19 cm.

—Ded. al Rey, por S. de Armendariz.—Ded. a D. Iuan Francisco de la Cerda Enriquez, Duque de Medina-Celi, etc., por el mismo. — Epistola a D. Bernardino de Pardiñas Villar de Francos, por el mismo.—Respuesta de este.—A los que leyeren, S. de Armendariz.—Apr. del P. Iuan Cortes Ossorio (1684).—L. V. (1684).—Apr. de Antonio de Solís (1684).—L. V. (1684). E. (1684).—S. T. (1684).—Texto. [«Canto la guerra insigne de Tesalia...»]. — Parte 2.ª, fols. 82r-114v: Orfeo.

Salvá, I, n.º 753; Gallardo, III, n.º 2.585.

LONDRES. British Museum. 11451.d.16. — MADRID. Facultad de Filosofía y Letras.—Nacional. R-30.855 (ex libris de J. M. de Asensio).—NUEVA YORK. Hispanic Society.—SANTIAGO DE COMPOSTELA. Universitaria. — SEVILLA. Colombina. 50-3-40.

1552

FARSALIA de don ——. Madrid. Imp. Real. 1789. 2 vols. 16 cm. (Col. de D. Ramón Fernández, 7-8).

Tomo I, págs. 5-22: Prólogo.

Incluce el Orfeo.

BALTIMORE. Peabody Institute. — BOSTON. Public Library.—MADRID. Consejo. General.— Nacional. 1-15.221/22.—SANTANDER. «Menéndez Pelayo».—URBANA. University of Illinois.

— — —

—1825.

NUEVA YORK. Public Library.

1553

FARSALIA (La) por Marco Anneo Lucano. Versión castellana de ——. Precedida de un discurso de Emilio Castelar. Madrid. Libr. de la Vda. de Hernando y Cía. [Sucs. de Rivadeneyra]. 1888. 2 vols. (Biblioteca Clásica, 113-14).

Tomo I, págs. V-XXXVII: Lucano. Su vida, su genio, su poema. Discurso leído en la Universidad Central, por E. Castelar. Reproducido de sus Discursos académicos. MADRID. Nacional. 4-26.708/9.

«Aminta» (trad.)

1554

AMINTA de Torcvato Tasso. Traduzido de Italiano en Castellano por don——. Roma. Estevan Paulino. 1607. 8 hs. + 87 págs. 15 cm.

—A. D. Fernando Enriquez de Ribera, Duque de Alcalá, Marqués de Tarifa, etc.— Di don Girolamo d'Avendagno. (Soneto italiano).—Di Luigi Scarlatti. (Poesía en italiano).—Di Paolo Guidotto. (Poesía en italiano).—Madrigale. (En italiano).—Soneto. [«El celestial furor qu' en el Parnasso...»]. — Del Dr. Andres del Poço. [«Desató de las inclitas arenas...»].—De Alonso de Azevedo. [«Mirando Aminta su belleza un día...»]. — Soneto. [«Nacio y junto al Eridano abundoso...»].—Approbatio. — Interlocutores. — Prologo. [«Quien creyera qu'en esta umana forma...»]. — Texto. [«Querrás, Silvia, en efeto...»].

Salvá, I, n.º 1.430; Gallardo, III, n.º 2.579; Toda, Italia, II, n.º 2.495.

LONDRES. British Museum. 1071.i.15. — MADRID. Nacional. R-5.449. — NUEVA YORK. Hispanic Society.—SANTANDER. «Menéndez y Pelayo». R-VII-3-18.—SANTIAGO DE COMPOSTELA. Universitaria.

1555

AMINTA. Fábula pastoril de Torquato Taso, traducida por D. ——. Edición estereotípica. Madrid. Real Academia Española. 1804. III hs. + 86 págs. 18 cm.

MADRID. Academia de la Historia. 13-1-8-2.198; 1-1-4-253. Consejo. General. — Nacional. T-18.693.

— — —

Reed. en:
—Barcelona. 1906.
—Barcelona. Salvatella. 1926. 127 págs. 16 cm.

1556

AMINTA. Edición de Joaquín Arce. Madrid. Castalia. 1970. 130 págs.

a) Jones, R. O., en *Bulletin of Hispanic Sutdies*, XLIX, Liverpool, 1972, págs. 302-303.

Apología por la Verdad

1557

APOLOGIA por la Verdad. Madrid. Iuan Delgado. A instancia y costa de Pedro Pablo Bugia. 1625. 4 hs. + 44 fols. 20,5 cm.

—Pedro Pablo a los lectores.—L. del Real Consejo.—E.—T.—Censura i apr. del Dr. Paulo de Çamora.—Apr. de Manuel Sarmiento de Mendoça.—Ded. al Conde Duque de Sanlúcar.

Salvá, II, n.º 2.291; Gallardo, III, n.º 2.582; Pérez Pastor, *Madrid*, III, n.º 2.171.

MADRID. *Nacional*. R-12.175,18 (ex libris de Gayangos).—NUEVA YORK. *Hispanic Society*. OVIEDO. *Universitaria*. A-200. — SANTIAGO DE COMPOSTELA. *Universitaria*.

«El retraído»

1558

RETRAIDO (El). *Comedia famosa de Don Clavdo*. [Barcelona. Sebastián de Cormellas]. [1635]. 48 fols. 20,5 cm.

Carece de portada.
—Texto.—Colofón.

MADRID. *Nacional*. T-12.527.—NUEVA YORK. *Hispanic Society*.

Otras obras

1559

[*VERSION parafrastica del primer Himno del Sacramento*: Pange lingua gloriosi corporis mysterium]. (En VERSIONES *parafrásticas de los tres himnos del Oficio del Corpus...* Mallorca. Imp. de B. Villalonga. 1816, págs. 3-5).

«Mueve la voz, lengua mía...».

MADRID. *Nacional*. V.E.-628-102 y 699-10.

1560

VERSION parafrástica del primer Himno del Sacramento. [s. l. - s. i.]. [s. a.]. 7 hs. 14 cm.

MADRID. *Nacional*. V-190-10.

1561

[*MEMORIAL al Rey nvestro Señor... Ilustra la singular onra de España: aprueva la modestia en los escritos contra Francia, i nota una carta embiada a aquel Rey*]. [s. l. - s. i.]. [s. a.]. 20 fols. 20,5 cm.

Carece de portada.
—Texto.

Gallardo, III, n.º 2.583.

MADRID. *Nacional*. V.E.-43-73 y 61-55.

1562

MEMORIAL al Rey nuestro Señor... Ilustra la singular onra de España: aprueva la modestia en los escritos contra Francia, i nota una carta embiada a aquel Rey. Madrid. 1635. 20 fols.

CHICAGO. *University of Chicago*. — LONDRES. *British Museum*. 1445.f.22 (7).

1563

[*EPISTOLA a Vicente Noguera*]. (En Figueroa, Francisco de. *Obras*. Lisboa. 1625. Prels.)

MADRID. *Nacional*. R-8.323.

1564

RELACION sucinta de la enfermedad y muerte de D. Francisco Alvarez de Toledo y Palafox. [s. l.]. 1816. 8 págs. 4.º

Palau, VII, n.º 123.305.

1565

DIARIO de la preñez y parto de la Reina nuestra Señora. Madrid. 1817. 30 págs. 4.º

Palau, VII, n.º 123.306.

1566

[*Don* ——..., *cuyas vniuersales letras, y eminencia en la Pintura, han manifestado a este Reino, y a los estraños sus nobles estudios*]. (En Carducho, Vincencio. *Diálogos de la Pintura*. Madrid. 1633. [1634], fols. 189*v*-203*r*).

MADRID. *Nacional*. R-31.640.

Poesías sueltas

1567

[*POESIAS*]. (En Luque Fajardo, Francisco de. *Relación de la fiesta que se hizo en Sevilla a la beatificación de... San Ignacio...* Sevilla. 1610).

1. *Soneto.* (Fol. 53r).
2. *Glosa de octavas.* (Fols. 68v-69r).
3. *Canción.* (Fols. 79v-81r).
4. *Quintillas.* (Fols. 104v-105v).
5. *Glosa.* (Fol. 60).

MADRID. *Nacional.* 3-25.151.

1568

[*POESIAS*]. (En Luque Fajardo, Francisco de. *Relación de las fiestas que la Cofradía de Sacerdotes... celebró a la Purissima Concepción...* Sevilla. 1616).

1. *Glossa.* (Fol. 31).
2. *Soneto.* (Fol. 36).
3. *Octavas.* (Fols. 38v-39v).
4. *Canción.* (Fols. 46r-48v).

MADRID. *Nacional.* R-12.262.

1569

[*OCTAVAS*]. (En Herrera, Pedro de. *Descripción de la Capilla de Ntra. Sra. del Sagrario.* Madrid. 1617. 4.ª Parte, Fols. 37v-39r).

MADRID. *Nacional.* 2-42.682.

1570

[*POESIAS*]. (En Vega Carpio, Lope de. *Justa poética... que hizo Madrid al bienaventurado San Isidro...* Madrid. 1620).

1. *Canción.* (Fols. 38r-39v).
2. *Décimas.* (Fols. 58r-59r).
3. *Glossa.* (Fol. 79).
4. *Romance.* (Fols. 96v-97v).
5. *Redondillas.* (Fol. 110).

MADRID. *Nacional.* R-4.901.

1571

[*POESIAS*]. (En Monforte y Herrera, Fernando de. *Relación de las fiestas que ha hecho el Colegio Imperial...* Madrid. 1622).

1. *Soneto.* (Fol. 14).

2. *Canción.* (Fol. 19).

MADRID. *Nacional.* R-154.

1572

[*POESIAS*]. (En Vega Carpio, Lope de. *Relación de las fiestas que... Madrid hizo en la canonización de San Isidro...* Madrid. 1622).

1. *Canción.* (Fols. 55v-57r).
2. *Glossa.* (Fol. 138r).

MADRID. *Nacional.* R-9090.

1573

[*POESIAS*]. (En Ibarra, Juan Antonio de. *Encomio de los ingenios sevillanos.* Sevilla. 1623).

1. *Soneto.* (Fol. 30v).
2. *Glosa.* (Fol. 43r).
3. *Canción.* (Fols. 47r-48v).
4. *Octavas.* (Fol. 74r).

MADRID. *Nacional.* 1-107.535.

1574

[*DECIMAS*]. (En Figueroa, Francisco de. *Obras.* Lisboa. 1625. Prels.)

MADRID. *Nacional.* R-8.323.

1575

[*DECIMA*]. (En Bocángel y Unzueta, Gabriel de. *Rimas y Prosas.* Madrid. 1627. Prels.)

MADRID. *Nacional.* R-2.882.

1576

[*AL Autor. Décima*]. (En Carranza, Alonso de. *El Aivstamiento i proporcion...* Madrid. 1629. Prels.)

MADRID. *Nacional.* 2-59.337.

1577

[*EPIGRAMA*]. (En Pellicer de Tovar, José. *Anfiteatro de Felipe el Grande.* Madrid. 1631. Fol. 20r).

MADRID. *Nacional.* R-7.502.

1578

[*DOS oraciones muy devotas para antes de la Confessión y Sagrada Comunión, escritas a imitación de otras de San Buenaventura*]. (En

Avisos *para la Muerte...* Madrid. 1634. Prels.)

MADRID. *Nacional.* R-1.857.

1579

[*SONETO*]. (En Muñoz, Luis. *Vida y virtudes del venerable varón el P. M. Fray Luis de Granada...* Madrid. 1639. Prels.)

MADRID. *Nacional.* 2-15.920.

1580

[*POESIAS*]. (En POESÍAS *selectas castellanas... por Manuel Josef Quintana.* Nueva edición aumentada y corregida. Tomo III. Madrid. 1860, págs. 3-126).

Pág. 126: Noticias de D. Juan de Jáuregui.
Págs. 401-7: Observaciones.

MADRID. *Nacional.* 1-16.418.

1581

CRISTO paciente. Canción. (En *Revista de Ciencias, Literatura y Artes,* II, Sevilla, 1856, págs. 179-80).

«Cristo en su muerte ordena...».
Nota: «Esta composición se hallaba médita hasta que *El Correo de Sevilla,* periódico redactado por los Sres. Lista, Reinoso y otros ilustres escritores, la insertó. No se ha impreso después en ninguna parte».

1582

[*SONETO*]. (En SEGUNDA *parte de las Flores de poetas ilustres de España...* Sevilla. 1896, pág. 213).

MADRID. *Nacional.* 2-35.873.

1583

[*DOS poesías*]. (En CANCIONERO *del Marqués de Siete Iglesias. Edición de A. Rodríguez Moñino.* Madrid. 1946).

V. *B. L. H.,* IV, 2.ª ed., n.º 50 (9-10).

Aprobaciones

1584

[*APROBACION. Madrid, 14 de septiembre de 1621*]. (En Botello, Mi-guel. *La Fábula de Piramo y Tisbe.* Madrid. 1621. Prels.)

MADRID. *Nacional.* R-1.744.

1585

[*APROBACION. Madrid, 16 de septiembre de 1621*]. (En PRIMAVERA *y flor de los mejores romances que han salido... en esta Corte, recogidos... por Pedro Arias Pérez.* Madrid. 1622. Prels.)

MADRID. *Nacional.* R-7.026.

1586

[*APROVACION. Madrid, 7 de otubre de 1621*]. (En Tirso de Molina. *Cigarrales de Toledo.* Madrid. 1621 ó 1624? Prels.)

MADRID. *Nacional.* R-4.561.

1587

[*APROBACION*]. (En Castro, Guillén de. *Primera parte de las Comedias.* Valencia. 1621. Prels.)

PARIS. *Nationale.* Rés.p.Yg. 19.

1588

[*APROBACION. Madrid, 26 de julio de 1623*]. (En Góngora, Luis de. *El Polifemo, comentado por García de Salzedo Coronel.* Madrid. 1629. Preliminares).

1589

[*APROBACION. Madrid, 8 de septiembre de 1624*]. (En Castillo Solórzano, Alonso de. *Tardes entretenidas.* Madrid. 1625. Prels.)

MADRID. *Nacional.* R-7.842.

1590

[*CENSURA. Madrid, 15 de noviembre de 1625*]. (En Corral, Gabriel de. *La prodigiosa historia de los dos amantes Argenis y Poliarco.* Madrid. 1626. Prels.)

MADRID. *Nacional.* R-12.670.

1591

[*APROBACION. Madrid, 20 de diciembre de 1625*]. (En Castillo Solórzano, Alonso de. *Tiempo de regozijo y Carnestolendas de Madrid.* Madrid. 1627. Prels.)

MADRID. *Nacional.* R-6.958.

1592

[*APROBACION. Madrid, 20 de junio de 1626*]. (En Peña, Juan Antonio de la. *Discurso de la jornada que hizo a los Reynos de España... Don Francisco Barberino.* Madrid. 1626. Prels.)

SEVILLA. *Universitaria.* 109-34 (5).

1593

[*APROBACION. Madrid, 27 de junio de 1625*]. (En Vega Carpio, Lope de. *Triunfos divinos con otras Rimas sacras.* Madrid. 1635. Prels.)

1594

[*APROBACION. Madrid, 18 de junio de 1627*]. (En Díaz Callecerrada, Marcelo. *Endimión.* Madrid. 1627. Prels.)

MADRID. *Nacional.* R-Varios, 154-25.

1595

[*APROBACION. Madrid, 8 de agosto de 1627*]. (En Vega, Lope de. *Corona trágica...* Madrid. 1627. Prels.)

1596

[*APROBACION. Madrid, 11 de octubre de 1627*]. (En Salcedo Coronel, García de. *Rimas.* Madrid. 1627. Prels.)

MADRID. *Nacional.* R-15.846.

1597

[*APROBACION. Madrid, 28 de noviembre de 1627*]. (En Barbón y Castañeda, Guillén. *Provechosos adbitrios...* Madrid. 1628. Prels.)

MADRID. *Nacional.* R-8.650.

1598

[*APROBACION. Madrid, 6 de enero de 1628*]. (En Díaz Rengifo, Juan. *Arte y poética española.* Madrid. 1628. Prels.)

MADRID. *Nacional.* 2-1.655.

1599

[*APROBACION. Madrid, 20 de enero de 1628*]. (En Rodríguez Lobo, Francisco. *La Primavera.* Traducción de Juan Baptista Morales. Montilla. 1629. Prels.)

MADRID. *Nacional.* R-758.

1600

[*APROBACION. Madrid, 4 de febrero de 1628*]. (En Quintana, Jerónimo. *A la... Villa de Madrid. Historia de su antigüedad, nobleza y grandeza.* Madrid. 1629. Prels.)

MADRID. *Nacional.* R-25.089.

1601

[*APROBACION. Madrid, 18 de febrero de 1628*]. (En Hurtado, Francisco. *Lámina aurea de atributo virginales de la Purissima Concepcion de la Virgen.* Tomo I. Salamanca. 1628. Prels.)

1602

[*APROBACION. Madrid, 4 de junio de 1628*]. (En Piña, Juan de. *Epítome de la primera parte de las fábulas de la Antigüedad...* Madrid. 1635. Prels.)

MADRID. *Nacional.* R-15.608.

1603

[*APROBACION. Madrid, 17 de setiembre de 1628*]. (En Piña, Juan de. *Casos prodigiosos y cueva encantada.* Madrid. 1628. Prels.)

MADRID. *Nacional.* R-14.569.

1604

[*APROBACION. Madrid, 2 de junio de 1629*]. (En Piña, Juan de. *Segunda parte de los Casos prodigiosos.* Madrid. 1629. Prels.)

MADRID. *Nacional.* R-14.570.

1605

[*APROBACION. Madrid, 22 de noviembre de 1629*]. (En Vega Carpio, Lope de. *Laurel de Apolo*... Madrid. 1630. Prels.)

MADRID. *Nacional.* R-14.177.

1606

[*APROBACION. Madrid, sin fecha*]. (En Corral, Gabriel de. *La Cintia de Aranjuez.* Madrid. 1629. Prels.)

MADRID. *Nacional.* R-1.073.

1607

[*APROBACION. Madrid, 20 de septiembre de 1638*]. (En Roberto Belarmino. *Libro del conocimiento de Dios. Traducido por Lucas de Soria.* Sevilla. 1639. Prels.)

SEVILLA. *Universitaria.* 1-141.

1608

[*APROBACION*]. (En León Pinelo, Antonio de. *Velos antiguos y modernos en los rostros de las mugeres.* Madrid. 1641. Prels.)

MADRID. *Nacional.* R-6.869.

1609

[*APROBACIONES*]. (En TEXTOS *dispersos de autores españoles. I. Impresos del Siglo de Oro, recopilados por José Simón Díaz.* Madrid. CSIC. 1978, págs. 149-56. Cuadernos Bibliográficos, 36).

ESTUDIOS

De conjunto

1610

JORDAN DE URRIES Y AZARA, JOSE. *Biografía y estudio crítico de Jáuregui.* Madrid. Real Academia Española. Sucs. de Rivadeneyra. 1899. VII + 273 págs. 29 cm.

MADRID. *Ateneo.* F-3.055. *Consejo. General. Nacional.* 1-27.549.—SANTANDER «*Menéndez y Pelayo*». 5.050.

Biografía

1611

MILLE Y GIMENEZ, JUAN. *Jáuregui y Lope.* (En *Boletín de la Biblioteca Menéndez Pelayo*, VIII, Santander, 1926, págs. 126-36).

Reed. en sus *Estudios de literatura española.* 1928, págs. 229-45.

1612

CROSBY, JAMES O. *The friendship and enmity between Quevedo and Juan de Jáuregui.* (En *Modern Language Notes*, LXXVI, Baltimore, 1961, págs. 35-39).

Documentos

1613

[*DOCUMENTOS sobre Juan de Jáuregui*]. (En Pérez Pastor, Cristóbal. *Bibliografía madrileña.* Tomo III. Madrid. 1907, págs. 205-24).

Poesías

1615

REA, J. D. *A sonnet of Jáuregui's* [sic]. (En *Hispania*, XII, Stanford, 1929, págs. 365-66).

El soneto *A Marco Antonio, en su batalla naval* y la traducción, que se supone inéditas, de Southey.

1616

LOPEZ ESTRADA, FRANCISCO. *Notas de poesía sevillana. Las «Rimas» de Jáuregui, comentadas en Madrid el año de su aparición (1618).* (En *Archivum*, IV, Oviedo, 1954, págs. 305-9).

1617

LOPEZ ESTRADA, FRANCISCO. *Datos sobre poesía sevillana. Un inmediato comentario de las Rimas de Jáuregui (1618).* (En *Archivo Hispalense*, XXII, Sevilla, 1955, págs. 281-294).

1618
SMIEJA, FLORIAN. *Dos poemas desconocidos de Juan de Jáuregui.* (En *Archivo Hispalense*, XXXII, Sevilla, 1960, págs. 443-48).
Trad. por F. López Estrada. Las del libro de Luque Fajardo (1616).

«Orfeo»
1619
DIEGO, GERARDO. *El virtuoso divo Orfeo.* (En *Revista de Occidente*, XIV, Madrid, 1926, págs. 182-201).

1620
ROMANOS, MELCHORA. *Modos de aproximación a una realidad poética. A propósito del «Orfeo» de Juan de Jáuregui, anotado por un lector del siglo XVII.* (En HOMENAJE del *Instituto de Filología y Literatura Hispánica «Dr. Amado Alonso».* Buenos Aires, 1975, págs. 332-71).

«Aminta»
1621
LASSO DE LA VEGA, ANGEL. *Aminta. Fábula pastoril. Torcuato Tasso y Don Juan de Jáuregui.* (En *Revista Contemporánea*, XCVIII, Madrid, 1895, págs. 247-51).

1622
FUCILLA, J. G. *Las dos ediciones del «Aminta» de Jáuregui.* (En *Nueva Revista de Filología Hispánica*, XV, Méjico, 1961, págs. 505-18).

1623
ARCE, JOAQUIN. *Italiano y español en una traducción clásica: confrontación lingüística.* (En *Actas del XI Congreso Internacional de Lingüística y Filología románicas*, II, Madrid, 1968, págs. 801-15).

«La Farsalia»
1624
HERRERO LLORENTE, VICTOR JOSE. *Jáuregui, intérprete de Lucano.* (En *Helmántica*, XV, Salamanca, 1964, págs. 389-410).

«Antídoto»
1625
GATES, EUNICE JOINIER. *New light an the «Antídoto» against Góngora's Pestilent «Soledades».* (En *Publications of the Modern Languaje Association of America*, LXVI, Baltimore, 1951, págs. 746-64).

1626
JAMMES, ROBERT. *«L'Antidote», de Jáuregui, annoté par les amis de Góngora.* (En *Bulletin Hispanique*, LXIV, Burdeos, 1962, págs. 193-215).

«Apocalipsis»
1627
GUILLEMOT, M. *«L'Apocalypse» de Jáuregui.* (En *Revue Hispanique*, XLII, Nueva York-París, 1918, págs. 564-79, con 24 grabs.)

Su retrato de Cervantes
V. *B. L.H.*, VIII, núms. 1967, 1989-2012.

Elogios y referencias
1628
CERVANTES SAAVEDRA, MIGUEL DE. [*Referencia*]. (En *Viage del Parnaso*. Madrid. 1614, fol. 9v).
Dice «Xaurigui».
MADRID. *Nacional.* Cerv.-359.

1629
HERRERA MALDONADO, FRANCISCO DE. [*Elogio*]. (En Sannazaro, Jacobo. *Sanazaro Español. Los tres libros del Parto de la Virgen... Traducción de F. Herrera Maldonado.* Madrid. 1620, fol. 57).

«Quando Don Iuan de Xaurigui canoro
Plectro ocupa en amorosas sumas
Argos del tiempo, y de la fama plumas».

1630
BOCANGEL Y UNZUETA, GABRIEL
DE. *En honor de don Iuan de Jaure-
gui... Soneto.* (En sus *Rimas y Pro-
sas.* Madrid. 1627, fol. 30r).
MADRID. *Nacional.* R-2.882.

1631
SALAS BARBADILLO, ALONSO JE-
RONIMO DE. [*Referencia*]. (En *Co-
ronas del Parnaso, y platos de las
Musas.* Madrid. 1635, fol. 33).
MADRID. *Nacional.* R-4.621.

1632
REP: N. Antonio, I, pág. 797; La Barrera, pág. 197; Méndez Bejarano, I, n.º 1.284;
Menéndez Pelayo, *Bibliografía*, VI, 1951, página 329, y *Traductores*, II, 1952, págs. 256-
274.

JAUREGUI (LUCAS DE)
EDICIONES
1633
[*POESIA*]. (En Jáuregui, Juan de.
Rimas. Sevilla. 1618. Prels.)
MADRID. *Nacional.* R-2.643.

JAUREGUI (MARTIN DE)
Doctor. Catedrático y Rector de la Universidad de Alcalá. Párroco de la de Santiago
de Madrid. Calificador de la Inquisición.

EDICIONES
Poesías sueltas
1634
[*SONETO*]. (En Almansa y Segura,
Andrés de. *Sermón predicado en la
festividad de... San Iosef...* Grana-
da. 1636. Prels.)
SALAMANCA. *Universitaria.* 56.088.

Aprobaciones
1635
[*APROBACION. Madrid, 17 de junio
de 1624*]. (En Aguilar del Río, Juan.

*Sermón que predicó en el Mones-
terio de Monjas de la Concepción
de la Ciudad de los Reyes...* Madrid.
1624. Prels.)
GRANADA. *Universitaria.*

1636
[*APROBACION, 28 de julio de 1628*].
(En Felipe de la Cruz, Fray. *Norte
de confessores y penitentes.* Valla-
dolid. 1629. Prels.)
MADRID. *Nacional.* 3-5.546.

1637
[*APROBACION. Madrid, 23 de octubre de 1628*]. (En DISCURSOS *contra
los judíos* traducido por Fr. Diego
Gavilán Vela. Salamanca. 1631. Preliminares).
MADRID. *Nacional.* 3-77.896.

1638
[*APROBACION. Madrid, 21 de ene-
ro de 1627*. (En Pérez de Montal-
bán, Juan. *Vida y purgatorio de San
Patricio.* Barcelona. 1628. Prels.)
BARCELONA. *Central.* 1-I-37.

JAUREGUI (MIGUEL DE)
CODICES
1639
[*Poesías*].
Letra del s. XVII. 215 × 145 mm.
1. *Decimas. A una mui hermosa fuente
que ay en la Alameda de los Martires, por
el camino que sube al Alhambra en Granada.* [«Qual penacho de cristal...»]. (Fols.
268v-269r).
2. *Soneto. Al misterioso suceso que el
santo Patriarca Ioseph, hijo de Jacob,
tubo con la muger de Putifar, su señora,
quando le dejó la capa en las manos.*
[«Qual toro de Jarama que membrudo...»].
(Fol. 267).
3. *Decimas. Al desengaño de la miseria de
esta vida sobre estas dos sentencias. Seruir
a Dios es reinar y no ai quien quiera
morir.* [«El Principe sin salud...»]. (Fols.
267v-268r).
Dice Xaurigui.
MADRID. *Nacional.* Mss. 3920.

JAURRIETA (JUAN ANTONIO)

EDICIONES

1640

[*SONETO*]. (En Boneta, José. *Vidas de santos y venerables varones de la Religión de Nuestra Señora del Carmen...* Zaragoza. 1680, pág. 278).

MADRID. *Nacional.* 2-70.040.

JAVALQUINTO (MARQUES DE)

V. BENAVIDES (JUAN ALONSO
FRANCISCO DE)

JAVIER (P. FRANCISCO)

Jesuita.

EDICIONES

1641

[*ORACION funebre, que en las Honras del mui R. P. Fr. Melchor de Peña, del Orden de la Santissima Trinidad... y Cathedratico de Filosofia en esta Universidad de Salamanca, predicó el... P. M. Francisco Xavier...*]. [s. l. - s. i.]. [s. a., 1679]. 16 págs. 4.º

Carece de portada.

SANTIAGO DE COMPOSTELA. *Universitaria.*

1642

ORACION funebre en las honras del R. P. M. Fr. Ioseph Romero, del Orden de la Santissima Trinidad... en la Universidad de Salamanca. Dicha... por el R. P. M. Francisco Xavier... Salamanca. Lucas Pérez. 1685. 25 págs. 4.º

SALAMANCA. *Universitaria.* 56.090.—SANTIAGO DE COMPOSTELA. *Universitaria.*

1643

CARTA, qve el P. Francisco Xavier, Rector del Colegio Maximo de S. Pablo, y al presente Preposito Provincial de la Provincia del Perú, remitió a los Padres Rectores de los Colegios, y Casas de la Compañia de Iesvs de la dicha Provincia, dandoles vna breve noticia de la exemplarissima vida, y dichosa muerte del Venerable P. Diego de Avendaño. Lima. Ioseph de Contreras. 1689. 3 hs. + 61 fols. orlados 4.º

—Poesías latinas de los PP. P. A. P. é I. R. P.—Redondilla de José de Urdanegui.—Texto.

Medina, *Lima*, II, n.º 622.

Aprobaciones

1644

[*APROBACION. Salamanca, 27 de septiembre de 1678*]. (En Tamayo, José de. *El mostrador de la vida humana en el curso de las edades.* Madrid. 1679. Prels.)

MADRID. *Nacional.* 3-54.475.

JAVIER (IGNACIO)

Licenciado.

EDICIONES

1645

[*SONETO en Eco*]. (En Zapata, Sancho. *Justa poética en defensa de la pureça de la Inmaculada Concepçión de la Virgen Sanctissima...* Zaragoza. 1619, pág. 165).

Dice «Xabier».

MADRID. *Nacional.* 2-68.257.

JAVIER (P. ROBERTO)

EDICIONES

1646

SERMON en las honras que hizo al Venerable Padre Fray Joseph de Caravantes... Don Francisco de Sandiañez... Predicole el P. Roberto Xavier... Año de 1694. Santiago. Antonio Fraiz. (En Caravantes, José de. *Pláticas Dominicales y Lecciones Doctrinales de las cosas más esenciales sobre los Evangelios de las dominicas de todo el año...* Tomo I. Madrid. 1686. Prels.)

—Ded. a la Pura Concepcion. — Apr. del P. Pedro Vasquez.—L. V.—Texto.

Medina, *Biblioteca hispano-americana*, III, n.º 1.786.

MADRID. *Nacional*. 3-10.622.

1647

———. Santiago. Antonio Frayz. [s. a.]. 22 hs. 4.º

Tirada aparte de la anterior. Idem, n.º 1.933.

GRANADA. *Universitaria*. A-31-271 (4).—SANTIAGO DE COMPOSTELA. *Universitaria*.

JAVIERRE (ANTONIO)

EDICIONES

1648

[*APROBACION*]. (En Arbués, Luis Vicente de. *Discurso y Verdadera Inteligencia del Fuero de Aragón comúnmente llamado de nueve por ciento*. Zaragoza. 1647. Al fin).

Dice «Xavierre».

MADRID. *Nacional*. V.E.-192-7.

JAVIERRE (FR. DOMINGO)

EDICIONES

1649

[*APROBACION*. *Madrid, 23 de julio de 1600*]. (En Peraza, Martín. *De los Sermones del Adviento*. Zaragoza. 1600. Prels.)

MADRID. *Nacional*. R-28.589.

JAVIERRE (FR. JERONIMO)

Dominico. Catedrático de Escritura de la Universidad de Zaragoza. Prior del convento de dicha ciudad.

EDICIONES

1650

[*APROBACION*. *Zaragoza, 29 octubre de 1592*]. (En Granada, Juan. *Imagen de verdadera penitencia*. Zaragoza. 1594. Prels.)

Dice «Xabierre».

SAN LORENZO DEL ESCORIAL. *Monasterio*. 21-V-8.

1651

[*APROBACION*. *Valencia, 10 de junio de 1596*]. (En Sagastizaval, Juan. *Exortación a la santa deuocion del Rosario*... Zaragoza. 1597. Prels.

Dice «Xabierre».

MADRID. *Nacional*. R-29.680.

1652

[*APROBACION*. *Zaragoza, 2 de enero de 1664*]. (En Busembaum, Hermano. *Medula de la Teologia moral*... *Reducela al Español V. A. Ibañez de Aoyz*. Madrid. 1664. Prels.)

Dice «Xabierre».

MADRID. *Nacional*. 3-71.753.

1653

[*APROBACION*. *Zaragoza, 16 de abril de 1664*]. (En Francés de Urritigoyti, Tomás de. *Vida y muerte*... *de Fr. Pedro Selleres*... Zaragoza. 1664. Prels.)

MADRID. *Nacional*. 3-7.537.

1654

[*APROBACION*. *Zaragoza, 16 de mayo de 1673*]. (En Oxea, Pedro de. *Vida de*... *Fray Miguel de la Fuente*... Zaragoza. 1674. Prels.)

MADRID. *Nacional*. 2-9.159.

ESTUDIOS

1655

REP: Latassa, 2.ª ed., II, págs. 55-56.

JAYLE (BALDIRIO)

EDICIONES

1656

[*POESIAS*]. (En Dalmau, José. *Relación de la solemnidad con que se han celebrado en Barcelona las fiestas a la Beatificación de la M. S. Teresa de Iesus*... Barcelona. 1615).

1. *Canción*. (Trat. II, fols. 45*r*-46*r*).
2.—*Décimas*. (Trat. II, fols. 66*v*-67*r*).

MADRID. *Nacional*. 2-46.379.

JAYMES (FR. FRANCISCO)

Franciscano descalzo.

EDICIONES

1657

[*CENSURA de —— y Fr. Antonio de la Peña. Granada, 16 de marzo de 1697*]. (En Montalvo, Tomás. *Vida prodigiosa y heroycas virtudes de... Fr. Francisco Molinero...* Granada. 1698. Prels.)

MADRID. *Nacional.* R-16.537.

JAYMES RICARDO VILLAVICENCIO (DIEGO)

N. en Quechula (Méjico). Licenciado. Vicario y Juez Eclesiástico del partido de Santa Cruz Tlatlaccotepetl y Comisario en el mismo en causas de Fe contra idolatrías y supersticiones.

EDICIONES

1658

LUZ, y methodo de confesar idolatras, y destierro de idolatrías... Puebla de los Angeles. Diego Fernandez de Leon. 1692. 14 hs. + 136 págs. + 1 h. + 51 págs.

Medina, *Puebla*, n.º 153.

JEDLER (P. JUAN FEDERICO)

V. XEDLER

JENER (JUAN PABLO)

N. en Barcelona. Juez ordinario de los vizcondados de Cabrera y Bas.

EDICIONES

1659

[*PAPEL. Al autor. 21 de octubre de 1677*]. (En Roig y Ialpi, Juan Gaspar. *Resvmen historial de las grandezas y antigvedades de la civdad de Gerona, y cosas memorables suyas Eclesiasticas, y Seculares...* Barcelona. 1678. Prels.)

MADRID. *Nacional.* 2-15.858.

JENTO DE RIVERA (FR. JOSE)

Carmelita observante. Predicador real.

V. XENTO

JEREZ (FRANCISCO DE)

N. en Sevilla (1504). Secretario de Francisco Pizarro, al que acompañó en la conquista del Perú. M. en 1539.

BIBLIOGRAFIA

1660

POGO, A. *Early editions and translations of Xerez «Verdadera relación de la conquista del Perú».* (En *Papers of the Bibliographical Society of America*, XXX, Nueva York, 1936).

EDICIONES

1661

VERDADERA relacion de la conquista del Peru y prouincia del Cuzco llamada la nueua Castilla: Conquistada por el magnifico y esforçado cauallero Francisco piçarro hijo del capitan Gonçalo piçarro cauallero de la ciudad de Trugillo: como capitan general de la cesarea y catholica magestad del emperador y rey nuestro señor: Embiada a Su Magestad por Francisco de Xerez... Sevilla. Bartholome Perez. 1534, julio. 18 hs. a 2 cols. 30 × 20 cm. Gót.

—Texto. — «Dirige el autor sus metros al Emperador...».

Escudero, n.º 350; Agulló, *Sucesos*, n.º 46. Palau dice que esta obra tiene 40 hs., Escudero habla de 45 y Agulló de 19. El ejemplar descrito, que es completo, sólo tiene 16 hs. de texto.

Medina, *Biblioteca hispano-americana*, I. n.º 95; Gallardo, III, n.º 2.586.

GRANADA. *Universitaria.* XIV-6-29.—LONDRES. *British Museum.* C.33.m.4.

1662

CONQUISTA del Peru. Verdadera relacion de la conquista del Peru... [Sevilla. Dominico de Robertis]. [s. a., c. 1540]. 37 hs. 20 cm.

ANN ARBOR. *University of Michigan. William L. Clements Library.*

1663

VERDADERA relacion de la conquista del Peru z prouincia del Cuzco llamada la nueua Castilla. Conquistada por Francisco piçarro: capitan de la S. C. C. M. del Emperador nuestro señor. [Salamanca. Juan de Junta]. [1547, 5 de julio]. 22 fols. a 2 cols. + 1 h. 27,5 cm. Gót.

—Prologo. — Texto. — Dirige el auctor sus metros al Emperador Rey nuestro señor. [«O Cesarea magestad...»].—Colofón.

Gallardo, III, n.º 2.587; Salvá, II, n.º 3.346; Medina, *Biblioteca hispano-americana*, I, n.º 131.

MADRID. *Nacional.* R-2.459.—NUEVA YORK. *Hispanic Society.*—PARIS. *Mazarina.* 6412 A (2). *Nationale.* Rés.p.330.A. — ROMA. *Vaticana.* Stamp. Barb. S.II.34.mt.2.

1664

[*VERDADERA Relación de la Conquista del Perú, y Provincia del Cuzco. Edición y notas de Andrés González Barcia*]. (En HISTORIADORES *primitivos de las Indias Occidentales...* Tomo II. Madrid. 1749).

MADRID. *Nacional.* 2-53.172.—PARIS. *Nationale.* Fol.P.6063.

1665

VERDADERA relacion de la conquista del Peru y provincia del Cuzco, llamada la Nueva-Castilla, conquistada por Francisco Pizarro. [*Edición de Enrique de Vedia*]. (En HISTORIADORES *primitivos de Indias.* Tomo II. Madrid. 1853, págs. 319-46. Biblioteca de Autores Españoles, 26).

1666

VERDADERA relación de la Conquista del Peru por Francisco de Xerez. Tirada de 500 ejemplares. Madrid. 1891. 174 págs. + 1 h. 17 cm. (Colección de libros que tratan de América raros o curiosos, I).

MADRID. *Instituto de Cultura Hispánica.* — *Nacional.* 5-4.326 (vol. I).

1667

RELACIONES (Las) de la conquista del Peru por —— y Pedro Sancho, secretarios oficiales de Don Francisco Pizarro (1532-1533). Notas biográficas y concordancias con las crónicas de Indias, por Horacio H. Urteaga... Biografías de Jerez y Sancho, por Carlos A. Romero... Lima. Sanmartí y Ca. 1917. XXI + 229 págs. 21 cm. (Colección de libros y documentos referentes a la historia del Perú, 5).

BERKELEY. *University of California.*—MADRID. *Instituto de Cultura Hispánica.*—WASHINGTON. *Congreso.* 21-8429.

1668

CONQUISTA del Perú, y Viaje de Hernando Pizarro desde Caxamarca hasta Jauja (Sevilla, 1534) escrito por Francisco de Xerez y Miguel de Estete. Edición de Antonio R. Rodríguez Moñino. Badajoz. Arqueros. 1929. 202 págs. con facs. 18,5 cm. (Extremadura en América, 1).

WASHINGTON. *Congreso.* 30-22.510.

1669

[*CRONICA*]. (En CRÓNICAS *de la conquista del Perú. Textos originales de ——, Pedro Cieza de León y Agustín de Zárate, revisados y anotados por... Julio le Riverend.* Méjico. Edit. Nueva España. [s. a.], págs.

BLOOMINGTON. *Indian University.*

TRADUCCIONES

a) Alemanas

1670

Geschichte der entdeckung und eroberung Peru's... Aus den spanischen von H. Kulh. Stuttgart. J. G. Cotta. 1843. 253 págs. 21 cm.

BERKELEY. *University of California.*—NEW HAVEN. *Yale University.*—NUEVA YORK. *Hispanic Society.*

b) Francesas

1671

RELATION *véridique de la conquê-*
te du Pérou et de la Province du
Cuzco, nommée Nouvelle-Castille...
par François Xérés. París. Artus Bertrand, ed. [Imp. de Fain]. 1837. 2
vols. (Voyages, rélations..., 4-5).

MADRID. *Nacional.* 5-1.304 (vols. IV-V).—PA-
RIS. *Nationale.* 8.º P.201 (4); etc.

c) Inglesas

1672

The Conquest of Peru and Cusco,
called New Castlle... (En Purchas,
Samuel. *Pilgrimes.* Tomo IV. Londres. 1625, págs. 1491-94).

BERKELEY. *University of California.*—BOSTON.
Public Library.—NUEVA YORK. *Hispanic So-*
ciety y *Public Library.*

1673

[*Report of Francisco de Xeres, se-*
cretary to Francisco Pizarro]. (En
REPORTS *on the discovery of Peru.*
Translated and edited, with notes an
introduction by Clements R. Mar-
kham. Londres. Hakluyt Society.
1873, págs. 1-109).

PARIS. *Nationale.* Rés.G.2726.

d) Italianas

1674

ANGHIERA, PIETRO MARTIRE D'.
Historia de l'Indie occidentali. Venecia. 1534, octubre.

NUEVA YORK. *Hispanic Society.*

1675

LIBRO *primo de la conqvista del*
Perv & prouincia del Cuzco de le
Indie occidentali. [*Trad. por Domin-*
go de Gaztelu]. Venecia. Stephano
da Sabio. 1535, marzo.

NUEVA YORK. *Hispanic Society.*—PARIS. *Arse-*
nal. 4.º H.5434. *Mazarina.* 35908. *Nationale.*
Rés.4.º O1.757 (1).—WASHINGTON. *Congreso.* 55-
54864.

1676

——. Milán. Gotardo da Ponte.
1535. 40 hs. con ilustr. 20 cm.

BLOOMINGTON. *Indiana University.* — NUEVA
YORK. *Public Library.*

1677

La Conquista del Perù et provincia
del Cusco chiamata la Nuova Casti-
glia. (En Ramusio, Giovambattista.
Terzo volume delle navigationi et
viaggi... Venecia. 1556).

Trad. por Ramusio.
Hay ediciones posteriores.
PARIS. *Nationale.* G.1453.

1678

RELAZIONE *del conquisto del Pe-*
ru... (En RACCOLTA *di viaggi dalla*
scoperta del Nuovo Continente fino
a'dì nostri, compilata da F. C. Mar-
mocchi. Tomo V. Prato. 1842, 125
págs.)

BARI. *Nazionale.* 16-R-14.—GERONA. *Universita-*
ria. B.G.A.C.III.38.

ESTUDIOS

1679

JIMENEZ PLACER, A. *Vida de Fran-*
cisco López de Xerez. (En *Archivo*
de Investigaciones Históricas, I, Madrid, 1911, págs. 418-56; II, págs. 236-
269).

1680

REP: N. Antonio, I, pag. 499.

JEREZ (FR. FRANCISCO DE)

Capuchino.

V. FRANCISCO DE JEREZ (Fray)

JEREZ (JUAN DE)

CODICES

1681

«*Razón de Corte... por Juan de Xe-*
rez y Lope de Deça».

V. *B. L. H.,* IX, n.º 2697.

JEREZ (FR. JUAN DE)

EDICIONES

1682

[*APROBACION. Manila, 6 de septiembre 1686*]. (En Gaspar de San Agustín, Fray. *Conquistas de las Islas Philipinas.* Madrid. 1698. Prels.)

MADRID. *Nacional.* R-23.212.

«JEROGLIFICO...»

1683

EDICIONES

[*HIEROGLIFICO, qve se puso en el insigne Octauario de los desagrauios que celebró a su Madre y Patrona la Virgen María Señora nuestra la sagrada Religion del Monte Carmelo en su Conuento grande de Seuilla a 7 de Nouiembre de 1638 años, por el incendio de su veneranda Imagen, que quemaron los Olandeses en Flandes*]. [s. l. - s. i.]. [s. a.]. 2 hs. 19 cm.

MADRID. *Academia de la Historia.* Jesuitas, t. 119, n.º 232.

JERONIMA DE LA ASUNCION (Sor)

N. en Tudela (1605). Clarisa desde 1633. M. en 1660.

EDICIONES

1684

EXERCICIOS espirituales que en el Discurso de su vida, desde que tuvo uso de razón, hizo y exercitó con el favor divino la Venerable Madre Sor Geronima de la Ascensión, Religiosa, y Abadesa que fue del Convento de Santa Clara de la Ciudad de Tudela de Navarra. Zaragoza. Miguel Lema. 1661. 34 hs. + 185 fols. + 20 hs. 19,5 cm.

—Protestación de Fr. Miguel Gutierrez.—Apr. de Fr. Felipe Cibera.—Apr. de Fr. Luis Serra de Focillas.—Apr. de Fr. Andres Merino.—Apr. del P. Valentín Antonio de Céspedes.—Apr. de Fr. Juan de la Cruz.—Apr. de Baltasar de Valdes.—Apr. de Fr. Nicolas Garcia.—Apr. de Pedro de Isla Albarado.—Apr. de Fr. Luis Diaz de Morentín.—Apr. de Fr. Ioseph Ximenez Samaniego y Fr. Francisco de Ameyugo.—L. O.—Texto.—Tabla de lo que se contiene.

Jiménez Catalán, *Tip. zaragozana del siglo XVII*, n.º 688.

MADRID. *Nacional.* 2-1.563.

ESTUDIOS

1685

REP: Serrano y Sanz, I, págs. 57-59.

JERONIMO DE ALICANTE (Fray)

N. en Alicante. Capuchino.

EDICIONES

1686

GRANDEZAS (Las) de España. Sevilla. 1646. 2 vols. 4.º

N. Antonio.

ESTUDIOS

1687

REP: N. Antonio, I, págs. 567; Ximeno, I, pág. 357.

JERONIMO DE LA ASUNCION (Fray)

Carmelita.

EDICIONES

1688

GLOSAS a vnos tercetos, sacados de la doctrina de los libros del V. P. F. Iuan de la Cruz, primer Descalço, y Padre de la Reforma de N. Señora del Carmen. Donde breuemente se recopiló, y encerró lo mas puro, y acendrado del espiritu, y mystica Theologia... Van tambien vnas Cautelas del mismo V. P. Fray Iuan, para llegar en breue tiempo a la perfeccion. Y vnos auisos suyos para Religiosos, y Religiosas de la misma orden. Gerona. Geronymo Palol. 1650. 7 hs. + 154 págs. 15 cm.

—L. O.—Comisión.—Apr. de Fr. Iayme Montaner.—L.—Apr. de Fr. Antonio Croses.—Ded. a los PP. y HH. Carmelitas Descalços, que moran en el desierto de San Hilarion, del monte Cardon.—Al letor.—Advertencia para el Enquadernador.—Texto.—Págs. 119-28: Introduccion, y Cautela, que ha menester traher siempre delante de si, el que quisiere ser verdadero Religioso...—Págs. 131-54: Doctrina, y avisos que el V. P. Fray Iuan de la Cruz daua a sus hijos y hijas quando les hablaua en comun, y en particular.

MADRID. *Nacional.* R-17.467.

JERONIMO DE BARBASTRO
(Fray)

EDICIONES

1689

[CENSURA de Fr. Buenaventura de Zaragoza y ——]. (En Pedro de Aliaga, Fray. *Clara luz...* Mallorca. 1689. Prels.)

MADRID. *Nacional.* 2-35.704.

JERONIMO DE LA CONCEPCION
(Fray)

N. en Valdemoro. Carmelita descalzo. M. en Guadalajara (1663).

CODICES

1690

«Discurso Catalogo de los Arzobispos que han governado la Sancta Iglesia de Sevilla».

Letra del s. XVII. Copia de A. de la Cuesta. 21 fols.
SEVILLA. *Colombina.* 85-5-40.

1691

[Sobre los Blasones y Titulos de San Fernando].

Letra del s. XVII. 62 fols.
SEVILLA. *Colombina.* 85-5-40.

1692

«Historia Original de San Fernando, Rey de Castilla y León...»

Autógrafo. 742 hs., con 5 estampas. Fol. Gallardo, II, n.º 1.880.
SEVILLA. *Archivo de la Catedral.*

EDICIONES

1693

EMPORIO de el Orbe, Cadiz Ilustrada, Investigacion de sus antiguas Grandezas, Discurrida en Concurso de el general imperio de España. Amsterdam. Ioan Bus. 1690. 13 hs. + 663 págs. + 4 hs. 32 cm.

—Frontis, firmado por Ioan Avete.—Portada.—Ded. a la Ciudad de Cadiz.—Carta en respuesta de la Ciudad de Cadiz al Autor.—Al Lector.—L. O.—Juizio de Fr. Jacobo de S. Felipe.—Censura de Fr. Ioan Miguel de Espinosa.—Apr. de Fr. Juan de S. Cypriano.—Censura de Antonio de Roxas.—L. V.—Elogio en latin al Autor por el P. Diego Carrillo.—Texto.—Indice de cosas notables.

BERKELEY. *University of California.*—CORDOBA. *Pública.* 6-291.—MADRID. *Academia de la Historia.* 4-2-3-1667; 13-3-1-79; etc. *Facultad de Filosofía y Letras.* — *Nacional.* 1-22.040.—MONTPELLIER. *Municipale.* 1315.—NUEVA YORK. *Hispanic Society.*—PARIS. *Arsenal.* Fol.H. 1505. *Nationale.* Fol.Ol.214. — SAN LORENZO DEL ESCORIAL. *Monasterio.* 89-VIII-12.—SEVILLA. *Colombina.* 41-5-19. *Universitaria.* 206-78.

1694   Aprobaciones

[APROBACION. Madrid, 1 de marzo de 1658]. (En Luisa Magdalena de Jesús, Sor. *Año Santo.* Madrid. 1658. Prels.)

MADRID. *Nacional.* 3-78.347.

1695

[APROBACION. Valencia, 3 de mayo de 1684]. (En Dolz del Castellar, Esteban. *Sermón de S. Francisco de Borja...* Valencia. 1684. Prels.)

MADRID. *Nacional.* R-Varios, 71-26.

1696   *ESTUDIOS*

REP: N. Antonio, I, pág. 572.

JERONIMO DE LA CRUZ
(Fray)

Jerónimo. Prior del monasterio de San Jerónimo el Real, de Madrid.

CODICES

1697

«Historia del Sserenísimo Rey D.

Henrrique Quarto deste nombre...».
Letra del s. XVII. 353 fols. 307 × 205 mm.
Inventario, IV, pág. 208.
MADRID. *Nacional.* Mss. 1350.

1698

«*Historia del Rey Dn. Enrrique quarto de Castilla y Leon...*».
Letra del s. XVII, 345 fols. 290 × 200 mm.
Inventario, V, pág. 177.
MADRID. *Nacional.* Mss. 1776.

1699

«*Historia de el Rey Henrrique 4.º de Castilla*».
Letra del s. XVII .412 fols. 295 × 200 mm.
MADRID. *Nacional.* Mss. 8220.

1700   *EDICIONES*

DEFENSA de los estatvtos, y noblezas españolas. Destierro de los abvsos, y rigores de los informantes. Zaragoza. Hospital Real, y General de Ntra. Sra. de Gracia. 1637. 3 hs. + 8 fols. + 7 hs. + 299 págs. a 2 cols. + 14 hs. 32 cm.

—Lámina.—Aduertencia al Letor.—S. T.— Ded. al Conde de Olivares, Duque de Sanlucar, etc. (8 fols. nums.).—L. O.— Apr. de Fr. Pedro de Roa.—L. V.—Apr. de Fr. Gabriel Lopez Nauarro.—Pr. al autor por diez años.—Apr. de Christoual de la Camara.—L.—L. del Virrey.—Apr. del P. Geronymo Villanoua.—Poesías latinas de Diogenes Paramonarius y de Vicente Mariner.—Prologo.—Argumento y declaración del Libro.—E.—Poesía latina del autor.—Tabla de los capitulos y parrafos.—Texto.—Indice copiosisimo de las cosas dignas de nota.—Indice de los lugares de Escriptura, que se citan y explican.
Es una *Respuesta apologetica al Discurso del P. Fr. Agustin Salucio.*
Salvá, II, n.º 3.546; Jiménez Catalán, *Tip. zaragozana del s. XVII,* n.º 364.
MADRID. *Academia de la Historia.* 4-2-5-2.041. *Nacional.* 7-13.768. — NUEVA YORK. *Hispanic Society.* (Dos, con variantes). — PAMPLONA. *General de la Diputación Foral.* 109-3-5/1.— PARIS. *Arsenal.* Fol.H.1390 y 1391. *Mazarina.* 3398. *Nationale.* Fol.Om.10 y 10A.— ROMA. *Vaticana.* Stamp. Barb. FF.IV.60.— SAN LORENZO DEL ESCORIAL. *Monasterio.* M-3.ª-I-2.—SEVILLA. *Universitaria.* 55-60.

1701

IOB evangelico, stoyco, ilvstrado, doctrina ethica, civil y politica. Zaragoza. Hospital Real y General de nuestra Señora de Gracia. 1638. 1 lám. + 6 hs. + 397 págs. a 2 cols. + 15 hs. 30 cm.

—Frontis con el titulo: «Iob illustrado: Philosophia Estoica: Doctrina Ethica, Politica y Civil».—Port.—L. O.—Apr. de Fr. Iuan de Medina.—Remisión a censura.—Apr. del M.º Gil Gonçalez Davila (1631).—L. V. de Madrid (1631).—L. V. de Zaragoza (1636). — Pr. al autor por diez años (1631).—Apr. de Fr. Melchor Prieto. — Pr. de Aragón por diez años (1636).—Apr. de Fr. Iuan Beltrán.—Ded. a D. García de Avellaneda Haro y Soto Mayor, Conde de Castrillo, etc. (Con datos genealógicos).—Poesía latina de Iosé Leyza y Herasso.—Prologo.—E.—Texto.— Indice de los lugares de Escriptura, que particularmente se explican en este Libro.—Indice copioso de las cosas mas notables.
Jiménez Catalán, *Tip. zaragozana del siglo XVII,* n.º 382.
CORDOBA. *Pública.* 14-299.—MADRID. *Nacional.* 2-70.896.—PAMPLONA. *General de la Diputación Foral.* 109-3-5/21. — PARIS. *Mazarina.* 3670. — SAN LORENZO DEL ESCORIAL. *Monasterio.* M.3-I-23.

1702

[*AL Ilvstrissimo Señor Don Cesar Facheneti, Nuncio de su Santidad en los Reynos de España. Respvesta apologetica a vn papel que se dio a su Ilustrissima sin nombre de Autor, contra la Orden de nuestro Padre San Geronimo. Hecha por el Padre* ——*... En fauor de su sagrada Religion*]. [s. l. - s. i.]. [s. a.]. 14 fols. 28,5 cm.

Carece de portada.
—Texto.
MADRID. *Nacional.* R-Varios, 212-8.—SEVILLA. *Universitaria.* 111-96.

1703

[*SACRARVM Virginvm vindicatio*]. [s. l. - s. i.]. [s. a.]. 16 hs. 28,5 cm.

Carece de portada. Es un memorial a

Felipe IV, en castellano, que comienza: «Señor. = Los años passados, por decreto de V. Magestad, se traxeron a esta Corte los libros que se hallaron en el monte de Valparaiso de la ciudad de Granada...».

MADRID. *Nacional.* R-35.148. — ROMA. *Vaticana.* Stamp. Barb. HH.IV.50.int.3.

Poesías sueltas

1704

[*OCTAVAS*]. (En Vega Carpio, Lope de. *Justa poética... que hizo Madrid al bienaventurado San Isidro...* Madrid. 1620. Fols. 70v-71v).

MADRID. *Nacional.* R-4.901.

Aprobaciones

1705

[*APROBACION. Córdoba, 27 de septiembre de 1602*]. (En López de Robles, Andrés. *Varios Discursos...* Córdoba. 1603. Prels.)

LONDRES. *British Museum.* 1167.b.6 (1).

1706

[*APROBACION. Madrid, 22 de junio de 1634*]. (En Téllez, Gabriel. *Deleytar aprovechando.* Madrid. 1635. Prels.)

MADRID. *Nacional.* R-5.297.

1707

[*APROBACION. Madrid, 23 de diciembre de 1636*]. (En Almosnino, Moysen. *Extremos y grandezas de Constantinopla.* Traducido por Jacob Cansino. Madrid. 1638. Prels.)

MADRID. *Nacional.* R-13.197.

1708

[*CENSURA. Salamanca, 18 de noviembre de ¿1667?*]. (En Arias de Porres, Gómez. *Resumen de la verdadera destreza en el manejo de la espada.* Salamanca, s. a. Prels.)

MADRID. *Nacional.* R-2.749.

OBRAS LATINAS

1709

[*POESIA*]. (En Luis de Santa María, Fray. *Octava sagradamente culta...* Madrid. 1664. Pág. 66).

MADRID. *Nacional.* U-6.289.

ESTUDIOS

1710

BALLESTER MIRANDA, FRANCISCO. *Memorial por el Sacro Monte, y sus reliquias y libros.* Granada. Fol.

N. Antonio, I, pág. 406.

1711

GONZALEZ HABA, MARIA. *El sentido pleno de las virtudes cardinales a través del senequismo de Fray Jerónimo de la Cruz.* (En *Anales de la Asociación Española para el Progreso de las Ciencias,* XVIII, Madrid, 1953, págs. 825-44).

1712

REP: N. Antonio, I, pág. 573.

JERONIMO DEL ESPIRITU SANTO (Fray)

EDICIONES

1713

SERMON en las honras que en la ciudad de Cadiz se hiizeron a Martin de Orbea. Cádiz. Fernando Rey. 1640.

NUEVA YORK. *Hispanic Society.*

1714

SERMONES de diversas festividades. Sevilla. Andrés Grande. 1647. 4.º

N. Antonio.

ESTUDIOS

1715

REP: N. Antonio, I, pág. 604.

JERONIMO DE GRANADA (Fray)

Capuchino.

EDICIONES

1716

[*APROBACION. Granada, 14 de febrero de 1650*]. (En Andrés de Granada, Fray. *Sermón en las horas funerales... al inclito Rey D. Fernando el Católico...* Granada. 1650, fol. 3*v*).

GRANADA. *Universitaria.* A-31-208 (16).

JERONIMO DE GUADALUPE (Fray)

Jerónimo.

EDICIONES

1717

[*APROBACION de Fr. Hieronymo de Guadalupe. Zaragoza, 1 de julio de 1582*]. (En Hebreo, León. *Philographia universal de todo el mundo... Traduzida... por Carlos Montesa.* Zaragoza. 1584. Prels.)

MADRID. *Nacional.* R-5.832.

OBRAS LATINAS

1718

IN Hosseam prophetam Commentaria... Lugduni. Sumptibus Petri Landry. 1586. 909 págs. 8.º

SANTIAGO DE COMPOSTELA. *Universitaria.*

ESTUDIOS

1719

REP: N. Antonio, I, págs. 185-86.

JERONIMO DE LEMOS (Fray)

Jerónimo.

EDICIONES

1720

TORRE (La) de Dauid, moralizada por via de Dialogos para todo genero de gentes. Salamanca. Andrea de Portonariis. 1567. [Colofón: 1566]. 20 hs. + 390 fols. + 12 hs. 14 cm.

—Port.—«La Torre de David» (grab.).—Pr. al autor por quince años.—T.—Apr. de Fr. Alonso de Orozco (1568).—L. del Obispo de Segovia.—L.O.—Ded. a D. Gaspar de Çuñiga y Avellaneda, arzobispo de Santiago, cuyo escudo figura en la portada.—Lámina.—Texto.—Tabla de todas las materias que se tratan.—Colofón.

MADRID. *Nacional.* U-11.080.—SAN LORENZO DEL ESCORIAL. *Monasterio.* 105-VIII-23.

1721

———. Salamanca. Mathias Mares. 1571. 13 hs. + 390 fols. + 12 hs. 15 cm.

—L.—Ded.—Texto.—Tabla.

BARCELONA. *Seminario Conciliar.* Res. 244.

1722

TORRE (La) de David, moralizada por via de Dialogos, para todo genero de gentes. Salamanca. Pedro Lasso. 1578. 15 hs. + 388 fols. + 12 hs. 15 cm.

—L. del Consejo (1573).—Apr. de Fr. Alonso de Orozco (1564).—L. del Obispo de Segovia (1564).—L. O. (1564).—Ded.—Texto.—Tabla de todas las materias.—Tabla de las figuras.

BARCELONA. *Universitaria.*—MADRID. *Palacio.*—SEVILLA. *Universitaria.* 9-147.

1723

TORRE (La) de David, moralizada por via de dialogos, para todo genero de gentes. Medina del Campo. Francisco del Canto. A costa de Iuan Boyer. 1584. 16 hs. + 388 fols. + 12 hs. 14 cm.

—Grabado.—Lic.—Apr. de Fr. Alonso de Orozco.—Lic. del Obispo de Segovia.—L. O.—Ded. a D. Gaspar de Çuñiga y Avellaneda, Arçobispo de Santiago, etc.—Prólogo.—Texto.—Tabla de todas las materias que se tratan en esta primera parte.—Tabla de las figuras estendidas y declaradas.

Pérez Pastor, *Medina*, n.º 202.

LONDRES. *British Museum.* 4403.dd.21. — MADRID. *Nacional.* R-29.592. — SAN LORENZO DEL ESCORIAL. *Monasterio.* 22-V-54. — ZARAGOZA. *Universitaria.*

JERONIMO DE LA MADRE DE DIOS (Fray)

N. en Zaragoza (1590). Carmelita descalzo. M. en Amberes (1661).

EDICIONES

1724

RAMILLETE de Flores para el desempeño de la Vida humana. Amberes. Joachim Trognesius. 1620. 18.º

Peeters.-Fontainas, I, n.º 597.

1725

RAMILLETE de divinas flores para el desengaño de la vida humana. Recopiladas con diligencia de los mejores y mas famosos Poetas de nuestros tiempos, por P. F. G. C. D. Amberes. Cesar Ioachim Trognesius. 1629. 6 hs. + 262 fols. 12.º

Peeters-Fontainas, I, n.º 598.
BRUSELAS. Royale. — COPENHAGUE. Universitaria.—MADRID. Nacional.

1726

A la Santissima Virgen María devotas oraciones y litanias. Por el Reuerendo P. F. G. C. D. Amberes. Cesar Ioachim Trognesius. 1629. 23 págs. + 1 h. 12.º

Peeters-Fontainas, I, n.º 599.

1727

ANGELICOS colloqvios entre la Virgen y el Pecador. Que incitan al alma a dexar el pecado, y amar a la Virgen. Con otros pios exercicios que despiertan a la devotion: recopilados por F. G. C. D. Amberes. Jean Cnobbaert. 1635. 23 págs. 12.º

Peeters-Fontainas, I, n.º 594.
LOVAINA. Particular de J. Peeters-Fontainas.
NIMEGA. Universitaria.

1728

———. Amberes. Viuda Cnobbart. 1644. 378 págs. 16.º

Peeters-Fontainas, I, n.º 595.

1729

CARTILLA para saber leer en Christo Libro de vida eterna. Y para que los principiantes aprendan facil y brevemente a tener oracion. Amberes. Iuan Cnobbaert. 1637. 3 hs. + 102 págs. 16.º

Peeters-Fontainas, I, n.º 596.
LOVAINA. Particular de J. Peeters-Fontainas.

JERONIMO DE LOS REYES (Fray)

Carmelita descalzo.

EDICIONES

1730

ORACION Evangelica en la Santa Iglesia de Cordoba: a los dos Cabildos dia octavo de la mvy solemne fiesta del Santissimo Sacramento. Sevilla. [s. i.]. 1641. 1 h. + 13 fols. 20,2 cm.

—Introducción.—Texto.
CORDOBA. Pública. 4-198. [Falto de los prels.].

1731

TRATADO de la prodigiosa imagen de Iesvs Nazareno con la Crvz a cvestas, que está en vna Capilla de la Iglesia del Convento de Religiosos Carmelitas Descalços de la Villa de Alcaudete. Del milagroso avmento del azeite de su Lampara, y de las marauillas que ha obrado antes, y despues del. Granada. En la Imp. Real, por Baltasar de Bolibar. 1661. 8 hs. + 94 fols. 19 cm.

—L. O.—Censura de Fr. Antonio Sarabia. L. V.—Ded. a D. Manuel Ioaquín Alvarez de Toledo, Marques de Jarandilla, etc., por su Villa de Alcaudete.—Al lector.
—El texto comienza con una historia de la villa de Alcaudete.

MADRID. Nacional. 3-8.399.—MONTPELLIER. Municipale. 9.986.

Poesías sueltas

1732

[DEZIMAS]. (En Pedro de la Epifanía, Fray. *Vida, y milagros de S. Pedro Thomas...* Sevilla. 1655. Prels.)

MADRID. *Nacional.* 2-7.578.

JERONIMO DE SAN AGUSTIN
(Fray)

Agustino descalzo. Rector del Colegio de San Nicolás de Tolentino de Zaragoza.

EDICIONES

1733

[*APROBACION. Alcalá, 16 de septiembre de 1618*]. (En José de la Madre de Dios, Fray. *Los dos estados de Nínive...* Madrid. 1619. Prels.)

MADRID. *Nacional.* R-25.140.

1734

[*APROBACION. Zaragoza, 18 de mayo de 1626*]. (En Martín de la Cruz, Fray. *España restaurada en Aragón...* Zaragoza. 1627. Prels.)

MADRID. *Nacional.* R-9.088.

JERONIMO DE
SAN BUENAVENTURA (Fray)

Franciscano descalzo. Prodicador del convento del Calvario de Salamanca.

EDICIONES

1735

ORACION Funebre en las exequias que el Cabildo Eclesiastico de la villa de Ledesma consagró a su Magnifico, y Excelentissimo Dueño el Señor D. Francisco Fernandez de la Cueva y Enriquez, Duque de Alburquerque... Salamanca. Lucas Perez. 1676. 6 hs. + 36 págs. 20 cm.

—Ded. a D.ª Juana de Armendariz, Duquesa de Alburquerque, etc.—L. O.—Apr. de Fr. Pedro de Santa Cruz.—Apr. de Alexandro Ruiz Ibañez.—L. V.—Texto.

SANTIAGO DE COMPOSTELA. *Universitaria.*—SEVILLA. *Universitaria.* 111-40 (9).

JERONIMO DE SAN ELIAS
(Fray)

Carmelita descalzo.

CODICES

1736

«Sermones de Nuestra Señora».
Por 1600. (N. Antonio).

ESTUDIOS

1737

REP: N. Antonio, I, pág. 574.

JERONIMO DE SAN FRANCISCO
(Fray)

Mercedario descalzo. Lector de Teología.

EDICIONES

1738

ORACION funebre en solemnes exequias, que don Francisco Rizo de San Martin Alberdi y Varona, consagró a la buena, y muy loable memoria de su Noble Abuela, la Venerable Madre Sor Juliana María de Jesus, el dia 9 de febrero del año 1694, en el Observantissimo Monasterio de Mercenarias Descalças de Sevilla, donde dicha difunta fue meritissima Prelada, y especialissima bienhechora... Dala a la estampa el licenciado D. Miguel de Zarate, su aficionado, que le oyó dicho día. Sevilla. Lucas Martín de Hermosilla. [s. a.]. 8 hs. + 23 págs. 19 cm.

—Ded. a D. Francisco Rizo, por Miguel de Zárate.—Apr. de Fr. Juan de Castro. L. V.—Censura del P. Diego de Castel-Blanco.—L. del Juez Superintendente de las Imprentas de Sevilla.—A. D. Francisco Rizo, Diego Gil de la Sierpe y Ugarte.—Laudatoria a la M. Sor Juliana de Jesus, por el mismo.—Decima. [«En aquesta estampa yaze...»].—Texto.

GRANADA. *Universitaria.* A-31-223 (3).

1739

[*SERMON*]. (En TEMPLO *nuevo de los augustinos descalzos de Granada...* Granada. 1695, págs. 281-307).

MADRID. *Nacional.* 3-26.864.

JERONIMO DE SAN JOSE
(Fray)

Agustino ermitaño. Procurador general.

EDICIONES
1740
[*APROBACION de —— y Fr. Geronimo de Sancta Maria. Roma, sin fecha*]. (En Andrés de San Nicolás, Fray. *Designios del Indice mas dichoso.* Roma. 1656, Prels.)

MADRID. *Nacional.* 3-34.061.

JERONIMO DE SAN JOSE
(Fray)

Se apellidaba Ezquerra de Rozas. N. en Mallea a fin del XVI. Carmelita descalzo. Prior del convento de Gerona. Definidor de la provincia de Aragón y Cronista general de la Orden. M. en Zaragoza (1654).

CODICES
1741
[*Poesías*].

Letra del s. XVII. 337 fols. 250 × 140 mm. Nota en la primera guarda: «Estas Poesías son me parece del P. Fr. Gerónimo de S. Josef, Carmelita Descalzo: en el siglo *Ezquerra*».

MADRID. *Nacional.* Mss. 3.914.

1742
«*Carta a fray Alonso de la Madre de Dios. Madrid, 2 de octubre de 1628*».

Letras del s. XVI. 315 × 210 mm.
MADRID. *Nacional.* Mss. 274 (fols. 135-36).

EDICIONES
Dibujo de Fr. Juan de la Cruz
1743
DIBUJO del venerable varon F. Joan de la Cruz Primer Descalço, y Padre de la Reforma de N. S.ª del Carmen. Madrid. Francisco Martinez. 1629. 13 hs. + 1 láms. + 69 fols. + 1 h. 15 cm.

—Frontis firmado por Alardo de Popma. Ded. a Fr. Ioan del Espiritu-Santo, General de los Carmelitas descalzos.—L. O. —Censura de Fr. Christoval de Torres.— L. V. — Censura de Tomas Tamayo de

Vargas.—S. Pr.—S. T. — E. — Al letor.— Instrumentos de donde se ha sacado la verdad deste Dibujo. — Retrato de San Juan de la Cruz, por Alardo de Popma. Texto.—Colofón.

MADRID. *Nacional.* 3-13.424.—PARIS. *Arsenal.* 8°H.21107. *Mazarina.* 52647.

1744
——. (En Juan de la Cruz, San. *Obras.* Barcelona. 1635).

1745
——. (En ídem. Madrid. 1672).

Genio de la Historia
1746
GENIO de la Historia... Pvblicalo el Marqves de Torres. Zaragoza. Diego Dormer. 1651. 16 hs. + 321 págs. + 11 hs. 20 cm.

—Ded. a Felipe IV, por el Marques de Torres.—A. D. Luis Mendez de Haro, Marques del Carpio, etc., el Marques de Torres.—El Autor, a D. Luis Abarca de Bolea, Marques de Torres, etc.—L. O.— Apr. de Vicente Antonio Ybañez de Aoiz. — Apr. de Fr. Bartolomé Foyas.— S. L.—Introducion del autor.—Autores, que tratan de la Historia. — Advertencia del autor, al que publicare este tratado. Tabla, i orden de las Partes, i Capitulos deste Genio.—E.—Texto.—Indice de las cosas notables.

Jiménez Catalán, *Tipografía zaragozana del s. XVII*, n.° 579.

MADRID. *Facultad de Filosofía y Letras.* — *Nacional.* 2-12.846; 3-61.669; 3-27.120.—PARIS. *Nationale.* Z.10027.—SEVILLA. *Colombina.* 18-4-48.

1747
GENIO de la Historia. 2.ª impresion. Madrid. Antonio Muñoz del Valle. 1768. 20 hs. + 210 págs. + 8 hs. 20 cm.

—Prels. de la primera edición.—Texto.— Indice de cosas notables.

BRIGHTON. *St. John's Seminary Library.*— NUEVA YORK. *Public Library.*—MADRID. *Nacional.* 2-20.148.—SYRACUSE. *Syracuse University.*

Historia de Fr. Juan de la Cruz

1748

HISTORIA del venerable Padre Fr. Ivan de la Cruz primer descalzo carmelita, Compañero y Coadjutor de Santa Teresa de Iesvs en la Fundacion de su Reforma. Madrid. Diego Diaz de la Carrera. 1641. 16 hs. + 906 págs. + 56 hs. 20,5 cm.

—Protestacion del autor.—Ded. a Sta. Teresa de Iesus.—L. O.—Censura de Fr. Juan de Santo Thoma.—L. V.—Censura de Fr. Pedro de Guzman.—S. Pr.—T.— Aduertencia al Lector. — E. — Prologo.— Tabla y Orden de los Libros y Capitulos.—Texto.—Indice de las cosas notables.

GRANADA. *Universitaria.* B.93-61. — LYON. *Municipale.* 323.773.—MADRID. *Nacional.* 2-66.637. NEW HAVEN. *Yale University.*—PARIS. *Arsenal.* 4ºH.6636; etc. — SAN LORENZO DEL ESCORIAL. *Monasterio.* 104-VII-12.—SANTANDER. «Menéndez y Pelayo».—R-IX-5-19.—SEVILLA. *Universitaria.* 306-198.—ZARAGOZA. *Seminario de San Carlos.* 51-5-12.

1749

COMPENDIO de la vida del místico doctor San Juan de la Cruz. (En Juan de la Cruz, San. *Obras,* I, 1912, págs. 1-154).

«Relación del milagro...»

1750

RELACION del milagro obrado por Nuestro Señor a devocion de la Santa Imagen y Sacrosanta Capilla del Pilar en la resurrección yrestitución a Miguel Pellicer, natural de Calanda, de una pierna que le fue cortada y enterrada en el Hospital General de aquella Ciudad, cuyo prodigio decretó en juicio contradictorio el Ilmo. Sr. D. Pedro de Apaolaza, Arzobispo de Zaragoza. Zaragoza. Diego Dormer. 1641. 4.º

1751

————. Zaragoza. Diego Dormer. 1643.

Poesías

1752

POESIAS selectas. Zaragoza. Diputación Provincial. 1876. 276 págs. 22 cm. (Biblioteca de Escritores Aragoneses. Sección literaria, 1).

WASHINGTON. *Congreso.* 3-19469 rev 2*.

Poesías sueltas

1753

[*HYMNO*]. (En Martín de la Madre de Dios, Fray. *Arpa Christífera.* Zaragoza. 1655. Prels.).

MADRID. *Nacional.* 3-65.294.

Epistolario

1754

[*AL... Autor desta Historia, remitiendole su Censura. Zaragoza, 10 de febrero de 1648*]. (En Fuser, Jerónimo. *Vida de... Fray Gerónimo Batista de Lanuza.* s. l. - s. a. Prels.)

MADRID. *Nacional.* 3-8.108.

1755

[*AL Autor desta obra, remitiendole su Censura. Madrid, 5 de abril de 1650*]. (En Mascareñas, Jerónimo. *Viage de la... Reyna Doña Maria Ana de Austria... hasta la Real Corte de Madrid desde la Imperial de Viena.* Madrid. 1650. Prels.)

MADRID. *Nacional.* 2-33.668.

1756

[*RESPUESTA... al Doctor D. Iorge Salinas... En que habla desta obra, i de su Autor. 1651*]. (En Salinas y Lizana, Manuel de. *La casta Susana.* Huesca. 1651. Prels.)

MADRID. *Nacional.* R-16.370.

1757

CARTAS al P. Fr. Gerónimo de San Iosef. (En Pellicer y Saforcada, Juan Antonio. *Ensayo de una Biblioteca de traductores españoles.* Madrid. 1778, págs. 119-28).

MADRID. *Nacional.* Cat.-460.

1758

CARTAS de fray Gerónimo San José al cronista Juan Andrés de Ustarroz. Edición de José Manuel Blecua. (En Archivo de Filología Aragonesa. Serie B, I, Zaragoza, 1947, págs. 33-150).

Tirada aparte: Zaragoza. Institución «Fernando el Católico». 1945. 124 págs. 24 cm. Son 83 cartas de los años 1638-1653.
a) Areo, R. del, en Universidad, XXIII, Zaragoza, 1946, págs. 128-29.
b) Matías (P.), en Revista de Espiritualidad, VI, Madrid, 1947, pág. 110.
MADRID. Nacional. V-1.745-15. — WASHINGTON. Congreso. 50-28247.

Aprobaciones

1759

[CENSURA]. (En Batista de Lanuza, Miguel de. Vida de la bendita Madre Isabel de Santo Domingo... Madrid. 1633. Prels.)

MADRID. Academia de la Historia. 4-1-5-436.

1760

[APROBACION. Zaragoza, 1 de diciembre de 1644]. (En Lastanosa, Vincencio. Museo de las medallas desconocidas españolas. Huesca. 1645. Prels.)

MADRID. Nacional. R-5.327.

1761

[APROBACION. Zaragoza, 10 de diciembre de 1645]. (En Hortigas, Emanuel. Urna breve i Oración fúnebre en las exequias i entierro de... Don Andrea Castelmo. Zaragoza. 1645. Prels.)

MADRID. Nacional. R-Varios, 161-26.

1762

[CENSURA. Zaragoza, 3 de diciembre de 1646]. (En Andrés de Uztarroz, Juan Francisco. Obelisco histórico... Zaragoza. 1646. Prels.)

MADRID. Nacional. 2-65.227.

1763

[CENSURA. Zaragoza, 12 de noviembre de 1647]. (En Andrés de Uztarroz, Juan Francisco. Vida de San Orencio. Zaragoza. 1648. Prels.)

MADRID. Nacional. 2-7.372.

1764

[CENSURA. Zaragoza, 10 de enero de 1648]. (En Fuser, Jerónimo. Vida de... Fray Gerónimo Batista de Lanuza... s. l. - s. a. Prels.)

MADRID. Nacional. 3-8.108.

1765

[CENSURA. Zaragoza, 1 de junio de 1651]. (En Borja, Francisco de, Príncipe de Esquilache. Nápoles recuperada por el rei Don Alonso. Zaragoza. 1651. Prels.)

MADRID. Nacional. R-6.933.

1766

[CENSURA. Zaragoza, 28 de noviembre de 1653]. (En Batista de Lanuza, Miguel. Vida de la Ven. Madre Gerónima de San Esteban... Zaragoza. 1653. Prels.)

MADRID. Nacional. 2-60.051.

1767

[APROBACION de Fr. Francisco de San Félix y ———. Madrid, 19 de mayo de 1685]. (En Rafael de San Juan, Fray. De la redención de cautivos... Madrid. 1686. Prels.)

MADRID. Nacional. 2-47.852.

1768

[CENSURA]. (En Andrade, Alonso de. Camino de la Vida... Madrid. s. a. Prels.)

MADRID. Nacional. 3-11.244.

ESTUDIOS

1769

ANDRES DE UZTARROZ, JUAN FRANCISCO. [Elogio]. (En Aganipe de los cisnes aragoneses. Zaragoza. 1890, pág. 114).

MADRID. Consejo. Patronato. «Menéndez Pelayo». 8-2.

1770
ARCO, RICARDO DEL. *Genio de la Historia. Fray Jerónimo de San José.* (En *El Genio de la Raza. Figuras aragonesas.* Segunda serie. Zaragoza. 1926).
MADRID.

1771
ARCO, RICARDO DEL. *La Estética en el «Genio de la Historia», de Fray Jerónimo de San José.* (En *Revista de Ideas Estéticas,* Madrid, 1944, n.º 8, págs. 33-59).

1772
REP: N. Antonio, I, pág. 587; Latassa, 2.ª ed., I, págs. 465-70; A. de la V. del Carmen, en DHEE, II, pág. 1229.

JERONIMO DE SAN JOSE (Fray)
Trinitario descalzo. Predicador en el convento de Madrid.

EDICIONES
1773
[*CENSURA. Madrid, 24 de agosto de 1661*]. (En Andrade, Alonso de. *Lección de bien morir...* Madrid. 1662. Prels.)
MADRID. *Nacional.* 2-27.496.

JERONIMO DE SAN JUAN (Fray)
Mercedario.

EDICIONES
1774
[*POESIAS*]. (En Miranda y La Cotera, José de. *Certamen angélico... a Santo Tomás de Aquino.* Madrid. 1657).
1. *Soneto.* (Fols. 42v-43r).
2. *Glossa.* (Fol. 111).
3. *Vexamen en Quintillas.* (Fols. 166r-167r).
4. *Geroglyfico.* (Fol. 199r).
MADRID. *Nacional.* R-16.925.

JERONIMO DE SAN LORENZO (Fray)
Monje de San Lorenzo el Real.

EDICIONES
1775
[*GLOSA*]. (En Luis de Santa María, Fray. *Octava sagradamente culta...* Madrid. 1664, pág. 98).
MADRID. *Nacional.* 4-6.289.

JERONIMO DE SANTA MARIA (Fray)
Agustino descalzo. Procurador general en Roma.

EDICIONES
1776
EXERCICIOS espirituales de cada dia. Salamanca. Diego de Cussío. 1610. 16.º
N. Antonio.

OBRAS LATINAS
V. N. Antonio.

ESTUDIOS
1777
REP: N. Antonio, I, pág. 588.

JERONIMO DE SANTA MARIA (Fray)
Sus apellidos eran López de Mesa. N. en Fuencarral y m. en 1666. Agustino descalzo desde 1625. Residió en Roma.

CODICES
1778
«*Etymologico de las lenguas Latina, Griega y Española*».
N. Antonio.

ESTUDIOS
1779
REP: N. Antonio, I, pág. 588.

JERONIMO DE SEGORBE (Fray)
Capuchino.

EDICIONES
1780
NAVEGACION segvra para el cielo:

donde se enseñan y descubren tanto los puertos seguro, quanto los escollos y peligros deste viage... Valencia. Felipe Mey. A costa de Cesar Campacio. 1611. 10 hs. + 830 págs. + 24 hs. 15 cm.

—Pr. al autor por diez años.—Apr. de Fr. Francisco Tamayo.—Apr. de Fr. Victorio de Palermo.—Apr. de Fr. Francisco de Seuilla. — Apr. de Fr. Miguel Gasch. — L. O.—E.—Ded. a D. Pedro Gines Casanoua, Obispo de Segorbe. — Prologo al lector.—Texto.—Tabla de los Assumptos. Index omnium locorum Sacræ Scripturæ, in hoc opere contentorum.

BARCELONA. *Convento de Capuchinos de Card. Vives y Tutó, 23.* 2-1-28.—MADRID. *Nacional.* 2-41.391. — SEVILLA. *Universitaria.* 6-224.

JERONIMO DE TORRE (Fray)

Capuchino.

EDICIONES

1781

[*CENSURA. Madrid, 24 de Octubre de 1693*]. (En José de Sevilla, Fray. *Oraciones evangelicas de varios assvmptos, de algunos mysterios de Christo, Maria Santissima, Ferias, y Santos.* Madrid. 1694. Prels.)

MADRID. *Nacional.* 7-12.998.

1782

[*APROBACION de ——, y Fr. Antonio de Fuente-Lapiña. Madrid, 7 Febrero 1697*]. (En José de Sevilla, Fray. *Oraciones Evangélicas.* Madrid. 1697. Prels.)

MADRID. *Nacional.* 3-54.676.

JESUS (Sor LUISA MARIA DE)

V. LUISA MARIA DE JESUS (Sor)

JESUS (PEDRO DE)

EDICIONES

1783

[*POESIAS*]. (En Luque Fajardo, Francisco de. *Relación de la fiesta*

que se hizo en Sevilla a la beatificación de... San Ignacio... Sevilla. 1610).

1. *Canción.* (Fols. 84v-86r).
2. *Canción.* (Fols. 84v-91r).

MADRID. *Nacional.* 3-25.151.

JESUS (FR. PEDRO DE)

V. PEDRO DE JESUS (Fray)

JESUS (FR. TOMAS DE)

V. TOMAS DE JESUS (Fray)

JESUS Y XODAR (FR. FRANCISCO DE)

V. JODAR Y GALLEGOS (FR. FRANCISCO DE JESUS)

JESUS MARIA (FR. PEDRO DE)

V. PEDRO DE JESUS MARIA (Fray)

JIMENA JURADO (MARTIN DE)

N. en Jaén. Presbítero. Racionero de la catedral de Toledo.

CODICES

1784

«*Varias cartas que escribe a el Sr. M. Francisco de Rus Puerta... sobre varias antigüedades por los años 1641*».

Letra del s. XVII. 54 fols. 4.º

SEVILLA. *Colombina.* 82-3-14.j.22.

1785

[*Antigüedades del reino de Jaén*].

Letra del s. XVII (1639). 341 fols. 208 × 150 mm. Original. Con dibujos a pluma. *Inventario,* IV, pág. 63.

MADRID. *Nacional.* Mss. 1180.

1786

«*Historia, o Anales del municipio Albense Urgabonense, o villa de Arjona...*».

Original, fechado en 24 de junio de 1643, en Jaén. 1.176 fols. 4.º
Gallardo, III, n.º 2.588.

EDICIONES

1787

CATALOGO de los Obispos de las Iglesias Catedrales de la diocesi de Jaen y Annales eclesiasticos deste Obispado. Madrid. Domingo García y Morrás. 1654. 7 hs. + 559 págs. + 18 hs. 19,5 cm.

Escrito «Ximena Iurado».

—Frontis, firmado por Gregorio Enst, en Madrid, 1654.—Ded. al Cardenal D. Balthasar de Moscoso y Sandoval, Arçobispo de Toledo, etc.—Protestacion del autor.—S. Pr., L. y Censuras.—S. T.—E.—Cronología de los Obispos de las ocho diocesis antiguas de el Reyno de Iaen.—Texto.—Indice.—Colofón.

Salvá, II, n.° 2.986.

GRANADA. *Universitaria.* A-5-123; A-37-149.—MADRID. *Academia de la Historia.* 14-9-1-5.930; 5-2-5-407. *Facultad de Filosofía y Letras.*—*Nacional.* 2-15.418.—NUEVA YORK. *Hispanic Society.*—SAN LORENZO DEL ESCORIAL. *Monasterio.* 96-IX-6.—SEVILLA. *Universitaria.* 153-148.

Aprobaciones

1788

[*APROBACION. Madrid, 16 de febrero de 1654*]. (En Rojas, Pedro de. *Historia de... Toledo...* Madrid. 1654. Prels.)

Escrito «Ximena».
MADRID. *Nacional.* 1-19.123.

JIMENES DE ARAGAM (FERNANDO)

V. JIMENEZ (FERNANDO)

JIMENEZ (Doctor)

EDICIONES

1789

[*RIMAS encadenadas*]. (En Zapata, Sancho. *Justa poetica en defensa de la puresa de la Inmaculada Concepcion de la Virgen...* Zaragoza. 1619, págs. 108-11).

MADRID. *Nacional.* 2-68.257.

JIMENEZ (FR. ALONSO)

Franciscano. Guardián del convento de San Francisco de Sevilla.

EDICIONES

1790

[*APROBACION*]. (En Núñez, Juan. *Sermón predicado en el Real Convento de S. Pablo de Sevilla...* Sevilla. 1642. Prels.)

Escrito «Ximénez».
CORDOBA. *Pública.* 1-98 bis.

JIMENEZ (FR. ANTONIO)

N. en Guareña. Mínimo. Regente del Colerio de San Francisco de Paula de Sevilla.

EDICIONES

1791

SERMON de la Pvrissima Concecion de la Virgen Maria madae (sic) de Dios, sin pecado original. Sevilla. Francisco de Lyra. 1616. 3 hs. + 20 fols. 20 cm.

—Ded. a D.ª Francisca Fajardo y Valençuela, muger de D. Fernando Carrillo, cauallero de Santiago, y Presidente de hazienda de S. M. — Apr. del P. Ioan de Pineda.—L.—Apr. de Fr. Pedro Sigler de Umbria.—L. O.—Texto.

Escudero, n.° 1.098.

MADRID. *Nacional.* R-Varios, 25-5. — NUEVA YORK. *Hispanic Society.*—SEVILLA. *Universitaria.* 112-129 (12).

1792

SANTOS Exercicios para los tres dias de Carnestolendas, Domingo, Lunes, y Martes de Quinquagésima, en reuerencia del Santisimo Sacramento, contra los vicios de los mundanos... por Fr. Antonio Ximenez... Primera parte. Sevilla. Gabriel Ramos Vejarano. 1618. 4 hs. + 40 fols. a 2 cols. 19,5 cm.

—Apr. de Fr. Joan Lopez Gil.—L. O.—Apr. del P. Pedro de Urtiaga.—L. V.—Ded. al Licdo. Geronymo Paez de Cuellar, Oidor de la Real Casa de Contratación de Indias.—Prólogo al lector.—Texto.—E.

Escudero, n.° 1.145.

CORDOBA. *Pública.* 4-198.—SEVILLA. *Universitaria.* 80-145.

1793

SEGUNDA parte de los Santos Exercicios, para Lvnes, y Martes de Carnestolendas, en reuerencia de el Santissimo Sacramento, contra los vicios de los mundanos... Por... Fr. Antonio Ximenez... Sevilla. Gabriel Ramos Vejarano, a su costa. 1618. 1 h. + 39 fols. 20,2 cm.

—Apr. de Fr. Joan Lopez Gil.—L. O.—L. V.—Texto.—E. de las dos partes.
CORDOBA. Pública. 4-198.

1794

DULZURA de la oracion para recreación del alma. Sevilla. 1619.

N. Antonio.

1795

ERUDICION Evangélica y Arancel divino de todas las cosas eternas y temporales, tocantes a la Santa oración del Pater noster. Sevilla. 1619.

N. Antonio.

1796

ERVDICION Evangelica y Aranzel Divino de todas las cosas eternas y temporales tocantes a la santa Oración... Sevilla. Matías Clavijo. 1627. [20 de agosto]. 9 hs. + 519 + 534 págs. a 2 cols. + 1 h. blanca + 244 págs. a 2 cols.

—Frontis, firmado por Ioannes Mendez. Portada.—T.—L. O.—Apr. de Fr. Francisco de Roa.—L. O.—S. del Real Pr. y Censura.—E.—Ded. a D.ª Francisca Fajardo y Valençuela, muger que fue de D. Fernando Carrillo, Presidente del Real Consejo de las Indias.—Al piadoso Letor. Division de toda la obra.—Texto (dividido en tres tomos).—Colofón.
Escudero, n.º 1.384.
MADRID. Nacional. 3-55.737.—SEVILLA. Universitaria. 54-62.

1797

———. Sevilla. Matías Clavijo. 1628. 8 hs. + 1 láms. + 519 + 534 + 244 págs. 29,5 cm.

—T.—L. O.—Apr. de Fr. Francisco de Roa. Otra L. O.—S. Pr.—E.—Ded.—Al piadoso lector.—Division de toda la obra.—Texto.
SEVILLA. Universitaria. 179-172.

1798

DEVOCION al sacrosanto Mysterio de la Missa. Ordenada por el glorioso P. S. Francisco de Paula, ...: beneficios milagrosos, que por ella à hecho Dios a sus devotos. Con vn tratado de las gracias y virtudes de el Cordon bendito de su Habito. Sevilla. Francisco de Lyra. 1646. 13 hs. + 160 fols. 14,7 cm.

—L. O.—Censura del P. Tomas Hurtado. L. V.—Censura de Fr. Ioan Ponce de Leon.—L. O. y V. y Pr. al autor por diez años.—Ded. a los devotos de S. Francisco de Paula.—Al devoto Lector. E. — Grab. de S. Francisco de Paula. — Texto.—Bendición del Cordon de la Orden.
Escudero, n.º 1.613.
MADRID. Nacional. 3-57.258.—SEVILLA. Universitaria. 46-4; 78-246; etc.

1799

VIDA de S. Francisco de Paula.

N. Antonio, I, pág. 168.

Aprobaciones

1800

[APROBACION. Sevilla, 14 de abril de 1616]. (En Alonso de Toledo, Fray. Sermón de la Inmaculada Concepción... Sevilla. 1616. Prels.)
SEVILLA. Universitaria. 113-60 (10).

1801

[APROBACION]. (En Rodríguez, Juan. Súmulas de documentos de la predicación evangélica. Sevilla. 1641. Prels.)
MADRID. Nacional. R-Varios, 19-18.

OBRAS LATINAS

1802

PERITIA curationis Status languen-

tis religiosi. Sevilla. Simón Faxardo. 1644. 29 hs. + 200 fols. + 28 hs. 4.º

Escudero, n.º 1.593.

MADRID. *Nacional.* 3-68.454.

ESTUDIOS

1803

REP: N. Antonio, I, pág. 168.

JIMENEZ (P. ANTONIO)

Jesuita.

EDICIONES

1804

[*CENSURA, 1 de agosto de 1686*]. (En Mendoza, Ayala, Juan de. *Sermón... en la profession de la Soror Juana Theresa de Christo...* Méjico. 1686. Prels.)

Medina, *Méixco*, III, n.º 1.378.

JIMENEZ (FR. BERNARDINO)

Franciscano.

EDICIONES

1805

PHENIX de Europa. Panegirico de N. P. San Fracisco. Alcalá. 1668. 4.º

1806

AGRADECIMIENTO panegírico, honras de los Excelentissimos Señores Marqueses de los Velez, Patronos de la Santa, y Docta Provincia de Cartagena, de la Regular Observancia de nuestro Padre San Francisco. Sermón que especuló ...—— y dixo... en la... Cathedral... de Murcia, en la Celeberrima Capilla, Panteon de sus Excelencias... 1681. Alcalá de Henares. Francisco García Fernández. 1684. 20 fols. 20 cm.

—Fols. 2r-4r: Ded. a D. Fernando Faxardo Requesens, Marques de los Velez, etc.— Apr. de Fr. Iuan Ximenez de Cisneros y Fr. Alonso Lopez de Haro.—L. O.— Censura del P. Ignacio Francisco Peinado.—L. V.—Texto.

MADRID. *Nacional.* 2-54.749.

1807

ORACION funebre en las exequias del Marques de los Velez. Alcalá. 1688. 4.º

JIMENEZ (FR. CIRILO)

EDICIONES

1808

[*APROBACION. Barcelona. 11 de diciembre de 1630*]. (En Guadalajara y Xavier, Marcos de. *Tesoro espiritual...* 2.ª edición. Barcelona. 1631. Prels.)

Escrito «Ximénez».

MADRID. *Nacional.* 7-13.863.

JIMENEZ (FR. DIEGO)

Dominico.

V. JIMENEZ ARIAS (FR. DIEGO)

JIMENEZ (FR. DIEGO)

Agustino. Lector de Teología en el convento de Sevilla.

EDICIONES

1809

[*CENSURA. Sevilla, 5 de abril de 1693*]. (En Rocha y Figueroa, Gómez de la. *Estímulo de nobles pensamientos.* Sevilla. 1693. Prels.)

MADRID. *Nacional.* R-31.490.

JIMENEZ (FERNANDO)

N. en Lisboa. Graduado en Cánones. Arcediano de Santa Cristina en la catedral de Braga.

EDICIONES

1810

LIBRO de la restavracion y renovacion del hombre. Lisboa. Pedro Crasbeeck. 1608. 7 hs. + 70 fols. + 1 h. 20 cm.

Dice «Ximenez».

—Frontis.—L.—Ded. al Rey de las eternidades inmortal, y inuisible.—Prologos. Texto. [«La humana vida es una viua guerra...»].—E.

Salvá, I, n.º 692.
MADRID. *Nacional.* R-12.734 (ex libris de Gayangos).—NUEVA YORK. *Hispanic Society.*

1811
[*RESTAURACION del hombre y consolación sobrenatural de la theologia*]. Lisboa. Gerardo de la Vinea. 1628. 2 partes en un vol.
NUEVA YORK. *Hispanic Society.*

JIMENEZ (FR. FRANCISCO)
Cartujo. Monje en Santa María de las Cuevas de Sevilla.

EDICIONES
1812
[*GLOSA*]. (En Torre Farfán, Fernando de la. *Templo panegírico...* Sevilla. 1663, fols. 188v-189r).
MADRID. *Nacional.* R-31.019.

JIMENEZ (FR. FRANCISCO)
N. en Luna, Aragón. Dominico. Hijo del convento de Santo Domingo, de Méjico.

EDICIONES
1813
QVATRO libros de la natvraleza, y virtvdes de las plantas, y animales que estan receuidos en el vso de Medicina en la Nueua España, y la Methodo, y correccion, y preparacion, que para administrallas se requiere con lo que el Doctor Francisco Hernandez escriuio en lengua Latina. Mvy vtil para todo genero de gente que viue en estancias y pueblos, do no ay Medicos, ni Botica. Traduzido, y aumentados muchos simples, y Compuestos y otros muchos secretos curatiuos, por ——... Mejico. Viuda de Diego Lopez Daualos. 1615. 5 hs. + 201 fols. + 7 hs. 20,5 cm.

—Pr. del Virrey al autor por diez años.— 4 del Arzobispo de Méjico.—Apr. de Fr. Luys Vallejo.—L. O.—Apr. de Fr. Bartholome Gomez.—Apr. del P. Pedro de Hortigosa.—Apr. de Diego Cisneros.—Ded. a Fr. Hernando Baçan, Prior Provincial de la provincia de Santiago de Mexico de la Orden de Predicadores, etc. Al lector.—Lámina.—Texto.—Tabla.—E.

Medina, *México*, II, n.º 297; Gallardo, III, n.º 2.589; García Icazbalceta, pág. 233.
MADRID. *Nacional.* R-14.170.—NUEVA YORK. *Hispanic Society.*

1814
CUATRO libros de la naturaleza... Edición de Antonio Peñafiel. Méjico. Ofic. tip. de la Secretaría de Fomento. 1888. 2 hs. + 2 láms. + 342 págs.
MADRID. *Nacional.* 1-86.099.—PARIS. *Nationale.* Fol.Te.138254.

1815
CUATRO libros de la naturaleza y virtudes medicinales de las plantas y animales de la nueva España. Extracto de las obras del Dr. Francisco Hernández. Anotados, traducidos y publicados en México, el año de 1615, por Fr. Francisco Ximénez... Ahora por primera vez reimpreso... bajo la dirección del Dr. Nicolás León. Morelia. Imp. de la Escuela de Artes a cargo de Y. R. Bravo. 1888. LII + XII + 300 págs. 8.º
PARIS. *Nationale.* 8.ºTe.138255.

ESTUDIOS
1816
REP: N. Antonio, I, pág. 499; Latassa, 2.ª ed., III, págs. 386-87; Picatoste, pág. 390.

JIMENEZ (FR. FRANCISCO)
Dominico. Regente de los Estudios Generales del Colegio Mayor de Santo Tomás, de Sevilla.

EDICIONES
1817
[*SERMON*]. (En Torralvo y Lara, Antonio de. *Relación de las funerales exequias... en la muerte de... Doña Francisca de Guzman, Marquesa del Carpio...* Córdoba. 1643, fols. 4v-11r).
MADRID. *Nacional.* R-Varios, 43-49.

1818

[*APROBACION. Sevilla, 20 de febrero de 1696*]. (En Cáceres, Antonio de. *Vida admirable de... Santa Catalina de Sena.* Sevilla. 1696. Prels.)

MADRID. *Nacional.* 3-67.910.

1819

[*APROBACION*]. (En Plazuelos, Gabriel. *Exordial exclamacion en la oracion funebre... en las honras de Fr. Jacinto Hernández de la Torre...* Sevilla. 1696. Prels.)

SEVILLA. *Facultad de Letras.* C.ª 99-26.

JIMENEZ (P. FRANCISCO)

Jesuita.

EDICIONES

1820

[*PARECER. Méjico, 4 de marzo de 1683*]. (En Ezcaray, Antonio de. *Deseos de asertar. Sermón gratulatorio...* Méjico. 1683. Prels.)

MADRID. *Nacional.* V.E.-73-29.

JIMENEZ (FR. GABRIEL)

Dominico. Predicador general. Provincial de la de San Antonino del Nuevo Reino de Granada.

EDICIONES

1821

[*APROBACION. Graos, 2 de octubre de 1622*]. (En Batista de la Nuza, Jerónimo. *Homilías sobre los Evangelios que la Iglesia Santa propone los días de la Quaresma.* Tomo III... Barbastro. 1622. Prels.)

MADRID. *Nacional.* R-22.623.

JIMENEZ (FR. GASPAR)

Carmelita. Rector del Colegio San Alberto de Sevilla. Calificador de la Inquisición.

EDICIONES

1822

[*APROBACION. Sevilla, 1624*]. (En Arriola, Juan de. *Sermón que pre-*

dicó... en el Aucto publico de Fee, que se celebró en Sevilla en ultimo de Nouiembre de 1624... Sevilla. 1625. Prels.)

MADRID. *Nacional.* R-26.131.

JIMENEZ (JACINTO)

EDICIONES

1823

[*A la muerte de Don Rodrigo Manuel de Narváez, del hábito de Santiago y Alcaide de Antequera*]. (En CANCIONERO *Antequerano. Recogido por 1627 y 1628 por Ignacio de Toledo y Godoy y publicado por D. Alonso y R. Ferreres.* Madrid. 1950, págs. 140-41).

MADRID. *Consejo. Patronato «Menéndez Pelayo».* E-1.803.

JIMENEZ (JACINTO)

Médico sevillano.

V. JIMENEZ DE TORRES (JACINTO)

JIMENEZ (JERONIMO)

EDICIONES

1824

[*DOS Jeroglíficos*]. (En Ximénez de Enciso y Porres, José Esteban. *Relación de la memoria funeral a... D.ª Isabel de Borbón...* Logroño. 1645, pág. 168).

MADRID. *Nacional.* R-11.418.

1825

[*CANCION*]. (En Andrés de Uztarroz, Juan Francisco. *Certamen poético de Nuestra Señora de Cogulla-da...* Zaragoza. 1644, págs. 129-30).

MADRID. *Nacional.* 2-64.961.

1826

[*EMPRESA*]. (En ídem, pág. 161).

1827

[*APROBACION. Zaragoza, 11 de marzo de 1584*]. (En Aristóteles, *Los* ocho libros de Republica, traduzidos por Pedro Simón Abril. Zaragoza. 1584. Prels.)

MADRID. *Nacional.* R-11.904.

JIMENEZ (FR. JOSE)
Franciscano.

EDICIONES

1828

VIDA de Fr. Nicolás Factor. Barcelona. 1618. 4.º

N. Antonio.

1829

[*POESIAS*]. (En *El primer certamen que se celebró en España en honor de la Purísima Concepción* [*1615*]... Madrid. 1904).

1. *Soneto.* (Pág. 35).
2. *Glosa.* (Págs. 84-85).
3. *Octavas.* (Págs. 175-176).

MADRID. *Nacional.* 1-14.447.

ESTUDIOS

1830

REP: N. Antonio, I, pág. 823.

JIMENEZ (JUAN)
Doctor.

EDICIONES

1831

[*A su Excellencia*]. (En Carranza, Jerónimo de. *Libro... que trata de la Philosophia de las Armas...* Sanlúcar de Barrameda. 1582. Prels.)

MADRID. *Nacional.* R-909.

JIMENEZ (FR. JUAN)
Carmelita.

EDICIONES

1832

[*APROBACION. Zaragoza, 16 de febrero de 1613*]. (En Guadalajara y Xavierr, Marco de. *Memorable expulsión y justissimo destierro de los Moriscos de España.* Pamplona. 1613. Prels.)

MADRID. *Nacional.* R-16.526.

JIMENEZ (FR. JUAN)
Dominico.

EDICIONES

1833

[*CENSURA. Valencia, 3 de septiembre de 1613*]. (En Salcedo de Loayza, Domingo. *Breve y sumaria relación de la vida, muerte y milagros de... Fr. H. Simón.* Segorbe. 1614. Prels.)

MADRID. *Nacional.* 3-24.515.

1834

[*CENSURA*]. (En Campo Moya, Juan del. *Doctrina Christiana...* Alcalá. 1676. Prels.)

J. Catalina García, *Tip. complutense*, número 1.221.

JIMENEZ (FR. JUAN)
Franciscano.

EDICIONES

1835

EXERCICIOS divinos revelados al Venerable Nicolas Eschio y referidos por el P. Surió, traducidos del Latin por ——. Madrid. 1613.

N. Antonio.

1836

——. Sevilla. Matías Clavijo. 1614. 16 hs. + 351 págs. 16.º

Escudero, n.º 994.

1837

——. Sevilla. Gabriel Ramos. 1621. 16.º

Escudero, n.º 1.225.

1838

EXERCICIOS divinos, revelados al Venerable Nicolas Eschio, y referidos por Laurencio Surio. Traduzidos de latin en lengua vulgar, y explicados por Fr. Juan Gimenez... Alcalá de Henares. Andres Fernandez de Castro. A costa de Nicolas de

Xamares. 1665. 16 hs. + 352 págs. 16.º

—S. L.—S. T.—E.—Apr. de Fr. Tomas de San Vicente.—Ded. a Cristo, por Nicolas de Xamares.—Fr. Juan Jimenez al lector.—Lira de la transformación del alma en Dios (en prosa).—Tabla de ejercicios. Texto.

J. Catalina García, *Tip. complutense*, número 1.124.

1839

EXERCICIOS Divinos, revelados al Venerable Nicolas Eschio, y referidos por Laurencio Surio. Traducidos de Latin en lengua vulgar, y explicados por ——. Puebla. Diego Fernandez de Leon. 1690. 24 hs. + 256 págs. 16.º

—Ded. a D. Francisco Xavier Vasconcelos y D.ª Nicolasa de Luna, marqueses de Monserrate.—S. L.—S. T.—E.—Apr. de Fr. Tomás de San Vicente. — Apr. del P. Gaspar de los Reyes Angel.—L. V.—Al lector. — Lira de la transformación del Alma en Dios.—Tabla de los ejercicios. Texto.

Medina, *Puebla*, n.º 136.

1840

CHRONICA del B. Fray Pasqval Baylon de la Orden del P. S. Francisco, hijo de la Prouincia de S. Iuan Baptista de los frayles descalços del Reyno de Valencia. Valencia. Junto al molino de Rouella. [Iuan Grysostomo Garriz]. 1601. 8 hs. + 652 págs. + 22 hs. 15 cm.

—Pr.—L. de D. Iuan de Ribera, arzobispo de Valencia.—L. O.—Apr. de Fr. Miguel Salon. — Apr. de Pedro Iuan Asensio.—Apr. de Fr. Pedro Adam.—L. del Ministro General de la Orden de San Francisco.—Ded. a Felipe III.—Advertencias al Lector.—Texto.—Tabla de capitulos.—Tabla alphabetica de las cosas notables.—Colofón.

MADRID. *Nacional*. 3-13.799.—SEVILLA. *Universitaria*. 66-28.

Aprobaciones

1841

[*APROBACION. Roma, 28 de mayo de 1600*]. (En Ribadeneyra, Marcelo de. *Historia de las Islas del Archipielago... de la gran China...* Barcelona. 1601. Prels.)

MADRID. *Nacional*. R-6.664.

1842

[*CENSURA. Valencia, 3 de septiembre de 1613*]. (En Salcedo de Loayza, Domingo. *Breve y sumaria relación de la vida, muerte y milagros de... Fr. H. Simón.* Segorbe. 1614. Prels.)

MADRID. *Nacional*. 3-24.515.

1843

[*APROBACION. Lima, 12 de mayo de 1639*]. (En Benavides y de la Cerda, Bartolomé de. *Sermón en la dedicación del nuevo y famoso templo de S. Pablo de la Compañia de Iesus...* Lima. 1639. Prels.)

Medina, *Lima*, I, n.º 197.

ESTUDIOS

1844

BLASQUEZ DE VALVERDE, JUAN. *Por el P. F. Ivan Ximenez, Padre de Provincia de la Sagrada Religion de San Francisco, en esta de Lima, y los demas Religiosos de la dicha Orden. En el articulo Sobre que no se retenga un Breve Apostolico expedido por... Urbano VIII...* [s. l. - s. i.]. [s. a.].

Medina, *Lima*, I, n.º 225.

1845

REP: N. Antonio, I, págs. 797-98.

JIMENEZ (FR. JUAN)

Franciscano descalzo. Lector de Teología. Padre de la provincia de San Juan Bautista.

EDICIONES

1846

EXPOSICION de la Regla de los frayles menores. Valencia. Juan Chrysostomo Garriz. 1611. 919 págs. 16.º

PARIS. *Nationale*. H.19654.—SEVILLA. *Universitaria*. 186-17.

1847

EXPOSICION de la Regla de los frayles menores. Corregida y muy mejorada en esta 2.ª impressión. Valencia. Pedro Patricio Mey. A costa de Roque Sinzonio y Claudio Misso. 1622. 818 págs. + 16 hs. 10 cm.

Prels. de 1611.

MADRID. *Nacional.* 7-12.172.—SEVILLA. *Universitaria.* 178-15.

1848

————. Barcelona. 1629. 16.º

Palau, XXVIII, n.º 377.030.

JIMENEZ
(JUANA ANTONIA LAURENCIA)

EDICIONES

1849

[POESIAS]. (En Ximénez de Enciso y Porres, José Esteban. *Relación de la memoria funeral a... D.ª Isabel de Borbón...* Logroño. 1645).

1. *Décima.* (Pág. 187).
2. *Glosa.* (Págs. 187-88).

MADRID. *B. Nacional.* R-11.418.

JIMENEZ (LORENZO)

Licenciado.

CODICES

1850

[Poesías].

Con el seudónimo de «El Rústico», acompañando a su nombre.

1. *Ad Latronem cum Christo in cruce colloquentem. Carmen.* (Fol. 45r).
2. *Al Estabat Mater Dolorosa.* [«Y mirando a su querido...»]. (Fol. 56r).
3. Idem. [«Tres penas no puedes...»]. (Fol. 57r).
4. *Exortando a la conquista de Jerusalen.* [«Quando llega a la cumbre de la gloria...»]. (Fol. 72r).
5. *Al Melancólico.* (Fol. 72).
6. *Al glorioso Jerónimo, Doctor de la Iglesia. Soneto.* [«Por que en el aula os azotan de menores...»]. (Fol. 104r).
7. *Escusándose de no haber traído versos a San Jerónimo.* [«De un tardío ingenio una difícil prueba...»]. (Fol. 120r).

8. *Diciendo la discrecion que da el tener un hombre para conservar el honor de una mujer. Canción.* [«Los caballos feroces desbocados...»]. (Fol. 230r).
9. *Al glorioso San Agustín... Canción.* [«Forzada de un devoto pensamiento...»]. (Fol. 258r).
10. *Estancias deliberando esta obligación que tiene un amigo de socorrer a su amigo en sus necesidades, aunque él no se las declare.* [«Selvas de amor dichosas...»]. (Fols. 309r-310r).
11. *Que el propio conocimiento tenga su dificultad que mucho, si al pensamiento preside la voluntad y duerme el entendimiento.* [«Ligeros al mal corremos...»]. (Fol. 328r).

Letra del s. XVII.

Papeles de la Academia de Huesca.

MADRID. *Nacional.* Mss. 3.672.

EDICIONES

1851

[APROBACION. Huesca, 15 de septiembre de 1619]. (En Aynsa y de Iriarte, Francisco Diego. *Fundación de Huesca...* Huesca. 1619. Prels.)

Escrito «Ximénez».

MADRID. *Nacional.* 2-62.030.

JIMENEZ (MARCOS)

EDICIONES

1852

[QUINTILLAS]. (En Monforte y Henera, Fernando de. *Relación de las fiestas que ha hecho el Colegio Imperial...* Madrid. 1622. Fols. 75r-76r).

MADRID. *Nacional.* R-154.

JIMENEZ (MARIA)

EDICIONES

1853

[Al Autor. Soneto]. (En Marcuello, Francisco. *Primera Parte de la Historia Natural y Moral de las Aves.* Zaragoza. 1617. Prels.)

Dice «Ximénez».

MADRID. *Nacional.* R-15.598.

1854

[SONETO]. (En Remón, Alonso. *Las*

fiestas solemnes... a... San Pedro Nolasco... Madrid. 1630, fol. 74*v*).

MADRID. *Nacional.* 3-58.179.

ESTUDIOS

1855

REP: Serrano y Sanz, n.º 1.392.

JIMENEZ (MARTIN)

Licenciado.

EDICIONES

1856

[*CANCION*]. (En Díez de Aux, Luis. *Compendio de las fiestas que ha celebrado... Çaragoça...* Zaragoza. 1619, págs. 141-48).

MADRID. *Nacional.* R-4.908.

1857

[*APROBACION. Madrid, 20 de noviembre de 1661*]. (En Castro, Juan de. *Historia de las virtudes y propiedades del tabaco.* Córdoba. 1620. Prels.)

Escrito «Ximénez».

MADRID. *Nacional.* R-3.799.

JIMENEZ (MATEO)

EDICIONES

1858

[*SONETO*]. (En Montes de Oca, Basilio. *Del Doctissimo Reverendo P. M. Fr. Basilio Ponce de León, honor de España... Fama Postuma.* Salamanca. 1630. En el texto).

MADRID. *Nacional.* V.E.-171-38.

JIMENEZ (MATIAS)

N. en Corella. Doctor. Canónigo magistral de Alfaro.

EDICIONES

1859

ORACIONES Christianas sobre los Evangelios de los Domingos de Aduiento. Compuesta por... Mathias Ximenez... Pamplona. Carlos de Labayen. 1618. 326 págs. + 2 hs. 4.º

—Apr. del P. Ignacio de Estrada.—E.—T.— Ded. al P. Francisco Pimentel.—Prólogo al lector.—Tabla de las oraciones.—Texto.—Tabla de cosas notables y escriturarias.

Pérez Goyena, II, n.º 335.

MADRID. *Nacional.* 3-66.235.—PAMPLONA. *General de la Diputación Foral.* 18-1-1.

JIMENEZ (MIGUEL)

Licenciado.

EDICIONES

1860

[*POESIAS*]. (En Miranda y La Cotera, José de. *Certamen angélico... a Snto. Tomás de Aquino.* Madrid. 1657.

1. *Décimas.* (Fols. 34*v*-36*r*).
2. *Soneto.* (Fol. 46*r*).
3. *Glossa.* (Fol. 104).

MADRID. *Nacional.* R-16.925.

JIMENEZ (FR. NICOLAS)

Trinitario. Calificador del Santo Oficio.

EDICIONES

1861

SERMON del misterio inefable de la beatissima Trinidad. Predicado... en el Capitulo Prouincial que celebró su sagrada Religion en la ciudad de Cordoba a primero de Mayo del año de 1649. Granada. En la Impr. Real por Baltasar de Bolibar y Francisco Sanchez. 1649. 4 hs. + 33 fols.

—Censura de Fr. Andres Calderon.—L. O.— Comission.—Apr. del P. Iuan Gonçalez.— L. V.—Ded. a Fr. Iuan de Almoguera, trinitario.—Texto.

SALAMANCA. *Universitaria.* 56.088. — SEVILLA. *Universitoria.* 111-52 (9).

1862

[*APROBACION. La Trinidad*]. (En Nicolás de Torrecilla, Fray. *La primera y penitentissima religión de Madres Capuchinas en España.* Murcia. 1646. Prels.)

MADRID. *Nacional.* R-Varios, 156-23.

1863

[*APROBACION. Murcia, 24 de setiembre de 1646*]. (En Torrecilla, Nicolás. *Empleos interiores, y desahogos siguros, para la execucion de unos desseos grandes de mayor perfección*. Murcia. 1647. Prels.)

MADRID. *Nacional*. R-Varios, 12-25.

JIMENEZ (PERO)

Licenciado.

EDICIONES

1864

[*POESIA*]. (En Barco Centenera, Martín del. *Argentina y conquista del Río de la Plata...* Lisboa. 1602. Prels.)

MADRID. *Nacional*. R-12.793.

JIMENEZ (FR. RODRIGO)

Mínimo. Vicario general en las provincias de España.

EDICIONES

1865

SERMON predicado en San Pablo de Sevilla, la Octava de la Canonizacion del glorioso San Raymundo. Por el P. Fray Rodrigo Gimenez... Madrid. Juan de la Cuesta. 1604. 16 fols. 20,5 cm.

—Ded. a Fr. Gaspar de Cordova, confesoi de S. M.—Apr. de Fr. Diego Granero.—Texto.—Grabado de S. Raimundo.

GRANADA. *Universitaria*. A-31-228 (8).

1866

SERMON predicado... Jueues de la Octaua, que en honor del glorioso S. Jacinto se celebró en el Conuento de Sancta Cruz la Real de la Ciudad de Granada a seys de Abril de 1595 años. [s. l., pero Granada - s. i.]. [s. a.]. 20 hs. 20 cm.

—Ded. en latín, a D. Ferdinando Niño de Guevara.—Texto.—L. V.

GRANADA. *Universitaria*. A-31-235 (8).—SANTIAGO DE COMPOSTELA. *Universitaria*.

JIMENEZ (SALVADOR)

EDICIONES

1867

[*SONETO Elogistico*]. (En Fernández de Belo, Benito. *Breve Aritmética...* Méjico. 1675. Prels.)

MADRID. *Nacional*. R-732.

JIMENEZ DEL AGUILA Y BEAUMONTE (FRANCISCO)

Licenciado. Abogado de los Reales Consejos. Alcalde de la Casa de la Moneda de Granada.

EDICIONES

1868

[*SONETO*]. (En Ovando, Rodrigo de. *Memoria funebre y exequias del Parnaso*. Málaga. 1665, fol. 61*r*).

MADRID. *Nacional*. 2-15.508.

JIMENEZ DE ARAGON (JERONIMO)

EDICIONES

1869

[*SONETO*]. (En Méndez de Vasconcelos, Juan. *Liga deshecha, por la expulsion de los Moriscos de los Reynos de España*. Madrid. 1612. Prels.)

MADRID. *Nacional*. R-3.740.

JIMENEZ DE ARAGÜES (FR. JAIME)

Franciscano. Lector. Calificador de la Inquisición de Aragón.

EDICIONES

1870

[*APROBACION de Fr. Francisco Ferriz y ——. Huesca, 13 de septiembre de 1619*. (En Aynsa y de Iriarte, Francisco Diego. *Fundación... de Huesca*. Huesca. 1619. Prels.)

MADRID. *Nacional*. 2-62.030.

1871

[*APROBACION. Huesca, 7 de Marzo de 1620*]. (En Torres, Francisco de. *Consuelo de los devotos de la Inmaculada Concepcion de la Virgen Santissima.* Zaragoza. 1620. Prels.)

MADRID. *Nacional.* 3-8.174.

1872

[*APROBACION. Huesca, 23 de junio de 1620*]. (En Carrillo, Martín. *Annales y Memorias cronológicas.* Huesca. 1622. Prels.)

MADRID. *Nacional.* R-20.884.

JIMENEZ DE ARAGÜES (JERONIMO)

Doctor en ambos Derechos.

EDICIONES

1873

DISCVRSO del oficio de Bayle general de Aragon. En qve se declaran muchos Fueros, y Actos de Corte de dicho Reyno; y se trata de diuersas Regalias de su Magestad, en materias que pertenecen a la Baylia general. Zaragoza. Iuan de Lanaja y Quartanet. 1630. 4 hs. + 256 págs. 20 cm.

—Ded. a D. Agustín de Gurrea y Castro, Bayle general en Aragón, etc.—Apr. del Ordinario.—Censura del Dr. Baltasar de Cisneros.—Pr. del Virrey de Aragón.—Apr. del Dr. Agustín de Morlanes.—Tabla.—Texto.—Págs. 243-56: Indice de las materias.—Pág. 256: E.

MADRID. *Nacional.* U-1.064.—PARIS. *Nationale.* F.15993.

ESTUDIOS
1874

REP: Latassa, 2.ª ed., III, pág. 388.

JIMENEZ ARIAS (FR. DIEGO)

N. en Alcántara. Dominico.

EDICIONES
1875

SERMON muy deuoto y de prouecho de la benditissima Magdalena: en que se declara el Euangelio de su conuersion: y se pone al cabo algo de su penitente vida y gloriosa muerte... Con vna muy buena Exposicion del Miserere. [s. l., Lisboa. German Gallard. A costa de Iuan Ximenez Arias de Alcantara, hermano del Author]. [1551, 5 de setiembre]. 100 fols. 8.º

—Apr. de Fr. Ieronymo de Dazambuja.— Ded. a D. Iulian de Alua, Obispo de Portalegre.—Texto.

Anselmo, n.º 641.

COIMBRA. *Universitaria.* R-9-7; R-24-20.—EVORA. *Pública.*—MADRID. *Nacional.* R-28.496.

1876

ENCHIRIDION o Manual de Doctrina Christiana (que tambien puede seruir de Confessionario) diuidido en cinco partes: en que por via de preguntas y respuestas se enseña al Christiano todo lo que deue creer, y no creer: desear, y aborrecer: hazer, y no hazer saber, y no saber... [Lisboa. Germán Gallarde]. 1552 [6 de mayo]. 8 hs. + 151 fols. (por error: CXLI) + 1 h. 14 cm. Gót.

Al fin de la portada, dice: «Pueden yr con esto su Sermon de la Magdalena, y la Exposición del Miserere».

—Ded. al Rey D. Juan III de Portugal.— Tabla de las principales materias.—Vicios del molde puestos aqui enmendados.— Texto.—Fol. 141v: *Un amigo al Enchiridión y a su Lector.* [«Doctrina christiana, y Enchiridion...»].—L. de la Inquisicion.

Anselmo, n.º 645.

MADRID. *Nacional.* R-28.504.—NUEVA YORK. *Hispanic Society.* — SEVILLA. *Universitaria.* 79-178.

1877

————. Amberes. Martin Nucio. 1554. 112 + 96 fols. 14,5 cm.

BARCELONA. *Universitaria.* B. 6-6-11. — MADRID. *Nacional.* R-12.904.

1878

————. Salamanca. 1567. 136 fols.

MADRID. *Nacional.* R-28.396 (falto de portada; ex libris del duque de Medinaceli).

1879

——. Pamplona. 1568.

N. Antonio.

1880

EXPOSICION, o declaración muy buena, y nueua del quarto Psalmo penitencial: Miserere mei Deus, por manera de paraphrase, con sus annotaciones breues de la letra. [s. l.- s. i.]. [s. a.].

—Ded. a D. Gonçalo Fernandez de la Lama, Señor de Villouela y las Lastras, en Segouia.—Texto.

MADRID. Nacional. R-28.496 (fols. 37r-81v). [En un volumen, con obras impresas, en Salamanca, 1567].

1881

EXPOSICION devotísima del Psalmo... Pamplona. 1568.

ZARAGOZA. Universitaria. H-11-64.

1882

SERMON de la benditissima Magdalena, muy gustoso y provechoso, en que se declara el Evangelio de su conversión. Toledo. Iuan de Plaça. 1570. 8 hs. + 134 fols. + 2 hs. 15 cm.

BARCELONA. Central. Res. 538-12.º

OBRAS LATINAS

1883

LEXICON Ecclesiasticvm... Salamanca. Andres de Portonarris. 1566. 8 hs. + 244 págs. a 2 cols. 30 cm.

MADRID. Nacional. R-26.700.

1884

——. Braccarae. Apud Antonium a Maris. 1569. 4 hs. + 218 fols. + 6 hs. 4.º

OVIEDO. Universitaria.

1885

——. Salamanca. Domingo de Portonariis. 1572. 8 hs. + 246 págs. Fol.

MADRID. Nacional. 2-38.466.—SALAMANCA. Universitaria.

1886

LEXICON Ecclesiasticum... Salamanca. Vicente de Portonariis. [Colofón: Apud Heredes Ioannis a Canoua]. 1579. [Colofón: 1578]. 7 hs. + 390 págs. + 1 h. 30 cm.

MADRID. Nacional. R-26.891.—VALLADOLID. Universitaria. 7.656.

1887

LEXICON ecclesiasticvm latino hispanicvm, ex sacris Bibliis, Conciliis, Pontificum ac theologorvm decretis, divorum vitis, varijs Dictionarijs, alijsque probatiss, scriptoribus concinnatum, seruata vbique vera etymologiae, ortographiae, & accentus ratione. Opus nouum. Zaragoza. Domingo de Portonariis. Expensis Petri Ivarra. 1583. 6 hs. + 320 págs. Fol.

Sánchez, II, n.º 608.

PARIS. Nationale. V.333; Rés. D.1099 (con notas mss.).—VALENCIA. Colegio del Corpus Christi. 1.744.

1888

——. Salamanca. Vicente de Portonariis. 1585. 390 págs. 27,5 cm.

ZAMORA. Pública. D.I.19.

1889

——. Lisboa. Antonius Riberius, expensis Ioannis Hispani et Michaelis de Arenas. 1588. 4 hs. + 296 fols. 4.º

MADRID. Nacional. R-24.286. — SANTIAGO DE COMPOSTELA. Universitaria.

1890

——. Zaragoza. Petrus Puig et Ioannes Escarrilla. 1588. 320 págs. Fol.

PARIS. Nationale. D.1100.—SANTIAGO DE COMPOSTELA. Universitaria.

1891

——. Zaragoza. Lorenço de Robles. 1595. 4 hs. + 189 fols. + 1 h. 30 cm.

TOLEDO. Pública. S.L.35/4 (falto de portada).

1892

―――. [Barcelona. s. i.]. 1597. 4 hs. + 320 págs. 31 cm.

MADRID. *Facultad de Filosofía y Letras.*

1893

―――. Zaragoza. Juan Pérez de Valdivieso. 1601. 5 hs. + 163 fols. 30 cm.

Jiménez Catalán, *Tip. zaragozana del siglo XVII*, n.º 13.
ZARAGOZA. *Universitaria.* D-23-27.

1894

―――. Medina del Campo. In aedibus C. Lasso Vacca. 1601. 392 págs. + 4 hs. a 2 cols. Fol.

PARIS. *Nationale.* X.334.

1895

―――. Barcelona. Sebastián de Cormellas. 1613. 3 hs. + 320 págs. 30 cm.

GENOVA. *Universitaria.* 3.B.VIII.35 (1).

1896

―――. Barcelona. Sebastián de Cormellas. 1618. 4 hs. + 320 págs. 27 cm.

ZARAGOZA. *Universitaria.* G-41-99.

1897

―――. Valencia. Miguel Sorolla. 1621. 4 hs. + 401 págs. + 4 hs. 31 cm.

MADRID. *Facultad de Filosofía y Letras.*

1898

―――. Valencia. 1685.

PAMPLONA. *General de la Diputación Foral.* 109-11-3/31.

1899

―――. Barcelona. 1702.

PAMPLONA. *General de la Diputación Foral.* 109-8-4/44.

1900

―――. Zaragoza. Hospital de Ntra. Sr. de Gracia. 1644. 2 hs. + 322 págs. + 4 hs. 30 cm.

Jiménez Catalán, *Tip. zaragozana del siglo XVII*, n.º 468.
MADRID. *Nacional.* 2-70.216.—SANTIAGO DE COMPOSTELA. *Universitaria.*

1901

―――. Madrid. Melchor Sánchez. 1650. 369 págs. 30 cm.

MADRID. *Facultad de Filosofía y Letras.*

1902

―――. Barcelona. Maria Martí. 1728. 4 hs. + 406 págs. Fol.

ZARAGOZA. *Universitaria.* G-46-80.

1903

―――. Madrid. Antonio Marín. 1728. 6 hs. + 466 págs. 30 cm.

ZARAGOZA. *Universitaria.* G-50-90.

1904

―――. Barcelona. Juan Piferrer. 1739. 3 hs. + 447 págs. Fol.

ZARAGOZA. *Universitaria.* G-42-67.

1905

―――. Barcelona. Pedro Escuder. 1750. 4 hs. + 438 págs. 30 cm.

ZARAGOZA. *Universitaria.* G-50-92.

1906

―――. Vich. Petrus Morera. 1756. 4 hs. + 438 págs. + 24 págs. 30 cm.

ZARAGOZA. *Universitaria.* G-41-90.

1907

―――. Barcelona. María Angela Martí. 1763. 3 hs. + 438 págs. + 1 h. + 24 págs. Fol.

ZARAGOZA. *Universitaria.* 56-81.

1908

―――. Lisboa. Antonius Riberius. Expensis Ioannis Hispani. 1588. 296 fols. 4.º

Anselmo, n.º 979.
SANTIAGO DE COMPOSTELA. *Universitaria.*

1909

―――. Barcelona. Lucas Sanchez. 1608. 310 págs. Fol.

SANTIAGO DE COMPOSTELA. *Universitaria.*

1910

CALENDARIUM perpetuum secun-

*dum Instituta fratrum praedicato-
rum...* Roma. Apud J. Accoltum.
1571. Sin fol. 16.º

PARIS. *Nationale.* V.21629.

JIMENEZ DE ARTIAGA
(PEDRO)

N. en Puebla Nueva.

EDICIONES

1911

[*DECIMA*]. (En Montes de Oca, Basilio. *Del Doctissimo P. M. Fr. Basilio Ponce de Leon honor de España... Fama Postuma.* Salamanca.
1636. En texto).

MADRID. *Nacional.* R-Varios, 171-38.

JIMENEZ AYLLON (DIEGO)

N. en Arcos de la Frontera.

EDICIONES

1912

*FAMOSOS (Los), y eroycos hechos
del ynuencible y esforçado Cauallero, onrra y flor de las Españas, el
Cid Ruy diaz de Biuar: con los de
otros Varones Ilustres d'ellas, no
menos dignos, de fama y memorable
recordacion en Otaua Rima.* Amberes. Biuda de Iuan Lacio. A costa del
Autor. 1568 [16 de junio]. 6 hs. +
149 fols. a 2 cols. + 1 h. 20 cm.

—Pr. real.—Ded. a D. Fernando Aluarez de
Toledo, Duque de Alua, Gouernador Capitan General en estos Estados de Flandes, etc. — A los Lettores. — Retrato del
autor.—De Iuan Vaca de Sotomayor en
Loa del Auctor. Soneto. [«Venid hermanos del Señor de Delo...»].—Del mismo
Iuan Vaca. [«Nimphas de Guadalete Río
famoso...»].—A su Ex.ª Iuan de Baraona
en nombre del Autor. [«Recibe inuicto
Duque el Don sublime...»].—Del mismo.
[«Grecia gozó de su famoso Homero...»].
De un amigo del auctor al Duque de
Alua. Soneto. [«Alua clara, gentil de
nuestra España...»].—El auctor en loor
de España, y del Cid. [«Si el immortal
renombre, Fama y Gloria...»].—Pr.—T.—
Introducion del primo canto. [«Nasce en

Biuar Ruidiaz: y es lleuado...»]. *Primo
canto.* [«Canto los hechos dinos de memoria...»].

Peeters-Fontainas, n.º 71.

LONDRES. *British Museum.* 11451.c.53. — MA-
DRID. *Academia de la Historia.* 2-6-7-3.278.
Facultad de Filosofía y Letras.—Nacional.
R-1.764; R-649 (sin las tres primeras hojas).
NUEVA YORK. *Hispanic Society.—*OVIEDO. *Uni-
versitaria.* A-174.—PARIS. *Nationale.* Yg.45.

1913

———. Alcalá de Henares. Iuan Iñiguez de Lequerica. A costa de Diego
Martínez. 1579. [Colofón: 1580]. 6 hs.
+ 149 fols. + 1 h.

Salvá, II, n.º 1627; Gallardo, III, n.º 2.590;
J. Catalina García, *Tip. complutense,* número 542.

MADRID. *Academia de la Historia.* 2-7-2-
3.573. — *Nacional.* R-12.702. *Palacio.* — NUEVA
YORK. *Hispanic Society.—*OVIEDO. *Universitaria.* A-57.—SANTIAGO DE COMPOSTELA. *Universitaria.*

1914

*SONETOS a illvstres varones deste
felicissimo y catholico exercito y Corte de su Excelencia.* Amberes. Viuda
de Juan Lacio. 1569. 32 hs. 8.º

—Retrato del autor.—Ded. al Condestable
de Nauarra. — Texto. — L. — Apr. del Dr.
Acosta.

Peeters-Fontainas, I, n.º 89.

VALENCIA. *Municipal.*

— — —

Reprod. facsímil por Antonio Pérez Gómez en Valencia. 1959. 38 hs.

¡a) Green, O. H., en *Hispanic Review,*
XXIX, Filadelfia, 1961, págs. 79-80.

ESTUDIOS

1915

REP: Antonio, I, pág. 323.

JIMENEZ BARRANCO
(FR. MIGUEL)

Benedictino.

EDICIONES

1916

ORACION Evangelica, y panegyrica,

de la Concepcion de Maria Santissi-
ma, con la advocacion de Nuestra
Señora de la Zarça. Dixola en la Igle-
sia Parroquial de San Estevan, del
Lugar de Muñana, el dia 8 de Diziem-
bre de 1698. El M. R. P. Fr. ——...
[Madrid. Lucas Antonio de Bedmar
y Narvaez]. [1699]. 6 hs. + 27 págs.
20 cm.

—Ded. a Fr. Diego Ventura Fernandez de
Angulo, Arzobispo de Caller, etc., por
Geronimo Manuel Davila y Sanuitores.—
Censura de Fr. Mauro de Larriategui.—
L. O.—Censura de Fr. Manuel Rodriguez
Marques.—L. V. —Texto.—Colofón.

MADRID. *Nacional.* R-Varios, 126-3.

1917

PANEGYRICO fvneral en las solem-
nes Exequias del Serenissimo Señor
Luis XV. Delfin de Francia, y Padre
del Rey N. Señor Phelipe V que ce-
lebró la Nobilissima Ciudad de So-
ria, en su Insigne Iglesia Colegial de
San Pedro, el dia primero de Junio
de este Año de 1711. [s. l. - s. i.]. [s.
a., ¿1711?]. 31 págs. 4.º

SANTIAGO DE COMPOSTELA. *Universitaria.*

JIMENEZ DE BONILLA
(ANTONIO)

Canónigo de la Colegial de San Salvador
de Granada.

EDICIONES

1918

[*ENDECHAS*]. (En PLAUSIBLE *Aca-*
demia que se celebró en Granada...
s. l. 1684, Fols. 33r-34v).

MADRID. *Nacional.* 3-32.970.

1919

[*SONETO*]. (En ACADÉMICO *obse-*
quio... s. l. - s. a., fol. 26r).

V. *B. L. H.,* IV, 2.ª ed., n.º 1597 (7).

MADRID. *Nacional.* 3-32.970.

JIMENEZ CABALLERO (JUAN)

EDICIONES

1920

[*PRONOSTICO bvrlesco, de mucha*
graciosidad, para el año que viene,
diferente de todos los que han sali-
do en esta Corte. Compuesto por
Iuan Ximenez Cauallero]. [Madrid].
[Iulian de Paredes]. [1653]. 2 hs. a
2 cols. 20 cm.

—Texto. [«Lleuen, si quieren, señores...»].
Gallardo, III, n.º 2.591.

MADRID. *Nacional.* Mss. 3.886 (fols. 161-62).

JIMENEZ CAJA (PABLO)

EDICIONES

1921

[*SONETOS*]. (En Romero González
de Villalobos, Bernardo. *Funeral*
pompa, y solemnidad en las exequias
a... D.ª Mariana de Austria... Lima.
1697, fols. 154-55).

MADRID. *Nacional.* 2-8.211.

JIMENEZ DE CARMONA
(FRANCISCO)

N. en Córdoba. Doctor en Medicina. Catedrático de Anatomía de la Universidad de
Salamanca.

EDICIONES

1922

TRATADO breve de la grande exce-
lencia del agva, y de sus marauillo-
sas virtudes, calidad, eleccion, y del
buen vso de esfriar con nieue. Que
sea nieue, y sus grandes efectos, y
quan necesaria sea para conseruar
la salud. Que modos ay de esfriar;
qual sea el mejor, mas saludable, y
prouechoso. Sevilla. Alonso Rodriguez Gamarra. 1616. 13 fols. 4.º

Gallardo, III, n.º 2.592; Rodríguez Arellano,
I, n.º 876.

ESTUDIOS

1923

REP: N. Antonio, I, pág. 499; Ramírez de
Arellano, I, pág. 283.

JIMENEZ DEL CASTILLEJO (JUAN)

Licenciado.

EDICIONES

1924

[*JEROGLIFICO*]. (En Diego de San José, Fray. *Compendio de las solenes fiestas... en la Beatificación de N. B. M. Teresa de Iesus...* Madrid. 1615. 2.ª parte, fol. 199*v*).

MADRID. *Nacional.* R-461.

JIMENEZ DE CASTRO (MARIA)

V. JIMENEZ (MARIA)

JIMENEZ DE LA CERDA (JOSE)

Doctor. Canónigo del Sacromonte y de la catedral de Granada. Colegial del Real y Mayor de la misma ciudad, Rector de su Universidad y catedrático de Teología en las Reales Escuelas del Sacromonte. Examinador y Visitador del Obispado.

EDICIONES

1925

[*APROBACION. Granada, 1 de enero de 1697*]. (En Juan de la Natividad, Fray. *Coronada historia, descripción laureada, de... la milagrosa Imagen de Maria Santissima de Gracia, cuyo Sagrado Bulto... magnifica su... Convento de RR. PP. Trinitarios Descalços de Granada...* Granada. 1697. Prels.)

MADRID. *Academia de la Historia.* 4-2-5-1.991.

1926

[*APROBACION de D. Joseph Ximénez de la Zerda. Granada, 10 de noviembre de 1699*]. (En Molina y Gamir, Lorenzo de. *Evangélica Oración, Catholica demonstración y exaltación gloriosa de los Edictos del Santo Tribunal de la Fe...* Granada. 1699. Prels.)

SEVILLA. *Universitaria.* 109-44 (9).

JIMENEZ CERDAN (BEATRIZ)

EDICIONES

1927

[*SONETO*. (En Andrés de Uztarroz, Juan Francisco. *Obelisco histórico i honorario, que... Zaragoza erigió a la inmortal memoria de... Don Balthasar Carlos de Austria...* Zaragoza. 1646, pág. 53).

Dice «Ximénez».

ESTUDIOS

1928

REP: Serrano y Sanz, n.º 1.393.

JIMENEZ DE CISNEROS (FRANCISCO)

EDICIONES

1929

Enmendar yerros de amor. (En PARTE *treinta y ocho de Comedias nuevas...* Madrid. 1672, págs. 400-34).

MADRID. *Nacional.* R-22.691.

1930

ENMENDAR yerros de amor. Sevilla. López de Haro. [s. a.].

BARCELONA. *Instituto del Teatro.* 61.284.

ESTUDIOS

1931

REP: La Barrera, pág. 198.

JIMENEZ DE CISNEROS (JERONIMO)

EDICIONES

1932

[*DECIMA*]. (En Díaz Morante, Pedro. *Tercera parte del Arte nueva de escrivir.* Madrid. 1629. Prels.)

MADRID. *Nacional.* U-10.865.

JIMENEZ DE CISNEROS (FR. JUAN)

Franciscano.

EDICIONES

1933

[*APROBACION de —— y Fr. Alonso*

López de Haro. Huete, 26 de noviembre de 1683]. (En Ximénez, Bernardino. *Agradecimiento panegírico...* Alcalá. 1684. Prels.)

V. n.º 1806.

JIMENEZ DE CISNEROS (VICENTE)

N. en Valencia.

EDICIONES

1934

PRADO astrologico, y general anvncio para todo el mvndo. Especial para este Reyno, y los Comarcanos, y en particular para la Ciudad de Valencia, del año del Señor 1656. Valencia. Iuan Lorenço Cabrera. 1656. 27 págs. 20 cm.

—Pág. 3: Ded. a los Señores Jurados, Síndicos y Racional de la ciudad de Valencia.—Pág. 4: Al lector.—Texto.—Pág. 27: E.—Addictiones.

MADRID. *Nacional.* R-Varios, 19-31.

1935

[ELOGIO al autor]. (En Velasco, Antonio Lázaro de. *Fvnesto geroglifico, enigma del mayor dolor, qve en representaciones mvdas manifesto... Valencia, en las honras de su Rey Felipe el Grande, IV, en Castilla, y III, en Aragon.* Valencia. 1666. Prels.)

MADRID. *Nacional.* 3-27.423.

1936

[DEDICATORIA a D. Luys Alfonso de los Cameros, arzobispo de Valencia]. (En Pedro de San José, Fray. *Sermón moral...* Valencia. 1670. Prels.)

MADRID. *Nacional.* R-Varios, 70-22.

Poesías sueltas

1937

[POESIAS]. (En Torre y Sebil, Francisco de la. *Luzes de la Aurora...* Valencia. 1665).

1. *Romance.* (Págs. 303-305).
2. *Canción.* (Págs. 309-311).

MADRID. *Nacional.* R-17.374.

1938

[POESIAS]. (En Torre, Francisco de la. *Reales fiestas a la... Virgen de los Desamparados...* Valencia. 1667).

1. *Canción.* (Págs. 198-99).
2. *Octavas.* (Pág. 217).
3. *Quintillas.* (Pág. 233).
4. *Romance jocoso.* (Págs. 265-66).

MADRID. *Nacional.* R-5.740.

1939

[POESIAS]. (En Rodríguez, José. *Sacro y solemne novenario.* Valencia. 1669).

1. *Octavas.* (Pág. 431).
2. *Romance.* (Págs. 440-441).
3. *Quintillas.* (Págs. 495-496).

MADRID. *Nacional.* 3-67.912.

1940

[ROMANCE]. (En *Real Academia celebrada en el Real de Valencia...* Valencia. 1669, págs. 94-95).

MADRID. *Nacional.* 2-43.853.

ESTUDIOS

1941

REP: Ximeno, II, págs. 13-14.

JIMENEZ CORONILLA (ALONSO)

Licenciado.

EDICIONES

1942

[AL Autor. Dezima]. (En Salado Garcés, Francisco. *Episodico poema... del solemnissimo desvelo... e inimitable fiesta, que admirable ostento la... Iglesia mayor Santa Maria de la Mesa De Utrera...* s. l. - s.a. Prels.)

MADRID. *Academia de la Historia.* 9-17-4-3.541.

JIMENEZ DE EMBUN
(FR. MARTIN)

Carmelita. Provincial en los reinos de Aragón, Valencia y Navarra. Catedrático de Vísperas de la Universidad de Zaragoza.

EDICIONES

1943

[*SERMON*]. (En JARDIN *de Sermones de varios assvntos, y de diferentes oradores evangelicos.* Zaragoza. 1676, págs. 24-42).

MADRID. *Nacional.* 5-7.770.

1944

[*CARTA que escrivió al autor*]. (En Bardaxí, José de. *Quadragesimal duplicado.* Zaragoza. 1620. Prels.)

LYON. *Municipale.* 332.941.

Aprobaciones

1945

[*APROBACION*]. (En Mirto Frangipane, Plácido. *Blasones de la Virgen Madre de Dios... Compuestos i repartidos en Sermones... Primera parte...* Zaragoza. 1635. Prels.)

MADRID. *Academia de la Historia.* 15-4-7-11.

1946

[*CENSURA. Zaragoza, 7 de octubre de 1642*]. (En Nieremberg, Juan Eusebio. *Partida a la Eternidad...* Zaragoza. 1643. Prels.)

MADRID. *Nacional.* 2-11.331.

1947

[*APROBACION*]. (En Aguilón, Pedro. *Profecía de Daniel de los quatro animales...* s. l., pero Zaragoza. 1636. Prels.)

BARCELONA. *Central.* 7-I-18/3.

1948

[*CENSURA. Zaragoza, 7 de setiembre de 1643*]. (En Ortigas, Manuel. *Llama eterna...* Zaragoza. 1644. Preliminares).

GRANADA. *Universitaria.* A-31-124 (2).

JIMENEZ DE EMBUN
(FR. VALERIO)

Carmelita. Maestro en Artes. Lector de Teología en el monasterio del Carmen de Zaragoza.

EDICIONES

1949

ESTIMVLO a la devocion de la antigva Orden de nvestra Señora del Carmen, y la Historia y successos desta Sagrada Religion; desde su Fundador el S. Propheta Elias, hasta los años de 1197. Con otras cosas acaescidas en estos Tiempos. Tomo I... Zaragoza. Angelo Tauanno. 1604. 16 hs. + 228 fols. a 2 cols. + 12 hs. 20 cm.

—Censura de Fr. Iuan de Heredia.—Apr. de Iuan Briz Martinez.—L. V.—L. del Asesor.—L. O.—Apr. de Fr. Iuan Muñoz.—Apr. de Fr. Gaspar Cortes.—Apr. de Fr. Miguel Ripol.—Epistola nuncupatoria, al Dr. Domingo de Vengochea.—Fragmento de una carta de Lupercio Leonardo de Argensola al Dr. Domingo Vengochea, en que trata deste Libro y de su Auctor. [«En esta enfermedad tan importuna...»].—Declaracion del hieroglifico que va al fin de la obra, por Martin de Bolea y Castro. [«Virgen Santa, Diuina Carmelita...»].—Prefacio. D. Vengochea, a los que leen y escriben.—Al lector.—Texto.—Jeroglifico.—Poetica enodatio, en verso latino, de Fr. Bautista Mantuano.—Tabla de los capitulos.—E.—Tabla de las cosas mas notables.

Jiménez Catalán, *Tip. zaragozana del siglo XVII,* n.º 30.

MADRID. *Nacional.* 5-4.954.—PARIS. *Nationale.* H.5990.—SEVILLA. *Universitaria.* 108-42.

1950

[*APROBACION de ——, y F. Pedro Geronimo Sobrino*]. (En Arbués, Luis Vicente de. *Discurso y Verdadera inteligencia del Fuero de Aragón llamado del nueve por ciento...* Zaragoza. 1647. Al fin).

MADRID. *Nacional.* R-Varios, 192-7.

JIMENEZ DE ENCISO (DIEGO)

CODICES

1951

«*El primero Duque de Florencia*».
Letra del s. XVII. 55 hs. 4.º Perteneció a
Gayangos. Varias notas sobre atribuciones.
«—Deja, Isabel hermosa...».
Paz, I, n.º 2.975.
MADRID. *Nacional.* Mss. 18.093.

1952

«*El principe don Carlos*».
Letra de fines del s. XVII. 61 hs. 4.º
«—Solo España hallar podría...».
Paz, I, n.º 2.981.
MADRID. *Nacional.* Mss. 17.407.

1953

«————».
Letra del s. XVII. 55 hs. 4.º Procede de la
biblioteca ducal de Osuna.
MADRID. *Nacional.* Mss. 15.554.

1954

«*Fabula de Criselio y Cleón. En tres
actos, en verso, traducida del griego
al castellano*».
Comedia. Letra del s. XVII. 76 hs. 4.º
Cuartero y Vargas-Zúñiga, XXVII, número 43.932.
MADRID. *Academia de la Historia.* Col. Salazar, 9-762.

1955

«*Fabula: Cliselio y Cleon*».
Original. 4.º
Es una comedia.
Gallardo, III, n.º 2.593.

1956

«*Comedia famosa de Los Medicis de
florenzia*».
Letra del s. XVII. 70 fols. 205 × 144 mm.
«—Deja Isauela hermossa...».
Jones, I, n.º 86.
ROMA. *Vaticana.* Barb. lat. 3480.

1957

[*Fragmentos de la comedia de Carlos V*]. (En *Cancionero de la Bran-
cacciana,* fols. 293v y 301r).
V. *B. L. H.,* IV, n.º 72 (205-6).

EDICIONES

Varias obras

1958

*El Encubierto y Juan Latino. Edi-
ción y observaciones de Eduardo Juliá Martínez.* Madrid. R. Academia
Española. Gráf. Aldus. 1951. LXXII
+ 355 págs. + 1 h. 19,5 cm. (Biblioteca Selecta de Clásicos Españoles,
XI).
MADRID. *Nacional.* T-32.039.—PARIS. *Nationale.* 8.º Z.31790 (11).

1959

*La mayor hazaña de Carlos V. e Los
celos en el caballo. Edizione, introduzione e note di Paola Arcigli Santoro.* Messina. Peloritana. 1970. 258
págs. 21 cm. (Università degli Studi
di Messina. Facoltà di Magistero. Istituto di Lingue e Letterature Romance, 5).
WASHINGTON. *Congreso.* 73-357662.

El encubierto

1960

El encubierto. [s. l. - s. i.]. [s. a.].
16 hs. 19 cm.
BOSTON. *Public Library.*

El príncipe don Carlos

1961

El príncipe Don Carlos. (En PARTE
*veinte y ocho de Comedias de varios
autores.* Huesca. 1634. 43 págs.)
BARCELONA. *Instituto del Teatro.*

1962

*Comedia famosa. El príncipe don
Carlos. De Don Diego Ximenez de
Enciso.* [Valencia. Joseph y Thomas
de Orga]. [1773]. 32 págs. 22 cm.
N.º 13.
«—Solo España hallar podía...».
ANN ARBOR. *University of Michigan.*—CHAPEL
HILL. *University of North Carolina.*—MADRID.
Academia Española. — Nacional. T-2.063. —

MINNEAPOLIS. *University of Minnesota.*—NEW HAVEN. *Yale University.*—NUEVA YORK. *Hispanic Society.*—OVIEDO. *Universitaria.* P-41-12; P-79-8.—PARIS. *Nationale.* 8.º Yg.Pièce.942.—SAN DIEGO. *University of California.*—TORONTO. *University.*

1963

El Príncipe don Carlos. Madrid. Madrid. Edit. Bruno del Amo. 1927. 159 págs. 16 cm. (Letras Españolas, 18).

LAFAYETTE. *Purdue University.* — MADRID. *Nacional.*

1964

El príncipe Don Carlos. A critical edition, with introduction and notes by Frank T. Platt.

Tesis. Ohio State University. 1956.
COLUMBIA. *Ohio State University.*

— — —

—Reprod. en microfilm: Ann Arbor, Mich. University Microfilms. [s. a., ¿1956?]. CXXX + 341 págs.
MADISON. *Drew University.* — WASHINGTON. *Congreso.* NUC 76-913.

1965

Una edición crítica y anotada de la comedia... El príncipe don Carlos, by Joe Bas.

Tesis. University of Southern California.

— — —

Reprod. en microfilm: Ann Arbor, Mich., University Microfilms. 1967.
MADISON. *Drew University.* — WASHINGTON. *Congreso.* NUC 76-1348.

El valiente sevillano

1966

Primera parte del valiente sevillano. (En PARTE *treinta y tres de doze Comedias famosas de varios Autores.* Valencia. 1642, fols. 133r-156v).
MADRID. *Nacional.* R-24.989.

1967

Segunda parte del valiente sevillano. (En idem, fols. 157r-180v).
MADRID. *Nacional.* T-24.325.

Juan Latino

1968

Iuan Latino. (En SEGUNDA *parte de Comedias escogidas de las mejores de España.* Madrid. 1652, fols. 33r-63v).
MADRID. *Nacional.* R-22.655.

La mayor hazaña de Carlos V

1969

La mayor hazaña de Carlos V. (En PARTE *treinta y tres de doze Comedias famosas de varios Autores.* Valencia. 1642, fols. 239r-?).
MADRID. *Nacional.* R-24.989.

1970

La mayor hazaña del emperador Carlos V. (En COMEDIAS *de los mejores y más insignes poetas de España.* Lisboa. 1652, fols. 153r-180v).
MADRID. *Nacional.* R-4.432.

1971

Comedia famosa. La mayor hazaña del emperador Carlos Quinto. Madrid. Antonio Sanz. 1730. 16 hs. 21 cm.
MADRID. *Nacional.* V-210-77.

1972

Comedia famosa. La mayor hazaña del Emperador Carlos Quinto. [s. l. - s. i.]. [1743].

«Hallaràse esta Comedia... en Madrid, en la Imprenta de Antonio Sanz».
«—Sea V. Magestad bien llegado...».
OVIEDO. *Universitaria.* P-41-10.

1973

La mayor hazaña del emperador Carlos Quinto. [Madrid. Antonio Sanz]. [1748]. 32 págs.

N.º 119.
«—Sea V. Magestad bien llegado...».
BARCELONA. *Instituto del Teatro.* 57.518.—CHAPEL HILL. *University of North Carolina.*—MADRID. *Academia Española.*—PARIS. *Nationale.* Yg.462; etc.

1974

Comedia famosa. La mayor hazaña del emperador Carlos Quinto. [Valencia. Imp. de la viuda de Joseph de Orga]. [1765]. 34 págs. 20 cm.

N.º 110.
«—Sea V. Magestad muy bien llegado...».
ANN ARBOR. *University of Michigan.*—MADRID. *Nacional.* T-15.062; V-210-78. — NUEVA YORK. *Hispanic Society.*—TORONTO. *University.*

1975

Comedia famosa. La mayor hazaña del emperador Carlos quinto. [Barcelona. Francisco Surià y Burgada. A costas de la Compañía]. [s. a.]. 16 hs. a 2 cols. 21 cm.

N.º 238.
«—Sea V. Magestad muy bien llegado...».
BOSTON. *Public Library.*—FILADELFIA. *University of Pennsylvania.* — MADRID. *Academia Española.*—*Nacional.* U-9.268.—NUEVA YORK. *Public Library.* — OVIEDO. *Universitaria.* P-61-6; P-23-9.—SAN DIEGO. *University of California.*—SANTIAGO DE COMPOSTELA. *Universitaria.*

1976

La mayor hazaña del emperador Carlos Qvinto. Comedia famosa de Don Diego Ximenez Enciso. [s. l.- s. i.]. [s. a.]. 20 fols. 20,5 cm.

«—Sea V. Magestad muy bien llegado...».
MADRID. *Nacional.* T-19.746.

1977

Comedia famosa. La mayor hazaña de Carlos Qvinto. De Diego Ximenez Enciso. [Sevilla. Imp. de Joseph Padrino]. [s. a.]. 28 págs. 19,5 cm.

N.º 93.
«—Sea vuestra Magestad mui bien llegado...».
MADRID. *Nacional.* T-4.625.—NUEVA YORK. *Public Library.*

1978

La mayor hazaña de Carlos V. De un ingenio de esta Corte. [s. l.- s. i.]. [s. a.]. 20 fols. 21 cm.

N.º 75.
BOSTON. *Public Library.*

1979

La mayor hazaña de Carlos V. Madrid. F. Sanz. [s. a.]. 4.º
PARIS. *Nationale.* 8.º Yg.1405 (8).

Los celos en el caballo

1980

Los zelos en el cavallo. (En PARTE *veynte y cinco de Comedias...* 2.ª edición. Zaragoza. 1633, fols. 86v-104v).
MADRID. *Nacional.* U-10.553.

Los Médicis de Florencia

1981

Los Médicis de Florencia. (En DOZE *Comedias nuevas de Lope de Vega Carpio, y otros autores. Segunda parte.* Barcelona. 1630. 28 fols.)
V. *B. L. H.,* IV, n.º 283 (6).

1982

Los Médicis de Florencia. (En DOZE *Comedias las mas grandiosas que hasta aora han salido... Segunda parte.* Lisboa. 1647, fols. 216r-243r).
MADRID. *Nacional.* R-12.260.

1983

Los Médicis de Florencia. (En SEXTA *parte de Comedias nuevas...* Zaragoza. 1654. 24 hs).
MADRID. *Nacional.* R-22.659.

1984

Los Médicis de Florencia. (En PARTE *diez y ocho de Comedias nuevas...* Madrid. 1662, fols. 77v-109r).
MADRID. *Nacional.* R-22.671.

1985

Los Médicis de Florencia. Comedia famosa. (En DOZE *comedias...* Colonia. Agripina. 1697, págs. 39-80).

«Dexa Isabela hermosa...».
BARCELONA. *Instituto del Teatro.* 83.231.

1986

Comedia famosa. Los Médicis de Flo-

rencia. [s. l.- s. i.]. [1745]. 14 hs. 21 cm.

N.º 178.
Al fin: «Hallaràse esta Comedia... en Madrid, en casa de Antonio Sanz».
«—Dexa, Isabela hermosa...».
CHAPEL HILL. *University of North Carolina.*
MADRID. *Academia Española.—Nacional.* T-20.606.—OVIEDO. *Universtiaria.* P-41-11.—PARIS. *Nationale.* Yg.464.

1987

Los Médicis de Florencia. Edición de Ramón de Mesonero Romanos. (En DRAMÁTICOS *contemporáneos a Lope de Vega.* Tomo II. Madrid. 1858, págs. 215-36. Biblioteca de Autores Españoles, 45).

MADRID. *Nacional.* R-5.672.

Santa Margarita

1988

Santa Margarita. (En PARTE *treinta y tres de doze Comedias famosas de varios Autores.* Valencia. 1642, fols. 222r-237v).

MADRID. *Nacional.* R-24.989.

1989

Santa Margarita. [s. l.- s. i.]. [s. a.]. 16 fols. 20 cm.

ANN ARBOR. *University of Michigan.*—BOSTON. *Public Library.*

Poesías sueltas

1990

[MOVIENDO a los principes a la liberalidad. Soneto]. (En ACADEMIA *que se celebró en siete de enero...* Madrid. 1663, fol. 21v).

V. *B. L. H.,* IV, n.º 1284 (10).

1991

[POESIAS]. (En Luis de Santa María, Fray. *Octava sagradamente culta...* Madrid. 1664).

1. *Soneto.* (Pág. 52).
2. *Décimas.* (Pág. 107).
3. *Romance.* (Págs. 122-123).

MADRID. *Nacional.* 4-6.289.

1992

[SONETO]. (En SEGUNDA *parte de las Flores de poetas ilustres de España...* Sevilla. 1896, págs. 198-99).

MADRID. *Nacional.* 2-35.873.

TRADUCCIONES

a) Alemanas

1993

Der Prinz Don Carlos. Die grösste That des Kaisers Karl V. Zwei Dramen von Don Diego Ximénez de Enciso, aus dem Spanischen in funffüssigen Iamben übertragen von Adolf Schaeffer. Leipzig. O. Wigand 1887. 280 págs. 8.º

FILADELFIA. *University of Pennsylvania.* — NEW HAVEN. *Yale University.*—PARIS. *Nationale.* 8.º Yg.315.

b) Neerlandesas

1994

Alexander de Medicis, of't Bedrooge betrouwen, treurspel, in duitsche vuuarzen gestelt door J[oan] Dullaart. Amsterdam. G. van Gredesberg. 1653. Sign. A-L. 4.º

Trad. de *Los Médicis de Florencia.*
PARIS. *Nationale.* Yi.661.

———

—2.ª ed. Amsterdam. J. Lescaille. 1661. 72 págs. 8.º
PARIS. *Nationale.* 8.º Yth.67103.

—3.ª ed. Amsterdam. J. Lescaille. 1669. 80 págs. 8.º
PARIS. *Nationale.* 8.º Yth.67104.

ESTUDIOS

1995

MESONERO ROMANOS, RAMON DE. *[Jiménez de Enciso].* (En *Seminario Pintoresco Español,* Madrid, 1853, pág. 91).

1996

LATOUR, ANTOINE DE. *L'infant don Carlos.—Le poéte Enciso et ses drames.* (En *L'Espagne religieuse et littéraire.* París. 1863, págs. 45-112).

MADRID. *Nacional.* 2-5.806.

1997
SCHEVILL, RUDOLPH. *The «Comedias» of Diego Ximénez de Enciso.* (En *Publications of the Modern Language Association*, XVIII, Nueva York, 1903, págs. 194-210).

1998
CRAWFORD, J. P. W. *«El príncipe don Carlos» of Jiménez de Enciso.* (En *Modern Language Notes*, XXII, Baltimore, 1907, págs. 238-41).

1999
[*DOCUMENTOS sobre Diego Jiménez de Enciso y Zúñiga*]. (En Pérez Pastor, Cristóbal. *Bibliografía madrileña*. Tomo III. Madrid. 1907, págs- 390-91).

2000
BEHNKE, FRITZ. *Diego Ximénez de Encisos «Los Médicis de Florencia», Giovanni Rosinis «Luisa Strozzi» und Alfred de Mussets «Lorenzaccio» in ihren Verhältnis zur Geschichte.* Berlín. R. Trenkel. 1910. 147 págs.

a) Hämel, A., en *Litteraturblatt für germanischen und romanischen Philologie*, XXXIV, Leipzig, 1913, col. 153.

2001
COTARELO Y MORI, EMILIO. *Don Diego Jiménez de Enciso y su teatro.* (En *Boletín de la Real Academia Española*, I, Madrid, 1914, págs. 209-48, 385-415, 510-50).

Tir. ap.: Madrid. Tip. de la «Revista de Archivos». 1914. 111 págs. 4.º

a) Levi, E., en *Fanfulla della Domenica*, XXXVIII, Roma, 1916, n.º 47, pág. 2, y en *La Rassegna*, XXIV, Florencia, 1916, págs. 473-75.

b) Rennert, H. A., en *Modern Language Notes*, XXXII, Baltimore, 1917, págs. 191-192.

MADRID. *Consejo. General. — Nacional.* 1-69.847.

2002
RODRIGUEZ MARIN, FRANCISCO. [*Nuevos datos sobre Jiménez de Enciso*]. (En *Boletín de la R. Academia Española*, IX, Madrid, 1922, págs. 80-85).

2003
SPRATLIN, V. B. *Juan Latina, Slave and Humanist.* Nueva York. Spinner Press. 1938. XIV + 216 págs.

Contiene una adaptación en inglés de la comedia de Jiménez de Enciso.

2004
IVORY, ANNETTE. *«Juan Latino». The Struggle of Blacks, Jews, and Moors in Golden Ager Spain.* (En *Hispania*, LXII, 1979, págs. 613-18).

Elogios y referencias

2005
VEGA, LOPE DE. [*Elogio*]. (En *Jerusalén conquistada*. Madrid. 1609, fol. 495).

2006
CERVANTES SAAVEDRA, MIGUEL DE. [*Referencia a Diego Giménez y de Anciso*]. (En *Viage del Parnaso*. Madrid. 1614, fol. 36r).

MADRID. *Nacional.* Cerv.-359.

2007
BERNARDO DE QUIROS, FRANCISCO. [*Elogio*]. (En *Obras*. Madrid. 1656, fol. 97).

MADRID. *Nacional.* R-11.368.

JIMENEZ DE ENCISO Y PORRES (JOSE ESTEBAN)

EDICIONES

2008
RELACION de la memoria fvneral qve en 27 y 28 de Noviembre de 1644 la Mvy Noble y Mvy Leal Ciudad de Logroño hizo a la muerte de la Ca-

tolica D. Ysabel de Borbon nuestra Reyna y Señora Muger de Philipo IIII el Grande Rey de las Españos. Logroño. Juan Díez de Valderrama y Bastida. 1645. 6 hs. + 188 págs. 20 cm.

—Apr. del P. Gaspar de Contreras.—L. del Obispo. — Ded. al Principe D. Baltasar Carlos.—Apr. del P. Gaspar de Contreras.—L. del Obispo de Calahorra y la Calçada.—Ded. a la Ciudad.—A este librillo, su escritor.—Disticos latinos.—Nota sobre las poesías que siguen. — Dezima de Luys de Ulloa Pereyra, al autor. [«En explicar el dolor...»].—Soneto del mismo al tumulo de la Reyna N. S. [«Estas lenguas de luzes que predican...»].—Dezima de Iuan de Dicastillo y Azedo. [«Con acertada elección...»].—Texto.

1. [«De Santiago el Sacro templo...»]. (Págs. 92-93).
2. *Canción de Antonio Bazquez de Acuña.* [«Todo dado al dolor al llanto todo...»]. (Págs. 95-98).
3. *Cancion de Iuan de Dicastillo y Azedo.* [«Del umbrosso Aranjuez en la frondossa...»]. (Págs. 98-101).
4. *Canción de Antonio de Nanclares* [«Si es verdad como vivo? sino es cierto...»]. (Págs. 102-105).
5. *Liras de Lucas de Ylardui y Eguiluz.* [«Quien redimir pudiera...»]. (Págs. 105-8).
6. *Liras de Antonio Vazquez de Acuña.* [«Madre yo te he perdido...»]. (Págs. 108-111).
7. *Liras de Pedro de Arbieto.* [«Crezca el dolor violento...»]. (Págs. 111-13).
8. *Décimas de Josepha María de Albelda y Zapata.* [«Murió Ysabel, y el lamento...»]. (Págs. 114-15).
9. *Décimas de Ioan Cantero y Ortega.* [«A tanto alarido junto...»]. (Págs. 116-17).
10. *Décimas de Lucas de Ylardui y Eguiluz.* [«Oy Ybero dolorido...»]. (Págs. 118-119).
11. *Décimas que se dieron en nombre de una Religiosa de la Madre de Dios, pero por el estilo parecen de Lucas Ylardui y Eguiluz.* [«Previno el undosso Ymbero...»]. (Págs. 120-21).
12. *Glossa de Gaspar Manuel de Montessa.* [«Oy el prodigio Oriental...»]. (Pág. 122).
13. *Glossa de Iuan Lorenço de Ribera.* [«De Isabel los excelentes...»]. (Pág. 124).
14. *Glossa de Miguel de Eguia.* [«Quien de virtud solo viue...»]. (Pág. 125).

15. *Glossa de Prudencio Serrano.* [«Si el Phenix al Sol se mira...»]. (Pág. 126).
16. *Soneto anónimo.* [«Buelue los ojos, donde al fin te llama...»]. (Pág. 127).
17. *Glossa anónima.* [«Que por renacer felice...»]. (Pág. 128).
18. *Glossa anonima.* [«Yo que soy un Bernegal...»]. (Pág. 129).
19. *Epitafio de Gaspar Manuel de Montessa.* [«Ysabel yaze, para ser de España...»]. (Pág. 131).
20. *Epitafio de Iuan de Dicastillo y Azedo.* [«Yace a tumulo breue reducida...»]. (Pág. 132).
21. *Epitaphio de Francisco de Anguiano y Varron.* [«Yace Ysabela? No. Trono eminente...»]. (Pág. 133).
22. *Epitaphio de Fausto de Fonseca y Villagomez.* [«Incauto passagero, si el gloriosso...»]. (Pág. 134).
23. *Epitaphio de Diego Iacinto Barron y Ximenez.* [«Informe el Iaspe desta illustre pira...»]. (Pág. 135).
24. *Epitaphio de Ioan Lorenzo de Ribera.* [«Iace el lirio no solo desojado...»]. (Pág. 136).
25. *Epitaphio de Ioan de Arbieto.* [«Ia de golpe fatal aqui se mira...»]. (Pág. 137).
26. *Epitaphio de Ioan Díez de Valderrama, y Bastida.* [«Iniqua Parca executó rigores...»]. (Pág. 138).
27. *Epitaphio de Iuana Maria Bazquez.* [«Ia que hasta aqui has llegado passagero...»]. (Pág. 139).
28. *Epitaphio de Miguel Vega de Mendoza.* [«Inaduertido caminante mira...»]. (Pág. 140).
29. *Epitaphio de Ioseph Ximenez de Porres.* [«Incauto passagero prevenido...»]. (Pág. 141).
30. *Epitaphio de Ioan de Ayala.* [«Ierto Cadauer languido y funesto...»]. (Pág. 142).
31. *Epitaphio de Francisco Valdeolivas de la Plaça.* [«Ingrata pompa, pompa agradecida...»]. (Pág. 143).
32. *Soneto de Francisco Lopez de Zarate.* [«Si el seco lirio es candida azucena...»]. (Pág. 145).
33. *Poesías latinas.* (Págs. 146-50).
34. *Octavas de Iosepha de Puelles y Salmeron.* [«Pudo la muerte obedeciendo al hado...»]. (Págs. 151-154).
35. *Octavas de Luis Moreno Ponce de Leon.* [«Arde el voto en las aras Religiosso...»]. (Págs. 154-57).
36. *Octavas de Prudencio Serrano.* [«Cante esta vez en funebre lamento...»]. (Págs. 157-59).
37. *Poesías latinas.* (Págs. 161-64).

38. *Ierogliphico de Pedro Rodríguez de Otalora*. [«Si de A ó I empeçays...»]. (Pág. 166).

39. *Poesía latina de Iuan de Romerino*. (Pág. 167).

40. *Ieropliphico de Iuan de Echegaray*. [«De el Solio Real, al sepulcro...»]. (Pág. 167).

41. *Ierogliphico de Geronimo Ximenez*. [«Sin armas Maestra Ysabel...»]. (Pág. 168).

42. *Ierogliphico de Gerónimo Ximenez*. [«Natural Reyna Ysabel...»]. (Pág. 168).

43. *Ierogliphico de Ioseph Ximenez de Porres*. [«Prouida Elisa, y prudente...»]. (Pág. 169).

44. *Poesía latina de Ignacio Felix de Marmanillo*. (Pág. 170).

45. *Romance de Ioan Cantero y Ortega*. [«Que alaridos, que lamentos...»]. (Págs. 171-175).

46. *Romance de Antonio Vazquez de Acuña*. [«Va de relación Señores...»]. (Págs. 175-77).

47. *Romance de Geronimo Nicolas*. [«Al Blanco lirio de Francia...»]. (Págs. 177-82).

48. *Décima de Geronimo Nicolas*. [«Oro tan puro virtio...»]. (Pág. 183).

49. *Décima de Iuan Vergado Nauarro*. [«Pyneyro, que peregrino...»]. (Pág. 183).

50. *Décima de Onofre de Oltra*. [«Despues que lengua eloquente...»]. (Pág. 184).

51. *Décima de Domingo Ferriz Moreno*. [«Miente quien dize que yaze...»]. (Pág. 184).

52. *Décima de Francisco Valdeolibas de la Plaça*. [«Con voz, y exemplo seuero...»]. (Pág. 185).

53. *Décimas de Lucas de Ylardui y Eguiluz*. [«Cristal de Roca, Señor...»]. (Págs. 185-86).

54. *Décima anónima*. [«Glossa y Soneto, señor...»]. (Pág. 186).

55. *Décima de Ioana Antonia Laurencia Ximenez*. [«El Bernegal prometido...»]. (Pág. 187).

56. *Glossa de Ioana Antonia Laurencia Ximenez*. [«A mi pobre parecer...»]. (Págs. 187-88).

Salvá, I, n.º 264.

MADRID. *Nacional*. R-11.418.—NUEVA YORK. *Hispanic Society*.

JIMENEZ DE GALVEZ (CRISTOBAL)

EDICIONES

2009

[*DEDICATORIA de* —— *y Diego*

Machuca]. (En *Memorial que los monges confessores del monasterio de San Martin de Santiago dan a su Illma. el Principe Maximiliano de Austria. Arzobispo de Santiago*. Granada. s. a. Prels.)

MADRID. *Nacional*. R-Varios, 131-31.

JIMENEZ GUILLEN (FRANCISCO)

N. en Marchena. Médico.

EDICIONES

2010

RESPVESTA a los pareceres qve hasta agora han salido acerca del mal que anda en esta Ciudad de Seuilla i vltima resolucion cierta i verdadera del methodo i modo con que se ha de curar. Sevilla. Clemente Hidalgo. 1599. 8 fols. 20 cm.

—Fol. 2r: Apr. del Dr. Pedro Verdugo.— L. del Asistente de Sevilla.—Fol. 2v: Ded. a la Ciudad de Sevilla y a su Asistente.— Texto. (Fols. 3r-8v).

No citado por Escudero.

MADRID. *Nacional*. R-Varios, 54-8.

2011

ANIMADVERSIONES... cerca de la receta del unguento de Mercurio, que el Doctor Andres Hurtado de Tapia usava en el Hospital del Espiritu Santo; la qual, porque no falta caluniador que dize que es mui caliente, i fuerte, se prueva ser la mejor que todas las menos fuertes que ella, assi para la salud de los enfermos, como para la comodidad del dicho Hospital. Sevilla. Francisco de Lyra. 1626. 15 fols. 20 cm.

—Ded. a D. Pedro de Vera i Aspeitia, Administrador del Hospital del Espiritu Santo, etc.—Texto.

Gallardo, III, n.º 2.594.

MADRID. *Nacional*. R-26.599.—PARIS. *Nationale*. 4.º Te. 151781.

2012

[*DISCURSO... sobre la enfermedad*

y breue muerte, del Maestro Fray Pedro Maldonado: Insigne predicador de la Orden de S. Augustin]. [s. l. - s. i.]. [s. a.]. 3 hs. 29 cm.

Carece de portada.
MADRID. *Nacional.* R-Varios, 39-18.

2013

[EPISTOLA al P. Ioan de Pineda]. (En Pineda, Juan de. *Respvesta... a vna del Dr. Francisco Ximenez Guillen, sobre la intelligencia de un lugar de Plinio.* Sevilla. 1605. Prels.)
MADRID. *Nacional.* R-Varios, 55-31.

2014

[AL autor. Poesía latina]. (En Hidalgo de Agüero, Bartolomé. *Thesoro.* Sevilla. 1604. Prels.)
MADRID. *Nacional.* R-30.766.

ESTUDIOS

2015

REP: N. Antonio, I, págs. 499-500.

JIMENEZ DE HERRERA (ALONSO)

Canónigo de la catedral de Granada. Catedrático de Prima de Cánones en su Universidad.

EDICIONES

2016

[APROBACION. Granada, 26 de septiembre de 1621]. (En Velázquez, Gerónimo. *Infermación breve, dirigida al Rey contra las mujeres públicas.* s. l. 1621. Prels.)
MADRID. *Nacional.* V.E.-188-34.

JIMENEZ DE LARA (LUIS)

Licenciado. Secretario del Patriarca.

EDICIONES

2017

SERMON predicado en el grandioso quinquenario de fiestas que la insigne Cofradia de Nazarenos y Santissima Cruz de Jerusalen, sita en la Iglesia de... San Antonio Abad de...

Sevilla a celebrado en hazimiento de gracias a la Madre de Dios... por el Decreto que... Gregorio XV pronunció en favor del Sagrado Misterio de la Concepcion Inmaculada de... María... en 24 de mayo de 1622. Sevilla. Francisco de Lyra. 1622. 12 fols. 20 cm.

Herrero Salgado, n.º 217.

2018

[EPIGRAMA]. (En Pellicer de Tovar, José. *Anfiteatro de Felipe el Grande.* Madrid. 1631, fol. 24r).
MADRID. *Nacional.* R-7.502.

JIMENEZ LOBATON (DIEGO)

Licenciado. Fiscal de la Chancillería de Granada.

EDICIONES

2019

Señor. A los Reales Pies de V. M. D. C. O. el Lic. Don ——... Esta Defensa ivridica, de vuestra mayor regalía. Qve consiste en el conocimiento de los despojos violentos entre los Eclesiasticos ocasionada del que hizo D. Diego Escolano, arzobispo... a los Racioneros de su Santa Iglesia, de la posesión en que estavan, de la preeminencia de tomar en pie como los demas Prebendados, Dignidades, y Canonigos, las velas, ceniza, y palmas. Granada. Impr. Real de Francisco Sánchez. 1670. 2 hs. + 60 fols. 29 cm.

—Lámina.—Texto.
GRANADA. *Universitaria.* C-29-15.—MADRID. *Nacional.* 3-40.738.

2020

Señor. A los R. P. de V. M. ponen este Discurso juridico los Licenciados —— y Pedro Sarmiento y Toledo, Fiscales de V. Magestad en esta Chancillería de Granada, sobre no haver cumplido D. Diego Escolano,

Arzobispo de esta Ciudad las Reales Cedulas de V. M. en que se le mandó no sacarse Silla, Almohada, y Salvilla en la Procession del dia del Corpus. Granada. Typ. Regia. 1670. 1 h. + 88 págs. 28,5 cm.

—Texto.

CORDOBA. *Pública.* 9-214.—GRANADA. *Universitaria.* A-31-141 (2). — MADRID. *Nacional.* 3-40.138; R-Varios, 23-35. — NUEVA YORK. *Hispanic Society.*—SEVILLA. *Universitaria.* 120-101.

JIMENEZ MARCILLA Y TORRES (JUAN ANTONIO)

EDICIONES

2021

TRIACA compvesta contra vn simple veneno, Apología por el Licenciado Don Miguel de Yepes, Maestro de Mathematicas de la Vniuersidad de Cien-Poçuelos. En respvesta de vn papel qve escrivio Don Andres Dauila y Heredia, Capitan de Cauallos, y Ingeniero Militar, impugnando el Discurso Theologico, y Philosophico, que contra la Astrologia, y los que la siguen escriuió «Con sal i Gracia». Dala a lvz Don ——. [s. l. - s. i.]. 1681, 13 de marzo. 16 págs. 29 cm.

—Cita en francés de Arnauld d'Andilly.—Texto, apostillado.—Epigrama a D. Andres Dauila y Heredia, incitación de uno de Marcial. [«Miente, Zoylo, quien te llama...»].—Otro. [«Quatro planas, y muy malas...»].

MADRID. *Nacional.* R-Varios, 67-69.

ESTUDIOS

2022

DAVILA Y HEREDIA, ANDRES. *Responde Don ——... a la Tríaca compuesta, que sacó a luz Don Iuan Antonio Ximenez Marcilla y Torres].* [s. l. - s. i.]. [1681]. 2 hs. 31 cm.

MADRID. *Academia de la Historia.* Jesuitas, t. 173, n.º 74.

JIMENEZ DE MAYORGA (FR. FRANCISCO)

Franciscano.

EDICIONES

2023

[APROBACION de ——, Fr. Lucas Albarez de Toledo, Fr. Iuan de la Pera. Alcalá, 12 junio 1679]. (En Vida Juan, Lázaro. *Lucha interior.* Alcalá. 1680. Prels.)

MADRID. *Nacional.* 3-67.159.

2024

[CENSURA. Toledo, 22 de septiembre de 1683]. (En Isabel de Jesús, Madre. *Tesoro del Carmelo...* Madrid. 1685. Prels.)

MADRID. *Nacional.* 3-55.495.

2025

[APROBACION de ——, Fr. Lorenzo de Neira y Fr. Eugenio de Torres. Alcalá, s. a.]. (En Cornejo, Damián. *Chronica Serafica.* Tomo II. Madrid. 1634. Prels.)

MADRID. *Nacional.* 3-68.770.

JIMENEZ DE MONTALVO (JUAN)

Oidor en el Perú.

EDICIONES

2026

[PARECER del oidor Juan Ximenez de Montalvo]. (En Agia, Miguel de. *Tratado que contiene tres pareceres graves en derecho...* Lima. 1604. Prels.)

MADRID. *Nacional.* R-5.246.

2027

[APROBACION, sin fecha]. (En Cano Gutiérrez, Diego. *Relación de las fiestas triumphales que la... Universidad de Lima hizo a la Inmaculada Concepcion...* Lima, 1619. Prels.)

Medina, *Lima,* I, n.º 77.

JIMENEZ MORA (ANTONIO)

Licenciado.

EDICIONES

2028

[*APROBACION. Zaragoza, 14 de octubre de 1604*]. (En Rey de Artieda, Andrés. *Discursos, epistolas y epigramas de Artemidoro.* Zaragoza. 1605. Prels.)

MADRID. *Nacional.* R-2.285.

2029

[*APROBACION. Zaragoza, 23 de octubre de 1604*]. (En La Sierra, Alonso. *El solitario poeta.* Zaragoza. 1605. Prels.)

MADRID. *Nacional.* R-30.715.

JIMENEZ DE MURILLO (JUAN)

Doctor en ambos Derechos. Caballero de San Juan. Canónigo de Zaragoza. Calificador de la Inquisición.

EDICIONES

2030

[*APROBACION. Zaragoza, 24 de octubre de 1642*]. (En Liperi, Antonio. *Lecciones sacras...* Zaragoza. 1642. Prels.)

MADRID. *Nacional.* 3-54.870.

JIMENEZ ORTIZ (Licenciado)

EDICIONES

2031

[*SEÑORES (Los) qve por mandado y comission del Rey nuestro señor, se juntan a proueer, y ordenar, y a cuyo cargo esta el ornato y pulicia desta Villa y Corte, y a las cosas tocantes a ello, y a la salud y limpieza della, Ordenan y mandan a todos los vezinos, y moradores, y estantes en esta dicha Villa y Corte...*]. [s. l. - s. i.]. [s. a.]. 3 hs. 31 cm.

Carece de portada. Fechado en Madrid, a 29 de enero de 1591. Firmado al fin por el Licenciado Ximénez Ortiz y Luys Gaytán de Ayala.

MADRID. *Nacional.* V.E.-196-100.

JIMENEZ PANTOJA (TOMAS)

Licenciado. Caballero de Santiago. Fiscal del Consejo de Indias.

EDICIONES

2032

PROTESTA a favor de sv Magestad, svccessores en sv real Corona, Patronato, y Delegacion Apostolica en la America; sobre el oficio de Comissario General de Indias en el Orden de San Francisco, su jurisdiccion, y preeminencias; contra las qve pretende la dignidad de Ministro General de dicho Orden: hazela, por la obligacion del pvesto, ——... [s. l. - s. i.]. [s. a.]. 84 folios orlados y apostillados. 30 cm.

—Frontis.—Texto.

¿Madrid, c. 1692? (Penney).

MADRID. *Nacional.* 3-72.453.—NUEVA YORK. *Hispanic Society.*

JIMENEZ PATON (BARTOLOME)

N. en Almedina (Ciudad Real) en 1569. Estudió en el Colegio Imperial de Madrid y en la Universidad de Baeza. Maestro de Humanidades en Alcaraz y catedrático de Elocuencia en Villanueva de los Infantes (1618), donde además fue Correo mayor. Notario de la Inquisición de Murcia. M. en Villanueva de los Infantes (1640).

EDICIONES

2033

ELOQVENCIA Española en Arte. Toledo. Thomas de Guzman. 1604. 8 hs. + 13 fols. + 1 lám. + 123 fols. + 7 hs. 15 cm.

—Apr. de Tomas Gracián Dantisco.—S. Pr. Ded. a D. Fernando de Ballesteros y Saauedra, cuyo escudo figura en la portada.—De Francisco Idiaquez. [«Si el sauio Stagirita...»]. — De Francisco Sanchez de Villanueua, al Protector. [«El que con elecion docta y prudente...»].—De D.ª Ines de Figueroa. [«De Eloquencia y arte estraña...»].—Soneto de Alonso de Salas Barbadillo. [«Trasladas de el Latino la Eloquencia...»]. — Soneto de Phelipe de Nis Godinez. [«Quando te llamo inaduertidamente...»].—Soneto de

Damian Guerrero. [«Oy vuestro claro ingenio nos offrece...»].—Soneto de Iuan Antonio de Herrera. [«Ya la lengua antiquissima Romana...»].—Quintas de Alonso Abad de Contreras. [«Qual suele el gentil pimpollo...»].—De Luys de Mendoza. [«De las Indias el camino...»].—Soneto del M.º Ioseph de Valdiuielsso. [«El Canto encantador de la Sinena *(sic)*...»].—Fol. 1r: *Elogio de Marcos de Arellano, a el timbre y blason de don Fernando de Ballesteros y Saauedra.* [«Eterniça los hechos la memoria...»]. Fol. 4r: *Elogio de Fracnisco Enriquez.* Fol. 5v: *A el lector.*—Lámina.—*Libro de Eloquencia Española en Arte.* (Fols. 1r-123v).—Indice de las diciones Griegas que en este compendio se contienen con su declaración.—De D.ª Luysa Fornari. [«El Cielo con su influencia...»].—Del Dr. Pedro Segura Espinosa. [«Deuese honrar a la virtud muy rara...»].
Salvá, II, n.º 2.294; Pérez Pastor, *Toledo,* n.º 454.
MADRID. *Nacional.* R-15.007.—OVIEDO. *Universitaria.* A-379.—PARIS. *Nationale.* X.19360.—SANTANDER. *«Menéndez Pelayo».* R-III-3-28.—SANTIAGO DE COMPOSTELA. *Universitaria.*

2034

PERFETO Predicador. Baeza. Mariana de Montoya. 1612. 24 hs. + 128 fols. + 14 hs.

—Apr. de Fr. J. González de Critana.—Apr. de Fr. Cristóbal de Fonseca.—S. Pr.—T.—A.—A los predicadores.—Ded. a D. García de Figueroa y a D. Pedro de Fonseca su sucesor, marqués de Orellana.—Décima de Antonio Martinez de Miota. [«Predicador tan perfecto...»].—Décima de Fernando Delgado. [«A darse palingenesia...»].—Poesía latina de Juan de Flores Bustos. — Otra de Bartolomé Rodríguez Cueto.—Otra de Fr. P. de Antequera.—Décima de P. de Solera. [«El lince agudo Platon...»]. — Carta del marqués de Orellana al autor.—Respuesta-parecer de Fr. J. García de Torrealba.—Otro de J. González Cañuto. — Epistola de J. Acuña del Adarve al autor.—Otra de Simón Rodriguez del Valle.—Otra de Fernando González de Santacruz.—A el Lector. — Aduertencia, por Fernando de Ballesteros y Saavedra.—Apologia orada en público por el autor, en prueba de que conviene que se escriban estos y otros libros de cualquier facultad en nuestra lengua vulgar española (8 hs.).

Gallardo, III, n.º 2.595.
MADRID. *Nacional.* R-1.594 (incompleto: sólo 16 hs. de prels.).

2035

EPITOME de la Ortografía Latina, y Castellana. Baeza. Pedro de la Cuesta. A costa de Francisco de Valuer. 1614. 8 hs. + 95 fols. 15 cm.

—Apr. del P. Iuan Luis de la Cerda.—L. V.—S. Pr.—T.—E.—Advertencia del P. Iuan Luis de la Cerda al autor.—Advertencia del autor.—Ded. al Ayuntamiento de Villanueua de los Infantes.—El Licdo. Antonio Martinez de Miota. [«La Omega, y Alpha de Dios...»].—El Licdo. Simón Rodríguez del Valle. [«Bien les llamays elementos...»].—Alonso Messia de Leyua. [«Enseñastes nos hablar...»].—Del Dr. Iuan Delgado. [«Niños (que ya no ay ancianos...»].—Al letor.—Texto.
Salvá, II, n.º 2.296.
GRANADA. *Universitaria.* A-36-433. — MADRID. *Nacional.* R-1.118. — NUEVA YORK. *Hispanic Society.*

2036

PROVERBIOS Morales, Heraclito de Alonso de Varros. Concordados por el M.º Bartolomé Ximenez Patón. Baeza. 1615.

V. *B. L. H.,* VI, n.º 3.257 y siguientes.

2037

DISCVRSO de la Langosta, que en el tiempo presente aflige, y para el venidero amenaza. Baeza. Pedro de la Cuesta. 1619. 22 hs. 20 cm.

—Ded. a D. Ioan Coello de Contreras, Caballero de Santiago y del Real Consejo de las Ordenes.—Texto.—Protesta.—Nota sobre San Gregorio Ostiense, abogado de la langosta.
MADRID. *Nacional.* R-Varios, 54-56; R-13.210; etcétera.

2038

MERCVRIVS trimegistvs, sive de triplici eloqventia Sacra, Española, Romana... Baeza. Petro de la Cuesta Gallo. 1621. 28 hs. + 286 fols. + 18 cm.

En los preliminares, entre otros escritos: —Los libros que a impreso el avtor: «Perfeto Predicador. Epitome de Ortografía... Prouerbios Morales concordados. Discurso de la Langosta. Mercurius Trimegistus... Instituciones de la Gramatica Española. = Dandole Dios vida y fuerças imprimira ocho tomos de Comentarios de erudicion, y la Historia de la Ciudad, y Reyno de Iaen».—Apr. de Pedro de Valencia.—Ded. latina a D. Juan de Tarsis, Conde de Villamediana, precedida de su escudo.—Epistola a Fr. Estevan de Arroyo, en respuesta a los reparos que puso a este libro.—Testimonio de diversos catedráticos que han adoptado la obra.—Fols. 46r-165v: Eloqvencia española en Arte. Reproducida con sus preliminares.—Fols. 166r-205v: Institvciones de la Gramatica Española.

Salvá, II, n.° 2.297.

CIUDAD REAL. Pública.—GRANADA. Universitaria. A-2-249.—MADRID. Facultad de Filosofía y Letras. 10.632.—Nacional. R-5.365.—Seminario Conciliar.—NUEVA YORK. Hispanic Society.—PARIS. Nationale. X.3598. — SANTIAGO DE COMPOSTELA. Universitaria.

2039

HISTORIA de la antigva, y continvada nobleza de la civdad de Iaen muy famosa, muy noble, y muy leal guarda, y defendimiento de los Reynos de España. Y de Algunos Varones famosos, hijos della. Jaén. Pedro de la Cuesta. 1628. 12 hs. + 249 fols. 19,5 cm.

—T.—E.—S. Pr.—Apr. del M.° Gil Gonçalez Dauila.—Apr. del Licdo. Pedro de Arce. — L. V. — Poesía latina de Antonio Martinez de Miota. — El mismo, a los autores. [«El hijo que sustada al mundo aborda...»]. — Tabla. — Ded. al cardenal D. Alonso de la Cueva, primer Marques de Vedmar, cuyo escudo va en la portada.—Al lector.—Epistola del autor al Licdo. Pedro Ordoñez de Ceballos y respuesta de éste.—Retrato del Licdo. Pedro Hordoñez de Zeballos.—Texto.

Salvá, II, n.° 2.987.

CORDOBA. Pública. 6-128.—GRANADA. Universitaria. A-38-257. — MADRID. Academia de la Historia. 4-1-8-1.145. Facultad de Filosofía y Letras.—Nacional. R-1.730 (ex libris de Fernando José de Velasco). — MONTPELLIER.

Municipale. 12.710. — NUEVA YORK. Hispanic Society.—PARIS. Nationale. 4.°Ol.267.—ROMA. Vaticana. Stamp. Barb. S.VII.64.—SEVILLA. Universitaria. 158-6.

2040

[HISTORIA de Jaén. Fragmentos]. (En AUTOBIOGRAFÍAS y Memorias. Coleccionadas e ilustradas por M. Serrano y Sanz. Madrid. 1905, págs. 461-83).

2041

[DECLARACION Magistral de la Epigrama 2.5. de Marcial lib. 1]. [s. l. - s. i.]. 1628. 3 fols. 18 cm.

Carece de portada. Dirigido a D. Fernando Chacon de Naruaez, Canonigo de la santa Iglesia de Antequera. —Texto.—Versos latinos de Juan Aguilar. MADRID. Nacional. R-13.210.

2042

[DECLARACION magistral de la Epigrama 33 de Marcial lib. 5]. [Madrid. Francisco Martinez]. [1628]. 6 fols. 18,5 cm.

Carece de portada. —Ded. a D. Agustin de Hierro y Medinilla, Catedratico de Vísperas de Cánones de la Universidad de Salamanca.—Texto. Disticos latinos de Antonio Castillo de Busto.—Colofón. MADRID. Nacional. R-13.210.

2043

DECLARACION magistral destos versos de Ivvenal Sat. 6. Cuenca. Saluador de Viader. 1632. 4 hs. 18,5 cm.

Salvá, I, n.° 693. MADRID. Nacional. R-13.210.

2044

DECLARACION preambula del salmo 118. Granada. Antonio René de Lazcano. 1633.

NUEVA YORK. Hispanic Society.

2045

DECENTE colocación de la Santa

Crvz. Cuenca. Iulian de la Iglesia. 1635. 8 hs. + 32 fols. 19 cm.

—L. V.—Apr. de Miguel Cejudo.—Censura de Fr. Luis de Iuan Euangelista.—Ded. al Dr. D. Alonso Merlo de la Fuente, que asiste en la Corte de España por los Reynos del Pirú, etc.—T.—Pr.—El Licdo. Pedro Ordoñez de Ceballos.—E.—Grabado.—Texto.

GRANADA. *Universitaria.* F. Letras. CLXXIII-7-25.—MADRID. *Nacional.* U-9.880.

2046

DECENTE colocación de la Santa Cruz (Cuenca,1635). Discurso en favor del santo y loable Estatuto de la Limpieza (Granada, 1638). Edición de Antonio Pérez y Gómez. Tirada de 300 ejemplares numerados. Cieza. «... la fonte que mana y corre...». 1971. 12 hs. + 32 fols. + 4 hs. + 9 fols. 24,5 cm. (El ayre de la almena, 30).

Reprod. facsímil.

2047

DISCVRSO en favor del santo y loable estatuto de la limpieza. Granada. Imprenta de Andres de Santiago Palomino. 1638. 3 hs. + 9 fols. 15 cm.

—Comision. — Apr. de Alonso de Morales Ballesteros y el M.º Algar Montenegro.— L. V.—Al Discurso... Soneto. [«Este que si censuras sin cariño...»]. — *Discurso...* (Dirigido a la Inquisición).

CORDBA. *Pública.* 2-77.—GRANADA. *Universitaria.* F. Letras. CLXXIII-7-25.—MADRID. *Nacional.* U-9.813. — SALAMANCA. *Universitaria.* 56.088.

2048

REFORMA de trages. Doctrina de Frai Hernando de Talavera primer Arçobispo de Granada. Ilvstrada por ——... Enseñase el bven vso del Tabaco. Baeza. Juan de la Cuesta. 1638. 4 hs. + 66 fols. 20 cm.

—Apr. de Ioseph Pellicer de Salar y Touar.—S. Pr.—T.—E. Ded. a María del Remedio, Santissima Virgen y Madre de su Criador, Reyna de lo criado.—

Prólogo a D. Diego Poblaciones Dabalos. Fols. 1r-59r: *Reforma de trages.*—Fols. 59r-60rº Al M.º ——, el Licdo. Antonio Mexía Romero.—Fols. 61r-66v: «Epigramma in eos qui sumuunt naribus tabacum», por Frei Miguel Zejudo y comentario al mismo.

MADRID. *Nacional.* R-137.—NUEVA YORK. *Hispanic Society.*

2049

DISCVRSO de los tvfos, copetes, y calvas. Baeza. Iuan de la Cuesta. 1639. 8 hs. + 66 fols. 19,5 cm.

—Apr. de Tomas Tamayo de Vargas.—S. Pr.—T.—E.—Remisión a censura, por el Ordinario.— Censura de Fr. Tomas de Contreras.—Al Dr. Gutierre Marques de Careaga. — Prólogo de Fr. Francisco de Cabrera.—Ded. al Principe de las eternidades Iesus Nazareno.—*Discurso...* (Fols. 1r-59v).—Fols. 60r-61v: Protesta de la Fe Catolica.—Fols. 62r-65v: *Al Excmo. Sr. D. Gaspar de Guzman, Conde, Duque, gran Chanciller, Don Francisco de Quevedo Villegas... deseosso de la reformación de los trages, y exercicios de la nobleza Española.* [«No e de callar por mas que con el dedo...»].—Fol. 66r: *El Licenciado Francisco Cascales...* [Elogio humorístico del libro].—Fol. 66v: *Al M.º ——, Lope de Vega Carpio.* (Carta con elogio de la obra).

CORDOBA. *Pública.* 6-128; 34-41.—MADRID. *Nacional.* R-5.194.—NUEVA YORK. *Hispanic Society.*—PARIS. *Nationale.* G.7982; etc.

2050

[DECLARACION magistral de la Epigrama 20 de Marcial lib. 9]. [s. l. -s. i.]. [s. a.]. 4 hs. 18,5 cm.

Carece de portada.

—Ded. al Dr. Paulo de Cordoua y Valencia, Canónigo del Sacro Monte de Granada, por Domingo de Muela.—Texto.

MADRID. *Nacional.* R-13.210.

2051

[DECLARACION magistral de la Epigrama de Marcial. Lib. 3. Epist. 41]. [s. l. - s. i.]. [s. a.]. 4 hs. 18,5 cm.

Carece de portada.

Dirigido a D. Iuan de Salinas y de la Cerda, por su hijo del mismo nombre. El del autor consta al fin.

MADRID. *Nacional.* R-13.210.

2052

[*DECLARACION magistral de la Epigrama de Marcial, 60. lib. 4. ocasionada de auerse preguntado que quiso dezir el Poeta en el fin della.* In medio Tybure Sardinia est]. [s. l.-s. i.]. [s. a.]. 6 hs. 18,5 cm.

Carece de portada.
—Ded. al Dr. D. Pedro Davila, Abad mayor del Sacro Monte de Granada, por Iuan Fernandez.—Texto.
MADRID. *Nacional*. R-13.210.

2053

[*DECLARACION magistral de la Epigrama 75 de Marcial libr. 13*]. [s. l.-s. i.]. [s. a.]. 4 hs. 18,5 cm.

Carece de portada.
Dirigido a Fr. Iuan Baptista Sanchez, Prouincial de Cartagena de los franciscanos.
—Texto.—Dístico latino de Antonio Martínez de Miota.
MADRID. *Nacional*. R-13.210.

2054

EPITOME de la Ortografía latina y castellana... Madrid. C.S.I.C. 1965.

GRANADA. *Universitaria*. Seminario de Lingüística.

2055

[*DECLARACION magistral del distico de Marcial. Lib. 77. Epig. 5*]. [s. l.-s. i.]. [s. a.]. 4 hs. 19 cm.

Carece de portada.
MADRID. *Nacional*. R-13.210.

2056

[*DECLARACION megistral del distico Epigrama de Marcial lib. 1 ep. 6*]. [s. l.-s. i.]. [s. a.]. 4 hs. 18,5 cm.

Carece de portada.
Dirigido a D. Iuan Chacon Naruaez y Salinas.
MADRID. *Nacional*. R-13.210.

2057

[*DECLARACION magistral de la Epigrama de Marcial 69 lib. 5 Por* ——]. [s. l.-s. a.]. 4 hs. 19 cm.

—Ded. a Manuel Sarmiento Mendoça.—Texto.
MADRID. *Nacional*. V.E.-153-35.

2058

INSTITVCIONES de la Gramatica española. [s. l.-s. i.]. [s. a.]. 29 fols. + 7 hs. 14,5 cm.

—Ded. al Licdo. Sebastian de Cobarrubias Orozco.—Texto.—Decima latina de Felipe de Melgarejo.—Apologia en defensa de la dotrina del M.° —— compuesta, y orada en publico en Villanueua de los Infantes por Diego Tornel Mexia, su discipulo.

Salvá, II, n.° 2.295.

GRANADA. *Universitaria*. A-36-433.— MADRID. *Nacional*. 2-62.341 — NUEVA YORK. *Hispanic Society*.

2059

DECLARACION Magistral de la Epigrama de Marcial 29, libro 3. [s. l.-s. i.]. [s. a.]. 6 hs.

Salvá, I, n.° 693.

Aprobaciones

2060

[*APROBACION. Villa Nueva de los Infantes, 25 de julio de 1630*]. (En Ferreyra de Vasconcelos, Jorge. *Comedia de Eufrosina. Traducida por Fernando de Ballesteros y Saavedra.* Madrid. 1631. Prels.)

MADRID. *Nacional*. R-770.

2061

[*Al Traductor. Y Testimonio. Villanueva de los Infantes, 27 de Septiembre de 1637*]. (En Tomás Moro, *Utopía, traducida por Jerónimo Antonio de Medinilla.* Córdoba. 1637. Prels.)

MADRID. *Nacional*. R-11.564.

OBRAS LATINAS

2062

ARTIS Rhetoricæ... Explicale su Author en Villanueua de los Infantes. [s. l.-s. i.]. [s. a.]. 4 hs. + 56 fols. 14,5 cm.

MADRID. *Nacional*. R-19.536.— SANTIAGO DE COMPOSTELA. *Universitaria*.

ESTUDIOS

2063

[*DOCUMENTOS sobre Bartolomé Jiménez Patón*]. (En Pérez Pastor, Cristóbal. *Bibliografía madrileña.* Tomo III. Madrid. 1907, pág. 391).

2064

ROZAS, JUAN MANUEL, y ANTONIO QUILIS. *El lopismo de Jiménez Patón. Góngora y Lope en la «Elocuencia española en Arte».* (En *Revista de Literatura*, XXI, Madrid 1962, págs. 35-54).

2065

QUILIS, ANTONIO, y JUAN MANUEL ROZAS. *La originalidad de Jiménez Patón y su huella en el «Arte de la lengua», del maestro Correas.* (En *Revista de Filología Española*, XLVI, Madrid, 1963, págs. 81-96).

2066

BEARDSLEY Jr., THEODORE S. *Bartolomé Jiménez Patón y Marcial: el problema bibliográfico.* (En LIBRO *Homenaje a Antonio Pérez Gómez.* Tomo I. Cieza. 1978, págs. 91-101 + 12 láminas).

Elogios

2067

VEGA, LOPE DE. [*Elogio*]. (En *Jerusalén conquistada.* Madrid. 1609, fol. 495).

2068

REP: N. Antonio, I, págs. 203-4; La Barrera, págs. 198-99; Tejera, II, págs. 95-96; Menéndez Pelayo, *Traductores*, VII, 1951, págs. 24 y 158-59.

JIMENEZ PATON (MARTIN)

CODICES

2069

«*Compendio Histórico de los Obispos de Jaén*».

Autógrafo. Con dos dibujos a pluma y los de los escudos de armas de los obispos. MADRID. *Academia de la Historia.* 9-1.025 (hs. 19-101).

JIMENEZ DE PORRES (JOSE)

EDICIONES

2070

[*POESIA*]. (En Xuárez, Diego Felipe. *Triumpho de Navarra y vitoria de Fuenterrauía...* Pamplona. 1638. Prels.)

MADRID. *Nacional.* U-10.715.

2071

[*POESIAS*]. (En Ximénez de Enciso y Porres, José Esteban. *Relación de la memoria funeral a... D.ª Isabel de Borbón...* Logroño. 1645).

1. *Epitafio.* (Pág. 141).
2. *Jeroglífico.* (Pág. 143).
MADRID. *Nacional.* R-11.418.

JIMENEZ DE PRADOS (JUAN)

EDICIONES

2072

NOTICIA del Recibimiento i entrada de la Reina Nuestra Señora Doña Maria-Ana de Austria en la Villa de Madrid. [s. l. - s. i.]. [1649]. 1 h. + 118 págs. 29 cm.

—Frontis de F. Ricci.—Texto, con poesías.
MADRID. *Nacional.* R-Varios, 198-99.

JIMENEZ DE QUESADA (GONZALO)

N. en Córdoba o Granada en 1510. Estudió Leyes en la Universidad de Salamanca. En 1535 pasa a las Indias, donde participa en diversas expediciones como Teniente general. Descubre y funda en 1538 el Nuevo Reino de Granada. En 1539, vuelve a España para dar cuenta de sus acciones. Retorna en 1551 con los títulos de mariscal y regidor de la ciudad de Santa Fe. En 1568, es nombrado adelantado. M. en Mariquita (1579).

CODICES

2073

«*Apuntamientos y anotaciones sobre*

la historia del Jovio obispo de No-chera, en que se declara la verdad de las cosas que pasaron en tiempo del Emperador Don Carlos V...».

Original. Letra del s. XVI. XVII + 436 fols. 300 × 210 mm.

VALLADOLID. *Santa Cruz.* Mss. 132.

2074

«Apuntamientos y anotaciones sobre la Historia de Paulo Jovio, en que se declara la verdad de las cosas que passaron en tiempo del Emperador Carlos V».

Letra del s. XVII. 310 × 205 mm.

VALLADOLID. *Santa Cruz.* Mss. 320 (fols. 342*r*-354*v*).

EDICIONES

2075

ANTIJOVIO (El). Edición dirigida por Rafael Torres Quintero. Estudio preliminar por Manuel Ballesteros Gaibrois. Bogotá. Instituto Caro y Cuervo. 1952. CLXXXIV + 637 págs. + 10 láms. 23 cm.

a) Atkinson, W. C., en *Bulletin of Hispanic Studies*, XXX, Liverpool, 1953, págs. 174-75.
b) Barrera, L. A., en *Virtud y Letras*, XII, Bogotá, 1953, págs. 54-55.
c) Cardozo, M., en *The Catholic Historical Review*, XLI, Washington, 1955, págs. 109-10.
d) Gancedo, E., en *Helmántica*, IV, Salamanca, 1953, págs. 338-40.
e) Guido Ferrero, G., en *Quaderni Ibero-Americani*, II, Turín, 1954, págs. 530-34.
f) Mesa, C. E., en *Letras Colombianas*, I, Bogotá, 1953, n.º 1.
g) Miralles de Imperial, C., en *Revista de Indias*, XIII, Madrid, 1954, págs. 651-57.
h) Pacheco, J. M., en *Revista Javeriana*, XL, Bogotá, 1953, págs. 126-27.
i) Panesso Posada, F., en *Universidad Pontificia Bolivariana*, XIX, Medellín, 1953, págs. 133-36.
j) Santos, A., en *Humanidades*, VI, Comillas, 1954, págs. 138-40.
k) S[ánchez] A[dell], J., en *Boletín de la Sociedad Castellonense de Cultura*, XXIX, Castellón, 1953, pág. 276.

MADRID. *Consejo. Patronato «Menéndez Pelayo».* 17-363. *Instituto de Cultura Hispánica.—Nacional.* H.A.-22.391 y 31.711.

ESTUDIOS

De conjunto

2076

ARCINIEGAS, GERMAN. *Jiménez de Quesada.* Bogotá. Ed. ABC. 1939. 349 págs. 19,5 cm. (Bibl. «Revista de las Indias»).

a) Ots, José María, en *Revista de las Indias*, Bogotá, 1939, págs. 113-18.

MADRID. *Consejo. General.—Instituto de Cultura Hispánica.*

— — —

—*The Knight of El Dorado. Trans. by Mildred Adams.* Nueva York. 1942.
b) Nichols, M. W., en *The Hispanic American Historical Review* XXIII, Baltimore, 1943, págs. 132-33.

Biografía

2077

CARO, MIGUEL ANTONIO. *Don Gabriel Alvarez de Velasco y su familia.* (En *Obras Completas.* Tomo III. Bogotá. Impr. Nacional. 1831, págs. 354 y ss.).

MADRID. *Nacional.* H.A.i.-837.

2078

IBAÑEZ, PEDRO MARIA. *Ensayo biográfico de Gonzalo Jiménez de Quesada.* Bogotá. Imp. de La Luz. 1892. 76 págs. 29 cm.

GAINESVILLE. *University of Florida.*—MADRID. *Nacional.* V-550-28.—NEW HAVEN. *Yale University.*

2079

———. *Gonzalo Jiménez de Quesada.* Bogotá. Imp. de La Luz. 1892. 121 págs.

CHAPEL HILL. *University of North Carolina.*

2080

RESTREPO, VICENTE. *Apuntes para la biografía del fundador del Nuevo Reino de Granada...* Bogotá. 1897. 210 págs. 8.º

MADRID. *Nacional.* H.A.-2.982.

2081

GRAHAM, R. B. C. *The conquest of New Granada being the life of Gonzalo Jiménez de Quesada.* Londres. W. Heinemann. 1922. 272 págs. 8.º

a) Cox, I. J., en *The American Historical Review*, XXVIII, Nueva York, 1922-23, pág. 364.

MADRID. *Particular del Duque de Alba.* 243.

2082

FORERO, MANUEL JOSE. *Jiménez de Quesada y El Dorado. Capítulo inédito de una biografía del Conquistador.* (En *Revista del Archivo Nacional*, II, Bogotá, 1938, págs. 192-195).

2083

ORTEGA RICAURTE, DANIEL. *Ruta de Gonzalo Jiménez de Quesada.* (En *Boletín de Historia y Antigüedades*, XXV, Bogotá, 1938, págs. 409-452).

2084

TORRE Y DEL CERRO, J. DE LA. *Gonzalo Jiménez de Quesada.* (En *Boletín de Historia y Antigüedades*, XXV, Bogotá, 1938, págs. 97-103).

2085

VALLEJO, ALEJANDRO. *La cita de los aventureros. Gesta de don Gonzalo Jiménez de Quesada.* Bogotá. 1938. 100 págs. con ilustr. 4.º

2086

ECHEVARRIA RODRIGUEZ, ROBERTO. *Itinerario del valor, la codicia y la muerte.* (En *Revista de las Indias*, Bogotá, 1939, págs. 408-416).

2087

González de Quesada. Madrid. Vicesecretaría de Educación Popular. 1945. 141 págs. + 4 láms. + 1 h. 19 cm.

MADRID. *Nacional.* 1-101.848.

2088

TORRE, JOSE R. DE LA. *Gonzalo Jiménez de Quesada. El lugar de su nacimiento.* (En *Boletín de la Real Academia de Ciencias, Bellas Letras y Nobles Artes de Córdoba*, XX, Córdoba, 1949, págs. 125-28).

2089

GALVIS MADERO, LUIS. *El Adelantado.* Madrid. Edit. Guadarrama. 1957. 382 págs. + 8 láms. 21,5 cm.

MADRID. *Instituto de Cultura Hispánica.*

2090

MORALES PADRON, FRANCISCO. *Gonzalo Jiménez de Quesada.* Madrid. Publicaciones Españolas. 1959. 28 págs. + 2 láms. 24,5 cm. (Temas Españoles, 86).

MADRID. *Instituto de Cultura Hispánica.*

2091

G. Ximénez de Quesada. [s. l., pero Madrid]. Edics. España. [s. a.]. 16 págs. 15 cm.

MADRID. *Nacional.* V-2.583-47; V-2.141-2.

2092

GALVIS MADERO, LUIS. *Los últimos años del Adelantado.* (En *Boletín Cultural y Bibliográfico*, XVI, Bogotá, 1979, n.º 3, págs. 76-80).

Documentos

2093

Jiménez de Quesada solicita se le dé título de Adelantado de Nuevo Reino de Granada. Documentos inéditos del Archivo de Indias. (En *Archivo Historial*, III, Manizales, 1921-23, págs. 155-61).

2094

RESTREPO TIRADO, ERNESTO. *Datos tomados del pleito seguido por el licenciado Gallego y sus herederos contra el licenciado Jiménez de*

Quesada. (En *Boletín de Historia y Antigüedades,* XXIII, Bogotá, 1936, págs. 297-302).

2095
RESTREPO TIRADO, ERNESTO. *Un memorial del mariscal Gonzalo Jiménez de Quesada.* (En *Boletín de Historia y Antigüedades,* XXIV, Bogotá, 1937, págs. 484-85).
Petición del año 1557, conservada en el Archivo de Indias.

2096
DOCUMENTOS del Archivo Histórico Nacional relativos a Gonzalo Jiménez de Quesada. (En *Revista del Archivo Nacional,* V. Bogotá, 1943, n.º 53-56, págs. 359-75).

Interpretación y crítica
2097
PANHORST, K. H. *Über den deutschen Anteil an der Entdeckung und Eroberung des Chibcha-Reiches durch Gonzalo Jiménez de Quesada.* (En *Ibero-Amerikanisches Archiv,* VII, Berlín, 1933, págs. 188-94).

2098
GOMEZ RESTREPO, ANTONIO. *Don Gonzalo Jiménez de Quesada.* (En *Boletín de la Academia Colombiana,* II, Bogotá, 1937, págs. 7-16).

2099
CASTRO SILVA, JOSE VICENTE. *Elogio de Jiménez de Quesada.* [s. l. - s. i.]. 1938. 29 págs. 18,5 cm.
MADRID. *Instituto de Cultura Hispánica*

2100
RESTREPO CANAL, CARLOS. *Gonzalo Jiménez de Quesada y el espíritu de la conquista.* (En *Revista de las Indias,* X, Madrid, 1949, págs. 185-207).

2101
GARCES G., JORGE A. *Identificación de dos manuscritos atribuidos al adelantado Gonzalo Jiménez de Quesada.* (En *Thesaurus,* VIII, Bogotá, 1952, págs. 158-65).

2102
FRIEDE, JUAN. *El 450.º aniversario del nacimiento del Gonzalo Jiménez de Quesada.* (En *Revista de Indias,* XIX, Madrid, 1959, págs. 579-82).

2103
VALDERRAMA Y ANDRADE, CARLOS. *Jiménez de Quesada y el humanismo contrarreformista.* (En *Thesaurus,* XX, Bogotá, 1965, págs. 213-40).

2104
RAMOS PEREZ, DEMETRIO. *Ximénez de Quesada y el «Epítome de la Conquista del Reino de Granada».* Sevilla. Escuela de Estudios Hispanoamericanos, 1972. XXIII + 329 págs. 24,5 cm.
a) F[ombuena] F[ilpo], V., en *Indice Histórico Español,* XXI, Barcelona, 1975, n.º 93.925.
MADRID. *Instituto de Cultura Hispánica.— Nacional.* H.A.-45.376.

Lenguaje
2105
DIEZ MATEO, FELIX. *El lenguaje del «Antijovio».* (En *Ximénez de Quesada.* Bogotá, 1954, n.º 5, págs. 44-47).

2106
TORRES QUINTERO, RAFAEL. *El lenguaje de Jiménez de Quesada.* (En *Studium,* I, Bogotá, 1957, págs. 197-209).

2107
——. ——. (En *Boletín de la Academia Colombiana,* VII, Bogotá, 1957, págs. 205-19).

Con notas adicionales de fonética, por L. Flórez (págs. 220-26).

2108
RESTREPO, FELIX. *Evolución semántica en el castellano de Gonzalo Jiménez de Quesada*. (En STUDIA *Philologica. Homenaje a Dámaso Alonso*. Tomo III. Madrid. 1963, págs. 69-129).

2109
FONSECA Y MARTINEZ, JUAN. *Evolución semántica en el castellano de Jiménez de Quesada. (Carta al R. P. Félix Restrepo)*. (En *Boletín de la Academia Colombiana*, XVI, Bogotá, 1965, págs. 40-47).

2110
SANTA, EDUARDO. *Jiménez de Quesada y la literatura colombiana*. (En *Boletín Cultural y Bibliográfico*, XVI, Bogotá, 1979, n.º 3, págs. 40-75).

«El Antijovio»
2111
BAYLE, CONSTANTINO. *Un libro nuevo de Gonzalo Ximénez de Quesada*. (En *Revista de Indias*, III, Madrid, 1942, n.º 7, págs. 111-20).
——, en *Boletín de Historia y Antigüedades*, XXIX, Bogotá, 1942, n.º 330-31, págs. 338-46.

2112
FORERO, MANUEL JOSE. *Hallazgo de un libro de Jiménez de Quesada*. (En *Revista Javeriana*, XXXIV, Bogotá, 1950, págs. 89-93).

2113
——. ——. (En *Boletín del Instituto Caro y Cuervo*, V, Bogotá, 1949, págs. 411-21).

2114
CARO MOLINA, FERNANDO. *La difusión del libro y la cultura española en la América hispana y el «Anti-*

jovio» de Gonzalo Jiménez de Quesada. (En *Studium*, I, Bogotá, 1957, págs. 95-104).

2115
FRANKL, VICTOR. *La filosofía de la guerra en el «Antijovio» de Jiménez de Quesada*. (En *Studium*, I, Bogotá, 1957, págs. 27-65).

2116
FRANKL, VICTOR. *«El Antijovio», de Gonzalo Jiménez de Quesada, y las concepciones de realidad y verdad en la época de la Contrarreforma y del Manierismo*. Madrid. Cultura Hispánica. 1963. 767 págs. + 6 hs. 24,5 cm.
MADRID. *Instituto de Cultura Hispánica*.

2117
CARO MOLINA, FERNANDO. *Nota crítica a «El Antijovio» de G. Jiménez de Quesada*. (En *Revista de Indias*, XXVI, Madrid, 1966, págs. 133-156).

2118
CARO MOLINA, FERNANDO. *La traducción literaria según un escritor del siglo XVI, Gonzalo Jiménez de Quesada, descubridor y conquistados del Nuevo Reino de Granada*. (En *Romanische Forschungen*, LXXIX, Colonia, 1967, págs. 95-113).

2119
CARO MOLINA, FERNANDO. *El oficio del traductor y la traducción literaria a través de «El Antijovio» de Jiménez de Quesada*. (En *Cuadernos Hispanoamericanos*, LXIX, Madrid, 1967, págs. 108-23).

2120
ARCINIEGAS. *El «Antijovio» o la gran Quijotada*. (En *Revista Hispánica Moderna*, XXXIV, Nueva York, 1968, págs. 505-12).

JIMENEZ ROMERO (JUAN)

Doctor. Magistral de la Capilla Real de Granada.

EDICIONES

2121

SERMON que predicó... en las honras que hizo la Ciudad de Granada a la Magestad de la Catolica y serenissima Reyna doña Margarita de Austria nuestra señora. G r a n a d a. Bartholome de Lorençana. 1612. 27 fols. 20 cm.

—Apr. de Agustin de Quiros.—Apr. de Fr. Alonso Fustero.—L. V.—Ded. al Rey.— Texto.

GRANADA. *Universitaria.* A-31-227 (5); etc.— MADRID. *Nacional.* R-20.949-15. — SALAMANCA. *Universitaria.* 56.088.

2122

SERMON qve predicó el Dr. Ivan Ximenez Romero... a las honras del Rey nuestro Señor Don Felipe III. Granada. Bartolomé de Lorençana y Ureña. 1621. 2 hs. + 17 fols. 19,5 cm.

—L. V.—Texto.

CORDOBA. *Pública.* 31-30.—GRANADA. *Universitaria.* A-31-232 (25); etc.

Poesías sueltas

2123

[AL Autor. Dezimas]. (En Arredondo, Martín. Recopilación de Albeytería. Madrid. 1658. Prels.)

MADRID. *Nacional.* R-13.177.

2124

[APROBACION. Granada, 19 de (marzo?) 1619]. (En Valle, Bartolomé del. Explicación y pronóstico de los dos cometas. G r a n a d a. 1618. Prels.)

MADRID. *Nacional.* V.E.-54-50.

2125

[APROBACION]. (En Santa María, Cipriano de. Sermón predicado... en

las honras por... Felipe III... Granada. 1621. Prels.)

SEVILLA. *Universitaria.* 113-86 (8).

2126

[APROBACION. Granada, 29 de abril de 1623]. (En Fernández de Córdoba, A n t o n i o. Instrución de Confessores... Granada. 1627. Prels.)

MADRID. *Nacional.* 2-34.172.

JIMENEZ SAMANIEGO (FR. JOSE)

N. en Nájera. Franciscano. Provincial de la de Burgos. Ministro General de la Orden. Obispo de Plasencia.

EDICIONES

2127

ORACION doctrinal a la iglesia de Burgos sobre el Evangelio de la viña. Burgos. 1666.

Añíbarro, pág. 355.

Vida de Escoto

2128

VIDA del Venerable Padre Ioan Dvnsio Escoto Doctor Mariano, y Svbtil. Principe, y vniversal Maestro de la Escvela Franciscana. Principal, y maximo defensor del Soberano Misterio de la Inmaculada Concepcion de la Madre de Dios. Madrid. Bernardo de Villa-Diego. 1668. 16 hs. + 435 págs. + 2 hs. 21 cm.

—Ded. a Fr. Alonso Salizanes, Ministro General de la Orden de San Francisco. Apr. de Fr. Bartolomé de Escañuela.— L. O.—Apr. de Fr. Andrés Merino.—L. V.—Apr. de Fr. Benito de Salazar.—E.— S. T.—S. Pr. al autor por diez años.— Al lector.—A la fama inmortal del V. P. Ioan Dunsio Escoto, Doctor Mariano y Subtil, Respiracion afectuosa de Dicipulo.—Protesta del Autor.—Texto.—Tabla de los capitulos.

MADRID. *Nacional.* 7-11.514. *Particular de* «*Archivo Ibero-Americano*». — SANTIAGO DE COMPOSTELA. *Universitaria.*

2129

VIDA de el venerable P. Ioan Dunsio Escoto, doctor mariano, y subtil. Principe, y universal maestro de la escuela franciscana. Principal, y maximo defensor de el soberano misterio de la Immaculada Concepcion de la Madre de Dios, y su Primacia en este Misterio. Madrid. Imp. Real de la Santa Cruzada. A costa de Gabriel de Leon. 1674. 30 hs. + 501 págs. + 10 hs. 29,4 cm.

—Ded. del P. Fr. Ioseph Gomez Pardo al autor.—Apr. de Fr. Bartolome de Escañuela.—L. O.—Apr. de Fr. Andres Merino.—L. V.—Apr. de Fr. Benito Salazar. E.—T.—Pr. a favor de Fr. Ioseph Gomez Pardo por 10 años.—Prologo al lector.—Tabla de capitulos.—Protesta.—Ded. al P. Ioan Dunsio Escoto.—Texto.—Tabla de cosas notables.

MADRID. Nacional. 2-71.155.

2130

VIDA del V. Padre Ioan Dvnsio Escoto, Doctor mariano, y svbtil, principe, y vniversal maestro de la escvela franciscana. Principal, y maximo Defensor de el Soberano Misterio de la Inmaculada Concepcion de la Madre de Dios, y su primacia en este Misterio. Madrid. Bernardo de Villa-Diego. 1677. 30 hs. + 1 lám. + 502 págs. + 10 hs 30 cm.

—Ded. al autor, por Fr. Ioseph Gomez Pardo.—Apr. de Fr. Bartolomé de Escañuelas.—L. O.—Apr. de Fr. Andrés Merino.—L. V.—Apr. de Fr. Benito de Salazar.—E.—S. T.—S. Pr. a Fr. Ioseph Gomez Pardo, por diez años.—Al lector.—Tabla de los capitulos.—Protesta del autor.—A la fama inmortal del Dr. Ioan Dunsio Escoto.—Retrato del P. Escoto (lámina, firmada por Marcus Orozco, Madrid, 1676).—Argumento y particion de la obra.—Texto de la Vida (págs. 1-244). Pág. 245: Portada la Primacía de el Dr. Subtil...—Págs. 246-502: Prels. y Texto de la Primacía...—Protesta del autor.—Indice de las cosas notables.

MADRID. Nacional. 3-78.322.

2131

———. Madrid. Imp. Real de la Santa Cruzada. A costa de Gabriel de León. 1677. 30 hs. + 502 págs. + 10 hs. + 1 lám. 29,5 cm.

MADRID. Academia de la Historia. 5-4-5-1.484. Nacional. 7-78.322.—SEVILLA. Colombina. 18-8-20. Universitaria. 116-148.

2132

———. Madrid. Bernardo de Villa-Diego. 1678. Prels. + 436 págs. 4.º

SANTIAGO DE COMPOSTELA. Universitaria.

2133

———. Zaragoza. Pasqual Bueno. 1692. 25 hs. + 451 págs. 21 cm.

Jiménez Catalán, Tip. zaragozana del siglo XVII, n.º 1.174.
GERONA. Pública. A-5.538.—MADRID. Nacional. 3-36.364. Particular de «Archivo Ibero-Americano». (Falto de portada).—PAMPLONA. General de la Diputación Foral. 109-1-3/77. — PARIS. Nationale. H.4296.—ZARAGOZA. Seminario de San Carlos. 48-5-26.

2134

———. Madrid. Imp. de la Causa de la Ven. M. María de Jesús de Agreda. 1741. 16 hs. + 458 págs. + 9 hs. 21 cm.

MADRID. Nacional. 2-69.111. Particular de «Archivo Ibero-Americano».—PAMPLONA. General de la Diputación Foral. 109-3-1/103.

2135

———. Madrid. Imp. de R. Labajos. 1867. 2 hs. + 239 págs. 4.º

MADRID. Particular de «Archivo Ibero-Americano».

2136

———. Madrid. 1967. 239 págs. 4.º

Ed. de Agustín Fernández Peña.

Primacía del Doctor Subtil

2137

PRIMACIA del Doctor Svbtil, y V. P. Fr. Ioan Dvnsio Escoto en la declaracion, y defensa Escolastica de el

Misterio de la Inmaculada Concepcion de la Madre de Dios. Tratado apologetico. Contiene la historia de la Sentencia pia desde el tiempo de la Iglesia Primitiua asta el de el mismo Subtil Doctor Escoto. Zaragoza. Ioan de Ibar. 1668. 8 hs. + 261 págs. + 9 hs. 21,5 cm.

—Ded. a Fr. Alonso Salizanes, General de la Orden de San Francisco.—Apr. de Fr. Ioan Valero Pallas.—L. O.—Apr. de Vicente Antonio Ibáñez de Aoyz.—Apr. de Domingo Redorad.—Al letor.—Texto. — Indice de las cosas más notables.—E.

MADRID. *Nacional.* 3-63.486.—PAMPLONA. *General de la Diputación Foral.* 109-1-2/64.

2138

——. Madrid. 1677.

V. n.º 2130.

Escritos sobre la M. María de Jesús de Agreda

2139

[*A los doctos que leyeren esta Historia. Prólogo galeato.—Relación de la vida...—Notas...*]. (En María de Jesús de Agreda, Sor. *Mystica Ciudad de Dios...* Tomo I. Madrid. 1670.)

MADRID. *Nacional.* 3-52.739.

2140

RELACION de la vida de la Venerable Madre María de Jesús de Agreda... Valencia. Juan de Baeza. 1695.

2141

NOTAS a las tres partes de la Mystica Civdad de Dios. Madrid. Blas de Villa-Nueva. 1712. 791 págs. 16 cm.

MADRID. *Nacional.* 2-38.119.

2142

PROLOGO galeato. Relación de la vida de la V. Madre Sor María de Jesus... y Notas a las tres partes de la Mystica Ciudad de Dios. Madrid. Blas de Villanueva. 1718.

2143

PROLOGO galeato, Relacion de la vida de la V. Madre Sor María de Iesvs, abadesa, que fue, de el convento de la Inmaculada Concepcion de la villa de Agreda, de la provincia de Burgos, y Notas a las tres partes de la Mystica Ciudad de Dios. Madrid. Imp. de la Causa de la V. Madre. 1721. 1 h. + 676 págs. a 2 cols. 21 cm.

MADRID. *Nacional.* 3-10.637.

2144

RELACION de la vida de la Venerable Madre María de Jesús... Madrid. Imp. de la Causa de la Venerable Madre. 1727. 458 págs. 16 cm.

MADRID. *Consejo. Instituto «J. Zurita».* 21-2.136.

2145

RELACION de la vida de la Venerable Madre Sor María de Jesús, abadesa, que fue, de el Convento de la Purissima Concepcion de la Villa de Agreda. Madrid. Imp. de la Causa de la Venerable Madre. 1750. 458 págs. 14,5 cm.

MADRID. *Nacional.* 3-13.411.

———

Todos estos escritos se publicaron numerosas veces, ya en las *Obras* de la autora, ya aparte y reunidos o sueltos.

Carta pastoral

2146

[*Carta pastoral*]. [s. l. - s. i.]. [s. a.]. 10 fols. 19,5 cm.

Carece de portada. Comienza: «Don Fray Ioseph Ximenez Samaniego, por la gracia de Dios, y de la Santa Sede Apostolica, Obispo de Plasencia, del Consejo de su Magestad &c. = A todos los fieles desta Diocesi, cometidos por la Divina providencia a nuestra Pastoral solicitud. = Lastimado nuestro corazon de ver la necessidad del sustento corporal, que en todos los pueblos de este nuestro Obispado se padece...». Fechada en Trujillo, a 18 de mayo de 1686.

MADRID. *Nacional.* V.E.-49-154. (Con fecha y firma autógrafas).

Sermón
2147
SERMON de la Inmaculada... Sevilla. 1619.
GERONA. *Pública.* A-4.455.

Sínodo
2148
SYNODO Diocesana del Obispado de Plasencia, celebrada por... Don Fr. Joseph Ximenez Samaniego, Obispo de Plasencia... en... los dias XI, XII, XIII, XIV y XV del mes de Mayo del año de M.DC.LXXXVII. Madrid. Melchor Alvarez. 1692. 464 págs. Fol.
SANTIAGO DE COMPOSTELA. *Universitaria.*

Decreto
2149
[DECRETO. Madrid, 26 de abril de 1677]. [s. l. - s. i.]. [s. a.]. 2 hs. Fol.
—Texto. Comienza: «Nos Fr. Ioseph Ximenez Samaniego, Ministro General de toda la Orden de N. P. S. Francisco, y Fr. Iuan Luengo, Comissario General de las Indias...». — Sobre establecimiento de la alternativa para los oficios entre criollos y españoles.
Medina, *Biblioteca hispano-americana,* III, n.º 1.637.

Aprobaciones
2150
[APROBACION de ——, y Fr. Francisco Ameyugo. Burgos, 12 de abril 1661]. (En Jerónimo de la Ascensión, Sor. *Exercicios espirituales.* Zaragoza. 1661. Prels.)
MADRID. *Nacional.* 2-1.563.

2151
[APROBACION. Madrid, 1 de septiembre de 1669]. (En Llamazares, Tomás de. *Apophthegmas en romanze.* León de Francia. 1670. Prels.)
MADRID. *Nacional.* 2-68.373.

OBRAS LATINAS
2152
STATUTORUM generalium compilatio pro familia cismontana regularis observantiae... Sancti Francisci... Madrid. J. Rodríguez. 1704. 3 partes en 1 vol. 4.º
PAMPLONA. *General de la Diputación Foral.* 109-13-2/51.—PARIS. *Nationale.* H.5926.

TRADUCCIONES
a) Francesas
2153
Vie de la V. M. Marie de Jésus... Traduite... par le R. P. Croset... Corrigeé, précédeé d'une introduction et suivie d'un appendice sur la «cité mystique...» [pan Rousseau de Lagarde]. París. Vve. Poussielgue - Rusand. 1857. 444 págs. 8.º
PARIS. *Nationale.* 8.ºOo.183.

— — —
—París. Vve. Poussielgue - Rusand. 1862. 300 págs. 8.º
Sin el apéndice.
PARIS. *Nationale.* 8.ºOo.183.A.

b) Italianas
2154
Prologo galeato, o sia Discorso preliminare fatto al dotto lettore... per la «Mistica Città di Dio» scritta dalla V. M. Suor Maria de Giesù... con la relazione della vita della stessa scrittora. Tradotto tutto dallo spagnuolo nell'italiano. Trento. G. Parone. 1712. 2 partes en 1 vol. 4.º
PARIS. *Nationale.* D.9708.

2155
VITA della Ven. Madre Suor Maria di Gesù Abbadessa del Monastero dell'Immacolata Concezione della villa d'Agrida... Tradotta dallo Spagnuolo nell' Italiano. Trento. Giovanni Parone.. 1713. 16 + 304 págs. 24 cm.
GENOVA. *Universitaria.* 2.D.V bis. 23 bis.

2156

——. Anversa. E. Lum-Levich. 1717. 8 + 304 págs. 23 cm.

GENOVA. *Universitaria.* 2.K.V.41.

ESTUDIOS

2157

AÑIBARRO, VICTOR. *El P. José Ximénez Samaniego, ministro general, OFM, y obispo de Plasencia.* (En *Archivo Ibero-Americano,* III, Madrid, 1943, págs. 5-49, 145-98, 289-327; IV, 1944, págs. 86-108, 238-80, 353-437).

2158

——. *El P. Ximénez Samaniego y los orígenes de la observancia en España.* (En *ídem,* VIII, 1948, págs. 441-478).

2159

REP: N. Antonio, I, pág. 823.

JIMENEZ SANTIAGO (FRANCISCO)

N. en Ecija. Doctor. Presbítero.

EDICIONES

2160

SERMON *de la Inmaculada Concepcion de la Virgen Maria nuestra Señora. Predicado por... Francisco Ximenez de Santiago, natural de Ecija, en una insigne fiesta votiva que en la iglesia parrochial de Santa Maria de la misma ciudad, se hizo Domingo 21 de Julio de 619 a este Misterio.* Sevilla. Francisco de Lyra. 1619. 12 fols. 20,5 cm.

—Apr. de Juan de Estrada.—Ded. al Licdo. Gonzalo de Campo, Arcediano de Niebla, etc.—Al Lector.—Texto.

SEVILLA. *Universitaria.* 113-62 (25).

2161

DESAGRAVIOS *a la Virginidad en el parto de Maria Santissima. Viveça de devocion a Christo Señor nuestro, y a su chatolica Lei. Opuestos a los Carteles, y Libelos que el Hebreo* puso en Granada, antigua falta de su nacion, erencia legitima de su sangre. Celebrados en el Religiosissimo Convento de frailes menores de S. Francisco de los Capuchinos, renouación de antiguos festines en medio del Hebraismo desta sagrada familia, en el insigne Ternario, que celebró en esta Ciudad Domingo 17 de junio. Ecija. Luis Estupiñan. 1640. 2 hs. + 8 fols. 20 cm.

—L. y Apr. del V.—Ded. a L. Luis de Aguilar Ponce de León, caballero de Calatrava, etc.—Texto.

GRANADA. *Universitaria.* A-31-218 (8).

2162

VICTORIAS, *y trivmphos contra Portvgal por Castilla mediante Christo sacramentado. De el tirano revelion, y sedicioso alçamiento, de la alevosia portvgvesa al fin del año de 40 y sv pertinaz reveldia. Alcançados por el Rey mas soberano del orbe, monarcha singvlar de dos mvndos, emperador de America Philipe IIII el Grande. Profetizados por vno, y otro profeta, David Ps. 19 Abdias en toda su Profecia. Comentalos...——.* Ecija. Luis Estupiñan. 1642. 2 hs. + 22 fols. 20,5 cm.

—Apr. y L. de Francisco Nuñez Navarro.— Ded. al Conde Duque.—Texto.—Colofón.

MADRID. *Nacional.* R-Varios, 66-96.—SEVILLA. *Universitaria.* 111-30 (21).

JIMENEZ SAVARIEGO (JUAN)

Doctor. Protomédico de las galeras de España. Médico de Cámara del Adelantado Mayor de Castilla.

EDICIONES

2163

TRATADO *de Peste, donde se contienen las causas, preseruación, y cura; con algunas questiones curiosas al proposito.* Antequera. Claudio Bolan. 1602. [Colofón: 1601]. 4 hs. + 172 fols. + 12 hs. 18,5 cm.

—S. Pr.—T.—Ded. a D. Martín de Padilla, Adelantado mayor de Castilla, etc. — Al benigno Letor.—Texto.—Tabla.

GRANADA. *Universitaria.* A-1-209; A-30-229. — MADRID. *Nacional.* R-12.328.—SEVILLA. *Universitaria.* 142-5.

ESTUDIOS
2164
REP: N. Antonio, I, pág. 798.

JIMENEZ SEDEÑO (FRANCISCO)
N. en Sevilla.

CODICES
2165
«*La Aurora del Sol divino*».

Letra del s. XVII. 49 hs. 4.° Perteneció a la biblioteca ducal de Osuna. Firma y rúbrica del autor al final de la primera y segunda jornadas. Con licencias de Málaga, 1637, y de Madrid, 1640 (?), «que parece de mano de Tirso de Molina, y con su rúbrica» (Paz, I, n.° 302).

«—A quien no admira Liseño...».

MADRID. *Nacional.* Mss. 16.621.

EDICIONES
2166
Comedia famosa. La Aurora del Sol divino. [s. l. - s. i.]. [1742]. 16 hs.

N.° 27.

Al fin: «Hallaràse... en Madrid, en la Imprenta de Antonio Sanz».

«—A quien no admira, Liseno...».

MADRID. *Nacional.* T-197 ; T-14.788 (20).—OVIEDO. *Universitaria.* P-18-5.

2167
La aurora del sol divino. Comedia famosa de Francisco Ximenez Sedeño. [Salamanca. Imp. de la Sancta Cruz]. [s. a.]. 32 págs. 22 cm.

N.° 115.

COLUMBUS. *Ohio State University.*—MADRID. *Academia Española.*—*Nacional.* T-14.786.

2168
La aurora del sol divino. Sevilla. J. Navarro y Armijo. [s. a.]. 31 págs. a 2 cols. 4.°

PARIS. *Nationale.* 8.° Yg.Pièce.374.

2169
La aurora del sol divino. [s. l. - s. i.]. [s. a.]. Sin fol., sign. A-D, a 2 cols. 4.° N.° 4.

PARIS. *Nationale.* Yg.352 (II); etc.

2170
La aurora del sol divino. Comedia famosa. [s. l. - s. i.]. [s. a.]. 16 hs. a 2 cols. 21 cm.

N.° 6.

«—A quien no admira Liseno...».

MADRID. *Nacional.* T-5.575. — PARIS. *Arsenal.* 4079.

2171
CANCION real, al meliflvo Doctor San Bernardo. Pintase la aspereza del sitio donde fundó su Religion. Sevilla. Iuan Gomez de Blas. 1661. 4 hs. orladas. 8.°

Gallardo, III, n.° 2.598; Jerez, pág. 81.

NUEVA YORK. *Hispanic Society.*

Poesías sueltas
2172
[*SONETO*]. (En Grande Tena, Pedro. *Lágrimas panegíricas a la temprana muerte del... Dr. Iuan Pérez de Montalbán...* Madrid. 1639, fol. 45*v*).

2173
[*SONETO*]. (En Martí y Sorribas, Francisco. *Oración panegírica a las sumptuosas honras... a... el Sancto Rey Don Fernando...* Sevilla. 1651. Prels.)

GRANADA. *Universitaria.* A-31-204 (13).

2174
[*POESIAS*]. (En Torre Farfán, Fernando de la. *Templo panegírico...* Sevilla. 1663).

1. *Soneto.* (Fol. 111*r*).
2. *Romance.* (Fols. 172*v*-174*r*).
3. *Sextillas.* (Fols. 237*r*-238*r*).

MADRID. *Nacional.* R-31.019.

ESTUDIOS
2175

REP: La Barrera, pág. 199; Méndez Bejarano, I, n.º 1.315.

JIMENEZ DE TORRES
(JACINTO)

N. en Sevilla. Médico de la Inquisición de Sevilla.

EDICIONES
2176

MEDICA resolvcion, en qve se prveba ser el Otoño, tiempo conueniente para dar las Vnciones a los Enfermos Galicos. Sevilla. [s. i.]. 1646. 3 hs. + 11 fols. + 1 h. 19 cm.

—Lámina con el escudo del Cardenal.—Ded. al cardenal D. Augustin Spinola, Arçobispo de Sevilla, etc.—Apr. del Dr. Luis Perez Ramirez.—Apr. del Dr. Diego de Valverde Horozco.—Apr. del Dr. Iuan de Aranda.—Apr. del Dr. Augustín de la Fuente.—Texto, con el título de «Respuesta a una duda, que propuso el Dr. Francisco Caro de Hojeda...».—Epigrama latino del Licdo. Iuan Cantarero.—Otro de Ildefonso García.

CORDOBA. *Pública.* 3-89.—GRANADA. *Universitaria.* A-31-264 (13).

ESTUDIOS
2177

REP: Méndez Bejarano, I, n.º 1.295.

JIMENEZ DE URREA
(FRANCISCO)

N. en Epila (1589). Capellán real. Cronista del Reino de Aragón. M. en 1646.

CODICES
2178

«*Manual de antigüedades de Aragon año 1642*».

Letra del s. XVII (1642). III fols. + 162 págs. 210 × 145 mm.

Inventario, V, pág. 6.

MADRID. *Nacional.* Mss. 1.605.

2179

[*Correspondencia con varios eruditos españoles*].

Letra del s. XVII. 65 fols. 325 × 220 mm.

MADRID. *Nacional.* Mss. 8.389 (fols. 536-98).

2180

«*Papeles*».

Letra del s. XVI.

Arco y Garay, n.º 75.

ZARAGOZA. *Seminario de San Carlos.* B-5-4-9.514.

2181

«*De Comitibus Regni Aragoniae*».

Arco y Garay, n.º 223.

MADRID. *Nacional.* Mss. 1605.

2182

«*Tratado de los condes de Aragón que precedieron a sus reyes y vivieron en tiempo de los de Sobrarbe*».

Con notas de Gaspar Galcerán de Castro, conde de Guimerá.

Arco y Garay, n.º 224.

MADRID. *Nacional.* Mss. 707.

2183

«*Colección y apuntamientos de varios privilegios e instrumentos pertenecientes a la historia eclesiástica y civil de Aragón*».

Copia de Andrés de Uztarroz. Materiales para seguir los *Anales de Aragón.*

Arco y Garay, n.º 671.

MADRID. *Nacional.* Mss. 746.

2184

«*Fuero de Sobrarbe, con un discurso de ——*».

Arco y Garay, n.º 1.040.

MADRID. *Nacional.* Mss. 707.

2185

[*Dos Memoriales a los diputados del Reino de Aragón, para que se le entreguen los libros y papeles necesarios para ejercer su oficio*].

Autógrafos. Fol.

Fechado en Zaragoza, a 7 de septiembre de 1639 el primero y sin data el segundo. MADRID. *Academia de la Historia.* 9-548 (fols. 222 y 226-27).

2186

[*DISCURSO III*]. (En Lastanosa, Vincencio Juan de. *Museo de las medallas desconocidas españolas*. Huesca. 1645. Prels.)

MADRID. *Nacional*. R-5.327.—SANTIAGO DE COMPOSTELA. *Universitaria*.

Aprobaciones
2187

[*APROBACION, 7 de enero de 1637*]. (En Dicastillo, Miguel de. *Aula de Dios, Cartuxa Real de Zaragoza...*, por Miguel de Mencos [seud.]. Zaragoza. 1637. Prels.)

MADRID. *Nacional*. 3-70.201.

2188

[*APROBACION. Zaragoza, 11 de marzo de 1637*]. (En López, Luis. *Tablas chronologicas uniuersales de España*. Zaragoza. 1637. Prels.)

MADRID. *Nacional*. R-8.724.

2189

[*APROBACION. Zaragoza, 16 de abril de 1638*]. (En Andrés de Uztarroz, Juan Francisco. *Defensa de la patria de... S. Laurencio*. Zaragoza. 1638. Prels.

MADRID. *Nacional*. 2-69.641.

2190

ACTO de nominacion de Coronista del Reyno de Aragon, hecha por los Illustríssimos señores Diputados de dicho Reyno, en fauor del Noble Don Francisco Ximenez de Vrrea, Capellan del Rey nuestro Señor. [s. l.- s. i.]. [s. a.]. 2 hs. con el escudo del personaje. Fol.

¿De Zaragoza, 1638?

MADRID. *Academia de la Historia*. 9-548 (fols. 220r-221v).

2191

ANDRES DE UZTARROZ, JUAN

FRANCISCO. [*Elogio*]. (En sus *Elogios de los Chronistas de Aragón*. Tomo II).

Autógrafo.

MADRID. *Academia de la Historia*. 9-547.

2192

ARBOL de la decendencia Paterna, y Materna del Noble Don Francisco Ximenez de Vrrea, Capellan de su Magestad, y Coronista del Reyno de Aragon. [s. l.- s. i.]. [s. a.]. Una hoja. Fol.

MADRID. *Academia de la Historia*. 9-548 (fol. 212).

2193

[*Documentos relativos a Francisco Ximenez de Urrea*].

Mss. de la época.

MADRID. *Academia de la Historia*. 9-548 (fols. 214, 217, 223-25, 228-30).

2194

«*Relación de los servicios de Francisco Ximenez de Urrea, cronista del reino de Aragon*».

Letra del s. XVII. Una hoja. Fol.

MADRID. *Academia de la Historia*. 9-548 (fol. 215).

2195

REP: Latassa, 2.ª ed., III, págs. 389-90.

**JIMENEZ DE URREA
(JERONIMO)**

N. en Epila.

CODICES

2196

«*Dialogo de la uerdadera honra Militar...*».

Letra del s. XVI. 141 fols. 310 × 215 mm. Copia de la ed. de Venecia, 1566. *Inventario*, VIII, pág. 330.

MADRID. *Nacional*. Mss. 2.765.

2197

«*El vitorioso Carlos quinto, compuesto por don Geronimo de Urrea*».

Letra del s. XVI. 185 × 140 mm. Censuras

autógrafas de Alonso de Ercilla y Zúñiga y Fr. Francisco Mansilla.
Inventario, IV, pág. 347.
MADRID. *Nacional.* Mss. 1.469 (fols. 1r-170v).

2198

«*Arcadia de Sanazaro, traducida por Don Hieronymo de Urrea en lengua castellana*».
Idem, 80 fols.
MADRID. *Nacional.* Mss. 1.469.

2199

[*Segunda y tercera parte de D. Clarisel de las Flores*].
Letra del s. XVI. 2 vols. (Falta el correspondiente a la Primera parte). 315 × 240 mm.
ZARAGOZA. *Universitaria.* Mss. 144.

2200

[*Primera parte del libro del invencible caballero don Clarisel de las Flores y de Austrasia*].
Letra del s. XVI. 342 fols. 331 × 231 mm.
Jones, I, n.º 153.
ROMA. *Vaticana.* Barb. lat. 3610.

EDICIONES

Diálogo de la verdadera honra militar

2201

DIALOGO de la verdadera honra militar, qve tracta como se ha de conformar la honrra con la conscientia. [Ioan Grifo]. 1566. 3 hs. + 122 fols. + 9 hs. 19,5 cm.
Dice «Geronymo de Urrea».
—Ded. a D. Perafan de Ribera, Duque de Alcala, etc.—A la Infantería Española.— Epistola de Alonso de Ulloa al autor.— Tabla de las cosas mas notables.—Registro.—Colofón.
Gallardo, IV, n.º 4.114.
LONDRES *British Museum.* 8408.bbb.37.—MADRID. *Academia de la Historia.* 2-1-5-226.— *Nacional.* R-4.570. — NUEVA YORK. *Hispanic Society.*—VIENA. *Nacional.* 72.S.102.

2202

DIALOGO de la verdadera honrra

militar, que trata, como se ha de conformar la honra con la conciencia. Madrid. Francisco Sánchez. A costa de Francisco Lopez el moço. 1575. 8 hs. + 216 fols. + 14 hs. 15 cm.
—Pr. a favor de Martín de Bolea y Castro, sobrino del autor, ya fallecido.—Ded. al Rey D. Felipe.—A la Infantería española, don Hieronimo de Urrea.—E.—T.
MADRID. *Nacional.* R-7.472.—NUEVA YORK. *Hispanic Society.*—SEVILLA. *Universitaria.* 87-3.

2203

DIALOGO de la verdadera honra militar, qve trata como se ha de conformar la honra con la conciencia. Añadido, i enmendado en esta quarta impression. Zaragoza. Diego Dormer. A costa de Iusepe Ginobart. 1642. 10 hs. + 122 fols. + 9 hs. 20 cm.
—L.—Censura de Fr. Pedro Manero.—Ded. a D. Antonio Ximenez de Urrea i Enriquez, Marques de Almonazir, etc.—A la Infantería Española.—Slogio a la memoria ilustre de D. Geronimo Ximenez de Urrea. Escrivelo el Dr. Iuan Francisco Andrés. (Precedido de un escudo).—Texto.—Fol. 122v: Al muy ilustre Señor Don Geronimo de Urrea , Alonso de Ulloa.
MADRID. *Academia de la Historia.* 1-6-8-3.413. *Nacional.* R-18.990. — NUEVA YORK. *Hispanic Society.*—SANTANDER. «*Menéndez y Pelayo*». R-I-A-31.—SANTIAGO DE COMPOSTELA. *Universitaria.*

2204

———. Zaragoza. Juan de Ybar. 1661.
NUEVA YORK. *Hispanic Society.*

«Orlando furioso» (Trad.)

2205

ORLANDO fvrioso... tradvzido en Romance Castellano por don Ieronymo de Vrrea. [Amberes. Martin Nucio]. [1549, 25 de agosto]. 260 fols. + 2 hs. 21,5 cm.
—Ded. al Principe D. Philipe, cuyo escudo va en la portada.—Soneto de Iuan Aguilon. [«Levanta tu cabeça sacro Ybero...»]. Aviso del autor al lector.—Carta de los

impresores al letor.—Texto. [«Damas, armas, amor y empresas canto...»].—Soneto de Serafin Centellas. [«Si a Homero la Odissea tan nombrada...»]. — Escudo del impresor.—Colofón.—Tabla de las cosas mas notables.—Castigaciones de faltas que los officiales en la impression causaron.

Peeters-Fontainas, I, n.º 56.

CAMBRIDGE, Mass. *Harvard University.*—EUGENE. *University of Oregon.*—LONDRES. *British Museum.* C.62.c.15; G.11080. — MADRID. *Nacional.* R-8.106.—NUEVA YORK. *Hispanic Society.*—SANTIAGO DE COMPOSTELA. *Universitaria.*

2206

ORLANDO fvrioso... traduzido en Romance Castellano, por don Ieronymo de Vrrea. Lyon. Mathias Bonhomme. 1550. 456 págs. + 2 hs. 25 cm.

LONDRES. *British Museum.* C.62.e.5; 83.g.10. MADRID. *Museo «Lázaro Galdiano».*—*Nacional.* R-13.155 (ex libris de Gayangos).—NUEVA YORK. *Hispanic Society.*

2207

————. An se añadido breues moralidades arto necessarias a la declaration de los cantos, y la tabla es muy mas aumentada. Lyon. Gulielmo Roville. [Colofón: Mathias Bonhome]. 1550. 436 págs. con ilustr. 25 cm.

CAMBRIDGE, Mass. *Harvard University.*—CHICAGO. *University of Chicago.*—ITHACA. *Cornell University.* — MADRID. *Palacio Real.* — NUEVA YORK. *Hispanic Society.* — OBERLIN. *Oberlia College.*

2208

————. *Edición de Alonso de Ulloa.* Venecia. Gabriel Giolito de Ferrariis y sus hermanos. 1553. 4 hs. + 530 págs. + 41 hs. 22 cm.

Al fin del Texto, portada de la *Exposición de todos los lugares dificultosos que en el presente libro se hallan*, por Ludovico Dolce, traducido por A. de Ulloa, que sigue.

CAMBRIDGE, Mass. *Harvard University.*—LONDRES. *British Museum.* 1073.g.18.—LYON. *Municipale.* 318.643.—MADRID. *Nacional.* R-3.471; R-25.856.—NUEVA YORK. *Hispanic Society y*

Public Library.—URBANA. *University of Illinois.*

2209

————. Amberes. Martin Nucio. 1554. 260 fols. 4.º

Peeters-Fontainas, I, n.º 68.

NUEVA YORK. *Hispanic Society.*

2210

ORLANDO fvrioso de M. Lvdovico Ariosto, tradvzido en Romance castel. por el S. Don Hieronimo de Vrrea... Lyon. Gvlielmo Roville. 1556. 4 hs. + 529 págs. + 41 hs. 4.º

Salvá, II, n.º 1.519.

Segunda parte:

Exposicion de todos los lvgares difficultosos qve en el presente libro se hallan. Con vna breve demonstracion de mvchas comparaciones y sentencias que el Ariosto ha imitado... Recogidas por... Ludovico Dulce, y nueuamente compiladas y traduzidas por... Alonso de Ulloa, con una exposición por él hecha, de algunos vocablos Castellanos en lengua Thoscana. León. Gulielmo Rovillio. [Colofón: Mathias Bonhamme]. 1556. 42 hs. sin fol. 4.º

BERKELEY. *University of California.* — CAMBRIDGE, Mass. *Harvard University.*—LONDRES. *British Museum.* 11426.e.8.—MADRID. *Nacional.* R-3.055; R-3.541.—NUEVA YORK. *Hispanic Society.* — PRINCETON. *Princeton University.* TOLEDO. *Pública.* 2-2.167.

2211

PRIMERA (La) parte de Orlando Furioso... traduzido en Romance Castellano por don Ieronimo de Vrrea. Corrregido segunda vez por el mismo. Amberes. Viuda de Martin Nucio. 1558. 260 fols. con un retrato de Urrea + 2 hs. 22 cm.

—Ded.—Soneto de Juan de Aguillon.—Grab. Carta al lector.—Texto.—Tabla.

Salvá, II, n.º 1.520 (reproduce el retrato de Urrea); Peeters-Fontainas, I, n.º 69.

LONDRES. *British Museum.* 1063.g.30 (1); etc. LYON. *Municipale.* 317.109. — MADRID. *Museo «Lázaro Galdiano».*—*Nacional.* R-11.714; R-10.832. *Palacio.*—NUEVA YORK. *Hispanic Society.*—ROMA. *Vaticana.* Stamp. Barb. KKK. VII.37.int.1.

2212

ORLANDO fvrioso de M. Lvdovico Ariosto, tradvzido en romance castellano por Don Hieronimo de Vrrea... Barcelona. Claude Bernat. 1564. 4 hs. + 15 fols. + 5 hs. 20 cm.

Salvá, II, n.º 1.521.

COLUMBIA. Ohio State University. — MADRD. Nacional. R-143; R-731.—NUEVA YORK. Hispanic Society.

2213

———. Medina del Campo. Francisco del Canto. 1572. 4 hs. + 215 fols. + 5 hs. 4.º

Salvá, II, n.º 1.522.

MADRID. Nacional. R-12.247.—NUEVA YORK. Hispanic Society.

2214

———. Anse añadido breves moralidades arto necessarias a la declaration de los cantos, y la tabla es mas aumentada. Venecia. Domingo Farris. 1575. 569 págs. 4.º

Salvá, II, n.º 1.523.

CAMBRIDGE, Mass. Harvard University.—CHICAGO. Newberry Library. — DURHAM. Duke Universtiy. — LONDRES. British Museum. — MADRID. Museo «Lázaro Galdiano».—Nacional. R-4.545. Palacio.—MONTPELLIER. Municipale. 10.183.—NUEVA YORK. Hispanic Society. SANTANDER. «Menéndez y Pelayo». R-V-9-21. SANTIAGO DE COMPOSTELA. Universitaria.

2215

———. Enmendado de muchos errores y cotejado con el original Toscano. Salamanca. Alonso de Terranoua y Neyla. 1578. [Colofón: 1577]. 4 hs. + 219 fols. + 5 hs. 4.º

Salvá, II, n.º 1.524.

MADRID. Nacional. R-130.—NUEVA YORK. Hispanic Society.—TOLEDO. Pública. 2-2.168.

2216

———. Madrid. 1581.

FILADELFIA. Union Library Catalogue of Pennsylvania.—University of Pennsylvania.

2217

———. Toledo. Pero Lopez de Haro. 1583. 4 hs. + 219 fols. + 5 hs. 4.º

Pérez Pastor, Toledo, n.º 359.

LONDRES. British Museum. 80.k.4. — MADRID. Nacional. R-26.757. — NUEVA YORK. Hispanic Society.

2218

———. Lleua esta impression la vida de Ludouio (sic) Ariosto, y cada Canto annotaciones en que se declaran los lugares dificultosos. Nueuamente traduzidas de la dicha lengua toscana. Con otras muchas curiosidades... Bilbao. Mathias Mares. 1583. 8 hs. + 302 fols. + 4 hs. 21,5 cm.

Salvá, II, n.º 1.525.

LONDRES. British Museum. 11327.d.12. — MADRID. Museo «Lázaro Galdiano».—Nacional. R-2.606. Palacio.—NUEVA YORK. Hispanic Society.—SANTIAGO DE COMPOSTELA. Universitaria. VIENA. Nacional. 35.P.19.

2219

———. Toledo. 1586.

N. Antonio.

«Discurso de la vida humana»
(Trad.)

2220

DISCVRSO de la vida humana, y aventvras del Cauallero determinado, traduzido de Frances por don Ieronymo de Vrrea. Amberes. Martin Nucio. 1555. Sin fol. 15,5 cm.

—S. Pr. por 5 años.—Soneto de Iuan Martin Cordero. [«Determinate tu, Determinado...»].—Prólogo al benigno Lector.— Argumento, y Genealogía.—Texto. [«En la postrer sazon del mes y año...»].

Salvá, II, n.º 1.630.

LONDRES. British Museum. 1072.e.23.—MADRID. Nacional. R-12.413 (ex libris de Gayangos); R-996.—NUEVA YORK. Hispanic Society.

2221

DISCVRSOS de la vida humana, y Aventvras del Cauallero determinado, traduzido de Frances por don

Ieronymo de Vrrea. Medina del Carpo. Guillermo de Millis. 1555. 88 fols. 14,5 × 9 cm.

—Fol. 1*v*: Soneto de Iuan Martin Cordero, en loor de la nueua traducion y traductor del Cauallero determinado. [«Determinate tu, Determinado...»]. — Fols. 2*r*-3*v*: Prologo al benigno Lector. — Texto. Genealogia. (Fols. 4*r*-20*v*).—*Poema.* [«En la postrer sazon del mes y año...»]. (Fols. 21*r*-86*v*). — Fols. 87*r*-88*v*: Exortacion al Lector hecha por Iuan Martín Cordero. [«Pues has Lector leydo lo presente...»]. Colofón.

MADRID. *Nacional.* R-760.

2222

———. Barcelona. 1566.

N. Antonio.

Don Clarisel de las Flores
2223

PRIMERA parte del libro del invencible caballero Don Clarisel de las Flores y de Austrasia. [*Edición de José María Asensio*]. Tirada de 300 ejemplares. Sevilla. Francisco Alvarez y Cía. 1879. XX + 350 págs. + 3 hs. 23 cm. (Sociedad de Bibliófilos Andaluces. Primera serie).

MADRID. *Academia de la Historia.* 1-4-4-1.932. SANTANDER. *«Menéndez y Pelayo».* 2.390 [el n.º 76].

ESTUDIOS
2224

BORAO, GERONIMO. *Noticia de D. Gerónimo Jiménez de Urrea, y de su novela caballeresca inédita D. Clarisel de las Flores.* Zaragoza. Calisto Ariño. 1866. 150 págs. + 1 h. + 1 h. pleg. 23,5 cm.

MADRID. *Nacional.* 1-15.322. (Ded. a Gayangos y con su ex libris).—SANTANDER. *«Menéndez y Pelayo».* 2.389.

2225

BARADO, FRANCISCO. *Gerónimo de Urrea.* (En su *Literatura militar española.* Barcelona. Gallach. 1890, págs. 318-25).

MADRID. *Nacional.* 1-106.780.

2226

CLAVERIA, CARLOS. *«Le Chevalier Délibéré» de Oliver de la Marche y sus versiones españolas del siglo XVI.* 1950.

—Cap. VIII: La versión de Jerónimo de Urrea.

2227

GENESTE, PIERRE. *Essai sur la vie et l'oeuvre de Jérónimo de Urrea.* Tesis: Université de Lille III. 2 vols. con 844 págs.

a) Chevalier, M., en *Bulletin Hispanique,* LXXIX, Burdeos, 1977, págs. 223-25.

2228

GENESTE, P. *Gabriel Chappuys, traducteur de Jérónimo de Urrea.* (En *Bulletin Hispanique,* LXIV bis, Burdeos, 1962, págs. 448-66).

2229

HATHAWAY, ROBERT L. *La Egloga de Calixto y Melibea de Ximénez de Urrea.* (En *Nueva Revista de Filología Hispánica,* XXVII, Méjico, 1978, págs. 314-30).

Elogios
2230

ZAPATA, LUIS. [*Elogio de Jerónimo de Urrea*]. (En su *Carlo famoso.* Valencia. 1566, fol. 204*r*).

MADRID. *Nacional.* R-17.542.

2231

ANDRES DE UZTARROZ, JUAN FRANCISCO. [*Elogio*]. (En *Aganipe de los cisnes aragoneses.* Zaragoza. 1890, pág. 123).

MADRID. *Consejo. Patronato «Menéndez Pelayo».* 8-2.

2232

REP: N. Antonio, I, págs. 608-9.

JIMENEZ DE URREA (PEDRO MANUEL)

CODICES
2233

«Cancionero de las Obras de Pedro Manuel de Urrea».

Letra de comienzos del XIX. 309 fols. Copia de la ed. impresa de Logroño, 1513. MADRID. *Nacional*. Mss. 3.763.

EDICIONES

2234

CANCIONERO. [Logroño. A costas y expensas de Arnao Guillen de Brocar]. [1513, 7 de julio]. 2 hs. + 49 fols. + 1 h. 29 cm. gót.

—Tabla.—Prólogo. A la egregia y muy magnifica señora Doña Cathalina de Yxar de Urrea, condesa de Aranda.—Epistola.— Texto.—Colofón.

Norton, n.º 420.

LONDRES. *British Museum*. G.11358 (ex libris de R. H. T. Grenville).—MADRID. *Museo «Lázaro Galdiano».—Palacio Real.*—NUEVA YORK. *Hispanic Society*. (Imperfecto).

2235

CANCIONERO de todas las obras, añadido. [Toledo. Iuan de Villaquiran]. [1516, 9 de agosto]. 106 hs. Fol.

Norton, n.º 1.122.

LISBOA. *Nacional*. Res. 254 A.

2236

CANCIONERO... [*Edición y prólogo de Martín Villar*]. Zaragoza. Diputación Provincial. [Imp. del Hospicio Provincial]. 1878. XXXII + 492 págs. 20 cm. (Biblioteca de escritores aragoneses. Sección literaria, 2).

MADRID. *Nacional*. 4-23.084.—PAMPLONA. *General de la Diputación Foral*. 6-2/233.

2237

VILLANCICOS from the Cancionero of ——. *Edición de Robert L. Mathaway*. Exeter. University of Exeter. 1976. XIII + 85 págs. 21 cm.

a) Cummins, J. G., en *Bulletin of Hispanic Studies*, LV, Liverpool, 1978, págs. 263-264.

MADRID. *Nacional*. V-12.680-7.

2238

PEREGRINACION de Jerusalem, Roma y Santiago. Burgos. 1513.

Registrum de la Colombina, n.º 4.074; Gallardo, III, cols. 548-49.

2239

PENITENCIA de amor compuesta por don pedro manuel de vrrea. [Burgos. Fadrique aleman de Basclea, a su costa]. [1514, 9 de junio]. 38 hs. 4.º

Norton, n.º 271.

PARIS. *Nationale*. Rés. Y.²856.

2240

PENITENCIA de Amor. Edición de R. Foulché-Delbosc. Barcelona. L'Avenç. 1902. (Bibliotheca Hispánica, 10).

No incluye los cinco poemas que figuran al fin de la obra, los cuales publicó Foulché en su artículo del mismo año.

MADRID. *Nacional*. R-22.767.

2241

GLOSA en coplas super el Credo.

Abecedarium de la Colombina, n.º 12.536.

2242

EGLOGAS dramáticas. Edición de Eugenio Asensio. Tirada de 250 ejemplares numerados. Madrid. Joyas Bibliográficas. 1950.

MADRID. *Nacional*. R-33.844; etc.

ESTUDIOS

2243

FOULCHÉ-DELBOSC, R. «La Penitencia de Amor» de Pedro Manuel de Urrea. (En *Revue Hispanique*, IX, Nueva York-París, 1902, págs. 200-215).

2244

BOASE, ROGER. *Poetic theory in the dedicatory epistles of Pedro Manuel Ximénez de Urrea (1486-c. 1530)*. (En *Bulletin of Hispanic Studies*, LIV, Liverpool, 1977, págs. 101-6).

2245

——. *Pedro Manuel Ximénez de*

Urrea (1486-c. 1530): a late Medieval Troubadour. (En *The Troubadour revival...* Londres. 1978. Appendix 3, págs. 165-81).

JIMENEZ VANEGAS (JACINTO)

EDICIONES

2246

[*AL Autor. Soneto*]. (En Soto de Rojas, Pedro. *Los rayos del Faeton.* Barcelona. 1639. Prels.)

MADRID. *Nacional.* R-2.334.

JIMENEZ VARGAS (BARTOLOME)

EDICIONES

2247

MEMORIAL que... dio al Reyno junto en Cortes en 21 de Abril 1655, en que dize lo que se le ofrece acerca del medio universal que su Magestad le propuso en 7 del mismo mes, buscase para subrogar en el lo que pagan estos Reynos, de manera que se rinda lo mesmo que oy contribuyen, y que con igual proporción grave a los que tienen caudal, y no cayga sobre el pobre mendigo, sobre el jornalero, oficial, y otras personas, que solo se sustentan del trabajo personal, y que en este se subroguen las contribuciones que oy se executan, como mas latamente parece de dicha profesión. [s. l. - s. i.]. [s. a.]. 3 hs. 31 cm.

—Texto.

MADRID. *Nacional.* R-Varios, 214-86.

JIMENEZ VILCHES (ALONSO)

Bachiller.

CODICES

2248

«*Libro medicinal en el qual se contienen muchos remedios locales y esperiencias con autoridad de diver-*sos autores. Començose año de 1554 por... Alonso Ximenez Bilches...».

Letra del s. XVI. XIX + 305 fols. 192 × 138 mm.

Inventario, VI, pág. 223.

MADRID. *Nacional.* Mss. 2.328.

JIMENO (FR. JUAN)

N. en Peñas de San Pedro. Franciscano descalzo. Lector de Teología. Guardián del convento de San Juan de la Ribera de Valencia. Provincial (1629). Calificador de la Inquisición.

EDICIONES

2249

EXAMEN de los casos ocvrrentes en el articulo de la mverte. Donde son instruidos los Sacerdotes, y Confessores, que confiessan a los penitentes constituidos en este articulo, para como se han de aver en tales casos; y se resuelven las dificultades, que alli se pueden ofrecer. Compuesto y recopilado por ——... Valencia. Juan Bautista Marçal. A costa de Nadal Pincinati. 1636. 92 págs. + 10 hs. 14 cm.

—Apr. de Juan de Osta.—Apr. de Fr. Joseph Ferrer.—L. O.—Proemio. — Texto.— Indice de las cosas notables.

MADRID. *Academia de la Historia.* 9-17-2-3.471.

Aprobaciones

2250

[*APROBACION. Orihuela, 20 de febrero de 1621*]. (En Planes, Jerónimo. *Tratado del examen de las revelaciones verdaderas, y falsas, y de los raptos.* Valencia. 1634. Prels.)

MADRID. *Nacional.* U-8.446.

ESTUDIOS

2251

REP: N. Antonio, I, pág. 798; Tejera, I, págs. 291-92.

JIMENO (FR. PABLO)

EDICIONES

2252

CEREMONIAS de la Missa y del Ofi-

cio Divino, y de otros actos solemnes, conforme al Missal, y Breviario
recognitos por la Santidad de Urbano VIII y al Ceremonial y Ritual Romanos, mandados diuulgar por las
Santidades de Clemente VIII y Paulo V PP. MM. Ajustado especialmente al uniforme uso, y loables costumbres de la S. Prouincia de S. Iuan
Bautista, de los Frayles Menores Descalços de N. Seraphico P. S. Francisco... Valencia. Viuda de Jusepe
Gasch. 1650. 12 hs. + 346 págs. 20,5
cm.

—Apr. de Fr. Francisco Vazquez, Fr. Pedro
Cutillas, Fr. Juan Chrisostomo Quintero
y Fr. Alonso Requena.—Censura de Fr.
Francisco de Emper y Fr. Luis de Be-
nauente.—L. O.—Apr. de Vicente Curbó.
L. V.—A los Religiosos de la Provincia
de San Iuan Bautista.—Prólogo.—Dedicatoria a la Stma. Trinidad.—Tabla.—Texto.
SEVILLA. Universitaria. 79-113.

JIMENO Y MATEO (MIGUEL)

Licenciado.

EDICIONES

2253

[POESIAS]. (En Amada y Torregrosa, José Félix de. Palestra numerosa
austríaca... Huesca. 1650).

1. Soneto. (Fol. 29v).
2. Glosa. (Fol. 52v).
3. Liras. (Fol. 69v).
MADRID. Nacional. 2-66.981.

JODAR (ANDRES DE)

Licenciado. Predicador y capellán de los
Reyes de Bohemia.

EDICIONES

2254

[APROBACION del Licdo. Andres de
Xodar. Valladolid, 17 de julio de
1551]. (En Arias Castillo, Juan. Tratado que se llama Doctrinal de confessores en casos de restitución. Alcalá. 1552. Prels.)

MADRID. Nacional. R-22.149.

JODAR (FR. JUAN DE)

Franciscano. Licenciado en Teología. Predicador. Morador en el monasterio de
Nuestra Señora del Valle de Sevilla. Comisario general de su Orden en los reinos
de Portugal.

EDICIONES

2255

OBRA deuotissima intitulada de Sep-
tez Verbis domini, por... Fr. Iuan de
Xodar. [Sevilla. Bartholomé San-
chez]. [1532]. 49 + 2 fols. + 1 h. 28
cm. gót.

—Epístola prohemial a D. Juan, rey de
Portugal.—Texto.—Colofón.
MADRID. Nacional. R-11.760 (ex libris de Ga-
yangos).

JODAR Y GALLEGOS
(FR. FRANCISCO DE JESUS)

Carmelita.

EDICIONES

2256

CINCO discvrsos con que se confirma la antigua Tradicion que el Apostol Santiago uino y predicó en España. Defendiendola, de lo que algunos
Autores an escrito de nueuo contra
ella. Madrid. Impr. Real. [Colofón:
Iuan Flamenco]. 1612. 4 hs. + 200
págs. 23 cm.

—Frontis, firmado por P. Perret.—Ded. a
Felipe III.—S. Pr. al autor por diez
años.—E. (ninguna).—T.—Prologo.—Tex-
to.—Pág. 193: Tabla de las cosas que
parecen mas de notar.—Colofón.
Salvá, II, n.º 2.985; Pérez Pastor, Madrid,
II, n.º 1.180.
CORDOBA. Pública. 5-201.—GRANADA. Universita-
ria. A-26-154. — MADRID. Nacional. 20.005. —
PARIS. Nationale. 4.ºOc.18.—ROMA. Vaticana.
Stamp. Barb. U.V.10.—SANTIAGO DE COMPOS-
TELA. Universitaria. [Incompleto].—SEVILLA.
Universitaria. 86-C-109/10; 152-66.

2257

EXERCICIOS de devocion y oración,
para todo el discvrso del año, del
Real Monasterio de las Descalças en

Madrid. Amberes. Impr. Plantiniana. 1622. 8.º

ROMA. *Vaticana*. Stamp. Barb. V.XV.97.

2258

*PAPELES (Los) qve por mandado
del Rey Nuestro Señor ha hecho
Fray Francisco de Iesvs su Predicador. Sobre el Tratado del Matrimonio, que el Principe de Galles pretende con la serenissima señora Infanta Maria. Segun los diferentes estados que ha ido teniendo esta materia*. [Madrid]. Imprenta Rel. 1623.
1 h. + 28 fols. 4.º

Pérez Pastor, *Madrid*, III, n.º 1.953.

2259

*SERMON que predicó el dia prime-
ro de la octava con que el Rey quiso
celebrar la nueua patrona de España S. Teresa de Iesvs*. [s. l. - s. i.].
1627. 4.º

ROMA. *Vaticana*. Stamp. Barb. U.VII.119.
int.2.

Obras atribuidas

2260

*APPENDIX prima ab Indicem Li-
brorvm Prohibitorvm, et expvrgato-
rvm...* Madrid. Luis Sanchez. 1614.
2 hs. + 42 págs. Fol.

«Son y deben ser tenidos como autores de
este *Appendix* D. Enrique Pimentel y Fr.
Francisco de Jesús y Jodar». (Pérez Pastor, *Madrid*, II, n.º 1.265).

JODAR Y SAN MARTIN
(BALTASAR DE)

EDICIONES

2261

[SONETO]. (En Solís y Valenzuela,
Pedro de. *Epitome breve de la vida
y muerte de D. Bernardino de Almansa...* Lima. 1646. Prels.)

Medina, *Lima*, I, n.º 274.

2262

[SONETO]. (En Solís y Valenzuela,
Pedro de. *Panegyrico sagrado, en
alabanza de... San Bruno...* Lima.
1646. Prels.)

Medina, *Lima*, I, n.º 275.

JOFFREU (PEDRO ANTONIO)
Doctor.

EDICIONES

2263

[ADICIONES]. (En Ciruelo, Pedro.
*Tratado en el qual se repruevan to-
das las supersticiones y hechizerías*.
Barcelona. 1628).

V. *B. L. H.*, VIII, n.º 4344.

2264

*DISCVRSO con qve se responde a
otro presentado a los... Concelleres
de Barcelona, en orden al cubrirse,
y alçar el dissentimiento de la Ciudad*. Barcelona. Pedro Lacavallería.
1632. 10 hs. 30 cm.

Salvá, II, n.º 3.705.

BARCELONA. *Central*. F. Bon. 5.209 y 6.535.
Universitaria. B.54-1-1.—ROMA. *Vaticana*.
Stamp. Barb. FF.IV.48.int.2.—SEVILLA. *Uni-
versitaria*. 111-132.

2265

*DISCVRSO en favor de la mvy in-
signe Civdad de Barcelona, en orden
a su essencion y franqueza de Quinto*. Barcelona. Jaime Matevat. 1634.
32 hs. 30,4 cm.

Con escudo de Barcelona grab. por I. de
Courbes.
Salvá, II, n.º 3.705.

BARCELONA. *Central*. F. Bon. 5.220 y 2.840 (con
variantes).—SAN LORENZO DEL ESCORIAL. *Monasterio*. 4-V-8.—SEVILLA. *Universitaria*. 111-
132 (4).

OBRAS EN CATALÁN

2266

*PUBLICA y verídica manifestació
que la ciutat de Barcelona ostenta
en desengany, y resposta de un pa-*

per que han publicat los Notaris Reals Collegiats y son Collegi, ab titol de demostracio efficaz, y verdadera. Ab que se solidan los fonaments per los quals los Notaris Publichs de Barcelona deven dins dita Ciutat nomenarse ab la qualitat de Publich, privative als demès Notaris, y que tenen authoritat per fora dita Ciutat, y sa Vegueria. Barcelona. Casa Cormella. 1690. 1 h. + 44 págs. 28,5 cm.

BARCELONA. *Central.* F. Bon. 372. *Colegio de Abogados.* 582-16.—MADRID. *Nacional.* V-6-18.

2267

[*VEXAMEN gracioso*]. (En Felices de Cáceres, Juan Bautista. *Sentencia en la armada poética, propuesta y premiada por la... ciudd de Barcelona, en honra de... San Ramón de Peñafort...* Barcelona. 1626).

MADRID. *Nacional.* R-19.501.

JORDA (DIONISIO DE)

Presbítero. Beneficiado de la Seo de Barcelona.

EDICIONES

2268

DESCRIPCION *de las excellencias de la muy insigne ciudad de Barcelona.* Van añadidas otras curiosidades en esta segunda impression, con las proezas de los inclitos condes de Barcelona y una descripcion de la montaña de Monserrate. Barcelona. Huberto Gotard. 1589. 6 hs. + 31 fols. + 8 hs. 22 cm.

Trad. por Joan Miguel de Rosers.

—Ded. a los muy Illustres Sres. Consejeros...—Al Illmo. y Rmo. Sr. D. Rodrigo de Castro, Arzobispo de Sevilla.—Texto.

BARCELONA. *Central.* Bon. 7-I-30.—*Instituto Municipal de Historia.* R. 12.°-9.—MADRID. *Nacional.* Mss. 1.721.—MONTSERRAT. *Monasterio.* D.VII.8100.

— — —

—Reprod. facsímil: Tirada de 120 ejemplares, con una nota final de Ernesto Moliné i Brasés. Barcelona. Tallers de les arts graphiques. 1928. Lleva unido *In praeclarissimorum comitum Barcinonensium...*

BARCELONA. *Central.* Res. 315-8.°

2269

A la Sacratissima Virgen Maria, Reyna de los Angeles, y en alabança de la Sagrada Encarnacion de nuestro Señor Iesu-Christo, escriue Dionysio de Iorba, las siguientes Octauas... [Barcelona. Lorenço Deu]. [1614]. 2 hs. 4.°

[«—La plenitud del tiempo ya llegada...»].

LONDRES. *British Museum.* 11450.e.24 (3).

Poesías sueltas

2270

[*Al Autor. Soneto*]. (En Tristán Burges, Pedro Jayme. *Enchyridion o breue cronica... de la Sagrada Relilion de los Padres Minimos...* Barcelona. 1618. Prels.)

MADRID. *Academia de la Historia.* 13-1-9-2.607.

2271

[*A Pablo Clascar Presbytero, y a su Obra. Soneto*]. (En Curión, Domingo María. *El glorioso triumfo de la... Religión militar de... S. Iuan... Traduzida por Pablo Clascar del Vallés.* Barcelona. 1619. Prels.)

MADRID. *Nacional.* R-12.395.

OBRAS LATINAS

2272

In preclarissimorum comitum Barcinonensium ad vivum expressas effigies λήμματα. Barcelona. Hubert Gotard. 1589.

JORBA (FRANCISCO)

Valenciano. Sacerdote. Beneficiado en la catedral de Valencia.

EDICIONES

2273

CAMINO *del buen Christiano, en el*

qual se contiene un Confessonario muy cumplido, con algunos documentos muy provechosos por modo de dialogo. Valencia. Francisco Díaz Romano. 1533. 4.°

NUEVA YORK. *Hispanic Society.* — SANTANDER. *«Menéndez Pelayo».* 1.288.

ESTUDIOS
2274
REP: Ximeno, I, págs. 83-84.

JORDAN (ANDRES)

EDICIONES
2275
[SONETO]. (En Agrati y Alba, Alonso Antonio. *Mativos que obligan a la veneracion explicita... a las imagenes... del Padre Eterno... s. l. - s. a.* Prels.)

MADRID. *Nacional.* R-Varios, 135-2.

JORDAN (P. ANGELO)

Clérigo regular. Profesor de Teología.

EDICIONES
2276
BREVE instrvcion para socorrer a los agonizantes de todo el mundo, aun despues de su transito: institvyendo para este fin la Santissima Comunion a modo de vna Congregacion del bien morir, erigida para este efecto en muchos lugares pios particulares, y publicos Hospitales, especialmente en el de Gandía. Valencia. En casa de los herederos de Chrysostomo Garriz, por Bernardo Nogués. 1649. 1 hs. + 36 págs. 19 cm.

—Pág. 1: El Autor.—Pág. 2: Letor.—Pág. 3: Texto.

MADRID. *Nacional.* R-Varios, 12-10.

JORDAN (ANTONIO)

V. JORDAN SELVA (ANTONIO)

JORDAN (FR. EUGENIO)

Dominico. Regente de los Estudios de Santa María sobre la Minerva de Roma. Prior del convento de San Pablo de Valladolid.

EDICIONES
2277
[CENSURA. Madrid, 9 de junio de 1645]. (En Erce Ximénez, Miguel de. *Prueva evidente de la predicación del apóstol Santiago el Mayor en los reinos de España.* Madrid. 1648. Prels.)

MADRID. *Nacional.* 3-52.323.

2278
[APROBACION. Madrid, 9 de febrero de 1649]. (En Camargo y Salgado, Hernando de. *Conversión maravillosa de... San Agustín...* Mdrid. 1649. Prels.)

MADRID. *Nacional.* 2-3.518.

2279
[CENSURA, s. l., pero Madrid, 24 de marzo de 1650]. (En Solano de Figueroa Altamirano, Juan. *Historia y Santos de Medellín.* Madrid. 1650. Prels.)

MADRID. *Nacional.* U-3.064.

2280
[CENSURA y Aprobación de —— y Fr. Iuan González de León. Madrid, 30 de abril de 1650]. (En Gallego de Vera, Bernabé. *Explicación de la Bula de la Santa Cruzada.* Madrid. 1652. Prels.)

MADRID. *Nacional.* 3-27.128.

JORDAN (FR. JAIME)

EDICIONES
2281
REGLA de N. P. San Agustín, sus excelencias, Aprobacion, y Religiones que la professan: con un Compendio de las Grandezas del mismo Santo. Valencia. Joseph Parra. 1699. 16.°

Palau, VII, núms 124.843 y 124.854 (figura en Jordá y en Jordán).

2282

HISTORIA de la Provincia de la Corona de Aragón de la Sagrada Orden de los Ermitaños de San Avgvstín. Valencia. Joseph García (el I), Antonio Bordazar (el II) y Juan González (el III). 1704-12. 3 vols.

El tomo IV por Fr. Pedro de San Francisco de Asís (Zaragoza, Francisco Moreno, 1756).

MADRID. *Academia de la Historia.* 15-2-8-19. *Nacional.* 3-11.875/77.

JORDAN (JUAN)
Licenciado.

EDICIONES

2283

[SONETO]. (En Ríos Hevía Cerón, Manuel de los. *Fiestas que hizo Valladolid... en la beatificación de la Santa M. Teresa de Jesús.* Valladolid. 1615, fol. 82v).

MADRID. *Nacional.* U-2.278.

OBRAS LATINAS

2284

[IN Authoris et vtriusque operis laudem Epygramma]. (En Ovidio Nasón, Publio. *Las transformaciones. Traducidas por Pedro Sánchez de Viana.* Valladolid. 1589. Prels.)

MADRID. *Nacional.* R-5.758.

2285

[POESIA]. (En Salazar, Alonso de. *Fiestas que hizo el... Collegio de la Compañia de Jesus de Salamanca a la beatificacion de... San Ignacio...* Salamanca. 1610, fol. 98).

MADRID. *Nacional.* 2-68.001.

2286

[EPIGRAMMA]. (En Ruiz, Gregorio. *Controversiae Theologiae...* Valladolid. 1613. Prels.)

MADRID. *Nacional.* 2-47.633.

2287

[POESIAS]. (En Ríos Hevía Cerón, Manuel de los. *Fiestas...* Valladolid. 1615, fols. 37, 42, 43v, 44 y 122).

JORDAN (JUSEPE)
Canónigo de Tortosa.

EDICIONES

2288

[DECIMA]. (En Heredia Cavallero, Jerónimo de. *Guirnolda de Venus.* Barcelona. 1603. Prels.)

MADRID. *Nacional.* R-13.319.

JORDAN (LAZARO)

EDICIONES

2289

[DECIMA]. (En Heredia Cavallero, Jerónimo de. *Guirnolda de Venus.* Barcelona. 1603. Prels.)

MADRID. *Nacional.* R-13.319.

JORDAN (FR. LORENZO MARTIN)
N. en Albero Alto (Huesca) en 1587. Jerónimo.

EDICIONES

2290

THEORICA de las tres vias de la vida espiritval, pvrgativa, ilvminativa, y vnitiva, y Pratica dellas en la oracion Mental, y Vocal, y Horas Canonicas. Recopilada de la doctrina de santos, y varones espirituales, que destas materias tratan. Tomo I. Segorbe. Miguel Sorolla. 1638. 8 hs. + 756 págs. + 26 hs. 21,5 cm.

—Ded. a la Emperatriz del Cielo.—Apr. de Iuan Fort.—Apr. de Fr. Tomas Sales.—Apr. de Fr. Lorenço de Alicante.—L. del Obispo de Segorbe.—Apr. de Fr. Miguel Guerau.—Apr. de Fr. Antonio Uller.—L. O.—Apr. de Domingo Mancho.—Prol. al letor.—Tabla de los tratados.—E.—Texto.—Tabla de los capitulos.—Indice de las cosas mas notables.—Tabla de los lugares de la Sagrada Escritura que se contienen en este libro.

MADRID. *Nacional.* R-4.873. — MONSERRAT. *Monasterio.* P.XIX.8.729.—SAN LORENZO DEL ESCORIAL. *Monasterio.* 20-V-48.

2291

LIBRO I de la vida espiritual, y oracion mental y vocal. Barcelona. 1633. 8.º

Palau, VII, n.º 124.860.

2292

LIBRO II... Barcelona. 1642. 8.º

Idem.

2293

MANVAL de exercicios espirituales, praticados para alcançar la caridad, y vnion con Dios y la perfecta desnudez de todo lo criado. Valencia. Silvestre Esparsa. 1642. 8 hs.+ 580 fols. + 8 hs. 14,5 cm.

—Apr. de Fr. Francisco Gavaldan y Fr. Andres Gerau.—L. V.—Apr. de Fr. Achacio March.—L. O.—Prologo.—Ded. a la Virgen Maria.—E.—Grab.—Texto.—Tabla de los capitulos y cosas que se contienen en estos siete tratados.—Indice para el libro de las tres Vias del P. —— que se imprimio en Segorbe.

MADRID. *Nacional.* 3-56.800.

2294

Da la comunión espiritual. Valencia. 1657. 8.º

N. Antonio.

2295

TEORICA y práctica de la Comunión espiritual y ofrecimiento espiritual del Santo Sacrificio de la Misa. Barcelona. 1657. 8.º

Palau, VII, n.º 124.863.

2296

TEORICA y Pratica de la Comunion espiritual, y ofrecimiento del sacrificio espiritual, en qve casi continvamente se pueden exercitar, y prepararse para la comunion sacramen- *tal los que desean aprovechar en la vida espiritual.* Aes. Carlos Nesmor. 1665. 10 hs. + 1 h. pleg. + 153 + 14 págs. + 1 h. 14,5 cm.

—Apr. de Iuan Bautista de Chiauari.—L. del arzobispo de Aës.—Apr. de Fr. Iosef Ferrer.—L. V. de Valencia.—Apr. de Fr. Iosef de Toledo.—Apr. de Fr. Iosef de Algete.—L. O.—Al letor.—Tabla de los capitulos. — Ded. a la Virgen María. — «Como está en el Cielo a la diestra del Eterno padre». [Dibujo alegórico que se explica en el texto].—Texto.—Grab.—Cordial celestial y Diuino para sustento del alma.—Grab.—Colofón.

MADRID. *Nacional.* R-4.714.

2297

CORDIAL espiritual y divino para sustento del alma. Barcelona. 1657. 8.º

Palau, VII, n.º 124.864.

ESTUDIOS

2298

REP: N. Antonio, II, págs. 4-5; Latassa, 2.ª ed., II, pág. 65.

JORDAN (FR. LUIS)

EDICIONES

2299

[APROBACION. Pamplona, 15 de julio de 1614]. (En Guadalajara y Xauierr, Marco de. *Prodicion y destierro de los moriscos de Castilla...* Pamplona. 1614. Prels.)

MADRID. *Nacional.* R-10.400.

JORDAN (MIGUEL)

Licenciado.

EDICIONES

2300

[POESIAS]. (En Amada y Torregrosa, José Félix de. *Palestra numerosa austríaca.* Huesca. 1650).

1. Soneto. (Fol. 16v).
2. Octavas. (Fol. 112r).

V. *B. L. H.,* V, n.º 2157 (5, 103).

MADRID. *Nacional.* 2-66.981.

JORDAN Y DE ROBION (JERONIMO)

EDICIONES

2301

[*SONETO*]. (En Córdoba, Francisco Lucas de. *Libro de la maravillosa y prodigiosa vida del bienaventurado San Guillermo...* Perpiñán. 1589. Preliminares).

Santiago Vela, II, págs. 87-88.

JORDAN SELVA (ANTONIO)

Rector del Colegio de Santo Tomás de Villanueva. Párroco de la de San Martín de Valencia.

EDICIONES

2302

SUMARIO de la maravillosa vida y heroicas virtudes del V. P. Dotor Domingo Sarrió, natural de la Villa de Alaguas, Reyno de Valencia, Presbitero de la Real Congregacion del Oratorio de la Ciudad de Valencia, y Beneficiado de su S. Iglesia Metropolitana. Ilustrado con doctrinas morales, para el aprovechamiento de las almas. Valencia. Francisco Mestre. 1678. 9 hs. + 755 págs. + 2 hs. 20 cm.

—Censura de Iosef de Cardona.—Ded. a la Virgen del Rosario.—Prologo al lector.—Protesta.—Lámina con retrato del P. D. Sarrió, por Crisostomo Martinez.—Texto.—Tabla de Capitulos.—E.

MADRID. *Nacional.* 2-12.899.—ZARAGOZA. *Seminario de San Carlos.* 51-5-24 (ex libris del Conde de Fuentes).

JORDI (MIGUEL)

N. en Vique.

EDICIONES

2303

RELACION verdadera de la famosa presa que han hecho las dos galeras de Barcelona de un vaxel de moros entre las islas de las Hormigas y Palamos, en el qual yvan quarenta y cinco moros de pelea: señalaronse en dicha presa Don Francisco Sabater, Capitan y Cabo de dichas Galeras... sucediendo en la Capitana una grandissima desgracia con un barril de polvora donde se quemaron algunos Cavalleros entretenidos sus caras... [Barcelona. Esteban Liberos]. [1618]. 8 hs. a 2 cols. 20 cm.

BARCELONA. *Instituto Municipal de Historia.* Sec. Gráf. Lib. 27.—NUEVA YORK. *Hispanic Society.*

JORGE (P. ANTONIO)

EDICIONES

2304

[*APROBACION. Lima, 18 de octubre de 1644*]. (En Navarro, Juan Jerónimo. *Sangrar y Purgar en días de conjunción...* Lima. 1645. Prels.)

SEVILLA. *Universitaria.* 83-72

JORGE (PASCUAL)

EDICIONES

2305

[*SONETO*]. (En Dalcovia Cotrim, Luis. *Primera parte del Symbolo de la vida christiana.* Méjico. 1646. Preliminares).

Medina, *México*, II, n.° 624.

JORGE DE SAN JOSE (Fray)

Mercedario descalzo. Comendador del convento del Viso, en Andalucía.

CODICES

2306

«*Ignorancia Sabia. Escala de contemplación sacada de diversos santos y maestros del spiritu*».

Letra del s. XVII.

SEVILLA. *Universitaria.* 331-168.

EDICIONES

2307

SOLITARIO (El) contemplativo, y Guía espiritual, sacada de diversos Sanctos, y Padres espirituales. Lis-

boa. Jorge Rodriguez. 1616. 8 hs. +
125 fols. 13 cm.

—Licenças.—T.—Tabla.—Apr. de Fr. An-
dres de Portes.—L. O.—Prólogo.—Ded. a
Fr. Francisco de Ribera, General del
Orden de la Merced.—Texto.

SEVILLA. *Universitaria.* 124-23.

2308
*BVELO del espiritv y escala de la
perfeccion y Oracion.* Sevilla. Andres
Grande. 1632. 17 hs. + 179 fols. +
3 hs. 19 cm.

—Apr. de Fr. Juan Chrisostomo.—Apr. de
Fr. Francisco de Santa Maria.—L. O.—
Apr. de ·Fr. Miguel de Luxan.—L. V.—
Apr. de Fr. Pedro de la Concepcion.—
S. Pr. al Autor.—T.—E.—Ded. a D. Ma-
nuel Alfonso Perez de Guzman el Bueno,
Duque de Medina Sidonia, etc.—Prólogo
al Lector.—Apr. de Fr. Pedro de Jesus
Maria.—Escudo (grab.).—Texto.—Colofón.
Indice de las cosas notables.

MADRID. *Nacional.* 7-11.558.—SEVILLA. *Universitaria.* 177-16.

2309
*BVELO del Espiritv, y Escala de la
Perfeccion y Oracion.* Sevilla. En la
Imprenta de la Orden, por Andres
Grande. 1647. 31 hs. + 256 fols. 14,5
cm.

—Apr. de Fr. Francisco de Santa María.—
L. O.—Apr. de Fr. Miguel de Luxan.—
L. V.—Apr. de Fr. Pedro de la Concep-
cion.—S. Pr. con prorogacion. — T. — E.
(ninguna). — Ded. a D. Manuel Alfonso
Perez de Guzman el Bueno, Duque de
Medina Sidonia.—Apr. de este libro y de-
claracion de algunas cosas del por Fr.
Pedro de Jesus Maria.—Prologo al lec-
tor.—Indice de las cosas mas notables.
Texto.

Escudero, n.º 1.621.

MADRID. *Nacional.* 3-56.116.—SEVILLA. *Universitaria.* 124-21.

«JORNADA del Almirante...»

CODICES

2310
*«Jornada del Almirante de Aragón
desde que entró en el Reyno de Po-*

*lonia hasta llegar donde estaba el
Rey de Polonia con toda su gente.
1597».*

Copia. Letra del s. XVIII. 16 págs. 220 ×
150 mm.

SEVILLA. *Colombina.* 85-4-7-Pp.V.

«JORNADA del Rey...»

EDICIONES

2311
*JORNADA del Rey nuestro Señor
Don Felipe III al Reino de Portugal
a coronar al principe Don Felipe, su
hijo...* Sevilla. Ceronymo de Contre-
ras.1619. 2 hs. Fol.

Alenda, n.º 696; Escudero, n.º 1.197.

**«JORNADA que el Duque de
Pastrana...»**

CODICES

2312
*«Jornada que el Duque de Pastrana
hizo a Francia a las Capitulaciones
de la Reina de Francia y Princesa de
España [en 1612]».*

Letra del s. XVII. 290 × 205 mm.

VALLADOLID. *Santa Cruz.* Mss. 511 (fols. 99-
101).

«JORNADA que hizo a Roma...»

EDICIONES

2313
*JORNADA que hizo a Roma el Con-
de de Lemos mi señor, desde la ciudad de Nápoles a la obediencia que
fue a dar a Su Santidad Clemente VIII en nombre del Rey nuestro
señor Don Felipe III. Año 1599].*
[s. l. - s. i.]. [s. a.]. 10 hs. Fol.

Palau, VII, n.º 124.990.

**«JORNADA que las Galeras de
España...»**

EDICIONES

2314
IORNADA qve las Galeras de Espa-

ña, Napoles y Florencia han hecho a Barcelona y Berberia en seruicio de su Magestad... Sevilla. Juan Serrano de Vargas y Ureña. 1618. 2 hs. 29,5 cm.

BARCELONA. *Central.* F. Bon. 2383. — SEVILLA. *Universitaria.* 109-85 (117).

«JORNADA real...»

EDICIONES

2315

IORNADA Real, que desde esta Corte executó el Rey Carlos Segundo (que Dios Guarde) el Sabado 29 de Abril deste año de 1690 à Valladolid; para recibir a la Reyna. [s. l.]. Imprenta Real. Lunes, 1 de Mayo 1690. 7 págs. 20 cm.

—Texto.

MADRID. *Nacional.* R-Varios, 188-50.

JORNET (GASPAR)

EDICIONES

2316

MANIFIESTO de los motivos que tiene la Ilustre Ciudad de Valencia, y la administración del Hospital General para continuar la cobrança de las 2.000 libras de pension Apostólica reservada sobre los frutos de este Arçobispado, no obstante la transacción, resuelta por el Excelentíssimo Señor Duque de Ciudad Real, Virrey, y Capitán General de este Reyno, y resulta del hecho que en esta materia ha pasado. [s. l.- s. i.]. [s. a.]. 28,5 cm.

Carece de portada. Fechado en Valencia, a 23 de noviembre de 1676.

SEVILLA. *Universitaria.* 110-152 (11).

2317

MEMORIAL y Suplica que la Ilustre Ciudad de Valencia pone, y presenta, a los Reales pies de la Reyna nuestra Señora. [Valencia]. [s. i.]. [s. a.]. 13 págs. 28 cm.

Carece de portada.

SEVILLA. *Universitaria.* 110-152 (7).

JORNET (PEDRO)

Médico de Chinchilla.

EDICIONES

2318

[DEZIMAS]. (En González, Francisco Ramón. *Sacro Monte Parnaso...* Valencia. 1687, págs. 49-50).

Dice «Iornet».

MADRID. *Nacional.* R-22.520.

JORQUERA (FR. JACINTO)

Dominico. Provincial de la de San Lorenzo de Chile, Tucumán y Río de la Plata.

EDICIONES

2319

[Al Autor. Santiago de Chile, 24 de abril de 1646]. (En Villarroel, Gaspar de. *Govierno eclesiastico pacifico, y vnion de los dos cvchillos. Pontificio, y Regio.* Madrid. 1656. Prels.)

MADRID. *Nacional.* 3-78.313.

JOS (P. JUAN DE)

Clérigo menor. Calificador de la Inquisición.

EDICIONES

2320

[CENSURA por los PP. Matías de Espinosa, ——, Antonio de la Partha y Gerónimo Celarios. Salamanca, 18 de febrero de 1640]. (En Patón de Ayala, Frutos. *Apología Sacra...* Madrid. 1640, fols. 60r-63v).

MADRID. *Nacional.* 3-21.713.

OBRAS LATINAS

2321

[CENSURA. Madrid, 2 de noviembre de 1654]. (En Rivadeneira, Gaspar de. *Tractatus de voluntate Dei.* Alcalá. 1655. Prels.)

MADRID. *Nacional.* 3-11.944.

JOSE (FR. EUGENIO DE)

EDICIONES

2322

[*EPIGRAMMA*]. (En Agustín, Fr. Antonio. *Epitome de la vida... de Fr. Domingo de Iesus María...* Zaragoza. 1669. Prels.)

MADRID. *Nacional.* 2-35.306.

JOSE DE ALGETE (Fray)

Prior del convento de San Jerónimo de Granada.

EDICIONES

2323

[*APROBACION. Granada, 8 de agosto de 1655*]. (En Jordán, Lorenzo Martín. *Teórica y Pratica de la Comunión espiritual.* Aës. 1665. Prels.)

MADRID. *Nacional.* R-4.714.

JOSE DE LOS ANGELES (Fray)

N. en Alfaro. Trinitario descalzo. Maestro de novicios por 1682. Ministro del convento de San Carlos de Roma y Procurador general allí. M. en Hervás (1705).

EDICIONES

2324

EJERCICIOS devotos de la Congregación del Niño Jesús de la Salud. Salamanca. 1677. 16.º

Antonino de la Asunción.

ESTUDIOS

2325

REP: Antonino de la Asunción, I, págs. 28 y 512.

JOSE DE LOS ANGELES (Fray)

N. en Lumbier. Trinitario descalzo. Enseñó Teología en Salamanca y en 1691 fue nombrado Comisario de los conventos de Polonia y Alemania. Ministro del de Viena. A su regreso a España fue Cronista general, Ministro Provincial (1704-7) y Definidor general (1701 y 1710).

CODICES

2326

«*Vida del P. Fr. Juan de Santa María*».

«Déjola M. S. y dispuesta ya para la prensa, cuando murió» (Antonino de la Asunción).

2327

«*Quadragesimale*».

Antonino de la Asunción.

EDICIONES

2328

[*SERMON*]. (En Lumbier, Raimundo. *Jardín de 18 sermones...* Zaragoza. 1676.

2329

[*DOS Sermones de San José*]. (En Núñez, Francisco. *Collectaneas.* Tomo II, págs. 85 y 102).

2330

[*APLAUSOS del mejor Padre en la tierra. Glorias de S. José, esposo de María.* Zaragoza. 1674. 4.º

OBRAS LATINAS

2331

LIBELLUS Confraternitatis SSmae. Trinitatis. Viena. 1693 y 1706.

2332

CEREMONIALE Ord. Excalceatorum SS. Trin. ex hispano sermone in latinum Translatum. Vetero-Pragae. Types Caroli Haraba. 1728.

2333

MANUALE Patrum Excalceatorum SS. Trin. Redempt. Captiv. Viena. Apud Susannam Christianam Matthaei Cosmerovii.

Es traducción del español.

ESTUDIOS

2334

REP: Antonino de la Asunción, I, págs. 28-29.

JOSE ANTONIO

EDICIONES

2335

[*SONETO*]. (En POMPA *funeral, Hon-*

ras y Exequias en la muerte de...
D.ª Isabel de Borbón... Madrid. 1645,
fol. 97v).

MADRID. Nacional. R-3.035.

JOSE DE LA ASUNCION (Fray)

EDICIONES

2336

[POESIAS]. (En Díez de Aux, Luis.
Retrato de las fiestas a la beatifica-
ción de... Santa Teresa de Iesus...
Zaragoza. 1615).

1. Canción. (Pág. 62).
2. Octavas. (Pág. 67).
3. Glosa. (Págs. 68-69).
4. Soneto. (Pág. 71).
5. Romance. (Págs. 74-75).

MADRID. Nacional. R-457.

JOSE DE CADIZ (Fray)

EDICIONES

2337

[DEDICATORIA]. (En Antequera,
Luis de. Consuelo de Enfermos...
Sermon en la solemne Fiesta... a
Christo Sacramentado... Sevilla. 1678.
Prels.)

SEVILLA. Universitaria. 113/19 (10).

JOSE DE CAMPOS (Fray)

Capuchino. Dos veces provincial de la de
Andalucía.

EDICIONES

2338

[APROBACION de Fr. Leandro de
Antequera, —— y Fr. Miguel de Antequera. Cádiz, 4 de agosto de 1685].
(En José de Caravantes, Fray. Pláticas dominicales. Tomo I. Madrid.
1686. Prels.)

MADRID. Nacional. 3-10.622.

JOSE DE CARAVANTES (Fray)

Capuchino.

EDICIONES

2339

COPIA de la carta, obediencia, y hv-

milde rendimiento, qve ofrecen a su
Santidad los Indios recien convertidos de la nveva de España, traducida de la lengua que vsan aquellos
Barbaros, por ——. Valencia. 1666.
2 hs. Fol.

Salvá, II, n.º 3.374.

2340

COPIA de la carta escrita a el... marques de Aytona... en que acabando
de llegar de Indias a... Sevilla... da
quenta... de los trabajos, sucesos y
progresos... primera Mission de Indias. Sevilla. Iuan Gomez de Blas.
1666. 19 págs.

BARCELONA. Convento de Capuchinos, de
Card. Vives y Tutó, 23. 3-3-28. — LONDRES.
British Museum. 4767.d.22.

2341

COPIA de carta escrita al Exmo. Sr.
Marques de Aytona &c. por el P. Fr.
Ioseph de Caravantes, religioso Capuchino, missionario por su Magestad en sus Indias Occidentales, entre el barbarismo ciego de diuersas
naciones de infieles que habitan en
las prouincias de Caracas, y Cuma-
ná. En que acabando de llegar de
Indias a esta Ciudad de Seuilla por
el mes de agosto deste año de 1666
da cuenta a su Excelencia de los progressos, y frutos de la mission que
en dichos infieles ha hecho la prouincia de Capuchinos de la Andaluzia,
en mayores aumentos de la religion
catolica... Granada. Impr. Real de
Francisco Sánchez. 1666. 12 fols. 4.º

Reproduce la ed. de Sevilla.
NUEVA YORK. Public. Library.

2342

[CARTA al Marqués de Aytona. Ubrique, 3 de enero de 1668]. (En González, Fray Bernardino. Sermón...
Madrid. 1694. Al fin).

V. n.º 2351.

2343

MEDIOS y remedios para ir al cielo.
1672.

N. Antonio.

2344

JARDIN florido del Alma, cultivado del cristiano con el exercicio del santo Rosario, de las Cruces, y de otras devociones. Regado del Cielo con tiernos llamamientos de Cristo para sacar al pecador de la culpa y encaminarlo á la Gloria. Valladolid. Imp. de Roldán. [s. a.]. 287 págs. 9,5 cm.

MADRID. *Nacional.* 2-27.584.

2345

———. [Valladolid. Impr. de Valdivielso]. [s. a.]. 4 hs. + 376 págs. 10 cm.

—Ded. a la Virgen del Rosario.—Al lector.—S. Pr.—S. T.—E. (1672).—Texto. Alcocer, n.° 1.722.

2346

JARDIN florido del Alma, cultivado del Christiano. Con el exercicio de el Santo Rosario, del Via Cruces, y otras muchas Devociones. Regado de el cielo, con tiernos Llamamientos de Christo, para sacar al Pecador de la culpa, y encaminarlo a la Gloria. [s. l. - s. i.]. A costa de Juan Gomez Bot. [s. a.]. 4 hs. + 244 págs. con grabs. 9,5 cm.

E. fechadas en 1737.
MADRID. *Nacional.* R-7.276 (ex libris de Gayangos).

2347

———. Valladolid. Viuda de Roldán. 1843. 226 (?) págs. 10,5 cm.

MADRID. *Nacional.* 2-7.010 (incompleto al fin).

2348

PRACTICA de misiones remedio de pecadores, ... Por el P. Fr. Ioseph de Carauantes... León. Vda. de Agustín de Valdiuiesso. 1674. 612 págs. 4.°

MADRID. *Nacional.* 3-63.097.—SANTIAGO DE COMPOSTELA. *Universitaria.* — ZARAGOZA. *Universitaria.* G-6-39.

2349

PLATICAS dominicales, y lecciones doctrinales de las cosas mas essenciales sobre los Evangelios de las Dominicas de todo el año, para desempeño de parrocos, y aprovechamiento de feligreses. Madrid. Melchor Alvarez. 1686-87. 2 vols.

Tomo I: 40 hs. + 651 págs. 21 cm.

—Ded. a la soberana emperatriz María señora nuestra.—Apr. de Fr. Leandro de Antequera, Fr. Ioseph de Campos y Fr. Miguel de Antequera.—L. O.—Apr. de Fr. Rafael de San Iuan.—L. V.—Apr. y Recomendación de Fr. Miguel de Fuentes.—Apr. de Fr. Diego de Flores.—S. Pr. al autor por diez años (1686).—S. T.— E.—Al lector. — Advertencia. — Portada: *Sermón en las honras... al V. P. Fr. Ioseph de Carabantes... en Monforte de Lemos,* por el P. Roberto Xavier. Santiago. Antonio Frayz. — Ded. a la pura Concepción de María Santissima.—Apr. del P. Pedro Vázquez.—L. V.—Texto del Sermón. — Copia de una carta que D. Diego Gonçalez de Quiroga... escrivió al P. Provincial... de Andaluzía, dándole cuenta de algunos sucessos de la vida y muerte del V. P. Fray Ioseph de Caravantes.—Censura del Dr. Iuan de las Hebas y Casado.—L. V.—Testimonio con licencia del Ordinario. [Sobre milagro observado a la muerte del autor].—Protesta del autor.—Tabla de las Lecciones, o Platicas.—Texto.—Indice de los discursos y exemplos.

Tomo II: 12 hs. + 805 págs.

—Ded. a la soberana Reina de los cielos y la tierra.—Apr. del P. Manuel de Filguera.—L. V.—Apr. y Recomendación de Fr. Miguel de Fuentes.—Apr. del P. Francisco Arias.—S. Pr.—S. T.—E.—Al lector. Tabla de las lecciones o platicas:—Texto: *Segunda parte...*—Protesta del autor.— Indices de los discursos y exemplos.

MADRID. *Nacional.* 3-10.622/23.

2350

PLATICAS Dominicales, y Lecciones Doctrinales de las cosas mas essenciales, sobre los Evangelios de las

Dominicas de todo el año. Madrid. Juan de Ariztia y Juan Sanz. 1717. 2 vols. 4.º

Portadas a dos tintas: negra y roja.

SANTIAGO DE COMPOSTELA. *Universitaria.*

ESTUDIOS

2351

GONZALEZ, Fr. BERNARDINO. *Sermón, qve predicó... a 20 de abril de 1694, en las honras del R. P. Fr. Joseph de Carabantes...* Madrid. Melchor Alvarez. 1694. 8 hs. + 31 págs. + 2 hs. 19 cm.

V. *B. L. H.,* XI, n.º 763.

2352

GONZALEZ DE QUIROGA, DIEGO. *El nuevo apostol de Galicia... Fr. Joseph de Carabantes...* Madrid. Viuda de Melchor Alvarez. 1698. 507 páginas + 1 lám. 4.º

SANTIAGO DE COMPOSTELA. *Universitaria.*

2353

REP: N. Antonio, I, págs. 802-3.

JOSE DE CORDOBA (Fray)
Capuchino.

EDICIONES

2354

[*PARECER. Cádiz, 15 de septiembre de 1662*]. (En Porras y Atienza, Juan de. *Sermón que predicó en la Santa Iglesia Cathedral de Cadiz...* Cádiz. 1662. Prels.)

SEVILLA. *Universitaria.* 113-43 (5).

JOSE DE LA CRUZ (Fray)
Colegial del Mayor de San Pedro y San Pablo. Lector de Teología del convento de Santa María de Jesús de Alcalá de Henares.

EDICIONES

2355

SERMON del glorioso S. Diego. Predicole con asistencia de la ilvstre Villa de Alcalá, y de todos los RR. PP. Maestros de las Sagradas Reli- giones, en el Conuento de Santa Maria de Iesus, Sabado 19 de Nouiembre día octavo de su Fiesta, auiendo entrado su Santo Cuerpo el dia antes desde la Corte, ——... Alcalá. María Fernández, 1661. 2 hs. + 18 págs. + 3 hs. 19,5 cm.

—Ded. a Felipe IV, precedida de su escudo.—Texto.—Apr. del Dr. Iuan Zafrilla de Azagra.—L. V.—Apr. de Fr. Andrés de Arteaga.—L. O.

J. Catalina García, *Tip. complutense,* número 1.089.

MADRID. *Nacional.* R-Varios, 6-1. — SANTIAGO DE COMPOSTELA. *Universitaria.*

JOSE DE LA CRUZ (Fray)
Agustino.

EDICIONES

2356

[*SONETO*]. (En SOLEMNIDAD *funebre y exequias a la muerte de... Felipe IV... que celebró... la Real Audiencia de Lima...* [s. l.]. 1666, fol. 67r).

MADRID. *Nacional.* R-27.185.

JOSE DE LA CRUZ (Fray)
Carmelita descalzo.

EDICIONES

2357

[*APROBACION y Censura. Sevilla, 30 de junio de 1697*]. (En [López] Cornejo, Alonso. *Segunda parte de la questión médico-legal sobre el artículo de presedencia entre los Doctores de la... Universidad de Sevilla y los Médicos revalidados...* Sevilla. 1697. Prels.)

CORDOBA. *Pública.* 2-113.

JOSE DE LA ENCARNACION (Fray)
Carmelita descalzo. Procurador General de la Orden.

CODICES

2358

«*Tractatus de Animae immortalitate...*».

Letra del s. XVII. 138 fols. 304 × 207 mm. *Inventario*, I, pág. 56.
MADRID. *Nacional*. Mss. 58.

EDICIONES
2359
RESPETO a los decretos del consejo supremo de la fe contra los que no le guardan. Madrid. Diego Díaz de la Carrera. 1655.
NUEVA YORK. *Hispanic Society.*

2360
ORACION panegyrica de la reversión de las reliquias de los Fortissimos Martires y dulcissimos Niños Iusto y Pastor. Alcalá. Francisco García Fernández. 1699. 6 hs. + 21 págs. 19 cm.

—Ded. a Fr. Froylan Diaz.—Apr. de Fr. Pedro de Jesús María.—L. O.—Apr. de Francisco Bravo Tamargo.—L. O.—Texto.
J. Catalina García, *Tip. complutense*, número 1.313.
MADRID. *Nacional*. R-Varios, 104-63; R-24.129.

2361
[ORACION fúnebre]. (En López de Cuéllar y Vega, Juan. *Batallas y Triumphos de... Doña Mariana de Austria.* Pamplona. s. a., págs. 151-257).
MADRID. *Nacional*. 2-22.148.

Aprobaciones
2362
[CENSURA por ——, Fr. Christoval de San Alberto y Fr. Domingo de Santa Teresa. Salamanca, 17 de febrero de 1640]. (En Patón de Ayala, Frutos. *Apologga Sacra...* Madrid. 1640, fols. 58r-59v).
MADRID. *Nacional*. 3-21.713.

2363
[APROBACION. Madrid, 21 de octubre de 1659]. (En Caballero de Isla, Martín. *Sermón a los desagravios de la soberana imagen del Santo Christo de la Paciencia.* Madrid. 1659. Prels.)
MADRID. *Nacional*. V.E.-12-4.

2364
[PARECER por ——; Fr. Juan de la Presentacion; Fr. Pedro Jesus Maria, y Fr. Juan de San Eugenio. Alcalá, 22 de mayo de 1673]. (En Sicardo, Juan Bautista. *Breve Resumen de la disposicion, reverencia, y pureza, con que deven llegar los Fieles a recibir el Santissimo Sacramento del Altar...* Alcalá. 1673. Prels.)
MADRID. *Academia de la Historia*. 13-1-8-2.096.

JOSE DE LA ENCARNACION (Fray)

N. en Madrid. Agustino recoleto desde 1659. Provincial de Castilla. Confesor y consultor del marqués de Valero, virrey de Navarra y de Cerdeña. M. en Cerdeña (1705).

EDICIONES
2365
ORACION Panegírica del Glorioso Apóstol y Patrón de España, Santiago el Mayor. Predicada en la sumptuosa Fiesta, que le consagró el día de su Octava, estando de manifiesto Christo nuestro Señor Sacramentado, en demostración festiva de la colocación de los quatro nuevos, primorosos y dorados Retablos que dedicó a su Magestad, y a la milagrosa Imagen de N. Señora de Copacabana en el Altar mayor al Santo Christo del Consuelo en su Capilla, y en los colaterales, a Santa Mónica y a San Fulgencio Obispo. En su Convento de Recoletos Agustinos de la Ciudad de Toledo, su Patrón D. Francisco Sanz Tenorio, Cavallero del Orden de Santiago, Sargento Mayor del Mar del Sur y Regidor perpetuo de la misma Ciudad en Banco

de Cavalleros, con assistencia nume-rosa de lo Eclesiástico más venera-ble y de lo Secular más ilustre. Dí-xola el Rmo. P. Fr. —— el día dos de Agosto deste Año de 1688... Ma-drid. Antonio Román. [1688]. 10 hs. + 56 págs. 4.º

NUEVA YORK. *Hispanic Society.*—SEVILLA. *Universitaria.* Varios, 111/32, n. 8.

Aprobaciones

2366

[*CENSURA. Alcalá, 4 de mayo de 1693*]. (En Bernique, Juan. *Idea de perfección.* Alcalá. 1693. Prels.)

MADRID. *Nacional.* 2-68.861.

ESTUDIOS

2367

REP: Alvarez y Baena, III, págs. 48-49.

JOSE DEL ESPIRITU SANTO (Fray)

N. en Braga (1632). Carmelita descalzo.

CODICES

2368

«*Primera parte del camino espiri-tual de oracion y contemplacion, donde se trata de lo que deue hazer el que quisiere tener oracion...*».

Letra del s. XVI. 293 fols. 230 × 190 mm.
MADRID. *Nacional.* Mss. 6.533.

EDICIONES

2369

*CADENA mystica carmelitana, de los autores carmelitas descalzos. Por quien se ha renovado en nuestro siglo la Doctrina de la Theologia Mystica, de que ha sido Discipulo de S. Pablo y primero Escritor San Dionisio Areopagita, antiguo Obispo y Martir. Adornada con la doctrina del Doctor Angelico, que si él no ha sido Carmelita en la profession, y Habito Religioso, son los Descalços en las theologicas muy Professos su-yos. Formado en metodo de las co-*lationes espirituales del Carmelo Heremitico. Madrid. Antonio Gon-çalez de Reyes. 1678. 14 hs. + 396 págs. a 2 cols. + 8 hs. 29 cm.

—Ded. a los dos serafines deste trono S. Teresa y S. Juan de la Cruz.—Censura de Ioseph Ruiz de Miranda.—Censura de Fr. Francisco de Sequeyros.—L. V.—Censura del P. Antonio Gonçalez de Rosen-de.—L. O.—Pr. a favor de Fr. Ioseph del Espiritu Santo por 10 años.—E.—T.—Catalogo de autores.—Tabla de colación y Propuestas.—Prologo.—Texto.—Indice de cosas notables.

BARCELONA. *Seminario Conciliar.* — CORDOBA. *Pública.* 32-189.—MADRID. *Nacional.* 2-70.951. SAN LORENZO DEL ESCORIAL. *Monasterio.* M. 17-I-20.—ZARAGOZA. *Universitaria.* G-81-26.

ESTUDIOS

2370

REP: García Peres, pág. 156.

JOSE DEL ESPIRITU SANTO (Fray)

En el siglo se llamó Claudio Díaz. N. y m. en Madrid (?-1678). Mercedario descalzo desde 1618. Redentor. Predicador real. General de su Orden.

CODICES

2371

«*Sermón predicado en este Conven-to de Sta. Bárbara a las honras de N. P. Fr. Juan de San Josef, Vicario general de toda la Recolección de Ntra. Sra. de la Merced... Año 1638*».

SEVILLA. *Universitaria.* 333-88.

EDICIONES

2372

SERMON Funebre en las solemnes Exequias de la mui illustre señora doña Iuana de Aguilar y Molina, mu-ger que fue de el Señor Don Alonso de Busto y Bustamente del Consejo de S. Magestad, Oidor de la Contra-tación y de la Real Audiencia de Se-villa, Regente de Canaria, y del Real Consejo de Hazienda: y ultimamente de el Supremo de Indias. Dixola ——.

En el Convento de St.ª Barbara de la Religión Mercedaria. Madrid. Diego Diaz de la Carrera. 1647. 1 h. + 16 fols. 20 cm.

—Texto.

GRANADA. *Universitaria.* A-31-217 (6).—MADRID. *Nacional.* V.E.-151-17.

2373

ORACION panegyrica, dicha a el glorioso general de los exercitos angelicos, Adalid de las tropas Christianas, Defensor de los creditos diuinos, y Guarda vnica de la Militante Iglesia, san Miguel Arcangel. El dia qve le votó por sv Patron la... Ciudad de Zeuta, en su Catedral, que fue a los 15 de Mayo... año 1648. Málaga. Antonio René. 1648. 18 fols. 19,5 cm.

MADRID. *Nacional.* V.E.-6-6.

2374

[RESPVESTA qve embio... a vna carta en que el Reuerendo Padre Vicario General de la... Orden le pregunta el sucesso del rescate del Niño Iesus, que truxo de la Berberia, en esta Redencion que hizo en Tetuan este año de 1648]. [s. l. - s. i.]. [s. a.]. 2 hs. 30 cm.

Carece de portada.

MADRID. *Nacional.* V.E.-60-43; Mss. 2.379 (fol. 248).

2375

[SERMON]. (En TEATRO Evangelico. Alcalá. 1649, págs. 275-90).

MADRID. *Nacional.* 2-69.827.

2376

OBSEQVIOSO agradecimiento, qve a Christo Sacramentado hizo, el convento de la Concepcion Real de Mercenarias Descalzas, qve fvndó el Rey N. S. D. Felipe Qvarto el Grande... el dia qve el... señor Cardenal Aragon, Arçobispo de Toledo... dio la deseada licencia para su Obseruante

Clausura... Dicha por... ——... en 24 de Febrero, año de 1669. [s. l. - s. i.]. [s. a.]. 1 h. + 14 fols. 19 cm.

—Texto.

MADRID. *Nacional.* R-Varios, 78-31.

2377

ORACION qve dixo en la celeberrima fiesta que hizo el real y observantissimo convento de San Gil, de descalços del serafico patriarca San Francisco, en la canonizacion del estatico maestro S. Pedro de Alcantara su padre, y reformador. Madrid. María Rey. 1669. 22 fols. 21 cm.

—Ded. a D. Francisco Suarez Ezay de Alarcon, Conde de Torresvedras, etc.— Censura de Fr. Agustín de Santo Tomás.—L. O.—Censura de Fr. Bartolomé de Villalva.—L. V.—Texto.

GRANADA. *Universitaria.* A-31-206 (9).

2378

[SERMON]. (En Huerta, Antonio de. Triunfos gloriosos a la canonización de S. Pedro de Alcántara. Madrid. 1670, págs. 359-76).

MADRID. *Nacional.* 3-39.078.

2379

SERMON predicado en la celeberrima fiesta qve hizo la Sagrada Orden de Predicadores al Rosario de la siempre coronada Reyna de los Angeles Maria Santissima, vnica vencedora de las Agarenas Armas en la Batalla Naual del mar de Lepanto, dia catorce de la solemnidad de la Dedicacion del insigne Templo del Angel Doctor Santo Tomas... [s. l. - s. i.]. [s. a.]. 20 fols.

—Texto.

MADRID. *Nacional.* R-Varios, 11-23.

Versificaciones

2380

ALFANTEGA, FRANCISCO. *Verdadera Relación de los Ultrages que hizieron en Tetuan a una imagen de un*

Niño Jesus, y de su prodigioso res-cate, sacada fielmente de una carta que... —— escrivio a su General... Reducida a verso... Madrid. Juan Masnido Bosque. 1649. 2 hs. a 2 cols. 19 cm.

MADRID. *Nacional.* R-Varios, 139-35 y 155-49.

Aprobaciones

2381

[CENSURA. Madrid, 17 de febrero de 1659]. (En Suárez, Nicolás. *Vida y martirio del glorioso padre fray Diego Ruiz Ortiz.* Madrid. 1659. Prels.)

MADRID. *Nacional.* 3-30.981.

2382

[APROBACION. Cádiz, 14 de enero de 1665]. (En Guerrero Messía, Juan. *Sermón...* Cádiz. 1665. Prels.)

GRANADA. *Universitaria.* A-31-225 (13).

2383

[CENSURA y Aprobación. Madrid, 30 septiembre 1670]. (En Villalva, Bartolomé. *Sangre triunfal de la Iglesia.* Tomo I. Madrid. 1672. Prels.)

MADRID. *Nacional.* 3-55.719.

2384

[CENSURA, 15 mayo 1671]. (En Aranda Quintanilla, Pedro. *Especial tratado sobre los decretos de non cultu.* Alcalá. 1671. Prels.)

MADRID. *Nacional.* U-1.489.

2385

[APROBACION. Madrid, 29 de agosto de 1671]. (En Isidro de San Juan, Fray. *Triunfos quadragesimal de Christo...* Madrid. 1672. Prels.)

MADRID. *Nacional.* 3-54.632.

ESTUDIOS

2386

REP: Alvarez y Baena, III, págs. 40-41.

JOSE DE GERONA (Fray)

Capuchino.

EDICIONES

2387

SATISFACION a las dificultades que se oponen a la estension del rito y rezo concedida a Narciso Obispo y Martyr... Gerona. J. Palol. 1691. 12 hs. 29 cm.

BARCELONA. *Central.* F. Bon. 401.

JOSE DE JESUS (Fray)

Agustino.

EDICIONES

2388

DESCRIPCION metrica de la veni-da de la milagrosa Imagen de los Remedios. Méjico. Viuda de Calde-rón. 1668. 4.º

Beristain, II, pág. 118.

JOSE DE JESUS (Fray)

Carmelita descalzo.

CODICES

2389

«*Sermón de N.ª Sra. de la Conso-lación... Predicóle en el día de la Encarnación... Barcelona, año de 1692».*

Letra de principios del s. XVIII. Perte-neció al convento de San José de Carme-litas descalzos de Barcelona.

Miquel, II, pág. 24.

BARCELONA. *Universitaria.* Mss. 513 (fols. 131-144).

EDICIONES

2390

QVATRO Qvaresmas continvas, re-ducidas a vna. Predicadas en la San-ta Iglesia Metropolitana, Primada de las Españas, de... Tarragona... Van añadidas... 160 Ideas Quaresmales... con otras 160 Pláticas, o Conferen-cias Espirituales... Barcelona. Rafael Figueró. 1706. 6 hs. + 486 págs. a 2 cols. 31 cm.

MADRID. *Nacional.* 3-13.883.

2391

———. Barcelona. Imp. de los PP. Carmelitas Descalzos. 1725. Fol.

MADRID. *Nacional.* 3-62.703.

JOSE DE JESUS (Fray)

N. en Torrecilla del Rebollar. Franciscano descalzo desde 1679. Lector de Filosofía y de Teología. M. a principios del XVIII.

EDICIONES

2392

IMPERIAL Agvila enigmatica, qve con zelages descubre las singvlares glorias de la Pvrisima Concepcion de Maria. Descifrola en el lvcidisimo octavario, que consagra a este Soberano Misterio la Nobilissima, y Real Villa de Onteniente... Zaragoza. Pasqual Bueno. 1690. 8 hs. + 64 págs. 20 cm.

Jiménez Catalán, *Tip. zaragozana del siglo XVII,* n.º 1.130.

CORDOBA. *Pública.* 3-83.—ZARAGOZA. *Seminario de San Carlos.*

2393

CIELOS de fiesta, Mvsas de Pascva, en fiestas reales, qve a S. Pascval coronan svs mas finos, y cordialissimos devotos, los mvy esclarecidos hijos de la... Ciudad de Valencia, que con la magestad de la mas luzida pompa, echó su gran devocion el resto, en las Fiestas de la canonización de San Pascval Baylon. Retratalas en mal formados rasgos, en el vistoso lienço de los cielos, el tosco pincel de la menos discreta pluma del Padre ———... Valencia. Francisco Mestre. 1692. 16 hs. + 1 lám. + 536 págs. 20 cm.

—Ded. a Fr. Iuan Thomas de Rocaberti, arçobispo de Valencia, etc.—Apr. de Fr. Ioseph Llosá y Fr. Miguel Salas.—L. O.

Apr. de Fr. Manuel Sanchez.—L. V.—Tres poesías latinas de Ioannes a Sanctis de Ochoa.—Prologo al lector.—Retrato de S. Pascual Bailón.—Texto.—Indice de las cosas más notables.

Aparte de numerosas letras y composiciones breves anónimas, en latín y en castellano, incluye las siguientes poesías:

1. *Octavas,* de Pedro Luis Cortés. [«En tan Divino Assumpto, objeto Santo...»]. (Págs. 67-69).
2. [«El gran primor de la Iglesia...»]. (Pág. 70).
3. *Soneto.* [«Christo fué de Iudá León terrible...»]. (Pág. 87).
4. *Soneto.* [«Era en Pascual el natural de roca...»]. (Págs. 87-88).
5. *Soneto.* [«Con tan diestro Pincel, con tan suave...»]. (Pág. 130).
6. *Romans, en valenciano.* (Págs. 149-50).
7. *Ecos armoniosos.* [«Es el tiempo mas jovial Pascual...»]. (Págs. 150-52).
8. *Coplas, en castellano y valenciano.* [«Oy los Armeros aplauden...»]. (Págs. 152-53).
9. *Romance heroyco,* de Pedro Mayor. [«Tu Numen, Sacro Apolo, y tu influencia...»]. (Págs. 165-69).
10. *Romance, de Ioseph Orti.* [«Permíteme, o Condé ilustre...»]. (Págs. 169-73).
11. *Romance heroyco,* de Isidro Costa de Alou y Segura. [«Alienta ya las citaras de Apolo...»]. (Págs. 173-74).
12. *Romance heroyco,* de Francisco Figuerola. [«No sé por donde empieze, o Conde mío...»]. (Págs. 174-81).
13. *Romance.* [«Dexe de Apolo influxos mi Thalia...»]. (Págs. 181-84).
14. *Romance.* [«En el Nombre, pues, del Padre...»]. (Págs. 190-91).
15. *Coplas.* [«Oye Pascual estas chanças...»]. (Págs. 197-98).
16. *Villancico.* [«Musicos venid...»]. (Págs. 226-28).
17. *Coplas.* [«Nadie a podido leer...»]. (Pág. 254).
18. *Coplas.* [«Para entender bien el curso...»]. (Págs. 291-92).
19. *Coplas sobre los juegos de los naypes.* [«Abran del juego la casa...»]. (Págs. 317-19).
20. *Coplas.* [«No entiendo Pascual tu vida...»]. (Pág. 342).
21. *Coplas.* [«¿Hasta quando Orden Augusta...»]. (Págs. 370-71).
22. *Coplas.* [«Oy mi Musa ha de cantar...»]. (Pág. 394).
23. *Coplas.* [«Si en gloria está declarado...»]. (Pág. 457).

24. *Romance mudo.* [«Pascual a las Luzes Santas...»]. (Págs. 517-20).
25. *Soneto doblemente acróstico.* [«Sol insigne Pascual Santo le mi-...»]. (Pág. 524).
Inserta además los Sermones pronunciados por Antonio Prats (págs. 200-21); Fr. Iuan Bautista Escuder (230-50); Fr. Cosme Pavía (256-88); Fr. Ioseph Martí (294-313); Fr. Pedro Mollá (321-338); Fr. Ignacio López (344-68); Fr. Iosep Rodríguez (373-391); Fr. Vicente Pastor (397-455) y Fr. Ioseph Llosá (462-514).

Salvá, I, n.º 263.
MADRID. *Nacional.* 2-12.934.—MONTPELLIER. *Municipale.* 12.798.—NUEVA YORK. *Hispanic Society.*

2394
SERMON de Santa Catalina, Virgen y Martyr... Ilustrada con la púrpura de 24 Martyres, y cuyos sagrados cuerpos se veneran en la Parroquia de Santa Catalina, en la ciudad de Valencia, en donde le predicó... Barcelona. Rafael Figueró. 1692. 6 hs. + 60 págs.

Herrero Salgado, n.º 975.

2395
SERMON de la Pvrissima Concepcion, qve predicó... en el celebre Novenario de Alicante... Sacale a luz Fray Vicente Bellmont... Valencia. Imp. del Real Convento de N. S. del Remedio. 1698. 4 hs. + 64 págs. 18,5 cm.

—Ded. a D. Iayme Borrás, Governador que fue de Alicante, etc., por Fr. Vicente Bellmont.—Apr. del mismo.—L. V.—L. por R. F. A.—Texto.
MADRID. *Nacional.* R-Varios, 102-35.

2396
SERMON de la admirable conversion de el Apostol San Pablo. Zaragoza. Pascual Bueno. A costa de Ioseph Martinez y Aguirre. 1700 4 hs. + 36 págs. 19,2 cm.

—Ded. a la Imperial Ciudad de Zaragoza, por Ioseph Martinez y Aguirre.—Apr. de Fr. Valero Navarro.—Apr. de Miguel Estevan y Colás.—Texto.

Jiménez Catalán, *Tip. zaragozana del siglo XVII,* n.º 1.296.
MADRID. *Nacional.* V-2.128-8.

2397
SERMON de San Blas, Obispo, y Martyr, Patron de la Insigne Iglesia Parroquial de San Pablo... Zaragoza. Pasqual Bueno. 1700. 4 hs. + 31 págs. 20 cm.

Jiménez Catalán, *Tip. zaragozana del siglo XVII,* n.º 1.298.

2398
SERMON de San Francisco de Pavla, Patriarca de el esclarecido Orden Maximo de los Mínimos: Qve en sv religiosissimo Convento de Nvestra Señora de la Victoria predicó ——... Zaragoza. Pasqual Bueno. 1700. 4 hs. + 39 págs. 21 cm.

—Ded. al Tribunal de la Inquisición de Aragón, por Fr. Joseph Nuño.—Apr. de Fr. Juan Climente.—L.—Apr. de Manuel Marco.—L.—Texto.
Jiménez Catalán, *Tip. zaragozana del siglo XVII,* n.º 1.297.

ESTUDIOS
2399
REP: Latassa, 2.ª ed., II, págs. 61-62.

JOSE DE JESUS MARIA (Fray)
Agustino descalzo. Provincial de Castilla. Predicador real.

EDICIONES
2400
TRENO Doloroso, que consagró leal, en las Honras, y Annuales Exequias del Señor D. Phelipe Quarto el Grande, en la Capilla Real a diez y siete de Setiembre, año de 1688. Alcalá. Francisco García Fernández. [1688]. 6 hs. + 15 págs. 19 cm.

—Ded. a D. Fernando Ioachin Faxardo de Requesens y Zuñiga, Marques de los Velez, etc.—Apr. de Fr. Juan de la Presentación. — L. O. — Apr. de Fr. Francisco García y Castilla.—L. V.—Texto.

No citado en la *Tipografía complutense*, de J. Catalina García.

SEVILLA. *Universitaria.* 113-34 (3).

JOSE DE JESUS MARIA (Fray)

Se llamaba Francisco de Quiroga y n. en Caldelas, Asturias (1575). Carmelita desde 1595. Cronista de su Orden. M. en Cuenca (1629).

CODICES

2401

«*Historia de la vida y singulares prerrogativas del glorioso S. Ioseph... 1655*».

Año 1655. 200 × 145 mm. Perteneció al convento de San José de Carmelitas descalzos de Barcelona.

Miquel, II, pág. 29.

BARCELONA. *Universitaria.* Mss. 516 (fols. 20-92).

2402

«*Noticia svmaria de el Singular don diuino que nro. Santo Padre Fray Iuan de la Cruz tuuo para comunicar a las almas contemplatiuas la Sabiduría escondida que el auia recebido de el Espiritu Santo*».

Letra del s. XVII. 3 hs. + guardas + 2 hs. + 80 fols. 215 × 150 mm.

MADRID. *Nacional.* Mss. 8.273.

EDICIONES

2403

PRIMERA parte de las excelencias de la virtud de la Castidad. Alcalá. Biuda de Iuan Gracián. 1601. 10 hs. + 902 págs. 30 cm.

—Frontis.—Pr. de Castilla al autor por diez años.—T.—E.—Ded. a la Virgen Maria y a S. Ioseph.—L. O.—Apr. del M.º Iuan de Cordoua.—Epistola a Andres de Prada, Secretario del Consejo de Estado. — Intento desta obra. — Division de todas las partes desta obra.—Tabla de los capitulos.—Poesia latina del M.º Iuan de Cordoua. — Otras dos del mismo. — Texto.

J. Catalina García, *Tip. complutense*, número 762.

CORDOBA. *Pública.* 17-150.—LYON. *Municipale.* 109.100.—MADRID. *Nacional.* 2-71.198. *Seminario Conciliar.*—SANTIAGO DE COMPOSTELA. *Universitaria.*—SEVILLA. *Universitaria.* 136-143; 160-161. — ZARAGOZA. *Universitaria.* G-64-127.

2404

HISTORIA de Santa Catarina insigne Virgen y Martyr, y comprouacion de la victoria que alcançó de los Philosophos Gentiles. Toledo. Pedro Rodríguez. 1608. 8 hs. + 152 fols. + 4 hs. 8.º

—Censura del Dr. Gómez de Contreras.— L. O.—Pr. al autor por diez años.—E.— T.—Ded. a D.ª Catarina de Sandoual, condessa de Lemos, etc. — Prologo.—Poesía latina del autor.—Texto.—Tabla de capitulos.

Pérez Pastor, *Toledo*, n.º 461.

ROMA. *Nazionale.* 14.22.A.37.

2405

HISTORIA de la vida, y singvlares prerrogativas del glorioso S. Ioseph, padre putatiuo de Christo Nuestro Señor, y Esposo verdadero de la Virgen Maria su madre. Madrid. Luys Sanchez. 1613. 12 hs. + 210 fols. 8.º

—T.—E.—S. Pr. al autor por diez años.— Apr. del P. Hernando Pecha.—L. O.—Al lector.—Ded. a Fr. Ioseph de Iesus Maria, General de la Orden de los Descalços de Nuestra Señora del Carmen.— Tabla de capitulos.—Texto.—Colofón.

Pérez Pastor, *Madrid*, II, n.º 1.232.

2406

RELACION de vn insigne milagro qve nvestro Señor obra continuamente con vna parte de carne del venerable P. F. Iuan de la Cruz primer Religioso Descalço Carmelita... Por el padre General de la misma Orden. Madrid. Viuda de Alonso Martin. 1615. 6 hs. + 16 fols. 19,5 cm.

—Apr. del P. Diego de Ludeña.—L.—E. T.—Ded. al Cardenal D. Antonio Zapata.—Texto.

Pérez Pastor, *Madrid*, II, n.º 1.337.

MADRID. *Nacional.* R-Varios, 56-28.

2407

HISTORIA de la vida, y virtudes del venerable Hermano Fray Francisco del Niño Iesvs, Religioso de la Orden de los Descalzos de N. Sra. del Carmen. Uclés. [En el Convento de San Ioseph, por Domingo de la Iglesia]. 1624. 7 hs. + 363 págs. + 7 hs. 4.º

Frontis grabado por J. Schorquens. Salvá, II, n.º 3.460.

MADRID. Facultad de Filosofía y Letras.—NUEVA YORK. Hispanic Society.—ROMA. Nazionale. 14.27.C.10. Teresianum. Carm. A. 2149. Vaticana. Stamp. Barb. U.V.105.

2408

———. Segovia. Diego Díaz de la Carrera. 1638. 8 hs. + 468 págs. + 5 hs.

CORDOBA. Pública. 13-123.—ROMA. Nazionale. 14.27.C.21.

2409

HISTORIA de la vida, y virtudes de el venerable hermano fray Francisco del Niño Iesvs, Religiosos de la Orden de los Descalças de Nuestra Señora del Carmen. Madrid. Lucas de Bedmar. A costa de Antonio de Riero y Texada. 1670. 5 hs. + 397 págs. + 5 hs. 20,5 cm.

—Ded. a D.ª Inés Dauila y Guzman, Condesa de los Arcos.—S. de las Apr.—S. L.—S. T.—E.—Al lector.—Protesta del autor.—Texto.—Tabla y orden de los libros y capitulos.—Colofón.

MADRID. Facultad de Filosofía y Letras. 7.385 y 7.388.—Nacional. 2-1.652; 7-13.677.—PARIS. Nationale. H.4178.—SEVILLA. Universitaria. 55-31.

2410

HISTORIA de la vida y virtvdes del Venerable P. F. Ivan de la Crvz primer religioso de la Reformacion de los descalzos de N. Señora del Carmen... Bruselas. Iuan de Meerbeeck. 1628. 19 hs. + 1014 págs. + 53 hs. 19,5 cm.

—Port. a dos tintas: roja y negra.—Lámina firmada por A. Bellot.—Ded. a D.ª Isabel Clara Eugenia, Infanta de España, por Fr. Chrysostomo Enriquez.—Al lector.—Apr. de M. Ramirez.—S. Pr. a Iuan de Meerbeque por doce años.—Tabla de los capitulos.—Texto.—Tabla de lugares notables misticos y escolasticos, donde se ponen las palabras de sus originales.

Peeters-Fontainas, I, n.º 631.

MADRID. Facultad de Filosofía y Letras. 7.393; 7.884; etc.—PARIS. Nationale. H.4180. ROMA. Nazionale. 14.28.B.10. Teresianum. Rari. A.32.

2411

———. Bruselas. Francisco Viuien. 1632. 18 hs. + 1012 págs. + 52 hs. 4.º

Es la ed. de 1628, con el cambio de las cuatro primeras hojas.

Peeters-Fontainas, I, n.º 632.

PARIS. Nationale. H.4177.

2412

HECHOS heroycos de la portentosa vida y virtudes de... S. Juan de la Cruz... Málaga. Juan Vázquez Piedrola. 1717. 611 págs. 29,5 cm.

MADRID. Nacional. 4-103.171.—NUEVA YORK. Columbia University. — ROMA. Teresianum. Carm. C.303.

2413

VIDA de San Juan de la Cruz... 3.ª ed. Burgos. «El Monte Carmelo». 1927. XII + 526 + VII págs. 22 cm.

GRANADA. Universitaria. B-28-56.—ROMA. Teresianum. Carm. B.344.

2414

HISTORIA de la Virgen Maria Nvestra Señora. Con la declaracion de algunas de sus Excell[encias]. Amberes. Francisco Canisio. 1652. 6 hs. + 889 págs. 29 hs. 31,5 cm.

—Portadilla. — Frontis. — Apr. en latin de Enrique Calenus.—Apr. en latin de Guillermo Bolognino.—L. O.—Pr. de la Orden.—S. Pr. por 10 años, en latin.—Ded. a Leopoldo Guillermo, Archiduque de Austria, etc.—Texto.—Tabla de los Libros y Capitulos..—Tabla de cosas notables.—E.—Colofón.

Peeters-Fontainas, I, n.º 633.

GENOVA. *Universitaria.* 2.F.IV.41. — LONDRES-*British Museum.* 487.k.14.—MADRID. *Nacionay.* 1-51.539; 7-15.420.—PARIS. *Nationale.* H. 2068.—SEVILLA. *Universitaria.* 115-229.

2415

HISTORIA de la vida y excelencias de la Virgen María. 2.ª impressión. Madrid. Impr. Real. 1657. 13 hs. + 673 págs. + 25 hs. Fol.

BARCELONA. *Convento de Capuchinos, de la Avda. del Generalísimo, 450.* Vitrina.—LYON. *Municipale.* 1000.066.—MADRID. *Facultad de Filosofía y Letras.* 6.510.—PAMPLONA. *General de la Diputación Foral.* 109-13-5/128 [falto de portada].—ROMA. *Teresianum.* Carm. C.612.—SAN LORENZO DEL ESCORIAL. *Monasterio.* 73-IX-16.—SANTIAGO DE COMPOSTELA. *Universitaria.*—SEVILLA. *Universitaria.* 129-137. ZARAGOZA. *Seminario de San Carlos.* 20-1-12.

2416

———. 4.ª impressión. Barcelona. Joseph Texidó. 1698. 5 hs. + 495 págs. + 16 hs. Fol.

CORDOBA. *Pública.* 5-248. — MADRID. *Nacional.* 7-11.680.—ROMA. *Teresianum.* Carm. C.211.

2417

———. Madrid. 1761.

ROMA. *Teresianum.* Carm. A.5654.

2418

———. Lérida. Bibliográfica Mariana. 1885-86. 5 vols. 4.º

MADRID. *Nacional.* 1-80.476/77.—ROMA. *Teresianum.* Carm. B.1038.

2419

HISTORIA de la Virgen... Madrid. Edit. de Espiritualidad. 1957. XXIV + 1343 págs.

ROMA. *Teresianum.* Carm. B.1628.

2420

SVBIDA del alma a Dios, qve aspira a la divina vnion. Primera parte. Madrid. Diego Díaz de la Carrera.

1656. 16 hs. + 236 fols. + 4 hs. 14,5 cm.

—L. O.—Parecer de Fr. Benito de Ribas. L. V.—Apr. de Fr. Hernando de Orio.— L. del Consejo.—T.—E.—Ded. a D. Gaspar de Bracamonte, Conde de Peñaranda, etc.—Prólogo.—Texto.—Indice de los capitulos.

MADRID. *Nacional.* 5-2.538 (nota mss. en las guardas: «Prohibido por Edicto del Sto. Oficio de la Inq.ᵒⁿ de 6 de Julio de 1750»). ROMA. *Teresianum.* Carm. A. 939. *Vaticana.* Stamp. Barb. U.XI.104.

2421

———. Madrid. Roque Rico de Miranda. A costa de Iuan de Triviño. 1675. 8 hs. + 520 págs. 4.º

MADRID. *Nacional.* 2-66.742. — ROMA. *Teresianum.* Carm. B.2973.—SANTIAGO DE COMPOSTELA. *Universitaria.*—SEVILLA. *Universitaria.* 56-33; 185-32.

2422

———. [s. l.]. María Estévez. 1694. 520 págs. 21 cm.

ALCALA. *Convento de Carmelitas descalzas del Corpus Christi.*

2423

———. *Segunda parte.* Madrid. Diego Díaz de la Carrera. 1659.

MADRID. *Seminario Conciliar.*—ROMA. *Teresianum.* Carm. A.939. *Vaticana.* Stamp. Barb. U.XI.105.

2424

CARTA para los Religiosos, y Religiosas de la Orden de Descalços de nuestra Señora del Carmen. Escrita por sv General. De Alva. [s. l. - s. i.]. [s. a.]. 22 fols. 20 cm.

MADRID. *Nacional.* R-Varios, 52-78 y 171-39.

2425

ASIA Sinica e Japonica, Obra póstuma e inédita... Editada pelo Major C. R. Boxer. Macau. Escula Tip. do Oratorio de S. J. Bosco. 1941-...

BERKELEY. *University of California.*—CHICAGO. *Newberry Library.*—*University.*—NEWHAVEN. *Yale University.*

TRADUCCIONES

a) FRANCESAS

2426

HISTOIRE de la Vie, et Vertvs du Venerable Frère François de l'Enfant Iésvs, Religieux de la Congregation des Carmes Deschausés... Traduite en François par vn Religieux du mesme Ordre. Paris. Michel Sonnive. 1627. 8 hs. + 498 págs. + 5 hs. 8.º

LYON. *Municipale.* 325.157.—PARIS. *Nationale.* 8.º Oo.542.

2427

La Vie du Venerable Frère François de l'Enfant Iésvs... Traduite par le R. P. Cyprien de la Nativité de la Vierge. París. S. Huré. 1647. XX + 436 págs. 8.º

LYON. *Municipale.* 325.154.—PARIS. *Nationale.* H.10628.

2428

La Vie du bien-heureux Père Jean de la Croix... Trad. par le R. P. Elisée de S. Bernard... París. A. Chevalier. 1638. 606 + 275 págs. 8.º

LYON. *Municipale.* 324.447.—PARIS. *Nationale.* 8.º Oo.258.

b) INGLESAS

2429

The Life of Saint John of the Cross... Londres. 1873. 8.º

c) ITALIANAS

2430

VITA del V. F. Francesco del Bambino Giesv, Religioso dell'Ordine di Carmeliti Scalzi... Fradotta nella nostra italiane dal P. F. Girolano di S. Teresa. Brescia. Paolo Bizando. 1629. 6 hs. + 479 págs. + 8 hs. 4.º

Toda, *Italia*, II, n.º 2.607.

MADRID. *Nacional.* 3-18.593.—ROMA. *Nazionale.* 14.27.E.14. *Teresianum.* Carm. B.750.

2431

VITA del... Francesco del Bambin Giesv... Tradolta... da Girolamo di S. Teresa... Ristampata da... Paolo Battista di S. Giuseppe... Génova. Benedetto Guaxo. 1654. 4 hs. + 360 págs. + 15 hs.

MADRID. *Facultad de Filosofía y Letras.* 7.386. PARIS. *Nationale.* H.4179.—ROMA. *Nazionale.* 14.26.C.12. *Teresianum.* Carm. B.751.

2432

VITA del V. P. F. Gio. della Croce, Primo Religioso dell'Ordine de Carmelitani Scalzi... Tradolta... da... Nicolò Cid... Brescia. Antonio Rizzardi. 1638. 12 hs. + 48 + 876 págs. 21 cm.

Toda, *Italia*, II, n.º 2.608.

ROMA. *Teresianum.* Carm. B.345. *Vaticana.* Chigi. IV.1651.

2433

SALITA dell'anima a Dio che azpira alla divina vnione. [Trad. por Baldassare di Santa Catarina]. Roma. Il Mancini. 1644. 4.º

ROMA. *Vaticana.* Stamp. Barb. U.X.72.

— — —

—Roma. 1664.
ROMA. *Teresianum.* Carm. B.505.
—Génova. 1669.
ROMA. *Teresianum.* Carm. B.503.
—Venecia. 1681.
ROMA. *Teresianum.* Carm. A.1208.
—Roveredo. Pierantonio Berno. 1730. 2 vols. 4.º
Toda, *Italia*, II, n.º 2.610.
ROMA. *Teresianum.* Carm. A.619.
—Venecia. 1739.
ROMA. *Teresianum.* Carm. A.5239.

2434

PADIGLIONE del Mistico Salomone in cui sotto la semplice, & humile apparenza di Historia della vita, & ecellenze della V. Maria Nostra Signora leggeranno di piu curiosi ingegni vn Compendio delle più qualificate prerogatiue di si gran Regina... Tradotta... del P. F. Girolamo de S.

Teresa... Padova. Tomasini. 1658. 20
+ 620 + 39 págs. + 2 hs. 4.º
Toda, *Italia*, II, n.º 2.609 (con facsímil de
una lámina).
ROMA. *Teresianum.* Carm. B.1430.

c) LATINAS
2435
*Historiae vitae... Francisco a Puero
Jesu...* Colonia. Agrippina. 1628. 8.º
ROMA. *Teresianum.* Carm. A.1176.

ESTUDIOS
2436
OTILIO DEL NIÑO JESUS. *Un ma-
riólogo carmelita español del siglo
XVII: R. P. José de Jesús María Quiroga (1562-1629).* (En *Revista Española de Teología,* I, Madrid, 1940,
págs. 1921-56).

2437
FORTUNATO DE JESUS SACRA-
MENTADO, Fray. *El P. José de Je-
sús María (Quiroga) y su doctrina
sobre la contemplación ordinaria.*
Roma. Teresianum. 1969. XXIV +
577 hs. 27 cm.
ROMA. *Teresianum.* Carm. B.3591.

2438
——. *El P. José Jesús María (Quiroga) y su herencia literaria.* Burgos. 1971. XVI + 125 págs. 24,5 cm.
ROMA. *Teresianum.* Carm. B.3970.

2439
REP: N. Antonio, I, págs. 806-7.

JOSE DE JESUS MARIA (Fray)
N. en Pamplona (1595). Trinitario descalzo
desde 1609. Lector de Filosofía y Teología
en Salamanca, Alcalá y Baeza. Luego residió en Pamplona, hasta su muerte (1658).

CODICES
2440
«Materias predicables».
15 tomos. Se conservaban en el archivo
del convento de trinitarios de Madrid (Antonino de la Asunción).

2441
[Varias obras latinas].
Idem.

EDICIONES
2442
*SERMON predicado en la Iglesia
Colegial de Nuestra Señora del Alcaçar, en fiesta votiua de la gloriosa
Assumpción de la Reyna de los Angeles, suplicando a la Magestad Diuina se sirva de descubrir las Reliquias de los Santos Martyres Iusto,
Victor, Abundio, Alexandro y Mariano.* Baeza. Pedro de la Cuesta. 1634.
4 hs. + 12 fols. 19 cm.
—L. O.—Apr. de Pedro Serrano.—L. V.—
Ded. a D. Luys Brabo de Zayas, cavallero de Calatrava.—Texto.
SEVILLA. *Universitaria.* 112-91 (4).

Aprobaciones
2443
*[APROBACION. Pamplona, 10 de
noviembre de 1652].* (En Jacinto de
San Francisco, seud. de Francisco
Jacinto Funes de Villalpando. *Lágri-
mas de San Pedro.* Pamplona. 1653.
Prels.)
MADRID. *Nacional.* R-11.973.

ESTUDIOS
2444
REP: Antonino de la Asunción, I, págs.
423-29.

JOSE DE JESUS MARIA (Fray)
N. en Ledesma (1627). Trinitario descalzo
desde 1644. Lector de Teología y Ministro
dos veces del convento de Salamanca. Definidor General, Provincial dos veces de
la de la Inmaculada Concepción. M. en
Madrid (1691).

EDICIONES
2445
*VIDA del Apostolico varon, y vene-
rable padre Fray Ioan Bautista de la
Concepción, Fundador de los religio-*

sos descalzos del orden de la SS. Trinidad, redempción de cautivos. Madrid. Antonio de Zafra. 1676. 21 hs. + 577 págs. + 3 hs. 21 cm.

—Ded. a Francisco Fernandez de Cordova, duque de Sessa.—Censura de los PP. Fr. Pedro de San Miguel y Fr. Ioan de San Atanasio.—L. O.—Apr. de Agustin de Herrera.—Censura de Diego Barcelona.—L. V.—Apr. de Andres Mendo.—Pr. a favor del autor por diez años.—S. T.—E.—Protesta. — Prologo. — Estampa de Marcus Orozco.—Texto.—Protesta.—Tabla de libros y capitulos.

MADRID. *Nacional.* 2-56.361.—NUEVA YORK. *Hispanic Society.*

2446
VIDA del venerable i extatico Padre Fr. Migvel de los Santos, religioso del Orden de Descalzos de la SS. Trinidad... Salamanca. Lucas Perez. 1688. 12 hs. + 1 lám. + 372 págs. + 4 hs. 29 cm.

—Ded. al cardenal Marcelo Durazzo, Nuncio de S. S., etc.—Apr. de Fr. Ioan de San Agustín.—L. O.—Censura de Pedro de Lastres y Aguilar. — L. V. — Apr. de Gabriel Sanz.—S. Pr.—E.—S. T.—Tabla de los libros y capitulos.—Protestación del Autor.—Prologo.—Retrato de Fr. Miguel de los Santos, por Marcos Orozco (Madrid, 1687).—Texto.—Indice alfabético de las cosas más notables.

CORDOBA. *Pública.* 1-139; 13-293.—MADRID. *Academia de la Historia.* 5-4-5-1.458. *Nacional.* 3-17.480.

Aprobaciones

2447
[*APROBACION de ——, Fr. Luis de la Concepción y Fr. Ioseph de San Pedro. Salamanca, 17 de agosto de 1658*]. (En Vega, Juan. *Respuesta Apologética.* Madrid. 1659. Al fin.)

MADRID. *Nacional.* 2-51.819.

2448
[*APROBACION. Madrid, 15 de enero de 1676*]. (En Mendo, Andrés. *Quaresma segunda...* Madrid. 1677. Prels.)

SEVILLA. *Universitaria.* 7-7.

2449
[*APROBACION. Madrid, 14 de noviembre de 1689*]. (En Silvestre, Francisco. *Fundación histórica de los hospitales de la Religión Trinitaria.* Madrid. 1690. Prels.)

MADRID. *Nacional.* 2-68.651.

2450
[*PARECER acerca del Discurso de D. Juan Jacinto de Mena. Madrid, 2 septiembre 1691*]. [s. l. - s. i.]. [1691]. 4 hs. 29,5 cm.

—Texto.

MADRID. *Nacional.* R-Varios, 196/45.

Poesías sueltas

2451
[*Poesías*]. (En Gavi Cataneo, Luis. *Ecos póstumos de métricas voces.* Granada. 1689).

1. *Al Autor. Décima acróstica.* (Prels.)
2. *Dézima acróstica.* (Fol. 19r).

MADRID. *Nacional.* R-21.218.

OBRAS LATINAS

2452
RESPONSA Moralia, theologico-jvridica... Madrid. Antonio González de Reyes. 1690. 12 hs. + 539 págs. a 2 cols. + 25 hs.

MADRID. *Nacional.* 3-10.395; etc.

2453
BULLARIUM Ordinis Sanctissimae Trinitatis, Redemptionis Captivorum, collectore, et scholiaste ——. Madrid. Antonio González de los Reyes. 1692. 8 hs. + 1 lám. + 638 págs. + 11 hs. 29 cm.

Port. a dos tintas, roja y negra: Lámina firmada por G. Fosman, en Madrid, 1692.
MADRID. *Nacional.* 3-13.903.

ESTUDIOS

2454
REP: Antonino de la Asunción, I, págs. 429-32.

JOSE DE LA MADRE DE DIOS (Fray)

Agustino descalzo.

EDICIONES

2455

DOS (Los) estados de Ninive cavtiva, y libertada, deduzidos del libro de Ionas Profeta, por fray Ioseph de la Madre de Dios... Madrid. Iuan de la Cuesta. 1619. 20 hs. + 925 págs. + 41 hs. 21 cm.

—Apr. de Fr. Geronimo de San Agustín.— Apr. de Fr. Francisco de la Concepción. Censura de Fr. Diego de Campo.—L. O. S. Pr.—T. — E. — Lámina con escudo.— Ded. a D. Bernabé de Bivanco y Velasco, Cauallero de Santiago, etc.—Prologo al Lector.—Estado de cautiverio de Niniue, deduzido del capitulo primero, y segundo de Ionas Profeta. — Argumento del cap. primero y segundo de Ionas. Texto.—Tablas.

GRANADA. *Universitaria.* A-4-25; A-2-219.—LYON. *Municipale.* 334778. — MADRID. *Nacional.* R-25.140.—SAN LORENZO DEL ESCORIAL. *Monasterio.* 3-XII-7.—SANTIAGO DE COMPOSTELA. *Universitaria.*—SEVILLA. *Universitaria.* 101-86; 117-59.

2456

SERMON de S. Antonio Abad. Valencia. Claudio Macé. 1647.

NUEVA YORK. *Hispanic Society.*

JOSE DE LA MADRE DE DIOS (Fray)

Carmelita descalzo. Prior del Colegio de Segovia.

EDICIONES

2457

HISTORIA de la vida, y virtvdes del Venerable Hermano Ivan de Iesvs San Ioaqvin, carmelita descalzo, hijo de la Casa de la gloriosa Santa Ana, de la Ciudad de Pamplona. Y devocion por el introdvcida del Glorioso Patriarca San Ioaquin... Madrid. Bernardo de Villa - Diego. 1684. 16 hs. + 372 págs. + 4 hs. 21 cm.

—Ded. a San Ioaquín.—L. O.—Apr. de Fr.

Iacinto Rubio.—L. V.—Apr. de Fr. Manuel de Guerra y Ribera.—L. E.—T.—Tabla de los capitulos.—Prologo al Lector. Protesta del Autor.—Texto.—Tabla de las cosas notables.

ALCALA DE HENARES. *Convento de Carmelitas Descalzas del Corpus Christi.*—MADRID. *Nacional.* 3-8.393. — ROMA. *Teresianum.* Carm. B.1676.

JOSE DE LA MADRE DE DIOS Y ARELLANO (Fray)

EDICIONES

2458

SERMON que predico... en la solemne fiesta que se celebró en su Convento del Carmen de Nuestra Señora de la Cabeça de Granada, a la Seraphica Madre y Beata Virgen Teresa de Iesus, fundadora de la Religion Descalça de Nuestra Señora del Carmen, a ocho de Octubre de 1617. Granada. Martin Fernandez Zambrano. 1617. 15 fols. 20 cm.

—Apr. de Gonçalo Sanchez Luzero.—L. V. Ded. a D. Andres Pacheco, Obispo de Cuenca.—Texto.

CORDOBA. *Pública.* 1-98 bis.—GRANADA. *Universitaria.* A-31-209 (9).

JOSE DE MADRID (Fray)

N. y m. en Madrid (?-1709). Capuchino. Predicador y consultor real. Teólogo y examinador de la Nunciatura de España.

EDICIONES

2459

[SERMON]. (En Huerta, Antonio de. *Triunfos gloriosos a la canonización de S. Pedro de Alcántara.* Madrid. 1670, págs. 340-58).

MADRID. *Nacional.* 3-39.078.

2460

AFECTUOSA, e Inmortal Pyra que... a la esclarecida memoria del... Señor D. Geronimo Mascareñas, Obispo de Segovia... dixo ——... Madrid. Melchor Sanchez. 1672. 23 págs. 4.º

SANTIAGO DE COMPOSTELA. *Universitaria.*

2461

AGUILA (La) Imperial elevada, epicedio sacro, qve en las Reales exequias de la Serenissima Señora Clavdia Felize de Avstria, Emperatriz de Alemania, y Roma, Reyna de Bohemia, y Vngria, Celebradas de orden, y en presencia del Rey nuestro señor Don Carlos Segundo, que Dios guarde, dixo ——... Madrid. Lucas Antonio de Bedmar. 1676. 4 hs. + 44 págs. 19,5 cm.

—Apr. de Fr. Diego de Salazar y Cadena. L. V.—Texto.

MADRID. *Nacional.* V.E.-114-39; 2-34.069. — MONTPELLIER. *Municipale.* V.9698.

2462

QVARTA parte de las Chronicas de los frayles menores capvchinos de N. P. S. Fracisco. Historial, y svcinta serie de algunos de los mas insignes Varones suyos, que han florecido en vida, doctrina y milagros, desde el año 1613 hasta el de 1624. Tradvcida del idioma latino en castellano de los Anales que escribió... Fr. Marcelino de Pise. Avmentada en algvnas noticias pertenecientes a esta Provincia de la Encarnacion de las dos Castillas... Por... ——... Madrid. Bernardo de Villa - Diego. 1690. 19 hs. + 676 págs. a 2 cols. + 8 hs. 30 cm.

—Frontis, por Gregorius Fosman et Medina (Madrid, 1690), en que aparecen representados el autor y el traductor.— Portada.—Ded. a San Francisco de Asis, por el traductor.—Apr. de Teologos de la Orden, por Fr. Gregorio de Guadalupe, Fr. Felix de Bustillo y Fr. Miguel de Lima.—L. O.—Censura de Fr. Agustin de Ocaña.—L. V.—Apr. de Fr. Luis de Ibarra.—Pr. al traductor por diez años.—E.—S. T.—Tabla de los libros y capitulos.—Indice de los varios ilustres. Tres composiciones latinas en honor del traductor, por Fr. Miguel de Lima.—Epigrama latino, por Fr. Casimiro de Toledo.—Otros anónimos.—A quien leyere.

Protestación.—Texto.—Indice de las especiales virtudes y heroycos hechos de los Varones Ilustres, cuyas vidas se contienen en esta quarta parte.—Indice de las cosas mas notables.—Advertencia.

MADRID. *Nacional.* 3-56.876.

2463

TRENO Sacro, Panegyrico funeral, que en las Reales exequias de la Reyna Madre, nuestra Señora, Doña Maria-Ana de Avstria, que esta en el Cielo, de orden, y en presencia del Rey nuestro Señor que Dios guarde, Dixo en el Real y Religiosissimo Monasterio de la Encarnacion de esta Corte... [s. l. - s. i.]. [s. a.]. 4 hs. + 30 págs. 20,5 cm.

—Ded. a la Reyna Doña Maria-Ana de Neoburg.—Apr. de Fr. Tomas Reluz.— L. V. (1696).—A quien Leyere.—Texto.

MADRID. *Nacional.* V.E.-114-36 y 129-50.

2464

LAMENTO de España afligida, expressado en las solemnes exequias que a la difunta Magestad de D. Carlos Segundo... consagró su Imperial y Primada Corte en el R. Convento de la Encarnación, día 17 de noviembre de 1700. Madrid. J. García Infanzón. 1701. 4 hs. + 51 págs. 20 cm.

Herrero Salgado, n.º 1.189.

Aprobaciones

2465

[APROBACION. Madrid, 21 de diziembre de 1680]. (En Sanz, Gaspar. Ecos Sagrados. Madrid. 1681. Prels.)

MADRID. *Nacional.* 2-33.411.

2466

[CENSURA. Madrid, 29 de diciembre de 1682]. (En José de Sevilla, Fray. Vida del Venerable siervo de Dios Fray Bernardo de Corleón. Madrid. 1683. Prels.)

MADRID. *Nacional.* 3-13.965.

2467

[*APROBACION. Madrid, 21 de mayo de 1689*]. (En Marín, Rodrigo. *Oración fúnebre... en las exequias... a... Doña María Luisa de Orleans...* s. l. - s. a. Prels.)

SEVILLA. *Colombina.* 63-2-27 (11).

2468

[*APROBACION de Fr. Félix de Bustillo, Fr. Luis de Torre y ──. Madrid, 10 de junio de 1689*]. (En Maderuelo, Francisco de. *Doctrinal Erudición de Terceros.* Madrid. 1689. Prels.)

MADRID. *Nacional.* 3-12.030.

2469

[*APROBACION de los Theologos de la Orden y ──. Madrid, 20 de mayo de 1692*]. (En Antonio de la Puebla, Fray. *Pan floreado...* Valladolid. 1693. Prels.)

MADRID. *Nacional.* 3-70.743.

2470

[*APROBACION de Fr. Felix de Bustillo, Fr. Antonio de Fuentelapeña y ──. Madrid, 1 de julio de 1695*]. (En Mateo de Anguiano, Fray. *Vida y virtudes de... Fray Francisco de Pamplona...* Madrid. s. a. Prels.)

MADRID. *Academia de la Historia.* 5-4-7-1.682.

2471

[*APROBACION de ── y Fr. Juan de Pesquera. Madrid, 6 de mayo de 1696*]. (En Iribarne, Antonio. *Candelero Roseo y Virgineo...* Madrid. 1697. Prels.)

SEVILLA. *Universitaria.* 98-82.

ESTUDIOS

2472

REP: Alvarez y Baena, III, págs. 50-52.

JOSE DE MORATA (Fray)

Jerónimo.

EDICIONES

2473

[*APROBACION de Fr. Luis de Santa María, Fr. Fernando de San José, Fr. Alonso de Talavera, ── y Fr. Pedro de la Torre. San Lorenzo del Escorial, 14 de noviembre de 1679*]. (En Francisco de los Santos, Fray. *Quarta parte de la Historia de la Orden de San Gerónimo.* Madrid. 1680. Prels.)

MADRID. *Nacional.* R-19.

JOSE DE NAXARA (Fray)

Capuchino.

EDICIONES

2474

ESPEJO mystico en qve el hombre interior se mira practicamente ilvstrado, para los conocimientos de Dios, y el exercicio de las virtvdes. Gvarnecido de similase, y exemplos practicos, y verdades desnvdas. Madrid. Lucas Antonio de Bedmar. A costa de Mateo de la Bastida. 1672. 12 hs. + 404 págs. a 2 cols. + 8 hs. (a 2 cols.). 20,5 cm.

—Grab. de la Inmaculada Concepción.— Ded. a la Virgen María.—Censura y apr. de Fr. Basilio de Zamora y Fr. Martin de Torrecilla.—L. O.—L. V.—Apr. del P. Francisco de Salinas.—S. Pr.—E.—S. T. Pról. al lector.—Indice de materias.— Texto. — Resumen del Ejercicio de las Virtudes. [«Hijo muy amado en Christo...»].—Tabla de cosas notables.

MADRID. *Facultad de Filosofía y Letras.* 2.245. *Nacional.* 3-63.664. *Seminario Conciliar.*—SEVILLA. *Universitaria.* 133-26; etc.

EDICIONES

2475

REP: N. Antonio, I, pág. 810.

JOSE DE LA RESURRECCION
(Fray)

N. en Córdoba. Trinitario descalzo. Ministro de los conventos de Málaga y Córdoba (1683), Definidor general y Provincial. Redentor en Argel (1694). M. en Córdoba.

EDICIONES
2476

FUNERAL panegírico, al mexor Prelado trinitario. Fúnebre lamento de su Redemptora Familia. Eclipse melancólico de un sol más resplandeciente. Lúgubre ornato a las venerables memorias de... Fr. Pedro de la Ascensión, General... de la... Religión de la SS. Trinidad Descalça... que en sus... Exequias celebró su Colegio de Cordoua... año de 1676... [s. l. - s. i.]. [s. a.]. 3 hs. + 30 págs. 27,5 cm.

—Ded. a D. Francisco Manuel, caballero de Alcántara, etc., por Francisco Díaz Cano.—Censura de Gregorio de Victoria y Avila.—L. V.—Texto.—Protesta.
MADRID. *Nacional.* R-23.967.

ESTUDIOS
2477
REP: Antonino de la Asunción, II, págs. 281-82.

JOSE DE SAN ESTEBAN
(Fray)

Agustino descalzo. Prior del convento de Ntra. Sra. de los Dados de Maqueda.

EDICIONES
2478
VIDA, y virtvdes del Venerable Hermano Fray Ivan de la Magdalena, religioso lego de la Orden de nvestro Padre San Agvstin de los Descalços. Sevilla. Iuan Mendez de Ossuna. 1662. 20 hs. + 211 fols. 19,5 cm.

—Ded. a D. Gabriel Andres de Carvajal, hijo de Lorenço Andres García, Iuez en la Real Casa de la Contratación, etc., precedida de lám. con escudo, firmada

por Thome de Dios. Con datos genealógicos.—Apr. de Fr. Alonso de la Concepción y Fr. Antonio de Santa Maria. L. O.—Apr. del P. Manuel de Naxera.— L. V.—Censura de Fr. Pedro Mexía.—S. Pr. al autor por diez años.—Protesta del autor.—E.—T.—Al Letor.—Indice de los Capitulos.—Octavas de Geronimo Ibañez de Cardenas. [«Nace a Culto mayor sacrificado...»].—Soneto de Iuan Ochoa de Alayça. [«Heroico penitente, que seguiste...»].—Soneto de Diego de Muñichicha. [«Tu virtud se divulgue, que ha alcançado...»].—Carmen saphicum de Manuel Ochoa de Alayça.—Retrato del Fr. Iuan de la Madalena, por Marcus de Orozate. Texto.—Colofón.

Escudero, n.º 1.698.

MADRID. *Nacional.* 3-26.672.—SAN LORENZO. DEL ESCORIAL. *Monasterio.* 104-V-6.

ESTUDIOS
2479
REP: N. Antonio, I, pág. 819.

JOSE DE SAN JERONIMO
(Fray)

Trinitario descalzo.

EDICIONES
2480
[APROBACION. Zaragoza, 2 de junio de 1645]. (En Ortigas, Emanuel de. *San Rafael guía del Cristiano...* Parte II. Zaragoza. 1646. Prels.)
MADRID. *Nacional.* 6.i.-2358.

JOSE DE SAN JUAN (Fray)

Francisco. Definidor general. Custodio de la provincia de San José. Lector de Teología.

EDICIONES
2481
[APROBACION de —— y Fr. Iuan de Santo Domingo. Madrid, 15 de octubre de 1696]. (En Juan de Madrid, Fray. *Milicia Sagrada...* Madrid. 1696. Prels.)
MADRID. *Nacional.* 3-33.779.

JOSE DE SAN JUAN (Fray)

N. y m. en Madrid (1650-1725). Dominico desde 1666. Residió seis años en la isla de Santo Domingo, como confesor del arzobispo Fr. Domingo Navarrete. Vicario, organista y maestro de novicios en el convento de Madrid.

EDICIONES

2482

CEREMONIAL dominicano en el qval se trata de las cosas qve condvcen al modo vniforme, y orden de celebrar los Oficios divinos, con las ceremonias del Orden de Predicadores. A lo vltimo va el Arte de Canto llano, con Reglas especiales, y faciles, para que con brevedad puedan los principiantes aprovecharse. Madrid. Viuda de Francisco Nieto. 1694. 24 hs. + 221 fols. + 3 hs. 20 cm.

—Ded. a Santa Rosa de Santa María.—Apr. de Fr. Thomas Reluz y Fr. Joan Martinez de Mora.—L. O.—Apr. de Fray Joan Martínez de Llano.—L. V.—Apr. de Fr. Francisco García de Olivares.—E.—S. T. S. Pr. al autor por diez años.—Prologo. Texto.—Fols. 201v-221r: Arte de Canto llano.—Tabla de los capítulos.

CORDOBA. *Pública.* 28-70. — LONDRES. *British Museum.* 1471.aa.48.—MADRID. *Nacional.* 3-27.654.

2483

[APPENDIX al Ceremonial Dominicano]. [s. l. - s. i.]. [1719]. 61 págs. 21 cm.

Carece de portada.

—Texto.—Dos notas.

MADRID. *Nacional.* 3-27.655.

ESTUDIOS

2484

REP: Alvarez y Baena, III, págs. 56-57.

JOSE DE SAN LORENZO (Fray)

Trinitario descalzo.

EDICIONES

2485

SERMON de las honras reales, que todos los años celebra la piadosa generosidad de nuestro Rey, y Señor Don Carlos Segundo, por sus militares difuntos de la fidelissima ciudad, y plaza de Zeuta. Sevilla. Lucas Martin de Hermosilla. [s. a.]. 9 hs. + 13 fols. 18,5 cm.

—Ded. a D. Francisco Antonio Fernandez Velasco y Tobar, Governador y Capitan General de Ceuta, etc.—Apr. de Fr. Andrés de San Joseph.—L. O. (1688).—Censura del P. Diego de Castel-Blanco.—L. V. (1688).—Papel que escrivió al Autor, en alabança de su Sermon, Joseph Faraudo el Real.—Texto.

GRANADA. *Universitaria.* A-31-223 (7). — LONDRES. *British Museum.* 4865.dd.20.(5).

JOSE DE SAN LUIS (Fray)

Capuchino.

EDICIONES

2486

RAMILLETE Sagrado. Compuesto de diez y seis flores, o Oraciones Evangelicas de Christo, Maria, y sus Santos, Predicadas por ——… Madrid. Lorenço García de la Iglesia. A costa de Mateo de la Bastida. 1680. 6 hs. + 319 págs. + 16 hs. 20 cm.

—Ded. a Fr. Felix de Bustillo, Ministro Provincial de la de la Encarnación de los Reynos de las dos Castillas, del Orden de Menores Capuchinos de San Francisco.—Apr. de Fr. Francisco Nieto.—L. V.—Apr. de Fr. Alexandro de Toledo.—S. Pr.—E. S. T.—Indice de los Sermones.—Texto. Indice de cosas notables.—Indice de los lugares de la S. Escritura.

SANTIAGO DE COMPOSTELA. *Universitaria.*—SEVILLA. *Universitaria.* 99-58.

ESTUDIOS

2487

REP: N. Antonio, I, pág. 808.

JOSE DE SAN PEDRO (Fray)

Trinitario. Lector de Teología en el Colegio de la Trinidad de la Universidad de Salamanca.

EDICIONES

2488

[APROBACION de ——, Fr. Luis de

la Concepción, Fr. Ioseph de Iesus Maria. Salamanca, 17 de agosto de 1658]. (En Vega, Iuan. Respuesta Apologética. Madrid. 1659. Al fin).
MADRID. Nacional. 2-51.819.

JOSE DE SANTA CRUZ (Fray)
Franciscano.

EDICIONES
2489
CHRONICA de la St.ª Provincia de S. Miguel del Orden de N. P. S. Francisco. Tomo I. Madrid. Viuda del Melchor Alegre. 1671. 10 hs. + 775 págs. a 2 cols. + 10 hs. 20 cm.

—Frontis.—Ded. a Manuel Lopez de Zuñiga, Duque de Bejar.—Soneto de Rui Gomez de Silva. [«Miguel los filos de metal espada...»].—Apr. de Fr. Ioan de Valladares.—Apr. de Fr. Joan Baptista Montealegre. — L. O. — Apr. del P. Antonio Mexia.—L. V.—Apr. de Ioseph Pellicer de Ossau y Tovar.—S. L.—E.—S. T.—Prologo. — Poesia latina de Archangelo Michaeli.—Texto.—Catalogo de Ministros Provinciales.—Indice de cosas notables.
En Salamanca, 1743, se publicó el tomo II debido a Fr. Francisco Soto y Marne.
MADRID. Nacional. 2 - 41.931. — PROVIDENCE. Brown University.—WASHINGTON. Congreso. Mic A46-106.

Poesías sueltas
2490
[CANCION]. (En APLAUSO gratulatorio de la insigne escuela de Salamanca, al Exmo. Sr. D. Gaspar de Guzmán, Conde de Oliuares... Barcelona. s. a., págs. 51-57).
MADRID. Nacional. R-3.705.

2491
[EPIGRAMMA]. (En Guerrero, Alonso. Narte y guía para el camino del cielo. Madrid. 1671. Prels.)
MADRID. Nacional. 3-68.090.

OBRAS LATINAS
2492
[Al Autor Epigrama]. (En Guerrero,

Alonso. Norte y Guía para el camino del cielo. Madrid. 1671. Prels.)
MADRID. Nacional. 3-68.090.

2493
[POESIA]. (En Fomperosa y Quintana, Ambrosio de. Días sagrados y geniales. Madrid. 1672. Fol. 225r)
MADRID. Nacional. 2-12.889.

2494
REP: N. Antonio, I, pág. 818.

JOSE DE SANTA CRUZ (Fray)
Capuchino. Provincial de Castilla.

EDICIONES
2495
[APROBACION de Fr. Gregorio de Guadalupe y ——. El Pardo, 8 de mayo de 1690]. (En Félix de Alamín, Fray. Espejo de verdadera y falsa comtemplación. Madrid. s. a. Prels.)
MADRID. Nacional. 3-51.411.

2496
[APROBACION de —— y Fr. Gregorio de Guadalupe. El Pardo, 12 de mayo de 1692]. (En Féliz de Alamín, Fray. Retrato del verdadero sacerdote... Madrid. 1704. Prels.)
MADRID. Nacional. 3-53.436.

2497
[APROBACION de —— y Fr. Pedro de Reinosa. Madrid, 10 de noviembre de 1697]. (En Mota, Francisco de la. Compendio de la Suma. Madrid. 1698. Prels.)
MADRID. Nacional. 2-69.823.

JOSE DE SANTA MARIA (Fray)
Carmelita. Lector de Sagrada Escritura en el Colegio de San Elías de Salamanca.

EDICIONES
2498
ORACION panegyrica en la festividad de N. S. de la Pvrificacion. Va-

lladolid. Felipe Francisco Marquez. [s. a.]. 4 hs. + 16 págs. 20 cm.

—Ded. al Decano y Cabildo de la Naba del Rey.—Censura de Fr. Luis Antonio de San Buena Ventura.—Censura de Fr. Iuan Temudo de Torres.—L. V.—Texto. MADRID. *Nacional.* R-Varios, 73-32.—SEVILLA. *Universitaria.* III-40 (12).

2499

ORACION Panegirica Gratulatoria. En las solemnes Fiestas, que se luzieron a la Dedicación de una hermossisima Capilla, o Hermita, que se fabricó en la casa donde murió Nuestro Glorioso P. S. Ivan de la Cruz en la Villa de Hontiveros con limosnas, que dieron los devotos del Santo. Dixola —— el vltimo dia de las Fiestas. Salamanca. Eugenio Antonio García. 1680. 4 hs. + 24 págs. 19,5 cm.

—Censura del P. M. Francisco Maldonado. L. V.—Ded. a la Exclma. Sra. Catalina de Mendoza, Duquesa del Infantado.— Epistola de Angelo de Carabaxal.—Texto. MADRID. *Nacional.* V.E.-176-9.

2500

ORACION primera funebre panegyrica, en la muerte del Excelentissimo Señor D. Gaspar de Bracamonte, Conde de Peñaranda, antes de dar sepultura a su cuerpo. Dixola en el Religiosissimo Conuento de Carmelitas Descalzas de la villa de Peñaranda, donde se enterró su Excelencia... Salamanca. Eugenio Antonio García. [1677]. 4 hs. + 39 págs. 20 cm.

—Ded. a D.ª María de Bracamonte y Luna, Condesa de Peñaranda.—Censura de Diego de la Cueua y Aldana.—L. V.—Texto. SEVILLA. *Universitaria.* 111-40 (2).

2501

ORACION panegyrica en la festividad de la Circuncission y dulcissimo nombre de Jesus. Málaga. Mateo López Hidalgo. 1689.

NUEVA YORK. *Hispanic Society.*

JOSE DE SANTA MARIA (Fray)

N. en Lima (1584). Vino de niño a España y profesó como cartujo en la de Las Cuevas (1608). M. en 1643.

CODICES

2502

«Exorcismos de la Iglesia militante».

N. Antonio; *Escritores cartujanos.*

2503

«Cronicón latino de la Cartuja de Cazalla».

Ídem.

EDICIONES

2504

APOLOGIA de la sagrada comunión y de sus admirables efectos. Madrid. Viuda de Alonso Martín. 1616. 8.º

N. Antonio.

2505

TRIBVNAL de religiosos, en el qval principalmente se trata el modo de corregir los excessos, y como se han de auer en las judicaturas, y visitas, assi los Prelados como los subditos. Sevilla. Fernando Rey. 1617. 12 hs. + 442 págs. + 20 hs. 20,5 cm.

—E.—T.—L. O.—Apr. de Fr. Iuan Carrillo. Apr. de Fr. Diego de Vera.—Apr. de Fr. Francisco de San Lorenço. — Soneto al Auctor. [«La correccion fraterna, y amorosa...»].—Apr. de Fr. Pedro de Perea. Apr. de Miguel Beltran.—Pr. al autor por diez años.—Pr. de Aragon.—Ded. a Fr. Antonio de Trejo, General de la Orden de San Francisco.—Prologo al Lector.—Texto.—Tabla de todas las materias, y principales puntos.

Escudero, n.º 1.103.

LONDRES. *British Museum.* 1608/960.—MADRID. *Facultad de Filosofía y Letras.* 271; 10.510. *Municipal.* R-519. *Nacional.* 3-76.112; 3-9.543. PAMPLONA. *General de la Diputación Foral.* 109-3-2/79. — ROMA. *Nazionale.* 14.26.O.33. — SEVILLA. *Universitaria.* 12-10.

2506

INFORMACION sobre la possesion y propriedad de la milagrosa Pila Baptismal en el Osset Betico, territorio

Hispalense Transamniano, S. Ivan de Alfarache. Sevilla. Francisco de Lyra. 1630. 4 hs. + 48 fols. 20 cm.

—Ded. a D. Fernando Ramirez Fariña, del Consejo y Camara de S. M., etc.—Al Prudente, y Curioso Letor.—Texto.—L. O. Gallardo, IV, n.º 3.867; Escudero, n.º 1.428. MADRID. *Nacional.* 2-63.628 (ex libris de Gayangos).—NUEVA YORK. *Hispanic Society.*— SEVILLA. *Colombina.* 55-3-15. *Universitaria.* 193-15.

2507

SACROS ritos y ceremonias baptismales. Sevilla. Simón Faxardo. 1637. 20 hs. + 194 fols. 18,5 cm.

—Frontis. — Ded. a D. Fernando Remirez Fariña, del Consejo y Camara de S. M., etcétera.—Censura de Fr. Luys de Cabrera.—Censura del P. Pedro Delgado.—L. O.—Censura de Alonso Gomez de Rojas. L. V.—Censura del P. Iuan de Pineda.— Proemio al Letor.—Catalogo de los Autores alegados en este Tratado.—Indice de los Capitulos.—Texto.—Indice de los lugares de la Sagrada Escritura que se declaran o se ilustran en este Tratado.— Indice general de las cosas mas notables.

Escudero, n.º 1.516.

CORDOBA. *Pública.* 6-208; 25-76.—GRANADA. *Universitaria.* A-18-359. — MADRID. *Nacional.* 3-29.921; 7-11.806 (incompleto).—NUEVA YORK. *Hispanic Society.*—PAMPLONA. *General de la Diputación Foral.* 109-5-3/67. — SAN LORENZO DEL ESCORIAL. *Monasterio.* 20-V-40.—SEVILLA. *Colombina.* 73-4-27. *Universitaria.* 191-76.

2508

TRIVNFO del agva bendita. Sevilla. Simon Fajardo. 1642. 23 hs. + 243 fols. + 1 h. blanca + 16 hs. 19,5 cm.

—Frontis, firmado por Petrus Rodriguez. Ded. a D. Justo Perot, Prior de la Gran Cartuxa, etc.—Proemio.—Apr. de Fr. Ioan Ponce de Leon.—L. V. de Madrid.—Apr. de Fr. Francisco de Santa María.—S. Pr. al autor por diez años.—L. O.—Carta del P. Francisco del Mas.—Epigrama latino del mismo. — Epistola de Iuan Vizuete Carrillo al autor.—Parecer del P. Diego Melendez.—Censura de Ioseph Vela.— E.—S. T.—Catalogo de los autores alegados.—Indice de los Capitulos y Parra-

fos.—Texto.—Indice General de las cosas mas notables.

Escudero, n.º 1.568.

LONDRES. *British Museum.* 478.a.22.—MADRID. *Nacional.* 3-68.651. — NUEVA YORK. *Hispanic Society.*—PAMPLONA. *General de la Diputación Foral.* 109-1-3/66.—SEVILLA. *Colombina.* 70-4-41; 93-1-34. *Universitaria.* 201-32; 86-A-311.

2509

[*AL Illustrissimo Reyno de Navarra en su Diputación. Por un un bien intencionado, y desseoso del bien de los Monges de Navarra sus casas y credito*]. [s. l. - s. i.]. [s. a.]. 9 fols. 29 cm.

Carece de portada.

—Texto.

MADRID. *Nacional.* V.E.-199-38.

ESTUDIOS

2510

REP: N. Antonio, I, pág. 809; *Escritores cartujanos,* págs. 141-42.

JOSE DE SANTA TERESA (Fray)

N. en Barcelona. Carmelita descalzo.

CODICES

2511

«*Libro de apuntamientos...*».

1693. 221 fols. 200 × 155 mm.

Notas sobre temas morales predicables. Miquel, III, págs. 494-95.

BARCELONA. *Universitaria.* Mss. 1.423.

JOSE DE SANTA TERESA (Fray)

N. en Almansa (1609). Carmelita descalzo. M. en Málaga (1697).

EDICIONES

2512

[*SERMON*]. (En TEADRO *Evangélico.* Alcalá. 1649, págs. 432-454).

MADRID. *Nacional.* 2-69.827.

2513

PANEGIRICO Funebre a las Solemnes Honras del Venerable y Doctissimo Varon el Reverendissimo P. M. Fr. Francisco de Santa María Pul-

gar, *Provincial dos vezes de Andaluzia, e Historiador General de su Religion Sagrada del Carmen Descalço*. Jaén. Francisco Pérez de Castilla. 1650. 16 fols. 22 cm.

—Apr. de Juan Rubiños y Parga.—L. V.— Ded. a la Provincia de Andalucía.—Texto. SEVILLA. *Universitaria*. 112-116 (21).

2514

TRATADO en que se ofrecen los fundamentos, se alegan las razones, se apoyan las congruencias que tienen la Opinión de la Concepción Purissima e Immaculada de la Madre de Dios. Jaén. Francisco Pérez de Castilla. 1651. 22 fols. 27,2 cm.

—Apr. del P. Rodrigo Martinez de Ursangui.—L.—Ded. a la ciudad de Jaen.—Texto.—Indice. MADRID. *Nacional*. R-Varios, 185-82.

2515

RESVNTA de la vida de N. Bienaventvrado P. San Ivan de la Crvz, Doctor mystico, primer carmelita descalço, y fiel Coadjutor de nuestra Madre Santa Teresa en la Fundacion de su Reforma. Beatificado por... Clemente X a 6 de octubre de 1674. Madrid. Bernardo de Villa-Diego. 1675. 12 hs. + 1 lám. + 150 págs. + 11 hs. 20 cm.

—Ded. a Fr. Diego de la Concepción, General de los Carmelitas descalzos.—L. O. Censura de Fr. Rafael Martinez de Cordoua.—L. V.—Censura de Fr. Diego de Salazar y Cadena.—S. Pr.—E.—T.—A los lectores.—Retrato de S. Juan de la Cruz, por P. Villafranca. — Texto. — Tabla de las cosas que se contienen en este libro. ANN ARBOR. *University of Michigan.*—LONDRES. *British Museum*. 4827.d.20. — MADRID. *Academia de la Historia*. 3-8-5-8.890. *Facultad de Filosofía y Letras*. 7.392.—*Nacional*. R-31.597.—ROMA. *Nazionale*. 14.32.C.14. *Teresianum*. Carm. B.1333.

2516

VIDA de N. Padre San Juan de la Cruz, Doctor Místico, primer 'Carmelita descalzo y fiel coadjutor de

Nuestra Madre Santa Teresa en la Fundacion de su Reforma. Murcia. Francisco Benedito. 1779. 265 págs. 14,5 cm.

ALCALA DE HENARES. *Convento de Carmelitas Descalzas del Corpus Christi*.

2517

HISTORIA de la vida, virtudes y maravillas del Venerable Hermano Diego de Iesus, religioso descalzo de Nuestra Señora del Carmen. [Cuenca. Antonio Núñez Enríquez de Villacorta]. 1671. 376 págs. 20 cm.

ALCALA DE HENARES. *Convento de Carmelitas Descalzas del Corpus Christi*.—ROMA. *Vaticana*. Stamp. Barb. U.VII.109.—SAN LORENZO DEL ESCORIAL. *Monasterio*. 104-VI-9.

2518

FLORES del Carmelo, vidas de los Santos de Nvestra Señora del Carmen, que reza su Religion, assi en comun, como en particulares Conventos. Madrid. Antonio Gonçalez de Reyes. 1678. 11 hs. + 643 págs. 29 cm.

—Ded. a Fr. Alonso de Santo Thomas, Obispo de Málaga.—L. O.—L. V.—Censura del P. Antonio Gonçález de Rosende. — Parecer de Fr. Iuan de Ludeña.— S. Pr.—S. T.—E.—Prólogo a lector.—Protesta del Autor.—Indice de los Santos que contiene este libro.—Texto. MADRID. *Nacional*. 3-65.066.—NUEVA YORK. *Hispanic Society*.—MADISON. *University of Wisconsin*.—ROMA. *Nazionale*. 14.23.F.15. *Teresianum*. Carm. C.306.

2519

REFORMA de los Descalzos de Nvestra Señora del Carmen, de la primitiva Observancia, hecha por Santa Teresa de Iesvs en la antiqvissima Religion fvndada por el gran profeta Elías. Tomo III. Madrid. Iulian de Paredes. 1683.

Los dos tomos primeros habían sido compuestos por Fr. Francisco de Santa María. MADRID. *Facultad de Filosofía y Letras*. 13.792. *Nacional*. 3-74.073. — PAMPLONA. *General de la Diputación Foral*. 109-2-5/19-20.— ROMA. *Teresianum*. Carm. C.1995.—SEVILLA. *Colombina*. 26-6-16-17.

Epístolas

2520

[*EPISTOLA al Autor. Madrid, 21 de enero de 1656*]. (En Batista de Lanuza, Miguel. *Virtudes de la V. M. Teresa de Iesus...* Zaragoza. 1657. Prels.)

MADRID. *Nacional.* 3-37.097.

Aprobaciones

2521

[*CENSURA. Madrid, 9 de noviembre de 1656*]. (En Batista de Lanuza, Miguel. *La V. M. Catalina de Christo...* Zaragoza. 1657. Prels.)

MADRID. *Nacional.* 3-13.543.

2522

[*CENSURA. Toledo, 3 de noviembre de 1657*]. (En Batista de Lanuza, Miguel. *Vida de la Sierva de Dios Francisca del Stmo. Sacramento...* Madrid. 1659, págs. 544-49).

MADRID. *Nacional.* 3-36.065.

TRADUCCIONES

a) Italianas

2523

La vita, virtù e meraviglie del Ven. Fratello Diego di Gesù. Tradotta dalla lingua Castigliana da Gioachino di S. Maria... Milán. 1669. 8.º

———

—Milán. F. Agnelli. 1674.

ROMA. *Nazionale.* 14.25.B.6.

ESTUDIOS

2524

REP: N. Antonio, I, pág. 821.

JOSE DE LA SANTISIMA TRINIDAD (Fray)

EDICIONES

2525

[*APROBACION de —— y Fr. Juan de Santo Tomás. Alcalá, 2 de febrero de 1670*]. (En Isidro de San Juan, Fray. *Triunfo evangelico de Chris-*

to... 2.ª impressión. Madrid. 1672. Prels.)

SEVILLA. *Universitaria.* 279-87.

JOSE DEL SANTISIMO SACRAMENTO (Fray)

EDICIONES

2526

[*DEDICATORIA. Zaragoza, 4 de enero de 1668*]. (En Sorribas, Juan Bautista, *Sermones varios...* Zaragoza. 1668. Prels.)

MADRID. *Nacional.* 3-10.630.

JOSE DE SANTO TOMAS (Fray)
Carmelita.

CODICES

2527

«*Dictámenes Religiosos escritos... para reparo de algunas quiebras en la observancia de las Leyes*».

Letra del s. XVII.

MADRID. *Nacional.* Mss. 7.022.

EDICIONES

2528

[*APROBACION. Roma, 18 de agosto de 1685*]. (En *Finezas de amor recíproco...* Roma. 1685. Prels.)

BARCELONA. *Univeristaria.* B. 14-5-2.

JOSE DE SEGOVIA (Fray)
Trinitario. Ministro del convento de la Trinidad de Toledo.

EDICIONES

2529

[*APROBACION, 11 de junio de 1631*]. (En Pardo, Manuel. *Sermón... a las honras de... Don Iuan Niño de Mendoça...* Toledo. 1631. Prels.)

GRANADA. *Universitaria.* A-31-208 (20).

2530

[*CENSURA. Toledo, 20 de mayo de 1635*]. (En Granados, Cristóbal. *Discurso de las grandezas de Toledo.* Toledo. 1635. Prels.)

MADRID. *Nacional.* R-Varios, 12-30.

JOSE DE SEVILLA (Fray)
Capuchino.

EDICIONES

2531

SEPTENARIO Sagrado, y Moral, compvesto de Siete Oraciones sobre siete Versos del Psalmo Miscrere. Predicados por ——... Madrid. Juan García Infançon. 1681. 248 págs. 8.º

Palau, XXI, n.º 311.354.

2532

VIDA del venerable siervo de Dios Fray Bernardo de Corleon, siciliano, religioso lego del Sagrado Orden de Menores Capuchinos, de la Provincia de Palermo. Compvesta por el R. P. Fr. Benito de Milan... Tradvcida de lengua italiana en española, por ——. Madrid. Lorenço García de la Iglesia. 1683. 14 hs. + 275 págs. + 2 hs. 21 cm.

—Ded. a D.ª Catalina Gomez de Sandoual Roxas, Duquesa del Infantado, etc., precedida de su escudo, por ——.—Apr. de Fr. Felix de Bustillo.—Censura de Fr. Ioseph de Madrid.—L. O.—Censura de Diego de Ebelino y Hurtado.—L. V. Censura de Fr. Agustín de Ocaña.—S. Pr. al traductor por diez años.—E.—S. T.—Protesta del Autor.—Al lector.—Retrato de Fr. Bernardo de Corleón, por Augs. Bouttats.—Texto.—Tabla de los capitulos.

BARCELONA. *Convento de Capuchinos, de la calle Cardenal Vives y Tutó, 23.* 4-4-24.—GRANADA. *Universitaria.* A-2-370.—MADRID. *Nacional.* 3-13.965; 7-14.331.

2533

RAMILLETE sagrado compuesto de diez y seis flores, o oraciones evangelicas de Christo, María y sus Santos. Madrid. Gregorio Rodríguez. 1687. 8 hs. + 346 págs. + 15 hs.

BARCELONA. *Convento de Capuchinos, de la calle Cardenal Vives y Tutó, 23.* 3-4-7.—CORDOBA. *Pública.* 6-70.

2534

ORACIONES evangelicas de varios assvmptos, de algunos mysterios de Christo, Maria Santissima, Ferias, y Santos. Madrid. Imprenta Real: por Matheo de Llanos. A costa de Joseph de Luxan. 1694. 6 hs. + 326 págs. 20 cm.

—Ded. de José de Luxan a Francisco Camargo y Paz.—Apr. de Fr. Antonio de Fuente la Peña, Fr. Felix de Bustillo y Fr. Felipe de Segura.—L. O.—Apr. del P. Alonso Mexia de Carvajal.—L. V.— Censura de Fr. Geronimo de Torre.— S. Pr.—E.—S. T.—Tabla de los Sermones.—Texto.—Indice de los lugares de la Escritura que contiene la obra.—Indice de cosas notables.

MADRID. *Nacional.* 7-12.998.—SEVILLA. *Universitaria.* 78-110.

2535

ORACIONES Evangelicas de varios assumtos, de algunos mysterios de Christo, Maria Santissima, Ferias, y Santos. Ordenadas y predicadas por ——. Madrid. Antonio Roman. A costa de Herederos de Gabriel de Leon. 1697. 10 hs. + 401 págs. 21 cm.

—Ded. a Baltasar de Mendoza y Sandoval. Apr. de Fr. Antonio de Fuente-Lapiña y Fr. Geronimo de Torre.—L. O.—Censura de Francisco de la Torre y Sotomayor. L. V.—Apr. de Fr. Pedro Reyes de los Ríos.—L.—S. T.—Indice de Sermones.— Texto.— Indice de lugares de Sagrada Escritura.—Indice de cosas notables.

BARCELONA. *Convento de Capuchinos, de la calle Cardenal Vives y Tutó, 23.* 2-4-25.— MADRID. *Nacional.* 3-54.676.—PAMPLONA. *General de la Diputación Foral.* 109-2-3/70.

JOSE DE SIGÜENZA (Fray)
N. en Sigüenza (c. 1544) y estudió en su Universidad. Jerónimo desde 1567. Bibliotecario del monasterio de El Escorial, del que fue prior y donde m. en 1606.

CODICES

2536

«La vida de S. Hieronimo Doctor de la Santa Iglesia».

«Por este original se imprimió esta historia» (nota mss. del P. Alaejos). 410 hs. 212 × 155 mm.

Zarco, II, pág. 402.

SAN LORENZO DEL ESCORIAL. *Monasterio.* T.III. 27.

2537

«*La vida de S. Hieronimo Doctor de la Iglesia*».

Autógrafo. 411 hs. 170 × 95 mm.
Zarco, I, pág. 6-7.
SAN LORENZO DEL ESCORIAL. *Monasterio.* a.IV.1.

2538

«*Segunda parte de la Historia del glorioso Doctor St. Geronimo*».

Autógrafo hasta el folio 294*r* y el resto de otra mano del s. XVI. 368 hs. 185 × 113 mm.
Zarco, I, pág. 7.
SAN LORENZO DEL ESCORIAL. *Monasterio.* a.IV.2.

2539

«*Libro Tercero de la Historia de la orden de S. Geronimo. La fundacion y grandeza del Monasterio de S. Lorencio el Real de la orden de S. Geronimo...*».

Quirógrafo. 315 × 215 mm.
Zarco, I, pág. 279.
SAN LORENZO DEL ESCORIAL. *Monasterio.* &.II. 22 (fols. 35*r*-138*v*).

2540

«*Sermones*».

Autógrafos los de la primera parte. 211 × 150 mm.
J. Catalina García, *Guadalajara*, n.º 1.129; Zarco, I, págs. 87-88.
SAN LORENZO DEL ESCORIAL. *Monasterio.* ç-III-13 (fols. 117*r*-222*v* y 243*r*-258*v*).

2541

«*La Historia del Rey de los Reyes y Señor de los señores...*».

Letra del s. XVI. 190 hs. 214 × 155 mm.
J. Catalina García, *Guadalajara*, n.º 1.134; Zarco, I, págs. 90-91.
SAN LORENZO DEL ESCORIAL. *Monasterio.* ç-III-15.

2542

«*La historia del Rey de los Reyes y Señor de los Señores*».

Letras de los ss. XVI y XVII. 212 × 155 mm.
Zarco, II, págs. 46-47.
SAN LORENZO DEL ESCORIAL. *Monasterio.* I.III. 23 (fols. 148-*r*293*r*).

2543

«*Libro 1.º de la 2.ª parte de la historia del Rey de los Reyes*».

Autógrafo. 211 × 150 mm.
Zarco, I, pág. 87.
SAN LORENZO DEL ESCORIAL. *Monasterio.* ç.III. 13 (fols. 1*r*-116*r*).

2544

«*Libro primero de la 2.ª parte de la historia del Rey de los Reyes*».

Letra del s. XVI. 208 × 152 mm.
Zarco, I, pág. 88.
SAN LORENZO DEL ESCORIAL. *Monasterio.* ç.III. 14 (fols. 1*r*-148*r*).

2545

«*Discursos sobre el Eclesiastés de Salomón según la verdad del sentido literal*».

Letra del s. XVIII. 142 hs. 205 × 147 mm.
J. Catalina García, *Guadalajara*, n.º 1.132; Zarco, II, págs. 47-48.
SAN LORENZO DEL ESCORIAL. *Monasterio.* I-III-24.

2546

[*Discursos morales sobre el Eclesiástés de Salomón, declarado según la verdad del sentido literal*].

310 × 210 mm.
Zarco, III, pág. 199.
SAN LORENZO DEL ESCORIAL. *Monasterio.* M.ª-22-I-9 (págs. 3-209).

2547

«*Exposiçion de el Psalmo noventa*».

Letra del s. XVI. 209 × 152 mm.
Zarco, I, pág. 88.
SAN LORENZO DEL ESCORIAL. *Monasterio.* ç.III. 14 (fols. 168*r*-190*v*).

2548

«*Exposición del Psalmo 90 Qui habitat*».

Letra del s. XVIII. 218 × 155 mm.
Incompleto.
Zarco, III, pág. 182.
SAN LORENZO DEL ESCORIAL. *Monasterio.* Z.IV. 23 (fols. 364*r*-418*v*).

2549

«*Exposición del capítulo primero del evangelio de Sant Juan*».

Letra del s. XVII. 212 × 155 mm.
Zarco, II, pág. 47.
SAN LORENZO DEL ESCORIAL. *Monasterio.* I.III.
23 (fols. 295r-300r).

2550
«Exposición de el Evangelio de S. Juan, In principio erat Verbum».
Letra del s. XVI. 208 × 152 mm.
Zarco, I, pág. 88.
SAN LORENZO DEL ESCORIAL. *Monasterio.* ç.III.
14 (fols. 110r-164v).

2551
[Poesías].
Zarco, I, págs. 148-52.
SAN LORENZO DEL ESCORIAL. *Monasterio.* I.IV.
29.

2552
[Poesías].
Letra del s. XIX. 220 × 155 mm.
Zarco, I, pág. 310.
SAN LORENZO DEL ESCORIAL. *Monasterio.* &.III.
33 (fols. 83r-86r y 90r-92v).

2553
[Versión en tercetos del «Votum Poenitentiae», de B. Arias Montano, y la parágrafe sobre el Evangelio in principio erat Verbum, etc., en octavas reales].
310 × 210 mm.
Zarco, III, pág. 199.
SAN LORENZO DEL ESCORIAL. *Monasterio.* M.ª-22-I-9 (págs. 2-22).

2554
[Fragmento de un villancico].
Letra del s. XVII. 305 × 215 mm.
Zarco, II, pág. 238.
SAN LORENZO DEL ESCORIAL. *Monasterio.* L.I.
18 (fol. 13v).

2555
[Borradores y apuntes].
Autógrafos. 209 × 158 mm.
Zarco, I, pág. 74.
SAN LORENZO DEL ESCORIAL. *Monasterio.* ç.III.3
(fols. 391r-392v).

2556
«Commentaria in primam 2.ᵉ Angelici doctoris Sancti Thomae Aquinatis... 1586».
140 fols. 4.º
J. Catalina García, *Guadalajara,* n.º 1.130.
SAN LORENZO DEL ESCORIAL. *Monasterio.* b-III-24.

2557
«Commentaria in tertiam p. D. T. Aquinatis... 1586».
Letra del s. XVI.
J. Catalina García, *Guadalajara,* n.º 1.131.
SAN LORENZO DEL ESCORIAL. *Monasterio.* b-III-24 (fols. 143-289).

2558
«In Genesim et Devtoronomivm Annotationes seu loca communia per ordinem Alphabeti digesta».
Original (?). 144 fols. 136 × 92 mm.
Texto en castellano.
J. Catalina García, *Guadalajara,* n.º 1.133;
Zarco, I, pág. 156.
SAN LORENZO DEL ESCORIAL. *Monasterio.* f-IV-32.

EDICIONES
Vida de San Jerónimo
2559
VIDA (La) de S. Geronimo Dotor de la Santa Iglesia. Madrid. Tomas Iunti. 1596. 6 hs. + 795 págs. + 8 hs. 21 cm.
El nombre del autor no figura en la portada.
—Pr.—L. O.—Apr. de Fr. Francisco de Cauañas.—Apr. del Dr. Pedro Lopez de Montoya.—E.—T.—Ded. a la Religion de San Geronimo. — San Jerónimo (lámina). — Texto.—Indice de las cosas más notables.—E.
Salvá, II, n.º 3.515; J. Catalina García, *Guadalajara,* n.º 1.122; Pérez Pastor, *Madrid,* I, n.º 500.
CAMBRIDGE, Mass. *Harvard University.*—GRANADA. *Universitaria.* B-20-205. — LONDRES. *British Museum.* 4785.i.3(1).—MADRID. *Academia de la Historia.* 2-7-3.513. — *Facultad de Filosofía y Letras.—Nacional.* R-16.—NUEVA YORK. *Hispanic Society.*—ROMA. *Vaticana.*

Stamp. Barb. T.III.72. — SAN LORENZO DEL ESCORIAL. *Monasterio.* 53-II-6. — SANTANDER. «*Menéndez Pelayo*». R-IX-5-18.—SEVILLA. *Colombina.* 54-4-29. *Universitaria.* 86-B-280; 222-126.

2560

VIDA (La) de S. Geronimo Doctor de la Santa Iglesia. Madrid. Impr. Real. 1629. 14 hs. + 795 págs. 19,5 cm.

—Port. sin nombre de autor.—L. O. (1594). Apr. de Fr. Francisco de Cauañas (1594). Apr. de Pedro Lopez de Montoya (1595). E.—T.—Indice de las cosas mas notables desta historia.—E.—Pr. al autor por diez años (1595).—Ded. a la Religion de San Geronimo.—San Jeronimo (grab.).— Texto.—Colofón.

MADRID. *Academia de la Historia.* 1-3-6-1.350; etc. *Nacional.* 2-71.295.—NUEVA YORK. *Hispanic Society.*—ROUEN. *Municipale.* U.1048.1.— SAN LORENZO DEL ESCORIAL. *Monasterio.* 45-II-71; etc.

2561

VIDA de S. Gerónimo, recopilada de la que escrivió ——... por Fr. Lucas de Alaejos... Madrid. 1766.

V. *B. L. H.,* V, n.º 4475.

2562

VIDA de San Gerónimo, doctor maximo de la Iglesia, sacada de sus obras y escrita por el clásico P. ——, monje profeso del Real Monasterio de San Lorenzo. Los monjes de la Orden de tan gran Padre hacen esta segunda edición, cuyas mejoras, que en todos conceptos son bastante claras, resaltarán mucho más cotejándola con la que ha servido de original, impresa en Madrid en el año de 1595. Madrid. Imp. de La Esperanza, a cargo de Antonio Pérez Dubrull. 1853. 1 lám. + XXXI + 581 + XVI págs. + 1 h. 27 cm.

Con dos discursos preliminares.

CHICAGO. *University of Chicago.* — GRANADA. *Universitaria.* V-1-2. — MADRID. *Nacional.* 1-48.051.—SAN DIEGO. *University of California.*

Historia de la Orden de San Jerónimo (2.ª parte)

2563

SEGVNDA parte de la Historia de la Orden de San Geronimo. Madrid. Imp. Real. [Colofón: Por Iuan Flamenco]. 1600. 17 hs. + 767 págs., a 2 cols. 27,5 cm.

—Sumario de los libros que contiene.—Pr. Ded. al Rey D. Philippe III.—Ded. a Felipe II.—Apr. de Fr. Francisco de Cauañas.—L. O.—Censura de Fr. Philippe de Campo.—E.—T.—Tabla de las cosas más notables.—Texto.—Colofón.

Salvá, II, n.º 3.515; J. Catalina García, *Guadalajara,* n.º 1.125; Pérez Pastor, *Madrid,* I, n.º 719.

CORDOBA. *Pública.* 1-171; 18-125.—GENOVA. *Universitaria.* 2.R.III.32.—GRANADA. *Universitaria.* A-30-165. — LONDRES. *British Museum.* 4785.i.3(2); etc. — MADRID. *Academia de la Historia.* 2-7-1-3.514. *Nacional.* R-17. — NUEVA YORK. *Hispanic Society.*—ROMA. *Vaticana.* Stamp. Barb. H.XI.39.— ROUEN. *Municipale.* U.222(I). — SANTANDER. «*Menéndez Pelayo*». IX-8-14.—SANTIAGO DE COMPOSTELA. *Universitaria.*—SEVILLA. *Colombina.* 52-6=14. *Universitaria.* 227-231.

Historia de la Orden de San Jerónimo (3.ª parte)

2564

TERCERA parte de la Historia de la Orden de San Geronimo Doctor de la Iglesia. Madrid. Imp. Real. 1605. 22 hs. + 899 págs. a 2 cols. 28 cm.

—Lo que contienen los quatro libros de la tercera parte.—T.—E.—Apr. de Fr. Antonio de Viedma.—Pr.—Ded. a Felipe III. Tabla de las cosas mas notables de esta historia.—Texto.—Págs. 423-26: *Glossa de Fr. Hernando de Talauera, sobre el Aue María.* [«O Suma de nuestros bienes...»].

Salvá, II, n.º 3.515.

GRANADA. *Universitaria.* A-36-128. — MADRID. *Academia de la Historia.* 2-7-1-3.515. *Nacional.* 5-10.104; R-18. — NUEVA YORK. *Hispanic Society.*—ROMA. *Vaticana.* Stamp. Barb. H. XI.39-40. — ROUEN. *Municipale.* U.222(II).— SANTIAGO DE COMPOSTELA. *Universitaria.*—SEVILLA. *Colombina.* 52-6=15.

Historia de la Orden de
San Jerónimo (Ed. conjunta)

2565

HISTORIA de la Orden de San Je-
rónimo. Publicada con un Elogio
de —— por Juan Catalina García.
2.ª edición. Madrid. Bailly-Baillière.
1907. 2 vols. 25 cm. (Nueva Biblioteca de Autores Españoles, 8, 12).

MADRID. *Nacional.* Inv. — WASHINGTON. *Con-*
greso. 8-22414.

Historia de la Orden...
(Fragmentos)

2566

HISTORIA primitiva y exacta del
Monasterio del Escorial, la más rica
en detalles de cuantas se han publi-
cado... Arreglada por Miguel Sán-
chez y Pinillos. Madrid. Imp. de M.
Tello. 1881. 1 lám. + 560 págs. 18 cm.

—Págs. 7-8: Al lector. «La obra, en el
estado que por una feliz casualidad vino
á mis manos, no podía presentarse al
público, y mi trabajo queda reducido á
una laboriosa restauración... en la que
he suprimido lo mucho que, á mi juicio,
tenía este libro de inoportuno para este
siglo, llenando los claros que de estas
eliminaciones resultaban...»

BILBAO. *Municipal.* 2.867.—MADRID. *Academia*
de la Historia. 14-10-4-8.872. *Nacional.* 1-
67.714.

2567

FUNDACION del monasterio de El
Escorial por Felipe II. Madrid.
[Apostolado de la Prensa]. 1927. 628
págs. 19 cm.

MADRID. *Facultad de Filosofía y Letras.*
Nacional. 1-60.489. — WASHINGTON. *Congreso.*
32-4706.

2568

HISTORIA de la fundación del mo-
nasterio del Escorial. Prólogo de
F. C. Sainz de Robles. Madrid. Aguilar. 1963. 470 págs. con ilustr. (Col.
Evocación y memorias).

2569

MONASTERIO (El) de Yuste y la
retirada del emperador Carlos V.
Textos escogidos de ——, Fr. Pru-
dencio de Sandoval y Pedro Antonio
de Alarcón. [Valencia. Castalia].
1958. 30 págs. + 1 h. + 3 láms. 20
cm.

MADRID. *Nacional.* V-3.225-2.

— — —

—2.ª ed. Jaraiz de la Vera. Monjes Jerónimos. 1967. 31 págs. 20,5 cm.

MADRID. *Nacional.* V-6.784-17.

Instrucción de Novicios

2570

INSTRUCCION de Maestros, Escve-
la de Novicios, Arte de Perfección
Religiosa, y Monástica, Compuesto
por el V. P. ——... Con un Epítome
de la Vida de dicho Venerable Pa-
dre. Dale a luz... Fray Pablo de San
Nicolás... Madrid. Joseph Rodríguez.
1712. 44 hs. + 338 págs. + 3 hs. 15 ×
10 cm.

J. Catalina García, *Guadalajara,* n.º 1.126.
MADRID. *Nacional.* 3-23.808.—SANTIAGO DE COM-
POSTELA. *Universitaria.*

2571

——. Madrid. Benito Cano. 1793.
2 vols. 8.º

J. Catalina García, *Guadalajara,* n.º 1.127.
MADRID. *Nacional.* 3-26.966/67.

Historia del Rey de Reyes

2572

DECLARASE el título de esta histo-
ria, que es éste: Historia del Rey de
los reyes y Señor de los señores, Je-
sús Christus heri et hodie ipse et in
saecula. [Madrid. Imp. Helénica].
[1912-17]. 3 vols. 24,5 cm.

BERKELEY. *University of California.*—CAMBRID-
GE, Mass. *Harvard University.*—WASHINGTON.
Congreso.

2573

HISTORIA del Rey de los Reyes y Señor de los Señores. El Escorial. «La Ciudad de Dios». [Madrid. Imp. Helénica]. [1916]. 3 vols. 23 cm.

Tomo I: Estudio preliminar, por Fr. Luis Villalba y Muñoz.

MADRID. *Academia de la Historia.* 14-2-6-756/58; 15-6-7-13. *Nacional.* 1-84.258/60.

Poesías sueltas

2574

[POESIAS]. (En Rodrigo de Yepes, Fray. *Historia de la muerte y glorioso martyrio del Sancto Innocente, que llaman de la Guardia...* Madrid. 1583).

1. *Hymno y cantico, en alauança del sancto niño.* (Fol. 76).
2. *Por comparación a lugares de Scriptura.* (Fols. 76v-77r).
3. *Al niño que padeció los tormentos de Christo. Epigramma.* (Fol. 77r).

MADRID. *Nacional.* R-30.279.

2575

[SONETO]. (En Encinas, Pedro de. *Versos espirituales...* Cuenca. 1597. Prels.)

MADRID. *Nacional.* R-4.720.

2576

[OCHO poesías]. (En Francisco de los Santos, Fray. *Quarta parte de la Historia de la Orden de San Gerónimo.* Madrid. 1680, págs. 715-22).

2577

SONETO inédito. (En *Semanario Popular,* I, Madrid, 1862, pág. 176).

«Pasagero que vienes caminando...». Tomado de un ms. del Escorial.

TRADUCCIONES

a) Inglesas

2578

The life of Saint Jerome, the great doctor of the church... by Mariana Monteiro... Londres. Sands and Co. 1907. XXXII + 668 págs. 23,5 cm.

WASHINGTON. *Congreso.* 18-21888.

ESTUDIOS

2579

GARCIA LOPEZ, JUAN CATALINA. *Elogio del P. Fray José de Sigüenza.* (En su *Biblioteca de escritores de la provincia de Guadalajara,* Madrid, 1899, págs. 494-503).

Se publicó también en su ed. de la *Historia de la Orden de San Jerónimo,* tomo I, 1907, págs. III-LII, y en las *Memorias de la R. Academia de la Historia,* XIV, 1909, págs. 481-553.

2580

GONZALEZ, R. *El P. Sigüenza considerado como poeta.* (En *La Ciudad de Dios,* XIX, El Escorial, 1919, págs. 89-103).

2581

ZARCO CUEVAS, JULIAN. *El proceso inquisitorial del P. Fr. José de Sigüenza (1591-1592).* (En *Religión y Cultura,* I, Madrid, 1928, págs. 38-59).

2582

PAJARES, SAMUEL. *El P. José de Sigüenza, comentarista de Santo Tomás.* (En *La Ciudad de Dios,* CLII, El Escorial, 1936, págs. 325-43).

2583

MENGER, Sor MARIA GONZAGA. *Fray José de Sigüenza poeta e historiador, 1544-1606. Ensayo crítico. Versión española y prólogo de Gabriel Méndez Plancarte.* Méjico. Abside. 1944. 47 págs. 24 cm.

a) Acebal, Alfonso, en *Revista de Indias,* VIII, Madrid, 1947, pág. 190.

MADRID. *Consejo. General.*

2584

SABAU BERGAMIN, G. *Un texto desconocido del Padre Sigüenza.* (En *La Ciudad de Dios,* CLXXIII, El Escorial, 1960, págs. 638-41).

2585

BARBERAN, C. *El Padre José de*

Sigüenza como crítico de arte de las pinturas del Monasterio del Escorial. (En *La Ciudad de Dios*, CLXXVII, El Escorial. 1964, págs. 86-99).

2586

ALVAREZ TURIENZO, SATURNINO. *Fray José de Sigüenza y las interpretaciones de El Escorial.* (En *Reales Sitios*, III, Madrid, 1966, págs. 62-72).

2587

ALCINA ROSELLO, L. *José de Sigüenza, maestro de espiritualidad contemplativa.* (En *Yermo*, XI, El Paular, 1973, págs. 217-31).

2588

MARTINEZ, JOSE MARIA. *Unamuno, lector del P. Sigüenza.* (En *Yermo*, XI, El Paular, 1973, págs. 233-234).

2589

RUBIO GONZALEZ, LORENZO. *Estudio crítico de los valores literarios de Fr. José de Sigüenza.* (En *Studia Hieronymiana*, I, Madrid, 1973, págs. 399-482).

2590

ANDRES, GREGORIO DE. *Proceso inquisitorial del Padre Sigüenza.* Madrid. Fundación Universitaria Española. 1975. 308 págs.

a) Kamen, H., en *Bulletin of Hispanic Studies*, LV, Liverpool, 1978, págs. 266-67.
MADRID. *Nacional.* 4-125.895.

2591

GOODE, H. D. *The unknow «De los 9 nombres de Cristo» of José de Sigüenza.* (En *Papers on Language and Literature*, XII, Edwardsville, Ill., 1976, págs. 125-41).

2592

RUBIO GONZALEZ, LORENZO. *Valores literarios del Padre Sigüenza.*

Valladolid. 1976. 226 págs. 22 cm. (Colección Castilla, 4).
MADRID. *Nacional.* 4-137.191.

2593

REP: N. Antonio, I, pág. 819; J. Catalina García, *Guadalajara*, n.º CCXLIX.

JOSE DE TOLEDO (Fray)

Jerónimo. Prior de los conventos de San Miguel de los Reyes de Valencia, Ntra. Sra. de la Sisla y San Jerónimo de Granada. Calificador de la Inquisición.

EDICIONES

2594

[*APROBACION de Fr. Cristóbal de Espinosa, Fr. Iuan de Toledo, —— y Fr. Ioseph Faxeda. Salamanca, 24 de agosto de 1641*]. (En García, Jerónimo. *Suma moral.* Zaragoza. 1644. Prels.)
MADRID. *Nacional.* 3-56.885.

2595

[*APROBACION de —— y Fr. Ioseph de Algete. Sigüenza, 13 de febrero de 1649*]. (En Sierra, Miguel de la. *Elogios de los Apóstoles y otros santos.* s. l. 1650. Prels.)
MADRID. *Nacional.* 7-11.468.

2596

[*APROBACION. Valencia, 16 de noviembre de 1655*]. (En Jordán, Lorenzo Martín. *Teórica y Pratica de la Comunión espiritual.* Aës. 1655. Prels.)
MADRID. *Nacional.* R-4.714.

2597

[*APROBACION. Toledo, 5 de marzo de 1658*]. (En Palafox y Mendoza, Juan de. *Peregrinación de Philotea...* Madrid. 1659. Prels.)
MADRID. *Nacional.* U-3.063.

2598

[*APROBACION, 19 de enero de 1665*]. (En Ribas, Juan de. *Sermón*

de la Immaculada Concepción de la Virgen María... Granada. 1665. Prels.)
CORDOBA. *Pública.* 3-85.

JOSE DE LA TRINIDAD (Fray)

Franciscano. Definidor habitual de la provincia de Santiago y guardián del convento de San Laurencio.

EDICIONES
2599
[APROBACION. Santiago, 21 de agosto de 1667]. (En Antonio de la Cruz, Fray. *Peregrinación del Alma a la celestial Ierusalem.* Madrid. s. a. Prels.)
MADRID. *Nacional.* 7-19.673.

JOSE DE LA VIRGEN (Fray)

N. en Rentería.

EDICIONES
2600
SERMON del Ntro. Bienaventurado P. S. Juan de la Cruz. Doctor Mystico, y primer Carmelita Descalzo. Que en la Iglesia de los Carmelitas Descalzos de la Ciudad de Santiago de Queretaro a 19 de diziembre de 1683 años predicó ——. Méjico. Viuda de Francisco Rodriguez. 1684. 16 hs. 20 cm.

—Ded. a Fr. Juan de Luzuriaga por Bernardo de Zuaznavar.—Apr. de Fr. Antonio Gutierrez.—L. del Virrey.—Parecer de Fr. Ioseph de Torres Pezellin.—L. V.—Texto.

MADRID. *Nacional.* R-Varios, 138-10.

JOVEN ARDI (BARTOLOME)

Caballero hidalgo de la Casa Real de Portugal. Criado de la Cámara del Rey. Profesor de Matemáticas y Políticas.

EDICIONES
2601
POLITICA Christiana Fisica. Para aplacar la ira divina en el pvblico castigo de la peste. Madrid. [s. i.]. 1648. 23 fols. 19,2 cm.

MADRID. *Nacional.* V.E.-167-11.

JOVER (FR. PEDRO)

Franciscano. Provincial de Cataluña.

EDICIONES
2602
[SERMON]. (En Dalmau, José. *Relación de la solemnidad con que se han celebrado en Barcelona, las fiestas a la Beatificación de la M. S. Teresa de Iesus...* Barcelona. 1615, fols. 80r-89r).
MADRID. *Nacional.* 2-46.379.

2603
[APROBACION por —— y Fr. Francisco Fernando. Barcelona, 25 de enero de 1612]. (En Ramón, Tomás. *Cadena de oro, hecha de cinco eslavones... para confirmar al Christiano en la Santa Fe...* Barcelona. 1612. Prels.)
MADRID. *Nacional.* 3-27.032.

JUAN IV DE PORTUGAL

EDICIONES
2604
DEFENSA de la mvsica moderna, contra la errada opinión del Obispo Cyrilo Franco. [s. l. - s. i.]. [s. a.]. 2 hs. + 56 págs. 19 cm.

—Soneto acróstico. [«El que la nueva musica defiende...»].—Págs. 1-2: Ded. a D. Juan Lorenço Rabelo, portugues, Fidalgo de la Casa de D. Juan IV, etc.—Texto.
LISBOA. *Nacional.* Res. 957 p.; Res. 312-213²V.

ESTUDIOS
2605
REP: García Peres, págs. 62-64.

JUAN (Fray ANTONIO)

EDICIONES
2606
[POESIAS]. (En JUSTAS *poéticas hechas a devoción de Don Bernardo Catalán de Valeriola.* Valencia. 1602).

1. *Soneto.* (Págs. 96-97).
2. *Octavas.* (Págs. 112-14).
3. *Redondillas.* (Págs. 130-32).

4. *Romance.* (Págs. 164-67).
5. *Romance.* (Págs. 171-74).
MADRID. *Nacional.* R-8.779.

JUAN (FR. CRISTOBAL)

Franciscano. Definidor de la Provincia de
　　　Cataluña.

EDICIONES

2607

[*APROBACION de Fr. Jacinto Solá
y* ——. *Barcelona, 4 de febrero de
1692*]. (En Batlle, José. *Relox despertador del Alma.* Barcelona. 1692.
Prels.)

MADRID. *Nacional.* 2-10.992.

JUAN (FR. GABRIEL)

EDICIONES

2608

*ORACION funebre en las exequias
que consagró D. Baltasar Mas y de
Gil, Bayle de la Rel Villa de Villa-
fames, a su muy noble y venerable
consorte D. Vitoria Gavalda Zorita
y Horganell, en XV de setiembre de
1697...* Valencia. Diego de Vega. A
costa de Vicente Lloris de la To-
rreta. 1697. 5 hs. + 56 págs. 19,5 cm.
Herrero Salgado, n.º 1.131.

JUAN (HONORATO)

Gentilhombre de Carlos V. Maestro del
　　príncipe don Carlos. Obispo de Osma.

CODICES

2609

«*Discursos políticos*».
Cit. por Esquerdo, en sus *Ingenios valen-
cianos* (Ximeno).

2610

[«*Inscripciones de memorias romanas y Españolas Antiguas y modernas Recogidas de Varios Autores y
en particular de...* ——...».
Perteneció a V. J. de Lastanosa. Citado
por Latassa.

EDICIONES

2611

*VOCABULARIO valenciano - castella-
no.* (En March, Ausias. *Obras.* Valla1
dolid. 1555. Al fin).

2612

——. (En Fuster, Justo Pastor. *Biblioteca Valenciana.* Tomo I. Valencia. 1827. Al fin).

2613

——. (En BREVE *vocabulario valen-
ciano-castellano, sacado de varios
autores por Justo Pastor Fuster.* Valencia. José Gimeno. 1827. 142 págs.
15,5 cm.).

MADRID. *Nacional.* 2-51.430.

2614

[*OCHO cartas a Jerónimo Zurita*].
(En Dormer, Diego José. *Progresos
de la Historia en el Reyno de Aragón.* Zaragoza. 1680, págs. 431-35).

V. *B. L. H.,* IX, n.º 3992.

2615

[*CARTA al príncipe don Carlos*].
(En los *Elogios...* 1659, pág. 69).

OBRAS LATINAS

2616

*CATECHISMUS, sivè Manuale Oxo-
mense noviter excussum, diligenti-
que cura emmendatum.* Burgo de
Osma. Diego de Córdova. 1564. 4.º
Ximeno.

ESTUDIOS

2617

*ELOGIOS de el ilvstrissimo, y erv-
ditissimo varon Don Honorato
Iuan...* Valencia. Geronimo Vilagrasa. 1659.

V. *B. L. H.,* IX, n.º 4352.

2618

REP: Ximeno, I, págs. 145-48 y 367.

JUAN DE LOS ANGELES
(Fray)

Dominico. Provincial de Andalucía. Prior cuatro veces del convento de San Pablo de Sevilla.

CODICES

2619

«*Calificacion de la Vida, Espíritu y revellaciones de Soror Luisa de la Ascension, monja de Santa Clara en el Convento de Carrion y por esso llamada comunmente la Madre Luissa de Carrion...*».

Letra del s. XVII. 44 fols. 4.º Original, fechado en Sevilla, a 12 de mayo de 1636.
Gayangos, I, pág. 589.
LONDRES. *British Museum.* Eg. 461.

EDICIONES

2620

[«*El M. Fr. Juan de los Angeles Vicario General desta Provincia de Andaluzia Orden de Predicadores. A los M. RR. PP. Maestros, Priores, Presentados, Predicadores Generales, y demas Padres y Hermanos amados en Christo nuestro Señor. Salud*», etc.]. [s. l.-s. i.]. [s. a.]. 4 hs. 19,5 cm.

—Relacion de la vida y muerte del Reverendissimo P. Fr. Thomas Turco Maestro General de toda la dicha Orden, que manda a todos los Priores para que la hagan leer a la Comunidad. Firmado en Sevilla a 24 marzo 1650.

GRANADA. *Universitaria.* A-31-250 (3).

Aprobaciones

2621

[*APROBACION. Sevilla, 15 de octubre de 1606*]. (En Moreno, Gerónimo. *La vida, y muerte y cosas milagrosas que el S.ᵒʳ a hecho por El Bendito F. Pablo de S.ª Maria.* Sevilla. 1609. Prels.)

MADRID. *Nacional.* 3-7.627.

2622

[*APROBACION. Sevilla, 31 de julio de 1620*]. (En Valles, Francisco. *Sermon predicado en la solemnissima fiesta del Santissimo Sacramento...* Sevilla. 1620. Prels.)

SEVILLA. *Universitaria.* 113-59 (29).

2623

[*APROBACION. Sevilla, 29 de julio de 1622*]. (En Durango, Vicente. *Sermón predicado en la... canonización de S. Ignacio de Loyola y de San Francisco Xauier.* Sevilla. 1622. Preliminares).

CORDOBA. *Pública.* 4-162.

2624

[*APROBACION. Sevilla, 12 de diciembre de 1638*]. (En Valbuena, Domingo de. *Sermón en el solemnissimo Octavario...* Sevilla. 1638. Preliminares).

GRANADA. *Universitaria.* A-31-208, núm. 3.

2625

[*APROBACION. Sevilla, 9 de enero de 1641*]. (En Ribera, Luis. *Sermón de San Iuan Evangelista.* Sevilla. 1641. Prels.)

SEVILLA. *Universitaria.* 112-131 (8).

JUAN DE LOS ANGELES
(Fray)

N. en Corchuela (Toledo) c. 1536. Se supone que estudió en las Universidades de Alcalá y Salamanca. Franciscano descalzo desde antes de 1562. Residió en Zamora (1565-71 y 1580), Madrid (1585-89) y Sevilla (1589-92). Tras breves estancias en Valencia y Guadalajara, es nombrado guardián del convento de San Bernardino de Madrid. Asistió al Capítulo general de la Orden en Roma (1600). Provincial de la de San José (1601) y confesor del convento de las Descalzas Reales de Madrid. Predicador real. M. en Madrid (1609).

CODICES

2626

«*Cofradía y devoción de los esclavos de Nuestra Señora la Virgen...*».
Año 1608. Introducción a la obra de Ce-

tina, *Exhortación a la devoción de la Virgen*, 1618. Publicado por Gomis con el título de *Esclavitud mariana*.

ALCALA DE HENARES. *Convento de Concepcionistas de Santa Ursula.*

EDICIONES

Obras

2627

OBRAS místicas. Anotadas y precedidas de una introducción bio-bibliográfica por Fr. Jaime Sala Moltó. Revisada, anotada y precedida de unas notas biográficas del P. Sala, por Fr. Gregorio Fuentes. Madrid. Bailly-Baillière. 1912-17. 2 vols. 26 cm. (Nueva Biblioteca de Autores Españoles, 20 y 24).

Tomo I: LXII + 574 págs. a 2 cols.
—Introducción bio-bibliográfica (págs. I-LVIII).—Apéndice a la Introducción: *Sermón en las honras de la emperatriz María de Austria...* (págs. LIX-LXVII). — *Triunfos del amor de Dios* (págs. 1-31).— *Diálogos de la conquista espiritual y secreto reino de Dios* (págs. 33-153).—*Segunda parte de la Conquista o Manual de vida perfecta* (págs. 155-274).—*Lucha espiritual y amorosa entre Dios y el alma* (págs. 275-362).—*Tratado espiritual de los soberanos misterios del divino sacrificio de la Misa* (págs. 363-446). — *Tratado espiritual de cómo el alma ha de traer siempre a Dios delante de sí* (págs. 447-75).—*Libro primero del Vergel espiritual del ánima religiosa* (págs. 477-567).

Tomo II: XV + 527 págs.
—*Al lector*, por Fr. Gregorio Fuentes.— *Considerationum spiritualium super librum Cantici Canticorum Salomonis.* — *Consideraciones sobre el Cantar de los Cantares de Salomón.*

BARCELONA. *Central. — Seminario Conciliar.* GRANADA. *Universitaria.* B-38-19 y XI-3-90.— MADRID. *Consejo. General.—Consejo. Patronato «Menéndez Pelayo».* 2-134 (20,24). — WASHINGTON. *Congreso.* 13-22477.

Triunfos del amor de Dios

2628

TRIVMPHOS del Amor de Dios, obra prouechosissima para toda

suerte de personas, particularmente, para las que por medio de la contemplacion dessean vnirse a Dios. Medina del Campo. Francisco del Canto. 1590. [Colofón: 1589]. 9 hs. + 303 fols. + 9 hs. 21 cm.

—T.—Apr. de Fr. Gabriel Pinelo.—E.—Pr. Ded. a Andres de Alua, Secretario del Rey nuestro Señor y del su consejo de guerra. [Se trata de Andrés de Albia, padre del escritor Fernando Albia de Castro].—Fr. Antonio de S. Maria en recomendacion del autor y de la obra. Soneto. [«Si quieres conocer al que retrata...»].—Fr. Angel de Badajoz, a Fr. Ioan de los Angeles, autor. Octava. [«Fray Iuan, a quien el Iuan viene nascido...»]. Tercetos. [«Angelical auia de ser la pluma...»].—Fr. Francisco de Sant Ioseph en recomendación de la obra. Soneto. [«Si en la tierra quisieres ver el cielo...»].—De Francisco Lobato. Soneto. [«Arco, saetas, laço, red, y fuego...»].—Fr. Angel de Badajoz, al Christiano Lector.—Tabla de los capítulos.— Fol. 1r: Prólogo del Author.—Texto.— Colofón.—Tabla de cosas notables.

Pérez Pastor, *Medina*, n.° 222.

BARCELONA. *Central.* R(2).8°-303. *Universitaria.* B.4-4-17-501.—CORDOBA. *Pública.* 21-47.—LISBOA. *Nacional.* Res.1724P.—LOGROÑO. *Pública.* 80-102. MADRID. *Nacional.* R-28.307; R-28.328; etc.—SEVILLA. *Universitaria.* 80-102.—SAN LORENZO DEL ESCORIAL. *Monasterio.* 6-V-41.—SANTANDER. *«Menéndez Pelayo».* R-I-A-17.—SEVILLA. *Universitaria.* 80-102.—URBANA. *University of Illinois.*—ZARAGOZA. *Universitaria.*

2629

TRIUNFOS del amor de Dios. Madrid. Amo. 1901. XVI + 580 págs. + 2 hs. 17,5 cm.

Reimprime la ed. de Medina, 1590.
a) Valle, R. del, en *La Ciudad de Dios,* LVII, Madrid, 1902, págs. 242-43.

MADRID. *Nacional.* 1-1.192. *Particular de «Razón y Fe».* K-IV-300-1. — WASHINGTON. *Congreso.* 4-16186 Rev.

Diálogos...

2630

DIALOGOS de la conqvista del espiritual y secreto Reyno de Dios, que según el santo Euangelio está dentro de nosotros mismos. En ellos se trata de la vida interior y diuina, que biue el alma vnida a su Criador por gracia y amor transformante. Madrid. Biuda de P. Madrigal. 1595. 8 hs. + 416 págs. + 12 hs. 19 cm.

—Apr. de Fr. Belchior Urbano, en portugués (Lisboa, 10 de febrero de 1593).— Apr. de Fr. Gabriel Pinelo (Madrid, 28 julio 1593).—L. O. (1595).—S. Pr. de Castilla al autor por diez años (Madrid, 22 de agosto de 1593).—T.—E.—Ded. al Cardenal Alberto, Archiduque de Austria, etc., precedida de una página con su escudo.—Prologo al lector.—Texto.— Lugares de Escritura, que se contienen en este libro.—Tabla alphabetica de las cosas notables.
Pérez Pastor, *Madrid*, I, n.º 462.
CAMBRIDGE, Mass. *Harvard University.*—LISBOA. *Nacional.* Res. 1727P.—MADRID. *Nacional.* R-16.572. *Palacio.* — SAN LORENZO DEL ESCORIAL. *Monasterio.* 53-II-16, n.º 2.—SANTANDER. *«Menéndez Pelayo».* 17.686.—TOLEDO. *Pública.* 2-1.608.

2631

———. Barcelona. Sebastián de Cormellas. 1597. 8 hs. + 463 págs. + 16 hs. 8.º

BARCELONA. *Central.* 10-I-11. *Universitaria.* B.60-9-15.116. — MADRID. *Nacional.* R-28.490. [Falto de portada].

2632

DIALOGOS de la conqvista del espiritval y secreto Reyno de Dios... Alcalá. Iusto Sanchez Crespo. 1602. 16 hs. + 494 págs. + 17 hs. 14,5 cm.

—Aprovazaom de Fr. Belchior Urbano (1595).—Apr. de Fr. Gabriel Pinelo (1593). L. O. (1595).—S. Pr. al autor por diez años (1593).—T. (1595).—E.—Grabado.— Ded. al Cardenal Alberto.—Prologo al Lector.—Dos hs. con grabados.—Texto.— Lugares de Escritura, que se contienen en este libro.—Tabla alphabetica de las cosas notables.
MADRID. *Nacional.* 3-60.633; U-8.998; R-9.179 (falto de portada y de algunas hojas al principio y al fin).

2633

DIALOGOS de la Conqvista del es-

piritval y secreto Reyno de Dios, que segun el santo Euangelio, está dentro de nosotros mismos... Madrid. Imp. Real. 1608. 2 vols. 8.º

Tomo I: Prels. de 1593, 1595 y 1600.
Tomo II: *Segvnda parte de la Conquista del Reyno del cielo, intitulada Manval de vida perfecta.*
—Grab.—T.—E.—L. O.—Apr. de Fr. José Vázquez.—Censura del P. Juan Friderico Gedler.—Pr. al autor por diez años.— Ded. a D. Maximiliano de Austria, Arçobispo de Santiago.—Prólogo y Epístola al lector. — Tabla de cosas notables. — Index locorum Sacrae Scripturae.—Texto.
Pérez Pastor, *Madrid*, II, n.º 985.
MADRID. *Nacional.* 2-61.987.

2634

———. Prólogo del P. Miguel Mir. Madrid. Impr. de San José. 1885. XXVI + 412 págs. 17,5 cm.

BARCELONA. *Central.* 24-8.º-980.—MADRID. *Nacional.* 1-7.294. *Particular de «Razón y Fe».* K-IV-300-2.—NUEVA YORK. *Columbia University.*

— — —

Nueva ed. rev. Madrid. 1915. 422 págs. 19 cm.

BERKELEY. *University of California.*—MADRID. *Consejo. Patronato «Menéndez Pelayo».* 17-619. *Particular de «Razón y Fe».* K-IV-300-3.

—Nueva ed. rev. Madrid. Hijos de G. del Amo. 1926.
CAMBRIDGE, Mass. *Harvard University.*

2635

DIALOGOS de la conquista del reino de Dios. Prólogo de Miguel Mir. Madrid. Edit. Hijos de Gregorio del Amo. 1914. 424 págs. 16 cm.

—2.ª ed. Madrid. 1926. 408 págs. 16 cm.
MADRID. *Particular de «Archivo Ibero-Americano».*

2636

DIALOGOS de la conquista del Reino de Dios. Edición Suramericana con prólogo de Fr. Antonio S. C. Córdoba. Buenos Aires. Edit. Poblet. 1943. XI + 387 págs. 16 cm. (Colección de Clásicos Católicos).

FILADELFIA. *University of Pennsylvania.* — *University of North Carolina at Greensboro.*—MADRID. *Instituto de Cultura Hispánica.*

2637

DIALOGOS *de la conquista del Reino de Dios. Prólogo y notas de Angel González Palencia.* Madrid. Real Academia Española. Imp. de S. Aguirre. 1946. 360 págs. + 1 h. 20,5 cm. (Biblioteca Selecta de Clásicos Españoles, Serie 2.ª, 1).

—Págs. 7-36: Prólogo.
a) Fidelis, María, en *Hispanic Review*, XV, Filadelfia, 1947, págs. 481-82.
COLUMBIA. *Ohio State University.*—GRANADA. *Universitaria.* LXXVII.-7-7.—MADRID. *Consejo. General.*—*Consejo. Patronato «Menéndez Pelayo».* 15-489. *Nacional.* 1-31.844.—WASHINGTON. *Congreso.* 54-29999.

2638

CONQUISTA *del reino de Dios.* Madrid. Rialp. 1958 .486 págs. 15 cm. (Col. Neblí).

a) Beltrán de Heredia, en *Verdad y Vida*, XVII, Madrid, 1959, pág. 388.
MADRID. *Particular de «Razón y Fe».* K-V-438.

Lucha espiritual...

2639

LVCHA *espiritval y amorosa, entre Dios y el alma, en que se descubren las grandezas y triunfos del amor, y se enseña el camino excelentissimo de los afectos: de todos el mas breue, mas seguro, y de mayores ganancias.* Madrid. Pedro Madrigal. 1600. 15 hs. + 264 fols. 15 cm.

—T.—S. Pr. al autor por diez años.—E.—Apr. de Fr. Andrés de Ocaña.—Apr. de Fr. Iuan de la Madre de Dios.—L. O.—Ded. a la Prouincia de San Ioseph de los Descalços.—Prologo que declara el intento del Autor en esta obra.—Prohemio y argumento de toda la obra.—Texto.
Pérez Pastor, *Madrid*, I, n.° 672.
BARCELONA. *Universitaria.* B.4-7-601. — GRANADA. *Universitaria.* B-67-143.—MADRID. *Nacional.* R-29.556.—VIENA. *Nacional.* 17.F.53.

2640

LVCHA *espiritval y amorosa, entre Dios y el Alma...* Valencia. Pedro Patricio Mey. 1602. 12 hs. + 442 págs. + 1 h. 15,5 cm.

—Pr. a favor de Roch Sonzoni para el Reino de Valencia.—Apr. de Petrus Ioannes Assensius.—Apr. de Fr. Andres de Ocaña (1600).—L. O.—Ded. a la Prouincia de San Ioseph de los Descalços.—Prologo.—Prohemio y argumento de toda la obra.—Al lector.—Texto.—Colofón.
BARCELONA. *Central.* 2-I-16. *Universitaria.* B. 4-7-19-600.—MADRID. *Nacional.* 2-6.216.

2641

LUCHA *espiritual y amorosa entre Dios y el Alma.* Madrid. Edit. Razón y Fe. 1930. 2 vols. 18 cm. (Biblioteca de Clásicos Amenos, 5-6).

ANN ARBOR. *University of Michigan.*—MADRID. *Nacional.* 6.i.-6.439 (ts. 5-6). *Particular de «Razón y Fe».* Ac-28-A.—WASHINGTON. *Congreso.* 328532.

2642

LUCHA *espiritual y amorosa entre Dios y el Alma. (Antología).* Buenos Aires. Edit. Schapire. 1944. 121 págs. 16,5 cm. (Colección Los Místicos).

ANN ARBOR. *University of Michigan.*—EVANSTON. *Northwestern University.*—IRVINE. *University of California.*—MADRID. *Consejo. General.*—SOUTH HADLEY. *Mount Holyoke College.*—WASHINGTON. *Pan American Union Library.*

Tratado espiritual de cómo
el Alma...

2643

TRATADO *espiritual de cómo el Alma ha de traer siempre a Dios delante de sí.* Madrid. 1604.

Perdida (Sala).

2644

———. Madrid. Impr. Real. 1607. 7 hs. + 383 págs. + 1 h. 16.º

Pérez Pastor no pudo hallarla. Reproducida por Sala.

2645

———. Madrid. 1609.

Referencia del P. Cuervo.

2646

———. Valencia. 1613.

Cit. por Gomis, que dice poseer un ejemplar.

2647

———. Zaragoza. 1615.

2648

———. Madrid. Juan Sanchez. 1624. 8 hs. + 123 fols. 32.º

2649

———. Aora nuevamente añadido un Psalterio Espiritual. Madrid. [s. i.]. 1699.

Sala, pág. XLII.

Tratado de la Misa

2650

TRATADO Espiritval de los soberanos Mysterios y Ceremonias santas del diuino sacrificio de la Missa. Compuesto en dialogos por ———. Madrid. Imp. Real. [Colofón: Por Iuan Flamenco]. 1604. 8 hs. + 398 págs. + 1 h.

—E.—T.—Apr. de Fr. Antonio Vives.—L. O.—Apr. del J. José de Villegas.—Pr. al autor por diez años.—Ded. a D.ª Catalina de Zuñiga y Sandoual, Condesa de Lemos, etc.—Págs. 38- : Psalterio espiritual o Exercicio de cada dia.

Pérez Pastor, Madrid, II, n.º 860.

BARCELONA. Universitaria. B.9-6-24. — MADRID. Facultad de Filosofía y Letras. 12.688. Nacional. 3-37.963. — SANTIAGO DE COMPOSTELA. Universitaria.

Manual de vida perfecta

2651

MANUAL de vida perfecta. Madrid. Impr. Real. 1608. 2 vols. 8.º

Tomo I: 16 hs. + 200 fols.
—Port.—Grab.—T.—E.—L. O.—Apr. de Fr. Josef Vazquez.—Censura del P. Friderico

Geller.—Pr. al autor por diez años.—Ded. a D. Maximiliano de Austria, Arçobispo de Sevilla.—Prologo y Epistola al lector.—Tabla de cosas notables.—Index locorum Sacrae Scripturae. — Texto.—Fol. 188: Afectos diferentes, con que el anima se puede mover y levantar a Dios.

Tomo II: 16 hs. + 200 fols. Segvnda parte de la Conquista del Reyno del cielo, intitulada Manual de vida perfecta.

Pérez Pastor, Madrid, n.º 986.

MADRID. Facultad de Filosofía y Letras. 2817 y 2895.

2652

MANUAL de vida perfecta. Segunda parte de la «Conquista»... Con una introducción y notas del P. Jaime Sala. Barcelona. Libr. y Tip. Católica de M. Casals. 1905. VIII + 510 págs. 18 cm.

Reimprime la ed. de Madrid, 1606.

BARCELONA. Seminario Conciliar. — MADRID. Consejo. General.

2653

MANUAL de vida perfecta. (En Místicos franciscanos españoles. Edición de los redactores de «Verdad y Vida». Tomo III. Madrid. Editorial Católica. 1949, págs. 461-681. Biblioteca de Autores Cristianos).

Págs. 461-78: Introducción, por Fr. Juan Bautista Gomis.

Vergel espiritual

2654

LIBRO I del Vergel espiritval del anima religiosa, que dessea sentir en si, y en su cuerpo los dolores y passiones de Jesus, y conformarse con el en vida, y en muerte. Madrid. Impr. Real. [Juan Flamenco]. 1610 [1609]. 7 hs. + 463 págs. + 15 hs. 14 cm.

—Grab.—Apr. del Dr. Molina.—L. O.—Apr. de Fr. Josef Vazquez.—Pr. al Autor por diez años.—E.—T.—Ded. a Felipe III.—Prologo.—Tabla de las cosas notables.—Index locorum Sacrae Scripturae.

Pérez Pastor, Madrid, II, n.º 1.082.

MADRID. *Nacional.* 3-59.738 (falta el comienzo del Prólogo); 6.i.-1.035.

Sermón

2655

SERMON, qve en las honras de la Catolica Cesarea Magestad de la Emperatriz nuestra señora predicó... en 17 de Março 1603. Madrid. Iuan de la Cuesta. 1604. 15 fols. 19 cm.

—Fol. 1*v*: Apr. del P. Cristoval de Collantes.—L. V.—Texto. (Fols. 2*v*-15*v*).

Pérez Pastor, *Madrid*, II, n.º 859.

MADRID. *Nacional.* R-Varios, 54-94; R-24.245.

Esclavitud mariana

2656

ESCLAVITUD mariana. Edición de fray Juan Bautista Gomis. (En Místicos *franciscanos españoles...* Tomo III. Madrid. Edit. Católica. 1949, págs. 691-701).

Poesías sueltas

2657

[*SONETO*]. (En Antonio de Santa María, Fray. *La vida y milagrosos hechos del glorioso S. Antonio de Padua... en verso...* Salamanca. 1588. Prels.)

SALAMANCA. *Universitaria.* 1-26.573.

Aprobaciones

2658

[*APROBACION. 5 de enero de 1601*]. (En Madrigal, Juan Bautista de. *Homiliario evangélico...* Madrid. 1602. Prels.)

MADRID. *Nacional.* 3-61.498.

2659

[*APROBACION. Madrid, 29 de noviembre de 1607*]. (En Costero, Francisco. *Meditaciones de la sacratissima passion, y muerte de Christo... Traducidas por el P. Luys Ferrer.* Madrid. 1608. Prels.)

MADRID. *Nacional.* 2-68.803.

Antologías

2660

REINO (El) de Dios. Madrid. España Editorial. [s. a.]. 180 págs. + 1 h. 12 cm. (Joyas de la Mística española).

BERKELEY. *University of California.*—MADRID. *Consejo. Patronato «Menéndez Pelayo».* 7-2.296. *Nacional.* 4-43.494.

2661

———. Buenos Aires. Edic. de Difusión. [1947]. 88 págs. 18 cm. (Col. Cura de Ars, 3).

MADRID. *Particular de «Archivo Ibero-Americano».*

2662

ANTOLOGIA. Selección, prólogo y notas de Juan Domínguez Berrueta. Madrid. Edics. FE. 1940. 232 págs. 17 cm. (Breviarios del Pensamiento Español).

BARCELONA. *Central.* 83-8.º-2.521.—MADRID. *Instituto de Cultura Hispánica.*—*Nacional.* F-3.747.—WASHINGTON. *Congreso.*

OBRAS LATINAS

2663

Considerationvm Spiritvalivm svper librvm Cantici Canticorvm Salomonis in vtraq; lingua, Latina videlicet & Hispana, perquam vtilis tractatus. Madrid. Real. [Colofón: Iuan Flamenco]. 1607. [Colofón: 1606]. 14 hs. + 861 págs. + 29 hs. 21 cm.

Pérez Pastor, *Madrid*, II, n.º 955.

BARCELONA. *Central.* Res.434-8.º — FLORENCIA. *Marucelliana.* 6.D.VII.36.—GRANADA. *Universitaria.* A-34-232; A-13-124.—MADRID. *Facultad de Filosofía y Letras.*—*Nacional.* 2-36.462; etc. — PAMPLONA. *General de la Diputación Foral.* 109-1-2/126.—ROMA. *Nazioale.* 8.14.B.1.

TRADUCCIONES

a) FRANCESAS

2664

CONSIDÉRATIONS spirituelles sur le Cantique des cantiques de Salo-

mon... traduites d'espagnol et latin en français, par I.I.D.P.P. París. Cottereau. 1609. 685 págs. 8.º

PARIS. *Nationale.* A.9390.

b) ITALIANAS

2665

Dialoghi della vita interiore; overo, Del conqvisto del spiritvale regno di Dio, del Giouanni de gl'Angeli. Tradotti... dal Givlio Zanchini da Castiglionchio. Florencia. 1601.

MADISON. *University of Wisconsin.*

2666

DIALOGHI della vita interiore, overo del conqvisto del spiritvale Regno di Dio, che secondo il Santo Euangelio, è dentro di noi medessimi. Del R. P. Fra Giouanni de gl'Angeli... Tradotti della lingua Spagnuola da... Giuilio Zanchini da Castiglionchio... Brescia. Per gli Sabbij. 1608. 359 páginas + 7 hs. 16 cm.

MADRID. *Nacional.* 3-56.756.

2667

TRATTATO della presenza di Dio... Roma. Guglielmo Faciotto. 1611. 110 págs. 11 cm.

Toda, *Italia,* II, n.º 2.581.
BALTIMORE. *Jolins Hopkins University.*

2668

UNIONE, overo Lotta spirituale et amorosa tra Dio e l'anima... tradotta da Tomaso Galleti... Viterbo. P. ed A. Discepoli. 1616. 307 págs. 24.º

Toda, *Italia,* II, n.º 2.582. (Con facsímil de la portada).
BARCELONA. *Central.* Toda, 6-II-16. — PARIS. *Nationale.* D.35959.

ESTUDIOS

De conjunto

2669

DOMINGUEZ BERRUETA, JUAN. *Fray Juan de los Angeles.* Madrid.

Edit. Voluntad. 1927. 276 págs. 17 cm. (Colección de manuales Hispania. Serie B, vol. IV).

a) Foronda, B., en *Archivo Ibero-Americano,* XXXII, Madrid, 1929, págs. 407-9.
MADRID. *Consejo. General.* R.M.-2.359.

2670

FIDÈLE DE ROS. *La vie et l'œuvre de Jean des Anges.* (En MÉLANGES *offerts au R. P. Ferdinand Cavallera...* Toulouse. 1948, págs. 405-23).

MADRID. *Consejo. General.*

Biografía

2671

CARRILLO, JUAN. [*Fr. Juan de los Angeles*]. (En su *Relación histórica de la real fundación del Monasterio de las Descalças de S. Clara de... Madrid...* Madrid. 1616. Fol. 48r).

Tratando de los confesores del convento dice: «El padre fray Iuan de los Angeles, siendo Prouincial de la prouincia de S. Ioseph, dexó el oficio para venir a esta santa casa: fue varon doctissimo, y de singular espiritu como lo muestran los libros que escriuio sobre los Cantares, y de la presencia de Dios. Murio en esta santa casa.»

2672

DOMINGUEZ BERRUETA, JUAN. *Fr. Juan de los Angeles, en Salamanca.* (En *La Basílica Teresiana.* Salamanca. 1918, págs. 148-49).

Prueba documental de que estuvo en Salamanca. Con un autógrafo.

Documentos

2673

[*DOCUMENTOS sobre fray Juan de los Angeles*]. (En Pérez Pastor, Cristóbal. *Bibliografía madrileña.* Tomo III. Madrid. 1907, págs. 328-29).

Interpretación y crítica

2674

TORRES Y GALEOTE, FRANCISCO

DE. [*La Mística española y los «Triunfos del amor de Dios» de Fray Juan de los Angeles*]. *Discursos leídos ante la Real Academia Sevillana de Buenas Letras en la recepción solemne del Sr. D. —— el 24 de noviembre de 1907*. Sevilla. Lib. e Imp. de Izquierdo y C.ª [s. a.]. 70 págs. 22,5 cm.

MADRID. *Nacional*. V-304-17.—SANTANDER. «*Menéndez Pelayo*». 2429. (Dedicado).

2675
TORRÓ, ANTONIO. *Estudios sobre los místicos españoles. Fray Juan de los Angeles, místico-psicólogo.* Barcelona. J. Vilamala. 1924. 2 vols. (Biblioteca Franciscana).

a) Peers, E. A., en *Bulletin of Spanish Studies*, III, Liverpool, 1926, págs. 93-95.
b) Vega, R. Custodio, en *La Ciudad de Dios*, CXL, El Escorial, 1925, págs. 60-62.
MADRID. *Consejo. Patronato «Menéndez Pelayo»*. 25-806/7.

2676
GROULT, PIERRE. [*L'influence des mystiques des Pays-Bas sur Juan de los Angeles*] (En *Les mystiques des Pays-Bas et la littérature espagnole du seizième siècle*. Lovaina. 1927, págs. 186-265).

2677
DOMINGUEZ BERRUETA, J. *Fray Juan de los Angeles.* (En *La Revista Quincenal*, IX, Madrid, 1929, págs. 97-107).

2678
CRISOGONO DE S. J., Fray. *Los plagios de fray Juan de los Angeles.* (En *La Revista Católica de Santiago de Chile*, LXV, Santiago de Chile, 1933, págs. 496-503).

2679
JUAN DE GUERNICA, Fray. *Fray Juan de los Angeles.* (En *La Revista Católica de Santiago de Chile*, LXV, Santiago de Chile, 1933, págs. 30-38).

2680
JUAN DE GUERNICA, Fray. *Los plagios de fray Juan de los Angeles y el P. Crisógono, Carmelita.* (En *La Revista Católica de Santiago de Chile*, XXXIII, Santiago de Chile, 1933, págs. 624-33).

2681
DOMINGUEZ BERRUETA, J. *Fray Juan de los Angeles. Sentido místico y literario de sus obras.* Madrid. Biblioteca Pax. 1936. 153 págs. 8.º

2682
GOMIS, J. B. *La Esclavitud Mariana, según el P. Fray Juan de los Angeles.* (En *Verdad y Vida*, IV, Madrid, 1946, págs. 259-86, y una lámina).

2683
RIVERA DE VENTOSA, ENRIQUE. *Presencia de San Agustín en fray Juan de los Angeles.* (En *Augustinus*, XXV, Madrid, 1980, págs. 209-225).

2684
GOMIS, J.-B. *El amor social en Fray Juan de los Angeles (1536-1609).* (En *Verdad y Vida*, V, Madrid, 1947, págs. 309-35).

2685
REP: N. Antonio, I, pág. 634; Juan de San Antonio, II, págs. 119-20; M. de Castro, en DHEE, II, 1972, págs. 1244-45; Isaías Rodríguez, en DS, VIII, 1972, cols. 259-65.

JUAN DE ANTEQUERA (Fray)
Capuchino.

CODICES

2686
«*El Hijo de la Verdad, Predicador de Nínive y Missionario de Dios. Ideas políticas, literales y morales*

sobre el texto del Capítulo primero del Santo Profeta Ionás».

Tomo I.

1680. XV + 1231 págs. 30 cm.

—Ded. autógrafa del autor a Fr. Alonso de Santo Tomás, Obispo de Málaga (1684). Censura de Antonio de Roxas y Angulo (1682).—Prólogo.—Tabla.—Texto.

SEVILLA. *Universitaria.* 331/184.

EDICIONES

2687

[CENSURA y Parecer. Granada, 6 de enero de 1674]. (En Antonio de Jesús, Fray. *Epitome de la admirable vida de... Don Luis de Paz y Medrano...* Granada. 1688. Prels.)

CORDOBA. *Pública.* 21-60.

JUAN ANTONIO DE LA CRUZ (Fray)

EDICIONES

2688

[SONETO]. (En APLAUSO *gratulatorio de la insigne escuela de Salamanca, al Exmo. Sr. D. Gaspar de Guzman, Conde de Oliuares...* Barcelona. s. a., pág. 24).

MADRID. *Nacional.* R-3.705.

2689

[LYRAS]. (En APLAUSO *gratulatorio de la insigne escuela de Salamanca, al Ilmo. Sr. D. Francisco de Borja y Aragón...* Barcelona. s. a., págs. 36-37).

MADRID. *Nacional.* 3-22.016.

JUAN DE LA ANUNCIACION (Fray)

N. en Baeza. Pasó a América. Agustino desde 1556. Subprior del monasterio de San Agustín de Méjico. Prior de los conventos de Puebla y Méjico. Definidor y Visitador. M. en Méjico (1594).

EDICIONES

2690

AQUI se contiene un sermon para *publicar la sancta Bulla, que por mandamiento del illustrissimo señor don Pedro Moya de Contreras, Arçobispo de México, compuso y traduxo en la lengua de los naturales...——...* Méjico. Spinosa. 1575. 9 hs. a 2 cols. 19 cm. gót.

Texto bilingüe.

LONDRES. *British Museum.* C.37.f.21. [Incompleto].

2691

DOCTRINA christiana muy cumplida, donde se contiene la exposicion de todo lo necessario para Doctrinar a los Yndios y administralles los sanctos sacramentos. Compuesto en lengua Castellana y Mexicana por...——... Méjico. Pedro Balli. 1575. 5 + 288 págs. + 1 lám. 19 cm.

—L. del Virrey.—L. del Arzobispo.—L. O. Apr. de Juan Gonzalez.—Apr. del M.º Ortiz de Hinojosa.—Ded. al Virrey D. Martin Enriquez.—Prologo.—Texto bilingüe.—E.

LONDRES. *British Museum.* C.37.f.27.—NUEVA ORLEANS. *Tulane University Library.*—NUEVA YORK. *Public Library.*—PROVIDENCE. *John Carter Brown Library.*—SAN MARINO, Cal. *Henry E. Huntington Library.*—WORCESTER. *American Antiquarian Society.*

2692

SERMONARIO en lengua mexicana... Con un Catecismo en lengua mexicana y española, con el calendario. Méjico. Antonio Ricardo. 1577. 8 hs. + 271 fols. a 2 cols. 19 cm.

—L. O.—Apr. de Pedro de Nava.—Apr. del M.º Ortiz de Hinojosa.—L. del Virrey.— Ded. a Fr. Alonso de la Vera Cruz, Provincial de los Hermitaños de S. Agustín en la Nueva España.—Tabla.—Avisos del autor.—Texto (bilingüe desde la pág. 235).

LONDRES. *British Museum.* C.37.f.13.—MADRID. *Nacional.* R-23.373. — NUEVA YORK. *Hispanic Society.* — PROVIDENCE. *John Carter Brown Library.*

ESTUDIOS

2693

REP: Santiago Vela, I, págs. 170-73.

JUAN DE LA ANUNCIACION
(Fray)

Se llamaba Juan de Llanes Campomanes. Carmelita descalzo. Dos veces Rector del Colegio de Salamanca y dos Definidor. General de la Orden.

EDICIONES

2694

INOCENCIA (La) vindicada. Resqvesta, qve... dá a vn papel contra el libro de la Vida Interior del Ilustrissimo, Excelentissimo, y Venerable señor D. Jvan de Palafox y Mendoza... Sevilla. Lucas Martin de Hermosilla. [s. a.]. 17 hs. + 222 págs. + 6 hs. 20,5 cm.

—Ded. a Fr. Alonso de la Madre de Dios, General de Carmelitas Descalços.—L. O. Censura de Fr. Thomas Reluz.—L. del Obispo de Salamanca.—Apr. de Fr. Antonio Navarro.—Apr. del P. Juan Navarro Velez.—L. V.—Apr. de Fr. Francisco Blanco. — L. del Consejo. — El Impressor al que leyere. — Approbatio Fr. Honorii ab Assumptione.—L. V. de Roma.—E. (1694).—S. T. (1694).—Texto, fechado en Salamanca, a 29 de diciembre de 1693.—Indice de las cosas mas notables.

AUSTIN. University of Texas.—CHICAGO. Newberry Library.—MADRID. Facultad de Filosofía y Letras. Res. 189. Nacional. 3-312; 2-35.703.—PROVIDENCE. John Carter Brown Library. — SEVILLA. Colombina. 88-2-12; 136-5-26. — ZARAGOZA. Seminario de San Carlos. 51-6-2.

2695

——. Segunda impresión. Madrid. Manuel Ruiz de Murga. 1698. 9 hs. + 222 págs. + 4 hs. 4.º

ALCALA DE HENARES. Carmelitas del Corpus Christi. — BARCELONA. Central. Res.1300-8.º—LONDRES. British Museum. 4865.b.19.—MADRID. Instituto de Cultura Hispánica.—Nacional. 3-54.697.—NEW HAVEN. Yale University.—SAN LORENZO DEL ESCORIAL. Monasterio. 34-II-2.—URBANA. University of Illinois.

2696

——. Barcelona. 1695.

2697

——. Madrid. Manuel García Murga. 1698. 9 hs. + 222 págs. + 3 hs. 20,5 cm.

MADRID. Nacional. 3-71.044.

2698

INOCENCIA (La) vindicada. Respuesta que... dio a un papel anonymo contra el libro de la Vida Interior, que de sí escribió... D. Juan de Palafox y Mendoza... Madrid. Josef Doblado. [s. a.]. 390 págs. + 5 hs. 20,5 cm.

En el Prólogo hay referencias al año 1771. En ejemplar de la Biblioteca Nacional está mss. la fecha 1772. Se ha atribuido también la de 1775.

BARCELONA. Universitaria. C.214-4-14.—CHICAGO. Newberry Library. — MADRID. Nacional. 3-63.490.

2699

CARTA pastoral a los religiosos descalzos de Ntra. Sra. del Carmen, de la primitiva Observancia, por ——, su General. Madrid. 1695. 238 págs. + 7 hs. 20 cm.

ALCALA DE HENARES. Convento de Carmelitas Descalzas del Corpus Christi.—MADRID. Nacional. R-35.295.—PAMPLONA. General de la Diputación Foral. 109-3-2/137.

2700

CARTA pastoral a las Religiosas Descalzas de Nvestra Señora del Carmen de la primitiva observancia. Madrid. [s. i.]. 1696. 484 págs. + 12 hs. 20 cm.

—Introduccion.—Texto.—Indice de las cosas mas notables.

MADRID. Nacional. 3-64.567.—SANTIAGO DE COMPOSTELA. Universitaria.

2701

AVISOS religiosos, que a los Descalzos de Nuestra Señora del Carmen escrive en Carta Pastoral, su General el R. P. ——. Madrid. [s. i.]. 1698. 390 págs. + 9 hs. 20 cm.

—Indice general.—Texto.—Indice de las cosas más notables.

ALCALA DE HENARES. *Convento de Carmelitas Descalzas del Corpus Christi.* — BARCELONA. *Seminario Conciliar.* — MADRID. *Nacional.* 2-1.537.—ROMA. *Nazionale.* 8.35.I.5.

2702

PARTE *primera del Promptuario del Carmen, qve para los Religiosos Carmelitas Descalzos escrive* ——, *su General.* Madrid. Francisco Sanz. 1698. 8 hs. + 229 págs. + 4 hs. 20,5 cm.

—A los Carmelitas Descalzos. Dedicatoria y Prologo.—L. O.—Apr. de Fr. Alonso Pimentel.—L. V.—Apr. de Fr. Francisco de Avilés.—Pr. al Difinitorio de la religion de Carmelitas Descalzos por diez años. E.—T.—Indice.—Texto.—Tabla de las cosas mas notables.

BARCELONA. *Universitaria.* C.215-4-35. — CORDOBA. *Pública.* 17-77; 11-136; etc. — MADRID. *Nacional.* 2-26.929. — NUEVA YORK. *Hispanic Society.*—ROMA. *Nazionale.* 8.24.F.16.—SAN LORENZO DEL ESCORIAL. *Monasterio.* 20-V-27. — VALLADOLID. *Universitaria.* 9782.

2703

——. Madrid. Impr. Real. 1735.

BARCELONA. *Universitaria.* C.215-4-22.

2704

SEGUNDA *parte del Promptuario del Carmen...* Madrid. Herederos de Antonio Román. 1699. 8 hs. + págs. 231-638 + 8 hs. 20,5 cm.

—A los Carmelitas Descalzos. Dedicatoria. y Prologo.—L. O.—Apr. del P. Leonardo Mari Espinola.—L. V.—Apr. de Fr. Juan Calderon.—Pr. al autor por diez años.— E.—T.—Indice.—Texto.—Indice de las cosas mas notable.

CORDOBA. *Pública.* 17-77; 11-136; etc.—MADRID. *Nacional.* 2-26.930. — NUEVA YORK. *Hispanic Society.*—ROMA. *Nazionale.* 8.24.F.17.—SAN LORENZO DEL ESCORIAL. *Monasterio.* 20-V-28.

OBRAS LATINAS

2705

COLLEGII Complvtensis Fr. Discalceatorvm B.M.V. de Monte Carmeli, Artivm Cvrsvs, Ad breuiorem for-

mam collectus, & nouo ordine, atque faciliori stylo dispositus, per Fr. Ioann. ab Annvntiatione... Lugduni. Sumpt. Petri Chevalier. 1670. 5 vols. 4.º

Portada a dos tintas, negra y roja. MADRID. *Nacional.* 2-43.088/89. — PAMPLONA. *General de la Diputación Foral.* 109-13-4/98-101.—SANTIAGO DE COMPOSTELA. *Universitaria.*

———

—Padua. 1675. ROMA. *Nazionale.* 14.37.G.21; etc. —Colonia Agrippina. 1693. MADRID. *Nacional.* 2-930/34.

OBRAS ATRIBUIDAS

2706

MAGRIFIESTOS, PIETRO PAOLO. *Al Memoriale in lingua Spagnuola presentato alla Maestà Catholica di Carlo II d'Avstria... dal P. Antonio Beltrano... in Difesa del PP. Danielo Papebrochio, e Godefrido Enschenio... Risposta Apologetica.* Venecia. [s. i.]. 1696. 4 hs. + 86 págs. 8.º

Toda, *Italia,* I, n.º 637.

TRADUCCIONES

a) ITALIANAS

2707

AVVISI *religiose... Trad. da un religioso...* Milán. 1718. 359 págs. 21 cm.

ROMA. *Nazionale.* 8.30.B.22.

2708

L'innocenza vendicata. Risposta... ad un foglio Contro il Libro della Vita Interiore de... D. Giovanni di Palafox e Mendoza... Tradotta... da Persona divota del Ven. Servo di Dio. Venecia. Antonio Zalta. 1760. XXIII + 276 págs. + índice. 16,5 cm.

GENOVA. *Universitaria.* 2.P.VI.62 (3). — ROMA. *Nazionale.* 9.14.A.5. *Vaticana.* R.G.Teol.V. 2051.—URBANA. *University of Illinois.*

b) LATINAS

2709

EPISTOLAE Pastorales... In Latinum versae a P. F. C. F. a S. T. Augustae Vindelicorum. Sumptibus Martini Veith. 1746. 8 hs. + 248 págs. + 8 hs. 21 cm.

MADRID. *Nacional.* 6.i.-227.

ESTUDIOS

2710

PONCE DE LEON, GREGORIO. *Apologia racional, la Verdad defendida, contra la Inocencia vindicada, respvesta contra respvesta, impvgnacion de la impvgnacion, qve intenta... Fray Juan de la Anunciacion, General del Carmen Descalço, contra las notas de vn Anonymo, a la Vida interior del ilvstrissimo Señor Don Juan de Palafox. Zaragoza. Viuda de Diego de Ormer. [s. a.]. 215 págs. 21 cm.*

—Texto, fechado en Zaragoza a 1 de noviembre de 1694. El nombre del autor figura solo al fin.

MADRID. *Nacional.* R-29.346. — SANTIAGO DE COMPOSTELA. *Universitaria.*

2711

MARIN, MATIAS. *Apología... a favor de vnas notas, que el P. Pablo Señeri... hizo sobre la Vida interior escrita de... D. Jvan de Palafox. Respuesta a... Fray Jvan de la Anunciación. Valencia. Jayme Bordazar. 1695. 424 págs. 4.º*

MADRID. *Nacional.* 2-54.930.—SANTIAGO DE COMPOSTELA. *Universitaria.*

2712

BELTRAN, P. ANTONIO. *Memorial. [s. l.-s. i.]. [s. a.]. 22 págs. + 1 h. 29 cm.*

V. *B. L. H.,* VI, n.º 3.767.

MADRID. *Nacional.* R-Varios, 191-32.

JUAN DE LA ANUNCIACION (Fray)

N. en Nájera (1595). Estudiante de Leyes en Salamanca. Trinitario descalzo desde 1617. Continuó estudios en Baeza y Alcalá. Enviado a Roma fue durante 17 años confesor del cardenal Francisco Barberini. Ministro del convento de Roma y Procurador general (1629-1644). Consultor de la Congregación de Obispos y Regulares. M. en Roma (1644).

CODICES

2713

«Guirnalda de oro tejida con flores».

«Se conserva en el archivo de este nuestro convento de S. Carlos de Roma, leg. 17» (Antonino de la Asunción).

2714

«Cuatro cartas espirituales en italiano a religiossa».

En el mismo archivo. (Idem).

2715

«Carta latina sobre el rezo».

Idem.

2716

«Carta espiritual en romance».

Idem.

ESTUDIOS

2717

REP.: Antonino de la Asunción, I, págs. 40-46.

JUAN DE LA ASUNCION (Fray)

Carmelita descalzo.

EDICIONES

2718

SERMON que predicó el P. ——, Religioso Descalço de la Orden de Nuestra Señora del Carmen, en su convento de S. Hermenegildo de Madrid, el dia septimo de las octavas, que el Rey D. Felipe IIII N. Señor celebró a una en los dos Conventos de Carmelitas descalços desta Corte, a la fiesta del Patronato de la gloriosa Virgen S. Teresa... Patrona de los Reynos de España, Corona de Castilla. Madrid. Juan Gonçalez. 1627. 52 págs. 20,5 cm.

—Ded. a Felipe IV.—Orden de S. M. para que se imprima este Sermón.—Texto.

PAMPLONA. *General de la Diputación Foral.* C.ª 67/3603.—ROMA. *Vaticana.* Stamp. Barb. U.VII.119.—SEVILLA. *Universitaria.* 75-56.

2719

SERMON del glorioso San Pedro de Alcántara. Salamanca. E. A. García. 1679. 4 hs. + 82 págs. 20 cm.

BARCELONA. *Universitaria.*

JUAN DE AUÑON (Fray)

N. en Auñón. Jerónimo.

EDICIONES

2720

[SERMON]. (En Luis de Santa María (Fr.). *Octava sagradamente culta...* Madrid. 1664, págs. 194-210).

EDICIONES

2721

REP: J. Catalina García, *Guadalajara,* págs. 14-15.

JUAN DEL AVE MARIA (Fray)

EDICIONES

2722

QVARESMA para el bven christiano, mesas espirituales y platos de diuinos manjares para el alma afligida en este valle de lágrimas, para que pueda allegar al desseado puerto que es Dios. Barcelona. Esteban Liberós. A costa de Miguel Gracián. 1625. 37 págs. 10 cm.

BARCELONA. *Universitaria.* B.67-9-18.

JUAN DE AVILA (San)

N. en Almodóvar del Campo (1499). Estudió Leyes en Salamanca (1513-17) y Artes en Alcalá (1523-26). Se ordena sacerdote en 1526. Trabaja en Sevilla, Ecija, etc., hasta ser denunciado a la Inquisición en 1531. En prisión, hasta ser absuelto en 1533. Ejerce el apostolado en diferentes lugares de Andalucía y funda diversos colegios. Los últimos 16 años de su vida los pasó retirado en Montilla, donde m. en 1569. Beatificado en 1894 y canonizado en 1970.

BIBLIOGRAFIA

2723

[Relación de escritos del P. Avila, que fueron remitidos a la Congregación de Ritos y se han perdido]. Reproducida por C. M. Abad en *Miscelánea Comillas,* VI, Comillas, 1946, págs. 183-87. PARIS. *Nationale.* Mss. H.1022. (Canonisationes 422, cuadernos 3790-94).

2724

SOLA, JOSE. *Nota bibliográfica, Códices, estudios, vidas, iconografía y ediciones de las obras del B. Avila.* (En *Manresa,* XVII, Barcelona, 1945, págs. 351-88).

2725

SALA BALUST, LUIS. *Ediciones castellanas de las obras del Beato Maestro Juan de Avila.* (En *Maestro Avila,* I, Montilla, 1947, págs. 49-80). Por orden cronológico, hasta 1941.

2726

———. *Más ediciones castellanas y traducciones portuguesas del Maestro J. de Avila.* (En *ídem,* I, 1947, págs. 181-87).

2727

———. *Ediciones francesas, griegas y alemanas de las obras del P. Maestro Avila.* (En *ídem,* I, 1947, págs. 297-312).

2728

———. *Ediciones y Manuscritos ita-*

*lianos de las Obras del P. Mtro. Avi-
la.* (En *ídem*, II, 1948, págs. 131-58).

CODICES

2729

[*Colección de Sermones*].

177 fols.
V. García Villoslada, en *Estudios Eclesiásticos*, LXXV, 1945, págs. 423-61; Solá, *Nota*, págs. 352-54.
OÑA. *Colegio de la Compañía de Jesús.*

2730

[*Cartas y Sermones*].

Letra fin s. XVI. 449 hs. 222 × 155 mm.
Llamado E.
1. *Memorial para Trento.* (Fols. 101r-174r).
2. *Cartas y sermones.* (Fols. 213r-256r).
3. *Cartas.* (Fols. 263r y ss.).
4. *Cartas.* (Fols. 276v-316v).
Zarco, I, págs. 294-97; Solá, *Nota*, págs.
355-56.
SAN LORENZO DEL ESCORIAL. *Monasterio.* &.
III.21.

2731

[*Escritos*].

V. *Monumenta Historica S. J.*, Fonti narrativi, I, págs. 83-89; Solá, *Nota*, pág. 356.
ROMA. *Nazionale.*

2732

[*Dos cartas*].

V. Solá, *Nota*, pág. 356. Ed. por Sala Balust en *Manresa*, XVIII, 1946, págs. 75-81.
EVORA. *Pública.* Mss. CVII 2-1 (fols. 143r-
144v y 150v-152v).

2733

[*Carta al P. Mtro. Diego de Santa
Cruz*].

Idem.
EVORA. *Pública.* Mss. CVIII 2-3 (fols. 153r-
154r).

2734

[*Tres obras*].

De 1871. 789 págs. + 2 hs. 201 × 61 mm.
V. Abad en *Sal Terrae*, XXXII, 1944, pág.
52; Solá, *Nota*, pág. 357.

2735

[*Advertencias al Sínodo Provincial*

*de Toledo.—Algunas cosas diferen-
tes sacadas de escritos del Santísimo Sacramento del mismo Padre*].

Letra de fines del s. XVI, del Dr. Jerónimo de Montoya. 67 fols. 168 × 124 mm.
Llamado S. Ed. por Lamadrid en *Archivo
Teológico Granadino*, IV, 1941, págs. 137-41,
y por Sala Balust en *Manresa*, XIX, 1947,
págs. 364-70.
Solá, *Nota*, pág. 357.
GRANADA. *Colegiata del Sacro Monte.* Mss.
76.

2736

«*Libro, vida y virtudes del venerable
varón y maestro Juan de Avila*».

Letra del s. XVII. 300 × 210 mm.
Inventario, V, pág. 310.
MADRID. *Nacional.* Mss. 1881 (fols. 189-98).

2737

[*Tres cartas*].

Ed. por V. M. Sánchez en *Manresa*, XVIII,
1946, págs. 184-91.
ALCALA DE HENARES. *Archivo de la Provincia
de Toledo de la Compañía de Jesús.* N.
712 bis.

2738

[*Segundo Memorial para Trento*].

Letra de fin del s. XVI. 42 fols. 8.º Lla-
mado G₁. Estuvo antes en la Biblioteca
Nacional de Roma.
Editado por el P. Abad en 1945.
ROMA. *Universidad Gregoriana.* Mss. 712.

2739

[——————].

Llamado E₁. Muy deficiente. Con notas
autógrafas de Felipe II, editadas por C. M.
Abad en 1946.
SAN LORENZO DEL ESCORIAL. *Monasterio.* J.III.
27 (fols. 141-83).

2740

[——————].

Llamado T.
ALCALA DE HENARES. *Archivo de la Provincia
de Toledo de la Compañía de Jesús.*

2741

[*Escritos*].

1. *Quales ministros habere debet episco-
pus.* Anónimo. Atribuido. (Fols. 1-140).

2. *Advertentiae ad Synodum Toletanum.*
(Fols. 1-88v). Llamado N. Dado a conocer
por Lamadrid en 1945.
V. Solá, *Nota*, pág. 357.
MADRID. *Nacional.* Mss. 8.340.

2742

[*Sermón en la profesión religiosa
de la condesa de Feria*].

Letra de fin del XVI. Sin fol. 220 × 110 mm.
Llamado H. Utilizado por C. M. Abad en
1945: lo describe en la Introducción, pá-
gina X, n. 8. Publicó lo que añade a los
dos anteriores en 1950.
V. Solá, *Nota*, págs. 358-59.
MADRID. *Academia de la Historia.* Sala 9,
Est. 27, gr. 2, n.º 3.

2743

«*Diferentes escritos de el Venerable
Padre Maestro Juan de Auila, Predicador Apostlico de la Andaluçia*».

Llamado T, o de Juana Tello. La misma
obra anterior. Publicado con el anterior
en 1950.
ALCALA DE HENARES. *Archivo de la Provincia
de Toledo de la Compañía de Jesús.*

2744

«*Un traslado del M.º Avila sobre cuatro bienavenuranzas*».

Ed. por Solá en *Manresa*, XV, 1943, págs.
271-82. Se refiere sólo a la tercera.
V. Solá, *Nota*, págs. 357-58.
MADRID. *Nacional.* Mss. 6.342.

2745

[*Dos pláticas*].

V. Durantez en *Manresa*, XV, 1943, págs.
177-86, y en *Revista de Espiritualidad*, VIII,
1943, págs. 323-30; Solá, *Nota*, pág. 358.
MADRID. *Nacional.* Mss. 3.620.

2746

[*Cartas*].

Editadas por Fernández Montaña.
MADRID. *Palacio Real.*

2747

«*Carta a la Marquesa de Priego*».

Letra del s. XVIII. Copia del original que
se guardaba en los Estudios de San Isidro de Madrid. 1 fol. 300 × 210 mm.

V. Sala Balust, en *Hispania Sacra*, XIV,
1961, págs. 155-61.
NUEVA YORK. *Hispanic Society.*

2748

«*Copia de un pedaço de otra carta*».

En el mismo códice que la anterior. Idem.
NUEVA YORK. *Mispanic Society.*

2749

«*Carta a un discípulo*».

Letra del s. XVI. 4.º En fols. 188v-189r de
un volumen misceláneo. (V. Idem).
NUEVA YORK. *Hispanic Society.*

2750

«*Breve exposición de las 8 bienaventuranzas*».

Con variantes. (V. Idem).
NUEVA YORK. *Hispanic Society.*

2751

«*Advertencias que hizo al Concilio
provincial de Toledo sobre la ejecución de algunas cosas mandadas en
el Santo Concilio Tridentino*».

Letra del s. XVIII. 12 cuadernillos. 305 ×
215 mm. (V. Idem).
NUEVA YORK. *Hispanic Society.*

2752

«*Carta para la señora duquesa de
Arcos*».

Letra del s. XVIII. 3 fols. 4.º (V. Idem).
NUEVA YORK. *Hispanic Society.*

2753

«*Breve regla de vida cristiana*».

Letra del s. XVIII. 3 fols. 4.º (V. Idem).
NUEVA YORK. *Hispanic Society.*

2754

[*Sermones*].

Ed. por García Villoslada en *Estudios Eclesiásticos*, XIX, 1945, págs. 423-61, y en *Manresa*, págs. 389-403.
LOYOLA. *Archivo de la Compañía de Jesús.*
Est. 8, plut. 4, n. 55 bis.

2755

«*Escritos del M. Avila que escribió
para el Sto. Concilio Tridentino, a
petición del Arzobispo de Granada*».

Letra de fines del XVI.
Es el *Segundo Memorial*. Llamado G. Publicado por Abad en 1945.
V. Solá, *Nota*, pág. 358.
ROMA. *Universidad Gregoriana*.

2756

[*Traducción portuguesa del Segundo Memorial para Trento*].
Llamado A.
ROMA. *Angélica*.

2757

[*Carta a don Pedro Guerrero. Montilla, 25 de mayo de 1565*].
Autógrafo. Un pliego. Editada por el P. C. M. Abad en 1946.
ROMA. *Archivo Vaticano*. Congregación de Ritos. Leg. 239.

2758

«*Tratado del amor de Dios*».
Letra del s. XVI. 131 × 97 cm.
Inventario, II, pág. 476.
MADRID. *Nacional*. Mss. 868 (fols. 58-100).

2759

«*Livro espiritual que trata das mas lingoagens do mundo, carne, e demonio... Traduzido de hespanhol por Fr. Manuel de S. José. 1765*». Fol.
LISBOA. *Nacional*. Mss. 5.278.

2760

«*Contio de S. Eucharistia.—Contio in die quinta Augusti in festo Beatae Mariae ad Nives*».
Letra del s. XVI. 205 × 151 mm.
Publicados en *Obras Completas* de la BAC, Madrid, 1970, II, págs. 842-82, y III, págs. 136-52 con comienzos diferentes.
CORDOBA. *Catedral*. Ms. 149 (fols. 8r-30r y 30r-40r).

2761

[*Obras perdidas*].
Libro sobre el modo de rezar el Rosario.— Vida de Doña Sancha Carrillo.—Libro de las ocho bienaventuranzas.—Etc.
Diversas relaciones de textos perdidos en ROMA. *Archivo Vaticano*. Arch. Congr. SS. Rit. *Decreta* (1745-47), fols. 131r-132v y Mss. 239, fol. 29, y en MADRID. *Academia de la Historia*. Leg. 11-10-2/19.

V. Sala Balust, Prólogo a su ed. de la B.A.C., I, págs. XXXII-XXXIII.

EDICIONES

Obras

2762

OBRAS del Padre Maestro ——, predicador en el Andalvzía. Aora de nueuo añadida la vida del Autor, y las partes que ha tener vn predicador del Euangelio, por el padre fray Luys de Granada... v vnas reglas de bien biuir del Autor. Madrid. Pedro Madrigal. 1588. 8 hs. + 492 fols. + 15 hs. 21 cm.

—Apr. de Fr. Bernabe de Xea.—Apr. del Dr. Sebastian Perez.—T.—Pr. a favor de Iuan Diaz, clerigo, como cesionario de luan de Villaras (1588).—Ded. al Cardenal Alberto, Archiduque de Austria.— Una breue suma de las materias que se tratan en estas obras.—E.—A don Iuan de Ribera, Arçobispo de Valencia, y Patriarca de Antioquia, fray Luys de Granada. — Al Christiano Lector. — Grab. — Vida del M.º Avila. — Versos latinos en elogio del mismo.—Reglas para bien vivir (fols. 76-84).—Port.: *Epistolario general para todos estados*.—Ded. de Iuan Díaz.—Texto.—Port.: *Libro Espiritual sobre el verso Audi filia...*—Ded. de Juan Díaz y Juan de Villaras.—Carta del Autor a un Predicador.—Prólogo.—Texto.—Tabla de capítulos.—Colofón.

Pérez Pastor, *Madrid*, I, n.º 279.
BARCELONA. *Universitaria*. B.4-4-7. — CORDOBA. *Pública*. 23-75; 5-63.—LONDRES. *British Museum*. 475.b.12.—MADRID. *Facultad de Filosofía y Letras*. 7.597 y 15.733. *Nacional*. R-6.566 (con ex libris de C. A. de la Barrera); R-10.930. — NAPOLES. *Nazionale*. — ROMA. *Nazionale.—Vaticana*. Stamp. Barb. U.XIII. 50.— ROUEN. *Municipale*. A.908. — TARRAGONA. *Pública*.—TOLEDO. *Pública*. 2-1.077/79.—VIENA. *Nacional*. 7.W.26.—ZARAGOZA. *Universitaria*.

2763

PRIMERA parte de las Obras del Padre Maestro Ivan de Avila, Predicador en el Andalvzia. Madrid. Luis Sánchez. 1595. 8 hs. + 80 + 227 fols. + 9 hs. 4.º

—Apr. del Libro Espiritual, Vida del M.º

Avila por fray Luis de Granada, y de las Reglas de bien vivir, por fray Bernabé de Xea.—Pr. a Juan Diaz por diez años (1588).—T.—E.—Ded. de Juan Diaz al cardenal Alberto, archiduque de Austria y arzobispo de Toledo.—Suma de las materias que se tratan en esta obra. Al Christiano Lector, por fray Luis de Granada.—Texto de la Vida del Autor.—Poesia latina.—Otra.—Texto de las Reglas de bien vivir.—Portada: *Libro Espiritual sobre el verso Audi Filia, et vida.* Madrid. Luis Sanchez. 1595. — Ded. de Juan de Villaras y Juan Diaz a D. Alonso de Aguilar, marques de Pliego.—Carta del Autor a un Predicador.—Prologo del Autor al cristiano lector. — Texto. — Tablas.—Colofón.—Portada de la

Segvnda Parte de las Obras del Padre Maestro Ivan de Avila... Añadida en esta impression, tercera parte al Epistolario. Madrid. Luis Sánchez. 1595. 8 hs. + fols. 85-335 + 9 hs.

—Apr. del Dr. Sebastian Perez.—Apr. de la tercera parte del Epistolario por el Dr. Juan de Castillo.—Dos Pr. a Juan Diaz.—E.—T.—Ded. al cardenal Alberto, por Iuan Diaz.—Texto de las tres partes del Epistolario.—Tabla.—Colofón.

Pérez Pastor, *Madrid*, I, n.º 463.
BARCELONA. *Central.* R-7.839.—MADRID. *Facultad de Filosofía y Letras.* 9.169. *Nacional.* R. 33.706. *Palacio.*—MONSERRAT. *Monasterio.* NAPOLES. *Nazionale.* — NUEVA YORK. *Hispanic Society.*—OVIEDO. *Universitaria.* IV-305.—PARIS. *Mazarina.* A 13.416.—ROMA. *Vallicelliana.*—SANTANDER. «*Menéndez Pelayo*». R-V-6-10.—SAN LORENZO DEL ESCORIAL. *Monasterio.* 53-II-1.—VIENA. *Nacional.* 7.W.26.

2764

PRIMERA parte de las Obras... Sevilla. Francisco Pérez. 1604. 19 cm.

BRUSELAS. *Royale.* V.B.-2.078.—LISBOA. *Nacional.* R.8657 P. — LONDRES. *British Museum.* 1608/6037.—SALAMANCA. *Universitaria.* 1-27.984. SEVILLA. *Colombina.* Vitr. XI-306. *Universitaria.* 95-51.

Obras (2.ª parte)

2765

SEGUNDA parte de las Obras... Madrid. Luis Sánchez. 1595. 20 cm.

2766

SEGUNDA parte de las Obras... Sevilla. Francisco Pérez. 1604. 19 cm.

BRUSELAS. *Royale.* V.B.-2.078.—LONDRES. *British Museum.* 1608/6037.—SALAMANCA. *Universitaria.* 1-27.984.

Obras (3.ª parte)

2767

TERCERA parte de las Obras... Madrid. Pedro Madrigal. 1596. 2 vols. 20 cm.

Tomo I: 12 hs. + 856 págs.
—Apr. de Juan de Castilla.—T.—E.—Pr. al P. Juan Díez por ocho años. — Soneto. [«Una Aguila caudal veo volando...»].—Tabla de los Tratados.—Págs. 1-8: Carta ded. a D.ª Beatriz Ramírez de Mendoça, Condessa del Castellar, por Iuan Díaz.—Págs. 9-18: Prologo al Christiano Lector.—Texto.
Tomo II: 6 hs. + 528 págs. + 1 h.
—Apr. de Juan de Castilla.—E.—Tabla.—Texto.—Colofón.
Pérez Pastor, *Madrid*, I, n.ª 504.
BARCELONA. *Universitaria.* 74-5-24. — LONDRES. *British Museum.* 475.b.13. — MADRID. *Facultad de Filosofía y Letras.* 14.636. *Nacional.* R-25.877 (el I); R-25.861.—NAPOLES. *Nazionale.*—PALMA DE MALLORCA. *Pública.*—PAMPLONA. *General de la Diputación Foral.* 109-2-2/7. ROMA. *Vallicelliana.*—*Vaticana.* Stamp. Barb. V.XIII.29.—SANTANDER. «*Menéndez Pelayo*». R-V-6-11.—SANTIAGO DE COMPOSTELA. *Particular de los PP. Franciscanos.*—VIENA. *Nacional.* 7.W.26.

2768

TERCERA parte de las Obras... Sevilla. Bartolomé Gómez. 1603. 16 hs. + 234 + 146 fols. a 2 cols. 30 cm.

Escudero, n.º 879.
MADRID. *Nacional.* 6.i.-1.919.—ROMA. *Nazionale.* 36.12.E.6.—SAN LORENZO DEL ESCORIAL. *Monasterio.* M.17-I-12.—SEVILLA. *Colombina.* 90-6-8.

Vida y Obras

2769

VIDA y Obras del Maestro Ivan de Avila, Predicador Apostolico del Andaluzia... Madrid. Viuda de Alonso Martín de Balboa. 1618. 2 vols. 20,5 cm.

Tomo I: 2 hs. + 238 fols. + 6 hs.
—T.—E.—S. Pr. al Licdo. Martin Ruyz de Mesa (1616). — Apr. de Fr. Cristobal. — Fols. 1-51: *Vida del P. Avila*, por Martin Ruyz de Mesa.—Texto.—Tabla de capítulos.—Colofón.
Contiene: *Reglas muy provechosas para andar en el camino de nuestro Señor.* (Fol. 52).—Portada: *Libro Espiritual sobre el verso Avdi filia, et vide, &.* (Fol. 58).—Carta del autor a un Predicador.—Prólogo del autor.—Ded. a N.ª S.ª del Castillo.—Prólogo del colector.—Texto.—*Doctrina admirable y de mucha importancia que dio el P. M. Juan de Avila a un mancebo.* (Fol. 221).—*Tratado del amor de Dios para con los hombres...* (Fol. 229).
Tomo II: 265 fols. + 9 hs. Portada: *Epistolario Espiritval para el Estado Eclesiastico...* Tomo II. —Texto.—Tabla.
Contiene: *Dos pláticas para Sacerdotes.* (Fol. 1).—*Cartas para Prelados, Sacerdotes, etc.* (Fol. 11).—*Avisos a D. Diego de Guzmán y al Dr. Loarte para entrar en la Compañia de Jesús.* (Fol. 49).—*Cartas para religiosas y donzellas.* (Fol. 69).— *Cartas para señoras de título seglares, casadas y viudas.* (Fol. 119).—*Cartas para el citado de caballeros seglares y de título y unos discípulos suyos.* (Fol. 201).
Pérez Pastor, *Madrid*, II, n.º 1.523.
ALCALA DE HENARES. *Convento de Carmelitas Descalzas del Corpus Christi.*—CAMBRIDGE, Mass. *Harvard University.* — GRANADA. *Universitaria.* A-35-168. — LONDRES. *British Museum.* 475.b.14.—MADRID. *Nacional.* 3-13.815; 6.i.-3.244 [el II].—PAMPLONA. *General de la Diputación Foral.* 109-2-2/38 [el II].—PARIS. *Nationale.* D.5524 [el I].—ROMA. *Nazionale.* SANTIAGO DE COMPOSTELA. *Particular de los PP. Franciscanos y Universitaria.*—SEVILLA. *Colombina.* 57-5-26/27. *Universitaria.* 95-33. ZARAGOZA. *Seminario de San Carlos.* 51-4-3. [Un tomo].

2770
——. Aora nuevamente añadido, y enmendado por Martin Ruiz de Mesa... Madrid. Antonio Gonçalez de Reyes. 1674. 4 hs. + 584 págs. a 2 cols. + 5 hs. 30 cm.

BARCELONA. *Universitaria.* C.191-3-18.—CORDOBA. *Pública.* 13-346.—MADRID. *Academia de la Historia.* 4-2-4-1.787. *Facultad de Filosofía y Letras.* 6.655. *Nacional.* 3-20.104. —

NUEVA YORK. *Hispanic Society.* — PAMPLONA. *General de la Diputación Foral.* 109-4-4/41. PRINCETON. *Princeton University.* — SANTANDER. «*Menéndez Pelayo*». R-V-11-4.—SANTIAGO DE COMPOSTELA. *Particular de los PP. Franciscanos.*—ZARAGOZA. *Universitaria.* G-6-93.

2771
OBRAS del Venerable Maestro ——, clérigo, Apóstol del Andalucía. Colección general de todos sus escritos. Madrid. Andrés Ortega. A expensas de Thomás Francisco de Aoiz. 1759-60. 9 vols. 20 cm.

BARCELONA. *Seminario Conciliar.* — GRANADA. *Universitaria.* A-11-234/42; etc.—MADRID. *Facultad de Filosofía y Letras.* 7133/39; 25.778/79; 11.574/76; etc. *Nacional.* 3-62.924/32. — SALAMANCA. *Universitaria.* 1-7.779/87. — SAN MILLAN DE LA COGULLA. *Monasterio.* 142-21 (el tomo II).—SANTIAGO DE COMPOSTELA. *Particular de los PP. Franciscanos.*—*Universitaria.* (Tomos I-III, VI y VII).—VALLADOLID. *Universitaria.* 7004/12.

2772
——. Madrid. Imp. Real. 1792-1806. 9 vols. 20 cm.

BARCELONA. *Central.* 24-8.º-1036/38. *Seminario Conciliar.* — *Universitaria.* 123-1-1/9. — CAMBRIDGE, Mass. *Harvard University.*—MADRID. *Facultad de Filosofía y Letras.* 6.848; 29.090; 1.656/58. *Nacional.* U-7.986/94.

2773
NUEVA edición de las Obras del Beato ——..., con prólogos, notas, dirección y corrección del... Dr. José Fernández Montaña... Madrid. Tip. San Francisco de Sales. 1894-95. 4 vols. 23 cm.

GRANADA. *Universitaria.* F.Letras.III-6-2. — MADRID. *Particular de «Razón y Fe».* K-III-2-1/4.—SANTANDER. «*Menéndez Pelayo*». 2.368/71.

———

—2.ª ed. 1901. 4 vols. 23 cm.
AUSTIN. *University of Texas.* — FILADELFIA. *Union Library Catalogue of Pennsylvania y University of Pennsylvania.*—MADRID. *Consejo. Instituto «M. de Cervantes».* LX-204. WASHINGTON. *Congreso.*

2774

OBRAS. Madrid. Apostolado de la Prensa. 1927. 2199 págs. 18 cm.

LONDRES. *British Museum.* 3706.m.3.—MADRID. *Nacional.* 2-82.496. *Particular de «Razón y Fe».* K-IV-836.

— — —

—*Obras espirituales.* 2.ª ed. 1941. 2 vols. 15 cm.
a) Solá, J., en *Manresa,* XVII, Barcelona, 1945, págs. 405-6.
MADRID. *Nacional.* 4-11.792/93.
—(Selección). 1951. 1505 págs. 15 cm.
WORCESTER. *Assumption College.*

2775

OBRAS Completas. Edición crítica... Biografía, introducciones, edición y notas de Luis Sala Balust. Madrid. La Editorial Católica. 1952-53. 2 vols. 20 cm. (Biblioteca de Autores Cristianos, 89, 103).

I. *Epistolario. Escritos menores.* 1120 páginas.
II. *Sermones. Pláticas espirituales.* XIX + 1424 págs. con grabs.
a) A. R. M., en *La Ciencia Tomista,* LXXX, Salamanca, 1953, pág. 363, y LXXXI, 1954, pág. 346.
b) Adolfo de la Madre de Dios, Fray, en *Revista de Espiritualidad,* XII, Madrid, 1953, pág. 230.
c) Batllori, M., en *Hispania,* XIV, Madrid, 1954, págs. 138-43.
d) C. L. S., en *Scrinium,* IV, Friburgo, 1953, pág. 94.
e) Cantera Burgos, F., en *Sefarad,* XIII, Madrid, 1953, págs. 400-2.
f) Gómez, Elías, en *Estudios,* X, Madrid, 1954, pág. 555.
g) G[oñi] G[aztambide], J., en *Hispania Sacra,* VI, Madrid, 1953, págs. 220-21.
h) Hornedo, R. M. de, en *Razón y Fe,* CXLIX, Madrid, 1954, págs. 98-99.
k) José María de la Cruz, Fray, en *El Monte Carmelo,* LXI, Burgos, 1953, pág. 110.
l) Laurentino de la Virgen María, Fray, en *El Monte Carmelo,* LXI, Burgos, 1953, pág. 299.
ll) Marcos, Luis, en *Revista Española de Teología,* XIII, *Madrid,* 1953, págs. 440-41, y XIV, 1954, págs. 482-83.
ñ) Nazario (P.), en *Revista de Espiritualidad,* XIII, Madrid, 1954, pág. 489.

p) P. P., en *Manresa,* XXVI, Madrid, 1954, págs. 177-78.
q) Pérez, Alfredo, en *Estudios,* IX, Madrid, 1953, pág. 398.
i) I. S. R., en *Bulletin des Etudes Portugaises...,* XVII, Coimbra, 1953, pág. 281.
j) Jiménez Duque, B., en *Arbor,* XXVII, Madrid, 1954, págs. 308-9.
m) Martínez Val, J. M., en *Cuadernos de Estudios Manchegos,* VI, Ciudad Real, 1953, págs. 125-26.
n) Meseguer Fernández, J., en *Archivo Ibero-Americano,* XVI, Madrid, 1956, págs. 381-82.
o) Oltra, en *Verdad y Vida,* XIII, Madrid, 1955, pág. 369.
r) Solá, Francisco de P., en *Estudios Eclesiásticos,* XXX, Madrid, 1955, pág. 129.
s) Tavares, S., y L. Craveiro da Silva, en *Revista Portuguesa de Filosofía,* Braga, 1955, Sup. Bibl. II-12, pág. ?05.
t) Torre, G. de la, en *Virtud y Letras,* XIII, El Cedro, 1954, págs. 70-71.
u) Urrutia, J. L. de, en *Lumen,* IV, Lisboa, 1955, pág. 94.

— — —

—Nueva edición, revisada y continuada por Francisco Martín Hernández. Madrid. La Editorial Católica. 1970. 6 vols. 20 cm. (Biblioteca de Autores Cristianos, 302-4, 313, 315, 324).
I. *Biografía. Audi filia, 1556 y 1574.* 867 págs.
II. *Sermones: Ciclo temporal.* XIV + 945 págs.
III. *Sermones: Ciclo santoral. Pláticas espirituales. Tratado sobre el sacerdocio.* XIII + 539 págs.
IV. *Comentarios bíblicos.* VIII + 518 págs.
V. *Epistolario.* XXIII + 815 págs.
VI. *Tratados de reforma. Tratados menores. Escritos menores. Indice general de materias.* 2 hs. + 577 págs.
aa) Da Fonte, N., en *La Ciudad de Dios,* CLXXXIII, El Escorial, 1970, págs. 627-28.
bb) Pazos, P., en *Eidos,* Madrid, 1970, n.º 33, págs. 146-47.
cc) Revuelta, M., en *Boletín de la Biblioteca Menéndez Pelayo,* XLVII, Santander, págs. 452-53.
MADRID. *Nacional.* 5-32.792 (tomos I y II). *Particular de «Razón y Fe».* SE-51-D-20 y 51-E-11.

Traducción de la «Imitación de Cristo»

2776

Contemptus mundi nueuamente ro-

mançado. [Sevilla. Juan Cromberger]. [1536]. 120 hs. 13,5 cm.

MADRID. *Nacional.* R-1.221.

Doctrina cristiana

2777

DOCTRINA christiana, que se canta. Oydnos vos por amor de Dios. Hay añadido de nuevo el Rosario de nuestra Señora: y vna instruccion muy necessaria ansi para los niños como para los mayores. [Valencia. Junto al molino de la Rouella]. [1554, 24 de julio]. 24 fols. 24.º gót.

MILAN. *Nazionale Braidense.* ZY.1.70.

Avisos y reglas cristianas

2778

AVISOS y reglas christianas para los que desean seruir a Dios aprouechando en el camino espiritual. Compuestas por el Maestro —— sobre aquel verso de Dauid. Audi filia & vide & indina aurem tuam... [Alcalá de Henares. Juan de Brocar]. [1556]. 143 fols. 15 cm.

«Ningún bibliógrafo moderno ha visto esta edición» (J. Catalina García, *Tip. complutense,* n.º 285).

En el *Index* de 1583, pág. 63, se prohiben todas las ediciones anteriores a 1574.

EVORA. *Publica.* Séc. XVI-183.—LISBOA. *Nacional.* Res.520P.

2779

LIBRO espiritval que trata de los malos lenguajes del mundo, carne y demonio, y de los remedios contra ellos. De la fee, y del proprio conoscimiento, de la penitencia, de la oración, meditación, y passión de nuestro Señor Iesv Christo, y del amor de los proximos... Toledo. Iuan de Ayala. 1574. 13 hs. + 380 fols. + 15 hs. 15 cm.

SALAMANCA. *Universitaria.* 1-6.917.

2780

——. Madrid. Pedro Cosin. 1574. 12 hs. + 380 fols. + 15 hs. 14,5 cm.

—Apr. del Consejo de la Inquisición (1574). Apr. del P. Bartolomé de Isla.—L. por una vez a Juan Díaz.—Prefación del autor al cristiano Lector.—Una breve Suma del mismo autor de todo lo que se trata en este libro y capítulos del.—Ded. a D. Alonso de Aguilar, marqués de Priego, por los PP. Juan de Villaras y Juan Díaz, discípulos y compañeros del M.º Avila.—E.—T.—Pr. por diez años a Juan de Villaras (1574).—Pr. de Aragón a Juan Díaz por diez años (1574).—Texto.—Tabla.

Pérez Pastor, *Madrid,* I, n.º 81.

BARCELONA. *Seminario Conciliar.—Universitaria.* CLVIII-7-3.—MADRID. *Facultad de Filosofía y Letras.* 11.045. *Nacional.* R-17.667; R-26.661—SANTIAGO DE COMPOSTELA. *Universitaria* (incompleto).

2781

LIBRO espiritual sobre el verso Avdi filia qve trata de los malos lenguajes del Mundo, Carne, y Demonio, y de los remedios contra ellos, de la Fee, y del proprio conoscimiento, de la Penitencia, de la Oracion, Meditacion, y Passion, de nuestro Señor Iesus Christo, y del amor de los proximos. Salamanca. Mathias Gast. 1575. 12 hs. + 658 págs. + 30 hs. 15 cm.

—L. del Consejo.—Apr. del P. Bartholome de Isla.—L. para esta segunda impresión, a favor de Iuan de Villarás, clérigo, vecino de Montilla.—Pr. de Castilla a favor de Villarás.—Pr. de Aragón a favor de Iuan Díaz, clérigo, vecino de Almodóvar del Campo. — Prefación del autor.—Una breue summa del mismo autor, de todo lo que se trata en este libro, y capítulos del.—Ded. a D. Alonso de Aguilar, Marqués de Priego, etc. Auiso al Christiano lector.

CAMBRIDGE, Mass. *Harvard University.*—MADRID. *Nacional.* R-17.708.—SALAMANCA. *Universitaria.* 16-27524.

2782

LIBRO espiritual que trata de los malos lenguajes del mundo... Alcalá.

Antón Sánchez de Leyua. 1577. 12 hs.
+ 381 fols. + 15 hs. 15 cm.

J. Catalina García, *Tip. complutense*, número 517.

BARCELONA. *Central.* R.12-8.º-50. *Universitaria.* CLVIII-7-18.—GENOVA. *Universitaria.* AA. I.77.—MADRID. *Nacional.* R-25.812. — SEVILLA. *Universitaria.* 80-162.

2783

———... Alcalá. Juan Iñiguez de Lequerica. 1581. 12 hs. + 314 fols. + 12 hs. 15 cm.

J. Catalina García, *Tip. complutense*, número 565.

BARCELONA. *Universitaria.* CLVIII-7-2. — FLORENCIA. *Nazionale.* 15.C.7.69.—MADRID. *Nacional.* R-25.915.

2784

———... Lisboa. [A. López]. 1589. 356 fols. + 14 hs. 13,5 cm.

LISBOA. *Nacional.* R.22551 P.—MADRID. *Palacio.*

2785

———. Sevilla. Francisco Pérez. 1604. 2 vols. 4.º

Escudero, n.º 892. (Dice que existía en la Biblioteca Provincial de Sevilla).

2786

[*LIBRO espiritual sobre el verso «Audi, filia, et vide». Edición de Eugenio de Ochoa*]. (En *Tesoro de escritores místicos españoles.* Tomo II. París. Baudry. 1847, págs. 119-270. Colección de los mejores autores españoles, 43).

2787

LIBRO espiritual o tratado sobre las principales festividades. Barcelona. Imp. de los Herederos de la Viuda Pla. 1865. 365 págs. 15 cm.

BARCELONA. *Central.* 23-8.º-306. — MADRID. *Nacional.*—SANTIAGO DE COMPOSTELA. *Particular de los PP. Franciscanos.*

2788

Audi, filia. Madrid. Rialp. 1957. 615 págs. 15 cm.

MADRID. *Consejo. General.*

2789

AVISOS y reglas cristianas sobre aquel verso de David: «Audi, Filia». Introducción y edición de Luis Sala Balust. Barcelona. Edit. Juan Flors. 1963. 347 págs. 11 cm. (Espirituales Españoles, 10).

a) Arias, D., en *Manresa*, XXXV, Madrid, 1963, págs. 358-59.
b) Díaz, J. L., en *Estudios*, XIX, Madrid, 1963, págs. 358-59.
c) Márquez Villanueva, F., en *Nueva Revista de Filología Hispánica*, XVIII, Méjico, 1965-66, págs. 475-77.
d) Meseguer Fernández, J., en *Verdad y Vida*, XXII, Madrid, 1964, pág. 74.
e) Rozas, J. M., en *Revista de Literatura*, XXIII, Madrid, 1963, pág. 283.
f) Santiago de La Coruña, Fray, en *Naturaleza y Gracia*, XI, Madrid, 1964, págs. 161-62.

LONDRES. *British Museum.* X.108/63.—MADRID. *Instituto de Cultura Hispánica.—Particular de «Razón y Fe».* Ac-21.

Breve regla de vida cristiana

2790

BREVE regla de vida cristiana. (En Luis de Granada, Fray. *Libro llamado Guía de pecadores...* Lisboa. Ioan. Blavio de Colonia. 1556, fols. 171v-176r).

2791

———. (En ídem. Amberes. Viuda de Martín Nucio. 1559, fols. 119r-122r).

Epistolario

2792

[*CARTAS*]. [Baeza, antes de 1578].

Ed. perdida, citada en el proceso conservado en el A.H.N., *Inquisición*, leg. 4.443, n.º 24, fol. 32.

2793

PRIMERA parte del Epistolario espiritual, para todos estados... Madrid. Pierres Cosin. 1578. 277 fols. + 11 hs. 14 cm.

—Pr. a Juan de Villaras por diez años.—
Apr. de Sebastián Pérez.—Pr. de Aragón.—Texto.—Tabla.
Pérez Pastor, *Madrid*, I, n.º 120.
LISBOA. *Nacional.* Res. 1803 P y 8599 P.—MADRID. *Nacional.* U-4.649.—ROMA. *Universitaria Alessandrina.*—SALAMANCA. *Universitaria.* 1-6.916.

2794

PRIMERA parte del Epistolario espiritual... Alcalá. Juan de Lequerica. 1579. 8 hs. + 275 + 3 págs. 15,5 cm.

J. Catalina García, *Tip. complutense*, número 538.
GENOVA. *Universitaria.* 1.AA.I.75.—LISBOA. *Nacional.* R.8760 P.—LONDRES. *British Museum.* 1019.h.26. — MADRID. *Nacional.* R-23.344; R-6.241.—SALAMANCA. *Universitaria.*—VIENA. *Nacional.* 7.W.26; 17.F.32.

2795

SEGVNDA parte del Epistolario espiritual. Madrid. Pierres Cosin. 1578. 333 fols. + 11 hs. 14,5 cm.

—Texto.—Colofón.—Tabla.
Pérez Pastor, *Madrid*, I, n.º 120.
LISBOA. *Nacional.* Res. 1803 P y 8599 P.—MADRID. *Nacional.* R-17.715.—ROMA. *Universitaria Alessandrina.*

2796

SEGVNDA parte del Epistolario espiritual... Alcalá. Juan Iñiguez de Lequerica. 1579. 1 h. + 332 + 11 hs. 15,5 cm.

J. Catalina García, *Tip. complutense*, número 539.
GENOVA. *Universitaria.* 1.AA.I.76.—LISBOA. *Nacional.* R.8761 P.—MADRID. *Nacional.* R-23.345.

2797

[*EPISTOLARIO espiritual. Edición y notas de Eugenio de Ochoa*]. (En *Epistolario Español...* Tomo I. Madrid. Imp. de La Publicidad. 1850, págs. 295-462. Biblioteca de Autores Españoles, 13).

2798

DISCIPLINA espiritual, sacada de su «Epistolario»... Madrid. La España Editorial. [s. a., 1903?]. 176 págs. 13 cm. (Joyas de la Mística Española).

MADRID. *Consejo. General.*

2799

EPISTOLARIO espiritual. Edición y notas de Vicente García de Diego. Madrid. La Lectura. 1912. XXX + 305 págs. 18 cm. (Clásicos Castellanos, 11).

MADRID. *Consejo. General.* R.M.-2.858.
—2.ª ed.: Madrid. Espasa-Calpe. 1940. XXII + 255 págs.
a) Ortroy, F. Van, en *Analecta Bollandiana*, XXXIII, Bruselas, 1914, págs. 106-7.

2800

EPISTOLARIO espiritual. Selección, estudio y notas por Manuel de Montoliu. Zaragoza. Edit. Ebro. 1940. 127 págs. 18 cm. (Biblioteca Clásica Ebro, 17).

BARCELONA. *Central.* — MADRID. *Nacional.* 1-93.606.

Dos pláticas...

2801

DOS pláticas hechas a sacerdotes... Córdoba. Andrés Barrera. 1595. 23 hs. 14 cm.

No visto por Valdenebro, n.º 39, que remite a N. Antonio.
J. Vallejo, *Rarezas bibliográficas*, en *Bibliografía Hispánica*, II, Madrid, 1953, número 3, págs. 12-15.
MADRID. *Particular de D. Miguel Herrero García.*

2802

DOS pláticas hechas a sacerdotes... y un razonamiento de Nuestra Señora buelto de Latín en Romance Castellano. Roma. Esteban Paolino. 1600. 50 págs. 15,5 cm.

ROMA. *Vaticana.* Stamp. Barb. V.VIII.4.

2803

DOS pláticas hechas a sacerdotes... Santiago. Luys de Paz. 1601. 20 fols. 4.º

SANTIAGO DE COMPOSTELA. *Universitaria.* [Tres ejemplares].

2804

DOS pláticas hechas a sacerdotes y un razonamiento de Nuestra Señora con Sta. Brígida... Valencia. Mey. 1617.

BARCELONA. *Universitaria.* K-13.231 (6).

2805

TRES Tratados de las Obras del P. Maestro ——... Del amor de Dios para con los hombres, y de la confiança que por esta razón deven tener. Docvmentos espirituales para acertar en el fin y medios de la oración mental. Dos pláticas para sacerdotes. Madrid. María de Quiñones. 1639. 4 hs. + 60 fols. 14 cm.

MADRID. *Nacional.* 3-36.626.

2806

TRATADO de lo qve sentía el P. Maestro Avila de la disposición para celebrar, y de las consideraciones que él vsaua para ello. Valladolid. Antonio Rodríguez. [s. a.]. 37 págs. 19,7 cm.

MADRID. *Nacional.* V-122-30.

Reglas de bien vivir

2807

Reglas de bien vivir... Con vn breve Cathequismo del R. P. Canisio... Y varias lethanías para el exercito del Rey Cathólico Don Philippe nuestro Señor. Amberes. Platiniana. 1595. 95 págs. 10,5 cm.

Peeters-Fontainas, I, n.º 66.
ROMA. *Vaticana.* Chigi. VII-153.

2808

——. Barcelona. Imp. Herederos Vda. Pla. 1865. 366 págs. 15 cm.

BARCELONA. *Central.* 23-8.º-306.

Documentos espirituales

2809

DOCVMENTOS espiritvales qve el

Maestro Ivan de Avila, presbítero, varón apostólico y predicador insigne, dio a vn mancebo discipulo suyo, para que con seguridad sirviera a Dios nuestro Señor... Madrid. Viuda de Alonso Martín. 1623. 4 hs. + 58 fols. + 2 hs. 14,5 cm.

No citado en Pérez Pastor, *Madrid.*
MADRID. *Nacional.* 2-49.965; 7-13.536.

2810

DOCVMENTOS espiritvales. Roma. Francesco Corbelleti. 1635. 60 págs. 10,5 cm.

ROMA. *Vaticana.* Stamp. Barb. V.XI.110 y V.XIII.28.int.1.

Tratado del amor de Dios

2811

De la grandeza, y amor de Christo nuestro Redentor, y como deue ser principal materia de oracion. Sacado de las Obras del V. P. Iuan de Auila. [Madrid. Impr. del Reino]. [1635]. 8 hs. 14 cm.

Es un extracto.
SEVILLA. *Universitaria.* 33-150.

2812

Del amor de Dios para con los hombres. Madrid. [Apostolado de la Prensa]. 1934. 40 págs. 18 cm.

Sermones

2813

Libro espiritual o tratados sobre las principales festividades de la Santísima Virgen María, Madre de Dios. Barcelona. Her. Vda. Pla. 1865. 367 págs. 15 cm.

2814

Colección de sermones inéditos. 1947.

V. n.º 2833.

Sentencias

2815

SENTENCIAS espirituales por A.B.C. Barcelona. Edit. Científico-Médica. 1963. 495 págs. 13 cm.

BARCELONA. *Universitaria.* D.487-5-56.

2816

SENTENCIAS espirituales por A.B.C. Selección de Juan María y Escribano y Ovidio Pecharromán. Barcelona. Juan Flors. 1964. 495 págs. 14 cm.

Memorial

2817

TROZOS selectos del Memorial del B. Avila (editados críticamente por Ignacio Iparraguirre). (En *Manresa*, XVIII, Madrid, 1946, págs. 368-377).

Textos inéditos

2818

CARTAS inéditas del B. P. M.ᵒ Juan de Avila. Edición de Luis Jiménez de la Llave. (En *Boletín de la R. Academia de la Historia*, XXIV, Madrid, 1894, págs. 475-79).

Dos dirigidas al conde de Feria por 1561.

2819

CARTA inédita del Beato Juan de Avila (Córdoba, 30 de setiembre de 1551?). Edición de Fr. Alfonso Andrés. (En *Boletín de la Biblioteca Menéndez Pelayo*, XVII, Santander, 1935, págs. 172-76).

Tirada aparte: Santander. Sociedad Menéndez Pelayo. 1935. 7 págs. 24,5 cm. BARCELONA. *Central.* 24-8-C1/7.

2820

MANUSCRITO (Un) inédito del Beato Juan de Avila. Edición y estudio por R. S. de Lamadrid. (En *Archivo Teológico Granadino*, IV, Granada, 1941, págs. 137-241).

2821

MANUSCRITO inédito del Beato Juan de Avila. Edición y estudio de Juan Durántez. (En *Revista de Espiritualidad*, II, San Sebastián, 1943, págs. 323-30).

La *Plática a los Padres de la Compañía de Jesús*, que edita según el mss. 3120 de la Biblioteca Nacional, en las págs. 325-30.

2822

MANUSCRITO (Un) inédito del Maestro Juan de Avila. Edición y estudio de Juan Durántez. (En *Manresa*, XV, Madrid, 1943, págs. 177-186).

El mismo texto anterior, sin señalar procedencia. Es ampliación de los capítulos 74 y 75 del *Audi filia*.

2823

TEXTO (Un) inédito del Beato Maestro Juan de Avila, sobre el estudio de la Sagrada Escritura. Edición y estudio por Isidro Gomá Civit. (En *Estudios Bíblicos*, II, Madrid, 1943, págs. 107-19).

a) Aldama, J. A. de, en *Archivo Teológico Granadino*, VII, Granada, 1944, págs. 314-15.

2824

INEDITO (Un) del B. Avila sobre las Bienaventuranzas. Edición y estudio de José Solá. (En *Manresa*, XV, Madrid, 1943, págs. 271-82).

Edición (págs. 274-82).

2825

TRATADO (Un) inédito sobre el sacerdocio original del Bto. Juan de Avila. Edición y estudio de Camilo M. Abad. (En *Sal Terrae*, XXXII, Santander, 1944, págs. 51-59, 113-15).

2826

DOS Memoriales inéditos para el Concilio de Trento. Edición preparada por Camilo M.ª Abad. (En *Miscelánea Comillas*, III, Comillas, 1945, págs. VII-XXXVI y 1-151).

I. *Reformación del estado eclesiástico (1551)*; II. *Causas y remedios de las herejías (1561)*.

Tirada ap.: Comillas. Universidad Pontificia. 1945. XXXVIII + 170 págs. + 2 hs. + 1 lám. 23,5 cm.

a) Jiménez Duque, B., en *Arbor*, III, Madrid, 1945, págs. 360-62.
b) Marcos, L., en *Revista Española de Teología*, VI, Madrid, 1946, págs. 458-59.
c) Sola, José, en *Manresa*, XVIII, Madrid, 1946, págs. 98-99.
BARCELONA. *Central.*

2827
SERMONES inéditos. [*Publicados por*] *Ricardo G*[*arcía*] *Villoslada.* (En *Manresa*, XVII, Barcelona, 1945, págs. 389-403).

2828
SEGUNDO memorial para Trento del Beato —— *(1561). Una copia en El Escorial manejada por Felipe II. Nota crítica por Camilo María Abad.* (En *Miscelánea Comillas*, V, Comillas, 1946, págs. 279-92).

2829
SERMON inédito del B. Avila. Edición de Ricardo García Villoslada. (En *Manresa*, XVIII, Madrid, 1946, págs. 87-97).
Del códice de Oña.

2830
MAS inéditos del B. Juan de Avila. Una carta autógrafa a don Pedro Guerrero. Noticias de otros muchos escritos hasta ahora no descubiertos. Edición y notas del P. Camilo María Abad. (En *Miscelánea Comillas*, VI, Comillas, 1946, págs. 169-188).

2831
APORTACION al «Epistolario» del P. Avila. Edición y estudio de Luis Sala [*Balust*]. (En *Manresa*, XVIII, Madrid, 1946, págs. 75-81).
Dos cartas a los PP. Francisco Estrada (mayo 1549) y Diego de Santa Cruz (enero 1550), conservadas en la Biblioteca Pública de Evora. Edición en págs. 81-86.

2832
TRES cartas inéditas del B. Avila.

Edición y estudio de Valentín M. Sánchez. (En *Manresa*, XVIII, Madrid, 1946, págs. 184-91 + 3 láms.).
Al obispo de Córdoba D. Diego de Guzmán y al Dr. Loarte. Del Archivo de la provincia de Toledo de la Compañía.

2833
COLECCION de sermones inéditos del Beato Juan de Avila. Introducción y notas del P. R. G. Villoslada. (En *Miscelánea Comillas*, VII, Comillas, 1947, págs. 6-323 + 4 láms.).
Contiene 24 sermones desconocidos.
Tirada aparte: Comillas. 1947.
BARCELONA. *Central. —* LONDRES. *British Museum.* Ac. 167.

2834
CARTA (Una) inédita del Maestro Avila a la Condesa de Feria. Edición de V. Sánchez. (En *Maestro Avila*, I, Montilla, 1947, págs. 45-47).

2835
FRAGMENTOS eucarísticos inéditos del Beato Maestro Avila. Edición y estudio de Luis Sala Balust. (En *Manresa*, XIX, Madrid, 1947, págs. 364-70).
Reproducidos de los códices de Granada y Córdoba. Edición en págs. 367-70.

2836
BATAILLON, MARCEL. *Pages retrouvés de Jean d'Avila.* (En *La Licorne*, II, París, 1948, págs. 203-14).

2837
ULTIMOS inéditos extensos del Beato Juan de Avila... Edición del P. Camilo M.ª Abad. (En *Miscelánea Comillas*, XIII, Comillas, 1950).
Comprende:
1. Escritos varios de reforma.
2. Tratado del sacerdocio.
3. Dos pláticas para sacerdotes.
4. Acto de contrición.
5. Lecciones sobre la Epístola a los Gálatas.

2838

BATAILLON, M. *Jean d'Avila retrouvé. (A propos des publications récentes de D. Luis Sala Balust).* (En *Bulletin Hispanique,* LVII, Burdeos, 1955, págs. 5-44).

2839

CARTAS *inéditas del P. Mtro. Juan de Avila y documentos relativos a Fr. Domingo Valtanás en la Hispanic Society of America. Ed. de Luis Sala Balust.* (En *Hispania Sacra,* XIV, Madrid, 1961, págs. 155-70). Edición (págs. 162-70).

Antologías

2840

ESCRITOS *sacerdotales. Edición preparada por Juan Esquerdo Bifet. Esquemas doctrinales de Baldomero Jiménez Duque. Presentación por Laureano Castán Laconma.* Madrid. Edit. Católica. 1969. XVI + 420 páginas. 17 cm. (Biblioteca de Autores Cristianos. Ed. bolsillo, 7).

a) A. R. M., en *Revista Española de Teología,* XXXI, Madrid, 1971, pág. 85. MADRID. *Consejo. General.*

2841

CRUZ *y Resurrección.* Madrid. Narcea. [s. a., 1973]. 303 págs. 21,5 cm. MADRID. *Nacional.* 4-111.632.

TRADUCCIONES

a) ALEMANAS

Obras

2842

Sämmtliche Werke des ehrwürdigen Juan de Avila, des Apostels von Andalusien. Zum erstenmal aus dem spanischen Original übersetz von Franz Joseph Schrmer... Regensburg. G. J. Manz. 1856-81. 7 vols. 22 cm.

LONDRES. *British Museum.* 3677.b.4. — WASHINGTON. *Congreso.*

Audi

2843

Triumph, über die Welt, das Fleisch und den Teufel. Und werden in disen Buch vil schöne Lehr, Exempel und warnungen eingeführt, wie sich der Mensch inn allen Tugenten und geistlichen Wercken uben, Gott gefalln, unnd lestlich die Cron der ewigen Seligkeit erlangen möge. Durch Aegidium Albertinum vertentscht. Munich. Henricus. 1601. 226 págs.

NEW HAVEN. *Yale University.*

Documentos

2844

Iohanns von Avila Grundsätze von der warren, und falschen Andacht. Ihrer Vortreflichkeit wegwn in einer hessern Ueberzetzung geliefert von Joseph Anton Weisenhach. Augsburg. Doll. 1784. 72 págs.

Sermones

2845

Das Brod won Himmel. Einblicke in die Geheimnisse des aller heiligsten Altarssacrementes. Viena. St. Norbertus Dr. 1886. 508 págs.

b) FRANCESAS

Obras

2846

Les Oeuvres dv bienhevrevx Iean d'Avila docteur & predicateur espagnol surnommé l'Apôtre de l'Andalvsie divisées en deux parties. De la traduction de... Arnavld d'Andilly... París. P. Le Petit. 1673. 18 hs. + 761 págs. + 1 h. 38 cm.

BRUSELAS. *Royale.* V.B.-2.079.—FLORENCIA. *Nazionale.* 19.J.2.141. — LISBOA. *Ajuda.* 108.IV. 11.—LONDRES. *British Museum.* 3676.g.3.— LYON. *Municipale.* 21.240. — PARIS. *Arsenal.* B.A.Fol.T.1674 y 1675. *Nationale.* D.811; etc. *Santa Genoveva.* D.fol.920.—PERPIÑAN. *Municipale.* A.307.—ROMA. *Casunatense.* DD.

II.40.—ROUEN. *Municipale.* A.527.—VALLADO-LID. *Universitaria.* 5627.

2847

Oeuvres completes. (En Teresa de Jesús, Santa. *Oeuvres très-complètes...* Tomo IV. París. Migne. 1845).

LONDRES. *British Museum.* 481.f.18.

Epistolario

2848

Epistres spiritvelles de R. P. Iean de Avila, celebre predicateur d'Espagne. Utiles & conuenables à toutes personnes qui veulent vivre chrestinnement. Mises d'Espagnol en françois par Lvc de la Porte... París. Robert le Fizelier. 1588. 8 hs. + 218 fols. + 12 hs. 18 cm.

PARIS. *Mazarina.* 24935. *Nationale.* D.24540.

2849

Epistres spiritvelles de R. P. I. Avila, tres-renomme predicateur d'Espagne: tres vtiles a toutes personnes, de toute qualité, qui cherchent leur salut: Fidelement traduites, & mises et meilleur ordre, qu'elles son en l'exemplaire Hespagnol... par Gabriel Chappuys... París. Gervais Mallot. 1588. 8 hs. + 307 fols. + 9 hs. 14 cm.

PARIS. *Nationale.* D.24539.
—París. G. Chaudiere. 1588. 2 vols.
PARIS. *Arsenal.* B.A.8.°T.7277.
—París. Pierre Cavellat. 1588. 12 hs. + 192 fols. 12.°
PARIS. *Nationale.* D.18042, 2; Rés.D.18043.
—Douay. Baltazar Bellere. 1598. 2 vols. 8.°
LONDRES. *British Museum.* 1489.t.72.
—París. Regnault Chaudiere. 1608. 2 vols. 15 cm.
FLORENCIA. *Nazionale.* 15.E.7.156.—LYON. *Municipale.* 802830.—PARIS. *Nationale.* D.24541.
—*Les epistres spiritvelles...* París. Denys Moreau. 1630. 2 vols. 16,5 cm.
PARIS. *Nationale.* D.24542.

2850

Les Epistres spiritvelles de M.ᵉ Iean d'Avila... De la traduction du R. P.

Simon Martin... París. Edme Couterot. 1635. 2 vols. 14 cm.

PARIS. *Arsenal.* B.A.8.°T.7278. *Nationale.* D.24543. *Santa Genoveva.* D.Sup.802300.

2851

Les Epistres spirituelles de Me. Iean Dauilla... De la traduction du R. P. Simon Martin. Parte I. París. E. Couterot. 1653. 563 págs. 12.°

LONDRES. *British Museum.* 4403.aaa.41.—PARIS. *Arsenal.* — *Santa Genoveva.* D.8.°Sup. 2300.

2852

[Trois lettres a St. Juan de Dios]. (En *La Vie de St. Jean de Dieu...* París. 1691. Al fin).

ROUEN. *Municipale.* U.1079.

2853

Lettre du V. Jean d'Avila ecrite à une âme eprouvée par des sentiment d'une crainte excessive des jugements de Dieu. Traduite de sa vie ecrite en espagnol par le P. Louis de Granade. [Lyon. Imp. Girard et Josserand]. [1857]. 16 págs. 13,5 cm.

PARIS. *Nationale.* D.24546.

2854

Lettres de direction. Traduction, introduction et notes par J. M. de Buck. Lovaina. Edit. Museum Lessianum. 1927. 317 págs. 19 cm. (Museum Lessianum. Section Ascetique et Mystique, 25).

BRUSELAS. *Royale.* 3716R-25.—CAMBRIDGE, Mass. *Harvard University.*—FILADELFIA. *Union Library Catalogue of Pennsylvania* y *University of Pennsylvania.*—LONDRES. *British Museum.* W.P.7679/1.(3).

Audi, filia

2855

Les oeuvres spiritvelles, traittans des mavvais conseils & languages du monde, de la chair & du diable, & des remedes côtreux. En outre, de la foy, de la propre cognoissance, de la penitence: de l'oraison, meditation, passion de nostre Seigne Jesvs-Christ, & de l'amour des prochains. Faictes en Hespagnol par le R. P. Auila, et mises en François, par Gabriel Chappvis... París. C. Micard. 1588. 8 hs. + 193 fols. + 10 hs. 16,5 cm.

PARIS. *Nationale.* D.24547.

— — —

—*Adresse de l'ame fille de Diev povr atteindre à la vraye & parfaicte sagesse... Mise en François, par G[abriel] C[happuis].* París. Sebastien Cramoisy. 1623. 9 hs. + 563 págs. + 8 hs. 17 cm.

PARIS. *Nationale.* D.24536.

2856

Oeuvres chrestiennes, sur le verset Avdi filia et vide, &. Composées en Espagnol par M.ᵉ Iean d'Avila... traduites en François par le Sr. Personne... París. E. Conterot. 1662. 19 hs. + 502 págs. + 1 h. 18 cm.

PARIS. *Nationale.* D.18044.

2857

Écoute, ma fille (Audi, filia). Introd., trad. et notes par Jacques Cherprenet. París. Aubier. 1954. 360 págs. 16.º (Collection Les maîtres de la spiritualité chrétienne).

a) G[arcíasol], R., en *Insula*, X, Madrid, 1955, n.º 113.
b) Laplace, J., en *Études*, CCLXXXV, París, 1955, págs. 121-22.
c) Sala Balust, L., en *Hispania Sacra*, VII, Madrid, 1954, págs. 31-35.
d) Weinrich, H., en *Archiv für das Studium der neueren Sprachen*, CXCV, Friburgo, 1958, pág. 99.
WASHINGTON. *Catholic University of America Library.*

Dos pláticas a sacerdotes

2858

Discovrs avs prestres contenant vne doctrine fort necessaire à tous ceux lesquels estant éleuez à cette haute dignité desirent que Dieu leur soit propice au dernier iugement. Composé en Espagnol par le R. P. Jean Auila, prestre, & traduit en François. Troisième edition, augmentée de quelques letres du mesme Autheur. París. P. Trichard. 1658. 102 + 2 págs. 15 cm.

PARIS. *Nationale.* D.49744(3). *Santa Genoveva.* D.8.ºSup. 297.

— — —

—Lyon. Jean Certe. 1674. 183 págs. + 1 h. 10,5 cm.
PARIS. *Nationale.* D.24537.

Reglas

2859

Instrvction chrestienne par le R. P. M. Iean d'Auila. Avec vn petit Catechisme, tiré de celluy du P. Canis... Amberes. Impr. Platinienne. 1595. 48 págs. 11 cm.

ROMA. *Vaticana.* Chigi, VI.966.int.2.

Antologías

2860

Textes choisis et introduits par Pierre Jobit. Traduction de Marie Madeleine Varneau-Lelaidier. Sermons sur le Saint Esprit. Namur. Les Éditions du Soleil Levant. 1960. 181 páginas. 12 cm. (Les Écrits du Saints).

a) G[roult], P., en *Les Lettres Romanes*, XVII, Lovaina, 1963, pág. 200.
b) Ricard, R., en *Bulletin Hispanique*, LXIV, Burdeos, 1962, págs. 85-88.

c) GRIEGAS

Documentos espirituales

2861

Documenti spiritvali... Roma. Stamp. S. Congr. Prop. Fide. 1637. 72 págs. 13,5 cm.

PARIS. *Nationale.* D.24538. — ROMA. *Vallicelliana.* I.III.92.int.2.

— — —

—1671. 88 págs. 14 cm.
Tradotti in Greco volgare da Giorgio Bustronio.
CAMBRIDGE, Mass. *Harvard University.*—CHICAGO. *University of Chicago.*—LISBOA. *Ajuda.*

103.IV.45.—NAPOLES. *Nazionale.*—ROMA. *Angelica.* n.3.12. *Nazionale.* 8.12.G.35. *Vallicelliana.* S. Borr. Q.III.302. *Vaticana.* Stamp. Barb. U.VIII.122.

d) INGLESAS

Audi, filia

2862

The Avdi filia, or a rich Gabinet fvll of Spiritvall Ievvells... Translated out of Spanish into English... [St. Omers. Imp. English College. S. I.]. 1620. 12 hs. + 584 págs. + 8 hs. 18 cm.

Ded. a los católicos ingleses y traducción por Sir Tobie Matthew. LONDRES. *British Museum.* 1225.d.11.—PARIS. *Mazarina.* A.13396. — URBANA. *University of Illinois.*

— — —

—Reprod. facsímil. Menston. Scolar Press. 1970. 584 págs. 23 cm. (English Recusant literature, 49). LONDRES. *British Museum.* 1654/49.

Epistolario

2863

Certain selected Spiritual Espistles Written by that most Reverendo holy Doctor I. Auila a most renowed Preacher of Spaine... Rouen. J. le Cousturier. 1631. 441 págs. 8.º

ANN ARBOR. *University of Michigan.*—CHICAGO. *Newberry Library.* — LONDRES. *British Museum.* 4404.e.38 y C.125.cc.12 [con variantes]. — NEW HAVEN. *Yale University.*—WASHINGTON. *Folger Shakespeare Library.*

— — —

—Reprod. facsímil. Ilkley-Londres. Scolar Press. 1977. 441 págs. 21 cm. (English Recusant literature, 331). LONDRES. *British Museum.* 1654/331.

2864

The Cure of Discomfort. Conteyned in the Spirituall Epistles of Doctour J. de Auila... 1632. 8.º

ANN ARBOR. *University of Michigan.*—DENVER. *University of Denver.*—LONDRES. *British Museum.* 4400.l.25.

2865

Letters of Blessed John of Avila, translated and selected from the Spanish by the Bencdictines of Stanbrook. With preface by the R. R. Abbot Gasquet. Londres, etc. Burns & Oates. 1904. IV + 168 págs. 8.º

BERKELEY. *University of California.*—FILADELFIA. *Chestnut Hill College* y *Union Library Catalogue of Pennsyvania.*—LONDRES. *British Museum.* 04402.ee.27. — NUEVA YORK. *Union Theological Seminary.*

Sermones del Espíritu Santo

2866

The Holy Grost. Trans. by Ena Dargan. Chicago, etc. Scepter. 1959. Rudder, pág. 574.

c) ITALIANAS

Catecismo

2867

[*Dottrina christiana*]. Mesina. 1556.

Audi, filia

2868

Trattato spiritvale sopra il verso, Avdi filia, del salmo, Eructauit cor meum. Del R. P. M. Avila predicatore nella Andalogia, doue si tratta del modo di udire Dio, & fuggire i linguaggi del mondo, della carne, & del demonio. Nuovamente tradolto dalla Lingua Spagnuola nella Italiana, per Camillo Camilli... Venecia. F. Ziletti. 1581. 6 hs. + 155 fols. + 5 hs. 20 cm.

BARCELONA. *Central.* Toda, 2-I-7.—FLORENCIA. *Nazioale.* 15.D.3.84.—GENOVA. *Universitaria.* 4.AA.III.57.—LISBOA. *Nacional.* Res. 8653 P. ROMA. *Nazionale.*—*Universitaria Alessandrina.*—*Vallicelliana.* S. Borr. B.II.31.—VENECIA. *Marciana.* 214.C.120.

— — —

—Roma. B. Zannetti. 1610. 4 hs. + 356 págs. + 6 hs. 16 cm. BARCELONA. *Universitaria.* 75.6.25.—FILADELFIA. *Union Library Catalogue of Pennsylvania.* NAPOLES. *Nazionale.* — PARIS. *Nationale.* D.

24549.—ROMA. *Nazionale.* — *Vaticana.* Chigi. V.1905.—VILLANOVA. *Villanova College.* —Milán. Lud. Monza. 1650. ROMA. *Casanatense.* Miscell. in 8.°, vol. 213.

2869

Trattato spirituale sopra il verso Audi filia... Roma. Stamp. de Rossi. 1759. 14 hs. + 443 págs. 20 cm.

FLORENCIA. *Marucelliana.* 6.D.XV.8.—NAPOLES. *Nazionale.*—ROMA. *Angelica.* n.10106. *Nazionale.*

2870

Audi filia. Trattato spirituale... Turín. Stamp. Mairesse. 1769. 2 vols. 17 cm.

MONSERRAT. *Monasterio.* LII.12.ᵘ56.

Epistolario

2871

Lettere spiritvali del Dottor Giovanni Avila, predic. ne l'Andaluzia. Tradotte di lingua Spagnuola nella Toscana, da... Timoteo Botonio... Florencia. Filippo Giunti. 1590. 4 hs. + 850 págs. + 11 hs. 16 cm.

BARCELONA. *Central.* Toda, 5-III-4.—FLORENCIA. *Marucelliana.* B.4.82. *Nazionale.* — GENOVA. *Universitaria.* 1.AA.III.16.—MILAN. *Nazionale.*—NAPOLES. *Nazionale.*—PARIS. *Nationale.* D.24545.—ROMA. *Vallicelliana.*

—————

—Florencia. F. Giunti. 1593. VII + 850 págs. + 11 hs. 15,5 cm.

FLORENCIA. *Marucelliana.* 6.A.XI.49.—LONDRES. *British Museum.* 4401.d.22.—NAPOLES. *Nazionale* — ROMA. *Nazionale.* — *Vaticana.* Racc. Gen. Teol., V, 6270.—VENECIA. *Marciana.* 23. D.177.

—Roma. L. Zannetti. 1593. 96 págs. 14 cm. ROMA. *Nazionale.* — *Vallicelliana.* I.IV.178. int.7.

—3.ª ed. Florencia. Filippo Giunti. 1601. 4 hs. + 850 págs. + 11 hs. 16 cm.

FLORENCIA. *Nazionale.* 50.11335. — ROMA. *Nazionale.*—*Vallicelliana.* VI.1.C.21. *Vaticana.* Stamp. Barb. V.VI.1.

—4.ª ed. Florencia. Cosimo Giunti. 1612. 4 hs. + 850 págs. + 11 hs. 16 cm.

Marucelliana. 6.E.X.86. *Nazionale.* 5.O.1133. GENOVA. *Universitaria.* 1.II.I.53.—ROMA. *Nazionale.*—*Vaticana.* Stamp. Barb. V.XI.2.

—Nápoles. L. Scoriggio. 1614. 4 hs. + 564 págs. + 5 hs. 16 cm.

NAPOLES. *Nazionale.*—ROMA. *Nazionale.* 8.22. D.20.

2872

Lettere del Padre Maestro Giovanni d'Avila... Parte terza non piv stampata. Trasportate dall'idioma Spagnolo nell'Italiano, conforme all'impresione di Luigi Sanchez in Madrid l'anno MDXCV da Baldo Nicolvcci... Roma. E. Ghezzi. 1668. 8 hs. + 164 págs. + 6 hs. 15 cm.

BALTIMORE. *Johns Hopkins University.* — ROMA. *Casanatense.* CC.V.36**. *Nazionale.* 8. 22.D.64.int.2. *Universitaria Alessandrina.* — *Vallicelliana.*

2873

Lettere spirituali del Venerabile Padre Maestro Giovanni d'Avila. Tradotte già della lingua Spagnola nell' Italiana. Nuouamente riuedute e correte: con l'aggiunta della Vita compendiata dell'Autore... Roma. F. Tizzone. 1669. 40 fols. + 568 págs. + 6 hs. 15 cm.

BALTIMORE. *Johns Hopkins University.*—ROMA. *Nazionale.* 8.22.D.64. *Vallicelliana.* S. Borr. 1.V.263.

2874

Lettere spirituali... Tradotte... da... Timoteo Botonio... con l'aggiunta della Terza parte delle medesime tradotte da... Baldo Nicolucci... E di più con il ristretto della Vita del detto Padre Avila, ed i due celebri Ragionamenti, che fece ai Sacerdoti... 6.ª ed. Brescia. C. Gromi. 1728. XLVI + 414 + 2 págs. 23 cm.

FLORENCIA. *Marucelliana.* 6.A.IV.33. *Nazionale.* 15.A.2.2.—GENOVA. *Universitaria.* 1.AA.V. 3.—LISBOA. *Nacional.* Res. 388 P.—MILAN. *Nazionale.*—NAPOLES. *Nazionale.*—VENECIA. *Marciana.* 23.D.57.

Dos pláticas a sacerdotes

2875

Dve ragionamenti ai sacerdoti del

R. P. M. Gio. d'Avila et vno de la Madonna Santiss. a Santa Brigida. Posti in luce da Alfonso Ciaccione. Roma. Stefano Paolini. 1600. 52 págs. 14,5 cm.
GENOVA. *Universitaria.* 1.DD.I.10.—ROMA. *Vallicelliana.* S. Borr. I.IV.178(1). *Vaticana.* Stamp. Barb. U.XIV.64.

— — —

—*Di nuouo ristampati, & corretti per Giouanni Briccio...* Roma. L. Zannetti. 1606. 40 págs. 14 cm.
ROMA. *Nazionale.* 34.4.B.25 int. 4.
—Roma. Giovanni Ciove Faccioti. 1620. 4 hs. + 47 págs. 10 cm.
ROMA. *Vallicelliana.* S. Borr. E. I.76(2) y I. III.51(2).
—Roma. Nic. Ang. Tinassi. 1655. 60 págs. 15 cm.
ROMA. *Casanatense.* CC.IX.20. *Nazionale.—Universitaria Alessandrina. — Vallicelliana.* S. Borr. I.V.192; etc. *Vaticana.* Stamp. Barb. V.XII.28 int. 3; etc.
—*Idea del perfetto sacerdote compresa in due ragionamenti ed une lettera spirituale.* Florencia. Stamp. Bonardi. 1657. 12.°
Toda, *Italia,* I, n.° 433.
FLORENCIA. *Nazionale.* M.2383.2.
—*Due Regionamenti a'i sacerdoti.* (En Barbarigo, C. Greg. *Lettere Pastorali.* Padua. 1690, págs. 380 y ss.).
ROMA. *Casanatense.* K.II.16.
—*Due Ragionamenti a'i Sacerdoti.* Bugni. 1700. 24.°
ROMA. *Casanatense.* CC.XIII.17.
—Napoles. N. de Bonis. 1717. 59 págs. 14,5 cm.
ROMA. *Nazionale.* 8.27.G.18.

2876

I due celebri ragionamenti alli sacerdoti intorno all'altezza della loro dignità... Tradotti... da Incerto... Padua. Giuseppe Comino. 1727. VIII + 128 págs. 16.°
FLORENCIA. *Nazionale. — NAPOLES. Nazionale.* ROMA. *Nazionale.—Vaticana.* Stamp. Barb. FFF.III.22.

— — —

—Padua. Giuseppe Comino. 1763. 110 págs. 16.°
FLORENCIA. *Nazionale. — MILAN. Nacionale.—* ROMA. *Casanatense.* Misc. 8.°1171. *Vaticana.* Stamp. Barb. FFF.III.23.—VENECIA. *Marciana.* Misc.D.135; 385.D.269.

—Turín. M.-A. Morano. 1767. 148 págs. 14,5 cm.
ROMA. *Vaticana.* Racc. Gen. Teol., VI.662.
—Turín. Morano. 1768. 147 págs. 16 cm.
GENOVA. *Universitaria.* 1.KK.I.21.

2877

Due celebri ragionamenti alli sacerdoti... Roma. [Ed. F. Bizzarrini Komarek]. 1767. 62 págs. 20 cm.
ROMA. *Nazionale. — Vaticana.* Stamp. Chigi, IV.2603 int. 2.

— — —

—*I due...* Padua. Comino. 1768. 111 págs. 8.°
Toda, *Italia,* I, n.° 434.
—Cesena. G. Biasini. 1775. 53 págs. 17 cm.
CAMBRIDGE, Mass. *Harvard University.—ROMA. Nazionale.* 6.31.C.18.
—*I due celebri ragionamenti alli sacerdoti intorno all'altezza ed eccellenza della loro Dignità... ed alcuni avvisi celesti...* (En Compaing, *Della santità e de'doveri de'Sacerdoti.* Venecia. Pietro Valdasense. 1777, págs. 265-360).
GENOVA. *Universitaria.* 1.C.III.68.
—Bolonia. Della Volpe. 1841. 40 págs. 20,5 cm.
ROMA. *Vaticana.* Ferraioli, IU8322 int. 20.
—Parma. Paganino. 1841. XI + 135 págs.
—Bassano. Remondini. [s. a.]. 12.°
FLORENCIA. *Nazionale.* M.774.3.

Reglas de bien vivir

2878

Vn altra breve regola di vita christiana. (En Luis de Granada, Fray. *Guida di Peccatori...* Roma. Michele Ercole. 1679, págs. 390-96).
ROMA. *Vallicelliana.* VI.1.D.21.

Documentos espirituales

2879

Docvmenti spiritvali che il Maestro Giovanni d'Avila... diede ad un giouane suo discepolo, per seruir con sicurezza Dio Signore nostro. Tradotti della lingua Spagnuola nella Italiana da... Tiberio Putignano. Roma. Her. B. Zannetti. 1622. 36 págs. 13,5 cm.

Añade: *Dell'esame particulare per il meglioramento dell'Anima.* 12 págs.

ROMA. *Casanatense*. Miscell. in 8.°, vol. 687.
Nazionale.—Vallicelliana. S. Borr. I-IV.185.

— — —

—Milán. Malat. [s. a., 1622?]. 92 págs.
—Bolonia, etc. Succ. Mascardi. 1671. 209 +
254 págs. 16.°
Toda, *Italia*, III, n.° 3.813.
—Nápoles. 1687.
BARCELONA. *Central*. Toda, 10-I-13.

2880

*La via regia della vita spirituale del
P. M. Avila spianata dall'istesso in
vn discorso d'alcuni documenti spirituali, che scrisse à vn giouane suo
discepolo. Tradotta dall'idioma Spagnuolo nell'Italiano... da vn pouero
reliigoso del conuento di S. Francesco in Trasteuere...* Roma. Stamp.
R. C. Apost. 1637. 33 fols. 11 cm.

FLORENCIA. *Nazionale*. 15.A.8.8.—PARIS. *Nationale*. D.24538.—ROMA. *Casanatense*. ll.XI.13.
Vallicelliana. S. Borr. I.III.92 (2). [Incom-
pleto]. *Vaticana*. Stamp. Barb. V.VIII.20.

2881

*Documenti spirituali per servire
Iddio con sicurezza.* (En Pedro de
Alcántara, San. *Tratttato dell'Ora-
tione...* Roma. 1677, págs. 295 y ss.).

ROMA. *Casanatense*. dd.XII.24.

— — —

—Idem. Colonia. [=Florencia]. Jacopo Car-
lieri. 1686, págs. 231-82.
Toda, *Italia*, III, n.° 3.814.
ROMA. *Vallicelliana*. VI.15.A.17.

Tratado del amor de Dios

2882

*Breve discorso fatto dal R. P. Auila
predicatore, sopra l'amor di Dio.
Tradotto dalla lingua Spagnuola
nella Italiana.* Venecia. F. Ziletti.
1582. 20 hs. 16.°

Toda, *Italia*, I, n.° 424.

2883

Trattato sopra l'amor di Dio. Brescia. P. Turlini. 1583. 12.°

Toda, *Italia*, II, n.° 2.900.

2884

*Breve discorso... sopra l'amor di
Dio.* Florencia. Sermatelli. 1596. 32
págs. 14,5 cm.

ROMA. *Vaticana*. Stamp. Barb. U.XIV.64
int. 4.

— — —

—Roma. Facciotti. 1620. 44 págs. 10 cm.
ROMA. *Vallicelliana*. S. Borr. I.III.51 (3); etc.

2885

*Dell'amor di Dio verso gli uomini.
Celebre ragionamento del venerabile P. M. Giovanni d'Avila nuovamente tradotto...* Bolonia. L. dalla Volpe. 1788. 40 págs. 16,5 cm.

ROMA. *Nazionale*.

Sermones

2886

*Trattati del Santissimo Sacramento
dell'Evcharistia.* [*Tradotto da Francesco Soto*]. Roma. Carlo Vullietti.
1608. 24 hs. + 546 págs. + 17 hs. 21
cm.

FLORENCIA. *Nazionale*. 10.B.3.39.—PARIS. *Na-
zarina*. 12.294.—ROMA. *Angélica*. C.6.18. Casanatense. BB.IX.70**. *Nazionale.—Universitaria Alessandrina.—Vallicelliana*. I.I.60(1).
Vaticana. Stamp. Barb. V.XIII.28.—VENECIA.
Marciana. 121.C.23.

2887

*Trattato del glorioso san Gioseppe
sposo della Sacratissima Vergine
Maria nostra Signora... Tradotto...
por il R. P. Francesco Soto...* Roma.
Stefano Paolini. 1610. 2 hs. + 52 páginas. 21,5 cm.

MILAN. *Nazionale.—*ROMA. *Casanatense*. FF.X.
154. *Nazionale.—Universitaria Alessandrina.
Vallicelliana*. I.I.107 int. 1.

— — —

—Milán. Giov. Batt. Bidelli. 1610. 2 hs. +
70 págs. 14 cm.
ROMA. *Casanatense*. FF.X.154.
—Nápoles. De Boris. 1695. 12.°
ROMA. *Casanatense*. dd.XXIV.10.

PORTUGUESAS

Epistolario

2888

Iogo do birimbâo, tres galeras, e huma nao, quanto mais visto do mundo menos apprendido. Exposto em oito cartas, sinco do bemdito S. Joâao de Deos, e tres de seu Veneravel Director, o Mestre Avila. Traduzidas de Castelhano em Portuguez por hum devoto do mesmo Santo. [Oporto. F. Mendes Lima]. [1762]. 12 fols. 20 cm.

LISBOA. *Nacional.* Res. 219 R, fols. 87-98.

ESTUDIOS

DE CONJUNTO

2889

CATALAN LATORRE, AGUSTIN. *El Bto. Juan de Avila, su tiempo, su vida y sus escritos, y la literatura mística en España.* Zaragoza. Tip. Comas. 1894. VIII + 208 págs. 18,5 cm.

LONDRES. *British Museum.* 4866.de.17.—MADRID. *Nacional.* 2-33.092.

2890

COUDERC, J. B. *Le beinheureux Jean d'Avila. 1500-1569.* Lille-París. 1894. 141 págs. 18 cm.

MISCELÁNEAS

2891

CERTAMEN literario... por la ciudad de Almodovar del Campo... en homenaje... al... Maestro Juan de Avila... [Ciudad Real. Escuelas Gráficas]. 1940. 183 págs. 24 cm.

2892

SEMANA Avilista de Estudios Sacerdotales. Conferencias pronunciadas en la Semana Avilista celebrada en Madrid, con motivo de la apertura del IV Centenario de la muerte

del Beato Maestro Juan de Avila. [Madrid]. [1969]. 286 págs. 22 cm.

MADRID. *Nacional.* 4-82.492; 4-82.493.

BIOGRAFÍA

2893

LUIS DE GRANADA, Fray. *Vida del M.º Avila.* Madrid. 1588.

(Para las ediciones posteriores, véase LUIS DE GRANADA, Fray).

2894

MUÑOZ, LUIS. *Vida y virtudes del venerable varón el P. Maestro Ivan de Avila predicador apostólico. Con algvnos elogios de las virtudes, y vidas de algunos de sus más principales discipulos.* Madrid. Imprenta Real. 1635. 8 hs. + 247 fols. + 2 hs. 20 cm.

—A las Santas Iglesias Metropolitanas y Catedrales de los Reynos de Castilla y León, en su Congregación.—A la Venerable Congregación de los Sacerdotes naturales desta noble Villa de Madrid...—Prólogo al Lector.—Aprovación del P. Lorenço de Aponte.—9pr. de Fr. Iuan Bravo de Laguna.—S. Pr.—E.—T.—Oración que usava el V. P. M.º Iuan de Avila, compuesta por su devoción.
—Pág. 218: Poesías castellanas y latinas dedicadas al M.º Avila por el P. Gerónimo López, jesuita.

MADRID. *Facultad de Filosofía y Letras.—Nacional.* U-5.967.—NUEVA YORK. *Hispanic Society.*—ROMA. *Vaticana.* Stamp. Barb. U.IX. 2.—SANTANDER. «*Menéndez Pelayo*». R-X-5-4. SANTIAGO DE COMPOSTELA. *Universitaria.*—SEVILLA. *Universitaria.* 55-42.

2895

———. Madrid. 1671. 10 hs. + 230 fols. + 2 hs. 4.º

CORDOBA. *Pública.* 10-141; 13-98. — LONDRES. *British Museum.* 4866.c.27.—MADRID. *Facultad de Filosofía y Letras.* 7.039. *Nacional.* 2-69.745. *Seminario Conciliar.*—SEVILLA. *Colombina.* 57-5-46. *Universitaria.* 17-34.—ZARAGOZA. *Seminario de San Carlos.* 51-5-2.

2896

ODDI, LONGARO DEGLI. *Vita del venerabil servo di Dio il Maestro*

Giovanni d'Avila, sacerdote secolare, detto l'Apostolo dell'Andaluzia. Nápoles. Stamp. Muziana. 1754. 10 hs. + 1 lám. + 259 págs. 22 cm.

MADRID. *Nacional.* R-3.539.

— — —

Otras ediciones:
—Roma. A. de Rossi. 1754. 7 hs. + 259 págs. 21 cm.
MADRID. *Nacional.* 3-25.876.
—Roma. Aureli e Co. 1864.
—Roma. Tip. Artigianelli di S. Giuseppe. 1894.
Traducciones:
—*Vida del... M.º Juan de Avila.* Trad. por Luis de Durán y de Bastero. Barcelona. Texero. [s. a., c. 1800?]. 4 hs. + 362 págs. + 1 h. 4.º
MADRID. *Nacional.* 3-13.996.
—Idem. Barcelona. Her. P. Riera. 1865. 4.º
BARCELONA. *Seminario Conciliar.*
—*Life of the Blessed Master John of Avila.* J. G. MacLeod. Londres. Burns and Oates. 1898.
LONDRES. *British Museum.* 3605.dd.97.

2897

PINEDA RAMIREZ DE ARELLANO, JOAQUIN. *Vida del V. P. Maestro Juan de Avila..., compendiada y extractada de la que escribió... Fr. Luis de Granada y... Martín Ruiz de Mesa..., con expresión de los más esclarecidos discípulos que tuvo.* Madrid. Imp. B. Román. 1790. 3 hs. + 172 págs. 20 cm.

MADRID. *Nacional.* 3-19.613.

2898

FERNANDEZ MONTAÑA, JOSE. *El Venerable M.º Juan de Avila. Reseña histórica de su vida y virtudes.* Madrid. Sucs. de Rivadeneyra. 1889. 208 págs. 18 cm.

MADRID. *Facultad de Filosofía y Letras.* — SANTANDER. «*Menéndez Pelayo*». 6.314.

— — —

Reedición aumentada por L. Delgado Merchán. Madrid. Imp. San Francisco de Sales. 1894.

2899

COUDERC, J. B. *Le Bienheureux Jean d'Avila, 1500-1569.* Lille. Desclée, De Brouwer et Cie. 1894. 141 págs. 16.º

PARIS. *Nationale.* Oo.1223.

2900

[MUÑOZ GIRON, DIEGO]. *Vida del Bto. Juan de Avila, Apóstol de Andalucía.* Madrid. Edit. Voluntad. 1928. 130 págs. con ilustr. 19 cm.

2901

CASTAN LACOMA, LAUREANO. *Destellos sacerdotales. Vida del Beato Maestro Juan de Avila, Patrono del clero secular español.* Zaragoza. El Noticiero. 1947. 503 págs. 21 cm. (Biblioteca Maestro Avila, 2).

MADRID. *Nacional.* 4-30.528.

2902

COTALLO SANCHEZ, JOSE LUIS. *El Beato Juan de Avila o un Apóstol de cuerpo entero.* Bilbao. Edics. Pía Sociedad de San Pablo. 1947. 328 págs. 19 cm.

a) Jacinto de Santa Teresa, en *Revista de Espiritualidad,* IX, Madrid, 1950, pág. 113.
b) Villegas, Gerardo, en *Virtud y Letras,* XII, Manizales, 1953, pág. 203.

2903

FERNANDEZ-BOBADILLA, L. M. *El Beato Juan de Avila, maestro de santidad sacerdotal.* Madrid. Seminario Conciliar. 1948. 508 págs. 8.º

Biografía, seguida de una antología de textos sobre el aspecto indicado en el título (págs. 129-467).

2904

RUIZ DEL REY, TOMAS. *Vida del Padre Maestro Beato Juan de Avila, Apóstol de Andalucía y Patrono del Clero secular español.* Madrid. Apostolado de la Prensa. 1952. 171 págs. 15,5 cm.

De divulgación.
a) Segura, Francisco, en *Manresa*, XXVI, Madrid, 1954, pág. 81.
MADRID. *Nacional.* V-2-367-4.

2905
ROMERO GARCIA, ILDEFONSO. *Avilas y Giponas. (Biografía del Maestro Juan de Avila).* Ciudad Real. Instituto de Estudios Manchegos. 1953. 72 págs. + 7 láms. 22 cm.
MADRID. *Nacional.* V-2.428-38.

2906
GARCIA FERRERAS, GERMAN. *Santo Maestro Juan de Avila.* Almodóvar del Campo. [Ciudad Real. Tip. Alpha]. 1970. 66 págs. con ilustr. 17 cm.
MADRID. *Nacional.* V-7.938-21.

Aspectos parciales
2907
ARENAS, A[NSELMO]. *La patria del Beato Juan de Avila.* Valencia. 1918. 99 págs. 4.º
Tir. ap. de los *Anales del Instituto General y Técnico de Valencia.*
MADRID. *Consejo. Patronato «Menéndez Pelayo».* LE-1.746.

2908
SANCHO, HIPOLITO. *Una fundación docente del Beato Juan de Avila, desconocida. El Colegio de Santa Cruz de Jerez de la Frontera.* (En *Archivo Ibero-Americano*, III, Madrid, 1943, págs. 328-77).

2909
ABAD, CAMILO MARIA. *El proceso de la Inquisición contra el Beato Juan de Avila.* (En *Miscelánea Comillas*, VI, Comillas, 1946, págs. 88-167 y 3 láms.).
Noticia de un extracto hallado en la Congregación de Ritos del proceso perdido.

2910
ROMERO, ILDEFONSO. *La cuna del Maestro Juan de Avila.* (En *Cuadernos de Estudios Manchegos*, Ciudad Real, 1947, n.º 1, págs. 7-14).

2911
ROMERO, ILDEFONSO. *Fuego de cruzado. Estampas de sacerdocio del Mtro. Juan de Avila.* [Vitoria]. [1947]. 96 págs. 15,5 cm.

2912
JIMENEZ DUQUE, BALDOMERO. *Un pequeño dato para la biografía del Bto. Avila.* (En *Maestro Avila*, II, Montilla, 1948, págs. 119-22).
Su intervención indirecta en la fundación del Colegio de Clérigos en Avila.

2913
MUGUETA, Juan. *Perfiles del Beato Avila, Apóstol de Andalucía.* [Madrid. Imp. Sáez]. 1949. 202 págs. + 2 hs. 19,5 cm.
MADRID. *Nacional.* 1-106.627.

2914
ROMERO GARCIA, ILDEFONSO. *Los Santos, amigos y discípulos del Beato Maestro Avila. Ponencia...* Ciudad Real. 1952. 37 págs. 21 cm.
MADRID. *Consejo. General.*

2915
BAYLE, C[ONSTANTINO]. *El sepulcro del Beato Maestro Juan de Avila.* (En *Razón y Fe*, CXLVII, Madrid, 1953, págs. 492-503).

2916
RODRIGUEZ MOLERO, FRANCISCO. *Dos santos, Avila y Borja, en Granada.* (En *Manresa*, XLII, Madrid, 1970, págs. 253-78).

Documentos
2917
RAMIREZ DE ARELLANO Y DIAZ MORALES, RAFAEL. *Al derredor de la Virgen del Prado, Patrona de Ciu-*

dad-Real. Con un apéndice en que se insertan cuatro documentos inéditos del Beato Juan de Avila. Ciudad Real. Imp. del Hospicio Provincial. 1914. 297 págs. + 5 hs. 21 cm. MADRID. *Consejo. General.*

2918

MENENDEZ - REIGADA, IGNACIO. *El Bto. Juan de Avila, maestro de vida espiritual.* (En CERTAMEN *literario en homenaje al Bto. Juan de Avila.* Ciudad Real. 1940, págs. 9-54).

Publicado también en *Vida Sobrenatural*, XXXIX, 1940, págs. 13-23, 102-9, 190-95; XL, 1941, págs. 27-36, 91-99; XLI, 1941, págs. 28-36.

INTERPRETACIÓN Y CRÍTICA

2919

SANCHEZ DE LAMADRID, RAFAEL. *Algunas advertencias que el P. Maestro Avila envió al sínodo provincial de Toledo sobre la ejecución de algunas cosas mandadas en el Santo Concilio tridentino.* (En *Archivo Teológico Granatense*, IV, Granada, 1941, págs. 147-241).

2920

AGUIRRE PRADO, LUIS. *El Bto. Juan de Avila, paladín de la Eucaristía.* (En *Verdad y Vida*, II, Madrid, 1944, págs. 422-36).

a) *Revista de Espiritualidad*, IV, Madrid, 1945, págs. 409-10.

2921

ALDAMA, JOSE ANTONIO DE. *Un problema de autenticidad.* (En *Manresa*, XVII, Madrid, 1945, págs. 347-350).

2922

G[ARCIA] VILLOSLADA, RICARDO. *La figura del Beato Avila.* (En *Manresa*, XVII, Barcelona, 1945, páginas 253-73).

2923

JIMENEZ DUQUE, BALDOMERO. *El Beato Juan de Avila y su tiempo.* (En *Manresa*, XVII, Barcelona, 1945, págs. 274-95).

2924

TORRES, ALFONSO. *El B. J. de Avila, reformador.* (En *Manresa*, XVII, Barcelona, 1945, págs. 193-201).

2925

ABAD, CAMILO M. *La dirección espiritual en los escritos y en la vida del B. Juan de Avila.* (En *Manresa*, XVIII, Madrid, 1946, págs. 43-74).

2926

CAYUELA, ANTONIO. *El hombre de la purísima intención.* (En *Manresa*, XVIII, Madrid, 1946, págs. 30-42).

2927

CERECEDA, FELICIANO. *Dos proyectos de «Instituto Bíblico» en España durante el siglo XVI.* (En *Razón y Fe*, CXXXIII, Madrid, 1946, págs. 275-90).

Uno, suyo.

2928

VALENTIN DE SAN JOSE. *El Beato Juan de Avila y el Concilio de Trento. Lo que hace el verdadero apóstol forjador de apóstoles.* (En *Revista de Espiritualidad*, V, San Sebastián, 1946, págs. 222-37).

2929

ABAD, CAMILO M. *Escritos del Bto. Avila en torno al Concilio de Trento.* (En *Maestro Avila*, I, Montilla, 1947, págs. 269-95; II, 1948, págs. 27-56).

2930

FUENTE GONZALEZ, AGUSTIN DE

LA. *El Bto. Avila y los Seminarios Fridentinos.* (En *Maestro Avila*, I, Montilla, 1947, págs. 153-71).

2931

GARCIA Y GARCIA DE CASTRO, RAFAEL. *El Maestro Juan de Avila, santo y forjador de santos.* (En *Maestro Avila*, I, Montilla, 1947, págs. 223-38).

2932

GARCIA GARCES, NARCISO. *El Bto. Avila, Apóstol del Corazón de María.* (En *Maestro Avila*, I, Montilla, 1947, págs. 13-25, 123-46).

2933

GARCIA VILLOSLADA, RICARDO. *Varios problemas de autenticidad y crítica.* (En *Maestro Avila*, I, Montilla, 1947, págs. 173-80).

2934

GARCIA VILLOSLADA, RICARDO. *El P. Juan de la Plaza y el Bto. Juan de Avila. «Los Avisos de la Oración».* (En *Maestro Avila*, I, Montilla, 1947, págs. 429-42).

Los «Avisos para la oración, para limpiar faltas el corazón», hallados en un códice de Loyola, no son obra de J. de Avila, sino de su discípulo el P. Plaza.

2935

LARRAYOZ ARRANZ, MARTIN. *La vocación al sacerdocio según la doctrina del Bto. Juan de Avila.* (En *Maestro Avila*, I, Montilla, 1947, páginas 239-54).

2936

LEAL, JUAN. *El estudio de la Sagrada Escritura en el Beato Juan de Avila.* (En *Maestro Avila*, I, Montilla, 1947, págs. 31-37).

2937

ROMERO GARCIA, ILDEFONSO. *Mateo Naguelio. Introducción y no-tas a un episodio del siglo XVII.* Ciudad Real. 1947. 51 págs.

Testamento del alemán M. Naguelio (1646) y otros documentos del archivo diocesano de Almadén relacionados con J. de Avila. MADRID. *Nacional.* V-1.925-28.

2938

SALA BALUST, LUIS. *Los tratados de reforma del P. Mtro. Avila.* (En *La Ciencia Tomista*, LXXIII, Salamanca, 1947, págs. 185-33).

En apéndice edita el capítulo *Lo que se debe avisar a los obispos*, del ms. H., fols. 174-76.

2939

SANCHIS ALVENTOS, JOAQUIN. *Doctrina del Beato Avila sobre la oración.* (En *Verdad y Vida*, V, Madrid, 1947, págs. 5-64).

2940

JANINI CUESTA, JOSE. *Juan de Avila, reformador de la educación primaria en la época del Concilio de Trento.* (En *Revista Española de Pedagogía*, VI, Madrid, 1948, págs. 33-59).

2941

RICARD, ROBERT. *Du nouveau sur le Bienheureux Jean d'Avila.* (En *Revue d'Ascétique et de Mystique*, XXIV, Toulouse, 1948, págs. 135-42).

2942

DUVAL, ANDRÉ. *Quelques idées du bienheureux Jean d'Avila sur le ministère pastoral et la formation du clergé.* (En *Vie Spirituelle*, II, París, 1949, suplemento al n.º 8, págs. 121-153).

2943

ROMERO, ILDEFONSO. *El Maestro Juan de Avila en la Historia de la Pedagogía.* (En *Cuadernos de Estudios Manchegos*, III, Ciudad Real, 1949, págs. 7-16).

2944

SANCHEZ GOMEZ, JUAN MANUEL. *Un discípulo del P. Mtro. Avila en la Inquisición de Córdoba: el Dr. Diego Pérez de Valdivia, catedrático de Baeza.* (En *Hispania*, IX, Madrid, 1949, págs. 104-34).

2945

GOMIS, J. Bta. *El amor puro en el Bto. Avila y en Molinos.* (En *Verdad y Vida*, VIII, Madrid, 1950, págs. 351-370).

2946

MORALES OLIVER, LUIS. *El Beato Maestro Juan de Avila y el estilo de la predicación cristiana.* (En *Semana Nacional Avilista*. Madrid. 1952, págs. 19-27.)

2947

MARTIN RETORTILLO, CIRILO. *El gobierno de la ciudad, según el Beato Juan de Avila.* (En *Revista de Estudios de la Vida Local*, XII, Madrid, 1953, págs. 333-49).

2948

HERRERO DEL COLLADO, TARSICIO. *El Beato Maestro Juan de Avila y la formación bíblica del sacerdote católico.* (En *Archivo Teológico Granadino*, XVIII, Granada, 1955, págs. 133-63).

2949

SALA BALUST, LUIS. *Una censura de Melchor Cano y de Fr. Domingo de Cuevas sobre algunos escritos del P. Maestro Avila.* (En *Salmanticensis*, II, Salamanca, 1955, págs. 677-685).

2950

CASTAN LACOMA, LAUREANO. *Un gran pedagogo español en el siglo XVI: el Maestro Juan de Avila.* (En *Revista Española de Pedagogía*, XV, Madrid, 1957, págs. 296-311).

2951

——. *Las realizaciones pedagógicas del Maestro Avila.* (En *ídem*, XVI, 1958, págs. 3-27).

2952

IRIARTE FERNANDEZ, F. *Evolución y fuentes principales de la espiritualidad eucarística del Apóstol de Andalucía.* (En *Revista de Espiritualidad*, XVII, Madrid, 1958, págs. 33-55).

2953

MUNITIZ, JOSE A. *La oratoria del B. Avila y los clásicos.* (En *Humanidades*, X, Comillas, 1958, págs. 283-302).

2954

BERENGUERAS DEL VILLAR, ANTONIO. *La abnegación en los escritos del Beato Juan de Avila.* Madrid. Cisneros. 1959. 336 págs. 21 cm.
MADRID. *Nacional.* 1-216.098.

2955

MONTOLIU, MANUEL DE. *El beato Juan de Avila y Lope de Vega.* (En MISCELÁNEA *filológica dedicada a Mons. A. Griera*. Tomo II. San Cugat del Vallés. 1960, págs. 153-58).
Influencia de un pasaje de una carta del *Epistolario Espiritual* en un soneto de Lope.

2956

HERRERO DEL COLLADO, TARSICIO. *Pastoral bíblica del Maestro Juan de Avila.* Granada. 1961. 305 págs. 21,5 cm.

2957

REDENTO DE LA EUCARISTIA, Fray. *Presencia del Beato Juan de Avila y sus discípulos en la Reforma Teresina.* (En *El Monte Carmelo*, LXIX, Burgos, 1961, págs. 3-46).

2958

JERECZEK, B. *Sur deux prologues*

discutés. (Audi, Filia, 1556 et 1574). (En *Bulletin Hispanique*, LXV, Burdeos, 1963, págs. 5-19).

2959
ARCE, RAFAEL. *San Juan de Avila y la Reforma de la Iglesia en España.* Madrid. Rialp. [1970]. 184 págs. 19,5 cm.
MADRID. *Nacional.* 4-93.137.

2960
COTALLO, JOSE LUIS. *Dos heraldos de nuestro Siglo de Oro espiritual.* Cáceres. Edit. Extremadura. 1970. 35 págs. 17 cm. (Biblioteca Extremeña de Espiritualidad, 5).
Sobre —— y San Pedro de Alcántara.
MADRID. *Nacional.* V-9.243-9.

2961
JIMENEZ DUQUE, BALDOMERO. *El maestro Juan de Avila.* (En *Arbor*, LXXV, Madrid, 1970, págs. 17-26).

2962
JERECZEK, BRUNO. *Louis de Grenade disciple de Jean d'Avila.* Fontenay-Le-Compte. Éditions Lussaud. 1971. XV + 502 págs. 24 cm.
MADRID. *Nacional.* 4-99.266.

2963
RUIZ JURADO, MANUEL. *San Juan de Avila y la Compañía de Jesús.* (En *Archivum Historicum Societatis Jesu*, XL, Roma, 1971, págs. 153-172).

2964
HUERGA, ALVARO. *San Juan de Avila y fray Luis de Granada. Notas de diálogo con B. Jereczek.* (En *Teología Espiritual*, XVII, Valencia, 1972, págs. 239-69).

2965
MARTURET, J. *Ejercicios espirituales dirigidos por S. Juan de Avila.* San Sebastián. Librería Loyola. 1980. 336 págs.
a) Arza, A., en *Manresa*, LIII, Azpeitia, 1981, págs. 86-87.

Aspecto teológico

2966
FERNANDEZ MONTAÑA, JOSE. *El Bienaventurado Maestro Juan de Avila y el Santísimo Sacramento.* Madrid. Imp. de San Francisco de Sales. [s. a.]. VIII + 107 págs. + 1 h. 16 cm.
Memoria del Congreso Eucarístico de Madrid de 1911.
MADRID. *Nacional.* 1-57.808.

2967
MARCOS, LUIS. *La doctrina del Cuerpo Místico en el Beato Juan de Avila.* (En *Revista Española de Teología*, III, Madrid, 1943, págs. 309-345).

2968
DURANTEZ GARCIA, JUAN. *El proceso de la justificación en el adulto a la luz del Maestro Juan de Avila.* (En *Revista Española de Teología*, VI, Madrid, 1944, págs. 535-72).

2969
CALVERAS, JOSE. *La devoción al Corazón de María en el «Libro de la Virgen María» del Beato Avila.* (En *Manresa*, XVII, Barcelona, 1945, págs. 296-346; XIII, 1946, págs. 1-29).

2970
CARRILLO, FRANCISCO. *El Cuerpo Místico en la doctrina del Apóstol de Andalucía.* (En *Manresa*, XVII, Barcelona, 1945, págs. 202-35).

2971
NICOLAU, MIGUEL. *La virtud de la fe en las obras del Beato Avila.* (En *Manresa*, XVII, Barcelona, 1945, páginas 236-52).

2972

SANCHIS ALVENTOSA, JOAQUIN. *Doctrina del Beato Juan de Avila sobre la oración.* (En *Verdad y Vida*, Madrid, 1947, n.º 17-18, pág. 5).

2973

LARRAYOZ, M. *La vocación al sacerdocio según la doctrina del Beato Juan de Avila.* Pamplona. Gráfs. Iruña. 1949. XIX + 87 págs. 16.º

2974

GOMIS, J. B. *Estilos del pensar místico. El Beato Juan de Avila (1500-1569.* (En *Revista de Espiritualidad*, IX, San Sebastián, 1950, págs. 443-450; X, Madrid, 1951, págs. 315-45).

2975

MORAN SANCHEZ-CABEZUDO, BENJAMIN. *La enfermedad en la ascética del Beato Maestro Juan de Avila.* Madrid. 1951. 207 págs.

a) Alberto, Fray, en *La Ciencia Tomista*, LXXX, Salamanca, 1953, pág. 163.
b) F. A., en *Revista de Espiritualidad*, XI, Madrid, 1952, págs. 354-55.
c) Granero, J. M., en *Razón y Fe*, CXLVI, Madrid, 1952, pág. 125.
d) Llamos, P. J., en *La Ciudad de Dios*, CLXIII, El Escorial, 1951, págs. 425-26.
e) R. S. F., en *Scrinium*, III, Friburgo, 1952, pág. 12.
f) Sánchez Aliseda, C., en *Revista Española de Teología*, XIII, Madrid, 1953, págs. 122-23.

2976

HERRERO DEL COLLADO, TARSICIO. *La Inmaculada en el Beato Maestro Juan de Avila.* (En *Archivo Teológico Granadino*, XVII, Granada, 1954, págs. 83-102).

2977

HERRERO DEL COLLADO, TARSICIO. *El Beato Maestro Juan de Avila y la formación bíblica del sacerdote católico.* (En *Archivo Teológico Granadino*, XVIII, Granada, 1955, págs. 133-63).

2978

HUERGA, ALVARO. *El Beato Juan de Avila y el Maestro Valtanás: Dos criterios distintos en la cuestión disputada de la comunión frecuente.* (En *La Ciencia Tomista*, LXXXIV, Salamanca, 1957, págs. 425-57).

2979

CARDA PITARCH, JOSE MARIA. *Los efectos de la Eucaristía en los escritos del Beato Avila.* (En *Revista Española de Teología*, XVIII, Madrid, 1958, págs. 283-316).

2980

BERENGUERAS DE VILAR, ANTONIO. *La abnegación en los escritos del Beato Juan de Avila.* Madrid. Edit. Cisneros. 1959. XVI + 336 págs.

a) L. de C., en *Brotéria*, LXXII, Lisboa, 1961, pág. 99.

2981

CARDA PITARCH, JOSE MARIA. *Los efectos de la Eucaristía en los escritos del Beato Avila.* Barcelona. [s. i.]. 1959. 31 hs. 21 cm.

Extracto de tesis doctoral de la Universidad Pontificia de Salamanca.
MADRID. *Consejo. Instituto «F. Suárez».*

2982

CASTAN LACOMA, LAUREANO. *Un proyecto español de Tribunal Internacional de Arbitraje obligatorio en el siglo XVI formulado por el Mtro. Avila.* Tarragona. Torres y Virgili. 1957. 3 hs. + 168 págs. 22 cm.

MADRID. *Consejo. Instituto «F. Suárez».*

2983

ESQUERDA, JUAN. *Síntesis mariológica de los escritos de Juan de Avila.* (En *Ephemerides Mariologicae*, XI, Madrid, 1961, págs. 169-91).

2984

ESQUERDA, JUAN. *Criterios de selección y vocación clerical en el Bea-*

to Maestro Juan de Avila. (En *Seminarios*, VII, Madrid, 1961, págs. 25-45).

2985
MONSEGU, BERNARDO. *Los textos mariológicos de la Escritura en las obras del maestro Juan de Avila.* (En *Ephemerides Mariologicae*, XXIII, Madrid, 1962, págs. 327-56).

2986
NAVARRO SANTOS, JESUS. *La reforma de la Iglesia en los escritos del maestro Avila. Su enfoque teológico.* Granada. Facultad de Teología. 1964. XV + 367 págs. 2 h. 24 cm. (Biblioteca Teológica Granadina, 9).
MADRID. *Nacional.* 1-110.723.

Lenguaje

2987
HORNEDO, RAFAEL MARIA DE. *El estilo coloquial del Beato Avila.* (En *Razón y Fe*, Madrid, 1970, número 868, págs. 513-24).

2988
PEREZ DE MADRID Y C., GERARDO. *El lenguaje efectivo en los escritos de San Juan de Avila.* (En *Cuadernos de Estudios Manchegos*, Ciudad Real, 1971, n.º 2, págs. 7-28).

Epistolario

2989
GONZALEZ RUIZ, N. *El Maestro Juan de Avila y su epistolario.* (En *Bulletin of Spanish Studies*, V, Liverpool, 1928, págs. 120-27, 154-58).

2990
SALA BALUST, LUIS. *Hacia una edición crítica del «Epistolario» del Maestro Avila.* (En *Hispania*, VII, Madrid, 1947, págs. 611-34).

2991
SEGOVIA, AUGUSTO. *El amor a Dios en las cartas del Beato Avila.* (En *Maestro Avila*, I, Montilla, 1947, págs. 147-52).

2992
MARIN OCETE, ANTONIO. *Contribución al epistolario del Maestro Avila.* (En *Boletín de la Universidad de Granada*, XXIII, Granada, 1951, págs. 37-71).

2993
CARVALHO, JOSE ADRIANO DE. *Notas sobre un tema de Séneca en el Epistolario de Juan de Avila.* (En *Annali dell'Istituto Universitario Orientale*, XIII, Nápoles, 1971, págs. 129-41).

Beatificación y Canonización

2994
COPIA de lo qve se halla en las prouanças hechas para la canoniçacion del venerable Padre Maestro Iuan de Auila, Predicador Apostolico destos Reynos, y en particular del Andaluzia. Recopilada por la Congregacion de los Sacerdotes naturales desta Corte. [Montilla. Imp. del Marqués de Priego, por Iuan Batista de Morales]. [1626]. 2 hs. 29 cm.
MADRID. *Academia de la Historia.* Jesuitas, tomo 87, n.º 12.

2995
[ASTORGA, DIEGO. *Carta, que el Cardenal* ——, *Arzobispo de Toledo, Primado de las Españas, escrivió a... Clemente XII remitiendo los processos hechos en estos Reynos... para la Beatificación del V. Maestro Juan de Avila...*]. [s. l. - s. i.]. [s. a.]. 28 págs. 29 cm.
Fechada en Madrid, a 15 de agosto de 1731.
Carece de portada.
MADRID. *Nacional.* R-23.919.

2996

BEATIFICACION (Por la) del Venerable Juan de Avila. (En *Don Lope de Sosa*, IV, Jaén, 1916, pág. 103).

Carta del Cardenal Longoria al Obispo de Jaén sobre este asunto (Roma, 23 de febrero de 1752).

2997

SALA BALUST, LUIS. *La causa de la canonización del Beato Maestro Juan de Avila.* (En *Revista Española de Derecho Canónico*, III, Madrid, 1948, págs. 847-82).

Historia del proceso desde 1623 hasta 1894. Apéndice: Descripción de las fuentes y principales manuscritos e impresos en Roma, París y Toledo.
Tirada aparte: Madrid. Instituto «San Raimundo de Peñafort». 1949. 38 págs.

2998

REP: N. Antonio, I, págs. 639-42; Juan Esquerda Bifet, en DS, VIII, 1972, cols. 269-83.

JUAN BAUTISTA
Impresor.

EDICIONES
2999

COMIENÇASE la historia de Judith, diuidida en seys romances, con otro romance al cabo de la passion. Compuestos y recopilados por Juan Baptista impremidor de libros. [s. l. - s. i.]. [s. a.]. 8 hs. con un grab. 4.º gót.

Salvá, II, n.º 3.453; Rodríguez Muñino, *Diccionario*, n.º 49.
MADRID. *Nacional.* V.E.-53-78.

JUAN BAUTISTA
Doctor. Astrólogo y Matemático.

EDICIONES
3000

SEGVNDA Pronosticacion y ivyzio de las dos Cometas que se han visto desde cinco de Nouiembre, con la declaracion de sus efetos, segun Cupernico, *y* Tiquimaco, David Origino, *y otros graves Autores, estudiado y compuesto por el Doctor* ——, *Astrologo y Matematico.* Valencia. Juan Chrisostomo Garriz. 1618. 8 hs. 15 cm.

MADRID. *Academia de la Historia.* 9-17-4-3.529.

JUAN BAUTISTA (Fray)
Dominico.

EDICIONES
3001

CHRONICA de la vida y admirables hechos del muy alto y muy poderoso Señor Muley Abdelmelech Emperador de Marruecos y Rey de los Reynos de Feez, Mequines y Sus, y del victoriosissimo sucesso en la restauracion de todos ellos. Compuesta por ——..., *su cautivo.* [s. l. - s. i.]. [1577]. 44 hs. 20 cm.

—Escudo grabado.—En la declaración de las armas del muy alto y muy poderoso Señor Muley Abdelmulech, puesta al principio deste libro. Soneto [«El mundo con el fuego señalado...»].—Soneto [«Lengua humana no bastaria cuentarte...»].—Texto (en prosa y verso).—En declaración deste nombre Abdelmelech. Soneto [«La fama pregonera suene el canto...»].—Otro en italiano.

LONDRES. *British Museum.* 1046.g.26.

JUAN BAUTISTA (Fray)

N. en 1555. Franciscano. Lector de Teología en Méjico. Guardián del convento de Sanctiago de Tlatilulco. M. antes de 1613.

CODICES
3002

«Testamento Mixteco. Mar. 3, 1727». 4 págs. 31,5 cm.

CHICAGO. *Newberry Library.*

3003

«Catecismo breve en lengua mexicana y castellana, en el cual se contiene lo que cualquier cristiano, por

simple que sea, está obligado a saber y obrar para salvarse».

Citada por el autor en su *Sermonario.* Perdida.

3004

«La Doctrina Cristiana dividida por los días de la semana, con oraciones para cada día».

Idem.

3005

«Oraciones muy devotas a la Santísima Trinidad, divididas por los días de la semana».

Idem.

3006

«Indulgentiae ac peccatorum remissiones a Summis Pontificibus concessae...».

Idem.

3007

«Breve tratado del aborrecimiento del pecado, que se intitula «Tepiton Amuxtli».

Idem.

3008

«Hieroglificos de conversion, donde por estampas y figuras se enseña a los naturales el aborrecimiento del pecado y deseo que deben tener al bien soberano del cielo».

Idem.

3009

«Espejo Spiritual, que en la lengua se intitula Teoyoticatezcatl...».

Idem.

3010

«Indulgencias que gozan los Terceros de S. Francisco, en lengua mexicana...».

Idem.

3011

«La Vida y Muerte de tres niños de

Tlaxcalla, que murieron por la confesión de la Fe...».

Idem.

EDICIONES

3012

CONFESSIONARIO en Lengva Mexicana y Castellana. Con muchas aduertencias muy necessarias para los Confessores. Sanctiago Tlatilulco. Melchior Ocharte. 1599. 16 + 112 fols. + 2 hs., con ilustr. 14,5 cm.

Medina, *México,* I, n.º 152 (con facsímiles de la portada y de una estampa); García Icazbalceta, n.º 159.
—Texto, bilingüe.—Tabla.—E.
BLOOMINGTON. *Indiana University.* — LONDRES. *British Museum.* 4061.aa.44 (1). [Falto de portada].—NEW ORLEANS. *Tulane University Library.*—NUEVA YORK. *Hispanic Society.*

3013

ADVERTENCIAS. Para los confessores de los naturales. Méjico. En el Conuento de Sanctiago Tlatilulco, por M. Ocharte. 1600. [1601]. 12 hs. + 443 fols. + 58 hs. 15 cm.

Tomo I.
—L. del Virrey.—L. V.—Apr. de Hieronimo de Carcamo.—L. O.—Apr. de Alonso Muñoz.—Apr. del P. Provincial.—Apr. de Fr. Hernando Durán.—Ded.—L. del Comisario General de Cruzada.—Apr. de Fr. Diego de Contreras.—Apr. del P. Hernando de Baçan.—Texto.—Portada: Segunda parte. (Se repiten los prels.).—Texto.—Index loccorum.
Medina, *México,* I, n.º 163; García Icazbalceta, n.º 179.
BERKELEY. *University of California.*—LONDRES. *British Museum.* 4061.aa.44 (2).—MADRID. *Nacional.* R-8.240.—NEW ORLEANS. *Tulane University Library.*—NUEVA YORK. *Hispanic Society.*—WASHINGTON. *Congreso.* 39-12382.

3014

«HUEHUETLAHTOLLI», que contiene las pláticas que los padres y madres hicieron a sus hijos y a sus hijas, y los señores a sus vasallos, todas llenas de doctrina moral y política. ¿1601?

Medina, *México*, II, n.º 201, describe el ejemplar incompleto de Ramírez.
PROVIDENCE. *Carter Brown Library*. (Ejemplar incompleto, que perteneció a José F. Ramírez).

3015
INDULGENTIAE ac peccatorum remissiones a Summis Pontificibus concessae Regularibus et iis etiam qui eorum gaudent Privilegiis... Tlatelolco. Diego Lopez Davalos. 1608. 8.º
Beristain.

3016
VIDA (La) y Muerte de tres niños de Tlaxcalla... Tlatelolco. 1604.
Beristain.

3017
VIDA y milagros del bien auenturado Sanct Antonio de Padua... Méjico. Diego Lopez Daualos. 1605. 9 hs. + 95 fols. + 5 hs. 8.º
—Port.—A la vuelta: «Sacose esta vida... de Fr. Hernando Durán.—Ded.—L. del de la que escrivió... Fr. Marcos de Lisboa... y de otros Memoriales y Choronicas de la Orden».—Grab.—Apr. y L.—Escudo.—Prologo.—Texto.—Tablas. — Colofon.
García Icazbalceta, pág. 473.
PROVIDENCE. *John Carter Brown Library*. [Imperfecto].

3018
A Iesu Christi S. N. ofrece este sermonorio en lengua Mexicana... Primera parte. Méjico. Diego Lopez Daualos. 1606. 50 + 708 + 47 págs. con ilustr. 20 cm.
García Icazbalceta, pág. 474.
BERKELEY. *University of California. Bancroft Library*.—CHICAGO. *Newberry Library*.—LONDRES. *British Museum*. 4423.b.18. [En mal estado]. — NEW ORLEANS. *Tulane University Library*.

3019
LIBRO de la miseria y de la breuedad de la vida del hombre y de sus quatro postrimerías, en lengua Me-

xicana. Méjico. Diego Lopez Daualos, a su costa. 1604. 8 hs. + 152 fols. + 22 hs. 8.º
García Icazbalceta, pág. 473.
—Grab.—Aprs. y ls.—Prologo.—Texto.—Tabla.
PROVIDENCE. *John Carter Brown Library*. [Imperfecto].

3020
DEL Odio al Pecado. Tlatelolco.
Beristain.

3021
ORACIONES cristianas para todos los días. Tlatelolco. Davalos.
Beristain.

3022
INDULGENCIAS que gozan los Terceros de San Francisco, en lengua mexicana. Tlatelolco. Davalos.

3023
ESPEJO Spiritual. «Teoyotezcatl...». Tlatelolco. Davalos.
Beristain.

3024
HIEROGLIFICOS de conversion... Tlatelolco. Diego Lopez Davalos.
Beristain.
García Icazbalceta, pág. 471, pone en duda su existencia.

3025
[APROBACION. Méjico, 29 de diciembre de 1698]. (En Ribadeneyra, Marcelo de. *Historia de las Islas del Archipiélago... de la gran China...* Barcelona. 1601. Prels.)
MADRID. *Nacional*. R-6.664.

JUAN BAUTISTA (Fray)
Trinitario.

EDICIONES

3026
[AL Lector. Madrid, 8 de setiembre de 1588]. (En Calderari, César. *Con-*

ceptos Escriturales sobre el Misere-re Mei. Traduzidos por fray Diego Sánchez de la Cámara. Madrid. 1589. Prels.)

Aprobaciones

3027
[*APROBACION. Madrid, 9 de julio de 1608*]. (En Virués, Cristóbal de. *Obras trágicas y líricas.* Madrid, 1609. Prels.)
MADRID. *Nacional.* R-23.683.

3028
[*APROBACION. Madrid, 27 de noviembre de 1608*]. (En Puente, Luis de la. *Guía espiritual...* Valladolid. 1609. Prels.)
MADRID. *Nacional.* 2-45.264.

3029
[*CENSURA. Madrid, 6 de enero de 1609*]. (En Abrego, Pedro de. *Explicación del Himno que dixeron los tres mancebos en el horno de Babylonia.* s. l. 1610. Prels.)
SEVILLA. *Universitaria.* 90-66.

3030
[*APROBACION. Madrid, 18 de febrero de 1609*]. (En Zamora, Lorenzo de. *Libro de la Hvida de la Virgen nuestra Señora a Egypto.* Madrid. 1609. Prels.)
MADRID. *Nacional.* 7-11.451.

3031
[*APROBACION. Madrid, 23 de marzo de 1610*]. (En Alvarado, Antonio de. *Arte de bien morir...* Valladolid. 1611. Prels.)
MADRID. *Nacional.* 2-36.638.

3032
[*APROBACION. Madrid, 14 de julio de 1610*]. (En Monzabal, Tomás de. *Primera parte del retrato del hombre feliz, y humana Felizidad...* Pamplona. 1618. Prels.)
MADRID. *Nacional.* 6.i.-3015.

3033
[*APROBACION. Madrid, 21 de julio de 1610*]. (En Daza, Antonio. *Quarta parte de la Chronica General de Ntro. Padre San Francisco...* Valladolid. 1611. Prels.)
MADRID. *Nacional.* R-17.832.

3034
[*APROBACION. Madrid, 6 de agosto de 1610*]. (En Daza, Antonio. *Historia, vida y milagros de... Santa Iuana de la Cruz.* Valladolid. 1611. Prels.)
MADRID. *Nacional.* U-670.

3035
[*APROBACION. Madrid, 10 de mayo de 1611*]. (En Valdivielso, José de. *Primera parte del Romancero Espiritual...* Toledo. 1612. Prels.)
MADRID. *Nacional.* R-10.183.

3036
[*APROBACION. Madrid, 31 de diciembre de 1611*]. (En Márquez, Juan. *El governador christiano.* Salamanca. 1612. Prels.)
MADRID. *Nacional.* 3-50.968.

3037
[*APROBACION. Madrid, 2 de julio de 1612*]. (En Cervantes Saavedra, Miguel de. *Novelas exemplares.* Madrid. 1613. Prels.)
MADRID. *Nacional.* Cerv.-112.

3038
[*APROBACION. Madrid, 15 de noviembre de 1612*]. (En Escobar y Mendoza, Antonio de. *San Ignacio.* Valladolid. 1613. Prels.)
MADRID. *Nacional.* R-5.900.

JUAN BAUTISTA DE BOLDUC
(Fray)
Capuchino.
EDICIONES

3039
ARMONIA del Bien y del Mal. Dvo

sonoro, qve de las Obras de los M. RR. PP. Fray Marcos de Aviano, y Fray ——, Capuchinos, para comun vtilidad juntó vn devoto religioso de la misma Orden. Madrid. Bernardo de Villa-Diego. A costa de Florian Anisson. 1682. 15 hs. + 1 lám. + 549 págs. + 2 hs. 10,5 cm.

—Port. a dos tintas, roja y negra.—Censura de Fr. Manuel de Herrera.—L. V.—Censura de Fr. Antonio de Fuente la Peña.—Pr. a Florian Anisson por diez años.—E.—S. T.—Retrato del P. Marcos de Aviano, a los 50 años de edad (1682).—Texto.
MADRID. *Nacional.* 3-40.459.

3040
COMPENDIO de la vida íntima del espíritu recopilada de lo que enseñó y escrivió el V. P. ——... Sacado a luz por Ignacio de Alenxo... Barcelona. José López. A costa de Juan Casañar y Pedro Pau. 1682. 350 págs. 20 cm.

BARCELONA. *Universitaria.* B.65-9-53.

JUAN BAUTISTA DE LA CONCEPCION (San)

Se llamaba Juan García y López. N. en Almodóvar del Campo (1561). Trinitario desde 1580. Se trasladó a Roma en 1599. M. en Córdoba (1613). Fundador de los trinitarios descalzos. Beatificado en 1819 y canonizado en 1975.

CODICES
3041
[Escritos].
Autógrafo. Nueve tomos, con un total de 2636 fols. 300 × 210 mm.
ROMA. *Convento de San Carlos «alle Quattro Fontane».* Mss. 290-98.

EDICIONES
3042
OBRAS. Roma. Francisco Bourlié. 1830-31. 8 vols. 4.º
Toda, *Italia*, II, n.º 2.501.
MADRID. *Nacional.* 2-13.214/22.—ROMA. *Nazionale.* 14.17.O.14-22.

3043
«La llaga de amor». Ed. Jesús a López Casuso. Salamanca. Secretariado Trinitario. 1972. 294 págs. 19 cm.
BARCELONA. *Seminario Conciliar.* — WASHINGTON. *Congreso.* 75-566177.

3044
RECOGIMIENTO (El) interior. Edición, introducción y notas de Juan Pujana. Salamanca. Universidad Pontificia y Madrid. Fundación Universitaria Española. 1981. 658 págs. 19 cm. (Espirituales Españoles, A, 30).
Págs. 217-22: Bibliografía selecta.

OBRAS LATINAS
3045
INSTRUCTIONES pro confraternitatibus ordinis Sanctiss. Trinitatis, Redemptionis Captivorum, rite instituendis. Roma. Typ. Reu. Cam. Apost. 1664. 8.º
ROMA. *Vaticana.* Stamp. Barb. D.I.16.

ESTUDIOS
3046
JOSE DE JESUS MARIA, Fray. *Vida del apostólica varón, y venerable padre Fray Ioan Bautista de la Concepción...* Madrid. Antonio de Zafra. 1676. 21 hs. + 577 págs. + 3 hs. 21 cm.
V. n.º 2447.

3047
LUIS DE SAN DIEGO, Fray. *Compendio de la vida, virtudes y milagros del V. P. F. Juan Bautista de la Concepción.* Pamplona. 1789. XVI + 295 págs.
MADRID. *Nacional.* 3-62.760.

— — —
—2.ª ed. Madrid. 1820. 301 págs.
MADRID. *Nacional.* 1-9.042.

3048
FERDINANDO DI S. LUIGI. *Vita del Beato Giambattista della Con-*

cezione... Roma. 1819. XX + 176 págs.

— — —

—2.ª ed. Roma. 1820. 275 págs.
—3.ª ed. Nápoles. 1858. 238 págs.

3049

MARTINEZ VAL, JOSE MARIA. *El Bto. Juan Bautista de la Concepción y la Reforma Trinitaria.* Ciudad Real. Instituto de Estudios Manchegos. 1961. 20 págs. 23,5 cm.

MADRID. *Nacional.* V-4.456-19.

3050

GARCIA FERRERAS, GERMAN. *La espiritualidad de siempre. San Juan Bautista de la Concepción.* Palencia. 1976. 78 págs. 18 cm.

MADRID. *Nacional.* V-11.529-1.

3051

BORREGO, JUAN. *San Juan Bautista de la Concepción, un santo de la renovación.* Roma. 1975. 454 págs.

3052

ANTIGNANI, GERARDO. *San Giovanni della Concezione, un riformatore per il tempo nostro.* Siena. 1976. 94 págs.

3053

REP: Antonino de la Asunción, I, págs. 182-92; Jesús de la Virgen del Carmen, en DS, VIII, 1972, cols. 795-802.

JUAN BAUTISTA DE LA EXPECTACION (Fray)

N. en Valladolid. Trinitario descalzo. Ministro de Torrejón de Velasco. M. en Madrid. (1683).

EDICIONES

3054

SERMON *en la fiesta de la Santissima Trinidad... predicado en el Collegio de los Descalços de la Santissima Trinidad...* Baeza. Iuan de la Cuesta. 1642. 3 hs. + 13 fols. 20,5 cm.

—L. V.—Apr. de Pedro Serrano.—L. O.— Ded. a Fr. Diego de Iesus, Ministro General de la Orden de la Stma. Trinidad. Texto.

CORDOBA. *Pública.* 4-198. — GRANADA. *Universitaria.* A-31-203 (10). — MADRID. *Nacional.* V-999-30.

3055

LVZES *de la Trinidad en assvmptos morales para el pvlpito. Exposicion literal, y moral de la Regla primitiva, de los religiosos descalzos de la Santissima Trinidad, y Redemptores de Cautiuos. Vida, y elogios de nvestros dos Santos Patriarcas, San Ivan de Mata, y San Felix de Valois.* Tomo I. Madrid. Melchor Alegre. A costa de Iuan de Valdés. 1666. 14 hs. + 670 págs. a 2 cols. + 25 hs. 29,5 cm.

—Ded. al Supremo Señor, Ente increado, en la essencia uno, en las personas trino.—Censura de Fr. Iuan de la Trinidad.—Apr. de Fr. Francisco de los Reyes.—L. O.—S. Pr. al autor por diez años.—E.—S. T.—Prologo.—Indice de las observaciones doctrinales, en este libro contenidas.—Texto.—Index Sacrae Scripturae, hoc in volumine relatae. — Indice alfabetico de cosas y materias. — Indice para varios Sermones de todo el año.

MADRID. *Facultad de Filosofía y Letras.* 6.249. *Nacional.* 2-57.103.

Aprobaciones

3056

[*APROBACION. Madrid, 2 de diciembre de 1676*]. (En Martín de la Resurrección, Fray. *Competencia en la Alabanza del Cordoves Laureado.* Granada. 1677. Prels.)

MADRID. *Nacional.* V.E.-147-25.

ESTUDIOS

Dice que escribió la *Historia del Cid*, ms. en el archivo de Cardeña, que está impresa y le atribuye el *Romancero del Cid*, de Juan de Escobar.

3057

REP: Antonino de la Asunción, I, pág. 270.

JUAN DE BELORADO (Fray)

Benedictino. Abad de Cardeña.

EDICIONES

3058

CORONICA del famoso Cavallero Cid Ruy Díaz de Bivar. Burgos. 1593. Fol.

N. Antonio.

ESTUDIOS

3059

ARGAIZ, GREGORIO DE. *Fr. Juan de Belorado.* (En *La Perla de Cataluña.* Madrid. 1677, pág. 446).

Dice que escribió la *Historia del Cid,* ms. en el archivo de Cardeña, que está impresa, y le atribuye el *Romancero del Cid,* de Juan de Escobar.

3060

REP: N. Antonio, I, pág. 659.

JUAN BUENAVENTURA DE SORIA (Fray)

Franciscano descalzo. Dos veces Comisario general del convento de San Francisco de París.

EDICIONES

3061

BREVE historia de la vida, y virtvdes de la mvy avgvsta, y virtvosa princesa Doña María Teresa de Avstria, Infanta de España, y Reina de Francia. Madrid. Iulian de Paredes. 1684. 19 hs. + 74 fols. 16,5 cm.

—Ded. a la Reina D.ª Mariana de Austria. Censura de Fr. Antonio de Leganés y Fr. Roque de la Trinidad.—L. O.—Censura de Ioseph Martínez de Casas.—L. V.—S. T.—E.—Censura de Fr. Ioseph Xento y Rivera. — S. Pr. al autor. — Al lector.—Texto.

MADRID. *Academia de la Historia.* 2-6-5-5.569. *Facultad de Filosofía y Letras* (ex libris del Colegio Imperial).—SANTIAGO DE COMPOSTELA. *Universitaria.*

JUAN DE CASTILLA (Fray)

EDICIONES

3062

[APROBACION. Sevilla, 16 de junio de 1684]. (En Gamiz, Juan de. *Sermón Predicado el día Octavo del Corpus en Sevilla.* Sevilla. s. a. Prels.)

MADRID. *Nacional.* V.E.-111-17.

JUAN DE LA CONCEPCION (Fray)

Jerónimo. Del convento de Santa Engracia de Zaragoza.

EDICIONES

3063

VIDAS de Santos del Nvevo Rezado, y de otros grandes siervos de Dios. Recopilados de graves autores por ——... Zaragoza. Iuan de Ybar. 1674. 2 vols. 14,5 cm.

Primera parte: 4 hs. + 596 págs.
—Oracion para cada dia excelentissima, que dezia la V. M. Maria de Iesus...— Censura de Fr. Miguel Gutierrez y Fr. Fernando Gomez Raxo.—L. O.—Apr. de Vicente Navarrete.—Apr. del P. Pedro Oxea.—L.—Apr. de Diego Fernandez y Iosef Andres.—Al lector. — Protesta del autor.—Indice.—E.—Texto.
Segunda parte: 4 hs. + ?? págs.
—Nota sobre las Aprobaciones. — L. O.— Indice de las Vidas. — E. — Rosario de N. Señora, que trae el P. D. Antonio de Molina en su Devocionario.—Texto.

MADRID. *Facultad de Filosofía y Letras.* 7.049. (Con la Primera parte falta de portada y prels.). *Nacional.* 3-38.488.

3064

——. 2.ª impresión. Zaragoza. P. Bueno. 1679. 222 págs. 20,5 cm.

BARCELONA. *Universitaria.* C.189-5-19. — PARIS. *Nationale.* H.3738.

3065

INSTRUCCION para las Ordenes.

N. Antonio.

3066

JOIEL Espiritual.

N. Antonio.

3067

TRATADOS de Devoción.

N. Antonio.

OBRAS LATINAS

3068

MANVALE, sive Compendivm revelationvm Coelestivm Selectiorvm beatae Birgittae Viduae: in commediorem vsum... Zaragoza. Agustín Vergés. 1660. 16 hs. + 528 págs. 15 cm.

Jiménez Catalán, *Tip. zaragozana del siglo XVII*, n.º 678.
ZARAGOZA. *Universitaria.*

ESTUDIOS

3069

REP: N. Antonio, I, pág. 679.

JUAN DE LA CONCEPCION (Fray)

Se llamaba Juan Martínez de la Plaza. N. en Fresneda de la Sierra, Burgos (1614). Trinitario descalzo desde 1630. Ministro de los conventos de Alcázar de San Juan, Alcalá de Henares y de San Carlos de Roma. Procurador general (1659-68). M. en Madrid (1675).

EDICIONES

3070

[*SATISFACION a las tachas, defectos, y nulidades, que pone en las Bulas Pontificias de la Sagrada Religion de la Santissima Trinidad y Redencion de Cautivos, el M.º Fr. Iuan de Cabeças, del Orden de Nuestra Señora de la Merced*]. [s. l.-s. i.]. [s. a.]. 66 págs. 30 cm.

Carece de portada.
—Texto.
GRANADA. *Universitaria.* A-31-154 (15).—MADRID. *Nacional.* R-Varios, 192-97 y 197-90.—SALAMANCA. *Universitaria.* 57.082.

3071

[*SEGVNDA satisfacion á las Replicas que haze, y nuevos defectos que opone el M.º Fr. Iuan de Cabeças, del Orden de la Merced, contra las Bulas Pontificias, Privilegios Reales, y otros instrumentos de la divinamente revelada Religion de la San-*

tissima Trinidad]. [s. l. - s. i.]. [s. a.]. 160 págs. 30 cm.

Carece de portada.
—Texto.
GRANADA. *Universitaria.* A-31-137 (2). — SALAMANCA. *Universitaria.* 57.082.

OBRAS LATINAS

3072

INSTRUCTIONES pro Confraternitatibus Ordinis Sanctiss. Trinitatis Redemptionis Captivorum rite instituendis aggregandis, et gubernandis. Roma. Typis Rev. Cam. Apost. 1664. 8 hs. + 266 págs. + 3 hs. 8.º

Toda, *Italia*, II, n.º 2.549.
MADRID. *Nacional.* 3-57.284.

3073

VITÆ SS. Ioannis de Matha et Felicis de Valois Fundatorum Ordinis SS. Trinitatis Redemptionis Captivorum. Auctore... Fr. Franciscus a S. Augustino Macedo... Accesit Appendix revelationis Lateranensis. Per P. Fr. Ioannem a Conceptione... Roma. Angeli Bernabò a Vernie. 1660. 8 hs. + 199 págs. + 3 hs. 8.º

Toda, *Italia*, II, n.º 2.548.

3074

COMPENDIUM Operum Moralium P. F. Leandri de Santis. Sacramento. Lyon. Ph. Borde, L. Arnaud et C. Rigaud. 1660. 810 págs. 17,5 cm.

MADRID. *Nacional.* 3-56.458; 7-13.834.

TRADUCCIONES

3075

MANUALE de'Fratelli dell'Ordine della Santissima Trinità... Roma. Imp. della Rev. Cam. Apost. 1668. 12 hs. + 238 págs. 8.º

3076

————. Roma. Generoso Salomoni. 1776. 146 págs. 8.º

Toda, *Italia*, II, n.º 2.551.

3077

Alli molto Illustri, & devoti Signori, li Signori Confratelli dell'Ordine della Santissima Trinità... Roma. Iacomo Fey. [s. a.].

—Carta fechada en 19 de abril de 1666. Toda, *Italia*, II, n.º 2.553.

ESTUDIOS

3078

REP: N. Antonio, I, pág. 679; Antonino de la Asunción, I, págs. 179-82.

JUAN DE CORDOBA (Fray)

N. en Córdoba (1503). Militar en Flandes y Alemania, hasta alcanzar el grado de alférez. Como tal participó en Nueva España en una expedición (1540). Dominico (1543). Hizo dos viajes a España. M. en Oaxaca (1595).

EDICIONES

3079

ARTE en lengva zapoteca. Méjico. Pedro Balli. 1578. 7 hs. + 125 fols. 8.º

—L. del Virrey.—L. del Obispo de Antequera (Oajaca).—L. O.—Apr. de los PP. Juan Berriz y Fr. Juan de Villalobos.— Ded. al P. Provincial.—Prologo al lector.—Grab.—Texto.—Colofon.

Medina, *México*, I, n.º 82 (con facsímil de la portada); García Icazbalceta, n.º 90. PROVIDENCE. *John Carter Brown Library.*

3080

ARTE del idioma zapoteco... Reimpreso... bajo la dirección y cuidado de... Nicolás León. Edición de 350 ejemplares. Morelia. Impr. del Gobierno. 1886. LXXIX + 323 págs. + 2 fács. 19,5 cm.

Medina, *México*, I, pág. 227. BERKELEY. *University of California.*—CAMBRIDGE, Mass. *Harward University.*—NEW HAVEN. *Yale University.*—WASHINGTON. *Congreso.* 5-2191 Revised.

3081

VOCABVLARIO en Lengua Çapoteca... Méjico. Pedro Charte y Antonio Ricardo. 1578. 21 hs. + 423 fols. + 6 hs. 4.º

—L. del Virrey.—L. del Arzobispo.—L. del Obispo de Antequera.—L. O.—Apr. de Fr. Domingo Guigelmo y Fr. Juan de Villalobos.—Ded. a Fr. Bernardo de Alburquerque.—Prefactio al estudioso lector. — Grab. — Otra L. del Virrey. — E. — Texto.—Colofón.

Medina, *México*, I, n.º 81 (con facsímiles de la portada y de la última hoja); García Icazbalceta, n.º 91. MÉJICO. *Instituto Nacional de Antropología e Historia.* (Incompleto).—PROVIDENCE. *John Carter Brown Library.*

———

—Reprod. facsímil: *Vocabulario castellano-zapoteco.* Introducción y notas de Wigberto Jiménez Moreno. Méjico. Instituto Nacional de Antropología e Historia. 1942. (Biblioteca lingüística mexicana, 1). WASHINGTON. *Congreso.* 43-50147.

3082

RELACION de la fundación, capítulos y elecciones, que se han tenido en esta provincia de Santiago de esta Nueva España, de la Orden de Predicadores de Santo Domingo, 1569. Méjico. Vargas Rea. 1944. 61 págs. 23,5 cm. (Biblioteca Aportación Histórica).

CHICAGO. *Newberry Library.*

3083

CONFESIONARIO breve o modo de confesarse en Lengua Zapoteca. Méjico. 157?.

Dudosa (Medina, *México*, I, n.º 190).

ESTUDIOS

3084

REP: N. Antonio, I, pág. 679.

JUAN CRISOSTOMO (Fray)

Mercedario delcalzo.

EDICIONES

3085

[APROBACION. Madrid, 16 de agosto de 1631]. (En Jorge de S. Joseph, Fray. *Buelo del espíritu y escala de la perfección y Oración.* Sevilla. 1632. Prels.)

MADRID. *Nacional.* 7-11.558.

JUAN DE CRISTO (Padre)

EDICIONES

3086

[*SONETO*]. (En Plana, Pedro José de la. *Lustral celebridad con que las... Provincias de... Portugal, concurren reverentes, y obsequiosas...* Lisboa. 1694. Prels.)

MADRID. *Nacional.* R-12.724.

3087

[*SONETO*]. (En Plana, Pedro José de la. *Concurso festivo de las Gracias...* Lisboa. 1695. Prels.)

MADRID. *Nacional.* T-15.035²¹.

JUAN DE LA CRUZ (San)

N. en Fontiveros (1542). Carmelita con el nombre de Juan de Santo Matía. Estudiante en la Universidad de Salamanca. Inicia la Reforma de su Orden con el nombre de fray Juan de la Cruz (1568). Reside en diferentes localidades. Prisión conventual en Toledo (1577-78). Reside en Andalucía durante diez años y en Segovia (1588-91). M. en Ubeda (1591). Beatificado en 1675 y canonizado en 1716.

BIBLIOGRAFIA

3088

SILVERIO DE SANTA TERESA, Fray. *Génesis, Autógrafos, Copias y Ediciones de los escritos de San Juan de la Cruz.* (En *Nel secondo centenario della Canonizacione di Giovanni della Croce...* Milán. 1927, págs. 69-76).

3089

——. *Cultura de San Juan de la Cruz y crítica textual de los autógrafos, códices y ediciones de sus obras.* (En *El Monte Carmelo*, XXXII, Burgos, 1928, págs. 364-72, 387-96, 437-49, 494-506).

3090

SOLER, LUIS MARIA. *Bibliografía. Una curiosidad bibliográfica sobre San Juan de la Cruz.* (En *Manresa*, XIV, Madrid, 1942, págs. 369-78).

Catálogo de una colección de obras donada a la Biblioteca Central de Barcelona.

3091

MATIAS DEL NIÑO JESUS. *La bibliografía de San Juan de la Cruz en la Biblioteca Nacional.* (En *Revista de Espiritualidad*, II, San Sebastián, 1943, págs. 51 bis-74 bis, 283-321).

3092

BILBAO ARISTEGUI, P. *Indice de bibliografía sobre San Juan de la Cruz.* Bilbao. La Editorial Vizcaína. 1946. 16 págs.

a) R. R., en *Bulletin Hispanique*, XLVIII, Burdeos, 1946, pág. 182.

3093

BENNO A. S. IOSEPH. *Bibliographie S. Ioannis a Cruce specimen (1891-1940).* (En *Ephemerides Carmeliticae*, I, Florencia, 1947, págs. 163-210, 367-81).

Ediciones y traducciones de las Obras completas.

3094

GAIFFIER, B. DE. *Saint Jean de la Croix. Chronique bibliographique.* (En *Analecta Bollandiana*, LXX, Bruselas, 1952, págs. 334-43).

3095

MATIAS DEL NIÑO JESUS, Fray. *Indice de Manuscritos Carmelitanos existentes en la Biblioteca Nacional de Madrid.* (En *Ephemerides Carmeliticae*, VIII, Roma, 1957, págs. 187-255).

3096

SIMEON DE LA SAGRADA FAMILIA, Fray. *Ediciones sanjuanistas de ayer y de hoy.* (En *Archivum Bibliographicum Carmelitanum*, II, Roma, 1957, págs. 265-91).

3097

SIMEON DE LA SAGRADA FAMILIA, Fray. *Primer gran suceso editorial de San Juan de la Cruz. Las dos primeras ediciones de sus obras (1618-1619).* (En *Archivum Bibliographicum Carmelitanum*, V, Roma, 1960, págs. 264-72).

3098

OTTONELLO, PIER P. *Bibliografia degli studi sulla dottrina asceticomistica di S. Giovanni della Croce del 1926-1962.* (En *Rivista di Ascetica e Mistica*, XXXIII, Fiésole, 1964, págs. 561-69).

3099

OTTONELLO, PIER P. *Una bibliografia della letteratura comparativa su San Juan de la Cruz.* (En *Revue de Littérature Comparée*, XXXVIII, París, 1964, págs. 638-52).

3100

OTTONELLO, PIER P. *Bibliografia di S. Giovanni della Croce.* (En *Archivum Bibliograficum Carmelitanum*, IX, Roma, 1966, págs. 1-83; X, 1968, págs. 85*-174*).

Tirada aparte. Roma. Teresianum. 1967. 194 págs. 22 cm.

a) Sarmiento, E., en *Bulletin of Hispanic Studies*, XLIX, Liverpool, 1972, págs. 69-73.

MADRID. *Nacional*. I.B.-26.226.

3101

OTTONELLO, PIER PAOLO. *Une bibliographie des problèmes esthétiques et littéraires chez saint Jean de la Croix.* (En *Bulletin Hispanique*, LXIX, Burdeos, 1967, págs. 123-138).

3102

ESPOSIZIONE bibliografica organizzata dalla Biblioteca del Teresianum. 24-28 novembre 1968. Catalogo.

[Roma. Teresianum]. [1968]. Sin fol. 21,5 cm.

ROMA. *Teresianum*. Carm. A.5596.

3103

PEPIN, FERNANDE. *Saint Jean de la Croix. Bibliographie et état présent des travaux.* [Québec. Chabotine]. 1968. XIV + 752 hs. 28,5 cm.

ROMA. *Teresianum*. Carm. C.662.

3104

San Juan de la Cruz. Bio-bibliografía. [Bogotá. Comunidad Carmelitana de Santa Teresita]. [s. a., c. 1976]. 38 págs. 24 cm. (Textos de formación carmelitana, 1).

ROMA. *Teresianum*. Carm. B.4562(1).

3105

LOPEZ DE LOS MOZOS, J. R. *Papeles de San Juan de la Cruz en Guadalajara.* (En *Wad-Al-Hayara*, V, Guadalajara, 1978, págs. 299-304).

— — —

V. además núms. 3494 y 3715-800.

CODICES

Escritos varios

3106

[Escritos varios].

568 fols. + 142 hs. 200 × 140 mm. Perteneció a los duques de Alba hasta el siglo XVIII.
Contiene: *Subida, Noche, Cántico* (2.ª redacción), *Llama* (1.ª redac.), *Entréme donde no supe.*
Silverio, en su ed. crítica de las *Obras*, I, 1929, págs. 276-79; Lucinio del Santísimo Sacramento, *Guión bibliográfico*, en *Vida y Obras...* 4.ª ed., Madrid. Edit. Católica. 1960. Apéndice I, núms. 8, 26, 69, 81, 187.
ALBA DE TORMES. *Convento de San Juan de la Cruz de Carmelitas Descalzos.*

3107

[Escritos varios].

Letra del s. XIX. 189 fols. 210 × 150 mm. Procede del convento de San José de Barcelona.
Contiene: *Subida, Noche, Llama* (1.ª redacción), *Cántico* (poema, 2.ª redac.), *Llama*

(poema), *Entréme donde no supe, Vivo sin vivir en mí, Que bien sé yo la fonte...* Miquel, I, págs. 507-11; Lucinio, núms. 15, 35, 85, 130, 142, 157, 166, 201.
BARCELONA. *Universitaria.* Mss. 411.

3108

[*Escritos varios*].

Contiene: *Que bien sé yo la fonte..., Encima de las corrientes, Entréme donde no supe, Un pastorcico solo está penado, Tras de un amoroso lance, Avisos.*
Lucinio, núms. 167, 184, 199, 211, 223, 266.
BURGOS. *Convento de Carmelitas descalzos.* Archivo silveriano. Cajón n.º 119, letra A.

3109

[*Escritos varios*].

Perteneció a la M. Ana de San José, prima del P. Gracián.
Contiene: *Cántico* (poema, 2.ª redac.), *Llama* (poema), *Que bien sé yo la fonte..., Romances sobre la Stma. Trinidad y la Encarnación, Encima de las corrientes, Entréme donde no supe, Un pastorcico solo está penado, Tras de un amoroso lance, Sin arrimo y con arrimo, Por toda la hermosura.*
Lucinio, núms. 122, 135, 163, 174, 183, 198, 207, 217, 227, 233.
CONSUEGRA. *Convento de Carmelitas descalzas.*

3110

[*Escritos varios*].

Contiene: *Subida, Noche, Vivo sin morir en mí, Tras de un amoroso lance, Cautelas, Cartas 7.ª, 19, 22 y 25.*
Lucinio, núms. 21, 46, 138, 158, 222, 244, 286, 312, 319, 326.
GRANADA. *Facultad de Teología de la Compañía de Jesús. Códice Tardonense-granadino.*

3111

[*Escritos varios*].

63 fols. 235 × 178 mm. Sin enumeración de capítulos ni párrafos.
Contiene: *Noche, Cántico* (2.ª redac.), *Llama* (1.ª redac.).
Lucinio, núms. 42, 75, 88.
GRANADA. *Facultad de Teología de la Compañía de Jesús.* 222-3.

3112

«*Declaración de las canciones que tratan del exercicio de amor...*».

Contiene: *Cántico* (1.ª redac.), *Llama* (1.ª redacción), *Noche* (poema), *Que bien sé yo la fonte..., Romances sobre la Stma. Trinidad y la Encarnación, Encima de las corrientes, Entréme donde no supe, Un pastorcico solo está penado, Tras de un amoroso lance.*
Eulogio de la Virgen del Carmen. *Un manuscrito interesante...*; Lucinio, núms. 48, 79, 102, 148, 161, 170, 180, 188, 205, 214.
GRANADA. *Sacro Monte. Museo.*

3113

«*Declaración de las canciones que tratan del exercicio del amor entre el alma y el esposo chisto* (sic)*...*».

306 fols. 150 × 100 mm.
Reproducido el *Cántico* por Martínez Burgos en Madrid. 1924.
Contiene: *Cántico* (2.ª redac.), *Noche* (poema), *Llama* (poema), *Vivo sin vivir en mí, Encima de las corrientes, Entréme donde no supe, Un pastorcico solo está penado, Tras de un amoroso lance, Sin arrimo y con arrimo, Por toda la hermosura, Romances sobre la Stma. Trinidad y la Encarnación.*
Licinio, núm. 67, 101, 133, 147, 160, 169, 179, 186, 204, 213, 224, 229.
JAEN. *Convento de Carmelitas descalzas.*

3114

[*Escritos varios*].

Contiene: *Subida, Noche, Llama* (2.ª redacción), *Cántico* (1.ª redac.).
Lucinio, núms. 23, 38, 64, 97.
MADRID. *Academia Española.* Mss. 175.

3115

[*Escritos varios*].

Contiene: *Subida, Noche.*
Procede del convento de trinitarios de San Carlos «ad 4 fontes» de Roma.
Lucinio, núms. 13, 43.
MADRID. *Convento de Carmelitas.* Archivo Provincial. Cajón letra O.

3116

«*Declaración de las canciones que tratan...*».

Año 1614. 132 fols. 210 × 150 mm. Expurgado por la Inquisición en 1645.
Contiene: *Cántico* (1.ª redac.), *Llama* (2.ª redacción).
Matías del Niño Jesús, *La bibliografía...*, pág. 54ú Lucinio, núms. 59, 87.
MADRID. *Municipal.*

3117

[*Escritos varios*].

Tomo misceláneo de letra del s. XVII, con 256 fols. 151 × 105.
1. *Canciones en que canta el Alma la dichosa uentura que huuo en pasar por la escura noche de la fée en desnudez y purgacion suya a la union del Amado.* [«En una noche escura...»]. (Fol. 184v).
2. *Canciones que haze el Alma en la ultima union con Dios.* [«O llama de amor uiua...»]. (Fol. 186).
3. *Estos auisos de uenzer los apetitos.* (Fol. 186v).
Lucinio, núms. 140, 165, 248; *Inventario*, II, págs. 457-59.
MADRID. *Nacional.* Mss. 860.

3118

[*Escritos varios*].

En un tomo misceláneo, le letra del siglo XVI, con 128 fols. 131 × 97 mm.
1. *Cançion devota a lo Pastoril de la espossa a su amado.* [«Adonde te escondiste...»]. (Fols. 117-20). [1.ª redacción].
2. *Entreme donde no supe.* [*Glosa*]. [«Yo no supe donde entraua...»]. (Fols. 127-28).
3. *Dos fragmentos del «Cantico espiritual».*
Lucinio, núms. 117, 193; *Inventario*, II, págs. 476-77.
MADRID. *Nacional.* Mss. 868.

3119

[*Escritos varios*].

Tomo misceláneo de letra del XVII, con 252 fols. 203 × 146 mm.
Contiene: *Subida, Romances sobre la Stma. Trinidad y la Encarnación, Encima de las corrientes, Entréme donde no supe, Un pastorcico solo está penado, Tras de un amoroso lance, Sin arrimo y con arrimo, Por toda la hermosura.*
Lucinio, núms. 11, 173, 184, 192, 209, 210, 228, 232; *Inventario*, VI, págs. 98-99.
MADRID. *Nacional.* Mss. 2201.

3120

[*Escritos varios*].

Procede del convento de los Remedios de Sevilla a través del Archivo Generalicio.
Contiene: *Noche, Llama* (2.ª redac.).
Lucinio, núms. 24, 99.
MADRID. *Nacional.* Mss. 3446.

3121

[*Escritos varios*].

Copia de las *Cautelas* hecha en Málaga y refrendada notarialmente el 21 de noviembre de 1759, sobre un original muy antiguo que se conservaba en el convento de los carmelitas de dicha ciudad, y de los *Avisos* de los originales de Bujalance, Baeza, Andújar y Antequera.
Contiene: *Cautelas, Avisos* (nueve textos), *Carta a los carmelitas de Málaga* (copia notarial).
Lucinio, núms. 237, 249-53, 256-59, 282.
MADRID. *Nacional.* Mss. 6296.

3122

«*Obras de N. P. S. Juan de la Cruz sacadas de un manuscrito que está en el Monast.º de San Juan de Burgos año de 1755*».

Año 1755.
La misma distribución de libros y de capítulos que el de Alba. Contiene: *Subida, Noche, Cántico* (2.ª redac.), *Llama* (1.ª redacción).
Silverio, I, págs. 279-81; Lucinio, núms. 9, 27, 71, 82, 125.
MADRID. *Nacional.* Mss. 6624.

3123

[*Escritos varios*].

Contiene: *Noche, Cántico* (poema, 2.ª redacción), seguido de los comentarios de Antolínez.
Lucinio, núms. 30, 126.
MADRID. *Nacional.* Mss. 6895.

3124

[*Escritos varios*].

Contiene dos copias de *Suma de la perfección*, una del P. José de Santa Teresa, 1702, y otra de un códice de los Remedios; *Cautelas, Avisos y Sentencias.*
Lucinio, núms. 235-36, 260-62.
MADRID. *Nacional.* Mss. 7004.

3125

[*Escritos varios*].

Letra del XVII. 268 hs. 210 × 150 mm. «Amores de Dios y el Alma. Con la exposicion de... Fr. Agustin Antolinez». Parece el original. Contiene: *Noche, Cántico* (poema, 1.ª redac.), *Llama* (poema).
Matías del Niño Jesús, *La bibliografía...*, pág. 57; Lucinio, núms. 112, 127, 144.
MADRID. *Nacional.* Mss. 7072.

3126

[*Escritos varios*].

Contiene: *Cántico* (poema, 1.ª redac. y dos copias de la 2.ª), *Llama* (poema), *Por toda la hermosura, Cautelas, Avisos,* una carta. Lucinio, núms. 121, 123-24, 139, 230, 242, 265, 283.

MADRID. *Nacional.* Mss. 7741.

3127

«*Declaración de las canciones que tratan del exercicio de Amor...*».

228 fols. 142 × 100 mm. Con acta notarial que certifica el cotejo realizado con el códice de Jaén, en 1759.
Contiene: *Cántico* (2.ª redac.), *Sin arrimo y con arrimo, Por toda la hermosura.* Lucinio, núms. 72, 225, 231.

MADRID. *Nacional.* Mss. 8492.

3128

[*Escritos varios*].

Contiene: *Noche, Cántico* (1.ª redac.), *Llama* (2.ª redac.), *Vivo sin vivir en mí, Romances sobre la Stma. Trinidad y la Encarnación, Entréme donde no supe, Tras de un amoroso lance, Sin arrimo y con arrimo.*
Procede de las Carmelitas de Baeza.
Ledrus, M., *Sur quelques pages inedites...,* 1949-51; Lucinio, núms. 33, 54, 91, 153, 177, 191, 226.

MADRID. *Nacional.* Mss. 8795.

3129

[*Escritos varios*].

145 × 95 mm.
Contiene: *Noche, Cántico* (2.ª redac.), *Llama, Vivo sin vivir en mí, Que bien sé yo la fonte..., Romances sobre la Stma. Trinidad y la Encarnación, Entréme donde no supe, Un pastorcico solo está penado, Tras de un amoroso lance.*
Lucinio, núms. 40, 73, 138, 154, 165, 172, 190, 208, 220.

MADRID. *Nacional.* Mss. 12411.

3130

[*Escritos varios*].

Contiene: *Vivo sin vivir en mí, Que bien sé yo la fonte..., Romances sobre la Santísima Trinidad y la Encarnación, Encima de las corrientes, Entréme donde no supe, Un pastorcico solo está penado, Tras de*

un amoroso lance, Avisos, Cartas, 1.ª, 7.ª, 9.ª, 11, 12, 14, 15, 17, 18, 22, 27, 28.
Lucinio, núms. 155, 164, 171, 181, 194, 210, 28, 263, 270, 291, 299, 301, 304, 306-8, 315-16, 322-23, 330-32 y 334.

MADRID. *Nacional.* Mss. 12738.

3131

[*Escritos varios*].

«*En un extasi que tubo el P. Fr. Juan de la Cruz en Segovia, compuso lo siguiente*». Copia del P. Manuel sobre el códice de Alba; *Cartas,* 7, 10, 18 y 27.
Lucinio, núms. 195, 279, 293, 309, 333.

MADRID. *Nacional.* Mss. 13245 (fol. 241).

3132

[*Escritos varios*].

En la biografía del Santo por Fr. Alonso de la Madre de Dios.
Contiene: *Del Verbo divino, Cartas.* Lucinio, núms. 234, 278.

MADRID. *Nacional.* Mss. 13460.

3133

[*Escritos varios*].

200 × 150 mm.
Procede del Colegio de Calatayud.
Contiene: *Subida, Noche.*
Lucinio, núms. 10, 29.

MADRID. *Nacional.* Mss. 13498.

3134

[*Escritos varios*].

Es copia del ms. 7072.
Contiene: *Noche* (poema), seguido de los comentarios de Antolínez; *Cántico* (1.ª redacción, poema), seguido de ídem; *Llama* (poema), seguido de ídem.
Matías del Niño Jesús, *La bibliografía...,* pág. 57; Lucinio, núms. 113, 129, 145.

MADRID. *Nacional.* Mss. 13505.

3135

[*Escritos varios*].

205 × 145 mm. Son fragmentos de diferentes obras copiados de textos impresos.
Contiene: *Subida, Noche, Llama* (2.ª redacción), *Cántico* (1.ª redac.).
Silverio, I, pág. 282; Lucinio, núms. 18, 44, 65, 95.

MADRID. *Nacional.* Mss. 13507.

3136

[*Escritos varios*].

141 fols. 146 × 98 mm. Perteneció a Gayangos.
Contiene: *Llama* (2.ª redac.), *Entréme donde no supe.*
Lucinio, núms. 70, 200.
MADRID. *Nacional.* Mss. 17950.

3137
[*Escritos varios*].
Letra de fines del XVI.
Perteneció a Gayangos.
Contiene: *Subida, Noche, Cántico* (2.ª redacción), *Llama* (1.ª redac.).
Silverio, I, pág. 282; Lucinio, núms. 20, 45, 74, 83.
MADRID. *Nacional.* Mss. 18160.

3138
[*Escritos varios*].
Año 1597. 212 × 152 mm. Miscelánea de varios autores.
Contiene: *Cántico* (1.ª redac.), en fols. 195r-309v; *Vivo sin vivir en mí* (fol. 310).
V. José M.ª de la Cruz Moliner, *Un nuevo códice del «Cántico espiritual...».* 1954.
Lucinio, núms. 58, 156.
MADRID. *Nacional.* Mss. 18993.

3139
[*Escritos varios*].
Contiene: *Subida, Noche, Llama* (2.ª redacción), *Cántico* (1.ª redac.).
Simeón de la Sagrada Familia, *Nueva copia manuscrita...;* Lucinio, núms. 19, 41, 62, 96.
MADRID. *Particular de D. Antonio Rodríguez Moñino.*

3140
[*Escritos varios*].
Parece que fueron compilados por Fray Jerónimo de Santa María, m. en Puebla en 1785. 210 × 160 mm.
Contiene: *Noche* (poema), *Cántico* (poema, 1.ª y 2.ª redac.), *Llama* (poema), *Entréme donde no supe, Cautelas, Avisos.*
Lucinio, núms. 110-11, 118, 131, 143, 202, 246, 268.
MEJICO. *Nacional.* (Univ. Nac. Autónoma). Mss. 594.

3141
[*Escritos varios*].
6 + XII hs. + 172 págs. 206 × 150 mm. Diligencias fechadas en 1627 y 1645.

Contiene: *Cántico* (1.ª redac.), *Llama* (1.ª redacción).
Lucinio, núms. 56, 84.
MONSERRAT. *Abadía.* Mss. 528.

3142
[*Escritos varios*].
1. «Quatro Avissos que dio a un religioso...» (fols. 9v-10v).
2. *Carta 6.ª* (Fol. 8v).
3. *Carta 10.* (Fol. 8v).
4. *Carta 19.* (Fol. 9).
5. *Carta 21.* (Fol. 9v).
6. *Carta 22.* (Fol. 5).
7. *Carta 25.* (Al fin).
Lucinio, núms. 255, 277, 294, 311, 318, 320, 327.
MONSERRAT. *Abadía.* Mss. 639.

3143
[*Escritos varios*].
Contiene: *Subida, Noche, Llama* (1.ª redacción), *Entréme donde no supe.*
Lucinio, núms. 16, 36, 86, 197.
PAMPLONA. *Convento de Carmelitas descalzas de San José.* Archivo. Ms. 9.

3144
[*Escritos varios*].
Letra de principios del XVII. 285 × 190 mm.
Contiene: *Subida, Noche, Llama* (1.ª redacción).
Lucinio, núms. 17, 39, 89; Simeón de la S. Familia, *Un nuevo códice...*
ROMA. *Archivo General de la Orden del Carmen.* Mss. 328a.

3145
[*Escritos varios*].
Letra del s. XVI, con correcciones y adiciones autógrafas del autor. 1 h. + 207 fols.
Reprod. fotográfica, por el P. Silverio, con notas: Burgos. 1928. 2 vols.
Contiene: *Cántico* (1.ª redac.), *Noche* (poema), *Llama* (poema), *Vivo sin vivir en mí, Qué bien sé yo la fonte..., Romances sobre la Stma. Trinidad y la Encarnación, Encima de las corrientes, Entréme donde no supe, Un pastorcico solo está penado, Tras de un amoroso lance.*
Lucinio, núms. 47, 100, 132, 146, 159, 168, 178, 185, 203, 212.
SANLUCAR DE BARRAMEDA. *Convento de Carmelitas descalzas.*

3146
«*Fragmentos espirituales*».

Noche (poema), *Cautelas, Avisos, Carta 7.ª*
150 × 100 mm.
Lucinio, núms. 108, 243, 269, 287.
SEGOVIA. *Convento de Carmelitas descalzos.*

3147

«*Declaración de las canciones que tratan del exercicio...*».

215 fols. 152 × 102 mm.
Contiene: *Cántico* (1.ª redac.), *Noche* (poema), *Llama* (poema), *Vivo sin vivir en mí,, Entréme donde no supe, Un pastorcico solo está penado, Tras de un amoroso lance.*
Lucinio, núms. 55, 104, 136, 151, 196, 206, 216.
TARAZONA. *Convento de Santa Ana de Carmelitas Descalzas.* Arch., n. 141.

3148

[*Escritos varios*].

Letra de fin del XVI o principio del XVII.
145 hs. 150 × 105 mm.
Contiene: *Subida, Noche.*
Matías del Niño Jesús, *La bibliografía...,* pág. 52; Lucinio, núms. 14, 34.
TARRAGONA. *Provincial.* Mss. 213.

3149

[*Escritos varios*].

Contiene: *Noche, Llama* (1.ª redac.).
Lucinio, núms. 31, 78.
TOLEDO. *Convento de Carmelitas descalzas.*

3150

[*Escritos varios*].

Contiene: *Noche* (poema), *Cántico* (poema, 1.ª redac.), *Llama* (poema), *Vivo sin vivir en mí, Qué bien sé yo la fonte..., Romances sobre la Stma. Trinidad y la Encarnación, Entréme donde no supe, Tras de un amoroso lance.*
Lucinio, núms. 103, 119, 134, 150, 162, 175, 189, 215.
VALLADOLID. *Convento de Carmelitas descalzas.* Archivo, n. 21.

3151

[*Escritos varios*].

Contiene: *Cántico* (1.ª redac.), *Vivo sin vivir en mí, Romances sobre la Stma. Trinidad y la Encarnación.*
Lucinio, núms. 120, 149, 176.
VALLADOLID. *Convento de Carmelistas descalzas.* Archivo, n. 24.

«Cántico espiritual»
(1.ª redacción)

3152

«*Canciones del exercicio de Amor entre el alma y el Esposo X.º con su declaración en prosa...*».

Letra del XVI. 15 hs. 148 × 100 mm.
Procede de la colección San Román.
Matías del Niño Jesús, *La bibliografía...,* págs. 53-54; Lucinio, n.º 63.
MADRID. *Academia de la Historia.* 2-7-5.

3153

[*Cántico espiritual*].

110 fols.
Lucinio, n.º 49.
LOECHES. *Convento de Carmelitas descalzas.*

3154

«*Canciones spirituales en que se toca la sustancia del sagrado Libro de los Cantares de Salomón con una explicación copiosa de todos los versos en ella contenidos...*».

82 fols. 208 × 152 mm.
Lucinio, n.º 53.
MADRID. *Nacional.* Mss. 8654.

3155

«*Síguense las Canciones entre la Esposa y el Esposo*».

115 fols. 205 × 145 mm.
MADRID. *Nacional.* Mss. 11086.

3156

[*Cántico espiritual*].

94 fols. 210 × 153 mm.
Perteneció a Gayangos.
Lucinio, n.º 61.
MADRID. *Nacional.* Mss. 17558.

3157

«*Canciones Espirituales en que se toca la sustancia del sagrado Libro y de los Cantares de Salomón con una explicación copiosa de todos los Versos en ella contenidos...*».

125 hs. 200 × 140 mm.
Perteneció a la emperatriz María de Austria.
Editado por Dom Chevaller en 1951.
Lucinio, n.º 57.
SOLESMES. *Abadía.*

3158

[*Cántico espiritual*].

Autógrafo de la M. Catalina de Espíritu Santo. 133 fols. 170 × 114 mm.
Lucinio, n.º 51.
VALLADOLID. *Convento de Carmelitas descalzas*. Archivo, n. 7-I.

3159

«*Declaración de las canciones que tratan del ejercicio de amor...*».
88 hs.
Lucinio, n.º 50.
VALLADOLID. *Convento de Carmelitas descalzas*. Archivo, n. 6.

3160

[*Cántico espiritual*].
129 hs. 194 × 138 mm.
Lucinio, n.º 52.
VALLADOLID. *Convento de Carmelitas descalzas*. Archivo, n.º 7-II.

«Cántico espiritual» (2.ª redacción)

3161

[*Cántico espiritual*].
Letra de fines del XVI.
197 fols. 100 × 72 mm.
Editado por Fr. Simeón en 1950. (V. *Un códice singular...*).
Lucinio, n.º 76.
ROMA. *Convento de San Carlos de Trinitarios descalzos*, alle Quattre Fontane.

3162

«*Declaración de las canciones que tratan del exercicio de amor...*».
150 × 100 mm.
Lucinio, n.º 70.
AVILA. *Convento de San José de Carmelitas descalzas*.

3163

«*Copia antigua del Libro de las Canciones de N. P. S. Juan de la Cruz...*».
113 fols. 206 × 153 mm.
Lucinio, n.º 68.
SEGOVIA. *Convento de Carmelitas descalzos*.

3164

«*Cántico espiritual*».

Copia del poema y de los comentarios de Antolínez.
Lucinio, n.º 128.
MADRID. *Nacional*. Mss. 2037 (fols. 2r-5r).

3165

[*Prólogo del «Cántico»*].
Una hoja intercalada entre los folios 45 y 46.
MADRID. *Nacional*. Mss. 3658.

«Cautelas y Avisos»

3166

«*Avisos*».
Autógrafo. 14 hs. 150 × 100 mm.
Donado en 1918 por el conde de la Quintería.
Lucinio, n.º 247.
ANDUJAR. *Iglesia parroquial*.

3167

«*Avisos*».
3 hs.
Lucinio, n.º 267.
BARCELONA. *Instituto de Estudios Catalanes (Biblioteca de Cataluña)*.

3168

«*Instrucción y Cautelas de que debe usar el que desea ser verdadero Religioso y llegar a la perfección*».
Copia del P. Alonso de la Madre de Dios.
Lucinio, n.º 238.
MADRID. *Nacional*. Mss. 12398 (fols. 13r-18r).

3169

«*Cautelas y Avisos*».
7 hs.
Lucinio, n.º 239.
MADRID. *Nacional*. Mss. 18749 (70).

3170

«*Cautelas espirituales que debe usar el verdadero religioso contra los tres enemigos del alma*».
4 hs.
Lucinio, n.º 241.
MADRID. *Nacional*. Mss. 20249 (37).

3171

«*Cautelas contra los tres enemigos del alma...*».

Posterior a 1650.
MEJICO. *Nacional*. (UNAM). Mss. 310 (fols. 29-33).

Epistolario

3172

[*Carta 9.ª*].

Autógrafo. Una hoja. 340 × 230 mm.
Lucinio, n.º 290.
AVILA. *Convento de San José de Carmelitas descalzos*.

3173

[*Carta 13*].

Autógrafo.
Lucinio, n.º 298.
BRUSELAS. *Convento de Carmelitas descalzas*.

3174

[*Carta 10*].

Autógrafo.
Lucinio, n.º 292.
CONCESA (ITALIA). *Convento de Carmelitas descalzos*.

3175

[*Carta 15*].

Autógrafo. Una hoja. 313 × 212 mm.
Lucinio, n.º 300.
CORDOBA. *Convento de Carmelitas descalzas*.

3176

[*Carta 20*].

Autógrafo. Una hoja. 310 × 217 mm.
Lucinio, n.º 314.
CORDOBA. *Convento de Carmelitas descalzas*.

3177

[*Carta 7.ª*].

Una hoja. 130 × 100 mm.
Lucinio, n.º 284.
GUADALAJARA. *Convento de las Vírgenes de Carmelitas descalzas*.

3178

[*Carta 19*].

Autógrafa. Una hoja. 235 × 205 mm.
Lucinio, n.º 310.
MADRID. *Convento de Santa Ana de Carmelitas descalzas*.

3179

[*Carta 29*].

Lucinio, n.º 336.
MADRID. *Nacional*. Mss. 8568 (pág. 66).

3180

[*Cartas 5.ª y 28*].

Lucinio, núms. 275 y 335.
MADRID. *Nacional*. Mss. 13482 (fols. 150r y 143r-147v).

3181

[*Cartas 7.ª, 19 y 22*].

Lucinio, núms. 288, 313 y 321.
MEJICO. *Nacional*. (UNAM). Mss. 567.

3182

[*Carta 26*].

Fragmento autógrafo.
Lucinio, n.º 328.
NAPOLES. *Convento de las Carmelitas descalzas* (Vía Arco Mirelli).

3183

[*Carta 6.ª*].

Se tuvo por autógrafo. Una hoja. 315 × 213 mm.
Lucinio, n.º 276.
PASTRANA. *Museo Parroquial*.

3184

[*Carta 27*].

Autógrafo, reconstruido.
Lucinio, n.º 329.
SALAMANCA. *Convento de Carmelitas descalzas*.

3185

[*Carta 21*].

Autógrafo.
Lucinio, n.º 317.
SANLUCAR LA MAYOR. *Convento de Carmelitas descalzas*. Relicario.

3186

[*Carta 18*].

Autógrafo. 2 hs. 320 × 220 mm.
Lucinio, n.º 305.
VALLADOLID. *Convento de Carmelitas descalzas*.

3187

[*Carta 23*].

Perdido. Se guardaba en el convento del

Corpus Christi, de Carmelitas descalzas, de Alcalá de Henares.
Lucinio, n.º 324.

3188

[Carta 11].

Autógrafo. Publicado por V. de la Fuente, en su ed. fotolitográfica, 1883. Se conservaba en el convento de las carmelitas de la Imagen, de Alcalá de Henares.
Lucinio, n.º 296.

«Cántico espiritual (poema), primera redacción».

3189

[Cántico espiritual (poema)].

Autógrafo de la B. Ana de San Bartolomé. Copia de 31 estrofas. 150 × 100 mm.
Lucinio, n.º 114.
AMBERES. *Convento de Carmelitas descalzas.*

3190

[———].

Autógrafo de la misma. Comprende 16 estrofas. 302 × 153 mm.
Lucinio, n.º 115.
AMBERES. *Catedral.*

3191

[———].

Autógrafo de la Beata Ana de San Bartolomé. Contiene 19 estrofas.
Lucinio, n.º 116.
FLORENCIA. *Convento de Carmelitas descalzas.*

«Noche oscura»

3192

«Canciones espirituales».

Copia muy antigua. 71 fols. 152 × 110 mm.
Lucinio, n.º 37.
MADRID. *Academia de la Historia.* 9-5.805.

3193

«Libro de la noche oscura».

167 fols. 213 × 152 mm.
Lucinio, n.º 25.
MADRID. *Nacional.* Mss. 12658.

3194

«Libro admirable intitulado Noche obscura del sentido y del espíritu».

Letra del s. XVI.
Lucinio, n.º 32.
TOLEDO. *Convento de Carmelitas descalzos.*
Archivo, n. 10.

3195

«Declaración de las canciones espirituales para llegar a la perfecta unión con Dios».

110 fols. 200 × 143 mm.
Lucinio, n.º 28.
VALLADOLID. *Convento de Carmelitas descalzas.* 7-III.

«Llama...» (1.ª redacción)

3196

«Declaración de las canciones que tratan de la muy íntima...».

144 × 104 mm.
Lucinio, n.º 80.
CORDOBA. *Convento de Carmelitas descalzas.*

«Llama...» (2.ª redacción)

3197

«Llama de amor-espinas del espíritu» [2.ª redac.]. *Carta 7.ª*

89 fols. 194 × 150 mm.
Lucinio, núms. 92, 285.
CORDOBA. *Convento de Carmelitas descalzas.*

3198

[Llama de amor viva].

111 fols. 210 × 150 mm.
Lucinio, n.º 93.
PALENCIA. *Convento de Carmelitas descalzas.*

«Subida del monte Carmelo»

3199

«Subida del monte Carmelo».

Códice de Alcaudete, copia de otro de Duruelo, según nota de 1762. 356 fols. 162 × 114 mm. Llamado Alc.
Simeón de la Sagrada Familia, *Los misterios del códice de Alcaudete;* Lucinio, n.º 7.
BURGOS. *Archivo Silveriano.* Cajón n.º 15, letra Q.

3200

«Tratado de la subida del monte Syon en que se declara cómo se ha

de encaminar un Alma hasta llegar a la perfecta unión con Dios».

214 fols. 211 × 154 mm.
Lucinio, n.° 12; Eulogio de la Virgen del Carmen, *Un manuscrito interesante...*
GRANADA. *Sacro Monte.* Archivo Secreto.

3201

«Fragmentos espirituales».

Fols. 222-232. 150 × 100 mm.
Lucinio, n.° 22.
SEGOVIA. *Convento de Carmelitas descalzos.*

Poesías

3202

[Poesías].

Contiene: *Noche* (poema).
Lucinio, núms. 106, 121, 123, 124.
MADRID. *Nacional.* Mss. 7741.

3203

«Vivo sin vivir en mí».

Lucinio, n.° 152.
PAMPLONA. *Convento de Carmelitas descalzas.* Mss. 8 (fols. 30v-31v).

Copia de la Autobiografía...

3204

[*Copia de la Autobiografía de la Ven. Catalina de Jesús*].

Autógrafo.
Procede del Archivo General de la Orden. Publicado por Fr. Eduardo de Santa Teresa en 1948. Lo llama «Códice Begoñés».
BILBAO. *Convento de Carmelitas de Begoña.*

3205

AUTOGRAFOS (Los) que se conservan del místico doctor ——. Edición fototipográfica por el P. Gerardo de San Juan de la Cruz... Toledo. Viuda e Hijos de J. Peláez. 1913. XVI + 94 págs. 19 cm.

a) Fueyo, A., en *España y América*, LIII, Madrid, 1917, pág. 266.
BARCELONA. *Central.* S.J.C.65.—BERKELEY. *University of California.* — MADRID. *Nacional.* 1-65.650.

EDICIONES

Obras espirituales

3206

OBRAS espiritvales que encaminan vna alma a la perfeccion con Dios. Por el Venerable P. F. Ivan de la Crvz, primer Descalzo de la Reforma de N. Señora del Carmen, Coadjutor de la Bienauenturada Virgen S. Teresa de Iesus Fundadora de la misma Reforma. Con vna resunta de la vida del Autor, y unos discursos por el P. F. Diego de Iesus... Alcalá. [Ana de Salinas], Viuda de Andrés Sánchez Ezpeleta. 1618. 8 hs. + 111-XXXVIII págs. + 1 lám. + 682 págs. + 24 hs. 20 cm.

—Port.-grab., firmada por Diego de Astor.—Censura de la insigne Universidad de Alcalá.—Apr. de Luis Montesino.—L. O.—Apr. de Fr. Tomas Daoiz.—Pr. Real de Castilla a favor de la Orden de Carmelitas descalzos, por diez años (1618). E.—T.—Apr. de Frey Miguel Beltran.—Pr. de Aragon a la Orden, por diez años (1618). — Ded. al cardenal D. Gaspar de Borja [cuyo escudo va en la portada] por Fr. Iosef de Iesus María, General de la Orden de Carmelitas Descalços.—Relacion sumaria del autor deste libro, y de su vida y virtudes.—Proemio al Letor y particion deste Libro.—Lámina.—Texto.—Tabla de todo lo contenido en estas Obras espirituales. — Jaculatoria y emblema de la Orden.—Colofón.

Contiene:

1. *Subida del Monte Carmelo.*
a) *Argumento.* (Pág. 1).
b) *Canciones en que canta el Alma la dichosa ventura, que tuvo en pasar por la escura Noche de la Fe en Desnudez, y Purgacion suya, a la Union del Amado.* [«En una Noche escura...»]. (Págs. 2-3).
c) *Prólogo.* (Págs. 4-5).
d) *Libro I.* (Págs. 6-59).
e) *Libro II.* (Págs. 60-222).
f) *Libro III.* (Págs. 223-354).

2. *Portadilla: Noche escura del Alma, y declaracion de las canciones que encierran el camino de la perfeta union de Amor con Dios...* Alcalá. Ana de Salinas. 1618. (Pág. 355).
a) *Argumento.* (Pág. 357).

b) Canciones. [«En una Noche escura...»]. (Págs. 358-59).
c) Declaración del intento de las Canciones. (Pág. 359).
d) Libro I. (Págs. 360-413).
e) Libro II. (Págs. 414-520).
f) Camino de la humildad, llamado de la Nada... (Pág. 511).
3. Portadilla: *Llama de Amor viva y declaracion de las canciones que tratan de la mas intima union y transformacion del Alma con Dios.* Alcalá. Ana de Salinas. 1618. (Pág. 511).
a) Prólogo. (Págs. 522-23).
b) Canciones que haze el Alma en la íntima unión con Dios. [«O llama de Amor viua!...»]. (Págs. 514-15).
c) Declaración.. (Págs. 515-614).
4. Portadilla: *Apuntamientos y advertencias en tres discursos para mas facil inteligencia de las frasis misticas, y dotrina de las Obras espirituales..., por Fr. Diego de Iesus.* Alcalá. Ana de Salinas. 1618. (Pág. 615).
a) Introducción. (Págs. 617-22).
b) Texto. (Págs. 622-82).
J. Catalina García, *Tip. complutense*, número 880. (Describe un ejemplar incompleto).
BARCELONA. *Central.* S.J.C.1. *Universitaria.* C.193-4-32.—CAMBRIDGE, Mass. *Harvard University.*—DURHAM. *Duke University.*—FILADELFIA. *University of Pennsylvania.* — MADRID. *Nacional.* R-31.430 (con portada rota).—NUEVA YORK. *Hispanic Society.*—PARIS. *Mazarina.* 13.447. — ROMA. *Nazionale.* 8.42.H.12; etc. — *Teresianum.* Rari. B.9.—ROUEN. *Municipale.* A.925.

3207

OBRAS espiritvales que encaminan a vna alma a la perfecta vnion con Dios... Con vna resunta de la vida del Autor, y unos discursos por el P. F. Diego de Iesus. [Barcelona. Sebastián de Cormellas]. [1619]. 9 hs. + 632 págs. + 20 hs. 19,5 cm.

—Lámina, firmada por Diego de Astor, que representa a Fr. Juan dialogando con Cristo.—Censura de la Universidad de Alcalá (1618).—Apr. de Luis Montesino (1618).—L. O. (1618).—Apr. de Fr. Tomas Daoiz (1618).—Pr. de Castilla al Procurador General de la Orden de Carmelitas Descalços (1618).—Apr. de Frey

Miguel Beltran.—Pr. Real de Aragon al mismo Procurador (1618).—Apr. de Fr. Luis de San Iosef.—E.—Ded. al cardenal D. Gaspar de Borja, por fray Iosef de Jesús María.—Texto. Contiene además de las Obras: Fols. 1r-28: *Relación sumaria del autor deste libro, y de su vida y virtudes.* Fols. 573r-632r: *Apuntamientos y advertencias...,* por fray Diego de Jesús.—Tablas.—Colofón.
Salvá, II, n.º 2.239.
BARCELONA. *Central.* S.J.C.3. — *Universitaria.* B.59-6-5. — GERONA. *Pública.* A-2935. — MADRID. *Nacional.* 4-36.872. — NUEVA YORK. *Hispanic Society.* — ROMA. *Nazionale.* 8.25.D.31; etc. *Teresianum.* Rari. B.10. *Vaticana.* Stamp. Barb. U.XIII.58; R.G.Teol.IV.2345.—SEVILLA. *Universitaria.* 102-11. — ZARAGOZA. *Seminario de San Carlos.* 73-5-16.

3208

OBRAS del venerable i mistico dotor F. Joan de la Cruz primer descalço, i Padre de la Reforma de N. S.ª de Carmen... Madrid. En casa de la viuda de Madrigal. 1630. 20 hs. + 803 págs. + 34 hs. 21 cm.

—Ded. al Infante Cardenal, arçobispo de Toledo, don Fernando, por el General y Religion de Carmelitas descalços.—Introducion y Advertencia general a la lecion destos libros, por Fr. Geronymo de San Ioseph.—L. O. (1628).—Apr. de Fr. Diego de Campo (1628).—Apr. de Fr. Tomas Daoiz (1618).—Censura de Fr. Iuan Ponce de Leon (1629).—S. Pr. (1628).— S. T.—E.—Elogio de los cardenales Torres y Deti.—Censura de la Universidad de Alcalá (1618).—Censura de Fr. Agustin Antolinez (1623).—Elogio de Fr. Antonio Perez. — Apr. de Luys Montesino (1618). — Censura de Fr. Francisco de Araujo (1623).—Elogio del P. Ioan de Vicuña.—Elogio de Francisco Mirauete. Elogio de Tomas Tamayo de Vargas, en latin y en castellano.—L. V.—Texto. Tablas.
Además de las Obras, incluye:
—*Dibuxo...,* de Fr. Geronimo de San Ioseph. (Fols. 1r-46v).
BARCELONA. *Central.* S.J.C.-34. *Universitaria.* C.221-3-37.—BURGOS. *Facultad de Teologia.* CORDOBA. *Pública.* 27-94 [falto de la primera hoja]. — GERONA. *Pública.* A-4696.— MADRID. *Facultad de Filosofía y Letras.* 10.355. *Nacional.* R-27.907 (en la página 803 y en

dos hojas añadidas lleva una copia ms., de letra del XVII, de las *Cautelas); etc.*— PAMPLONA. *General de la Diputación Foral.* 109-5-3/80.—ROMA. *Teresianum.* Carm. B.277. SEVILLA. *Colombina.* 21-2-22. *Universitaria.* 102-41.

3209

OBRAS del Venerable y Místico Doctor F. Juan de la Cruz, Primer descalzo y Padre de la Reforma de Nuestra Señora del Carmen. Barcelona. Sebastián de Cormellas. 1635. 18 hs. + 682 págs. + 27 hs. + 46 págs. 20 cm.

—Frontis, firmado por A. de Popma.—Ded. al Infante Cardenal, por el General y Religion de Carmelitas descalzos.—Intraducion y Advertencia general a la lecion destos libros, por Fr. Geronimo de San Josef.—L. O. (1628).—Apr. de Fr. Diego de Campo.—Apr. de Fr. Tomas Daoiz (1618).—Censura de Fr. Iuan Ponce de Leon.—S. Pr. (1628). — S. T.—E. — Elogio de los cardenales Torres y Deti.—Censura de la Universidad de Alcalá (1618). Censura de Fr. Agustin Antolinez (1618). Elogio de Fr. Antonio Perez.—Apr. de Luis Montesino.—Censura de Fr. Francisco de Araujo. — Elogio del P. Ioan de Vicuña. — Elogio de Francisco Miravete.—Elogio de Tomás Tamayo de Vargas, en latin y castellano.—*Dibujo...,* por Fr. Geronimo de San Iosef (págs. 1-54).—Texto.—Colofón (1629).—Tablas.

ALCALA DE HENARES. *Convento de Carmelitas Descalzas del Corpus Christi.* — BARCELONA. *Central.* S.J.C.5. *Universitaria.* B.60-6-33. — GENOVA. *Universitaria.* 1.QQ.IV.33.—MADRID. *Nacional.* R-22.188. — PARIS. *Nationale.* D. 5535. — ROMA. *Nazionale.* 8.43.H.20. *Teresianum.* Carm. B.279.—SEVILLA. *Universitaria.* 8-54.

3210

OBRAS del Venerable Padre Fray Ivan de la Crvz... Madrid. Gregorio Rodríguez. 1649. 29 hs. + 802 págs. + 54 hs. 20,5 cm.

—Frontis, firmado por J. de Noort.—Port. L. O. (1628).—S. Pr. (1644).—S. T.—E.— Apr. de Fr. Tomas Daoiz (1618).—Elogio de los cardenales Torres y Deti.—Censura y Elogio de Francisco de Contre-

ras.—Censura de la Universidad de Alcalá (1618).—Censura de Fr. Agustin Antolinez (1623).—Elogio de Fr. Antonio Perez.—Apr. de Luis Montesino (1618).—Censura de Fr. Francisco de Araujo (1623).— Elogio del P. Iuan de Vicuña.—Elogio de Francisco Miravete. — Elogio de Tomas Tamayo de Vargas.—Ded. a D. Ioseph Estrata, marquesa de Robledo de Chauela, etc., por Iuan de Valdes.—Lámina, que representa a San Juan de la Cruz dialogando con Cristo. — Cartas.— Sentencias.—Poesías.—Texto. Además de las Obras, comprende: Fols. 1r-51r: *Dibuxo de... Fr. Iuan de la Cruz,* por Fr. Geronimo de San Iosef. Fols. 747-802: *Apuntamientos y advertencias...,* por Fr. Diego de Iesus.—Tablas.

Salvá, II, n.° 2.240.

BARCELONA. *Central.* S.J.C.6/7. — CORDOBA. *Pública.* Arm. alto R-12. — CHICAGO. *University of Chicago.*—LONDRES. *British Museum.* 3835. aaa.—MADRID. *Nacional.* 2-66.241.—ROMA. *Teresianum.* Carm. B.307. — SANTANDER. «*Menéndez Pelayo*». R-IX-8-22.—SEVILLA. *Universitaria.* 76-89.

3211

OBRAS del Venerable Padre Fray Ivan de la Cruz... Madrid. Bernardo de Villa-Diego. 1672. 27 hs. + 636 páginas + 55 hs. 22 cm.

—Frontis. — Port. — Ded. a la Virgen del Carmen. — Apr. de Fr. Tomas Daoiz (1618).—Elogio de los cardenales Torres y Deti.—Censura y Elogio de Francisco de Contreras. — Censura de la Universidad de Alcalá (1618).—Censura de Fr. Agustin Antolinez (1623).—Elogio de Fr. Antonio Perez.—Apr. de Luis Montesino (1618).—Censura de Fr. Francisco de Araujo (1623). — Elogio del P. Iuan de Vicuña.—Elogio de Francisco Miravete. Elogio de T. Tamayo de Vargas.—L. O. (1618).—Pr. a favor de Maria de Cos y Navamuel, viuda del librero Iuan de Valdes (1671).—S. T.—E.—Cartas, Sentencias y Poesías de ——. — Lámina. — Texto.—Tablas.—Colofón.

Se incluyen:

—*Dibuxo...,* por Fr. Geronimo de San Ioseph. (Págs. 1-36).

BARCELONA. *Central.* S.J.C.1. — LOS ANGELES. *University of Southern California.* — LYON. *Municipale.* 334.721. — MADRID. *Nacional.* R-19.230; etc.—NUEVA YORK. *Hispanic Society.* PAMPLONA. *General de la Diputación Foral.*

105-1-3/90.—PARIS. *Nationale.* D.8218. — ROMA. *Teresianum.* Carm. B.1449.—SAN LORENZO DEL ESCORIAL. *Monasterio.* 20-V-36.—SEVILLA. *Universitaria.* 33-36; etc.—ZARAGOZA. *Universitaria.* G-81-119.

3212

OBRAS espirituales, que encaminan vn alma a la mas perfecta vnion con Dios, en transformacion de Amor... Barcelona. A costa de Vicente Suriá, impresor. 1693. 19 hs. + 652 págs. + 56 hs. 21,5 cm.

—Ded. a D. Manuel de Alba, Obispo de Solsona y electo de Barcelona, precedida de su escudo, por Vicente Suriá.— Censura de Fr. Pedro de San Alberto.— Censura de Fr. Pedro Martyr Serra.— Elogio de los cardenales Torres y Deti. Cartas, Sentencias y Poesías del autor. Lámina (la de costumbre). — Texto. Incluye:

—*Dibuxo...,* por Fr. Geronimo de San Joseph. (Fols. 1r-42r).
—*Apuntamientos y advertencias...,* por Fr. Diego de Iesus. (Fols. 584r-636).
En esta edición se añade:
—*Instrucción, y cautela, que ha menester traer siempre delante de si, el que quisiere ser verdadero religioso, y llegar en breve a mucha perfección.* (Fols. 637r-642v).
—*Doctrina y Avisos que el Beato Padre Fray Iuan de la Cruz, daver a sus hijos y hijas quando les hablava en común, y en particular.* (Págs. Fols. 642v-652v).
—Tablas.
BARCELONA. *Central.* S.J.C.-344; etc. *Universitaria.* B.5-6-7-11. — CORDOBA. *Pública.* 7-126. GAINESVILLE. *University of Florida.*—LAWRENCE. *University of Kansas.*—LYON. *Municipale.* 334-770/72.—MADRID. *Academia de la Historia.* 8²-16-3-1803; etc. *Nacional.* 2-20.172 (con ex libris del convento de capuchinos de la Paciencia, de Madrid). — PAMPLONA. *General de la Diputación Foral.* 105-1-2/41. — ROMA. *Teresianum.* Carm. B.1540.—SEVILLA. *Universitaria.* 175-34; etc.—ZARAGOZA. *Seminario de San Carlos.* 19-5-4.

3213

OBRAS del Beato Padre Fray Juan de la Crvz. Madrid. Julián de Paredes, a su costa. 1694. 2 vols. 21 cm.

Tomo I: 27 hs. + 432 págs. a 2 cols.
—Frontis, con retrato del autor, fechado

en 1694, por Clemente de P. — Port. — Ded. a Sta. Teresa de Jesus, por Iuhan de Paredes.—L. O. (1628).—Apr. de Fr. Tomas Daoiz (1618).—S. L.—T.—E.—Elogio referido por... los Cardenales de Torres y Iuan Bautista Deti.—Censura de Francisco de Contreras, en el Epitome que hizo del libro de la Subida del Monte Carmelo.—Censura de la Universidad de Alcalá (1618).—Censura de Fr. Agustin Antolinez (1623).—Elogio de Fr. Antonio Perez.—Apr. de Luis Montesino (1618).—Censura de Fr. Francisco de Arauyo (1623).—Elogio del P. Iuan de Vicuña.—Elogio de Francisco Miravete. Elogio de Tomas Tamayo de Vargas.— Cartas escritas por el V. P. Fray Juan de la Cruz (se reproducen nueve).—Sentencias espirituales por el V. P. Fr. Juan de la Cruz.—Coplas hechas por nuestro V. Pr. Fr. Iuan de la Cruz, en un extasi de alta contemplación. [«Entreme donde no supe...»] y otras poesías.—Texto:
—*Dibuxo del Beato Padre Fray Juan de la Cruz,* por Fray Geronimo de San Ioseph. (Págs. 1-44).
—*Subida del Monte Carmelo.* (Págs. 45-317).
—*Noche escura del Alma.* (Págs. 318-432). Tomo II: 1 h. + págs. 433-74 + 54 hs.
—Prólogo.
—*Canciones entre el Alma y Christo su Esposo.* (Págs. 439-574).
—*Llama de Amor viva.* (Págs. 574-646).
—*Apuntamientos y advertencias, en tres discursos, para más fácil inteligencia de las Frasis mística, y doctrina de las Obras Espirituales de nuestro Beato P. Fr. Iuan de la Cruz,* por Fray Diego de Jesús. (Págs. 647-704).
—Tabla de los lugares de Escritura, declarados en sentido místico en estas obras espirituales.—Tabla nueva de las cosas notables de estas Obras.
BARCELONA. *Central.* S.J.C.11. — MADRID. *Academia de la Historia.* 15-3-8-12. *Facultad de Filosofía y Letras.* 29.241/42. *Nacional.* 3-71.358/59; etc.—SEVILLA. *Universitaria.* 73-45. — PAMPLONA. *General de la Diputación Foral.* 109-2-2/76. — SANTIAGO DE COMPOSTELA. *Universitaria.*

3214

OBRAS espirituales... Sevilla. Francisco de Leefdael. 1703. 9 hs. + 120 págs. con 59 grab. + 1 lám. + 511 págs. a 2 cols. + 23 págs. + 27 hs.

Incluye por primera vez la versión *B* del «Cántico espiritual».
Con el *Compendio de la vida* del autor, por Fr. Gerónimo de San José, ilustrado con 59 grabados, uno en cada hoja.
Escudero, n.º 1.991.
BARCELONA. *Central.* S.J.C.12. *Seminario Conciliar.* — BURGOS. *Facultad de Teología.* — CAMBRIDGE, Mass. *Harvard University.* — GRANADA. *Universitaria.* A-6-228. — HOUSTON. *University of Houston* — LAWRENCE. *University of Kansas.* — LONDRES. *British Museum.* 3845.d.—MADRID. *Nacional.* R-30.928.— ROMA. *Teresianum.* Carm. C.182. — URBANA. *University of Illinois.*

3215

OBRAS espirituales que encaminan a una alma, a la más perfecta unión con Dios, en transformación de amor. Pamplona. Pasqual Ibañez. 1774. 9 hs. + 691 págs. 31 cm.

Salvá, II, n.º 2.241.
BARCELONA. *Central.* S.J.C.13. *Universitaria.* C.199-3-16; etc.—BURGOS. *Facultad de Teología.*—LONDRES. *British Museum.* 3675.c.— MADRID. *Facultad de Filosofía y Letras.* 27.870. *Nacional.* 1-44.092. — ROMA. *Teresianum.* Carm. C.163.—URBANA. *University of Illinois.*

3216

[*OBRAS*]. (En ESCRITORES *del siglo XVI.* Tomo I. Madrid. 1853, págs. 1-273. Biblioteca de Autores Españoles, 27).

3217

———. Nueva edición, precedida de un prólogo por Manuel Ortí y Lara. Madrid. Compañía de Impresores y Libreros del Reino. 1872. 2 vols. con ilustr. 24 cm.

BARCELONA. *Central.* S.J.C.14; etc.—CAMBRIDGE, Mass. *Harvard University Press.* — ROMA. *Teresianum.* Carm. B.1893.—SAN DIEGO. *University of California.*

3218

OBRAS. Barcelona. Vda. de C. H. Subirana. 1883. 4 vols. 18,5 cm. (La Verdadera Ciencia Española).

BARCELONA. *Central.* S.J.C.15; etc. *Seminario Conciliar.*—MADRID. *Particular de «Razón y Fe».* K-IV-276-1/4.—ROMA. *Teresianum.* Carm. A.491.

3219

———. Madrid. Asilo de la Stma. Trinidad. 1906. 612 págs. 17 cm.

BARCELONA. *Central.* S.J.C.59.—ROMA. *Teresianum.* Carm. A.4956.

3220

OBRAS. Edición crítica, la más correcta, con introducción y notas de Saturnino Martín Capilla, en religión P. Gerardo de San Juan de la Cruz. Epílogo de Juan Vázquez de Mella. Toledo. Imp. y Libr. de la Viuda e Hijos de J. Peláez. 1912-14. 3 vols. 23,5 cm.

a) Eguía, C., en *Razón y Fe*, XXXVII, Madrid, 1913, págs. 120-23.
b) Villada, P., en *Razón y Fe*, XL, Madrid, 1914, págs. 516-19.
BARCELONA. *Central.* S.J.C.16.—CHICAGO. *University of Chicago.*—GRANADA. *Universitaria.* L. Letras. XVII-9-3.—MADRID. *Nacional.* F.i.-297. *Particular de «Razón y Fe».* K-III-113-1/3.—PARIS. *Nationale.* D.90056.—ROMA. *Teresianum.* Carm. B.264; etc.—SANTANDER. «*Menéndez Pelayo*». 2397 [el I]. — SAN DIEGO. *University of California.*—URBANA. *University of Illinois.*

3221

OBRAS. Edición popular. Burgos. Tip. de «El Monte Carmelo». 1925. 1120 págs. 19 cm.

a) Gaiffier, B. de, en *Analecta Bollandiana*, XLIV, Bruselas, 1926, págs. 451 y 454.
b) Guibert, J. de, en *Revue d'Ascétique et Mystique*, VII, Toulouse, 1926, pág. 323.
BARCELONA. *Central.* S.J.C.17. — BURGOS. *Facultad de Teología.* — ROMA. *Teresianum.* Carm. A.496.—ST. LOUIS. *St. Louis University.*

3222

OBRAS. Madrid. Apostolado de la Prensa. 1926. 852 págs. 19,5 cm.

BARCELONA. *Central* S.J.C.18.—MADRID. *Particu-*

lar de «Razón y Fe». K-IV-283-1/2. — ROMA. *Teresianum.* Carm. A.470.

— — —

—2.ª ed. 1928.
BURGOS. *Facultad de Teología.*—MADRID. *Particular de «Razón y Fe».* K-IV-1289.
—1933.
MADRID. *Nacional.* 1-95.250.
—3.ª ed. 1941. 909 págs.
MADRID. *Ministerio de Cultura.* 4-899.
—4.ª ed. 1943. 916 págs.
MADRID. *Nacional.* 1-98.079.—NUEVA YORK. *Columbia University.*
—5.ª ed. 1948. 910 págs.
MADRID. *Ministerio de Cultura.* 4-5.506. *Nacional.* 1-105.886.
—6.ª ed. 1954.
ROMA. *Teresianum.*
—7.ª ed. 1958. 1072 págs.
MADRID. *Nacional.* 7-30.793.
—8.ª ed. 1966. 1072 págs.
MADRID. *Nacional.* 4-65.263.
—10.ª ed. 1978. XXXII + 1206 págs.

3223

OBRAS. Editadas y anotadas por el P. Silverio de Santa Teresa. Burgos. El Monte Carmelo. 1929-31. 5 vols. 15 cm. (Biblioteca Mística Carmelitana, 10-14).

I. *Preliminares;* II. *Subida y Noche oscura;* III. *Cántico.;* IV. *Llama de amor viva, Cautelas, Avisos, Cartas, Poesías;* V. *Procesos de beatificación y canonización.*
a) Foronda, B., en *Archivo Ibero-Americano,* XVII, Madrid, 1930, págs. 617-19.
b) Gaiffier, B. de, en *Analecta Bollandiana,* XLIV, Bruselas, 1931, págs. 462-64.
c) Macdonald, I. I., en *Bulletin of Spanish Studies,* VIII, Liverpool, 1931, págs. 116-18.
d) Peers, E. A., en *Bulletin of Spanish Studies,* VIII, Liverpool, 1931, págs. 217-219.
BARCELONA. *Central.* A.24-4.º-30/34; etc.—GRANADA. *Universitaria.* F. y Letras. CXX-8-2.—MADRID. *Nacional.* 5-14.999 (tomos 10-14). *Particular de «Razón y Fe».* Ac-29-1/5 [falta el III].—ROMA. *Teresianum.* Carm. B.1200 (10-14). — WASHINGTON. *Congreso.* 34-21353.

3224

OBRAS. Edición y notas del P. Silverio de Santa Teresa. Burgos. El Monte Carmelo. 1931. 1 lám. + 988 págs. 20 cm.
MADRID. *Nacional.* 2-87.840. — WASHINGTON. *Congreso.*

— — —

—2.ª ed. 1940. XXIX + 873 págs. 18 cm.
BARCELONA. *Central.* 83-8.º-403.—MADRID. *Instituto de Cultura Hispánica.* — *Nacional.* 4-4.067.—WASHINGTON. *Congreso.* 42-1936.
—3.ª ed. 1943. XXIX + 972 págs.

3225

POESIAS completas, versos comentados, avisos y sentencias, cartas. Edición, prólogo y notas de Pedro Salinas. Madrid. Edit. Signo. 1936. 139 págs. 18 cm. (Primavera y Flor).

a) E. A., en *Revista de Filología Española,* XXIII, Madrid, 1936, págs. 315-16.
BARCELONA. *Central.* 83-8.º-3.651.—MADRID. *Fundación Universitaria Española.* — WASHINGTON. *Congreso.* 37-17628.

3226

OBRAS... [Introducción, notas y bibliografía por José M. Gallegos Rocafull]. Méjico. Edit. Séneca. 1942. 1150 págs. 17 cm. (Laberinto, 4).

CAMBRIDGE, Mass. *Harvard University.*—NEW HAWEN. *Yale University.* — OBERLIN. *Oberlin College.*—ROMA. *Teresianum.* Carm. A.434.—WASHINGTON. *Congreso.* 43-1001.

3227

OBRAS. Edición conmemorativa del cuarto centenario del místico Doctor, con una introducción por el P. Bernardo de la Virgen del Carmen y algunas notas explicativas del P. Silverio de Santa Teresa... Buenos Aires. Edit. Poblet. 1942. 2 vols. con ilustr. 16 cm. (Colección de Clásicos Católicos).

CAMBRIDGE, Mass. *Harvard University.*—COLUMBIA. *Ohio State University.*—*University of Missouri.*—WASHINGTON. *Congreso.* 43-7476.

— — —

—1944.
MADRID. *Instituto de Cultura Hispánica.*

3228

OBRAS completas. La Plata. Calomino. 1944. 2 vols. 20 cm. (Col. Hispania).

SAN DIEGO. *University of California.*

3229

VIDA y Obras... Biografía inédita por el P. Crisógono de Jesús. Prólogo, introducción, revisión del texto y notas por el P. Lucinio del Santísimo Sacramento. Madrid. Edit. Católica. 1946. XXXII + 1336 págs. con ilustr. (Biblioteca de Autores Cristianos, 15).

Contiene las poesías siguientes:

1. *Canciones. En que canta el Alma la dichosa ventura que tuvo en pasar por la oscura Noche de la Fe, en desnudez y purgación suya, a la unión del Amado.* [«En una Noche obscura...»] (Págs. 413-414).

2. *[Cántico espiritual A]. Canciones entre el Alma y el Esposo.* [«¿Adónte te escondiste...»]. (Págs. 738-42).

3. *[Cántico espiritual E]. Canciones entre el Alma y el Esposo.* [«¿Adónte te escondiste...»]. (Págs. 832-36).

4. *Canciones que hace el Alma en la íntima unión en Dios su Esposo amado.* [«¡Oh llama de amor viva...»]. (Págs. 979-980).

5. *Copla del Alma que pena por ver a Dios.* [«Vivo sin vivir en mí...»]. (Págs. 1099-100).

6. *Cantar de la Alma que se huelga de conoscer a Dios por fe.* [«¡Qué bien sé yo la fonte que mana y corre...»]. (Págs. 1100-1).

7. *Romance sobre el Evangelio «in principio erat Verbum», acerca de la Santísima Trinidad.* [«En el principio moraba...»]. (Págs. 1101-2).

8. *Otro que va por «Suple flumina Babylonis».* [«Encima de las corrientes...»]. (Págs. 1109-10).

9. *Coplas hechas sobre un éxtasis de harta contemplación.* [«Entréme donde no supe...»]. (Págs. 1110-12).

10. *Otras canciones a lo divino de Cristo y el Alma.* [«Un pastorcico solo, está penado...»]. (Pág. 1112).

11. *Otras a lo divino.* [«Tras de un amoroso lance...»]. (Págs. 1112-13).

12. *Glosa.* [«Sin arrimo y con arrimo...»]. (Págs. 1113-14).

13. *Glosa a lo divino.* [«Por toda la hermosura...»]. (Págs. 1114-15).

14. *Letrillas.* 1. [«Del Verbo divino...»]. 2. *Suma de la perfección.* [«Olvido de lo criado...»].

a) Ismael, P., en *Revista de Espiritualidad,* V, 1946, págs. 567-69.

GRANADA. *Universitaria.* XLV-7-20.

————

—2.ª ed. Madrid. 1950. XL + 1.436 págs.

a) Adolfo de la Madre de Dios, Fray, en *Revista de Espiritualidad,* XI, Madrid, 1952, págs. 103-4.

b) S. A. T., en *La Ciudad de Dios,* CLXII, 1950, pág. 629.

—3.ª ed. 1955. XXXVI + 1400 págs.

c) José Vicente de la Eucaristía, Fray, en *Revista de Espiritualidad,* XV, Madrid, 1956, págs. 72-94.

—4.ª ed. 1960. XXVII + 1218 págs.

d) Esteban y Romero, A. A., en *Arbor,* XLIV, Madrid, 1961, págs. 543-45.

e) Ezquerdo, J., en *Revista Española de Teología,* XXI, Madrid, 1961, págs. 340-41.

f) S. de R., en *Manresa,* XXXIII, Madrid, 1961, pág. 81.

MADRID. *Ministerio de Cultura.* 37.597.—*Nacional.* 1-21.186.

—5.ª ed. 1964. XXIV + 1112 págs.

g) Ruiz de San Juan de la Cruz, F., en *Ephemerides Carmeliticae,* XVI, Florencia, 1965, págs. 263-64.

—6.ª ed. 1972.

MADRID. *Nacional.* 1-139.343.

—7.ª ed. Rev. y aum., con notas por M. del Niño Jesús. Ed. crítica, notas y apéndices por L. Ruano. 1973. XXXII + 1074 págs.

MADRID. *Ministerio de Cultura.* 108.980.

—8.ª ed. 1974.

MADRID. *Ministerio de Cultura.* 119.714.

—9.ª ed. 1975. XXXII + 1074 págs.

MADRID. *Ministerio de Cultura.* 159.098.—*Nacional.* D.4-43.028.

—10.ª ed. 1978. XXXII + 1206 págs.

MADRID. *Ministerio de Cultura.* 194.220.

3230

OBRAS completas. Edición y notas de José Vicente de la Eucaristía. Madrid. Edit. de Espiritualidad. 1957. 1 lám. + XLIX + 1206 págs. 15,5 cm.

a) Hornedo, R. M. de, en *Razón y Fe*, CLXIII, Madrid, 1961, pág. 327.

MADRID. *Instituto de Cultura Hispánica*.

3231

OBRAS. Prólogo de Alejandro Díez Blanco. Valladolid. Miñón. 1957. 397 págs. 16,5 cm. (Biblioteca de Bolsillo).

ROMA. *Teresianum*. Carm. A.5025.

3232

OBRAS completas. (Texto crítico - popular). Editadas por el P. Simeón de la Sagrada Familia. Burgos. El Monte Carmelo. 1959. 1683 págs. + 2 hs. 15,5 cm. (Archivo Silveriano, 3).

a) Amatus van de H. Familie, en *Archivum Bibliographicum Carmelitanum*, IV, Roma, 1959, págs. 223-25.

b) Colosío, I., en *Rivista de Ascetica e Mistica*, IV, Florencia, 1959, págs. 607-9.

c) Christopher, Fr., en *Mount Carmel*, VII, Londres, 1959-60, págs. 144-45.

d) Felipe de la Madre de Dios, Fray, en *El Monte Carmelo*, LXVII, Burgos, 1959, págs. 309-10.

e) García Millares, M., en *Teología Espiritual*, IV, Valencia, 1960, pág. 511.

f) Hornedo, R. M. de, en *Razón y Fe*, CLXIII, Madrid, 1961, pág. 327.

g) Krynen, J., en *Bulletin Hispanique*, LXIV, Burdeos, 1962, págs. 319-20.

h) Osuna, P. A., en *La Ciencia Tomista*, Salamanca, 1960, n.º 273, pág. 215.

i) Peters, C., en *Carmelus*, VIII, Roma, 1961, págs. 191-92.

j) Tomás, P. Pedro, en *Espiritualidad*, I, Méjico, 1959-60, págs. 458-59.

MADRID. *Ministerio de Cultura*. 36.969.—*Nacional*. 1-213.889.

— — —

—2.ª ed. 1972. 1707 págs.

3233

OBRAS. Introducción, prólogo y notas de José Luis L. Aranguren. Barcelona. Vergara. [1965]. 10005 págs. + 12 láms. 18,5 cm. (Clásicos Vergara).

BARCELONA. *Central*. 24-8.º-950.—MADRID. *Ministerio de Cultura*. 50.984.—*Nacional*. 4-56.619. ROMA. *Teresianum*. Carm. A.5276.

Obras varias

3234

[CARTAS. - Sentencias espirituales. - Llama de amor viva. - Poesías. Edición de Eugenio de Ochoa]. (En TESORO *de los escritores místicos españoles*. Tomo II. París. Baudry. 1877, págs. 509 y sigs. Colección de los mejores autores españoles, 43).

En el tomo 22 de la misma Colección, titulado *Tesoro de los prosadores españoles*, Ochoa había incluido ya diversos fragtos de los escritos en prosa.

3235

CANTICO espiritual entre el Alma y Cristo su esposo y poesías... según el Códice de Sanlúcar de Barrameda. Edición y notas del P. Silverio de Santa Teresa. Edición fototipográfica. Burgos. Imp. y Edit. «El Monte Carmelo». [s. a., ¿1928?]. 2 vols. 21 cm. (En Obras de ——).

MADRID. *Fundación Universitaria Española*. WASHINGTON. *Congreso*. 34-30338.

3236

AFORISMI e Poesie. Testo spagnolo con introduzione e versione a cura di G. de Lucca. Brescia. Morcelliana. 1933. 223 págs. 18 cm.

a) G. C., en *Bulletin Hispanique*, XXXVI, Burdeos, 1934, págs. 109-10.

b) Marcori, A., en *La Nuova Italia*, V, Perugia, 1934, pág. 373.

c) Peers, E. A., en *Hispanic Review*, II, Filadelfia, 1934, pág. 175.

d) Sanvisenti, B., en *Convivium*, V, Turín, 1933, págs. 917-18.

MADRID. *Nacional*. 2-89.397. — ROMA. *Teresianum*. Carm. A.5765.

3237

OBRAS escogidas. Edición y prólogo de Ignacio B. Anzoátegui. Buenos Aires. Espasa - Calpe. 1942. 151 págs. 18 cm. (Colección Austral, 326).

MADRID. *Nacional*. 4-7.863.

— — —

—2.ª ed. 1945.

—3.ª ed. 1947.
—4.ª ed. 1959.
MADRID. *Instituto de Cultura Hispánica.* — *Nacional.* 7-37.657.
—5.ª ed. 1964.
BARCELONA. *Central.* — MADRID. *Nacional.* 4-54.517.
—6.ª ed. 1969.
MADRID. *Ministerio de Cultura.* 133.208.—*Nacional.* 7-75.145.
—7.ª ed. 1974.
MADRID. *Ministerio de Cultura.* 159.354. *Nacional.* D.L.-15.935.
—8.ª ed. 1977.
MADRID. *Ministerio de Cultura.* 188.675.
—9.ª ed. 1979.
MADRID. *Ministerio de Cultura.* 199.499.

3238

Le Cantique spirituel. Poèmes et maximes. Texte établi, présenté et annoté par Michel Léturmy. Préface de Marcel Schaudeau. París. Le Club Français du Livre. 1956. 242 págs.

a) H. H., en *Écrits de Paris,* CCXCI, París, 1956, pág. 135.

Poesías

3239

DECLARACION de las canciones, qve tratan del exercicio de amor entre el Alma, y el Esposo Christo. En la qval se tocan y declaran algunos puntos y effetos de Oracion... Bruselas. Godofredo Schoevarts. 1627. 11 hs. + 302 fols. + 15 hs. 13,5 × 9 cm.

—Prólogo.—Aprobación de Iuan Bap. Stratio.—Canciones entre el Alma y el Esposo. [«A donde te escondiste...»].—Texto.—Otras canciones y poemas del autor.
Peeters-Fontainas, I, n.º 642 (con facsímil de la portada).
MADRID. *Nacional.* R-7.517 (con numerosas enmiendas mss. de letra de la época; etc.).
ROMA. *Teresianum.* Rari. A.12.

3240

TODAS las poesías de —— y de Santa Teresa de Jesús recogidas y publicadas por W. Storck. Monastero. Imp. de la librería de Theissing. 1854. 2 vols. 14,5 cm.

BERKELEY. *University of California.*—CHICAGO. *University of Chicago.*

3241

POESIAS de Fray Luis de León y ——. Madrid. Biblioteca Universal. 1899. 186 págs. 14,5 cm. (Biblioteca Universal, 5).
MADRID. *Consejo. General.*

3242

POESIAS. Colección formada por el P. Angel María de Santa Teresa. Burgos. Tip. y Edit. «El Monte Carmelo». 1904. XII + 71 págs. 19 cm. (Biblioteca Carmelitana).
BARCELONA. *Central.* S.J.C.58.—MADRID. *Nacional.* 1-63.624. *Particular de «Razón y Fe».* Xp-IV-241.

3243

POESIAS. Montevideo. Edit. La Bolsa de los Libros. 1915. 8.º

3244

POESIAS. Recopilación y prólogo de Fr. Gerardo de San Juan de la Cruz. Madrid. Bruno del Amo [s. a., ¿1921?]. 114 págs. 16 cm. (Letras Españolas, 1).
BARCELONA. *Central.* 83-8.º-5.863.—ITHACA. *Cornell University.*—MADRID. *Particular de «Razón y Fe».* Xp-V-11.—URBANA. *University of Illinois.*

3245

POESIAS. Nachvort von Ludvig Burchard. Munich. Theatiner. 1924. 60 págs. 4.º
Ed. bilingüe en castellano y alemán.
ROMA. *Vaticana.* R.G.Lett.Est.III.79.

3246

POESIAS. Publicadas bajo la dirección de J. Hurtado y A. González Palencia. Madrid. Voluntad. [s. a., ¿1925?]. 115 págs. 16 cm. (Letras Españolas, 1).
MADRID. *Consejo. General.*

3247

POESIAS. Segovia. 1929. 72 págs. 12 cm.

BARCELONA. *Central.* S.J.C.74 bis.

3248

POESIAS. Edited, with introduction and bibliography, by E. Allison Peers. Liverpool. «Bulletin of Spanish Studies». 1933. 64 págs. 16,5 cm. (Publications of the «Bulletin of Spanish Studies». Plain Text Series, 1).

BERKELEY. *University of California.*—BOSTON. *Public Library.*—HAVERFORD. *Haverford College.*—NEW HAVEN. *Yale University.*—WASHINGTON. *Congreso.* 33-23897.

3249

POESIAS completas. Edición y prólogo de Luis Guarner. Valencia. Edit. Tip. Moderna. 1941. 61 págs. 13 cm. (Colección Flor y Gozo, 15).

MADRID. *Ministerio de Cultura.* Foll.C.283-1. *Nacional.* V-1.247-22.

3250

OBRA poética, seguida de fragmentos de sus Declaraciones. Prólogo de M. Manent. Barcelona. Montaner y Simón. 1942. XX + 208 págs. 12 cm. (Colección Polimnia).

BARCELONA. *Central.* 83-8.º-1.068.—MADRID. *Nacioal.* 4-6.896; 4-2.181.

3251

POÉMES mystiques. Texte espagnol et version française de Benoit Lavaud. Neuchâtel. Ed. de la Baconnière. [1942]. 127 págs. 19,5 cm. (Collection des Cahiers du Rhône).

MADRID. *Consejo. General.* — *Nacional.* 4-19.472.

3252

POESIAS completas. Prólogo y revisión de Angel Valbuena. Barcelona. Edit. Tartessos. 1942. 96 págs. 16 cm.

MADRID. *Nacional.* V-1.478-80. *Particular de «Razón y Fe».* Xp-V-21.

3253

POESIAS. Buenos Aires. Viau. [1943]. 139 págs. con ilustr. 20 cm.

Con ilustraciones de Ballester Peña.
MADRID. *Nacional.* 1-103.471. — WASHINGTON. *Congreso.* 44-11477.

3254

POESIAS. Edición de gran lujo. Barcelona. Montaner y Simón. [1943]. 133 págs. + 3 hs. + 10 láms. 28,5 cm. (Colección Hora, 1).

Ilustrada con once aguafuertes originales de Ramón de Capmany, en colores.
BARCELONA. *Central.* S.J.4.349.—MADRID. *Ministerio de Cultura.* 2.101. *Nacional.* E-360. — WASHINGTON. *Congreso.* 44-45675.

3255

POESIAS. Edición numerada de 500 ejemplares. Madrid. 1946. 61 págs. con ilustr. 25 cm.

WASHINGTON. *Congreso.* 54-39644.

3256

POESIAS completas y otras páginas. Selección, estudio y notas por José Manuel Blecua. Zaragoza. Edit. Ebro. 1946. 132 págs. con ilustr. 17 cm. (Clásicos Ebro, 68).

WASHINGTON. *Congreso.* 49-42286*.

— — —

—4.ª ed. 1961.
MADRID. *Ministerio de Cultura.* Foll.1353-24. *Nacional.* V-4.700-49; etc.
—5.ª ed. 1964.
MADRID. *Nacional.* V-5.550-5.
—6.ª ed. 1968.
MADRID. *Nacional.* V-6.858-7.
—7.ª ed. 1971.
MADRID. *Nacional.* 7-84.928.
—8.ª ed. 1974.
MADRID. *Nacional.* D.L.-16.793.

3257

POESIAS completas y una selección de sus Comentarios en prosa, por Eulalia Galvarriato. Precedida de «La

Poesía de San Juan de la Cruz. (Desde esta ladera)», por Dámaso Alonso. Madrid. Edit. Aguilar. 1946. 584 págs. + 1 lám. 12 cm. (Colección Crisol, 171).

La nota preliminar de D. Alonso se reed. con el título de *Poesías que forman la obra auténtica de San Juan de la Cruz* y como Apéndice II a *La poesía de San Juan de la Cruz*, en sus *Obras Completas*, II, 1973. BRUSELAS. *Royale.* VI-36.779 A. — MADRID. *Nacional.* 4-27.548.

3258
Trois poèmes majeurs, avec une préface et dans une traduction de P. Darmangeant. En regard le texte de saint Jean. París. Portes de France. 1947. 81 págs. 19 cm.

3259
The Poems... The Spanish text, with a translation into English verse by E. Allison Peers. Londres. Burns Oates. 1947. XI + 81 págs. 19 cm.

ROMA. *Teresianum.* Carm. A.1965.

3260
Poesías completas. Edición de Pedro Salinas. Santiago de Chile. Cruz del Sur. 1947. 126 págs. 19 cm. (Col. Divinas Palabras).

MADRID. *Consejo. General.—Facultad de Filosofía y Letras.—Instituto de Cultura Hispánica.* — ROMA. *Teresianum.* Carm. A.1864.

3261
Poèmes mystiques. Texte espagnol et version française de Benoît Lavaud. Neuchâtel. La Bacconière. 1948. 125 págs. 20 cm. (Cahiers du Rhône, 7).

AMBERST. *University of Massachusetts.*

3262
POESIAS. Prólogo de Fr. Eduardo de San José. Burgos. Edit. El Monte Carmelo. 1951. 151 págs. 2,5 cm. (Colección Elica, 1).

PITTSBURGH. *University of Pittsburgh.*

3263
Poèmes mystiques. [*Traduits par Guy Lévis Mano*]. París. G.L.M. 1951. 39 págs. 16 cm. (Voix de la terre, 19). En español y francés.
WASHINGTON. *Congreso.* 56-26878.

3264
Poèmes. Poésie et vie mystique chez Saint Jean de la Croix. Traduction par Max Milner. París. Edit. du Seuil. 1951. 204 págs.

3265
The Poems... The Spanish text with a translation by Roy Cambell. Londres. The Harville Press. 1951. 90 págs. 22 cm.

— — —

—*The Spanish text, with a translation by Roy Campbell. Pref. by M. C. D'Arcy.* Nueva York. Pantheon Books. 1951. 190 págs. 22 cm.
—6.ª ed. Londres. The Harville Press. 1953. 90 págs. 21,5 cm.
MADRID. *Particular de la Casa Provincial de la Orden del Carmen Descalzo.* Carm. A. 556.
—Londres. Penguin Books. 1960. 109 págs. 18 cm. (Penguin Classics).
ROMA. *Teresianum.* Carm. A.2852.

3266
POESIE. Premessa e versione di Giovanni Maria Bertini. Milán. Edizioni Universitaire. Malfasi. [s. a., ¿1952?]. 144 págs.

WASHINGTON. *Congreso. Priority 4 Collection.*

3267
LIRA mística. Madrid. Edit. de Espiritualidad. 1955. 294 págs.

Incluye también poesías de Santa Teresa.

3268
POESIAS completas. Prólogo de Luis Guarner. Barcelona. Fama. [s. i.]. [s. a., 1955]. 119 págs. + 1 h. 16 cm. (Serie Poética Fama).

BARCELONA. *Central.* S.J.C.388.—MADRID. *Ministerio de Cultura.* 26.659. *Nacional.* V-2.422-2.

3269

POESIAS completas. [Méjico]. Libro Mex Editores. 1957. 122 págs. (Col. Lira).

WASHINGTON. *Congreso.* NUC 74-14907.

3270

POESIAS completas y comentarios en prosa a los poemas mayores. Nota preliminar y edición de las paesías, por Dámaso Alonso. Edición de los comentarios por Eulalia Galvarriato de Alonso. [Madrid. Aguilar]. 1959. 429 págs. con 1 lám. 12 cm. (Colección Crisol, 171 bis).

MADRID. *Ministerio de Cultura.* Foll.C.615-63. *Nacional.* 7-35.308; etc.

— — —

—2.ª ed. 1963.
MADRID. *Nacional.* 4-55.318.

—3.ª ed. 1968. (Crisol Literario, 32).
MADRID. *Ministerio de Cultura.* 4-23.275. *Nacional.* 7-71.714.

3271

The poems of St. John of the Cross. Original Spanish texts and new English version by John F. Nims. Nueva York. Grove Press. 1959. 147 págs. 20 cm.

a) Toelle, G., en *Carmelus*, VI, Roma, 1959, págs. 286-87.

— — —

—Londres. Calder. 1959. 147 págs.
—*...With an essay, «A lo divino», by Robert Graves.* Nueva York. Grove Press. 1968. 151 págs. 21 cm.
PRINCETON. *Princeton University.* — WASHINGTON. *Congreso.* 67-27891.

3272

Poèmes mystiques. Transposition: P. et Y. Hebert. [Aurillac. Edit. Gerbert]. [s. a., 1961]. 133 págs. con ilustr. de J. Roussel. 21 cm.

Texto bilingüe en español y francés.

— — —

—[s. a., ¿1965?].

BERKELEY. *University of California.* — WASHINGTON. *Congreso.* NUC 68-32125.

3273

Les poèmes mystiques... Introduction, texte, traduction, commentaire spirituel par Jean-Gabriel Hondet. París. Ed. de Centurion. 1966. 575 págs.

a) Ruiz, Federico, en *Ephemerides Carmeliticae*, XVIII, Roma, 1967, págs. 415-17.

3274

The poems of St. John of the Cross. The Spanish text with a translation by Roy Campbell. Pref. by M. C. D'Arcay. Nueva York. Grosset & Dunlap. 1967. 90 págs.

V. n.º 3265.

COLUMBIA. *University of Missouri.* — WASHINGTON. *Congreso.* NUC 19-36787.

3275

POEMS. With a translation by Roy Campbell. Baltimore. Penguin Books. [1968]. 109 págs. 18 cm. (The Penguin Classics).

Texto español e inglés en páginas opuestos. (V. núms. 3265 y 3274).
BLOOMINGTON. *Indiana Universiy.* — MADISON. *University of Wisconsin.* — NUEVA YORK. *Columbia University.* —WASHINGTON. *Congreso.* NUC 70-29419.

3276

The poems of Saint John of the Cross. English version and introduction by Willis Barnstone. Bloomington - Londres. Indiana University Press. [1968]. 124 págs. 21,5 cm.

3277

OBRA poética, seguida de fragmentos de sus declaraciones. Prólogo de M. Manent. Barcelona. Montaner y Simón. [1968]. 269 págs. 12 cm.
WASHINGTON. *Congreso.* 75-96506.

3278

POESIA mística de ——, Sta. Teresa de Jesús y J. Verdaguer. Barcelona. Eds. Zeus. 1970. 306 págs. 17 cm.

MADRID. *Nacional.* 4-93.241.

3279

POEMAS. Poesie. Texto bilingüe italiano-spagnolo. Traduzione di Jole Galofaro. Roma. Lilium. 1971. 95 páginas. 17 cm.

a) Ancilli, E., en *Rivista di Vita Spirituale,* XXXI, Roma, 1977, págs. 238-40.

ROMA. *Teresianum.* Carm. A.6659.

3280

OBRA poética. Subida del Monte Carmelo. Noche oscura. Cántico espiritual. Llama de amor viva. Prólogo de Gabriel de la Mora. Méjico. Edit. Porrúa. 1973. XXXI + 451 páginas con ilustr. 22 cm. (Sepan cuantos, 228).

a) S. G., en *Boletín Bibliográfico Mexicano,* Méjico, 1973, n.º 303, págs. 38-39.

LEXINGTON. *University of Kentucky.*—NUEVA YORK. *State University of New York at Buffalo.*—WASHINGTON. *Congreso.* NUC 75-126544.

3281

POESIAS. Edición, estudio y notas por Guillermo Sena Medina. La Carolina. [Gráf. Orbara]. 1974. 56 páginas. 21 cm. (Colección La Peñuela, 1).

MADRID. *Nacional.* V-10.560-6. — WASHINGTON. *Congreso.* 75-546048.

3282

POESIA. Introduzione e traduzione di Giorgio Agamben. Turín. Einaudi. 1974. 98 págs. 18 cm.

Texto bilingüe.

ROMA. *Nazionale.* Coll.It.1937/109. *Teresianum.* Carm. A.6383.

3283

LIRICA. Estudio preliminar y notas de Lilia E. F. de Orduna. Buenos Aires. Kapelusz. 1975. 122 págs. 18 cm. (Grandes Obras de la literatura universal, 119).

MADRID. *Ministerio de Cultura.* 168.528. — WASHINGTON. *Congreso.* 71-461864.

3284

L'opera poetica di san Giovanni della Croce. Tradotta e commentata da Alessandra Capocaccia Quadri. Milán. Ancora. [1977]. 155 págs. 22 cm.

Texto bilingüe en castellano e italiano.

a) De Mielesi, U., en *La Civiltà Cattolica,* CXXIX, Roma, 1978, págs. 441-42.

ROMA. *Teresianum.* Carm. B.4495. — WASHINGTON. *Congreso.* 77-552672.

3285

Poesía completa. Introducción y notas: Luis Jiménez Martos. Madrid. EMESA. 1977. 126 págs. 18 cm. (Novelas y Cuentos, 202).

MADRID. *Ministerio de Cultura.* 184.859. *Nacional.* V-2.160-9.

— — —

—2.ª ed. 1921.

MADRID. *Ministerio de Cultura.* 217.417.

3286

OPERE. Tirada de 300 ejemplares numerados. Turín. Fògola Editore. [1978]. 265 págs. con ilustr. 31,5 cm. Con una carpeta aneja que contiene cuatro xilografías de Margherita Pavesi, de 62,5 cm.

Edición bilingüe de las Poesías, por Aldo Ruffinatto, con trad. de Valeria Scorponi.

ROMA. *Nazionale.* RC.200.

3287

CANTICO espiritual. Poesías. Edición, estudio y notas de Cristóbal Cuevas García. [Madrid]. Alhambra. [1979]. V + 371 págs. 20 cm. (Col. Clásicos).

BARCELONA. *Central.* S.J.C.398.

3288

Poesías completas. Edición de Cristóbal Cuevas. [Barcelona]. Bruguera. [1981]. LXXX + 218 págs. + 2 hs. 17 cm. (Libro Clásico).

MADRID. *Ministerio de Cultura.* 220.346.

Cántico espiritual

3289

CANTICO (El) espiritual... París. Michaud. [s. a., ¿1915?]. 270 págs. 19 cm. (Biblioteca Económica de Clásicos Castellanos).

—Págs. 5-11: «San Juan de la Cruz», por A. Alvarez de la Villa.

BARCELONA. *Central.* 83-8.º-10.933. — BERKELEY. *University of California.*—CAMBRIDGE, Mass. *Harvard University.*—IOWA CITY. *University of Iowa.*—ITHACA. *Cornell University.*—WASHINGTON. *Catholic University of America. Ibero-American Callection.*

— — —

—[s. a., ¿1939?].

NUEVA YORK. *Public Library.*

3290

CANTICO espiritual entre el alma y Cristo su esposo. Madrid. Imp. Clásica Española. 1916. LVIII fols. con ilustr. 16 cm. (Biblioteca Corona. Libros de horas, 5).

BARCELONA. *Central.* S.J.C.-370.

3291

CANTICO (El) espiritual. Según el manuscrito de las Madres Carmelitas de Jaén. Edición y notas de Matías Martínez Burgos. Madrid. Edics. de La Lectura. 1924. LV + 360 págs. 19 cm. (Clásicos Castellanos, 55).

MADRID. *Consejo. General.*—WASHINGTON. *Congreso.* 25-24171.

— — —

—Reed.:
—Madrid. Espasa-Calpe. 1936. LXVIII + 304 págs.
—Madrid. 1944. LXVIII + 303 págs.
MADRID. *Nacional.* 1-100.252. — WASHINGTON. *Congreso.* 48-5796*.
—1952.
—1962.
MADRID. *Nacional.* 4-48.949.
—4.ª ed. 1969.
MADRID. *Ministerio de Cultura.* 70.555. *Nacional.* 4-82.832.

3292

Le cantique spirituel... Notes historiques. Texte critique. Version française, par Dom Chevallier. París.

Desclée de Brouwer. 1930. 770 págs. 21 cm.

a) Bataillon, M., en *Bulletin Hispanique,* XXXIII, Burdeos, 1931, págs. 164-70.
b) Eugenio de San José, Fray, en *El Mensajero de Santa Teresa...,* VIII, Madrid, 1930-31, págs. 366-71, y *El Monte Carmelo,* XXXV, Burgos, 1931, págs. 301-9, 353-61, 387-412.
c) Gaiffier, B. de, en *Analecta Bollandiana,* XLIX, Bruselas, 1931, págs. 462-64.
d) Groult, P., en *Revue d'Histoire Ecclésiastique,* XXVII, Lovaina, 1931, págs. 663-661.
e) P. M. de B., en *Estudios Franciscanos,* XLIV, Sarriá, 1932, pág. 113.

MADRID. *Nacional.* 1-5.166.—PARIS. *Nationale.* D.93111. — ROMA. *Teresianum.* Carm. B.274. *Vaticana.* R. G. Teol. V.4175.—WASHINGTON. *Congreso.* 31-15101.

3293

CANTICO dei cantici. Introduzione, texto spagnolo, traduzione e note a cura di D. E. A. Ettore de Giovanni. Piacenza. 1939. 50 págs. 18 cm.

ROMMA. *Nazionale.* 311.F.47/6; etc.

3294

CANTICO espiritual... Dirección y prólogo de A. Serrano Plaja. Buenos Aires. [Talleres de A. y J. Ferreiro]. 1942. 90 págs. 16 cm. (Colección Los Místicos).

WASHINGTON. *Congreso.* 43-46056.

3295

CANTICO espiritual. Prólogo de Leopoldo Marechal. Buenos Aires. Estrada. [1944]. 279 págs. 22 cm. (Colección Clásicos Castellanos, 2).

IOWA CITY. *University of Iowa.*—MADRID. *Instituto de Cultura Hispánica.* — NEW HAVEN. *Yale University.*

3296

Cantiques spirituels. Avec la traduction en vers français du R. P. Cyprien de la Nativité de la Sainte Vierge. Recueillis et présentés par Rafael Tasis. Tirada de 270 ejemplares numerados. París. 1946. 89

24

págs. con 12 láminas litografiadas en colores por Carles Fontseré. 4.º

Textos español y francés.

3297

Il Cantico spirituale. A cura di Guido Manacorda. Florencia. Fussi. [s. a., 1946?]. 48 págs. 17 cm. (Il Melograno, 10).

Bilingüe.

3298

Cantique spirituel. Texte du ms. de Jaen. Version française par Guy Lévis Mano. París. G. L. M. 1947. 27 págs. con 9 ilustr. de Raymond Gid. 4.º

3299

Le texte définitif du «Cantique spirituel» par Dom Philippe Chevallier, moine de Solesmes. Extrait du manuscrit offert très peu avant la mort du Saint à... l'impératrice Marie, retirée au couvent des clarisses de Madrid. Abbaye Saint-Pierre de Solesmes (Sarthe). 1951. 226 págs. 20 cm.

a) Bataillon, M., en *Bulletin Hispanique,* LIV, Burdeos, 1952, págs. 78-81.
b) B[ertini], G. M., en *Quaderni Ibero-Americani,* II, Turín, 1952, pág. 216.
c) Jiménez Duque, B., en *Revista Española de Teología,* XII, Madrid, 1952, págs. 676-77.

MADRID. *Nacional.* 4-41.333.—ROMA. *Teresia-*NUM. Carm. A.2115.

3300

El Cantico espiritual. Canciones entre el alma y Cristo su esposo. Buenos Aires. Edit. Difusión. 1946. 315 págs. (Col. Christus, 29).

ROMA. *Teresianum.* Carm. A.404.

3301

Il cantico spirituale. Florencia. Fussi. [s. a., 1952]. 48 págs. (Il Melangrano, 10).

A cura di Guido Manacorda.
En español e italiano.

BARI. *Nazionale.* 41-V-15. — NEW HAVEN. *Yale University.*—ROMA. *Nazionale.* Coll.Ital.1450, 10; etc.

3302

CANTICO espiritual. Introducción de Fortunato de Jesús Sacramentado. Madrid. Edit. de Espiritualidad. 1955. 417 págs. 12,5 cm.

MADRID. *Particular de la Provincia de la Orden del Carmen Descalzo.*—ROMA. *Teresianum.* Carm. A.424.

3303

CANTICO espiritual. Edición, prólogo y notas de Fr. Casto del Niño Jesús. [Santander]. Cantalapiedra. 1956. 31 págs. 19,5 cm.

MADRID. *Instituto de Cultura Hispánica.*

3304

Les Cantiques spirituels. Traduction en vers français du P. Cyprien de la Nativité de la Vierge. Tirada de 95 ejemplares. París. Maeght. 1963. 71 págs. con litografías originales de François Fiedler. 39 cm.

En español y francés.

3305

CANTICO espiritual leído hoy. [Versión moderna] por Jesús Martí Ballester. Madrid. Edics. Paulinas. 1977. 222 págs. 19 cm. (Fermentos, 2).

MADRID. *Nacional.* 4-144.636.—ROMA. *Teresianum.* Carm. A.6818 (2).

— — —

—3.ª ed. 1979. 230 págs.

ROMA. *Teresianum.* Carm. A.6818 (2).

3306

CANTICO espiritual (1578-1586). Segunda redacción. Introducción, revisión textual y notas al texto por José Vicente Rodríguez. Introducción doctrinal y notas doctrinales por Federico Ruiz Salvador. Madrid. Espiritualidad. 1979. 251 págs. 17 cm.

MADRID. *Ministerio de Cultura.* 199.303. *Nacional.* 4-155.429.—ROMA. *Teresianum.* Carm. A.6900.

Subida al Monte Carmelo

3307
SUBIDA del Monte Carmelo. Barcelona. J. Rosa. 1883. 326 págs. 16 cm.
BARCELONA. *Central.* S.J.C.52. *Universitaria.* 116-3-26.—ROMA. *Teresianum.* Carm. A.409.

3308
SUBIDA al Monte Carmelo. Prólogo de Rafael González Moralejo. Madrid. Rialp. 1961. 311 págs. 11,5 cm. (Col. Neblí, 27).
MADRID. *Ministerio de Cultura.* Foll.1405-32. *Nacional.* 1-221.231.

3309
SUBIDA del Monte Carmelo. Madrid. Edit. de Espiritualidad. [1965]. 574 + 17 págs. 12,5 cm. (Biblioteca Popular Carmelitana).
MADRID. *Particular de la Casa Provincial de la Orden del Carmen Descalzo.*—WASHINGTON. *Congreso.* NUC 69-111935.

3310
SUBIDA del Monte Carmelo leído hoy. [Versión moderna] por Jesús Martí Ballester. Madrid. Edics. Paulinas. 1979. 43 págs. 19 cm. (Fermentos, 13).
MADRID. *Nacional.* 4-157.399.

— — —
—2.ª ed. 1980.
MADRID. *Nacional.* 4-164.419.

Llama de amor viva

3311
LLAMA de amor viva. Segovia. Padres Carmelitas Descalzos. 1930. 256 págs. 12 cm.

3312
LLAMA de amor viva. 2.ª ed. Madrid. Edit. de Espiritualidad. 1955. 230 páginas. 12,5 cm.

— — —
—3.ª ed. 1980.
MADRID. *Nacional.* 4-164.522.

3313
LLAMA de amor viva leída hoy. [Versión moderna] por Jesús Martí Ballester. Madrid. Edics. Paulinas. 1979. 287 págs. 19 cm. (Fermentos, 16).
a) T. E., en *Teología Española*, XXIV, Valencia, 1980, pág. 149.
MADRID. *Nacional.* 4-165.233.

Avisos y sentencias. Cautelas

3314
CAUTELAS espirituales contra el demonio, mundo y carne... Puebla de los Angeles. 1692. 18 págs. 14 cm.
BERKELEY. *University of California. Baneroft Library.*

3315
AVISOS y sentencias espirituales. Sevilla. Francisco Leefdael. 1701. 15 hs. + 384 págs. 15 cm.
Escudero, n.º 1.977.
BARCELONA. *Central.* S.J.C.41.—MADRID. *Nacional.* 3-68.863.—ROMA. *Teresianum.* Carm. A. 4966.—SEVILLA. *Colombina.*

3316
AVISOS, y Sentencias espirituales qve encaminan a vn Alma a la mas perfecta Vnion con Dios en Transformacion de Amor. Barcelona. Por los Padres Carmelitas Descalços. [s. a.]. 15 hs. + 674 págs. 14,5 cm.
—Ded. a San Ioseph, por Francisco de Leefdael.—E.—Apr. de Valentin Lamperez y Blazquez (1701).—L. V. Sevilla.—Censura Fr. Diego Perci.—L. del Juez de las Imprentas (Sevilla, 1701). — L. O. (1724). — El Impressor al Lector, por Francisco de Leefdael. — Tabla. — Texto. (Págs. 1-503).
Págs. 503-51: *Breve svmma de la Oración mental, y de su exercicio, conforme se pratica en los noviciados de los Carmelitas descalzos,* por Fr. Iuan de la Madre de Dios.
—Prologo al Lector.—Texto.
Págs. 553-631: *Reglas para examinar, y discernir el interior aprovechamiento de un Alma,* por Fr. Thomás de Jesús.

—Apr. de Fr. Andres de Soto (Bruselas, 26 de deziembre de 1619).—Apr. de Enrique Smeyers (Bruselas, 7 de enero de 1620).—Ded.—Prologo.—Texto.

Págs. 633-74: *Monte de Piedad y Concordia espiritual,* por Fr. Domingo de Jesus Maria.

ALCALA DE HENARES. *Convento de Carmelitas Descalzas del Corpus Christi.* — BARCELONA. *Central.* A-24-8.°-565. *Universitaria.* B.57-8-35; etc.—MADRID. *Nacional.* 3-68.863. — ROMA. *Teresianum.* Carm. A.412.—SEVILLA. *Universitaria.* 49-2.—URBANA. *University of Illinois.* ZARAGOZA. *Seminario de San Carlos.* 97-11-1.

3317
CAUTELAS. Valencia. Lucas. 1759. 20 págs.

BARCELONA. *Central.* S.J.C.43.

3318
CAMINO breve para la Perfección o avisos y cautelas que ha menester traer siempre delante de sí el que quisiera ser verdadero Religioso y llegar en breve a mucha perfección. Vich. Imp. de Ramón Anglada. 1892. 16 págs. 13 cm.

BARCELONA. *Central.* S.J.C.53.

3319
AVISOS y sentencias espirituales. Madrid. La España Editorial. [s. a.]. 182 págs. 13 cm. (Joyas de la Mística española, 3).

BARCELONA. *Central.* S.J.C.55.—ROMA. *Teresianum.* Carm. A-421.

3320
SUMA espiritual. Avisos y sentencias espirituales que encaminan a un alma a la más perfecta unión con Dios en transformación de amor, sacados de las Obras del Místico Doctor, por un Carmelita Descalzo, el R. P. Angel María de Santa Teresa. Burgos. Imp. de «El Monte Carmelo». 1904. 278 págs. + 3 hs. 19 cm.

BARCELONA. *Central.* S.J.C. 256.—MADRID. *Nacional.* 1-62.347. *Particular de «Razón y Fe».* K-IV-282.

3321
INSTRUCCION y Cautelas. Barcelona. Imp. Viuda Casanovas. 1908. 19 págs. 12 cm.

BARCELONA. *Central.* S.J.C.60.

3322
CAUTELAS. Burgos. Tip. El Monte Carmelo. 1911. 24 págs. 12 cm.

BARCELONA. *Central.* S.J.C.60.

3323
AVISOS y sentencias espirituales. Madrid. Patronato Social de Buenas Lecturas. 1916. 127 págs. 16 cm. (Biblioteca de «La Cultura Popular», 12).

BARCELONA. *Central.* S.J.C.64.

3324
SANTIDAD (La) en el claustro, o Cautelas del seráfico doctor místico ——. Comentadas por... Fr. Lucas de San José. Barcelona. R. Casulleras. 1920. 406 págs. 17 cm.

MADRID. *Particular de la Casa Provincial de la Orden del Carmen Descalzo.* Carm. A. 608.—ROMA. *Teresianum.* Carm. A.6282.—URBANA. *University of Illinois.*
————
—3.ª ed. 1929. XII + 628 págs.
MADRID. *Particular de la Casa Provincial de la Orden del Carmen Descalzo.* Carm. A. 609.—ROMA. *Teresianum.* Carm. A.1067.
—4.ª ed. 1946.
—5.ª ed. 1968.
MADRID. *Particular de la Casa Provincial de la Orden del Carmen Descalzo.* Carm. A. 611.

3325
Les avis, sentences, et maximes de saint Jean de la Croix, ... Pensées venues de ses cahiers, de ses réponses, de ses billets, et de ses oeuvres. [París]. Desclée de Brouwer. &. Cie. 1933. 351 págs. 20,5 cm.

Por Dom Chevallier. Texto francés y español en páginas opuestas.
a) Bataillon, M., en *Bulletin Hispanique,* XXXVI, Burdeos, 1934, págs. 110-15.

LYON. *Municipale.* 455.590. — MADRID. *Nacional.* 1-86.500. — PARIS. *Nationale.* D.93457. — ROMA. *Vaticana.* R. G. Teol. IV.3619.—WASHINGTON. *Congreso.* 33-22271.

3326

AVISOS y sentencias espirituales. Buenos Aires. Cursos de Cultura Católica. 1940. 139 págs. + 1 lám. 19 cm.

MADRID. *Consejo. General.*—ROMA. *Teresianum.* Carm. A.6416.—WASHINGTON. *Congreso.* A41-2333 Revised.

3327

CAUTELAS, avisos y sentencias.— Santa Teresa de Jesús. *Avisos para sus monjas.* Madrid. Imp. Huelves y Cía. 1942. 127 págs. 16.º

MADRID. *Nacional.* V-1.641-16.

3328

CAUTELAS. Avisos. Cartas. Dictámenes. Madrid. Edit. de Espiritualidad. 1955. 191 págs. 12,5 cm. (Biblioteca Popular Carmelitana).

MADRID. *Particular de la Casa Provincial de la Orden del Carmen Descalzo.*

— — —

—3.ª ed. 1966.
WASHINGTON. *Congreso.* NUC 69-13319.
—4.ª ed. 1965. 179 págs.

3329

AVISOS para después de profesos. Nuevo escrito del Santo Doctor. Edición y estudio por los PP. Simeón de la Sagrada Familia y Tomás de la Cruz. Roma. Facultas Theologica O.C.D. 1961. X + 116 págs. 28 cm.

a) Colosio, I., en *Rivista di Ascetica e Mistica*, VI, Florencia, 1961, págs. 666-68.

b) Galot, J., en *Nouvelle Revue Théologique*, LXXXV, París, 1963, pág. 773.

ROMA. *Nazionale.* Coll. It. 1669/1. *Teresianum.* Carm. B.2231-1(1).

3330

DICHOS de luz y amor. Cautelas y avisos. Editados por los PP. Carmelitas descalzos del Santuario de San Juan de la Cruz. Segovia. PP. Carmelitas Descalzos. 1961. 64 págs. 12 cm.

a) Hernández, R., en *La Ciencia Tomista*, CV, Salamanca, 1978, pág. 328.

b) Vázquez, L., en *Estudios*, XXXIII, Madrid, 1977, pág. 115.

MADRID. *Nacional.* V-5.009-18.

3331

[*CAUTELAS y Avisos de* —— *y Santa Teresa de Jesús*]. (En Royo María, Antonio. *La vida religiosa.* Madrid. La Editorial Católica. 1965, páginas 644-53. Biblioteca de Autores Cristianos, 244).

3332

DICHOS de luz y amor. Edición facsímil. (Códice de Andújar). Introducción y transcripción de José Vicente Rodríguez. Madrid. Edit. de Espiritualidad. 1976. 74 págs. 16,5 cm.

Con reproducción facsímil del códice en las págs. 49-74.

BURGOS. *Facultad de Teología.*—MADRID. *Ministerio de Cultura.* Foll.1036-1.

Antologías

3333

ANTOLOGIA literaria del Dr. Místico ——. *Ordenada para lectura de Escuelas y Colegios. Bajo los auspicios de la Junta Central de Fontiveros. Año 1926-27.* Salamanca. Imp. Lib. Francisco Núñez Izquierdo. 1927. 96 págs. 17 cm.

BARCELONA. *Central.* S.J.C.73.—MADRID. *Nacional.* V-1.490-2.

3334

AÑO místico de ——. *Máximas para cada día del año, sacadas por un padre carmelita descalzo...* [Segovia. Imp. Alma Castellana]. [1927]. 68 + 9 págs. 15 cm.

BARCELONA. *Central.* S.J.C.72.

3335

POESIAS escogidas. Madrid. Imp. Clásica Española. 1927. 64 págs. 13 cm. (Biblioteca Alma, 3).

MADRID. Nacional. V-1.089-1.

3336

Sus mejores versos. Prólogo de Adolfo de Sandoval. Madrid. Imp. de Sordomudos. 1929. 79 págs. con ilustr. 17 cm. (Los Poetas, 30).

MADRID. Nacional. V-10.098-7.

3337

SAN Juan de la Cruz. Selección y prólogo de Miguel Aznar. Barcelona. Yunque. [s. a., 1939]. 84 págs. 13 cm. (Poesía en la Mano, 2).

BARCELONA. Central. 80-8.º-337. Universitaria. S.Vitr.B-1-3.—MADRID. Nacional. V-10.798-5.

3338

PAGINAS escogidas. Selección y notas de Fernando Gutiérrez. Barcelona. Edit. Luis Miracle. [1940]. 329 págs. + 3 hs. + 1 lám. 20 cm. (Colección Merges).

BARCELONA. Central. 83-8.º-2.737.—MADRID. Nacional. 7-73.111.—WASHINGTON. Congreso. 42-28.342.

3339

ANTOLOGIA. Por Juan Domínguez Berrueta. Madrid. Edit. Nacional. 1941. 198 págs. 17 cm. (Breviarios del Pensamiento Español).

MADRID. Ministerio de Cultura. 4-8.319.

3340

[SELECCION de poesías, por Miguel Herrero García]. [Madrid. Escuela Nacional de Artes Gráficas]. [1955]. 30 págs. + 1 h. + 1 lám. 27 cm.

MADRID. Nacional. 7-33.151; etc.—URBANA. University of Illinois.—WASHINGTON. Congreso. Priority 4 Collection.

3341

CANCIONES. San Salvador. Ministerio de Educación. 1961. 20 págs. (Col. Azor).

3342

San Juan de la Cruz. Estudio y Antología por Luis Aguirre Prado. Madrid. Compañía Bibliográfica Española. [1963]. 208 págs. 19 cm. (Un Autor en un Libro, 12).

MADRID. Ministerio de Cultura. 4-16.234. Nacional. 1-110.311.

3343

BREVIARIO místico. Textos breves... Selección del P. Simeón de la S. Familia. Burgos. El Monte Carmelo. 1964. 317 págs. 11 cm. (Col. Dardo, 1).

COLUMBUS. Ohio State University. — MADRID. Nacional. V-5.507, n.º 27; etc.—WASHINGTON. Congreso. NUC 71-71046.

3344

ANTOLOGIA poética. Equipo rector: Aurelio Labajo, Carlos Urdiales, Trini González. Madrid. Coculsa. [s. a., 1967]. 48 págs. 16,5 cm. (Primera Biblioteca, 15).

MADRID. Nacional. V-9.046-6; etc.

3345

San Juan de la Cruz. Selección de P. Salazar. 2.ª edición. Méjico. Editores Mexicanos. 1971. 122 págs. 17 cm.

MADRID. Ministerio de Cultura. 183.286.

— — —

* * *

V. además n.º 3655.

TRADUCCIONES

a) ALEMANAS

3346

Die Geistliche. Praga. 1697. 958 págs. 20,5 cm.

ROMA. Nazionale. 32.4.F.24-25. Teresianum. Carm. B. 4399.

3347

Die Sämtliche Schriften des heiligen Johannes vom Kreuz mit einer Einleitung und mit Anmerkungen aus

Kirchenvätern herausgegeben von Gallus Schwab. Sulzbach. J. C. Seidel'schen. 1830. 2 vols. 21,5 cm.

BARCELONA. *Central.* S.J.C.36.—ROMA. *Teresianum.* Carm. B.3807.

— — —

—2.ª ed. Regensburg. F. Pustet. 1858-59. 2 vols.

BARCELONA. *Central.* S.J.C.37.

3348

SÄMMTLICHE Gedichte des heiligen Johannes vom Kreuze und der heiligen Theresia von Jesus, gesammelt und übersetzt von W. Storck. Münster. Theissing. 1854. 8.º

LONDRES. *British Museum.* 11527.aa.

3349

LEBEN und Werke des heiligen Johannes vom Kreuz... übersetzt von P. Peter Lechner... Regensburg. G. J. Manz. 1858-59. 3 vols. 22 cm.

BARCELONA. *Central.* S.J.C.38. — PARIS. *Nationale.* D.90942.—ROMA. *Teresianum.* Carm. B. 1394.

3350

Des heiligen Johannes von Kreuz sämtliche Werke in fünf Bänden. Neue deutsche Ausgabe von P. Aloysius ab Immac. Conceptione und P. Ambrosius a S. Theresia... Munich. Theatiner Verlag. 1924-29. 5 vols. 21,5 cm.

BARCELONA. *Central.* S.J.C.334 [II-IV].—ROMA. *Teresianum.* Carm. B.310. *Vaticana.* R.G. Teol.IV.2730 (1-5).

— — —

—1942-52.
—Munich. Im Kösel-Verlag. 1956-57. 5 vols. 21 cm.
ROMA. *Teresianum.* Carm. B.2044.

3351

Samtliche Werke. Einsedeln. Johannes Verlag. 1961-64. 4 vols. 19 cm. (Lectio spiritualis, 4, 6, 7, 9).

Trad. por Irene Behn y Oda Schneider.

ITHACA. *Cornell University.*—ROMA. *Teresianum.* Carm. B.5407.—WASHINGTON. *Congreso.*

Poesías

V. n.º 3245.

Noche oscura

3352

Die dunkle Nacht der Seele; sämtliche Dichtungen. Aus dem Spanischen übertragen und eingeleitet von Felix Braun. Salzburgo. Otto Müller. 1952. 87 págs. 18 cm.

a) Bithell, J., en *The Modern Language Review*, XLVIII, Cambridge, 1953, pág. 363.

WASHINGTON. *Congreso.* 52-37993.

— — —

—1955.

Antologías

3353

Die Gotteslohe. Auswahl aus seinen Werken. Übertragen und eingeleitet von Irene Behn. Einsiedeln. Johannes Verlag. [1958]. 144 págs. 19 cm. (Sigillum, 12).

MADRID. *Particular de la Casa Provincial de la Orden del Carmen Calzado.* Carm. A.554.

3354

Worte und Briefe. (Zusammengestellt von Maria Monika Hemnes). Munich. Verl. Ars Sacra. 1969. 30 págs. 19 cm. (Sammlung Sigma).

BERLIN. *Ibero-Americanischen Instituts.* — WASHINGTON. *Congreso.* 79-547525.

b) ARABES

3355

[El Cántico espiritual, trad. por Angel Rodríguez]. Choubrad-El Cairo. Carmes Déchaussés. 1976. 27 cm.

ROMA. *Teresianum.* Carm. B.4435.

c) BOHEMIAS

Cántico espiritual

3356

Spisy sv. Jana od Křize Ucitels Církevniko. V českén překlase s úvoden a poznámkami podává Jaròslaw

Ovečka. Volomomi. Pominkánska Edice Krystal. 1940-47. 4 vols. 22 cm.

ROMA. *Teresianum.* Carm. B.1971.

— — —

—2.ª ed. Olonouei. 1947.
ROMA. *Teresianum.* Carm. B.1971.

d) CROATAS
3357

Duhovni Spjev. [*Trad. por Andrya Bonifačič*]. Split. Symposion. 1977. 270 págs. 20 cm. (Symposion, 5).

ROMA. *Teresianum.* Carm. A.6831.

e) FRANCESAS

Obras
3358

Les oeuvres spirituelles pour acheminer les âmes a la perfaite union avec Dieu, traduictes... par M. R. Gaultier. París. Michel Sonnius. 1621.

— — —

—París. Michel Sonnius. 1628.
LYON. *Municipale.* 334823.—ROMA. *Teresianum.* Carm. A.442.

3359

Les Œuvres spirituelles du B. P. Jean de la Croix... nouvellement reveues... par le R. P. Cyprien de la Nativité de la Vierge... Ensemble quelques opuscules du dit B. P. Jean de la Croix qui n'ont encore esté imprimez [*l'Introduction et advis général, par le P. Hierosme de Saint-Joseph*]*, et un esclaircissement théologique du P. Nicolas de Jésus Maria. Le tout traduit en françois par le même P. Cyprien...—Notes et remarques en trois discours pour donner une plus facile intelligence des phrases mystiques et de la doctrine des œuvres spirituelles du B. P. Jean de la* '*Croix... par le R. P. Jacques de Jésus... traduites d'espagnol en françois par M. R. G. C. D. R.* [*Gaultier*].

Paris. V.ᵛᵉ Chevalier. 1641. 3 partes en 2 vols. 23 cm.

Llevan paginación corrida, pero el *Cántico* y la *Llama* van aparte.

LYON. *Municipale.* 337.968.—PARIS. *Nationale.* D.8220.—ROCHESTER. *Colgate-Rochester Divinity. Sc.*—ROMA. *Teresianum.* Carm. B.4345.

— — —

—París. Veuve de Pierre Chevalier. 1652. 2 partes en un vol. 23 cm.

COLUMBUS. *Ohio State University.*—ROMA. *Teresianum.* Carm. B.2505.

3360

Les Œuvres spirituelles... traduites... par le P. Cyprien de la Nativité de la Vierge... augmentées d'un traicté théologique de l'union de l'âme avec Dieu... par le P. Louis de Saincte-Thérèse... Paris. E. et J. Couterot. 1665. 462 págs. 24 cm.

LYON. *Municipale.* 337.969.—PARIS. *Nationale.* D.8221.—ROMA. *Teresianum.* Carm. B.2344. —1945.

3361

Les Œuvres spirituelles du bienheureux Jean de la Croix... Traduction nouvelle, par le P. Jean Maillard... Paris. J. Couterot. 1694. 594 págs. 4.º

PARIS. *Arsenal.* B.A.4T.2136. *Nationale.* D. 8222. *Sorbona.* TT.a.2.—ROMA. *Teresianum.* Carm. B.1895.

— — —

—París. Louis Guérin. 1694. 24 hs. + 594 págs. + 6 hs. + un retrato. 4.º
NUEVA YORK. *Union Theological Seminary.*— PARIS. *Arsenal.* B.A.4T.2137 y 2138. *Nationale.* D.5537; Rés. D.5538.

—París. J. Couterot. 1695. 594 págs. 4.º
LYON. *Municipale.* 109.135.—PARIS. *Nationale.* D.8223; D.8224.

3362

Les Oeuvres spirituelles... Nouvelle édition, augmentée des Lettres du P. Berthier sur la doctrine spirituelle de Saint Jean de la '*Croix et de notes qui éclaircissent les pas-*

sages difficiles du texte. Aviñon. L. Aubanel. 1828. 3 vols. 12.º

ROMA. *Teresianum.* Carm. A.443.

———

—Aviñón. Vve. Fische-Joly. 1834. 3 vols. 17,5 cm.

ROMA. *Teresianum.* Carm. A.2526.

—París. Lecoffre. 1875.

—París. Gustave Martin. 1846.

—Besançon. Charles Deis et Paris. Lecoffre. 1846. 640 págs. 4.º

—París. Jacques Lecoffre et C. 1849. 640 págs. 21,5 cm.

—París. Jacques Lecoffre et C. 1862.

—París. Perisse frères. 1864. XLVIII + 566 págs. 22,5 cm.

WASHINGTON. *Catholic University of America. Hyvernat Collection.*

—Besançon. Martin. 1864.

—París. Regis. 1864.

3363

Oeuvres completes. (En Teresa de Jesús, Santa. *Oeuvres trè-complètes... Publié par l'abbé Migne.* Tomo IV. París. 1846).

ROMA. *Nazionale.* 8.3.D.6.

———

—Idem. Tomo III. París. 1863, págs. 363-760.

3364

Les Oeuvres complètes et la Vie de Saint Jean de la Croix... par Mgr. Gilly... París. Ch. Douniol, H. Chapellier et Cie. 1865-94. 4 vols. 18,5 cm.

BOSTON. *Public Library.*

— — —

—Chapelliez. 1893. 4 vols. 12.º

3365

Vie et oeuvres spirituelles de l'admirable docteur mystique le bienheureux P. Saint Jean de la Croix. Traduction nouvelle faite sur l'édition de Séville de 1702, publiée par les soins des Carmélites de Paris. Introduction par le T. R. P. Chocarne. París. Ch. Douniol. 1877-80. 4 vols. 19 cm.

— — —

—2.ª ed. París. H. Oudin. 1870. 4 vols. 19 cm.

—3.ª ed. París-Poitiers. H. Oudin. 1892-94. 4 vols. 10 cm.

CAMBRIDGE, Mass. *Harvard University.*

—París. E. Oudin. 1903-10. 4 vols. 19 cm.

NEW HAVEN. *Yale University. Divinity School Library.*

—4.ª ed. París-Poitiers. H. Oudin. 1913. 4 vols.

—5.ª ed. París-Poitiers. H. Oudin. 1910. 4 vols.

ROMA. *Vaticana.* R.G.Teol.V.3087.

—6.ª ed. Tours. A. Mame et fils. 1922. 4 vols. 18,5 cm.

CAMBRIDGE, Mass. *Harvard University.*—ROMA. *Vaticana.* R.G.Teol.V.7009 (1-4).

—8.ª ed. Hours-Maison Mame. 1936. 4 vols. 18,5 cm.

3366

Œuvres de saint Jean de la Croix, traduites par le P. Charles-Marie du Sacré-Coeur... Toulouse. Impr. de L. et J.-M. Dauladoure. 1876. 8.º

I. La Montée du Mont-Carmel.

PARIS. *Nationale.* D.64226.

3367

Oeuvres spirituelles. Traduction nouvelle sur le texte de l'édition critique espagnole du P. Gérard de Saint Jean de la Croix, U. C. D. (Tolède, 1912), par... H. Hoornaert... Lille. Desclée de Brouwer et Cie. 1915-18. 3 vols.

— — —

—1922. 4 vols. 18,5 cm.

CAMBRIDGE, Mass. *Harvard University.*

—1925. Tomo I.

—Bruges-París. Desclée de Brouwer et C. 1927-28. 3 vols. 19 cm.

3368

ŒUVRES... Traduction nouvelle par la Mère Marie du Saint Sacrement. Bar-le-Duc. Imp. Saint Paul. 1933-37. 4 vols. 22 cm.

PARIS. *Nationale.* D.93606 (2).

3369

ŒUVRES spirituels. Traduction nouvelle par le R. P. Grégoire de Saint Joseph. Monte-Carlo. Couvent des Carmes. 1932-34. 7 vols. 18,5 cm.

PARIS. *Nationale.* C.5571.

— — —

—2.ª ed. Marsella. Imp. des Ed. Publiroc. 1932. 259 págs. 16.º
PARIS. *Nationale.* D.93332 (2).
—París. Éditions du Seuil. 1947. 1305 págs. 17,5 cm.
—1949.
DURHAM. *Duke University.*—NEW HAVEN. *Yale University. Divinity School Library.*—WASHINGTON. *Congreso. Priority 4 Collection.*
—1954.
—Monte-Carlo. Couvent des Carmes. 1947. I. La montée du Carmel. 1.ᵉ partie. XXV + 253 págs. + 1 lám.
—París. Edit. du Seuil. 1964. 1307 págs. 18 cm.
WASHINGTON. *Congreso.* 68-136094.

3370

ŒUVRES spirituelles. Traduction et presentation de Lucien Marie de S. Joseph. Paris. Desclée de Brouver. 1942-47. 2 vols.

— — —

—1959. 1562 págs. (Bibliothéque Européene).
a) Groult, P., en *Les Lettres Romanes*, XVI, Lovaina, 1962, págs. 195-96.

3371

Les oeuvres spirituelles du Bienheureux Père ——. *Traduites en française par le R. P. Cyprien de la Nativité. Edition nouvelle revue et augmentée par le P. Lucien-Marie de St. Joseph.* Bruges. Desclée de Brouwer. 1942. LXX + 643 págs. 18,5 cm.

— — —

—1945.
—1947.
—París. Desclée. 1949. 2 vols.
a) Lucinio del Santísimo Sacramento, Fray, en *Revista de Espiritualidad*, IX, Madrid, 1950, págs. 486-87.
ROMA. *Vaticana.* R.G.Teol.V.6597.
—1959.
b) Nicolás, J. H., en *Freiburger Zeitschrift für Philosophie und Theologie*, VII, Friburgo, 1960, págs. 92-93.
c) Peters, C., en *Carmelus*, VI, Roma, 1959, págs. 284-85.
d) Simeón de la Sagrada Familia, Fray, en *Ephemerides Carmeliticae*, XI, Roma, 1960, págs. 249-50.

e) Thiry, A., en *Nouvelle Revue Théologique*, LXXXII, Lovaina, 1960, págs. 757-58.
CAMBRIDGE, Mass. *Harvard University.*
—4.ª ed., revue et corrigée. 1967. XVI + 1245 págs. 18 cm.
ANN ARBOR. *University of Michigan.*—MADRID. *Fundación Universitaria Española.* — WASHINGTON. *Congreso.* 74-129452.

Varias obras

3372

La nuit obscure de l'âme. Paris. Tchou Éditeur. 1966. 192 págs. sin numerar. 12 cm.

Comprende: Poesías, Avisos y Sentencias y algunas cartas.

ROMA. *Teresianum.* Carm. A.5341 (1).—WASHINGTON. *Congreso.* 68-121848.

* * *

V. además n.º 3238.

Poesías

3373

Trois poèmes... Adaptés en français par Armand Godoy. Paris. Grasset. 1937. 24 págs. 22,5 cm.

a) Pitollet, C., en *Bulletin Hispanique*, XLV, Burdeos, 1943, págs. 214-21.
MADRID. *Particular de la Casa Provincial de la Orden del Carmen Descalzo.* Carm. A. 555. *Particular del Duque de Alba.* Foll. 88. — ROMA. *Vaticana.* R.G.Lett.Est.IV.2702-int.4.—WASHINGTON. *Congreso.* 38-12450.

3374

Les poèmes mystiques... traduits par le P. Lucien-Marie de Saint-Joseph. Bruges. Desclée de Brouwer et Cie. 1943. 218 págs. 17 cm.

— — —

—1947. 203 págs.

3375

La montée du Carmel. Première et deuxième partie. La nuit obscare et le vive flamme d'amour. Edition revue et complétée [par H. Hoornaert]. Buenos Aires. Desclée de Brouwer, etc. 1944. 3 vols. 12.º

3376

Les Poèmes. (En Milner, Max. Poésie et vie mystique chez Saint Jean de la Croix. París. Edit. du Seuil. 1951, págs. 135-203).

3377

Poèmes majeures: la nuit obscure, le cantique spirituel, la vive flamme. [Traduction du P. Lucien Marie de Saint Joseph]. Nancy. Beaux livres grands amis. 1963. 67 págs., con litografías en color de François Chapuis. 33 cm.

3378

Poèmes mystiques. Traduits et présentés par Lucien Florent. [Paris]. Desclée de Brouwer. [1975]. 132 páginas. 20 cm. (Méditations).

WASHINGTON. Congreso. 75-513602.

— — —

V. además núm. 3251, 3258, 3261, 3263-64, 3272-73.

Cántico espiritual

3379

CANTIQUE d'amour divin entre Iesvs-Christ et l'Ame dévote... Traduit par René Gaultier... Paris. Adrien Taupinart. 1622. 2 hs. + 232 págs. 8.º

PARIS. Mazarina. 49028. Nationale. D.39307. ROMA. Teresianum. Carm. A.442.

3380

Le Cantique spirituel et la Vive Flamme d'amour... Traduction nouvelle faite sur l'édition de Seville de 1702, publiée par le soins des Carmelites de Paris. Édition augmentée des Lettres du P. Berthier sur la doctrine spirituelle de Saint Jean de la Croix et d'une Analyse de ses Oeuvres en deux sermons, par Mgr. Lan-

driot... París. Ch. Douniol et Cie. 1875. 2 vols. 19 cm.

ROMA. Teresianum. Carm. A.2679.

3381

Les Cantiques Spirituels... Nouvellement revus et très exactement corrigés sur l'original par le R. P. Cyprien de la Nativité de la Vierge, et traduits en vers français pour le même Père Cyprien. París. Libr. de l'Art Catholique. 1917. 27 págs. 21,5 cm.

ROMA. Teresianum. Carm. B.2246.

3382

Le Cantique spirituel. Ode d'Amour divin entre Jésus-Christ et l'Ame dévote. Traduction par Jean Descola. Paris. L. Redier. 1932. XVII + 245 págs. 19 cm. (Lectures chrétiennes).

PARIS. Nationale. 8.º Z.26103 (6).—ROMA. Teresianum. Carm. A.469.

3383

Le Cantique Spirituel... Traduction de texte espagnol. Bruges. Desclée de Brouwer et Cie. 1933. 270 págs. 20 cm.

ROMA. Teresianum. Carm. 13.272.

3384

Le Cantique spirituel suivi de quatre poémes. Adapté par Armand Godoy. Friburgo. Libr. de la Universitè. 1943. 49 págs. + 2 láms. 19,5 cm.

BARCELONA. Central. S.J.C.297.—NORMAN. University of Oklahoma.

3385

Cantique d'amour divin entre Jesus Christ et l'âme devote. [Paris]. Editions du Baisin. [1944]. 203 págs. con ilustr. 30 cm.

Trad. de René Gaultier.

CHICAGO. Newberry Library.—MADRID. Nacional. R-28.382.—ROMA. Teresianum. Carm. C. 161.

3386

Cantique spirituel. Chansons entre l'âme et l'époux. Traduction de Rolland Simon. [Alger]. Charlot. [1945]. 26 págs. 18,5 cm. (Collection Fontaine).

ROCHESTER. *University of Rochester.*

3387

Cantique spirituel entre l'âme et Jésus-Christ son époux... Traduit par le R. P. Cyprien... París. J. et R. Wittmann. 1947. VI + 162 págs. 28,5 cm. (Collection des textes mystiques, 2).

ROMA. *Teresianum.* Carm. C.467.

3388

Cantique spirituel. Chanson entre l'âme et l'époux Traduction de Rolland Simon. París. Ed. Charlot. 1947. 32 págs. 19 cm. (Collection Fontaine).

3389

Le cantique spirituel. Poèmes et maximes. Texte établi, presenté et annoté par Michel Léturmy. Préf. de M. Schaudeau. Paris. Le Club Français du Livre. 1956. XXVIII + 242 págs. 21,5 cm.

a) H. H., en *Etudes*, LXXXIX, París, 1956, pág. 135.

ROMA. *Teresianum.* Carm. B.1626.

3390

Les cantiques spirituels de saint Jean de la Croix, traduits en vers françois par le R. P. Cyprien... Tirada de 60 ejemplares. París. Impr. de l'Artiste. 1957. Sin pág. 26 cm.

Con 5 grabados originales en colores de Alain de la Bourdonnaye.

3391

Les cantiques spirituels. Trad. en vers français par Cyprien de la Nativité de la Vierge. Préf. de Maurice Morel. Paris. Les Septo. 1958. 63 páginas con ilustr. + 12 láms. 51 cm.

Tirada de 125 ejemplares. Litografías de Manessier.

3392

Le Cantique spirituel. París. Les Éditions du Cerf. 1980. 258 págs. 19,5 cm. (Oeuvres completes, 5).

ROMA. *Teresianum.* Carm. A.6991 (5).

* * *

V. además núms. 3292, 3296, 3298-99, 3304.

Subida

3393

La Montée du Carmel. Traduction du P. Grégoire de Saint Joseph. Introduction d'Yvonne Pellé-Douël. París. Edit. du Seuil. 1947. 479 págs. 18 cm. (Livre de Vie, 114).

— — —

—1972.

ROMA. *Teresianum.* Carm. A.6413.

Canciones

3394

CANCIONES. Traduction rythmíque de René Louis Doyon. [Paris. La Connaisance]. [s. a.]. 32 págs. sin num., con ilustr. 30 cm.

Tirada de cien ejemplares. Dibujos de Gue. Fayet.

EUGENE. *University of Oregon* [el n.º 30].— PARIS. *Nationale.* Res.m.Yg.1.

3395

——. *Nouvellement trad. par René-Louis Doyon, avec une étude sur la poésie de l'amour mystique.* [Valence-sur-Rhône]. La Connaissance. 1920. 59 págs. 17 cm.

Tirada de 400 ejemplares. Ilustraciones de Malo Renault.

a) Pitollet, C., en *Hispania*, V, París, 1922, págs. 384-400.

BARCELONA. *Central.* S.J.C.86.—CLEVELAND. *Public Library.* [El n.º 276].

Avisos

3396

Aphorismes. Texte établi et traduit d'aprés le manuscrit autographe d'Andújar et précédé d'une intro-

duction par J. Baruzi. Burdeos. Feret et Fils. 1924. XXVII + 78 págs. + 3 láminas. (Bibliothéque de l'École des Hautes Études Hispaniques, 9).

a) Bataillon, M., en *Bulletin Hispanique,* XXVII, Burdeos, 1925, págs. 273-75.
b) Hoornaert, R., en *Revue d'Histoire Ecclésiastique,* XXII, Lovaina, 1926, págs. 636-37.
BARCELONA. *Universitaria.* F.2-4-24. — BURGOS. *Facultad de Teología.*—PARIS. *Nationale.* D. 92193.—ROMA. *Vaticana.* R. G. Storia. III. 4765 (9).

3397

Les avis... Ed. Chevallier. 1933.

V. n.º 3325.

3398

«Avis» inédits. (En *Carmel,* Tarascón, 1961, págs. 241-50).

Con introd. firmada por G. C.

3399

Un texte retrouvé de Saint Jean de la Croix. (En *Novae et Vetera,* XXXV, Ginebra, 1961, págs. 263-69).

Con trad. de los *Avisos para profesos,* por Marie-Thérèse Huber.

3400

Les mots d'ordre de saint Jean de la Croix, Docteur de l'Eglise. [*Ed. par*] *Dom Chevallier.* Solesmes. Abbaye Saint-Pierre. [1976]. 115 págs. 12 cm.

Complemento de la edición de los *Avisos.* (V. n.º 3325).

Otras obras

3401

TRAITÉ des épines de l'esprit... traduit de l'espagnol, par le R. P. Athanase de l'Immaculée - Conception... Paris. H. Oudin. 1896. 102 págs. 18.º

PARIS. *Nationale.* D.84273.

3402

Les Mystiques espagnoles: saint Thérése, saint Jean de la Croix. Intro-

duction et notes de Gonzague-Joseph Truc. París. La Renaissance du Livre. 1921. 185 págs. 16.º (Les Cent chefs-d'oeuvre étrangers, 21).

Contiene fragmentos de la *Montée* y de la *Nuit* tomados de la trad. de la ed. Migne. PARIS. *Nationale.* 8ª Z.20458 (21).

3403

Abrégé de toute la doctrine mystique de saint Jean de La Croix, par C. H. Ligugé. Imp. E. Aubin. 1925. XVIII + 248 págs. 16.º

MADRID. *Particular de la Casa Provincial de la Orden del Carmen Descalzo.* Carm. A. 597.—PARIS. *Nationale.* D.92266.

3404

Propos de lumière et d'amour de St. Jean de la Croix. Trad. et présentés par H. Chandebois. París. Ed. du Seuil. 1947. 128 págs.

3405

Prière pure et pureté du coeur; textes de Saint-Grégoire le Grand et saint Jean de la Croix, groupés et illustrés par Georges Lefebvre... París. Descléee de Brouwer. [1953]. 155 págs.

——— ———

—2.ª ed., revue et augmentée. [Brujas]. Desclée de Brouwer. [1959]. 157 págs. 16 cm.

3406

Abrégé de la doctrine de Saint Jean de la Croix. Textes choissis et présentés par le P. Charles Henrion. París. Ed. du Seuil. 1948. 230 págs. 16,5 cm. (La Vigne du Carmel, 9 bis).

DURHAM. *Duke University.*

Antologías

3407

Pas à pas avec Jean de la Croix. [*Textes choisis et ordonnés par le*]

P. Étienne de Sainte - Marie. París. Nouvelles Éditions Latines. 1968. 189 págs. 19 cm.

WASHINGTON. *Congreso.* 68-118916.

f) HÚNGARAS

3408

Keresztes Szent János Müvei, a legújabb spanyol kritikai szöneqalapján forditotta Sz. Teréziáról nev p. Ernö sarútlan kármelita ujonemester. Kiadjà a sarútlan Kármelitarend magyar rendtartománya. Budapest. Stephaneum. 1926. 2 vols. 16.º

ROMA. *Teresianum.* Carm. A.444.

g) INGLESAS

Obras

3409

The Complete Works of St. John of the Cross... Translated from the original Spanish by David Lewis. Edited by the Oblate Fathers of Saint Charles. With a preface by Cardinal Wiseman. Londres. Longman, etc. 1862. 2 vols. 8.º

FILADELFIA. *Philadelphia Divinity School.*

— — —

—1864.

ATCHISON. *St. Benedict's College.* — BOSTON. *Public Library.*—EVANSTON. *Garrett Theological Seminary.*—HAVERFORD. *Haverford College.*—LONDRES. *British Museum.* 3677.bb.—ROMA. *Teresianum.* Carm. B.3254. *Vaticana.* R.G.Teol.IV.1565.

— — —

—2.ª ed. revisada. 1889-91. 3 vols. 23 cm.

LONDRES. *British Museum.* 3706.de. — NUEVA YORK. *Public Library.* — MANHATTAN. *Kansas State University.*—NEW HAVEN. *Yale University.*—ROMA. *Teresianum.* Carm. B.1803.

—1906-12. 4 vols.

ROMA. *Teresianum.* Carm. B.1802 y 2893.

—1914-19.

ROMA. *Teresianum.* Carm. B.318 [el III].

—1919-24. 4 vols.

NUEVA YORK. *Public Library.*

—Tomo I. 1928.

3410

The Complete Works of Saint John of the Cross. Translated from the critical edition of P. Silverio de Santa Teresa, and edited by E. Allison Peers. Londres. Burns Oates & Washbourne. 1934-35. 3 vols. 22 cm.

I: Ascent of Mount Carmel, Dark Night of the Soul; II: Spiritual Canticle. Poems; III: Living flame of love, Cautions, Spiritual sentences and maximes, Letters, Sundry documents, etc.

a) Atkinson, W. C., en *The Modern Language Review,* XXX, Cambridge, 1935, págs. 253-54.

b) Bell, A. F. G., en *Bulletin of Spanish Studies,* XI, Liverpool, 1934, págs. 171-74; XII, 1935, págs. 118-20; y 158-60.

CINCINNATI. *University of Cincinnati.*—CHICAGO. *University of Chicago.*—MADRID. *Particular de «Razón y Fe».* K-III-67-2/3.—NUEVA YORK. *Public Library.*—OBERLIN. *Oberlin College.*—WASHINGTON. *Congreso.* 36-9766.

— — —

—Westminster, Md. The Newman Booksop. 1945. 3 vols. 20,5 cm.

ATCHISON. *St. Benedict's College.*

—Westmister. 1946.

BOSTON. *Public Library.*

—Londres. Burns, Oates & Washbourne. 1947. 3 vols.

BERKELEY. *Berkeley Baptist Divinity School.*

—Westminster. 1949.

WASHINGTON. *Congreso.* 51-7641.

—Westminster. 1951.

CLEVELAND. *Notre Dame C.*

—Westminster. 1953.

FILADELFIA. *Free Library.*—NUEVA YORK. *New York University Libraries. Washington Square Library.*—WASHINGTON. *Congreso.*

—Londres. Burns. Oates & Washbourne. 1953-57. 3 vols. 22 cm.

ROMA. *Teresianum.* Carm. B.1629.

—1964. 3 vols. 22 cm.

ROMA. *Teresianum.* Carm. B.2783.

—Wheathampstead. A. Clarke. 1974. 1454 págs. 23 cm.

ROMA. *Teresianum.* Carm. B.4315. — WASHINGTON. *Congreso.* 75-323868.

3411

The collected works... Translated by Kieran Kavanaugh and Otilio Rodriguez, with introductions by Kie-

ran Kavanaugh. Nueva York. Doubleday. 1964. 740 págs. 23 cm.

a) Bede E. of the Trinity, en *Ephemerides Carmeliticae,* XVI, Florencia, 1965, páginas 264-67.

b) Toelle, Gervase, en *Carmelus,* Roma, 1965, n.º 12, págs. 290-91.

ROMA. *Teresianum.* Carm. B.3006. — WASHINGTON. *Congreso.* 64-11725.

— — —

—Londres. Thomas Nelson and Sons. 1966. 740 págs. con ilustr. 24 cm.

c) Bede, Fr., en *Mount Carmel,* XV, Oxford, 1967-68, págs. 116-17.

WASHINGTON. *Congreso.* 68-141003.

—Washington. Institute of Carmelite Studies. 1973. 740 págs. con ilustr. 23 cm.

BRIGHTON. *St. John's Seminary Library.* — ROMA. *Teresianum.* Carm. B.4000. — WASHINGTON. *Congreso.* NUC 74-170164.

Varias obras

3412

The living flame of love. With his Letters, Poems and Minor Writings, translated by David Lewis, with an essay by Cardenal Wiseman and additions and an introduction by Benedict Zimmerman. Londres. Thomas Baker. 1934. LV + 317 págs. 22 cm.

ROMA. *Teresianum.* Carm. B.2049.

—Londres. Nelson. 1966. 740 págs. 24 cm.

EVANSTON. *Northwestern University.* — MINNEAPOLIS. *University of Minnesota.* — WASHINGTON. *Congreso.* 68-141003.

Poesías

3413

The poems of Saint John of the Cross. English versions and introd. by Willis Barnstone. [Nueva York. New Directions Pub. Corp.]. [1972]. 124 págs. 21 cm. (A New Directions paperback, 341).

WASHINGTON. *Congreso.* 73-150013.

3414

The Spiritual Canticle & Poems. Translated by E. Allison Peers. Londres. Burns & Oates. 1978. IX + 470 págs. 21 cm.

V. n.º 3259.

* * *

V. además núms. 3259, 3265, 3271, 3274-76.

Cántico espiritual

3415

Spiritual canticle. Translated, edited and introduction by E. Allison Peers from the critical edition of P. Silverio de Sta. Teresa. Third revised edition. Garden City N.L. Doubleday. 1961. 520 págs. 18 cm. (Image Books, 110).

ROMA. *Teresianum.* Carm. A.3253.

— — —

—1961.

WASHINGTON. *Congreso.* 61-1028.

—Londres. 1978. IX + 470 págs. 21 cm.

ROMA. *Teresianum.* Carm. B.4600.

Noche oscura

3416

The dark night of the soul... Done into English by Gabriela Cunninghame Graham. Londres. J. M. Watking, Butler and Tauner. 1905. 205 págs. 19 cm.

NEW HAVEN. *Yale University.*—ROMA. *Teresianum.* Carm. A.5320.

— — —

—2.ª ed. Londres. J. M. Watkins. 1922. 265 págs. 19,5 cm.

ALBANY, N.Y. *New York State Library.*—CINCINNATI. *University of Cincinnati.*—DURHAM. *Duke University.*—FILADELFIA. *Free Library.* ROMA. *Teresianum.* Carm. A.5321.

3417

The Darke Kight of the soul. Translated abridged and edited by Kurt F. R. Reinhardt. Nueva York. Frederick Ungar Publishing Co. 1957. XXXXIII + 222 págs. con ilustr. 20,5 cm.

ROMA. *Teresianum.* Carm. B.2729. — WASHINGTON. *Congreso.* 56-12399.

3418

Dark night of the soul... Translated and edited with an Introduction by E. Allison Peers... Garden City, N. Y. A Division of Doubleday & Co. 1959. 193 págs. 18 cm. (Image Books).

WASHINGTON. *Congreso.* 59-6380.

Subida

3419

The Works of St. John of the Cross. I: The ascent of Mount Carmel, translated by David Lewis, with corrections and a prefatory essay on the Development of mysticism in the Carmelite Order, by Benedict Zimmerman. Londres. Th. Baker. 1928.

ROMA. *Teresianum.* Carm. B.3704.

3420

Ascent of Mount Carmel... Translated and edited with a General Introduction by Edgar Allison Peers, from the critical edition of P. Silverio de Santa Teresa. Garden City, N.Y. A Division of Doubleday & Co. 1958. LXXXIV + 386 págs. con ilustr. 18 cm. (Image Books).

WASHINGTON. *Congreso.* 57-59521.

Llama

3421

Living Flame of Love, translated, edited, and with an introduction by E. Allison Peers from the critical edition of P. Silverio de Santa Teresa. Garden City, N.Y. A Division of Doubleday and Co. 1962. 272 págs. 18 cm. (Image Books, 129).

WASHINGTON. *Congreso.* 62-4311.

— — —

—Nueva York. Image Books (1962). 272 págs. 18 cm.

WASHINGTON. *Congreso.* NUC 64-52368.

Cautelas

3422

The secret of sanctity of St. John of the Cross, by Father Lucas of St. Joseph... Translated by Sister Mary Alberto. Milwauke. The Bruce Publ. Co. [1962]. VIII + 166 págs. 22 cm. V. n.º 3324.

WASHINGTON. *Congreso.* 62-13664 rev.

Avisos para profesos

3423

«Counsels for after Profession», newly attributed to St. John of the Cross. Translated and introduced by Fr. Bede of the Trinity. (En *Mount Carmel,* IX, Londres, 1961-62, págs. 77-80).

3424

Counsels for the Professed. (En *Spiritual Life,* VII, Milwaukee, Wis., 1961, págs. 325-30).

Antologías

3425

The Spirit of St. John of the Cross: consisting of his maxims, sayings, and spiritual advice on various subjects. Translated from the Spanish, by Canon Dalton. Londres. Derby. 1863. 12.º

LONDRES. *British Museum.* 4405.aaa.

3426

The mystical doctrine of St. John of the Cross. An abridgement made by C. H., with an introduction by R. H. Steuart. Nuevo York. Sheed and Ward. 1934. XXXIII + 213 págs. 17 cm.

Es trad. de *Abrége de toute la doctrine mystique...,* por David Lewis.

STANFORD. *Stanford University Libraries.*

— — —

—1937.

—1946.

—2.ª ed. Londres. Sheed and Ward. 1948.

FILADELFIA. *Temple University.*

3427

Lover of God. Selections from St. John of the Cross arranged for daily devotional readings, by R. P. Sidey. Londres. S.P.C.K. 1958. X + 64 págs. 18 cm.

3428

Counsels of light and love. Introduction by Thomas Merton. [Wheeling. Monastery of St. Theresa and St. John of the Cross of the Discalced Carmelite Nuns]. [s. a., 1961]. 95 págs. con ilustr. 15,5 cm.

a) F. G., en *Mount Carmel*, VIII, Londres, 1960-61, págs. 156-57.

— — —

—1977.

3429

The way of absolute detachment: St. John of the Cross. (En Happold, F. C. *Mysticism. A study an anthology.* Londres. Penguin Books. 1967, págs. 324-35).

3430

Darkness and light. Selections from the St. John of the Cross. Edited by Catharine Hughes. Nueva York. Sheed and Ward. [1972]. 41 págs. con ilustr. 28 cm. (Mysticism and modern man).

WASHINGTON. *Congreso.* 72-6269.

3431

The voice of the spirit: the spirituality of St. John of the Cross. Edited and introduced by Elizabeth Hamilton. Huntington. Our Sunday Visitor. 1976. 127 págs. 21 cm.

WASHINGTON. *Congreso.* 76-53609.

— — —

—Londres. Darton, Longmann and Tood. 1976. 128 págs. 19 cm.

WASHINGTON. *Congreso.* 76-379874.

h) ITALIANAS

Obras

3432

OPERE Spiritvali che condvcono l'Anima alla perfetta vnione con Dio... Tradotte dalla Spagnuola in questa nostra Lingua Italiana dal P. Fr. Alessandro di S. Francesco... Roma. Francesco Corbelleti. 1627. 20 hs. + 642 págs. + 21 hs. 4.º

Toda, *Italia,* II, n.º 2.554.
ROMA. *Nazionale.* 8.43.H.2. *Teresianum.* Carm. B.266 y 280.

3433

———. Roma. Francesco Corbelletti. 1634. 8 hs. + 604 págs. + 5 hs. 23 cm.

Toda, *Italia,* II, n.º 2.555.
ROMA. *Nazionale.* 8.33.O.9; etc. *Teresianum.* Carm. B.267. *Vaticana.* Chigi. IV.1054.

3434

———. Roma. F. Corbelletti. 1637.

3435

OPERE spirituali del V. P. F. Giovanni della Croce... con un breve sommario della vita dell'autore, ed alcuni discorsi del P. F. Diego di Giesù... sopra le dette opere, tradotte dalla spagnuola nella lingua italiana, dal P. Fr. Alessandro di San Francesco... Venecia. Appresso il Barezzi. 1643. 561 págs. 4.º

PARIS. *Nationale.* D.8225.—ROMA. *Teresianum.* Carm. B.1585.

— — —

—Venecia. Bertani. 1658. 14 hs. + 496 págs. 22,5 cm.

ROMA. *Teresianum.* Carm. B.2575.
—Venecia. Bertani. 1671. 14 hs. + 496 págs. + 8 hs. 22 cm.

LONDRES. *British Museum.* 3836.aa. — ROMA. *Nazionale.* 204.17.E.28. *Teresianum.* Carm. B.348.
—Venecia. Bertani. 1680. 16 hs. + 496 págs. + 8 hs. 22 cm.

Toda, *Italia,* II, n.º 2.556.
ROMA. *Teresianum.* Carm. B.347.
—Venecia. Brigna. 1682. 16 hs. + 496 págs. + 7 hs. 22,5 cm.

25

BARI. *Nazionale.* 117-F-2.—ROMA. *Teresianum.*
Carm. B.349.
—Venecia. Brigna. 1683. 15 hs. + 496 págs.
+ 8 hs. 23 cm.
ROMA. *Teresianum.* Carm. B.350.

3436
*OPERE spirituali... Con un breve
sommario della vita del autore & al-
cuni discorsi del P. F. Diego di Gie-
sú...* Venecia. Andrea Poletti. 1707.
51 hs. + 512 págs. 23,5 cm.
BARI. *Nazionale.* 115-G-21. — DURHAM. *Duke
University.* — ROMA. *Teresianum.* Carm. B.
351.
—Venecia. A. Poletti. 1717. 26 hs. + 512
págs.
BARI. *Nazionale.* 113-M-8.
—Venecia. A. Poletti. 1719.
—Venecia. A. Poletti. 1727.
—Venecia. A. Poletti. 1729.
ROMA. *Teresianum.* Carm. B.353.
—Aggiuntovi in questa impressione il com-
pendio della vita del medesimo scritta
dal P. Vincenzo Ferrerio di San Girola-
mo. Venecia. A. Poletti. 1739. LII + 452
págs. 23,5 cm.
ROMA. *Nazionale.* 37.47.D.29. *Teresianum.*
Carm. B.354.

3437
*OPERE... Nuova traduzione del cas-
tigliano del P. F. Marco di San Francesco con la vita del Santo dello stesso traduttore copiosamente distesa,
e con una dissertazione che illustra
le opere del Santo medessimo.* Venecia. Angiolo Geremia. 1742. XII +
468 págs. + 33 hs. 25 cm.
ROMA. *Teresianum.* Carm. B.1892.

3438
*OPERE... Di alcuni Trattati inediti
accresciute, e in moltissimi luoghi
mancanti alla integrità degli Origi-
nali restituite. Nuevo Traduzione dal
Castigliano del P. F. Marco di San
Francesco...* Venecia. Presso Angio-
lo Geremia. [Stephano Orlandini].
1747. 3 vols. 4.º
Toda, *Italia,* II, n.º 2.557.
ROMA. *Teresianum.* Carm. B.306. *Vaticana.*
R.G.Teol.IV.1701.

— — —
—1748.
Toda, *Italia,* n.º 2.558.
ROMA. *Nazionale.* 8.19.T.38; etc. *Vaticana.*
R.G.Teol.I.171.—WASHINGTON. *Catholic Uni-
versity of America Library.*

3439
*OPERE spirituali del Sublime e Mis-
tico Dottore S. Giovanni della Croce.
Vi se aggiunge la traduzione d'una
nuova storia della vita del Santo...
per opera de... Jacopo Fabbrici.* Venecia. A. Poletti. 1747. 18 hs. + CXIX
+ 559 págs.

— — —
—1749.

3440
*Opere complete. Tradotte del Casti-
gliano da P. F. Marco di S. Frances-
co e precedute dalle lettere del P.
Berthier.* Génova. Giovanni Fassi -
Como. 1858-59. 2 vols. 22 cm.
GENOVA. *Universitaria.* I.KK.IV.1-2. — ROMA.
Teresianum. Carm. B.355.

—Tomo I. Nápoles. Caetano Nobile. 1859.
ROMA. *Teresianum.* Carm. B.356.

3441
OPERE spirituali. Milán. S. Lega
Eucaristica. 1912. 2 vols. 24,5 cm.
ROMA. *Nazionale.* 210.L.81. *Teresianum.*
Carm. B.300. *Vaticana.* R.G.Teol.IV.4611.

3442
*OPERE spirituali. Traduzione, note
e commenti per cura de... Paolo de
Töth.* Acquapendente. Tip. Lemurio.
1927. 2 vols. 24 cm.
ROMA. *Teresianum.* Carm. B.301. *Vaticana.*
R.G.Teol.III.886 [el I].

3443
*OPERE tradotte in italiano a cura
dell'Ordine dei carmelitani scalzi,
dal R. P. Nazareno dell'Addolorata.*
Milán. S. Lega Eucaristica. 1927-29.
3 vols. 19 cm.
ROMA. *Nazionale.* 210.F.530. *Teresianum.*
Carm. A.501. *Vaticana.* R.G.Teol.V.3615(1-3).

— — —
—Roma. Postulazione Carm. Ss. 1940. XXIV + 854 págs. 23,5 cm.
ROMA. *Nazionale.* 210.N.347. *Teresianum.* Carm. B.372.
—1954.
—1955. XVIII + 1062 págs.
ROMA. *Nazionale.* AGA.871. *Teresianum.* Carm. A.452.
—1959. XX + 1059 págs.
ROMA. *Teresianum.* Carm. A.2385.

3444
OPERE. Versione del R. P. Nazareno dell'Addolorata. Florencia. Ediz. Fiorentina. 1949. [1948]. 1067 págs. 17,5 cm.
ROMA. *Teresianum.* Carm. A.451.

3445
OBRAS. Versione del P. Ferdinando di S. Maria. Roma. Postulazione Generale dei Carmelitani Scalzi. 1963. XXII + 1351 + 2 págs. con ilustr. 17,5 cm.
a) Peters, C., en *Carmelus*, XI, Roma, 1964, págs. 192-93.
b) Simeón S. F., en *Ephemerides Carmeliticae*, XV, Roma, 1964, págs. 258-59.
ROMA. *Teresianum.* Carm. A.4308.
— — —
—2.ª ed. 1967. XXII + 1338 págs.
ROMA. *Teresianum.* Carm. A.5394.
—3.ª ed. 1975.
ROMA. *Nazionale.* AFA.1047. *Teresianum.* Carm. A.6550.

Varias obras
V. n.º 3236.

Poesías

3446
Poesie. Premessa e versione di Giovanni Maria Bertini. Milán. Ed. Univ. Malfasi. [1952]. 144 págs. 8.º
ROMA. *Nazionale.* 221.K.172.

3447
Poesias. Testi editi a cura di G. M. Bertini. Venecia. Imp. Zanetti. [s. a.]. 34 págs. 24 cm.
ROMA. *Nazionale.* 321.K.223/8.

3448
Poesie. Introduzione, traduzione e note a cura di Letizia Falzone. [Alba]. Ediz. Paoline. [1971]. 143 págs. 19,5 cm. (Collana Patristica).
ROMA. *Teresianum.* Carm. A.6073.

* * *

V. además núms.3236, 3266, 3282, 3284, 3286.

Cántico espiritual

3449
El Cántico espiritual. Tirada de 200 ejemplares. Milán. Garotto. 1944. 15 hs. 7,5 cm.
ROMA. *Nazionale.* 130.A.150. *Vaticana.* Riserva VII-1.

3450
Cantico spirituale. A cura del R. P. Nazareno dell'Addolorata. Turín. U.T.E.T. 1947. 395 págs. con ilustr. 18 cm. (Ascetica e Mistica. Collana di letture spirituali).
ROMA. *Nazionale.* 210.B.634. *Teresianum.* Carm. A.439. *Vaticana.* R.G.Teol.V.1531. — WASHINGTON. *Congreso.* 57-17474.

3451
Cantico spirituale. Introduzione e versione a cura del P. Gabriele di S. Maria Maddalena. Florencia. Ed. Libr. Fiorentina. 1948. XXVIII + 332 págs. 18 cm.
ROMA. *Nazionale.* 211.A.35. *Teresianum.* Carm. A.447; etc.

* * *

V. además núms. 3293, 3297, 3301.

Cautelas

3452
Cautele spirituali. Módena. Soliani. 1719. 21 págs. 11 cm.
ROMA. *Teresianum.* Carm. A.6388.

Avisos

3453
Avvisi e massime. Milán. S. Lega Eu-
caristica. 1924. 104 págs. 16 cm.
(I Compagni dell'anima, 4).
ROMA. *Nazionale*. 210.D.54.

3454
Avvisi per dopo la professione. Roma. Collegio Internazionale O.C.D.
1961. 19 + 13 págs. 16 cm.

— — —
—2.ª ed. 1961.
—3.ª ed. 1962.

Antologías

3455
*Raccolta di detti sentenziosi più
principali e de'sentimenti mistici di
Sta. Teresa e di S. Giovanni della
Croce col Ricordi in fine della San-
ta, e colle Cautele del Santo...* [*Por*]
Alberto di S. Gaetano. 1757. 12.º
ROMA. *Nazionale*. B.9.H.9.

3456
*L'anima interiore dalla meditazione
condotta alla più alta unione con
Dio. Somma di mistica teologia com-
pilata cogli scritti del Santo, tradotto
dallo spagnuolo ed annotati da Fr.
Anastasio M. di S. Giuseppe*. Parma.
Tip. Battei. 1902. 589 págs. 19,5 cm.

— — —
—Milán. Lega Eucaristica. 1902.
ROMA. *Nazionale*. 58.4.E.28.
—*Somma di Mistica Teologia...* Parma.
Batei. 1904. 589 págs.

3457
Pensieri. Roma. Il Passero Solitario.
1963. 116 págs. 12,5 cm.

a) Peters, C., en *Carmelus*, XI, Roma,
1964, págs. 193-94.
ROMA. *Nazionale*. 130.B.236; etc.

— — —
—2.ª ed. 1964.
—3.ª ed. 1972.
—5.ª ed. 1977.
ROMA. *Vaticana*. R.G.Teol.VI.1168.

3458
*La vita spirituale negli insegnamen-
ti di san Giovanni della Croce. Brani
scelti dalle opere del Santo Dottore,
a cura di Vincenzo Di Pietra*. Palermo. Apostolati della Sofferenza.
[1978]. 83 págs. 19 cm.
ROMA. *Nazionale*. AIA.3558.

i) JAPONESAS

3459
[*Obras*]. Tokyo. Don Bosco Sha.
1953. 2 vols. 21,5 cm.
ROMA. *Teresianum*. Carm. B.1552.

Obras menores

3460
Jūjika no Sei Johane Shō-shinshu.
Tokio. Don Bosco Sha. 1960. 207 +
I págs. 15 cm.
Trad. por los Carmelitas de Tokio.

3461
*Jujika no Sei Yohane Cho. Rei no
Sanka. Tokyo. Joshi Senzokn Karu-
meru Kai*. [Tokyo. Don Bosco Sha].
[1963]. 2 + 402 + I págs. 18,5 cm.

j) LATINAS

3462
*OPERA mystica... ex hispanico idio-
mate in latinum nunc primum trans-
lata, per R. P. F. Andream a Jesu...
Una cum* [*compendio vitæ V. F.
Joannis a Cruce et*] *elucidatione
phrasium mysticarum quas author
in his suis operibus usurpat*. [*Autho-
re P. F. Nicolao a Jesu Maria*]. Coloniae Agrippinae. H. Krafft. A costa
de Haered. B. Gualtheri. 1639. 2 partes en un vol. 4.º
CHICAGO. *University of Chicago.* — LONDRES.
British Museum. 849.k.11.—PARIS. *Nationale*. D.8219.—ROMA. *Nazionale*. 8.30.D.6; etc.
Vaticana. R.I.IV.322.

— — —

—Nonachii. Melchior Segen. 1642.
—Colonia Agrippina. Sumptibus Jacobi
Promper. 1710. 469 + 30 págs. 21,5 cm.

3463

*SENTENTIAE spiritvales ax operi-
bus seraphi. Virginis Theresiae a
Jesu, ac V. P. Fr. Joannis a Cruce,
selectae et per singulis totius anni
diebus, ac festis, distributae a V. P.
Fr. Angelo a S. Iosepho.* Monachii.
Apud Lucam Straubii. 1648. 364 págs.

k) NEERLANDESAS

Obras

3464

*Verhole wercken vanden Salighen
ende verlichten Leeraer Johannes
vander Cryce... Trad. P. Servatius
vanden H. Petrus.* Gand. Michiel
Maes. 1693. 26 hs. + 692 fols. + 12 hs.
4.º

Peeters-Fontainas, I, n.º 643.
LA HAYA. *Royale.*

— — —

—Gand. Michel Maes. 1703. 26 hs. + 692
fols. + 12 hs. 4.º
Peeters-Fontinas, I, n.º 644.
AMBERES. *Municipale.*

3465

*Volledige Werken uit het Spaans
vertaald volgens de Laatste Kriti-
sche uitgaave van Simeon, O.C.D., en
van inleidigen voorzien door Joannes
a Cruce Peters, O.C.D., en J. A. Jacobs, met medewerking van Amatus
de Sutter, Romaeus Leuven en een
Moniale van de Orde der Onge-
schoeide Karmelieten.* Hilversum -
Antwerpen. Paul Brand. 1913. 1325
págs. 19 cm.

ROMA. *Teresianum.* Carm. A.4614.

— — —

—1963. 1325 págs.

3466

*Geestelijke werken... uit het Spa-
ansch vertaald volgens de laatste
nauwkeurig herziene uitgaaf door
P. Fr. Henricus a S. Familia...* Gent.
W. Siffer. 1916-19. 3 vols. 23 cm.

ROMA. *Teresianum.* Carm. B.265.

3467

*Geestelijke werken... Uit het Spa-
ansch vertaald en op de laatste
nauwkeurig herziene uitgaaf verbe-
terd door Paters Hendrik van't Huisgezin...* Bruselas. Standaard - Bock-
handel. 1931-32. 3 vols. 24,5 cm.

ROMA. *Teresianum.* Carm. B.297.

3468

*Werken... Uit het Spaans vertaald
door: Avertanus Hennekens, Romaeus Leuven, Amandus Smackers...
de gedichten zikn vartaald door Bernard Verhoeven.* Bussum. P. Brand.
N. V. 1950-51. 2 vols. 19 cm.

3469

Mystieke Werken... Gent. Carmelitana. 1975. 1325 págs. 19 cm.

ROMA. *Teresianum.* Carm. A.6568.

Cántico

3470

*Minnezang tusschen de Bruid en den
Bruidegom of Jezus en de Ziel... Uit
het Spaansch overgedicht en naar
den breedvoerigen uitleg van den
Heilige bondig verklaard door P. Fr.
Hendrick van't H. Huisgezin...* Gent.
W. Siffer. 1914. 52 págs. 18,5 cm.

ROMA. *Teresianum.* Carm. A.3488 (8).

Avisos

3471

*«Avisos para después de profesos»:
een nieuw geschrift van Sint Jan van
het Kruis?* (En *Innerlijk Leven,* XV,
Haasrode, 1961-62, págs. 211-19).

Trad. por el P. Conradus a S. Maria de Meester.

Antologías

3472

God tegemoet. Een bloemlezing uit de mystieke werken van Sint-Jan van het Kruis, ingeleid en vertaald door Dr. Joannes a Cruce Peters... met medewerking van J. A. Jacobs. Hilversum. Uityeverij Paul Brand N. V. 1961. 140 págs. 19 cm.

a) Peters, C., en *Carmelus*, VIII, Roma, 1961, pág. 286.

l) POLACAS

3473

Dziela doktora mistycznego sw. Jana of Kryza-Przelozyla z hiszpanskiego Eugenja Kostecka. We Lwowie. Bibljoteka religijna. 1927-31. 2 vols. 21 cm.

3474

Przestrogi duchowne których trzymái sie powinien kazdy... Trad. por Ojciec Bernard od Matki Bozej. Poznań. Nakladem Karmelitanek Bosych. 1936. 32 págs. 11,5 cm.

3475

Zywy plomien milosci. Trad. idem. Cracovia. Nakladem Glosu Karmelu. 1937. 166 págs. 21 cm.

ROMA. *Teresianum.* Carm. B.283.

3476

DZIELA z hispańskiego przelozyl O. Bernard od Matki Bozej Karmelita bosy: wydanie II-poprawione i przejrzane w oparcin o najnowsze wydanie w jezyku hispańskim-opracowal O. Emil od Wniebowzziecia M. B. Karmelita bosy. Cracovia. Wydawnictwo O. O. Karmelitów Bosych. 1961. 2 vols. 20 cm.

Trad. por Bernardes a Matre Dei y revisada por Emilius ab Assumptione B.V.M. ROMA. *Teresianum.* Carm. A.4138.

— — —

—1972.

MADRID. *Particular de la Casa Provincial de la Orden del Carmen Descalzo.* —1975.

ROMA. *Teresianum.* Carm. A.6654.

ll) PORTUGUESAS

3477

Obras espirituais... Fátima. Carmelo de São Jose. [1940]. 957 + XIV págs. 19 cm.

ROMA. *Teresianum.* Carm. A.450.

— — —

—2.ª ed. 1957.

a) A. C., en *Lumen*, XXIII, Lisboa, 1959, pág. 801.

ROMA. *Teresianum.* Carm. A.4706.

3478

Obras. Trad. pelas Carmelitas Descalças do convento de Santa Teresa do Rio de Janeiro. Pref. e intr. do P. Murillo T. L. Penido. Petrópolis. Vozes. 1960. 2 vols. 23 cm.

a) A. L., en *Brotéria*, LXXII, Lisboa, 1961, pág. 591.

b) Kloppenburg, B., en *Revista Eclesiástica Brasileira*, XX, Petrópolis, 1960, págs. 537-38.

ROMA. *Teresianum.* Carm. B.1990. *Vaticana.* R.G.Teol.IV.5955.

m) SUECA

Subida

3479

Bestigningen av Berget Karmel. Översättning av Gudrun Schulz. [Tágarp - Glumslöv. Karmelitklostret]. [1971]. VII + 341 págs. 22 cm.

n) VASCAS

3480

Muxika ixilla. Música callada. Las mejores poesías de fray Luis de León y San Juan de la Cruz, en castellano y vasco, con un trabajo póstumo de

Orixe. San Sebastián. Edit. Auñamendi. 1962. 258 págs. con láms. 22 cm. (Col. Azkue, 3).

o) PLURILINGÜES

3481

Monita quaedam a S. Ioannis a Cruce. (En *Ephemerides Carmeliticae,* XII, Roma, 1961, págs. 430-54).

—*Avisos para después de profesos:* versión italiana por Roberto di S. Teresa del Bambino Gesú; francesa por Philippe de la Trinité; inglesa por Bede of the Trinity, y alemana por Suitbertus a S. Joanne a Cruce.

ESTUDIOS

De conjunto

3482

RAZY, ERNEST. *St. Jean de la Croix, premier carme déchaussé, sa vie et sa doctrine.* París. H. Casterman. 1861. VIII + 380 págs. 18 cm.

PARIS. *Nationale.* 8°Oo.768.—ROMA. *Teresianum.* Carm. A.5653.

3483

DOMINGUEZ BERRUETA, J. *Un cántico a lo divino. (Vida y pensamiento de San Juan de la Cruz).* Barcelona. Araluce. 1931 [1930]. VI + 224 págs. 22 cm.

MADRID. *Nacional.* 1-93.086. *Particular de la Casa Provincial de la Orden del Carmen Descalzo.* Carm. B.172.

3484

CRISOGONO DE JESUS SACRAMENTADO, Fray. *San Juan de la Cruz. El Hombre, el Doctor, el Poeta.* Barcelona. Edit. Labor. 1935. 223 págs. + 12 lms. 18,5 cm. (Col. Pro Ecclesia et Patria, 2).

a) *Razón y Fe,* CX, Madrid, 1936, págs. 414-15.
MADRID. *Consejo. General.* — *Nacional.* 4-79.808.

— — —

—2.ª ed. 1946.
MADRID. *Nacional.* 1-103.437.

—*S. João da Cruz: o homero, o doutor, o poeta. Versão do P. Frei Jaime de S. José Gil Díez.* Viana do Castelo. Edições Carmelitanas. 1960. 212 págs. 19,5 cm.
b) Alberto de la V. del Carmen, en *Revista de Espiritualidad,* XX, Madrid, 1961, pág. 573.
c) L. de C., en *Brotéria,* LXXIII, Lisboa, 1961, pág. 231.

3485

VEGA, LUIS ANTONIO DE. *San Juan de la Cruz. Su vida. Sus mejores páginas. Su época.* Madrid. Nuevas Editoriales Unidas. 1961. 244 páginas. 20 cm. (Genio y Figura, 4).

MADRID. *Nacional.* 7-51.072.

3486

RUIZ SALVADOR, FEDERICO. *Introducción a San Juan de la Cruz. El escritor, los escritos, el sistema.* Madrid. Edit. Católica. 1968. 675 páginas. 20 cm. (Biblioteca de Autores Cristianos, 279).

a) Matías del Niño Jesús, Fray, en *Estudios Josefinos,* XXIII, Valladolid, 1969, pág. 94.
MADRID. *Consejo. Instituto «M. de Cervantes».* LXI-267.

3487

BRENAN, GERALD. *St. John of the Cross. His Life and Poetry. With a translation of the Poetry by Lynda Nicholson.* Cambridge. University Press. 1973. XII + 233 págs. 22 cm.

a) Durán, Manuel, en *Hispanic Review,* XLIV, Filadelfia, 1976, págs. 184-86.
b) McCrary, en *Hispania,* LVIII, 1975, pág. 397.
MADRID. *Consejo. Patronato «Menéndez Pelayo».* 10-1.154. *Nacional.* 1-144.897.—ROMA. *Teresianum.* Carm. B.4045. — WASHINGTON. *Congreso.* 72-83544.

— — —

—Nueva York. Harper and Row. 1975. 245 págs.
—*San Juan de la Cruz.* [*Versión de Jaime Reig*]. Barcelona. Edit. Laia. 1974. 207 págs. 20 cm.
c) C. M., en *Poesía Hispánica,* Madrid, 1975, n.º 273, págs. 3-5.

MADRID. *Consejo. Instituto «M. de Cervantes».* XXXV-237. *Facultad de Filosofía y Letras.—Nacional.* 1-152.035.

3488

GICOVATE, BERNARD. *San Juan de la Cruz (Saint John of the Cross).* Nueva York. Twayne. 1971. 153 págs. (Twayne's Worlel Authors Series, 141).

a) Eisenberg, D., en *Hispanófila*, Chapel Hill, 1974, n.º 51, pág. 74.
b) Icaza, en *The Modern Language Journal*, LVII, Boulder, 1973, pág. 375.
c) Ricard, en *Bulletin Hispanique*, LXXIV, Burdeos, 1972, pág. 228.
d) Sarmiento, en *Bulletin of Hispanic Studies*, XLIX, Liverpool, 1972, págs. 69-73.
e) Truman, R. W., en *The Modern Language Review*, LXIX, Liverpool, 1974, págs. 437-38.

BERLIN. *Ibero-Amerikanischen Instituts.—* MADRID. *Nacional.* 4-98.061.—WASHINGTON. *Congreso.* 71-120481.

— — —

—2.ª ed. 1980.

MADRID. *Ministerio de Cultura.* 212.186. *Nacional.* 4-171.199.

* * *

V. además n.º 3342.

MISCELÁNEAS

3489

CERTAMEN *literario en honor de San Juan de la Cruz. Composiciones premiadas con motivo del tercer centenario del Dr. Extático. Prólogo de Carlos de Lecea y García.* Segovia. Imp. Provincial. 1892. XL + 146 páginas. 22 cm.

Poemas de Carolina Coronado y otros.
BURGOS. *Facultad de Teología.*—MADRID. *Facultad de Filosofía y Letras.* — SANTANDER. *«Menéndez Pelayo».* 2731.

3490

HOMENAJE *de devoción y amor a San Juan de la Cruz. Crónica y conferencias místicas del segundo centenario de su canonización, celebrado en Segovia en octubre de 1927.*

Segovia. Tip. de «El Adelantado». 1928. 286 págs. 4.º

MADRID. *Nacional.* 2-75.537.—ROMA. *Vaticana.* R.G.Vita.IV.2039.

3491

San Giovanni della Croce. L'Uomo, la Dottrina, l'Influsso. Florencia. Ediz. di Vita Cristiana. 1941. 341 págs. 12.º

Conferencias pronunciadas en Roma con motivo del centenario:
1. *Ritrato del Santo*, por Petrus Thomas a V. Carmeli.
2. *L'ambiente religioso della Spagna al tempo di San Giovanni*, por Silverius a S. Theresia.
3. *La dottrina del Nulla secondo S. Giovanni*, por Ans. a S. Ioanne.
4. *Il teologo del amore*, por Gabriel a S. M. Maded.
5. *Il maestro delle anime contemplative*, por Rob. a S. Theresia Lesc.
6. *Il direttore spirituale*, por Simon a S. Alberto.
7. *San Giovanni e il laicato*, por Atan. a S. Rosario.
8. *S. Giovanni della Croce Dottore della Chiesa*, por el cardenal Piazza.

3492

SANJUANISTICA. *Studia a profesoribus Facultatis Theologicae Ordinis Carmelitarum Discalceatorum quarta a nativitate S. Joannis a Cruce.* Roma. 1943. XXIV + 540 págs.

a) Lucinio, Fr., en *Revista de Espiritualidad*, V, 1946, págs. 561-65.

3493

SESION *en homenaje a San Juan de la Cruz en el IV centenario de su nacimiento, 16 de diciembre de 1942.* Lima. Academia Peruana de la Lengua. 1943. 40 págs. 25 cm.

WASHINGTON. *Congreso.* 44-53517.

3494

HOMENAJE *a San Juan de la Cruz en el IV centenario de su nacimiento (1542-1942). Estudio crítico por C. M.ª Soler y Catálogo de la Exposición bibliográfica.* Barcelona. Biblio-

teca Central de la Diputación. 1945.
112 págs. con 3 grabs. y una lámina.

1. *San Juan de la Cruz y su bibliografía.*
2. *Un biógrafo de San Juan de la Cruz, Fray Jerónimo de San José (1587-1654).*
3. *El espíritu de San Juan de la Cruz reflejado en la poesía mística de Verdaguer* (págs. 57-77).
4. *Catálogo de la Exposición.*
MADRID. *Instituto de Cultura Hispánica.*

3495

CUADERNOS de «Agora». Números 25-26. Noviembre-Diciembre. 1958. 48 págs. con ilustr. 23,5 cm.

Número especial en que colaboran V. Aleixandre, C. Conde, B. de Otero, L. F. Vivanco, Fr. Augusto de la Inmaculada, Rafael Morales, V. Gaos, J. M. Valverde, Fr. Lucinio del Santísimo Sacramento, P. García Baena, Fr. Casto del Niño Jesús, J. R. Jiménez, S. Brestard, F. Pegenante, C. Bousoño, J. Hierro y M. Fraile.

3496

La Comunione con Dio secondo S. Giovanni della Croce. Roma. Teresianum. 1968. 236 págs. 21 cm. (Fiamma viva, 9).

Contiene los estudios presentados por diversos autores en la «Settimana di spiritualità» celebrada en 1968 en el Pontificio Istituto di Spiritualità del Teresianum.

ROMA. *Nazionale.* 211.C.3860. — WASHINGTON. *Congreso.* 74-435246.

3497

ACTUALITÉ de saint Jean de la Croix. Recueil des études présentés au Congrès de la Plesse (Angers) et publié sous la direction de Lucien-Marie, O. C. D. et Jacques-Marie, O. C. D. París. Desclée de Brouwer. 1970. 272 págs. 20 cm. (Présence du Carmel, 12).

a) B[orrás], A., en *Indice Histórico Español,* XVIII, Barcelona, 1972, n.º 82.656.
b) Gensac, H. de, en *Revue d'Ascétique et de Mystique,* XLVII, París, 1971, págs. 104-5.
c) L. D., en *Nouvelle Revue Théologique,* CIII, Tournai, 1971, pág. 884.

BERLIN. *Ibero-Amerikanischen Instituts.* — MADRID. *Nacional.* 1-148.039.—ROMA. *Teresianum.* Carm. B.2826 (12).

3498

SEMANA de São João da Cruz. Recife. Editôra Universitaria. 1974. 126 págs. 22 cm.

a) J. V., en *Revista de Espiritualidad,* XXXIII, Madrid, 1974, págs 551.
b) Pacho, A., en *El Monte Carmelo,* LXXXII, Burgos, 1974, págs. 432-34.

BIOGRAFÍA

3499

VELASCO, JOSE DE. *Vida y virtudes del venerable varón Francisco de Yepes.* Valladolid. 1615.

— — —

—...y de su hermano Fr. Juan de la Cruz. Valladolid. Juan Godinez de Nillis. 1616. 417 págs. 20,5 cm.
MADRID. *Facultad de Filosofía y Letras.* 7017.

—Vida y virtudes del Venerable Varón Francisco de Yepes, que murió en Medina del Campo, año de 1607. Contiene muchas cosas notables de la vida y milagros de su santo hermano el P. F. Iuan de la Cruz, Carmelita Descalzo. En particular se trata de las cosas maravillosas, que en una Medalla, en que está un poco de carne de su bendito cuerpo, se muestran. Valladolid. Jerónimo Murillo. 1617. 6 hs. + 424 págs. + 2 hs. 20 cm.
MADRID. *Nacional.* U-10.717 (deteriorado).— NUEVA YORK. *Hispanic Society.*
—Barcelona. Gerónimo Margarit. 1624. 386 págs. 20 cm.
MADRID. *Nacional.* 2-24.676.

3500

RELACION sumaria del autor deste libro y de su vida y virtudes. Barcelona. 1619.

V. n.º 3207.

3501

SVMMA de la vida y milagros del ·Venerable Padre Fray Ivan de la Crvz primer descalzo de la Reformacion de Nvestra Señora del Carmen, sacada de las informaciones qve se an hecho para sv canonizacion. Amberes. Pedro y Juan Belleros. 1625. 54 págs. 4.º

BRUSELAS. *Real.*

3502

JOSE DE JESUS MARIA, Fray. *Historia de la vida y virtudes del Venerable P. Fr. Juan de la Cruz, primer Religioso de la Reformación de los Descalzos de N. Señora del Carmen...* Bruselas. Juan Neerbeeck. 1628. 16 hs. + 1014 págs. + 52 hs. 19 cm.

V. n.º 2410.

3503

JERONIMO DE SAN JOSE, Fray. *Dibujo del Venerable Padre Frai Juan de la Cruz.* Madrid. 1629.

V. núms. 1743 y 3208-13.

3504

JERONIMO DE SAN JOSE, Fray. *Historia del Venerable Padre Fr. Juan de la Cruz, primer Descalzo Carmelita...* Madrid. Diego Díaz de la Carrera. 1641. 9 hs. + 906 págs. + 56 hs. 21 cm.

V. n.º 1748.

3505

FRANCISCO DE SANTA MARIA, Fray. [*Biografía de Fr. Juan de la Cruz*]. (En *Reforma de los Descalzos de Nuestra Señora del Carmen de la Primitiva Observancia, hecha por Santa Teresa de Jesús...* Tomo II. Madrid. Diego Díaz de la Carrera. 1655).

Le dedica 37 capítulos.
V. *B. L. H.,* X, n.º 3005.

3506

FILIPPO MARIA DI S. PAOLO. *Vita del gran servo di Dio Giovanni della Croce, figlio primogenito e compagno nella Riforma del Carmine della serafica vergine S. M. Teresa di Giesù...* Roma. Filippo Maria Mancini. 1673. 13 hs. + 342 págs. + 4 hs. 8.º

———

—*Vita del B. Giovanni della Croce...* Roma-Nápoles. Giacinto Passaro. 1675. 10 hs. + 236 págs. 21 cm.

MADRID. *Nacional.* 3-7.260.

3507

[FRANÇOIS DE SANTE MARIE]. L. R. P. F. D. S. M. *La vie du bienheureux P. Jean de la Croix premier carme déchaussé, confesseur de Ste. Thérèse.* Bruselas. J. Delaigle. 1674. XV + 261 págs. 4.º

ROUEN. *Municipale.* Mt.P.3360.

3508

ABRÉGÉ de la vie du B. Jean de la Croix... Arras. Imp. de P. Jollet. 1675. 125 págs.

PARIS. *Nationale.* 8.º P.Oo.760.

———

—Rouen. L. Machuël. 1676. 8.º
ROUEN. *Municipale.* U.3025.

3509

BREVE idea del primer reformador de el Carmelo San Juan de la Cruz. [Granada. Impr. Real de Francisco de Ochoa]. [1675]. 2 hs. 19 cm.

GRANADA. *Universitaria.* A-31-251(10) y A-31-251(13). [Nota manuscrita: «Author el P. Pedro de Montenegro»].

3510

FERDINANDO DELLA MADRE DI DIO. *Compendio della vita del beato Giovanni della Croce.* Roma. Angelo Bernabè. 1675. 8.º

Trad. del español.
MADRID. *Nacional.* 3-34.724.—ROMA. *Vaticana.* Stamp. Barb. T.V.123.

3511

JOSE DE SANTA TERESA. *Resunta de la vida de... S. Juan de la Cruz.* Madrid. 1675.

V. n.º 2515.

3512
MARCOS DE SAN FRANCISCO, Fray. *Sumario de la vida, virtudes y milagros del B. P. Fr. Juan de la Cruz.* Lovaina. Adrian de Witte. 1675. III + 387 págs. 12.º

3513
PEDRO DE S. ANDRES, Fr. *La vie de Saint Jean de la Croix.* Aix. S. Roize. 1675. XXI + 674 págs.

3514
ROSSELL, PEDRO. *Epítome de la vida del bienaventurado S. Juan de la Cruz.* Barcelona. Rafael Figueró. 1675. IV + 63 págs.

3515
M[ODESTE] DE S[AIN]T - A[MABLE], P. *La Vie du B. P. Jean de la Croix, premier carme deschaussé de la réforme de Notre Dame du Mont-Carmel et coadjuteur de la sainte mère Thérèse de Jésus.* Lyon. J. B. de Ville. 1676. 147 págs. 12.º
PARIS. *Nationale.* 8.º Oo.761.

——— ———
—Clemont. 1682.

3516
GASPAR DE LA ANUNCIACION, Fray. *Representación de la vida del Bienaventurado P. F. Ivan de la Cruz Primer Carmelita Descalço.* Bruselas. [s. i.]. [s. a.]. 315 págs. con láminas + 2 hs. 18 cm.
—Frontis.—Texto.—Ls. O.—Escudo de la Orden.—Tabla.—E.
Peeters-Fontainas, I, n.º 500.
MADRID. *Nacional.* R-7.382.

3517
———. ———. Bruxas. Pedro Van Pee. 1679. 315 págs. con láminas. 18 cm.
—Frontis.—Texto.—Ls. O.—Escudo de la Orden.—Tabla.—E.
Igual en todo a la anterior, pues sólo varía el pie de imprenta puesto bajo el grabado del frontis. Se añaden al final la Tabla y E.
BRUSELAS. *Royale.*—MADRID. *Nacional.* U-3.538.

3518
———. *Vida del Bienaventurado Padre Fray Joan de la Cruz, primer Carmelita descalzo.* Bruselas. Francisco Foppens. 1678. 1 h. (?) + 315 págs. con láminas. 16,5 cm.
El mismo contenido en texto y láminas que las ediciones anteriores; al comienzo lleva el título: *Representación de la vida...*
MADRID. *Nacional.* R-5.868 (perteneció a la Biblioteca de Osuna. Tiene 1 h. + págs. 9-315, con el texto completo; quizá falten prels.)

3519
CORREA DE LA CERDA, FERNANDO. *Historia da vida do benaventurado P. S. Ioam da Cruz...* Lisboa 1680. III + 290 págs. 19,5 cm.
MADRID. *Nacional.* 3-39.121. — ROMA. *Teresianum.* Carm. A.2932.

3520
VITA clarissimi confessoris Christi patris fratris Ioannis a Cruce resurgentis Carmeli admodum insignis coerectoris in compendium redacta. [s. l. - s. i.]. [s. a.].
Siglo XVII.
MADRID. *Nacional.* Mss. 2711, fol. 251. (Tres ejemplares de dos ediciones).

3521
VITA venerandi patris fratris Ioannis a Cruce, reformati carmeli coerectoris in compendium redacta. [s. l. - s. i.]. [s. a.]. 2 hs.
Siglo XVII.
MADRID. *Nacional.* Mss. 2711, fols. 145-46. (Dos ejemplares).

3522
HONORÉ DE SAINTE-MARIE, Fray. *La vie de Saint Jean de la Croix.* Tournai. J. Vincent. 1717. IV + 234 + III págs.

3523
AGAPITUS AB ANNUNTIATIONE. *Compendium vitae Seraphicae Virgi-*

nis & Matris Theresia et B. Joannis a Cruce ad elogii formam enarratae ——. Roma. Typis S. Michaëlis ad Ripam. 1723. 4 hs. + 71 págs. 17,5 cm.

ROMA. *Teresianum.* Carm. A.1447.

— — —

—Madrid. José Rodríguez de Escobar. 1727. 71 págs. 15 cm.

MADRID. *Nacional.* 3-20.548.

3524

ABREGÉ de la vie, vertus et miracles de saint Jean de la Croix... Traduit de l'italien par le R. P. Amable de Saint Joseph... Paris. Jean Baptiste. La Mesle et Gonichon. 1725. 214 págs. 16,5 cm.

— — —

—Idem. 1727.

ROMA. *Teresianum.* Carm. A.2968.
—Rouen. Cabut. 1727. 119 págs.

3525

COMPENDIUM vitae, virtutum et miraculorum necnon auctorum in causa Canonizationis B. Joannis a Cruce. Roma. 1726. 4.º

— — —

—Roma. 1727.

ROMA. *Teresianum.* Carm. A.3127.
—Savona. 1857.

ROMA. *Teresianum.* Carm. A.5698.

3526

EUSTACHIO DI SANTA MARIA, Fr. *Storia della vita, virtu, doni e miracoli di S. Giovanni della Croce...* Roma. Pietro Ferri. 1726. 6 hs. + 224 págs. 20 cm.

ROMA. *Teresianum.* Carm. B.4319.

3527

DOSITHÉE DE SAINT-ALEXIS (P.). *La Vie de Saint Jean de la Croix, premier carme déchaussé, et coadjuteur de sainte Thérèse, avec une histoire abrégée de ce qui s'est passé de plus considérable dans la réforme du Car-*

mel. Paris. C. David. 1727. 2 vols. 25,5 cm.

PARIS. *Nationale.* H.4187-4188. — ROMA. *Teresianum.* Carm. B.1222.

— — —

—*Revue par la R. M. Maria-Élisabeth de la Croix.* París. Poussielgue frères. 1872. 3 vols. 18.º

PARIS. *Nationale.* 8.ºOo.769.—ROMA. *Vaticana.* Chigi. V.3871.
—*Leven van den heiligen Vader Joannes a Cruce...* Gent. H. J. B. Rousseau. 1854. 471 págs.
—*Idem.* 1891. 484 págs.

3528

AGAPITO DELLA SS. ANNUNZIATA. *Breve compendio della vita di S. Giovanni della Croce...* Roma. Chracas. 1727. 72 págs. 15,5 cm.

ROMA. *Vaticana.* Stamp. Barb. T.IV.47.

3529

EUSTACHIO DI S. MARIA. *Brieve ragguaglio della vita, morte e miracoli del mistico dottore San Giovanni della Croce.* Roma. Ferri. 1927. 199 págs. 15,5 cm.

ROMA. *Vaticana.* Chigi. V.2213.

— — —

—Roma. 1746.

ROMA. *Teresianum.* Carm. A.5178.

3530

MICHELE FRANCESCO DI S. GIOVANNI BATTISTA. *Vita, geste e miracoli di S. Giovanni della Croce...* Cremona. Pietro Ricchini. 1727. 88 págs. 18,5 cm.

3531

ALONSO DE LA MADRE DE DIOS, Fray. *Epítome histórico-panegírico, vida, virtudes y milagros de... San Juan de la Cruz.* Barcelona. Imp. de los PP. Carmelitas Descalzos. 1728. 77 págs. 15 cm.

BARCELONA. *Seminario Conciliar.*—ROMA. *Teresianum.* Carm. A.3146.

3532

COLLET, PHILIBERT. *La Vie de S. Jean-de-la-Croix, premier carme déchaussé, confesseur de sainte Thérèse et son coadjuteur dans la réforme du Carmel.* Turín. Reycends frères. París. P.-E.-G. Durand. 1769. XXVIII + 448 págs. 12.º

PARIS. *Nationale.* H.10625. — ROMA. *Teresianum.* Carm. A.2970.

— — —

—París. 1796.
—París. Maquignan. 1826. XXVIII + 456 págs.
—Lyon-París. Perisse frères. 1826. XXVIII + 436 págs. 17,5 cm.
—Lyon. 1829.
ROMA. *Teresianum.* Carm. A.2969.
—París. 1837.
—Tournai. 1855.

3533

GIRONDA, GIOVAN GIUSEPPE. *I Sacri Fasti del Serafico Ispano Eroe ovvero la Forza Onnipotente del Divino Amore nella prodigiosissima Vita del Glorioso S. Giovanni della Croce...* Nápoles. Felice Mosca. 1728. 184 págs. 18 cm.

3534

MARCO DI SAN FRANCESCO. *Storia della vita di S. Giovanni de la Croce.* Venecia. 1747.

Antes en la ed. de *Opere.* Venecia. 1742, tomo III, págs. 37-390.
ROMA. *Vaticana.* R.G.Vita.III.38.

3535

ALBERTUS A. SANCTO CAIETANO. *Vita Mystici Doctoris Sancti Joannis a Cruce...* Venecia. Sculp. Franco Zucchi. 1740. 53 láms. 21,5 cm.

ROMA. *Teresianum.* Carm. B.3013.

— — —

—París. 1796.
— París. 1826.

3536

JOSE DE SANTA TERESA, Fray. *Vida de Nuestro Padre San Juan de la Cruz, Doctor Místico y Primer Descalzo.* Murcia. F. Benedito. 1779. 3 hs. + 265 págs.

3537

GOTTI (Cardenal). *Compendio della vita di San Giovanni della Croce.* Savona. 1857. 200 págs.

3538

MARTINEZ MARIN, FRANCISCO MARIA. *Compendio histórico de la vida y novena del esclarecido Doctor místico San Juan de la Cruz... Con un resumen de los Avisos del Santo... y algunas de sus célebres poesías.* Cuenca. Imp. de F. Gómez e Hijos. 1875. 126 págs. 15 cm.

3539

MUÑOZ GARNICA, MANUEL. *San Juan de la Cruz. Ensayo histórico.* Jaén. Rubio. 1875. XVI + 439 págs. 22 cm.

MADRID. *Facultad de Filosofía y Letras.* — Nacional. 1-8.020.

— — —

—*San Giovanni della Croce. Saggio storico* Versione de Francesco Alessandro Piantoni. Roma. 1881. 443 págs. 8.º
Toda, *Italia,* III, n.º 3.463.
ROMA. *Vaticana.* R.G.Vita.IV.847.

3540

HUTCHINGS, WILLIAM H. *Exterior und interior life of S. John of the Cross.* Oxford. A. R. Mowbray. 1880-1881. 2 vols. 18 cm.

3541

GREGORIO DE SANTA SALOME, Fray. *Vida del Extático Padre San Juan de la Cruz...* Madrid. 1884. 62 págs. 18 cm.

3542

ALEJANDRO DE SANTA TERESA, Fr. *Terzo Centenario di S. Giovanni della Croce... Vita dello stesso.* Roma. 1891. XIV + 446 págs. 22 cm.

3543
ALFONSO MARIA DI GESÙ. *Vita breve di San Giovanni della Croce.* Bolonia. Mareggiani. 1891. 102 págs.

———

—Parma. 1891. 108 págs. 16.º
SALAMANCA. *Universidad Pontificia.* 4623B.
—*Vie de Saint Jean de la Croix... Traduite par... H. Feige.* Lyon. E. Vitte. 1891. 125 págs. 18.º

3544
CATANI, TOMAS. *San Giovanni della Croce.* Florencia. Chiesi. 1891. XVI + 232 págs. 8.º
ROMA. *Teresianum.* Carm. A.5460.

3545
LEWIS, DAVID. *The Life of St. John of the Cross.* Londres. Th. Baker. 1897. XI + 307 págs. 8.º
ROMA. *Teresianum.* Carm. B.1803.

3546
WENCESLAO DEL SANTISIMO SACRAMENTO. *Fisonomía de un Doctor (San Juan de la Cruz). Ensayo crítico.* Salamanca. Imp. de Manuel P. Criado. 1913. 2 vols. 19 cm.

a) Eguía, C., en *Razón y Fe,* XXXVII, Madrid, 1913, págs. 120-23.
MADRID. *Nacional.* 1-63.281/82. *Particular de la Casa Provincial de la Orden del Carmen Descalzo.* Carm. A.625 (1-2).

3547
HERIZ, PASCHASIUS. *Saint John of the Cross.* Washington. 1919. 214 págs.

3548
DEMIMUID, MAURICE. *Saint Jean de la Croix, 1542-1591.* París. J. Gabalda. 1916. VIII + 210 págs. 19 cm. (Les Saints).

a) Cirot, G., en *Bulletin Hispanique,* XXIII, Burdeos, 1921, págs. 346-51.
PRINCETON. *Princeton Theological Seminary.*

———

—2.ª ed. París. V. Lecoffre. 1916.
AMHERST, Mas. *University of Massachusetts.*
ROMA. *Teresianum.* Carm. A.2683.
—3.ª ed. 1916.
CAMBRIDGE, Mass. *Harvard University.*—
WASHINGTON. *Catholic University of America Library.*
—4.ª ed. París. J. Gabalda. 1924.
CAMBRIDGE, Mass. *Harvard University.*—ROMA. *Teresianum.* Carm. A.4551.
—7.ª ed. 1932.
MADRID. *Particular de la Casa Provincial de la Orden del Carmen Descalzo.* Carm. B.547.

3549
STANISLAO DI SANTA TERESA, Fr. *San Giovanni della Croce (1542-1591).* Milán. S. Lega Eucaristica. 1926. 257 págs. 19 cm.
ROMA. *Nazionale.* 240.D.36.

3550
EVARISTO DE LA VIRGEN DEL CARMEN, Fray. *El nuevo Doctor de la Iglesia San Juan de la Cruz.* Toledo. 1927. 248 págs. 19 cm.
MADRID. *Nacional.* 2-75.856.

3551
A. DE LA P. *Vida de San Juan de la Cruz.* Madrid. Apostolado de la Prensa. 1928. 222 págs. 17,5 cm. (Vidas populares).
MADRID. *Nacional.* 2-80.220.

3552
BRUNO DE JESUS-MARIE, Fr. *Saint Jean de la Croix. Préface de Jacques Maritain.* París. Libr. Plon. 1929. 34 + 480 págs. 22 cm.

a) Colunga, A., en *La Ciencia Tomista,* XLII, Madrid, 1930, pág. 137.
b) Hoornaert, E., en *Revue d'Histoire Ecclésiastique,* XXVI, Lovaina, 1930, págs. 1039-46.
c) Peers, E. A., en *Bulletin of Spanish Studies,* VII, Liverpool, 1930, págs. 189-91.
ROMA. *Vaticana.* R.G.Vita.IV.2152.

———

—2.ª ed. París. 1932.
ROMA. *Teresianum.* Carm. B.2791.

—París. 1938. XL + 482 págs.
—París. 1939.
ROMA. *Teresianum*. Carm. B.3798.
—París. 1948.
MADRID. *Nacional*. 4-38.044.
—Brujas. Desclée de Brouwer. 1961. 425 págs.
d) F. N., en *Revue de l'Université Laval*, XVII, Ottawa, 1963, pág. 486.
e) José Vicente de la Eucaristía, Fray, en *Ephemerides Carmeliticae*, XIV, Roma-1963, págs. 241-45.
f) O[lphe] G[alliard], M., en *Revue d'Ascétique et de Mystique*, XXXIX, Toulouse, 1963, págs. 262-68.
g) Solá, S., en *Manresa*, XXXVI, Madrid, 1964, pág. 366.
LONDRES. *British Museum*. P.P.38.i/2.(15). — ROMA. *Teresianum*. Carm. Period.-OCD/112A (18).—WASHINGTON. *Congreso*. 63-37143.

— — —

—*Saint John of the Cross. Edited by Fr. Benedict Zimmerman, with an Introduction by J. Maritain*. Londres. Sheed and Ward. 1932. XXXII + 495 págs. + 10 láms. 22 cm.
h) Carmichael, M., en *The Dublin Review*, CXCII, Dublín, 1933, págs. 159-64.
i) MacClelland, I. L., en *Bulletin of Spanish Studies*, X, Liverpool, 1933, págs. 93-95.
j) McSorley, en *The Catholic World*, CXXXVII, Nueva York, 1933, págs. 500-1. LONDRES. *British Museum*. 4830.bb.9. — MADRID. *Nacional*. 2-89.188.—ROMA. *Nazionale*. AKC.2029.
—Nueva York. Sheed and Ward. 1957. XXXII + 495 págs. 22 cm.
k) Cary-Elwes, C., en *The Catholic Historical Review*, XLIV, Washington, 1958, págs. 184-85.
ROMA. *Teresianum*. Carm. B.2730.

— — —

—*San Giovanni della Croce. Prefazione di J. Maritain*. Milán. Vita e Pensiero. 1938. XXXIV + 434 págs. 8.ª
ROMA. *Vatiacna*. R.G.Vita.IV.3479.
—Milán. Ancora. 1963. 501 págs. 22,5 cm. (Collana di spiritualità carmelitana, 13).
l) Simeón de la Sagrada Familia, Fray, en *Ephemerides Carmeliticae*, XV, Roma, 1964, págs. 273-74.
ROMA. *Teresianum*. Carm. B.2730.—WASHINGTON. *Congreso*. 57-14030.

— — —

—*San Juan de la Cruz*. Madrid. Fax. 1943. 463 págs. 20 cm.
m) Crisógono (P.), en *Revista de Espiritualidad*, III, San Sebastián, 1944, págs. 213-214.

MADRID. *Facultad de Filosofía y Letras.* — *Nacional*. 1-97.078; 4-9.650.—ROMA. *Vaticana*. R.G.Vita.V.2753.
—Buenos Aires. Desclée de Brouwer. 1947. 459 págs.

3553

GESUALDA DELLO SPIRITO SANTO. *San Giovanni della Croce*. 1929.

— — —

—2.ª ed. 1941.
—3.ª ed. 1948.
—4.ª ed. Bari. Ediz. Paoline. 1957. 347 págs. 17 cm. (Gens sancta, 36).
—*St. Jean de la Croix*. París. 1960.
ROMA. *Teresianum*. Carm. A.5165.
—*San Juan de la Cruz*. Versión de la 2.ª ed. italiana por Juan-Angel Oñate. Bilbao-Madrid. Pía Sociedad de San Pablo. [s.a., 1944?]. 261 págs. 18 cm.
MADRID. *Nacional*. 4-30.259.

3554

BRUNO DE JESUS - MARIE. *Vie d'amour de Saint Jean de la Croix*. París. Desclée de Brouwer. 1936. 267 págs. 8.º
MADRID. *Particular de la Casa Provincial de la Orden del Carmen Descalzo*. Carm. A.601.

— — —

—1944. 207 págs.
ROMA. *Vaticana*. R. G. Vita. V.2794

3555

OTILIO DEL NIÑO JESUS, Fray. *San Juan de la Cruz*. Barcelona. Castalia. [1940]. 64 págs. 17,5 cm. (Vidas Santificadas).
MADRID. *Nacional*. V-1.385-16.

3556

CRISOGONO DE JESUS SACRAMENTADO, Fray. *Vida de San Juan de la Cruz*. San Sebastián. Gráfs. Fides. 1941. 112 págs. 16 cm.
a) *Revista de Espiritualidad*, I, San Sebastián, 1942, n.º 2, págs. 108-9.
MADRID. *Consejo General.—Nacional*. 1-96.832.
—2.ª ed. Madrid. Espiritualidad. 1959. 121 págs.
MADRID. *Nacional*. V-3.144-38.

3557

CHANDEBOIS, E. *La lección de Fray Juan de la Cruz. Episodios, doctrina y poesía de un resurgimiento espiritual.* Barcelona. [Talls. Ediciones Ariel]. 1942. 378 págs. + 3 hs. 17,5 cm.

a) Crisógono (P.), en *Revista de Espiritualidad*, III, San Sebastián, 1944, pág. 219. MADRID. *Nacional.* 1-96.807. *Particular de la Casa Provincial de la Orden del Carmen Descalzo.* Carm. A.587.

3558

SANDOVAL, ADOLFO DE. *San Juan de la Cruz. El Santo. El Doctor místico. El Poeta.* Madrid. Biblioteca Nueva. 1942. 175 págs. 18 cm.

MADRID. *Nacional.* 4-1.950.

3559

SEPICH, JUAN R. *San Juan de la Cruz, místico y poeta.* Buenos Aires. 1942. 146 págs. con ilustr. 22 cm.

ROMA. *Vaticana.* R.G.Vita.4939.

3560

PEERS, EDGAR ALLISON. *Spirit of flame: a study of St. John of the Cross.* Londres. Student Christian movement press. 1943. 164 págs. 19 cm.

a) Jiménez Salas, María, en *Arbor*, III, Madrid, 1945, págs. 619-20. WASHINGTON. *Congreso.* A43-3769.

— — —

—Nueva York. Morehouse - Gorham. 1944. XIII + 214 pags. 19 cm. WASHINGTON. *Congreso.* 44-1580.
—5.ª ed. Londres. S.C.N. Press. 1945. 163 págs.
—6.ª ed. Londres. Student. 1946. 263 págs.
—7.ª ed. 1947.
—Londres. S.C.M. Press Ltl. 1961. 170 págs. 18,5 cm.
—*San Juan de la Cruz, espíritu de llama.* Traducción de Eulalia Galvarriato. Madrid. C.S.I.C. 1950. 179 págs. 24,5 cm.

b) C. M. Z., en *Ilustración del Clero*, XLV, Madrid, 1952, pág. 228.

c) Nazario de Santa Teresa, Fr., en *Re-vista de Espiritualidad*, XI, Madrid, 1952, pág. 103.

d) S. F. C., en *La Ciencia Tomista*, LXXIX, Salamanca, 1952, pág. 132. MADRID. *Consejo. Instituto «M. de Cervantes*Q. XCIII-345. *Nacional.* 1-108.022.

3561

PAULET, R. *Vie de Saint Jean de la Croix.* París. Albin Michel. 1943. 48 págs. (Pages Catholiques).

3562

SENCOURT, ROBERT. *Carmelite and Poet: St. John of the Cross. With his poems in Spanish.* Londres. Hollis and Carter. 1943. 244 págs. 8.º

a) Vidal, Clemente, en *Revista Española de Teología*, V, Madrid, 1945, págs. 471-72. ROMA. *Teresianum.* Carm. B.3463.

— — —

—*San Juan de la Cruz, carmelita y poeta.* Buenos Aires. Orden Cristiano. 1947. 415 págs. 20 cm. MADRID. *Nacional.* H.A.-20.259. *Particular de la Casa Provincial de la Orden del Carmen Descalzo.* Carm. A.641. — WASHINGTON. *Congreso.* 48-25399 rev.*

3563

CRISOGONO DE JESUS SACRAMENTADO, Fray. *Vida de San Juan de la Cruz.* Obra póstuma. (En Juan de la Cruz, San. *Vida y Obras Completas.* Madrid. Edit. Católica. 1946. V. n.º 3229.

—Hipólito de la Sagrada Familia, Fray. *La «Vida de San Juan de la Cruz» por el P. Crisógono de Jesús: reparos críticos*, en *El Monte Carmelo*, LXXVII, Burgos, 1969, págs. 1-33.

— — —

—*Vita di San Giovanni della Croce, dottore mistico.* Trad. di Ferdinando di Santa Maria. Milán. Ancora. 1955. 745 págs. 22,5 cm. (Coll. di spiritualitá carmelitana, 5).
—*The life of St. John of the Cross.* Transl. by K. Pond. Nueva York. Harper Bros., y Londres. Longmans. 1958. XVI + 24 cm. (A la vez salió una ed. de bolsillo, con 326 págs., sin las notas e ilustraciones).

a) Cary-Elwes, en *The Catholic Historical Review*, XLV, Washington, 1959, págs. 41-43.

b) MacClelland, I. L., en *Bulletin of Hispanic Studies*, XXXVII, Liverpool, 1960, pág. 65.
c) Parker, en *Journal of Ecclesiastical History*, X, Londres, 1959, págs. 129-30.
ROMA. *Teresianum.* Carm. B.1716. — WASHINGTON. *Congreso.* 58-12931.
—*O poeta do amor: S. João da Cruz.* Viana do Castelo. Edições Carmelitanas. 1960. 220 págs.
d) Alberto de la Virgen del Carmen, Fray, en *Revista de Espiritualidad*, XX, Madrid, 1961, pág. 573.
e) L. de C., en *Brotéria*, LXXIII, Lisboa, 1961, pág. 231.
MADRID. *Particular de la Casa Provincial de la Orden del Carmen Descalzo.* Carm. A. 582.—ROMA. *Teresianum.* Carm. A.2772.
—*Doctor Mysticus. Leben des heiligen Johannes von Kreuz. Herausgegeben und aus dem Spanischen übertragen von Oda Schneider.* Paderborn. Ferdinand Schönigh. 1961. 400 págs. 22 cm.
f) Brunner, A., en *Geist und Leben*, XXXV, Munich, 1962, págs. 469-70.
BERLIN. *Ibero-Amerikanischen Instituts.*—ROMA. *Teresianum.* Carm. B.2560.

3564

BORDEAUX, HENRI. *Saint Jean de la Croix.* Paris. Librairie de l'Arc. 1946. 29 págs. 15,5 cm. (Nos saints patrons, 9).

3565

CHANDEBOIS, HENRI. *Portrait de saint Jean de la Croix. La flute de roseau. Préface de Maurice Legendre.* Paris. B. Grasset. [1947]. 370 págs. + 16 láms. 20 cm.

a) Hoornaert, R., en *Les Lettres Romanes*, IV, Lovaina, 1950, págs. 335-37.
MADRID. *Nacional.* 4-37.839.

3566

[SERNA ESPINA, JOSEFINA], JOSEFINA DE LA MAZA [seud.] y MARIA JIMENEZ SALAS. *Vida de San Juan de la Cruz.* Madrid. Editora Nacional. 1947. 256 págs. + 2 hs. 21,5 cm.

a) Pérez Embid, F., en *Arbor*, IX, Madird, 1948, págs. 481-82.

b) *Bibliografía Hispánica*, VI, Madrid, 1947, págs. 802-3.
BERLIN. *Ibero-Amerikanischen Instituts.* — MADRID. *Nacional.* 4-30.523.

3567

JOSE ANTONIO DE LA MADRE DE DIOS, Fray. *San Juan de la Cruz.* Plasencia. Sánchez Rodrigo. 1952. 122 págs. + 1 lám. 19,5 cm. (Hijos ilustres de España, 17):

a) *Alcántara*, año IX, Cáceres, 1953, númros 63-65, pág. 89.
MADRID. *Nacional.* 7-20.393.

3568

PEERS, EDGAR ALLISON. *A Handbook to the Life and Times of S. Teresa and St. John of the Cross.* Londres. Burns. Oates. 1954. VIII + 278 págs. 22 cm.

a) Brenan, G., en *Atlante*, III, Londres, 1955, págs. 99-100.
b) Woodward, L. J., en *Bulletin of Hispanic Studies*, XXXI, Liverpool, 1954, págs. 184-85.
BERLIN. *Ibero-Amerikanischen Instituts.* — WASHINGTON. *Congreso.* 54-40320.

———

—Westminster, Mar. Newman Press. 1954. VII + 247 págs. 22 cm.

3569

WAACH, HILDEGARD, *Johannes vom Kreuz* Viena-Munich. Harold. 1954. 330 págs. 21 cm.

a) Alfonso M. de Santa Teresa, Fray, en *Revista de Espiritualidad*, XVII, Madrid, 1958, págs. 113-14.
b) S. J. C., en *Archivum Bibliographicum Carmeditanum*, II, Roma, 1957, pág. 300.
BERLIN. *Ibero-Amerikanischen Instituts.* — MADRID. *Consejo. Instituto «M. de Cervantes».* XIX-222. *Nacional.* 4-44.003.—WASHINGTON. *Congreso.* A55-3897.

———

—*San Juan de la Cruz.* Trad. de A. M. de Santa Teresa. Madrid. Rialp. 1960. 431 págs. 16,5 cm. (Col. Patmos, 97).
c) Córdoba, A., en *La Ciudad de Dios*, CLXXIII, El Escorial, 1960, págs. 773-74.
d) Royo Marín, A., en *La Ciencia To-*

mista, LXXXVII, Salamanca, 1960, pág. 397.

e) Santamarta, S., en *Augustinianum*, I, Roma, 1961, págs. 388-89.

f) Segura, F., en *Razón y Fe*, CLXIV, Madrid, 1961, págs. 273-74.

MADRID. *Nacional*. 1-219.232.

3570

SPECKER, EMIL. *Johannes vom Kreuz, Lehrer der Mystick. Das Leben des Heiligen gestaltet aus den spanischen Dokumenten...* Stans. Verlag J. von Matt. [1957]. 191 págs. 21 cm.

a) Federico de San Juan de la Cruz, Fray, en *Revista de Espiritualidad*, XVII, Madrid, 1958, págs. 488-89.

b) Peters, C., en *Carmelus*, IV, Roma, 1957, pág. 282.

c) Waach, H., en *Der Seelsorger*, XXVIII, Vrener, 1957-58, págs. 93-94.

d) Wessely, F., en *Mystische Theologic*, XXXIV, Viena, 1958, pág. 264.

BERLIN. *Ibero-Amerikanischen Instituts*.

3571

GAGEAC, PIERRE. *Saint Jean de la Croix dans son voyage au bout de la nuit*. París. J. Gabalda et Cie. 1958. 153 págs. 19 cm. (Coll. Situation des Saints).

a) Lefebvre, G., en *La Vie Spirituelle*, C, París, 1959, págs. 554-55.

b) Lucinio del Stmo. Sacramento, Fray, en *Revista de Espiritualidad*, XVIII, Madrid, 1959, págs. 276-77.

c) Morel, G., en *Etudes*, CCC, París, 1959, pág. 411.

d) Peters, C., en *Carmelus*, VI, Roma, 1959, págs. 292-93.

e) Puerto, F., en *Teología Espiritual*, V, Valencia, 1961, pág. 349.

BERLIN. *Ibero-Amerikanischen Instituts.* — MADRID. *Particular de D. Pedro Sainz Rodríguez*.

3572

TABERA, JOSE MARIA. *San Juan de la Cruz*. Barcelona. Edic. G. P. 1958. 64 págs. 10,5 cm. (Enc. Pulga, 415).

3573

CHEVALLIER, PHILIPPE. *Saint Jean de la Croix, docteur des âmes*. Paris. Montaigne. 1959. 221 págs. 19 cm. (Coll. La légion de Dieu).

a) J[iménez] D[uque], B., en *Revista Española de Teología*, XXI, Madrid, 1961, pág. 99.

b) Lucien-Marie de St. Joseph, F., en *Le Carmel*, Petit Castelet, Tarascon, 1960, págs. 159-60.

c) Perini, D. C., en *Divus Thomas*, LXVI, Piacenza, 1963, pág. 325.

d) Peters, C., en *Carmelus*, VIII, Roma, 1961, págs. 192-95.

e) Renard, L., en *Nouvelle Revue Théologique*, LXXXII, Lovaina, 1960, pág. 758.

f) Robilliard, J. A., en *Revue des Sciences Philosophiques et Théologiques*, XLV, Le Saulchoir, 1961, pág. 109.

BERLIN. *Ibero-Amerikanischen Instituts.* — ROMA. *Teresianum*. Carm. A.2660.

3574

MAUGER, GILLES. *Saint Jean de la Croix*. Paris. Apostolat de la Presse. 1959. 188 págs. 19 cm.

3575

VINCELOT, MAG. *Jean de la Croix, l'ange qui fut homme*. Paris. Letouzé et Ané. 1958. 157 págs. 18 cm. (Coll. Vies Exaltantes, 1).

a) Peters, C., en *Carmel*, XII, Tilburg, 1959-60, págs. 167-68.

BERLIN. *Ibero-Amerikanischen Instituts*.

3576

CRISTIANI, LEON. *Saint Jean de la Croix, prince de la mystique (1542-1591)*. Paris. Editions France-Empire. 1960. 317 págs. 20 cm.

a) Holstein, H., en *Études*, CCCX, París, 1961, pág. 148.

b) L. R., en *Nouvelle Revue Théologique*, LXXXIII, Lovaina, 1961, pág. 107.

c) Pierre-Marie de la Croix, en *Le Carmel*, Petit Castelet, Tarascon, 1961, págs. 313-14.

d) Vandenbroucke, F., en *La Revue Nouvelle*, XVII, Bruselas, 1961, págs. 206-7.

BERLIN. *Ibero-Amerikanischen Instituts*.

— — —
—*St. John of the Cross, prince of mystical theology.* Garden City, N. Y. Doubleday & Co. 1962. VIII + 298 págs. 21,5 cm.
e) Joung, W. J., en *Review for Religious,* XXIII, St. Marys, 1964, pág. 120.
WASHINGTON. *Congreso.* 62-7617.
—*San Juan de la Cruz. Vida y doctrina.* Trad. de Martín Ezcurdia. Madrid. Edit. de Espiritualidad. 1969. 416 págs. con ilustr. + 2 hs. 19 cm. (Col. Logos, 8-9).
MADRID. *Nacional.* 4-26.664. — ROMA. *Teresianum.* Carm. A.5810(8-9).

3577

POINSENET, MARIE-DOMINIQUE. *Par un sentier a pic, S. Jean de la Croix.* Paris. Artheme Fayard. 1960. 256 págs. 20 cm. (Bibliothèque Ecclesia, 57).

a) Michiels, G., en *La Revue Nouvelle,* XVI, Bruselas, 1960, págs. 247-48.
b) Rousse, J., en *La Vie Spirituelle,* CIII, París, 1960, págs. 453-54.
BERLIN. *Ibero-Amerikanischen Instituts.* — MADRID. *Particular de D. Pedro Sainz Rodríguez.*

— — —
—2.ª ed. París. Editions du Dialogue - Société d'Editions Internationales. 1968. 196 págs. con ilustr. 22 cm.
—*Steil bergauf: der heilige Johannes vom Kreuz.* Aschaffenburg. Paul Pattloch Verlag. [1963]. 254 págs. con ilustr. 19,5 cm.
—*Por un sendero cortado a pico. San Juan de la Cruz. [Trad. de Alejo Oria León].* Bilbao. Edics. Paulinas. 1965. 338 págs. 18 cm. (Col. Gens Sancta, 24).
MADRID. *Nacional.* 4-51.571.

3578

BAYDAL TUR, J. S. *Vida breve de S. Juan de la Cruz.* Valencia. Impr. Semana Gráfica. 1961. 143 págs., 18,5 cm.
MADRID. *Nacional.* V-4.628-9.

3579

POINSENET, MARIE DOMINIQUE. *L'heureuse aventure de Jean de la Croix.* Paris. Colmar. Ed. Alsatia. [1963]. 71 + I pág. con ilustr. en color de J. Riandey. 23 cm.

a) Albert de l'Annonciation, en *Carmel,* Petit Castelet, Tarascon, 1963, pág. 159.
b) P. V., en *Foi Vivante,* IV, Bruselas, 1963, pág. 142.
c) Peters, C., en *Carmelus,* X, Roma, 1963, pág. 339.
BERLIN. *Ibero-Amerikanischen Instituts.* — ROMA. *Teresianum.* Carm. B.2682.

3580

CUGNO, ALAIN. *Saint Jean de la Croix.* París. Fayard. 1971. 262 págs. 20,5 cm.

MADRID. *Consejo. Instituto «M. de Cervantes».* CIX-68.—ROMA. *Teresianum.* Carm. B. 4713.

Familia

3581

[CONTRERAS, JUAN DE] MARQUES DE LOZOYA. *La formación hogareña de San Juan de la Cruz.* (En *Revista de Espiritualidad,* I, San Sebastián, 1942, págs. 225-30).

3582

GOMEZ-MENOR, J. C. *El bachiller Diego de Yepes, cura de Domingo Pérez, morador en Torrijos.* (En *Toletum,* Toledo, 1969-70, n.º 5, páginas 165-67).

3583

GOMEZ-MENOR FUENTES, JOSE. *El linaje familiar de Santa Teresa y de San Juan de la Cruz. Sus parientes toledanos.* Toledo. [Salamanca. Gráfs. Cervantes]. 1970. 224 págs. con ilustr. y un árbol geneal. 21 cm.

a) Cadenas y Vicent, V. de, en *Hidalguía,* XIX, Madrid, 1971, pág. 725.
b) Llamas, E., en *Salmanticensis,* XIX, Salamanca, 1972, págs. 227-28.
MADRID. *Consejo. Instituto «J. Zurita».* 21-2.678.

3584

——. *El linaje toledano de Santa Teresa y de San Juan de la Cruz.*

(En *Toletum,* Toledo, 1972, págs. 87-147, 165-67).

Tir. ap.: Toledo. 1972.

Otros aspectos

3585

MATIAS DEL NIÑO JESUS, Fray. *Documento inédito de San Juan de la Cruz.* (En *El Monte Carmelo,* XLIV, Burgos, 1943, págs. 259-63).

«Escritura de fundación del convento de Carmelitas Descalzos de la ciudad de Mancha Real, redactado en nombre de J. y al cual va apuesta su firma autógrafa. Consérvase en el archivo de protocolos de dicha ciudad».

3586

GALLEGO MORELL, ANTONIO. *San Juan de la Cruz en Granada.* (En *Boletín de la Universidad de Granada,* XVIII, Granada, 1946, págs. 145-57).

3587

HERRERO GARCIA, MIGUEL. *San Juan de la Cruz en Torreperojil.* (En HOMENAJE a... *Luis Muñoz-Cobo Arredondo.* Madrid. 1955, págs. 207-8).

MADRID. *Nacional.* 1-206.874.

3588

MENDIZABAL, FEDERICO DE. *Itinerario poético de San Juan de la Cruz en la provincia de Jaén.* (En *Boletín del Instituto de Estudios Giennenses,* Jaén, 1957, n.º 11, págs. 59-97).

3589

MARTINIANO ANTOLIN DE LA CRUZ, Fray. *Espigando en la vida de San Juan de la Cruz: ¿Cómo vivió su vida de carmelita descalzo?* (En *El Monte Carmelo,* LXVII, Burgos, 1959, págs. 161-89).

3590

[MATIAS DEL NIÑO JESUS, Fray]. *San Juan de la Cruz en Segovia.*

Segovia. Imp. Comercial. 1959. 44 págs. con ilustr. 17,5 cm.

MADRID. *Particular de la Casa Provincial de la Orden del Carmen Descalzo.* Carm. A.616.

3591

LUCAS, FRANCISCO J[AVIER]. *La Cruz de San Juan de la Cruz.* Bilbao. El Mensajero del Corazón de Jesús. [1964]. 157 págs. 8.º

BERLIN. *Ibero-Amerikanischen Instituts.*

3592

JORGE, ENRIQUE. *San Juan de la Cruz en Avila. (En torno a un centenario).* (En *Manresa,* XLI, Madrid, 1969, págs. 77-86).

3593

WERRIE, PAUL. *Fontiveros, où est né saint Jean de la Croix.* (En *Ecrits de Paris,* París, 1969, n.º 280, págs. 84-90).

3594

CORCHADO Y SORIANO, MANUEL. *Caminos recorridos por Santa Teresa de Jesús y San Juan de la Cruz en la Mancha.* (En *Cuadernos de Estudios Manchegos.* Ciudad Real. 1971, págs. 143-56).

3595

GONZALEZ GONZALEZ, NICOLAS. *San Juan de la Cruz en Avila (1572-1577).* Avila. Caja Central de Ahorros. 1973. 128 págs. 21,5 cm.

MADRID. *Nacional.* V-10.329-6.—ROMA. *Vaticana.* R.G.Vita.IV.5876.

Documentos

3596

ROMERO DE TORRES, E. *Una escritura de San Juan de la Cruz.* (En *Boletín de la R. Academia de la Historia,* LXIX, Madrid, 1916, págs. 65-70).

3597

MATIAS DEL NIÑO JESUS, Fray. *Documento inédito de San Juan de la Cruz.* (En *El Monte Carmelo*, XLIV, Burgos, 1943, págs. 259-63).

3598

HARDY, RICHARD P. *Early Biographical Decumentation of Juan de la Cruz.* (En *Science et Esprit*, XXX, Montréal, 1978, págs. 313-23).

Iconografía

3599

THEODORUS S. JOSEPH. *Vie iconologique de S. Jean de la Croix.* [Bruges]. 1926. 73 págs. 22,5 cm.

ROMA. *Teresianum.* Carm. B.3015.

3600

ALBERT BERENGUER, ISIDRO. *Cooperación a la iconografía de San Juan de la Cruz.* (En *Revista de Espiritualidad*, I, San Sebastián,, 1942, págs. 421-27).

3601

VALENTIN DE SAN JOSE. *Sobre el retrato de San Juan de la Cruz.* (En *Revista de Espiritualidad*, I, San Sebastián, 1942, págs. 411-20).

3602

Jean de la Croix. Iconographie générale selon le catalogue raisonné établi par Michel Florisoone. [Bruges]. Desclée de Brouwer. [1975]. 411 páginas con ilustr. 18 cm. (Bibliothèque Européenne).

ROMA. *Teresianum.* Carm. A.6647.

INTERPRETACIÓN Y CRÍTICA

3603

VALLÉE, [GONZALVE]. *Saint Jean de la Croix. Sa vie, sa doctrine... Sermons...* Lille. Desclée, De Brouwer et C.ᵉ 1892. XII + 196 págs. 8.º

MADRID. *Particular de la Casa Provincial de la Orden del Carmen Descalzo.* Carm. A.644. PARIS. *Nationale.* 8ºOo.1170.

———

—París. P. Lethilleux. 1913. 188 págs. 8.º PARIS. *Nationale.* D.74074.

3604

HOORNAERT, RODOLPH. *L'âme ardente de Saint Jean de la Croix.* Bruges, etc. Desclée de Brouwer et Cie. [1928]. 131 págs. 8.º

a) Groult, P., en *Revue d'Histoire Ecclésiastique*, XXV, Lovaina, 1929, págs. 807-8.
b) Rodríguez, C., en *Religión y Cultura*, VII, Madrid, 1929, págs. 131-32.
MADRID. *Consejo. Patronato «Menéndez Pelayo».* SA-1.337. *Particular de la Casa Provincial de la Orden del Carmen Descalzo.* Carm. A.561.

———

—2.ª ed. Idem.
—3.ª ed. Tournai. 1947. 90 págs.

3605

CRISOGONO DE JESUS SACRAMENTADO, Fray. *San Juan de la Cruz: su obra científica y su obra literaria.* Madrid. «El Mensajero de Sta. Teresa y de S. Juan de la Cruz». 1929. 2 vols. 21 cm.

I. Su obra científica; II. Su obra literaria.
a) Cirot, G., en *Bulletin Hispanique*, XXXIV, Burdeos, 1932, págs. 336-45.
b) Colunga, A., en *La Ciencia Tomista*, XLI, Salamanca, 1930, págs. 133-35.
c) Hernández, E., en *Razón y Fe*, XCIV, Madrid, 1931, págs. 174-76.
d) P[eers], E. A., en *Bulletin of Spanish Studies*, VII, Liverpool, 1930, págs. 40-41, 92-93.
e) Rodríguez, C., en *Religión y Cultura*, IX, El Escorial, 1930, págs. 292-95.
MADRID. *Consejo. General. — Nacional.* 2-78.973/74.—ROMA. *Vaticana.* R.C.Vita.IV.2452 (1-2).

3606

BELL, A. F. G. *Saint John of the Cross: a Portrait.* (En *Bulletin of Spanish Studies*, VII, Liverpool, 1930, págs. 13-21).

3607

BOINE, G. S. Giovanni della Croce. (En Ferita non chiussa. Módena. Guanda. 1939, págs. 209-62).

3608

COLUNGA, A. San Juan de la Cruz, intérprete de la S. Escritura. (En La Ciencia Tomista, LXIII, Salamanca, 1942, págs. 257-76).

3609

CRISOGONO DE JESUS, Fray. En el IV centenario de San Juan de la Cruz (1542-1942): Su magisterio. (En Razón y Fe, CXXV, Madrid, 1942, páginas 521-32).

a) Revista de Espiritualidad, IV, Madrid, 1945, págs. 410-11.

3610

IRIARTE, M. Una gran preocupación de San Juan de la Cruz. (En Manresa, XIV, Madrid, 1942, págs. 302-318).

La formación de los Directores espirituales.

3611

ISMAEL DE SANTA TERESITA. Rectificando inexactitudes en torno a San Juan de la Cruz. (En Revista de Espiritualidad, I, San Sebastián, 1942, págs. 428-37).

3612

REMUNAN GARCIA, M. San Juan de la Cruz, figura de la raza. (En Boletín de la Universidad de Santiago, XI, Santiago de Compostela, 1942, págs. 27-43).

3613

RIVA AGÜERO, JOSE DE LA. Discurso en el homenaje de la Academia de la Lengua a San Juan de la Cruz. (En Mercurio Peruano, XXV, Lima, 1942, n.º 189, pág. 594).

3614

ROQUER, RAMON. Divagaciones Sanjuanistas. (En Manresa, XIV, Barcelona, 1942, págs. 319-27).

3615

SANCHEZ-CANTON, FRANCISCO JAVIER. ¿Cabe hablar de San Juan de la Cruz y las Artes? (En Escorial, IX, Madrid, 1962, n.º 25, págs. 301-314).

3616

TORRES, ALFONSO. El Doctor de la perfecta abnegación. (En Manresa, XIV, Madrid, 1942, núms. 52-54, páginas 193-201).

3617

VACA, CESAR. San Juan de la Cruz y algunos aspectos del problema espiritual moderno. (En Revista de Espiritualidad, I, San Sebastián, 1942, págs. 282-99).

3618

BORDEAUX, HENRY. Le Renaissance espagnole et Saint Jean de la Croix. (En Revue des Deux Mondes, LXXIV, París, 1943, págs. 383-96).

3619

ESPARZA, E. San Juan de la Cruz (1542-1591). (En Príncipe de Viana, IV, Pamplona, 1943, págs. 79-97. Con una lámina).

3620

MARTIN DE JESUS MARIA, Fray. San Juan de la Cruz al alcance de todos. Exposición sencilla, fácil y razonada de los escritos del Místico Doctor Carmelita. Barcelona. Edit. Balmes. 1943. 337 págs. 17,5 cm.

a) Revista de Espiritualidad, III, San Sebastián, 1944, pág. 107.

3621

FRANÇOIS DE SAINTE MARIE, Fray. Initiation a Saint Jean de la

Croix. Paris. Editions du Seuil. 1944. 208 págs.

— — —

—1945.
a) Licinio del Stmo. Sacramento, Fray, en *Revista de Espiritualidad,* IX, Madrid, 1950, pág. 487.
MADRID. *Consejo. General.*
—1946. 16 cm.
MADRID. *Nacional.* 4-31.579.
—1954.
WASHINGTON. *Congreso.* 71-255390.
—1960. 174 págs. (La Vigne du Carmel).

3622

JIMENEZ DUQUE, BALDOMERO. *Una interpretación moderna de San Juan de la Cruz.* (En *Revista Española de Teología,* IV, Madrid, 1944, págs. 315-44).

3623

SAENZ MARTINEZ, JESUS. *El de la Capa Blanca. Ensayo.* [Bilbao. Ediciones de Conferencias y Ensayos]. [1944]. 47 págs. con grabs. 18 cm. (Ediciones de Conferencias y Ensayos, 12).
MADRID. *Nacional.* V-1.795-39.

— — —

—1968. 63 págs. 19 cm.
MADRID. *Particular de la Casa Provincial de la Orden del Carmen Descalzo.* Carm. A. 586.

3624

VILLACORTA, JUAN CARLOS. *San Juan de la Cruz. Al vuelo de su pensamiento y de su vida.* (En *Verdad y Vida,* II, Manizales, 1944, págs. 407-427).
a) *Revista de Espiritualidad,* IV, Madrid, 1945, pág. 411.

3625

BRUNO DE JESUS MARIA, Fray. *Saint Jean de la Croix maître de sagesse.* (En *Ephemerides Carmeliticae,* III, Florencia, 1949, págs. 427-441).
Conferencia.

Trad. inglesa en *Spiritual Life,* I, 1955, págs. 75-92.

3626

LEDRUS, M. *Sur quelques pages inédites de S. Jean de la Croix.* (En *Gregorianum,* XXX, Roma, 1949, págs. 347-92).

3627

MALDONADO DE GUEVARA, FRANCISCO. *De San Juan de la Cruz a Edith Stein.* (En *Arbor,* XV, Madrid, 1950, págs. 339-46).

3628

DESCOLA, JEAN. *Quintessence de saint Jean de la Croix.* Paris. La Colombe. 1952. 96 págs. 21 cm.
a) Guibert, A., en *Monde Nouveau,* París, 1953, n.º 71, págs. 111-12.
b) Pichon, Ch., en *Le Courrier Ibéro-Américain,* II, París, 1952, pág. 17.
BERLIN. *Ibero-Amerikanischen Instituts.* — MADRID. *Facultad de Filosofía y Letras.* — *Nacional.* V-2.339-18. *Particular de la Casa Provincial de la Orden del Carmen Descalzo.* Carm. B.159. — ROMA. *Teresianum.* Carm. B.328.

3629

SANSON, HENRI. *Saint Jean de la Croix entre Bossuet et Fénelon. Contribution a l'étude de la querelle du Pur Amour.* Paris. Presses Universitaires de France. [Argel. C. Imbert]. 1953. 126 págs. + 1 h. 22,5 cm.
a) Artola Tomás, Bernardo, en *Clavileño,* Madrid, 1953, n.º 24, págs. 95-96.
b) Nazario (P.), en *Revista de Espiritualidad,* XIV, Madrid, 1955, págs. 106-7.
BERLIN. *Ibero-Amerikanischen Instituts.* — MADRID. *Nacional.* V-2.659-25. — WASHINGTON. *Congreso.* A 55-3002.

3630

URBINA, FERNANDO. *La persona humana en San Juan de la Cruz.* Madrid. Instituto Social León XIII. 1956. 366 págs. 22 cm.
a) Micó Buchón, J. L., en *Razón y Fe,* CLIX, Madrid, 1959, págs. 102-3.

MADRID. *Consejo. Instituto «M. de Cervantes».* XXXIV-164.

3631

JIMENEZ DUQUE, BALDOMERO. *Presencia de San Juan de la Cruz.* (En *Arbor*, XXXVI, Madrid, 1957, págs. 39-44).

3632

GERMAN DE LA ENCARNACION, Fray. *San Juan de la Cruz a la luz de los primeros capítulos de la Reforma.* (En *El Monte Carmelo*, LXVII, Burgos, 1959, págs. 129-60).

3633

MOREL, G. *La structure du symbole chez saint Jean de la Croix.* (En *Recherches et Débats du Centre Catholique des Intellectuels Français.* París. 1959, n.º 29, págs. 66-86).

3634

JIMENEZ DUQUE, BALDOMERO. *En torno a San Juan de la Cruz.* Barcelona. Juan Flors. 1960. 213 páginas. 19 cm. (Col. Remanso, 42).

a) Federico de San Juan de la Cruz, Fray, en *Revista de Espiritualidad*, XIX, Madrid, 1960, págs. 295-97.

b) Giovanna della Croce, en *Jahrbuch für mystische Theologie*, IX, Viena, 1963, pág. 196.

c) Miguel Angel de Santa Teresa, Fray, en *El Monte Carmelo*, LXXI, Burgos, 1963, págs. 126-27.

d) Peters, C., en *Carmelus*, VIII, Roma, 1961, págs. 286-88.

e) Vega, A. C., en *La Ciudad de Dios*, CLXXIII, El Escorial, 1960, pág. 777.

BERLIN. *Ibero-Amerikanischen Instituts.* — MADRID. *Nacional.* 7-39.764.

3635

NOEL DERMOT OF THE HOLY CHILD, Fr. *The primitive drawings of the «Mount of Perfection».* (En *Mount Carmel*, VII, Londres, 1960, págs. 118-25).

3636

COLOSIO, INNOCENZO. *Scoperta de una nuova operetta di S. Giovanni della Croce.* (En *Rivista di Ascética e Mistica*, VI, Florencia, 1961, págs. 666-68).

3637

EULOGIO DE LA VIRGEN DEL CARMEN, Fray. *La antropología sanjuanista.* (En *El Monte Carmelo*, LXIX, Burgos, 1961, págs. 47-90).

3638

ISMAEL DE JESUS MARIA, Fray. *Magisterio supremo de San Juan de la Cruz.* (En *El Monte Carmelo*, LIX, Burgos, 1961, págs. 167-83).

3639

JOSE VICENTE DE LA EUCARISTIA, Fray. *Sanjuanistica.* (En *Ephemerides Carmeliticae*, XII, Florencia, 1961, págs. 197-214.

Sobre el libro de Morel. (V. n.º 3905).

3640

NAVARRO, JOSE MARIA. *Die Bedeutung Johann Taulers für das Schaffen des heiligen Johannes vom Kreuz.*

Tesis. Universidad de Hamburgo. 1961.

3641

RUANO, NAZARIO. *«Desnudez». Lo místico y lo literario en San Juan de la Cruz.* Méjico. Polis. 1961. 309 págs. + 2 hs. 21 cm.

BERLIN. *Ibero-Amerikanischen Instituts.* — MADRID. *Particular de la Casa Provincial de la Orden del Carmen Descalzo.* Carm. A. 570.—WASHINGTON. *Congreso.* 62-59794.

3642

GARCIA SUAREZ, GERMAN. *La religiosa perfecta, según San Juan de la Cruz.* Madrid. Studium. 1962. 224 págs. 18,5 cm. (Col. para religiosas).

a) Armas, G., en *Agustinus*, VIII, 1963, págs. 271-72.

b) Camblor, L., en *Religión y Cultura,* VIII, Madrid, 1963, pág. 614.

c) Eulogio de la V. del Carmen, Fray, en *Ephemerides Carmeliticae,* XIV, Roma, 1963, pág. 489.

d) J. L., en *La Ciencia Tomista,* XC, Salamanca, 1963, pág. 700.

e) Miguel A. de Sta. Teresa, Fray, en *El Monte Carmelo,* LXXII, Burgos, 1964, pág. 611.

f) Placer, G., en *Estudios,* XIX, Madrid, 1963, pág. 192.

BERLIN. *Ibero-Amerikanischen Instituts.* — MADRID. *Nacional.* 4-49.191. *Particular de la Casa Provincial de la Orden del Carmen Descalzo.* Carm. A.605.

3643

RUANO, NAZARIO. *Muerte de amor. Don Juan Tenorio y San Juan de la Cruz.* Méjico. Fumentum. 1962. 190 págs.

WASHINGTON. *Congreso.* 66-51023.

3644

BLAZQUEZ PEREZ, RICARDO. *¿Por qué es actual S. Juan de la Cruz?* (En *Revista de Espiritualidad,* XXIV, Madrid, 1965, págs. 105-12).

3645

ANORBIN, ANTON DE. *Mensaje de resurrección.* Vitoria. [Gráf. Eset]. 1967. 116 págs. 17 cm.

MADRID. *Nacional.* V-1.639-11 y 12.

3646

TILLMANS, W. G., *De aanwezigheid van het bijbels hooglied in het «Cántico Espiritual» van S. Juan de la Cruz.* Bruselas. (Koninklijke Ulaamse Academie voor wetenschappen, letteren en schone Kunsten van België). 1967. 56 págs., 26 cm.

ROMA. *Vaticana.* Belgio. XIII.45 (29).cons.— WASHINGTON. *Congreso.* 79-374051.

3647

CAMON AZNAR, JOSE. *El Arte en S. Juan de la Cruz.* (En *Revista de Espiritualidad,* XXXVII, Madrid, 1968, págs. 335-44).

3648

GUTIERREZ, JESUS. *San Juan de la Cruz y las religiones animistas.* (En *Revista de Espiritualidad,* Madrid, 1968, págs. 387-406).

3649

HERRERA, ROBERT A. *St. John of the Cross. Introductory studies.* Madrid. Ed. de Espiritualidad. 1968. 168 págs. 20 cm.

a) Fortes, A. M., en *El Monte Carmelo,* LXXVI, Burgos, 1968, págs. 327-34.

MADRID. *Particular de la Casa Provincial de la Orden del Carmen Descalzo.* Carm. A. 42.

3650

FOSSATI, LUIGI. *Riflessi sociali nella vita e nella dottrina de S. Giovanni della Croce.* Brescia. [Squassina]. 1969. 31 págs. 24,5 cm.

ROMA. *Teresianum.* Carm. B.2755 (37).

3651

GIBOULET, G[ENEVIÈVE]. *Saint Jean de la Croix. Itinéraire spirituel dans le silence et la poésie.* París. Editions Francisçaines. [1969]. 222 págs. 18 cm.

BERLIN. *Ibero-Amerikanischen Instituts.*

3652

GUILLET, L[OUIS]. *Introduction a saint Jean de la Croix.* [Tours: Maison]. Mame. [1969-71]. 2 vols. 8.º I. Nuit de lumière; II. L'éveil de l'aurore.

BERLIN. *Ibero-Amerikanischen Instituts.*

3653

SERRANO-PLAJA, ARTURO. *Dos notas a San Juan de la Cruz.* (En *Cuadernos Hispanoamericanos,* Madrid, 1970, n.º 242, págs. 406-18). «Más caza».—Una copla flamenca que es una «profanización».

3654

RUANO, ARGIMIRO. *San Juan de la Cruz, clásico. Teoría de lo inefa*

ble. Río Piedras. Edit. Edil. 1971.
270 págs. 20 cm.
MADRID. *Nacional.* 4-99.884. — ROMA. *Teresia-num.* Carm. A.6295.

3655
ARANGUREN, JOSE LUIS. *San Juan de la Cruz.* Madrid. Edit. Júcar. 1973. 252 págs. 18 cm. (Los Poetas, 6).
Págs. 115-240: Antología.
MADRID. *Consejo. Patronato «Menéndez Pelayo».* 33-520. *Ministerio de Cultura.* 98.915.

3656
BARNSTONE, WILLIS. *Mystico-erotic Love in «O Living Flame of Love».* (En *Revista Hispánica Moderna,* XXXVII, Nueva York, 1972-73, págs. 253-61).

3657
MAIO, EUGENE A. *St. John of the Cross: The imagery of Eros.* Madrid. Edit. Playor. 1973. 283 págs.
a) Larkin, E. E., en *Carmelus,* XXI, Roma, 1974, págs. 354-55.
BERLIN. *Ibero-Amerikanischen Instituts.* — MADRID. *Particular de D. Pedro Sainz Rodríguez.*—ROMA. *Teresianum.* Carm. B.3381. WASHINGTON. *Congreso.* 74-169147.

3658
JUAN JOSE DE LA INMACULADA, Fray. *Hace tal obra el amor.* [*La virtud de la caridad en la escuela de San Juan de la Cruz*]. Vitoria. La Obra Máxima. 1974. 136 págs. 17 cm.
a) J. M. C., en *Revista de Espiritualidad,* XXXIII, Madrid, 1974, pág. 542.
b) Martín del Blanco, M., en *El Monte Carmelo,* LXXXII, Burgos, 1974, pág. 431.
ROMA. *Teresianum.* Carm. A.6430.

3659
SUBIRATS, J. *La «Burla de Don Pedro a caballo» à la lumière de Saint Jean de la Croix et de la pensée symbolique.* (En *Travaux de l'Institut d'Études Latino-Américaines de l'Université de Strasbourg,* XV, Estrasburgo, 1975, págs. 140-53).

3660
JIMENEZ DUQUE, BALDOMERO. *San Juan de la Cruz y el siglo XVII. Conferencia...* Madrid. Fundación Universitaria Española. 1977. 72 páginas. 21 cm.

3661
CLARK, J. P. H. *The «Cloud of Unk-nowing», Walter Hilton and St. John of the Cross: A Comparison.* (En *Downside Review,* XCVI, 1978, págs. 291-98).
MADRID. *Consejo. Instituto «M. de Cervantes».* CIX-68.

3662
HUERGA, ALVARO. *Karol Wojtyla, comentador de San Juan de la Cruz.* (En *Angelicum,* LVI, Roma, 1979, págs. 348-66).

3663
NIETO, JOSE C. *Mystic, Rebel, Saint: A Study of St. John of the Cross.* Ginebra. Droz. 1979. 148 págs. (Travaux d'Humanisme et Renaissance, 168).
a) Pacheco, E., en *Ephemerides Carmeliticae,* XXXI, Roma, 1980, págs. 261-79.
ROMA. *Nazionale.* Coll. Franc. 258/168. *Vaticana.* R.G.Vita.III.673.

FUENTES

3664
BARUZI, JEAN. *Le problème des citations scripturaires en langue latine dans l'oeuvre de Saint Jean de la Croix.* (En *Bulletin Hispanique,* XXIV, Burdeos, 1922, págs. 18-40).

3665
COSSIO, JOSE MARIA DE. *Un romance, fuente de San Juan de la Cruz.* (En *Boletín de la Biblioteca Menéndez Pelayo,* XI, Santander, 1929, págs. 267-69).

3666

MARCELO DEL NIÑO JESUS, Fray. *El tomismo de San Juan de la Cruz.* Burgos. «El Monte Carmelo». 1930. X + 205 págs. 20 cm.

MADRID. *Particular de la Casa Provincial de la Orden del Carmen Descalzo.* Carm. A. 647.

3667

REYPENS, L. *Ruusbroec en Juan de la Cruz. Hun overeenstemming omtrent het toppunt der beschouwing.* (En *Ons Geestelijk Erf*, V, Amberes, 1931, págs. 143-85).

3668

HUIJBEN, J. *Ruysbroeck et S. Jean de la Croix.* (En *Études Carmélitaines Mystiques et Missionaires*, II, París, 1932, págs. 232-47).

3669

ASIN PALACIOS, MIGUEL. *Un précursor hispano - musulman de San Jean de la Cruz.* (En *Études Carmélitaines*, XVII, París, 1932, págs. 113-67).

—*Un precursor hispanomusulmán de San Juan de la Cruz*, en *Al-Andalus*, I, Madrid, 1933, págs. 7-79.
Reed. en *Huellas del Islam.* Madrid. Espasa-Calpe. 1941, págs. 235-304.
Sobre Ibn Abbad de Ronda.
Reed. en sus *Obras escogidas.* Madrid. C.S.I.C. Tomo I. 1946, págs. 243-326.
MADRID. *Nacional.* 4-11.515.

3670

BRUNO DE SAN JOSE, Fray. *El senequismo y San Juan de la Cruz.* (En *El Monte Carmelo*, XLIII, Burgos, 1942, págs. 381-424).

3671

GARCIA, FELIX. *San Juan de la Cruz y la Biblia.* (En *Revista de Espiritualidad*, I, San Sebastián, 1942, págs. 372-88).

3672

LOPEZ ESTRADA, FRANCISCO. *Una posible fuente de San Juan de la Cruz.* (En *Revista de Filolofía Española*, XXVIII, Madrid, 1944, págs. 473-77).

3673

FRANÇOIS DE SAINTE MARIE, Fray. *L'Evangile dans l'oeuvre de Saint Jean de la Croix.* Paris. Edit. du Seuil. 1945. 40 págs.

Extracto de su *Initiation.*

3674

ALONSO, DAMASO. *La caza de amor es de altanería. Sobre las precedentes de una poesía de San Juan de la Cruz.* (En *Boletín de la R. Academia Española*, XXV, Madrid, 1947, págs. 63-79).

Reed. en *De los siglos oscuros...*, págs. 254-275.
Reed. como Apéndice III de *La poesía de San Juan de la Cruz*, en sus *Obras Completas*, II, 1973.

3675

OROZCO DIAZ, EMILIO. *Sobre la imitación del «Cantar de los Cantares» en la poesía de San Juan de la Cruz. (Una nota para el estudio de la lírica sanjuanista).* (En *Finisterre*, III, Madrid, 1948, págs. 72-76).

3676

BLECUA, JOSE MANUEL. *Los antecedentes del poema del «Pastorcico», de San Juan de la Cruz.* (En *Revista de Filología Española*, XXXIII, Madrid, 1949, págs. 378-80).

Reed. en *Sobre Poesía de la Edad de Oro.* Madrid. Gredos. 1970, págs. 96-99.

3677

GROULT, PIERRE. *De Lull et Ruysbroeck à Jean de la Croix.* (En *Lettres Romanes*, II, Lovaina, 1948, páginas 61-64).

Sobre la tesis de Hatzfeld.

3678

VILNET, JEAN. *Bible et mystique chez saint Jean de la Croix.* Paris. Desclée de Brouwer. 1949. 256 págs. 14 cm. (Études Carmélitaines).

a) Alonso, Joaquín M.ª, en *Revista de Espiritualidad*, IX, San Sebastián, 1950, págs. 330-57.

b) Hoornaert, Chan. R., en *Les Lettres Romanes*, VII, Lovaina, 1953, págs. 406-11.

c) Olphe-Galliard, M., en *Revue d'Ascétique et de Mystique*, XXV, Toulouse, 1950, págs. 357-62.

— — —

—*La Biblia en la obra de San Juan de la Cruz.* Buenos Aires. Desclée. 1953. 322 págs.

d) Eulogio de la V. del Carmen, Fray, en *El Monte Carmelo*, LXII, Burgos, 1954, págs. 227-28.

e) Jiménez Duque, B., en *Estudios Bíblicos*, XIII, Madrid, 1954, pág. 233.

3679

ENRIQUE DEL SAGRADO CORAZON. *Jan van Ruusbroec, como fuente de influencia posible en San Juan de la Cruz.* (En *Revista de Espiritualidad*, IX, San Sebastián, 1950, págs. 288-309, 422-42).

3680

BASILIO DE RUBI, Fray. *Mística sanjuanista y sus relaciones con la Escuela franciscana.* (En *Estudios Franciscanos*, LII. Barcelona, 1951, págs. 77-95).

3681

PROBST, JEAN HENRY. *Místicos ibéricos. El Beato Ramón Lull y San Juan de la Cruz.* (En *Estudios Franciscanos*, LII, Barcelona, 1951, págs. 209-23).

3682

PEERS, E. ALLISON. *The source and the Technique of San Juan de la Cruz's poem «Un pastorcico...».* (En *Hispanic Review*, XX, Filadelfia, 1952, págs. 248-53).

3683

PEERS, E. ALLISON. *The Alleged Debts of San Juan de la Cruz to Boscán and Garcilaso de la Vega.* (En *Hispanic Review*, XXI, Filadelfia, 1953, págs. 1-19, 93-106).

3684

Mediaeval mystical Tradition and Sant John of the Cross. By a Benedictine of Stanbrook Abbey. Londres. Burns & Oates. [1954]. 3 hs. + 171 págs. 22 cm.

a) José Vicente, Fray, en *Revista de Espiritualidad*, XIV, Madrid, 1955, págs. 299-300.

b) Santos, A., en *Sal Terrae*, XLIII, Santander, 1955, págs. 101-2.

c) Sarmiento, E., en *Bulletin of Hispanic Studies*, XXXII, Liverpool, 1955, págs. 175-176.

BERLIN. *Ibero-Amerikanischen Instituts.* — MADRID. *Nacional.* 4-41.288.

3685

ALBERTO DE LA VIRGEN DEL CARMEN, Fray. *Presencia de San Agustín en Santa Teresa y San Juan de la Cruz.* (En *Revista de Espiritualidad*, XIV, Madrid, 1955, págs. 170-184).

3686

GABRIEL OF THE BL.DENIS AND REDEMPT. *St. John of the Cross and St. Thomas.* (En *Mount Carmel*, II, Londres, 1954-55, págs. 125-32).

3687

NWYIA, PAUL. *Iben 'Abbād de Ronda et Jean de la Croix. À propos d'une hypothèse d'Asín Palacios.* (En *Al-Andalus*, XXII, Madrid, 1957, páginas. 113-30).

3688

MARINER BIGORRA, SEBASTIAN. *Huellas de la Vulgata en la poesía de San Juan de la Cruz.* (En *Misce-*

lánea de Estudios Arabes y Hebraicos, VII, Granada, 1958, págs. 29-44).

3689

GIOVANNA DELLA CROCE. *Johannes vom Kreuz und die Deutschniederländische Mystik.* (En *Jahrbuch für Mystische Theologie*, VI, Viena-Munich, 1960, págs. 3-135).

Tirada aparte: Viena. Heller. 1960. 148 págs.
a) Granero, J. M., en *Manresa* XXXV, Madrid, 1963, pág. 267.
b) Miguel Angel de Santa Teresa, Fray, en *El Monte Carmelo*, LXXI, Burgos, 1963, págs. 299-304.

3690

SIMEON DE LA SAGRADA FAMILIA, Fray. *Fuentes doctrinales y literarias de San Juan de la Cruz.* (En *El Monte Carmelo*, LIX, Burgos, 1961, págs. 103-9).

Trad.: *Saggio sulle fonti letterarie-dottrinali di S. Giovanni della Croce,* en *Il Piccolo Fiore di Gesù*, VII, Roma, 1961, n.° 6, págs. 50-53.

3691

GIOVANNA DELLA CROCE. *La experiencia de Dios en San Juan de la Cruz y en los místicos del Norte.* (En *Revista de Espiritualidad*, XXI, Madrid, 1962, págs. 47-70).

3692

DIEZ DE ST. MIGUEL, ANGEL. *La «reentrega» de amor así en la tierra como en el cielo: influjo de un opúsculo pseudotomista en San Juan de la Cruz.* (En *Ephemerides Carmeliticae*, XIII, Roma, 1962, págs. 299-352).

3693

GAMA CAEIRO, F. DE. *Aportación para el estudio de las fuentes del pensamiento místico del Bto. Ramón Llull. (El Bto. Ramón Llull y la doctrina de S. Juan de la Cruz sobre la «noche oscura», correcciones y co-* mentarios). (En *Estudios Lulianos*, VIII, Palma de Mallorca, 1964, págs. 33-41).

3694

GARCIA LLAMERA, FELIPE. *La doctrina de San Juan de la Cruz y la teología tomista de los dones del Espíritu Santo.* Valencia. [Imp. Soler]. 1965. 107 págs. 24 cm.

Tirada aparte de *Theologia Espiritual*, IX.
MADRID. *Nacional.* V-5.932-II. — ROMA. *Vaticana.* R. G. Teol. IV.6169.

3695

DIEZ, MIGUEL ANGEL. *La «sabiduría de los perfectos»: estudio teológico sobre el influjo paulino en los escritos de San Juan de la Cruz.* Roma. Teresianum. 1966. 2 vols. 32 cm.

ROMA. *Teresianum.* Carm. C.710.

3696

ORCIBAL, JEAN. *Saint Jean de la Croix et les mystiques rhéno-flamands.* Paris - Bruges. Desclée de Brouwer. 1966. 244 págs. (Coll. Présence du Carmel, 6).

a) Fisch, J. M., en *Nouvelle Revue Théologique*, LXXXIX, París, 1967, pág. 91.
b) Groult, P., en *Les Lettres Romanes*, XXIII, Lovaina, 1969, págs. 177-80.
c) Oechslin, R.-L., en *La Vie Spirituelle*, CXV, París, 1966, págs. 757-58.
d) Peters, C., en *Carmelus*, XIII, Roma, 1966, págs. 311-12.
e) Ricard, R., en *Bulletin Hispanique*, LXVIII, Burdeos, 1966, págs. 377-82.
MADRID. *Particular de D. Pedro Sainz Rodríguez.*

3697

POND, KATHLEEN. *Ibn Abbad of Ronda, a precursor of St. John of the Cross.* (En *Mount Carmel*, XIV, Londres, 1966, págs. 47-54).

3698

ERNST, ALBERT. *Studien zu den Quellen der allegorischen Bibelexe-*

gese bei San Juan de la Cruz. Münster. Westfälische Wilhelms-Universität. 1967. 179 págs. 8.°

BERLIN. *Ibero-Amerikanischen Instituts.* — WASHINGTON. *Congreso.* 73-230942.

3699

MORALES, JOSE L. *El «Cántico espiritual» de San Juan de la Cruz. Su relación con el «Cantar de los Cantares» y otras fuentes escriturísticas y literarias.* Madrid. Ed. de Espiritualidad. 1971. 269 págs. 24,5 cm.

Tesis de la Universidad de Friburgo.

BERLIN. *Ibero-Amerikanischen Instituts.* — MADRID. *Nacional.* H.A.-16.359. — ROMA. *Teresianum.* Carm. B.3806. *Vaticana.* R.G.Teol. IV.6501.

— — —

—*The Spiritual Canticle of saint Jean of the Cross: its relations to the song of songs and the scriptural and literary sources.* Translated by James Valender and Elpidio Laguna Díaz. [s. l., Nueva York]. Carmel of Brooklyn. 1973. 282 págs. 24 cm.

MADRID. *Nacional.* 1-145.325.

LENGUAJE

3700

NICOLAUS A JESU MARIA. *Phrasivm mysticae Theologiae V. P. F. Ioannis à Cruce Carmelitarum excalceatorum Parentis primi Elucidatio.* Alcalá. Juan de Orduña. 1631. 8 hs. + 360 págs. 19 cm.

BARCELONA. *Universitaria.* C.186-3-51.—MADRID. *Nacional.* 7-19.694. *Particular de la Casa Provincial de la Orden del Carmen Descalzo.* Carm. A.621.

— — —

—Colonia Agrippina. Sumptibus Haered. Bernardi Gualtheri. 1639. 200 págs. 22 cm.

— — —

—En Juan de la Cruz, San. *Opera mystica.* Colonia Agrippina. 1639.
—*Esclaircissement théologique des phrases mystiques... du P. Jean de la Croix.* (En Juan de la Cruz, San. *Les Œuvres spirituelles.* París. 1641).
—*Esclaircissement des phrases de la théologie mystique du B. P. Jean de la Croix...*

traduit par le R. P. Cyprien. París. Vie. Chevalier. 1642).

PARIS. *Nationale.* D.8952.
—Idem. París. 1664. 266 págs. 4.°
PARIS. *Nationale.* D.8953.

3701

CALABER, [JEAN-B.-A.]. *La terminologie de Saint Jean de la Croix dans la «Montée du Carmel» et la Nuit obscure de l'âme», suivie d'un abrégé de ces deux ouvrages.* París. C. Amat. 1904. 204 págs. 16.°

MADRID. *Particular de la Provincia de la Orden del Carmen Descalzo.* Carm. A.646.— PARIS. *Nationale.* D.85471.

3702

OROZCO DIAZ, EMILIO. *La palabra, espíritu y materia en la poesía de San Juan de la Cruz.* (En *Escorial,* Madrid, 1942, n.° 9, págs. 315-316).

3703

ALDA TESAN, J. M. *Poesía y lenguaje místicos de San Juan de la Cruz.* (En *Universidad,* XX, Zaragoza, 1943, págs. 577-600).

3704

GARCIA BLANCO, MANUEL. *San Juan de la Cruz y el lenguaje del siglo XVI.* (En *Castilla,* Valladolid, 1941-43, págs. 139-59).

Reed. en *La lengua española en la época de Carlos V...* Madrid. Escelicer. 1967, págs. 45-68.

3705

LUIS DE SAN JOSE, Fray. *Concordancias de las obras y escritos del Dr. de la Iglesia San Juan de la Cruz.* Burgos. El Monte Carmelo. 1948. XVI + 1212 págs. 19 cm.

a) Licinio (P.), en *Revista de Espiritualidad,* VII, Madrid, 1948, pág. 393.

MADRID. *Nacional.* 1-105.505.—ROMA. *Vaticana.* R.G.Teol.V.6211.

3706

CHANDEBOIS, HENRI. *Lexique, grammaire et style chez St. Jean de la Croix. (Notes d'un traducteur).* (En *Ephemerides Carmeliticae*, III, Florencia, 1949, págs. 543-47; IV, 1950, págs. 361-68).

3707

VALVERDE, J. M. *San Juan de la Cruz y los extremos del lenguaje.* (En *Insula*, Madrid, 1950, n.º 57).

Reed. en *Estudios sobre la palabra poética.* Madrid. Rialp. 1952; 2.ª ed. 1958, págs. 203-11.

3708

HATZFELD, HELMUT A. *Ensayo sobre la prosa de San Juan de la Cruz en la «Llama de Amor viva».* (En *Clavileño*, Madrid, 1952, n.º 18, págs. 1-10).

— *La prosa de San Juan de la Cruz en la «Llama de amor viva»,* en la obra cit., págs. 359-86.

3709

NAZARIO DE SANTA TERESA, Fray. *Los límites de la expresión castellana. Contemporareidad de San Juan de la Cruz.* (En *Hispaniola*, I, Ciudad Trujillo, 1956, págs. 43-58).

3710

LUCIEN - MARIE DE SAINT JO-SEPH. *Experience mystique et expression symbolique chez saint Jean de la Croix.* (En *Polarité du symbole.* París. Desclée de Brouwer. 1960, págs. 29-51).

3711

GUILLEN, JORGE. *The ineffable language of mysticism: San Juan de la Cruz. Trad. by Ruth Whittredge.* (En *Language and poetry: some poets of Spain.* Cambridge, Mss. Harvard University Press. 1961, págs. 77-121).

— — —

— *Lenguaje insuficiente: San Juan de la Cruz, o lo inefable místico.* (En *Lenguaje y Poesía...* Madrid. 1962, págs. 95-142).

MADRID. Consejo. *Instituto «M. de Cervantes».* XXX-354.

3712

DISANDRO, CARLOS A. *El lenguaje en San Juan de la Cruz.* (En *Estudios teológicos y filosóficos*, VI, Buenos Aires, 1965, págs. 18-38).

3713

G[ARCIA] DE LA CONCHA, VICTOR. *Conciencia estética y voluntad de estilo en San Juan de la Cruz.* (En *Boletín de la Biblioteca Menéndez Pelayo*, XLVI, Santander, 1970, págs. 371-410).

3714

LOPEZ-BARALT, LUCE. *San Juan de la Cruz: una nueva concepción del lenguaje poético.* (En *Bulletin of Hispanic Studies*, LV, Liverpool, 1978, págs. 19-32).

MANUSCRITOS. CRÍTICA TEXTUAL

3715

GERARDO DE SAN JUAN DE LA CRUZ, Fray. *Un trozo inédito de San Juan de la Cruz.* (En *El Monte Carmelo*, XI, Burgos, 1910, págs. 801-5).

3716

——. *Un nuevo autógrafo de nuestro padre San Juan de la Cruz.* (En *ídem*, XIX, 1916, págs. 367-70).

3717

F. S. DE LA CRUZ. *Un libro manuscrito de San Juan de la Cruz.* (En *Don Lope de Sosa*, IV, Jaén, 1916, págs. 346-48; V, 1917, págs. 124-25).

3718

BERNADOT, M.-V. *Le texte authentique du Cantique spirituel de Saint Jean de la Croix.* (En *La Vie Spirituelle*, París, 1922, nov., suplem., págs. 149-61).

3719

CHEVALLIER, PHILIPPE. *Le cantique spirituel de Saint Jean de la Croix a-t-il été interpolé?* (En *Bulletin Hispanique*, XXIV, Burdeos, 1922, págs. 307-342).
a) X., en *Estudios Franciscanos*, XXXII, Sarriá, 1924, págs. 127-29.

3720

FLORENCIO DEL NIÑO JESUS, Fray. *Reparos a la crítica de un crítico. ¿Ha sido interpolado el Cántico de San Juan de la Cruz?* (En *El Mensajero de Santa Teresa y de San Juan de la Cruz*, I, Madrid, 1923, n.º 6, págs. 170-77, 284-89, 323-28, 361-67, 404-13; II, 1924, págs. 21-28). Trad. parcial: *Le Cantique spirituel du Saint Jean de la Croix a-t-il été interpolé?*, en *Études Carmélitaines*, IX, París, 1924, págs. 110-25.

3721

MARIE - AMAND DE ST. JOSEPH. *Remarques sur l'édition critique des oeuvres de Saint Jean de la Croix.* (En *La Vie Spirituelle*, París, 1923, nov., suplem., págs. 43-47).

3722

CHEVALLIER, PHILIPPE. *Le Cantique spirituel interpolé.* (En *La Vie Spirituelle*, París, supplément, 1926, juillet-août, págs. 109-63; 1927, janv., págs. 69-109; 1930, janv., págs. 1-11; févr., págs. 80-90; 1931, juillet, págs. 29-50).

3723

MACDONALD, INEZ ISABEL. *The two Versions of the «Cántico espiritual».* (En *The Modern Language Review*, XXV, Londres, 1930, págs. 165-84).

3724

BENEDICTUS A CRUCE. *The problems of the Spiritual Canticle.* (En *Dublin Review*, 1934, n.º 389, págs. 258-66)

3725

GABRIEL DE SAINTE MARIE-MADELEINE. *Autour du «Cantique spirituel».* (En *Études carmelitaines...*, XIX, París, 1934, págs. 197-210).

3726

MOGENET, HENRI. *L'ordre primitif du «Cántico».* (En *Revue d'Ascétique et de Mystique*, XVIII, Toulouse, 1937, págs. 280-91).

3727

CHEVALLIER, PHILIPPE. *La vie du Cantique Spirituel et l'esprit scientifique.* (En *Études Carmélitaines...*, XXIII, París, 1938, págs. 215-236).

3728

ALONSO, DAMASO. *Sobre el texto de «Aunque es de noche».* (En *Revista de Filología Española*, XXVI, Madrid, 1942, págs. 490-94).
— — —
Reed. en sus *Obras completas*. Tomo II. Madrid. Edit. Gredos. 1973.

3729

ESPARZA, ELADIO. *Un códice sanjuanista en Pamplona.* (En *Príncipe de Viana*, Pamplona, 1943, n.º 10, páginas 106-9).

3730

MENDEZ PLANCARTE, ALFONSO. *El Códice Gómez de Orozio. Un manuscrito Novohispano del XVI.* Méjico. Imp. Universitaria. 1945.
MADRID. *Particular de la Casa Provincial de la Orden del Carmen Descalzo.* Carm. A.655.

3731
KRYNEN, JEAN. *Un aspect nouveau des annotations marginales du Borrador du «Cantique spirituel» de Saint Jean de la Croix.* (En *Bulletin Hispanique*, XLIX, Burdeos, 1947, págs. 400-21).

3732
JUAN DE JESUS MARIA, Fray. *¿Las anotaciones del Códice de Sanlúcar son de San Juan de la Cruz?* (En *Ephemerides Carmeliticae*, I. Florencia, 1947, págs. 154-62).
Al fin, estudio grafológico por Dionisio Fernández Zapico.

3733
JUAN DE JESUS MARIA. *El valor crítico del texto escrito por la primera mano en el códice de Sanlúcar de Barrameda.* (En *Ephemerides Carmeliticae*, I, Florencia, 1947, páginas. 313-66).

3734
DUVAL, ANDRÉ. *Du nouveau sur le «Cantique spirituel» de Saint Jean de la Croix.* (En *La Vie Spirituelle*, LXXXIX, París, 1948, supplément, págs. 526-33).

3735
EDUARDO DE SANTA TERESITA, Fray. *Un nuevo códice autógrafo de San Juan de la Cruz.* Vitoria. Edics. El Carmen. 1948. 59 págs. 30 cm.
Copia hecha por él de parte de una autobiografía de Catalina de Jesús Godinez y Sandoval. (V. n.º 3204).
Introducción, reproducción y notas.
MADRID. *Nacional.* Mss.-Imp. Foll. 18.—WASHINGTON. *Congreso.* Priority 4 Collection.

3736
LUCINIO (P.). *Sobre dos autógrafos inéditos* (sic) *de Santa Teresa y de San Juan de la Cruz.* (En *Revista de Espiritualidad*, VII, San Sebastián, 1948, págs. 239-44).

a) Una carta incompleta de Santa Teresa.
V. rectificación en pág. 531, nota. Ya estaba editada.
b) Un autógrafo de San Juan de la Cruz. Sobre el reproducido en el folleto de Fr. Eduardo de Sta. Teresa de ese título.

3737
SIMEON DE LA SAGRADA FAMILIA, Fray. *El valor crítico del texto escrito por la primera mano en el códice de Sanlúcar de Barrameda.* (En *El Monte Carmelo*, XLIX, Burgos, 1948, págs. 238-42).

3738
IPARRAGUIRRE, J. *Estudios decisivos para fijar el texto auténtico del «Cántico espiritual» de San Juan de la Cruz.* (En *Estudios Eclesiásticos*, XXIII, Madrid, 1949, págs. 227-232).

3739
JUAN DE JESUS MARIA, Fray. *El «Cántico espiritual» de San Juan de la Cruz y «Amores de Dios y el Alma», de A. Antolínez, O.S.A. Con ocasión de la obra de Mr. Jean Krynen.* (En *Ephemerides Carmeliticae*, III, Roma, 1949, págs. 443-542; IV, 1950, págs. 3-70).

3740
LEDRUS, MICHEL. *Sur quelques pages inédites de Saint Jean de la Croix (ms. 8.795 della Biblioteca Nacional di Madrid).* (En *Gregorianum*, XXX, 1949, págs. 347-92; XXXII, 1951, págs. 247-80).

3741
CLAUDIO DE JESUS CRUCIFICADO, Fray. *Observaciones a un libro reciente. ¿El texto de Jaén sobre el «Cántico Espiritual» es obra de un Carmelita Descalzo u otro autor desconocido, disidente en lo fundamental del Doctor Místico?* (En *Revista*

de Espiritualidad, IX, Madrid, 1950, págs. 87-98).

3742
CHEVALLIER, PHILIPPE. *L'inédit de Saint Jean de la Croix et son rôle décisif.* (En *La Vie Spirituelle*, París, 1950, supplément, págs. 206-11).

3743
SIMEON DE LA SAGRADA FAMILIA, Fray, *Un nuevo códice manuscrito de las obras de San Juan de la Cruz usado y anotado por el P. Tomás de Jesús.* (En *Ephemerides Carmeliticae*, IV, Florencia, 1950, págs. 95-148).

V. n.º 3144.
a) Román de la Inmaculada, Fray, en *Revista de Espiritualidad*, XI, Madrid, 1952, pág. 355.

3744
SOBRINO, JOSE ANTONIO DE. *Estudios sobre San Juan de la Cruz y nuevos textos de su obra. El manuscrito inédito tardonense-granadino.* Madrid. C.S.I.C. 1950. XX + 265 páginas. 24 cm. (Anejos de la *Revista de Literatura*, 6).

a) Andrade, G., en *Revista Javeriana*, XL, Bogotá, 1953, pág. 307.
b) Higueras, Santiago, en *Mar del Sur*, Lima, n.º 28, págs. 84-85.
c) M. M., en *Ilustración del Clero*, XLV, 1952, n.º 858, pág. 192.
d) Simeón de la Sagrada Familia, F., en *Ephemerides Carmeliticae*, IV, Florencia, 1950, págs. 369-412.
MADRID. *Consejo. Instituto «M. de Cervantes».* XIV-6. *Nacional.* 1-108.124.

3745
JULIO F. DEL NIÑO JESUS, Fray. *Una contribución reciente a la cuestión del «Cántico Espiritual».* (En *El Monte Carmelo*, LIX, Burgos, 1951, págs. 400-7).

3746
KRYNEN, JEAN. *Saint Jean de la Croix, Antolínez et Thomas de Je-* sus. *A propos d'une publication récente.* (En *Bulletin Hispanique*, LIII, Burdeos, 1951, págs. 393-412).

3747
[CHEVALLIER, PHILIPPE] HERVÉ D'ILLAC (seud.). *Du cantique primitif au text définitif.* (En *La Vie Spirtuelle*, París, 1952, supplément, n.º 23, págs. 495-99).

3748
EULOGIO DE LA VIRGEN DEL CARMEN, Fray. *¿«Singularidades» escriturísticas en el Cántico? El argumento de Jean Vilnet contra la autenticidad del Cántico B.* (En *El Monte Carmelo*, LX, Burgos, 1952, págs. 87-106).

3749
JUAN DE JESUS MARIA, Fray. *La última palabra de Dom Chevallier sobre el «Cántico espiritual».* (En *El Monte Carmelo*, LX, Burgos, 1952, págs. 309-402).

3750
LEDRUS, MICHEL. *Les «singularidades» du seconde Cantique. A propos de «Bible et mystique chez Saint Jean de la Croix».* (En *Gregorianum*, XXXIII, Roma, 1952, págs. 438-50).
V. n.º 3678.

3751
OLPHE - GALLIARD. *Le «Cantique spirituel» de Saint Jean de la Croix.* (En *Revue d'Ascétique et de Mystique*, XXVIII, Toulouse, 1952, págs. 181-88; XXIX, 1953, págs. 276-81).

3752
SIMEON DE LA SAGRADA FAMILIA, Fray. *Nuevos Códices manuscritos de las obras sanjuanistas.* (En *El Monte Carmelo*, LX, Burgos, 1952, págs. 277-84, 431-34).

3753
CHEVALLIER, PHILIPPE. *Le texte definitif du Cantique Spirituel*. (En *Quaderni Ibero-Americani*, II, Turín, 1953, n.º 13, págs. 249-53).

3754
EULOGIO DE LA VIRGEN DEL CARMEN, Fray. *Sobre un autógrafo de S. Juan de la Cruz*. (En *El Monte Carmelo*, LXI, Burgos, 1953, págs. 291-95).
Nota sobre la oración a la Virgen en el Libro de Profesiones de Beas.

3755
EULOGIO DE LA VIRGEN DEL CARMEN, Fray. *La Sagrada Escritura y la cuestión de la segunda redacción del «Cántico espiritual» de San Juan de la Cruz*. (En *Ephemerides Carmeliticae*, I, Roma, 1951-54, págs. 249-475).
Tirada aparte: Roma. 1954. 230 págs. 8.º

3756
EULOGIO DE LA VIRGEN DEL CARMEN, Fray. *Un manuscrito famoso del «Cántico Espiritual»*. (En *El Monte Carmelo*, XLII, Burgos, 1954, págs. 155-203).

3757
MOLINER, FR. JOSE MARIA DE LA CRUZ. *Un nuevo códice del «Cántico espiritual», de San Juan de la Cruz*. (En *Revista de Espiritualidad*, XIII, Madrid, 1954, págs. 481-482).

3758
SIMEON DE LA SAGRADA FAMILIA, Fray. *Un códice singular de la segunda redacción del «Cántico» sanjuanista: el manuscrito de los PP. Trinitarios de Roma*. (En *Ephemerides Carmeliticae*, V, Florencia, 1951-1954, págs. 160-229).

3759
EULOGIO DE LA VIRGEN DEL CARMEN, Fray. *El texto crítico del «Cántico Espiritual»*. (En *El Monte Carmelo*, LXIII, Burgos, 1955, págs. 245-56).

3760
EULOGIO DE LA VIRGEN DEL CARMEN, Fray. *La vida del «Cántico espiritual» y el espíritu científico*. (En *Revista de Espiritualidad*, XIV, Madrid, 1955, págs. 37-52).

3761
EULOGIO DE LA VIRGEN DEL CARMEN, Fray. *Un manuscrito desconocido de la «Llama de amor viva»*. (En *El Monte Carmelo*, LXIII, Burgos, 1955, págs. 76-80).
El del Archivo Silveriano de Burgos.

3762
LEDRUS, MICHEL. *L'incidente de l'«Exposición» d'Antolínez sur le probleme textuel johannicrucien*. (En Antolínez, Agustín. *Amores de Dios y el alma*. Madrid. 1956, págs. 391-445).

3763
EULOGIO DE LA VIRGEN DEL CARMEN, Fray. *Restos manuscritos del texto sanjuanista*. (En *El Monte Carmelo*, LXV, Burgos, 1957, págs. 90-102).

3764
EULOGIO DE LA VIRGEN DEL CARMEN, Fray. *La cuestión crítica del «Cántico espiritual». Nota bibliográfica*. (En *El Monte Carmelo*, LXV, Burgos, 1957, págs. 309-23).

3765
GARCIA MIRALLES, M. *La cuestión crítica sobre el «Cántico espiritual» de San Juan de la Cruz*. (En

Teología Espiritual, I, Valencia, 1957, págs. 135-38).

3766

GROULT, PIERRE. *Le texte authéntique du «Cántico Espiritual» de Saint Jean de la Croix.* (En *Les Lettres Romanes*, XI, Lovaina, 1957, págs. 195-98).

3767

SIMEON DE LA SAGRADA FAMILIA, Fray. *Nueva copia manuscrita de las obras completas de San Juan de la Cruz.* (En *Archivum Bibliographicum Carmelitanum*, III, Roma, 1958, págs. 247-50).
El mss. de A. Rodríguez Moñino.

3768

AMATUS A SANCTA FAMILIA. *Vers una édition critique des oeuvres de Saint Jean de la Croix.* (En *Archivum Bibliographicum Carmelitanum*, IV, Roma, 1959, págs. 223-25).

3769

EULOGIO DE LA VIRGEN DEL CARMEN, Fray. *Un manuscrito interesante de la «Subida del Monte Carmelo».* (En *Archivum Bibliographicum Carmelitanum*, IV, Roma, 1959, págs. 218-22).
El del Sacro Monte.

3770

NOEL-DERMOT [OF THE CHILD]. *The primitive drawings of the «Mount of Perfection».* (En *Mount Carmel*, VII, Londres, 1959-60, págs. 118-25).
Reproduce en facsímil los mss. 6296 y 8795 de la Biblioteca Nacional de Madrid.

3771

SIMEON DE LA SAGRADA FAMILIA, Fray. *Los misterios del códice de Alcaudete.* (En *Ephemerides Carmeliticae*, XI, Roma, 1960, págs. 227-233).

3772

——. *La Beata Ana de San Bartolomé y el «Cántico Espiritual» de San Juan de la Cruz.* (En *Ephemerides Carmeliticae*, XI, Roma, 1960, págs. 197-24).
Estudio de las tres copias autógrafas del *Cántico* hechas por la Beata Ana de San Bartolomé, que se conservan en Amberes y Florencia. (V. núms. 3189-91).

3773

——. *Gloria y ocaso de un apócrifo sanjuanista. El «Tratado breve del conocimiento oscuro de Dios afirmativo y negativo».* (En *El Monte Carmelo*, LIX, Burgos, 1961, págs. 185-208, 419-40).

3774

HUERGA, ALVARO. *¿Nuevos escritos de San Juan de la Cruz?* (En *Angelicum*, XXXIX, Roma, 1962, págs. 181-204).
Sobre los «Avisos»: Se los atribuye a Fr. Juan de Jesús María.

3775

TOMAS DE LA CRUZ, Fray. *«Avisos» espúrios y «avisos» genuinos, en diálogo con los PP. Efrén y Otger y con el P. Huerga.* (En *Ephemerides Carmeliticae*, XIII, Roma, 1962, págs. 576-616).

3776

FEDERICO DE SAN JUAN DE LA CRUZ, Fray. *Avisos falsamente atribuidos a San Juan de la Cruz.* (En *Revista de Espiritualidad*, XXII, Madrid, 1963, págs. 137-68).

3777

SIMEON DE LA SAGRADA FAMILIA, Fray. *¿Aravalles, Doria o S. Juan de la Cruz? De nuevo sobre la autenticidad sanjuanista de los avisos para después de profesos.* (En *El Monte*

Carmelo, LXXI, Burgos, 1963, págs. 435-84).

3778

SIMEON DE LA SAGRADA FAMILIA, Fray. *La retirada del P. Huerga, un nuevo capítulo en la historia de los «Avisos».* (En *El Monte Carmelo*, LXXI, Burgos, 1963, págs. 551-557).

3779

FORTUNATO DE JESUS SACRAMENTADO, Fray. *¿Son de S. Juan de la Cruz los Avisos para profesos de la Instrucción de novicios Descalzos?* (En *Revista de Espiritualidad*, XXIII, Madrid, 1964, págs. 517-26).

3780

HUERGA, A. *Inautenticidad sanjuanista de los «Avisos».* (En *Angelicum*, XLI, Roma, 1964, págs. 35-50).

3781

LUCIANO DEL SANTISIMO SACRAMENTO, Fray. *Nota crítica sobre un presunto escrito sanjuanista.* (En su ed. de *Vida y obras*, Madrid, B.A.C., 1964, págs. 1106-11).
V. n.º 3231.

3782

ORCIBAL, JEAN. *La «Montée du Carmel», a-t-elle été interpolée? Le problème de la première traduction française de S. Jean de la Croix.* (En *Revue de l'Histoire des Religions*, CLXVI, París, 1964, págs. 171-213).

3783

ZUAZUA, FELIPE P. *Nueva carta autógrafa de San Juan de la Cruz.* (En *Ephemerides Carmeliticae*, XVII, Roma, 1966, págs. 491-506).

3784

EULOGIO DE LA VIRGEN DEL CARMEN, Fray. *El Cántico Espiritual. Trayectoria histórica del texto.* Roma. Edit. del Teresianum. 1967. 116 págs.

a) Esquerda Bifet, J., en *Revista Española de Teología*, XXIX, Madrid, 1969, páginas 227-28.
b) Gensac, H. de, en *Revue d'Ascétique et de Mystique*, XLV, Toulouse, 1969, pág. 30.
c) Huerga, A., en *Angelicum*, XLVI, Roma, 1969, págs. 180-82.
d) Matías del Niño Jesús, Fray, en *Estudios Josefinos*, XXIII, Valladolid, 1960, páginas 116-17.
e) Peters, C., en *Carmelus*, XVI, Roma, 1969, pág. 294.
f) Sanchis, A., en *Teología Espiritual*, XIII, Valencia, 1969, págs. 146-47.

3785

EULOGIO DE LA VIRGEN DEL CARMEN, Fray. *Primeras ediciones del «Cántico espiritual».* (En *Ephemerides Carmeliticae*, XVIII, Florencia, 1967, págs. 3-48).

3786

EULOGIO DE LA VIRGEN DEL CARMEN, Fray, y Fray FEDERICO RUIZ SALVADOR. *San Juan de la Cruz.* (En *Ephemerides Carmeliticae*, XIX, Roma, 1968, págs. 45-87).
Análisis crítico de los estudios sobre San Juan de la Cruz, en especial de los posteriores a 1946.

3787

EULOGIO DE LA VIRGEN DEL CARMEN, Fray. *Los textos sanjuanistas y los resultados de la crítica.* (En *El Monte Carmelo*, LXXVII, Burgos, 1969, págs. 369-86).

3788

DUVIVIER, ROGER. *Le «Cántico espiritual» en quête du repos.* (En *Les Lettres Romanes*, XXIII, Lovaina, 1969, págs. 327-66).

3789

EULOGIO DE LA VIRGEN DEL CARMEN, Fray. *San Juan de la Cruz*

y sus escritos. Madrid. Ed. Cristian-
dad. 1969. 466 págs. 21 cm. (Teología y Siglo XX, 10).

a) Gensac, H. de, *Revue d'Ascétique et de
Mystique,* XLVI, París, 1970, págs. 238-40.

b) Gutiérrez, G., en *Revista Agustiniana de
Espiritualidad,* XI, Calahorra, 1970, págs.
464-65.

c) Jorge, E., en *Manresa,* XLI, Madrid,
1969, pág. 365.

d) Martínez, J., en *Teología Espiritual,*
XIV, Valencia, 1970, pág. 111.

e) Ricard, R., en *Les Lettres Romanes,*
XXIV, Lovaina, 1970, págs. 175-78.

f) Ruiz, Federico, en *Ephemerides Carmeliticae,* XX, Roma, 1969, págs. 453-55.

g) Valencia, J., en *Hispania,* LIII, Appleton, 1970, pág. 571.

MADRID. *Consejo. Patronato «Menéndez Pelayo».* 25-228. *Nacional.* 4-10.299.—ROMA. *Teresianum.* Carm. B.3563.

3790
DUVIVIER, ROGER. *Le classement
des témoins de la version A du «Cántico espiritual».* (En *Revue d'Ascétique et de Mystique,* XLVI, Toulouse, 1970, págs. 249-90).

3791
——. *La genèse du «Cantique Spirituel» de Saint Jean de la Croix.* París. Societé d'Edition Les Belles
Lettres. 1971. LXXIX + 536 págs.
24 cm.

a) Alvarez Molina, R., en *Les Lettres Romanes,* XXVIII, Lovaina, 1974, págs. 180-
185.

b) Carrión, M., en *Revista de Archivos,
Bibliotecas y Museos,* LXXVIII, Madrid,
1975, págs. 880-81.

c) Krynen, J., en *Caravelle,* Toulouse,
1972, n.º 19, págs. 223-28.

d) Sarmiento, E., en *Bulletin of Hispanic Studies,* XLIX, Liverpool, 1972, págs.
69-73.

BERLIN. *Ibero-Amerikanischen Instituts.* —
MADRID. *Consejo. Instituto «M. de Cervantes».* VI-256. *Nacional.* 1-137.263.—ROMA. *Teresianum.* Carm. B.3.898. *Vaticana.* Belgio.
XIII.7(189).cons.—WASHINGTON. *Congreso.* 70-
872003.

3792
EULOGIO DE LA VIRGEN DEL
CARMEN, Fray. *Estudios recientes
sobre San Juan de la Cruz.* (En *Ephemerides Carmeliticae,* XXIII, Roma,
1972, págs. 466-89).

3793
MOLINA PRIETO, ANDRES. *Estudio histórico sobre el manuscrito
giennense del «Cántico espiritual»
y cristología de la estrofa 11.* (En
*Boletín del Instituto de Estudios
Giennenses,* Jaén, 1974, n.º 76, págs.
7-447).

3794
THOMPSON, COLIN P. *The authen-
ticity of the second redaction of the
«Cántico espiritual» in the light of
its doctrinal additions.* (En *Bulletin
of Hispanic Studies,* LI, Liverpool,
1974, págs. 244-54).

3795
PORTEMAN, KAREL. *La traducción
más antigua de San Juan de la Cruz
en neerlandés.* (En *Ephemerides
Carmeliticae,* XXVI, Roma, 1975, páginas 252-54).

3796
PACHO, EULOGIO. *El «Cántico Espiritual» retocado. Introducción a su
problemática textual.* (En *Ephemerides Carmeliticae,* XXVII, Roma,
1976, págs. 382-452).

3797
BERTHELOT, ANDRÉ. *Sur la traduction de la poésie de S. Jean de
la Croix.* (En *Revue d'Histoire de la
Spiritualité,* LII, París, 1977, págs.
117-28).

3798
DUVIVIER, ROGER. *L'Histoire des
écrits de saint Jean de la Croix.* (En

Les Lettre Romanes, XXXI, Lovaina, 1977, págs. 343-52).

3799

DUVIVIER, ROGER. *De l'ineffabilité mystique à la confusion critique? Un débat de méthode à propos de la genèse du «Cantico Espiritual».* (En Estudios *de Historia, Literatura y Arte hispánicos ofrecidos a Rodrigo A. Molina. Madrid. Insula.* 1977, págs. 109-27).

3800

PACHO, EULOGIO. *La ortografía de los autógrafos sanjuanistas. Sugerencias para la transcripción de los textos.* (En *Ephemerides Carmeliticae*, XXXI, Roma, 1980, págs. 195-243).

Pág. 203: Lista de autógrafos.

ASPECTO TEOLÓGICO

3801

BRETON, JUAN. *Mística, Theología y doctrina de perfection evangelica, a la que puede llegar el alma en esta uida...* Madrid. 1614.

V. *B. L. H.*, VI, n.º 5417.

3802

JERONIMO DE LA ASUNCION, Fray. *Glosas a unos tercetos, sacados de la doctrina de los libros del V. P. F. Iuan de la Cruz...* Gerona. 1650.

V. n.º 1688.

3803

LOUIS DE SAINTE THÉRÈSE. *Traicté théologique de l'union de l'Ame avec Dieu. Auquel la doctrine du bien - heureux Pere Iean de la Croix, touchant cette matiere, est rendue, complete & confirmée par delle de S. Augustin et de S. Thomas.* París. 1665. 189 págs. 24 cm.

PARIS. *Nationale.* D.8600.

3804

ROJAS Y AUSA, JUAN DE. *Representaciones de la Verdad vestida, Mística, Morales, y Alegóricas, sobre las siete Moradas de Santa Teresa de Jesús... Careadas con la Noche Obscura del M. Fr. Juan de la Cruz... manifestando la consonancia, que estas dos celestiales plumas guardarán al enseñar a las almas el camino del Cielo...* Madrid. Antonio Gonçalez de Reyes. 1679. 12 hs. + 1 lám. + 511 págs. + 12 hs. 21 cm.

MADRID. *Nacional.* 7-12.768.—SEVILLA. *Universitaria.* 9-2 y 221-214.

3805

BOUDON, HENRI-MARIE. *La vive flamme d'amour dans le Bienheureux Jean de la Croix...* Lille. F. Fievet. 1693. 486 págs. 16,5 cm.

ROMA. *Teresianum.* Carm. A.2579.

— — —

—París. J.-T. Hérissant. 1749. XII + 489 páginas. 12.º
PARIS. *Nationale.* D.26895; etc.
—París. Vve. Hérissant. 1778. XII + 396 págs. 17 cm.
PARIS. *Nationale.* Oo.766.A. — ROMA. *Teresianum.* Carm. A.5933.
—Tournai. 1846.
ROMA. *Teresianum.* Carm. A.5236.
—En sus *Oeuvres complètes.* Tomo II. París. 1856, cols. 943-1124.

3806

BOSSUET, JACQUES-BÉNIGNE. *De Nova Quæstione tractatus tres. I. Mystici in tuto: sive De S. Theresia, de B. Johanne a Cruce, allisque piis mysticis vindicandis.* París. J. Anisson. 1698. 440 págs. 8.º

MADRID. *Nacional.* 3-28.663.—PARIS. *Nationale.* D.19073.—ROMA. *Vaticana.* Miscell. H.27 (3).

3807

ARBIOL, ANTONIO. *Mística Fvndamental de Christo Señor Nvestro, Explicada por el Glorioso, y Beato Padre San Juan de la \Cruz... Y el*

Religioso Perfecto, conforme a los cien avisos y sentencias espirituales, que el mismo Beato Padre dexó escritas para Religiosos y Religiosas... Zaragoza. Pedro Carreras. 1723. 24 fols. + 557 págs. + 8 hs. 20 cm.

V. *B. L. H.*, V, núms. 3751-54.

3808
JUAN DE LA ASUNCION (Fray). *Pastor de Monte Carmelo. S. Juan de la Cruz, primer carmelita descalzo en sus cautelas religiosas. Con reflexiones, que sobre ellas hazía la menor oveja de su rebaño —— colegidas de los abundantes pastos de la Santa Escritura, y Doctores de la Iglesia.* Madrid. Joseph Gonzalez. [s. a., ¿1729?]. 16 hs. + 1 lám. + 547 págs. 20,5 cm.

MADRID. *Nacional.* 3-10.473.—SAN LORENZO DEL ESCORIAL. *Monasterio.* 104-III-48.

3809
GABRIELE DI VENEZIA. *Il martirio del divino amore, conforme la dottrina di S. Giovanni della Croce.* Venecia. Baglione. 1740. 479 págs. 18,5 cm.

ROMA. *Teresianum.* Carm. A.3373.

3810
SCARAMELLI, GIOVANNI BATTISTA. *Dottrina di San Giovanni della Croce...* Venecia. Simone Occhi. 1815. VIII + 122 págs. 8.º

—Lucca. Baroni. 1860. 263 págs. 15,5 cm. ROMA. *Vaticana.* R. G. Teol. V.7093.
—Roma. Pía Soc. S. Paolo. 1946. XXXII + 536 págs. 16.º

3811
BERTHIER, [GUILLAUME - FRANÇOIS]. *Lettres... sur les oeuvres de S. Jean de la Croix.* (En Juan de la Cruz, San. *Les Oeuvres spirituelles...* Aviñón. 1828).

V. n.º 3362.

3812
——. *Analyse sommaire de la doctrine de Saint Jean de la Croix.* Bruselas. 1887.

3813
VALENTI, JOSE IGNACIO. *Examen crítico de las obras de San Juan de la Cruz bajo el concepto religioso y literario.* Madrid. Imp. de los Huérfanos. 1892. 140 págs. + 1 h. 19 cm.

MADRID. *Nacional.* 4-140.071.—SANTANDER. «*Menéndez y Pelayo*». 6.359. (Dedicado).

3814
¿Los místicos españoles eran protestantes? San Juan de la Cruz pintado por sí mismo. Madrid. Libr. Nacional y Extranjera. 1892. 22 págs. 20 cm.

BARCELONA. *Central.* S.J.C.199.—MADRID. *Particular de la Casa Provincial de la Orden del Carmen Descalzo.* Carm. A.603.

3815
LUDOVIC DE BESSE. *Eclaircissements sur les oeuvres mystiques de saint Jean de la Croix.* París. 1893.

MADRID. *Particular de la Casa Provincial de la Orden del Carmen Descalzo.* Carm. A. 645.—PARIS. *Nationale.* D.83588.

—2.ª ed. Gembloux. Imp. Duculot. 1928. 133 págs. 16.º (Il Poverello, 2ᵉ serie, 17). PARIS. *Nationale.* 8.º K.6487 (II, 17).

3816
POULAIN, AUGUSTE. *La Mystique de Saint Jean de la Croix.* Toulouse. Messager du Coeur de Jésus. 1893. 49 págs. 17 cm.

3817
ALPHONSE DE LA MÈRE DES DOULEURS, Father. *Pratique journalière de l'oraison et de la contemplation divine d'après la méthode de Sainte Thérèse et de Saint Jean de*

la Croix. Lille, etc. Desclée de Brouwer et Cie. 1904-15. 8 vols. 18,5 cm.

CAMBRIDGE, Mass. *Harvard University.*

— — —

—1915-18. 6 vols. 18 cm.
—*Practice of mental prayer and of perfection according to Saint Teresa and Saint John of the Cross... Tr. by Father Jerome O'Connell...* Bruges-Roma. Desclée, Brouwer et Cie. [s. a., ¿1910-19...?]. 6 vols. 18 cm.

ATCHISON. *St. Benedict's College.*—CLEVELAND. *John Carroll University.*

—*Daily practice of mental proyer and of divine contemplation according to the method of Saint Teresa and of Saint John of tre Cross... Translated by R. Jerome O'Connor...* Bruges. Desclée, De Brouwer et Cie. 1922-... 19 cm.

FILADELFIA. *Union Library Catalogue of Pennsylvania.*—VILLANOVA. *Villanova College.*

—*Práctica de la oración mental y de la perfección, según Santa Teresa y San Juan de la Cruz. Trad. por el P. Romualdo de Santa Catalina.* Tomo I: *La oración de discurso y la vía purgativa.* Barcelona. Juan Gili. 1911. 359 págs. 19 cm.

ROMA. *Teresianum.* Carm. A.4909.

3818

POULAIN, AUGUSTE. *L'oraison de simplicité. La première nuit de Saint Jean de la Croix.* París. V. Retaux. 1906. 105 págs.

MADRID. *Particular de la Casa Provincial de la Orden del Carmen Descalzo.* Carm. A.604.

3819

GARRIGOU-LAGRANGE, REGINALD. *Perfection chrétienne et contemplation selon St. Thomas d'Aquin et St. Jean de la Croix.* Saint Maximin. Edit. de La Vie Spirituelle. 1923. 2 vols.

MADRID. *Particular de la Casa Provincial de la Orden del Carmen Descalzo.* Carm. A.634 (1-2).—ROMA. *Vaticana.* R. G. Teol. V. 2821.

— — —

—*Christian Perfection and Contemplation according to St. Thomas Aquins and St. John of the Cross. Translated by Sister M. Timothea Doyle.* St. Louis-Londres.

B. Herder Book Co. 1937. XVIII + 470 páginas. 8.º

3820

MARIE CLAIRE DE JÉSUS. *Saint Jean de la Croix Intime ou Étude sur le Coeur de S. Juan de la Croix.* Gante. 1923. XVI + 348 págs. 19 cm.

— — —

—1924. 2 vols.

3821

BARUZI, JEAN. *Saint Jean de la Croix et le problème de l'expérience mystique.* Paris. Lib. F. Alcan. 1924. VII + 790 págs. 22 cm. (Bibliothèque de Philosophie Contemporaine).

a) Bataillon, M., en *Bulletin Hispanique,* XXVII, Burdeos, 1925, págs. 264-73.

b) Giménez Caballero, E., en *Revista de Filología Española,* XIII. Madrid, 1926, páginas 186-90.

c) González de la Calle, P. U., en *Boletín de la Academia de la Historia,* LXXXVII, Madrid, 1925, págs. 298-305, y en *Revista de Archivos, Bibliotecas y Museos,* XLVI, Madrid, 1925, págs. 499-501.

d) Hoornaert, R., en *Revue d'Histoire ecclésiastique,* XXII, Lovaina, 1926, págs. 633-36.

e) Thomas, R., en *Bulletin de la Socité d'Etudes des Professeurs de Langues Meridionales,* XX, Paris-Carcassone, 1925, páginas 21-23.

MADRID. *Nacional.* 2-78.931; etc.

— — —

—2.ª ed., revisada y aumentada. París. F. Alcan. 1931. XXIX + 740 págs. 23 cm. Con nuevo Prólogo.

f) Gandillac, M. de, en *Revue Critique d'Histoire et de Littérature,* LXV, París, 1931, págs. 469-71.

g) González de la Calle, P. U., en *Erudición Ibero-Ultramarina,* II, Madrid, 1931, pág. 350.

MADRID. *Consejo. General.*—*Facultad de Filosofía y Letras.*—*Nacional.* 4-113.971.—ROMA. *Vaticana.* R.G.Teol.IV.5324.

3822

LANDRIEUX (Evêque de Dijon). *Sur les pas de Saint Jean de la Croix dans le desert et dans la nuit.* París. P. Lethielleux. 1924. IX + 173 págs. 17 cm.

MADRID. *Particular de la Casa Provincial de la Orden del Carmen Descalzo.* Carm. A.562.

3823

CASTRO ALBARRAN, A. DE. *El espiritualismo en la mística de San Juan de la Cruz.* Salamanca. Tip. de Calatrava. 1929. 24 págs. 21 cm.

a) Pérez Goyena, A., en *Razón y Fe*, LXXXIX, Madrid, 1929, págs. 281-82.

MADRID. *Particular de la Casa Provincial de la Orden del Carmen Descalzo.* Carm. A. 565/6.

3824

FRANCESCO SAVERIO DI S. TERESA. *San Giovanni della Croce, dottore della Chiesa.* Milán. S. Lega Eucaristica. 1929. 360 págs. 18,5 cm.

MADRID. *Particular de la Casa Provincial de la Orden del Carmen Descalzo.* Carm. A. 639/40.—ROMA. *Vaticana.* R. G. Vita. V.2099.

3825

PHILIPPE, A. *Le point central de la Doctrine de San Juan de la Cruz.* París. Ed. Doctrine et Verité. 1929. 86 págs. 12.º

MADRID. *Particular de la Casa Provincial de la Orden del Carmen Descalzo.* Carm. A.599.—PARIS. *Nationale.* D.9315.

3826

GARRIGOU-LAGRANGE, REGINAL-MARIE. *L'Amour de Dieu et la Croix de Jésus. Étude de théologie mystique sur le problème de l'amour et les purifications passives, d'après les principes de Saint Thomas d'Aquin et la doctrine de Saint Jean de la Croix.* Tomo I. Juvisy. Ed. du Cerf. 1929. 2 vols. con 917 págs. 20 cm.

MADRID. *Particular de la Casa Provincial de la Orden del Carmen Descalzo.* Carm. A.633 (1-2).

3827

EZEQUIEL DEL SAGRADO CORAZON DE JESUS, Fray. *Método de Oración y Contemplación según San Juan de la Cruz.* Bilbao. E. Verdes. 1931. 130 págs. 17,5 cm.

— — —

—Bilbao. Edit. Eléxpuru Hermanos. 1935. 207 págs. 17 cm.

MADRID. *Particular de la Casa Provincial de la Orden del Carmen Descalzo.* Carm. A. 590/91.

3828

MARITAIN, JACQUES. *Saint Jean de la Croix, praticien de la contemplation.* (En *Études Carmélitaines*, XVI, París. 1931, vol. I, págs. 62-109).

3829

——. *Distinguer pour unir.* París. Desclée de Brouwer. [1932].

—St. Jean de la Croix practicien de la contemplation (págs. 619-97); Todo y Nada (páginas 701-65); «Le amará tanto como es amada» (págs. 897-902); Les «Cautelas» de St. Jean de la Croix (págs. 903-7).

MADRID. *Nacional.* 2-86.487.

3830

CLAUDIO DE JESUS CRUCIFICADO, Fray. *Originalidad de la doctrina mística de San Juan de la Cruz.* (En *El Monte Carmelo*, XXXIX, Burgos, 1935, págs. 353-61, 402-7, 496-503).

3831

GABRIEL A S. MARIA MAGDALENA. *Manuale di Teologia spirituale secondo la dottrina di Santa Teresa di Gesù e Giovanni della Croce e della scuola mistica teresiana.* Roma. Facoltà Teologica del Collegio di S. Teresa. 1936. 3 vols. 31,5 cm.

ROMA. *Teresianum.* Carm. C.387.

3832

FROST, BEDE. *Saint John of the Cross, 1542-1591, Doctor of Divine Love. An introduction to his Philosophy, Theology and Spirituality.* Londres. Hodder and Stoughton. 1937. XIV + 411 págs. 22 cm.

MADRID. *Consejo. General. — Particular de D. Pedro Sainz Rodríguez.*

3833

GABRIEL DE STE. MARIE MADELEINE, Fr. *San Giovanni della Croce dottore d'amor divino.* Florencia. Libr. Edit. Fiorentina. 1937. XVI + 176 págs.

ROMA. *Nazionale.* 210.D.326.

— — —

—2.ª ed. Florencia. Vita Cristiana. 1943. 194 págs.

ROMA. *Nazionale.* 211.G.123.

—*St. John of the Cross doctor of Divine Love. Translated by a Benedictine of Stanbrook Abbey.* Londres. Thomas Backer. 1940. XII + 121 págs. 21,5 cm.

ROMA. *Teresianum.* Carm. B.3704.—ST. LOUIS, Mo. *St. Louis University, School of Divinity Library.*

—Westminster, Md. Newman Bookshop. 1946. XVI + 202 págs. 22 cm.

BOULDER. *University of Colorado.* — NUEVA YORK. *Union Theological Seminary.*—WASHINGTON. *Congreso.* 48-2236 rev.

—1952.

DURHAM. *Duke University.*

—1954.

SPOKANE. *Gonzaga University.*

—1949.

WASHINGTON. *Congreso.* A 50-7681 rev.

—*St. Jean de la Croix, docteur...* París. Desclées. 1947. 152 págs. 20 cm.

MADRID. *Particular de D. Pedro Sainz Rodríguez.*—MINNEAPOLIS. *University of Minnesota.*—ROMA. *Vaticana.* R.G.Teol.IV.5706.

—*San Juan de la Cruz, doctor del amor divino. Trad. de la 2.ª ed. italiana por Fray Julio del Niño Jesús.* Burgos. El Monte Carmelo. 1965. 187 págs. + 2 hs. 15,5 cm.

ROMA. *Teresianum.* Carm. A.2325 (16).

3834

THEODORUS A S. JOSEPH. *Der gerade Weg zu Gott. Begegrung mit dem verbargenen Gottgeneimnis: die Dunkle Nacht der Seele Verborgene Gottheit.* Bonifacius - Ducherei. 1937.

MADRID. *Casa Provincial de la Orden del Carmen Descalzo.* Carm. A.549.

3835

JIMENEZ [DUQUE], BALDOMERO. *Problemas místicos en torno a la figura de San Juan de la Cruz.* (En *Revista Española de Teología,* I, Madrid, 1940, págs. 963-83).

a) *Revista de Espiritualidad,* IV, Madrid, 1945, pág. 410.

3836

CALVERAS, J. *¿Es lícito querer saber la voluntad de Dios por vía directa?* (En *Manresa,* XIV, Madrid, 1942, págs. 247-69).

Demuestra la compatibilidad de la doctrina de San Juan de la Cruz sobre el deseo de revelaciones sobrenaturales con la de San Ignacio sobre el modo de buscar la voluntad de Dios.

3837

CLAUDIO DE JESUS CRUCIFICADO, Fray. *Concepto de la vida espiritual, perfección cristiana y sus estados según S. Juan de la Cruz.* (En *El Monte Carmelo,* XLIII, Burgos, 1942, págs. 355-80).

3838

——. *Contemplación infusa su naturaleza y fases conforme a la «Noche oscura», «Cántico espiritual» y «Llama de amor viva».* (En *El Monte Carmelo,* XLIII, Burgos, 1942, págs. 72-77).

3839

CRISOGONO DE JESUS, Fray. *Relaciones de la Mística con la Filosofía y la Estética en la doctrina de San Juan de la Cruz.* (En *Escorial,* IX, Madrid, 1942, págs. 353-66).

3840

——. *Valor del sistema místico de San Juan de la Cruz.* (En *Revista de la Universidad de Oviedo,* III, Oviedo, 1942, págs. 217-32).

3841

DOROTEO DE LA SAGRADA FAMILIA. *Guía espiritual de la Contemplación Adquirida, según la doctrina* del Místico Doctor de la Iglesia San Juan de la Cruz y sus discípulos. Barcelona. L. Gili, ed. 1942. 108 págs. 19,5 cm.

a) *Revista de Espiritualidad*, III, San Sebastián, 1944, págs. 107-8. (Le acusa de plagio).
MADRID. *Nacional.* 4-6.136. *Particular de la Casa Provincial de la Orden del Carmen Descalzo.* Carm. A.650.

3842

——. *Diálogos místicos sobre la «Subida del Monte Carmelo», del místico Doctor de la Iglesia San Juan de la Cruz.* Barcelona. L. Gili, ed. 1942. 194 págs. + 2 láms. 19,5 cm.

a) *Revista de Espiritualidad*, III, San Sebastián, 1944, pág. 108. (Señala errores).
MADRID. *Nacional.* 1-96.517. *Particular de la Casa Provincial de la Orden del Carmen Descalzo.* Carm. A.648/49.—ROMA. *Teresianum.* Carm. A.2363.

3843

EFREN DE LA MADRE DE DIOS. *La esperanza según San Juan de la Cruz.* (En *Revista de Espiritualidad*, I, San Sebastián, 1942, págs. 255-81).

3844

GABRIELE DI S. M. MADDALENA, Fr. *San Giovanni della Croce direttore spirituale.* Florencia. Vita Cristiana. 1942. 183 págs. 19,5 cm. (Vita Cristiana, 18).

LOS GATOS, Cal. *Alma College.*—ROMA. *Nazionale.* 211.G.165. *Teresianum.* Carm. A.5841.

3845

——. *S. Giovanni della Croce dottore di «Totalità».* (En *Vita e Pensiero*, XXXIII, Milán, 1942, págs. 383-88).

3846

HERNANDEZ, EUSEBIO. *La contemplación adquirida según San Juan de la Cruz.* (En *Manresa*, XIV, Madrid, 1942, págs. 202-25; 1947, págs. 97-121).

3847

MESNARD, PIERRE. *La place de Saint Jean de la Croix dans la tradition mystique.* (En *Bulletin de l'enseignement public du Maroc*, XXIX, Alger, 1942).

Tirada aparte: Alger. 1942. 43 págs.

a) Ismael (P.), en *Revista de Espiritualidad*, III, San Sebastián, 1944, págs. 217-18.

3848

MUÑOZ, JESUS. *Los apetitos según San Juan de la Cruz.* (En *Manresa*, XIV, Barcelona, 1942, págs. 328-39).

3849

PINO GOMEZ, AURELIO. *San Juan de la Cruz, Director espiritual.* (En *Revista de Espiritualidad*, I, San Sebastián, 1942, págs. 389-410).

3850

PUERTO, GERMAN. *La contemplación y la acción, según el pensamiento de San Juan de la Cruz.* (En *La Ilustración del Clero*, XXXV, Madrid, 1942, págs. 363-75).

3851

SILVERIO DE SANTA TERESA. *Fray Juan de la Cruz, Doctor providencial.* (En *Revista de Espiritualidad*, I, San Sebastián, 1942, págs. 332-71).

3852

SIMEON DE LA SAGRADA FAMILIA, Fray. *La doctrina de la gracia, como fundamento de la doctrina Sanjuanista.* (En *El Monte Carmelo*, XLIII, Burgos, 1942, págs. 521-41).

3853

YELA UTRILLA, JUAN FRANCISCO. *San Juan de la Cruz y la aventura mística.* (En *Revista de la Universidad de Madrid*, II, Madrid, 1942, págs. 94-121).

3854
ANICETO DEL DIVINO REDEN-
TOR. *La inhabitación de la Santísima Trinidad en el alma, según San
Juan de la Cruz.* (En *Revista de Espiritualidad*, II, San Sebastián, 1943,
págs. 37 bis-49 bis).

3855
DOROTEO DE LA SAGRADA FAMI-
LIA, Fray. *Escuela de oración según
el método del Doctor de la Iglesia
San Juan de la Cruz y de los grandes místicos de la Orden Carmelitana.* San Sebastián. Edit. Pax. 1943.
235 págs. 16 cm.

a) Francisco (P.), en *Revista de Espiritualidad*, IV, San Sebastián, 1945, pág. 108.
MADRID. *Particular de la Casa Provincial de
la Orden del Carmen Descalzo.* Carm. A.
593/94.

3856
OTILIO DEL NIÑO JESUS, Fray.
Mariología de San Juan de la Cruz.
(En *Estudios Marianos*, II, Madrid,
1943, págs. 359-99).
I. Fuentes de la M. sanjuanista; II. El
consentimiento de María; III. Su divina
maternidad; IV. El culto debido a sus
imágenes; V. María modelo del alma perfecta.

3857
LUCINIO DEL SANTISIMO SACRA-
MENTO. *La doctrina del cuerpo místico en San Juan de la Cruz.* (En *Revista de Espiritualidad*, III, San Sebastián, 1944, págs. 181-211; IV, 1945,
págs. 77-104, 251-75).

3858
SIMEON DE LA SAGRADA FAMI-
LIA. *El principio teológico previo y
fundamental de toda la obra Sanjuanista.* (En *Revista de Espiritualidad*, III, San Sebastián, 1944, págs.
225-37).

3859
SIMEON DE LA SAGRADA FAMI-
LIA. *San Juan de la Cruz y el Purgatorio.* (En *Revista de Espiritualidad*, IV, Madrid, 1945, págs. 19-30).

3860
CAPANAGA, VICTORIANO. *La inte-
rioridad católica de San Juan de la
Cruz.* (En *Revista de Espiritualidad*,
V, Madrid, 1946, págs. 206-21).

3861
LUCINIO DEL SANTISIMO SACRA-
MENTO. *Las heridas de amor según
San Juan de la Cruz.* (En *Revista de
Espiritualidad*, V, Madrid, 1946, pá-
ginas 546-50).
Resumen de la tesis de Fr. Eduardo de
Santa Teresa sobre dicho tema.

3862
EFREN DE LA MADRE DE DIOS,
Fray. *San Juan de la Cruz y el Misterio de la Santísima Trinidad en la
vida espiritual.* Salamanca. Pontificia Universidad Eclesiástica. [Zara-
goza. El Noticiero]. [1947]. 526 págs.
+ 1 h. 25,5 cm.

a) Cirilo (Fray), en *El Monte Carmelo*,
LI, Burgos, 1947, págs. 88-89.
b) García Rodríguez, B., en *La Ilustración del Clero*, Madrid, 1948, págs. 56-62.
Réplica del autor en *Revista de Espiritualidad*, VII, 1948, págs. 109-19.
c) Ismael (P.), en *Revista de Espiritualidad*, VI, Madrid, 1947, págs. 513-15.
d) Segura, Francisco, en *Razón y Fe*,
CXLIV, Madrid, 1951, págs. 529-30.
MADRID. *Nacional.* 4-29.279.

3863
ALAEJOS, ABILIO. *Hispanidad de
la Mística de San Juan de la Cruz.*
(En *Revista de Espiritualidad*, VII,
Madrid, 1948, págs. 281-324).

3864
GARCIA RODRIGUEZ, BUENAVEN-
TURA. *El fondo del alma.* (En *Re-
vista Española de Teología*, VIII,
Madrid, 1948, págs. 457-77).

3865

ADOLFO DE LA MADRE DE DIOS. *Estado y acto de contemplación. La contemplación adquirida según San Juan de la Cruz.* (En *Revista de Espiritualidad*, VIII, Madrid, 1949, páginas 96-126).

3866

JOSE DE JESUS NAZARENO. *Conocimiento y amor en la contemplación según San Juan de la Cruz.* (En *Revista de Espiritualidad*, VIII, Madrid, 1949, págs. 72-95).

3867

MONTALVILLO, JUAN JOSE. *Concepto general de contemplación en San Juan de la Cruz.* (En *Revista de Espiritualidad*, VIII, Madrid, 1949, págs. 49-71).

3868

PENIDO, MAURILIO. *O itinerario mistico de S. Joâo da Cruz.* Petropolis. Vozes. 1949. 252 págs. 23 cm.

ROMA. *Vaticana. R. G. Teol. IV.5376.*

3869

ROMAN DE LA INMACULADA. *¿Es quietista la contemplación enseñada por San Juan de la Cruz?* (En *Revista de Espiritualidad*, VIII, Madrid, 1949, págs. 127-55).

3870

WOJTYLA, KAROL. *Questio de fide apud S. Joanem a Cruce.* (En *Collectanea Théologica*, XXI, Varsovia, 1949, págs. 418-68).

— — —

—*El problema de la fe según San Juan de la Cruz.* [*Trad. por Fr. Emeterio Setién y Fr. Tarsicio Martín*], en *El Monte Carmelo*, LXXXVI, Burgos, 1978, págs. 423-69.

—[JUAN PABLO II], *La Fe según San Juan de la Cruz. Traducción de Alvaro Huerga.* Madrid. Edit. Católica. 1979. XXX + 282 págs. 17,5 cm. (Biblioteca de Autores Cristianos. Minor, 53).

—3.ª ed. 1980.

MADRID. *Nacional. 4-168.377.*

MADRID. *Ministerio de Cultura.* 200.405. *Nacional.*

3871

ALESSANDRO DI S. GIOVANNI DELLA CROCE. *San Giovanni della Croce direttore spirituale.* (En *Rivista di Vita Spirituale*, IV, Roma, 1950, págs. 366-76).

3872

STEIN, EDITH. *Kreuzeswissenschaft. Studie über Johannes a Cruce.* Lovaina. Edit. F. Nauwelaerts; etc. 1950. XI + 300 págs. 8.º

Nombre religioso: Teresia Benedikta won Kreuz, OCD.

— — —

—Friburgo. Herder. 1954.

BERLIN. *Ibero-Amerikanischen Instituts.* — MADRID. *Facultad de Filosofía y Letras.*

—*Passion d'amour de Saint Jean de la Croix. La science de la Croix. Trad. par P. Etienne de Ste. Marie.* Lovaina. Nauwelaerts. 1957. XVIII + 358 págs. 22 cm.

a) Amatus van de H. Familie, en *Ephemerides Carmeliticae*, X, Roma, 1959, págs. 490-91.

b) Etienne de S. Marie, en *Chroniques de Carmel*, LXIX, Soignies, 1957, págs. 67-69.

BERLIN. *Ibero-Amerikanischen Instituts.* — MADRID. *Nacional. 4-128.080.*

Idem. 1961.

—*La ciencia de la cruz. Estudio sobre San Juan de la Cruz. Versión de los carmelitas de Begoña.* San Sebastián. Herder. 1959. 413 págs. 19 cm. (Col. Prisma, 48).

c) Díez, en *La Ciudad de Dios*, CLXXII, El Escorial, 1959, pág. 215.

d) J. A. S., en *Razón y Fe*, CLX, Madrid, 1959, pág. 121.

e) Ramírez, E., en *Virtud y Letras*, Manizales, 1959, n.º 69, págs. 94-95.

MADRID. *Nacional. 5-16.260. Particular de la Casa Provincial de la Orden del Carmen Descalzo. Carm. A.658.*

—*The Science of the Cross. A Study of St. John of the Cross... Translated by Hilda Graef.* Londres. Burns and Oates. 1960. 266 págs. 22 cm.

WASHINGTON. *Congreso. 58-12410.*

—*De wetenschap van het kruis. Liefdepassie van Joannes a Cruces.* Brujas-Breda. Desclée de Brouwer. [1958]. 381 págs. 19 cm.

3873

GABRIELE DI SANTA MARIA MAD-DALENA, Fr. *L'unione con Dio secondo San Giovanni della Croce.* Florencia. Salani. 1951. 208 págs. 18,5 cm. (Gli amici dell'anima).

ROMA. *Vaticana.* R.G.Teol.V.673. — WASHINGTON. *Congreso.* 52-2776.

— — —

—Roma. Monastero di S. Giusepe. 1956. 230 págs. 17,5 cm.
MADRID. *Particular de la Casa Provincial de la Orden del Carmen Descalzo.* Carm. A. 595.
—3.ª ed. 1961.
—*Op zoek naar God.* Amberes. Sheed & Word. 1956. 174 págs. 20,5 cm.
—*La unión con Dios según San Juan de la Cruz. Trad. de la 2.ª ed. italiana por el P. Julio Félix del Niño Jesús.* Burgos. Edit. El Monte Carmelo. 1962. 293 págs. 15 cm. (Col. Archivo Silveriano, 8).
a) Evaristo del Niño Jesús, Fray, en *El Monte Carmelo*, LXX, Burgos, 1962, págs. 130-31.
b) Mariño, A., en *La Vida Sobrenatural*, XLIII, Salamanca, 1963, págs. 157-58.
—*A união con Deus segundo Sao Joao da Cruz. Trad. Antonio Braz Teixeira.* Lisboa. Edit. Aster. 1961. 192 págs. 19 cm.
ROMA. *Teresianum.* Carm. A.4731.
—Roma. Monasterio di S. Giuseppe. 1956. 239 págs. 17,5 cm.
MADRID. *Particular de la Casa Provincial de la Orden del Carmen Descalzo.* Carm. A.595.
—1961.

3874

MERTON, THOMAS. *The ascent to truth.* Nueva York. Harcourt Brace and Co. 1951. X + 342 págs. 8.º

ROMA. *Vaticana.* R. G. Teol. IV.5649.

— — —

—Londres. Hollis & Carter. 1951. X + 252 págs. 22 cm.
—*Ascesa alla verità. Trad. di Cecilia Tirone.* Milán. Garzanti. 1955. 327 págs. 22 cm.
—*La montée vers la lumière. Trad. de l'américain par Marie Tadié.* París. Edit. Albin Michel. [1958]. 233 págs. 20 cm.
ROMA. *Vaticana.* R. G. Teol. IV.3279.

3875

SOBRINO, JOSE ANTONIO DE. *La soledad mística y existencialista de*

San Juan de la Cruz. Madrid. Sucs. de Rivadeneyra. 1952. 63 págs. 20 cm.

a) Andrade, G., en *Revista Javeriana*, XL, Bogotá, 1953, pág. 307.
MADRID. *Nacional.* V-2.268-25.

3876

HENDECOURT, M.-M. *Le chemin de l'amour d'après Saint Jean de la Croix.* París. N. E. Latines. 1953. 143 págs. 8.º

MADRID. *Particular de la Casa Provincial de la Orden del Carmen Descalzo.* Carm. A.651.

3877

LEFEBVRE, GEORGES. *Prière pure et pureté de coeur d'après saint Grégoire le Grand et saint Jean de la Croix.* París. Desclée de Brouwer. 1953. 155 págs.

— — —

—2.ª ed. 1959.
—*Preghiera pura e purezza di cuore secondo S. Gregorio Magno e S. Giovanni della Croce.* Roma. Edizioni Paoline. 1962. 149 págs. 18 cm.

3878

NAZARIO DE SANTA TERESA, Fray. *La música callada. Teología del estilo.* Prólogo de Guillermo Díaz-Plaja. Madrid. 1953. 267 págs.

a) J. T. del N. J., en *El Monte Carmelo*, LXI, Burgos, 1953, pág. 216.
MADRID. *Particular de la Casa Provincial de la Orden del Carmen Descalzo.* Carm. A.581.

— — —

—*La música callada. Invitación al silencio.* 2.ª ed. Méjico. Edit. Unitas. [1960]. 204 págs. 19 cm.
a) Junco, A., en *Espiritualidad*, II, Méjico, 1961, n.º 5, pág. 151.

3879

SANSON, HENRI MARCEL. *L'esprit humain selon Saint Jean de la Croix.* Paris. Presses Universitaires de France. 1953. 2 vols. 22 cm. (Publications de la Faculté des Lettres d'Alger).

a) Artola Tomás, Bernardo, en *Clavileño*, Madrid, 1953, n.º 24, págs. 95-96.

b) Coguet, L., en *Revue d'Histoire des Réligions*, CXLIX, París, 1956, págs. 251-253 y 264-65.

c) Jiménez Duque, B., en *Revista Española de Teología*, XV, Madrid, 1955, págs. 182-83.

d) Nazario (P.), en *Revista de Espiritualidad*, XIV, Madrid, 1955, págs. 106-7.

e) Peters, C., en *Carmelus*, II, Roma, 1955, págs. 351-59.

f) Thiry, A., en *Nouvelle Revue Théologique*, LXXVI, París, 195?, págs. 1108-9.

WASHINGTON. *Congreso.* A 55-6112.

— — —

—*El espíritu humano según San Juan de la Cruz.* Madrid. Rialp. 1962. 596 págs.

g) J. L. A., en *Nuestro Tiempo*, XVIII, Madrid, 1962, págs. 787-88.

MADRID. *Facultad de Filosofía y Letras.— Nacional.* 1-224.459. *Particular de la Casa Provincial de la Orden del Carmen Descalzo.* Carm. A.643.

3880

CARMELO DE LA CRUZ, Fray. *Defensa de las doctrinas de San Juan de la Cruz en tiempo de los alumbrados.* (En *El Monte Carmelo*, LXII, Burgos, 1954, págs. 41-72).

3881

LAIN ENTRALGO, PEDRO. *La memoria y la esperanza. San Agustín, San Juan de la Cruz, Antonio Machado, Miguel de Unamuno. Discurso leído el día 30 de mayo de 1954, en su recepción pública...* Madrid. Real Academia Española. 1954. 187 págs. 22 cm.

MADRID. *Nacional.* S.G.-1420.

— — —

—*Memoria y esperanza: San Juan de la Cruz.* (En *La espera y la esperanza. Historia y teoría del esperar humano.* Madrid. 1958, págs. 115-34).

MADRID. *Nacional.* 1-209.238.

3882

LUCIEN-MARIE DE SAINT-JOSEPH. *Actualité de la mission de Saint Jean de la Croix.* (En *Epheme-*

rides Carmeliticae, V, Florencia, 1951-54, págs. 3-12).

3883

MARTIN, HENRI. *Le thème de la parfaite alliance de grâce dans Saint Jean de la Croix.* París. Les Editions du Cerf. 1954. 308 págs. 8.º (L'Eaw vive).

BERLIN. *Ibero-Americanischen Instituts.— MADRID. Particular de la Casa Provincial de la Orden del Carmen Descalzo.* Carm. A. 563. *Particular de D. Pedro Sainz Rodríguez.—*WASHINGTON. *Congreso.* A55-1113.

3884

GONZALEZ, SERGIO. *La mística clásica española. (Estudio místico-literario sobre San Juan de la Cruz y Santa Teresa de Jesús).* Bogotá. Universidad Javeriana. 1955. 233 páginas. 25 cm.

a) Angel Vicente de Jesús, Fray, en *Revista de Espiritualidad*, XVI, Madrid, 1957, págs. 410-12.

b) Bayona Posada, C., en *Boletín de la Academia Colombina*, IX, Bogotá, 1959, págs. 68-69.

c) Cancedo, E., en *Helmántica*, VII, Salamanca, 1956, pág. 328.

3885

JUAN DE JESUS MARIA (n. 1912), Fray. *«Le amará tanto como es amada». Estudio positivo sobre «La igualdad de amor» del alma con Dios, en las obras de San Juan de la Cruz.* (En *Ephemerides Carmeliticae*, VI, Roma, 1955, págs. 3-103).

3886

LEDRUS, MICHAEL. *Introductio in doctrinam theologicam sancti Ioannis a Cruce de contemplatione. (Argumenta lectionum)...* Roma. Pontificia Universidad Gregoriana. 1955. 46 págs. 23 cm.

a) E[ulogio de la] V[irgen del] C[armen, Fray], en *Archivum Bibliographicum Carmelitanum*, II, Roma, 1957, págs. 300-1.

b) Fortunato de J. Sacramentado, Fray, en *Revista de Espiritualidad*, XVI, Madrid, 1957, pág. 110.

c) P[eters], C., en *Carmel*, X, Tilburg, 1957-58, págs. 187-89.

BERLIN. *Ibero-Amerikanischen Instituts.*

3887

JUAN DE JESUS MARIA (n. 1912), Fray. *«Le amará tanto como es amada». Estudio positivo sobre «la igualdad de amor» del alma con Dios, en las obras de San Juan de la Cruz.* (En *Ephemerides Carmeliticae*, VI, Roma, 1955, págs. 3-103).

3888

MAC CANN, LEONARD A. *The doctrine of the void, as propounded by St. John of the Cross in his major prose works and as viewed in the light of thomistic principles.* Toronto, Rochester. The Busilian Press. [1955]. 146 págs. 23 cm.

a) Eulogio de San Juan de la Cruz, Fray, en *Revista de Espiritualidad*, XV, Madrid, 1956, págs. 498-99.

b) Hatzfeld, H., en *American Benedictine Review*, VI, Newark, N. J., 1955.

c) Larkin, E. E., en *Carmelus*, III, Roma, 1956, págs. 308-9.

d) P[eters], C., en *Carmel*, X, Tilburg, 1957-58, pág. 184.

e) Robilliard, J. A., en *Revue des Sciences Philosophiques et Théologiques*, XLV, Le Saulchoir, 1961, pág. 107.

WASHINGTON. *Congreso.* 56-58978.

3889

McNABB, VINCENT. *The mysticism of St. John of the Cross.* Aylesford. St. Albert's Press. 1955. 12 págs. 22 cm.

3890

MARIE - REGIS DE SAINT JEAN. *«Vie mystique et Démon». Essai sur l'ingérence du démon dans la vie spirituelle d'après le Docteur Mystique saint Jean de la Croix et le romancier Georges Bernanos.* (En *Cahiers Carmélitains*, VI, El Cairo, 1955, págs. 26-64).

3891

FLORISOONE, MICHEL. *Esthétique et Mystique, d'après Sainte Thérèse d'Avila et Saint Jean de la Croix et le Greco et d'une liste commentée des oeuvres de Saint Jean de la Croix.* Paris. Ed. du Seuil. 1956. 201 págs. 18,5 cm. (Coll. Vigne du Carmel).

a) Douceur, P., en *Études*, CCXC, París, 1956, pág. 297.

b) Lucinio del Santísimo Sacramento, Fray, en *Revista de Espiritualidad*, XV, Madrid, 1956, págs. 516-17.

c) Otilio del Niño Jesús, Fray, en *El Monte Carmelo*, LXV, Burgos, 1956, págs. 192-193.

d) P[eters], C., en *Carmel*, X, Tilburg, 1957-58, pág. 193.

e) Thiry, A., en *Nouvelle Revue Théologique*, LXXIX, Lovaina, 1957, págs. 333-34.

f) Toelle, G., en *Carmelus*, IV, Roma, 1957, págs. 241-44.

g) Weinrich, H., en *Archiv für das Studium der neueren Sprachen*, CXCIV, Friburgo, 1957, pág. 99.

BERLIN. *Ibero-Amerikanischen Instituts.* — MADRID. *Nacional.* 1-213.373.

3892

CUKURAS, VALDEMARAS. *La purificazione passiva dei sensi secondo S. Giovanni della Croce.* Roma. Typ. P. Univ. Greg. 1957. 87 págs. 24 cm.

ROMA. *Vaticana.* R. G. Teol. IV.5862 (int. 7).

3893

JOANNES A CRUCE [PETERS]. *Gelouf en mystiek: een theologische bezinning op de geestelijke leer van Sint-Jau van het Kruis.* Leuven. E. Nauwelaerts. 1957. XVIII + 237 págs. 24 cm.

Tesis doctoral de la Universidad de Nimeja.

a) Amatus a S. Familia, en *Ephemerides Carmeliticae*, IX, Roma, 1958, págs. 412-22.

b) Bleienstein, H., en *Geist und Leben*, XXXIII, Munich, 1960, págs. 317-18.

— — —

—1957. IX + 255 págs. 25 cm. (Archivum Carmelitanum Edith Stein. Studien). ROMA *Vaticana*. R. G. Teol. IV.5854.

3894

——. *La Teología protestante moderna y la doctrina sobre la fe en San Juan de la Cruz.* (En *Revista de Espiritualidad*, XVI, Madrid, 1957, págs. 429-48).

3895

SCLAFERT, C. *L'allégorie de la bûche enflammée dans Hugues de Saint-Victor et dans Saint Jean de la Croix.* (En *Revue d'Ascétique et de Mystique*, XXXII, Toulouse, 1957, págs. 241-63, 361-87).

3896

SÉROUYA, H. *L'oeuvre mystique de saint Jean de la Croix en son rapport avec la pensée juive.* (En *Revue des Sciences Religieuses*, XXXIII, Estrasburgo, 1959, págs. 269-84).

3897

URBANO DEL NIÑO JESUS, Fray. *Doctrina de San Juan de la Cruz sobre el purgatorio a la luz de su sistema místico.* Roma. Pontificium Athenaeum Internationale «Angelicum». 1959. 172 págs. 23,5 cm.

3898

AMATUS VAN DE HEILIGE FAMILIE, Fray. *La méditation chez Saint Jean de la Croix.* (En *Ephemerides Carmeliticae*, XI, Roma, 1960, págs. 176-96).

3899

BARRIENTOS, URBANO. *Purificación y purgatorio. Doctrina de San Juan de la Cruz sobre el Purgatorio a la luz de su sistema místico.* Madrid. Edit. de Espiritualidad. 1960. 172 págs. 21 cm.

Nombre religioso del autor: Fray Urbano del Niño Jesús.

a) Camilleri, N., en *Salesianum*, XXIII, Turín, 1961, págs. 176-77.
b) Federico de San Juan de la Cruz, Fray, en *Ephemerides Carmeliticae*, XII, Roma, 1961, págs. 228-30.
c) Gancho, C., en *Verdad y Vida*, XIX, Madrid, 1961, pág. 574.
d) Giovanna della Croce, en *Jahrbuch für Mystiche Theologie*, VIII, Viena, 1962, págs. 140-41.

BERLIN. *Ibero-Amerikanischen Instituts.* — MADRID. *Nacional.* 7-44.189.

3900

EULOGIO DE LA VIRGEN DEL CAMEN, Fray. *Apología antiquetista de San Juan de la Cruz.* (En *El Monte Carmelo*, LXVIII, Burgos, 1960, págs. 501-13).

Sobre una *Dissertation* de Dosithée de Saint-Alexis, incluida en el tomo II de *La vie de St. Jean de la Croix...* París. 1727.

3901

GERARDO DE LOS SAGRADOS CORAZONES, Fray. *Puntos de propedéutica al tema: Jesucristo en la vida espiritual, según San Juan de la Cruz.* (En *El Monte Carmelo*, LXVIII, Burgos, 1960, págs. 241-65).

3902

JÉRÔME DE LA MÈRE DE DIEU. *La doctrine du Carmel d'après Saint Jean de la Croix.* Bagnères-de-Bigorre. Les Éditions Pyrénéennes. 1960-1962. 2 vols. 23 cm.

I. *Vers l'union d'amour.* 208 págs.; II. *Pour se livrer par le très pur amour, se libérer par les Précautions.* 252 págs.

a) Bernard de S. Joseph, en *Le Carmel*, Petit Castelet, Tarascon, 1961, pág. 313, y 1963, pág. 239.
b) Emeterio de S. Corazón, Fray, en *Revista de Espiritualidad*, XXIII, Madrid, 1964, págs. 326-27.
c) Journet, Ch., en *Nova et Vetera*, XXXVI, Ginebra, 1961, págs. 238-39.
d) Marciano del Santísimo Sacramento, Fray, en *Revista de Espiritualidad*, XX, Madrid, 1961, págs. 567-68.

e) Oechslin, R.-L., en *La Vie Spirituelle*, CVI, París, 1961, pág. 362, y CVIII, 1963, pág. 727.

3903

LECHNER, ROBERT. *St. John of the Cross and sacramental experience*. (En *Worship*, XXXIV, Collegeville, Minn. 1960, págs. 544-51).

3904

MERTON, THOMAS. *Light in darkness; the ascetic doctrine of St. John of the Cross*. (En *Disputed questions*. Nueva York. 1960, págs. 208-17).

———

—*Cuestiones discutidas*. Trad. por Josefina Martínez Alimari. Barcelona. 1962.

3905

MOREL, GEORGES. *Le sens de l'existence selon Saint Jean de la Croix*. Paris. Aubier. 1960. 2 vols. 22 cm.

I. *Problématique*; II. *Logique*.
a) Boularand, E., en *Bulletin de Littérature Ecclésiastique*, LXIV, Toulouse, 1963, págs. 304-7.
b) Burgelin, P., en *Revue d'Histoire et de Philosophie Religieuses*, XLII, París, 1962, págs. 64-65.
c) Giovanna della Croce, en *Jahrbuch für Mystische Theologie*, VIII, Viena, 1962, páginas 143-45.
d) José Vicente de la Eucaristía, Fray, en *Ephemerides Carmeliticae*, XII, Roma, 1961, págs. 490-93.
e) Larkin, E. E., en *Carmelus*, IX, Roma, 1962, págs. 327-29.
f) Lucien-Marie de S. Joseph, en *Foi Vivante*, II, Bruselas, 1961, págs. 86-89.
g) Mansilla, A., en *Estudios Eclesiásticos*, XXXVII, Madrid, 1962, págs. 123-24.
h) Mesa, J. M., en *Revista Española de Teología*, XXII, Madrid, 1962, págs. 76-77.
i) Moreau, J., en *Bulletin Hispanique*, LXV, Burdeos, 1963, págs. 142-49.
j) Olphe-Galliard, en *Revue d'Ascétique et Mystique*, XXXIX, Toulouse, 1963, págs. 211-68.
k) Thiry, A., en *Nouvelle Revue Théologique*, LXXXIII, Lovaina, 1961, págs. 1081-1087.
BARCELONA. *Seminario Conciliar*. — BERLIN. *Ibero - Amerikanischen Instituts*. — MADRID.

Consejo. *Instituto «M. de Cervantes»*. XXXIV-203 (el II).—WASHINGTON. *Congreso*. 66-93628 rev.

3906

PELLE-DOUËL, YVONNE. *St. Jean de la Croix et la nuit mystique*. Paris. Edit. du Seuil. 1960. 192 págs. 18 cm. (Coll. Microcosme. Série Maîtres spirituels, 22).

a) Guillamont, A., en *Revue de l'histoire des Religions*, CLXI, París, 1962, pág. 261.
b) Peters, C., en *Carmelus*, VIII, Roma, 1961, pág. 208.
c) Pierre-Marie de la Croix, en *Le Carmel*, Petit Castelet, Tarascon, 1961, págs. 313-14.
d) Robilliard, J. A., en *Revue des Sciences Philosophiques et Théologiques*, XLV, Le Saulchoir, 1961, pág. 45.
BERLIN. *Ibero-Amerikanischen Instituts*.—ROMA. *Teresianum*. Carm. A.2757.

———

—1967.
ROMA. *Teresianum*. Carm. A.5744.
—*San Juan de la Cruz y la noche mística*. Trad. por Luis Hernández Alfonso. Madrid. Aguilar. 1963. 216 págs. con ilustr. 18 cm. (Nombres de espíritu).
ROMA. *Teresianum*. Carm. A.463.

3907

BASILIO DE SAN PABLO, Fray. *Coincidencias y diferencias entre la muerte mística de S. Pablo de la Cruz y las noches del sentido y del espíritu de San Juan de la Cruz*. (En *La espiritualidad de la Pasión en el magisterio de S. Pablo de la Cruz*. Madrid. El Pasionario. 1961, págs. 207-11).

MADRID. *Nacional*. 1-223.339.

3908

LEBLOND, GERMAIN. *Fils de lumière. L'inhabitation personnelle et spéciale du Saint-Esprit en notre âme selon Saint Thomas d'Aquin et Saint Jean de la Croix*. Abbaye de Sainte Marie de la Pierre-qui-Vire. Les Presses Monastiques. 1961. 378 págs. 21,5 cm.

a) F. S. A., en *Ephemerides Mariologicae*, XIII, Madrid, 1963, págs. 500-1.

b) Flick, M., en *Gregorianum*, XLIII, Roma, 1962, págs. 813-14.

c) Isidoro de San José, Fray, en *Estudios Josefinos*, XVII, Valladolid, 1963, págs. 227-28.

d) J[iménez] D[uque], B., en *Revista Española de Teología*, XXIII, Madrid, 1963, págs. 238-39.

e) Patfoord, A., en *Bulletin Thomiste*, XI, Le Saulchoir, 1960-62, págs. 463-70.

f) Philips, G., en *Ephemerides Theologicae Lovanienses*, XXXIX, Lovaina, 1963, págs. 488-89, 888-89.

g) Roberto di S. T., en *Ephemerides Carmeliticae*, XIV, Roma, 1963, págs. 289-91.

h) Sanchis, A., en *Teología Espiritual*, VIII, Valencia, 1964, págs. 511-12.

i) Vandenbroucke, F., en *Recherches de Théologie ancienne et médiévale*, XXX, Lovaina, 1963, págs. 171-72.

3909

LOUIS DE SAINTE THÉRÈSE, Fr. *La contemplation d'après St. Jean de la Croix*. (En *Carmel*, Tarascon, 1961, págs. 81-94, 163-180, 268-284).

3910

ZAMBRANO, M. *San Giovanni della Croce: dalla notte oscura alla più chiara mistica*. (En *Nuova Antologia*, XCVI, Roma, 1961, págs. 223-34).

3911

ALBERT DE L'ANNONCIATION, Fr. *Le réformateurs et Saint Jean de la Croix devant la pieté du Moyen Age finissant*. (En *Carmel*, Tarascon, 1962, págs. 275-300).

3912

AMATUS A S. FAMILIA. *Foi et contemplation chez saint Jean de la Croix*. (En *Ephemerides Carmeliticae*, XIII, Roma, 1962, págs. 224-56).

Tirada aparte: Roma. 1962. 34 págs. 23,5 cm.

ROMA. *Teresianum*. Carm. B.2632 (5).

3913

EULOGIO DE LA VIRGEN DEL CARMEN, Fray. *El quietismo frente al magisterio sanjuanista sobre la contemplación*. (En *Ephemerides Carmeliticae*, XIII, Roma, 1962, páginas 353-426).

a) Ottonello, P. P., en *Rivista di Ascetica e Mistica*, IX, Fiesole, 1964, págs. 83-88.

3914

LUCIEN-MARIE DE SAINT JOSEPH. *Saint Jean de la Croix, maître de contemplation chrétienne*. (En *Ephemerides Carmeliticae*, XIII, Roma, 1962, págs. 63-79).

3915

TEOFILO DE LA VIRGEN DEL CARMEN, Fray. *Experiencia de Dios y vida mística. El pensamiento de San Juan de la Cruz*. (En *Ephemerides Carmeliticae*, XIII, Roma, 1962, págs. 136-223).

3916

ALEMAN SAINZ, FRANCISCO. *De amor en la frontera. El amor divino en San Juan de la Cruz*. (En *Cuadernos Hispanoamericanos*, Madrid, 1963, n.º 167, págs. 345-70).

3917

EULOGIO DE SAN JUAN DE LA CRUZ, Fray. *La transformación total del alma en Dios según San Juan de la Cruz*. Salamanca. Universidad Pontificia. [Madrid. Gráfs. Menor]. 1963. 345 págs. 23,5 cm.

Extracto de tesis doctoral.

a) Díez, M. A., en *El Monte Carmelo*, LXXIII, Burgos, 1965, pág. 316.

BERLIN. *Ibero-Amerikanischen Instituts.* — MADRID. *Consejo. Instituto «F. Suárez».* — *Nacional.* 4-51.881.

3918

JIMENEZ DUQUE, BALDOMERO. *La perfección cristiana y San Juan de la Cruz*. (En *Teología de la Mís-*

tica. Madrid. La Editorial Católica. 1963, págs. 482-510. Biblioteca de Autores Cristianos, 224).

3919

LAUREANO DE LA INMACULADA, Fray. *El desposorio espiritual según San Juan de la Cruz.* (En *El Monte Carmelo*, LXXI, Burgos, 1963, págs. 3-43, 155-212, 335-65).

3920

LE BLOND, JEAN MARIE. *Mystique et théologie chez S. Jean de la Croix.* (En *Recherches de Science Religieuse*, LI, París, 1963, págs. 196-239).

3921

SALAS VIO, VICENTE. *De amor en la frontera. El amor divino en S. Juan de la Cruz.* (En *Cuadernos Hispanoamericanos*, LVI, Madrid, 1963, págs. 345-59).

3922

TRUEMAN DICKEN, E. W. *The crucible of love...* Nueva York. 1963.
a) Cummins, N., en *Doctrine and Life*, XV, Dublín, 1965, págs. 163-64.
b) Vermeylen, A., en *Les Lettres Romanes*, XIX, Lovaina, 1965, págs. 141-42.
MADRID. *Particular de la Casa Provincial de la Orden del Carmen Descalzo.* Carm. B.164.—WASHINGTON. *Congreso.* 63-18069.

—*El crisol del amor. La mística de Santa Teresa de Jesús y San Juan de la Cruz.* Barcelona. Herder. 1967. 603 págs. 21,5 cm.
MADRID. *Nacional.* 4-69.180.

3923

GIOVANNA DELLA CROCE. *Christus in der Mystik des hl. Johannes vom Kreuz.* (En *Jahrbuch für Mystische Theologie*, X, Viena, 1964, páginas 4-123).

3924

HERZEN GOTTES, MARIA GABRIELA VOM. *Luz y noche según la Sagrada Escritura, según S. Juan de la Cruz.* (En *Vida Espiritual*, Bogotá, 1964, n.º 6, págs. 66-71).

3925

LEROY, OLIVIER. *Quelques traits de S. Jean de la Croix, comme maître spirituel.* (En *Carmelus*, II, Roma, 1964, págs. 3-43).

3926

NORBERT OF THE BLESSED SACRAMENT [Cummins], Fr. *Christ in St. John of the Cross.* (En *Mount Carmel*, II, Londres, 1963-64, págs. 46-49).

3927

OTTONELLO, PIER P. *Un recente saggio sul Quietismo e S. Giovanni della Croce.* (En *Rivista di Ascetica e Mistica*, XXXIII, Fiesole, 1964, páginas 83-88).

3928

POINSENET, MARIE-DOMINIQUE. *Péché et miséricordie d'après S. Jean de la Croix.* (En *Foi Vivante*, V, Bruselas, 1964, págs. 206-10).

3929

TEOFILO DE LA VIRGEN DEL CARMEN, Fray. *Estructura de la contemplación infusa sanjuanística.* (En *Revista de Espiritualidad*, XXIII, Madrid, 1964, págs. 347-423).

3930

ZABALZA, LAUREANO. *El Desposorio espiritual según San Juan de la Cruz.* Burgos. El Monte Carmelo. 1964. 142 págs.
Nombre religioso del autor: Fray Laureano de la Inmaculada.
a) Eulogio de la V. del Carmen, Fray, en *Ephemerides Carmeliticae*, XVI, Roma, 1965, págs. 529-30.
BERLIN. *Ibero-Amerikanischen Instituts.* — WASHINGTON. *Congreso.* 73-212304.

3931
BERNARDO MARIA DE LA CRUZ,
Fray. *Búsqueda de la realidad a través de la experiencia mística sanjuanista. En torno a la obra de Georges Morel.* (En *Revista de Espiritualidad,* XXIV, Madrid, 1965, págs. 96-104).

3932
BORGHINI, Fray BONIFACIO. *L'uomo e le cose nel pensiero di S. Giovanni della Croce.* (En *Rivista di Ascetica e Mistica,* X, Florencia, 1965, págs. 618-22).

3933
GARCIA LLAMERA, FELIPE. *Introducción doctrinal a San Juan de la Cruz.* (En *Teología Espiritual,* IX, 1965, págs. 53-96, 293-344).

3934
JOSE VICENTE DE LA EUCARISTIA, Fray. *Christus in oeconomia salutis secundum Sanctum Ioannem a Cruce.* (En *Ephemerides Carmeliticae,* XVI, Florencia, 1965, págs. 313-354).

3935
JUAN DE JESUS MARIA, Fray. *La oración en S. Juan de la Cruz, doctrina y vida.* (En *Revista de Espiritualidad,* XXV, Madrid, 1965, págs. 255-72).

3936
MOSIS, RUDOLF. *Der Mensch und die Dinge nach Johannes vom Kreuz.* Würzburg. Ed. Echter. 1965. 183 págs. 22 cm.

a) Borghini, B., en *Rivista di Ascetica e Mistica,* X, Florencia, 1965, págs. 619-22.
b) Feys, R., en *Nouvelle Revue Théologique,* LXXXVIII, París, 1966, pág. 329.
c) Granero, J. M., en *Manresa,* XXXVIII, Madrid, 1966, pág. 83.
d) Ruiz, Federico, en *Ephemerides Carmeliticae,* XVI, Florencia, 1965, págs. 493-495.

BERLIN. *Ibero-Amerikanischen Instituts.* — WASHINGTON. *Congreso.* 76-260404.

3937
BOULET, JEAN. *Dieu ineffable et Parole incarnée. Saint Jean de la Croix et le prologue de 4ᵉ Evangile.* (En *Revue d'Histoire et de Philosophie Religieuses,* XLVI, Estrasburgo, 1966, págs. 227-40).

3938
ERMANNO DEL SS. SACRAMENTO [ANCILLI], Fr. *La preghiera contemplativa di S. Giovanni della Croce.* (En *Rivista di Vita Spirituali,* XX, Roma, 1966, págs. 22-50).

3939
JOHANNA VOM KREUZ. *Le Christ chez S. Jean de la Croix.* (En *Carmel,* Tarascon, 1967, págs. 122-143).

3940
JOSE VICENTE DE LA EUCARISTIA, Fray. *El tema Iglesia en San Juan de la Cruz.* (En *Ephemerides Carmeliticae,* XVII, Florencia, 1966, págs. 368-404; XVIII, 1967, págs. 91-137).

3941
MONDEL, JEAN. *La purification de la Sainte Vierge dans la perspective de S. Jean de la Croix.* (En *Carmel,* Tarascon, 1967, págs. 32-46).

3942
VARGA, PAUL. *Christus bei Johannes vom Kreuz.* (En *Ephemerides Carmeliticae,* XVIII, Florencia, 1967, págs. 197-225).

3943
GARCIA ISAZA, ALFONSO. *Padecimiento y gloria de San Juan de la Cruz.* (En *Universidad Pontificia Bolivariana,* XXX, Medellín, 1968, págs. 383-84).

3944
HERRERA, ROBERT A. *San Juan de la Cruz y la teología de la muerte de Dios.* (En *Revista de Espiritualidad,* XXXVII, Madrid, 1968, núms. 108-109).

3945
LOPEZ IBOR, JUAN JOSE. *La angustia en San Juan de la Cruz.* (En *Revista de Espiritualidad,* XXXVII, Madrid, 1968, págs. 374-83).

3946
LUCIEN MARIE. *L'experience de Dieu. Actualité du message de saint Jean de la Croix.* Paris. Edit. du Cerf. 1968. 368 págs.
a) Moniz, R., en *Brotéria,* LXXXVIII, Lisboa, 1969, pág. 825.
b) Ruiz Salvador, F., en *Ephemerides Carmeliticae,* XX, Roma, 1969, págs. 455-57.
ROMA. *Vaticana.* R.G.Teol.IV.7170 (36).—WASHINGTON. *Congreso.* 73-380933.

3947
MUÑOZ ALONSO, ADOLFO. *El Dios de San Juan de la Cruz.* (En *Revista de Espiritualidad,* XXXVII, Madrid, 1968, págs. 461-69).

3948
PEREZ VALDES, FERNANDO. *La mística renacentista española: San Juan de la Cruz.* (En *Universidad de La Habana,* XXXII, La Habana, 1968, págs. 33-43).

3949
RODRIGUEZ, ISAIAS. *La vida teologal según el Vaticano II y San Juan de la Cruz.* (En *Revista de Espiritualidad,* XXXVII, Madrid, 1968, págs. 470-92).

3950
ROF CARBALLO, JUAN. *El hombre y la noche en S. Juan de la Cruz.* (En *Revista de Espiritualidad,* XXXVII, Madrid, 1968, págs. 352-73).

3951
VARGA, PAUL. *Schöpfung in Christus nach Johannes vom Kreuz.* Viena. Herder. [1968]. 162 págs. 23 cm. (Wiener Beiträge zur Theologie, 21).
WASHINGTON. *Congreso.* 74-391544.

3952
JUAN JOSE DE LA INMACULADA, Fray. *La fe que necesitamos hoy en la escuela de San Juan de la Cruz.* [San Sebastián]. La Obra Máxima. 1969. 62 págs. + 1 h. 17 cm.
MADRID. *Nacional.* V-7.232-9 y 10.

3953
PANAKAL, JUSTIN. *The theology of private revelations according to St. John of the Cross.* Piusnagar (Kerala, India). [Salesian Institute of Graphic Arts]. 1969. XIII + 82 págs. 23 cm.
ROMA. *Vaticana.* R. G. Teol. IV.224 (int. 1).

3954
MUÑOZ ALONSO, ADOLFO. *El Dios de San Juan de la Cruz.* (En *Crisis,* XVI, Madrid, 1969, págs. 131-41).

3955
BORD, ANDRÉ. *Mémoire et espérance chez St. Jean de la Croix.* Paris. Beauchesme. 1971. 326 págs. 17 cm.
a) Camilleri, A., en *Salesianum,* XXXIV, Roma, 1972, págs. 171-72.
b) Delaye, A., en *La Vie Spirituelle,* LIV, París, 1972, págs. 626-27.
c) Gesteira, M., en *Revista Española de Teología,* XXXII, Madrid, 1972, pág. 388.
d) Jorge, E., en *Manresa,* XLIV, Madrid, 1972, págs. 333-34.
e) Míguez, J. A., en *Arbor,* LXXXI, Madrid, 1972, págs. 265-70.
f) Pinto, J. M., en *Bulletin Hispanique,* LXXIV, Burdeos, 1972, págs. 229-30.
g) Roth, H., en *Theologie und Philosophie,* XLVII, 1972, pág. 632.
BERLIN. *Ibero-Amerikanischen Instituts.* — MADRID. *Consejo. Instituto «M. de Cervan-*

tes». LXVI-211.—ROMA. *Teresianum*. Carm. A.6055.

3956

FERRARO, J. *Sanjuanist doctrine on the human mode of operation of the theological virtue of faith.* (En *Ephemerides Carmeliticae*, XXII, Roma, 1971, págs. 250-94).

3957

GARRIDO, J. G. *La noche de la sensibilidad humana.* (En *Revista de Espiritualidad*, XXX, Madrid, 1971, págs. 267-75).

3958

DIEZ BORQUE, J. M. *Experiencia sicodélica y experiencia mística. En torno a San Juan de la Cruz.* (En *Papeles de Son Armadans*, LXVI, Palma de Mallorca, 1972, págs. 23-40).

3959

RUIZ SALVADOR, F. *Revisión de las purificaciones sanjuanistas.* (En *Revista de Espiritualidad*, XXXI, Madrid, 1972, págs. 218-30).

3960

MARIACHER, MARIA NOEMI. *Una spiritualità viva, San Giovanni della Croce.* Roma. USMI. 1973. 112 págs. 19 cm.

ROMA. *Nazionale*. ADA.631.

3961

ADURIZ, J. *Suma de la perfección de San Juan de la Cruz.* (En *Comunicaciones de Literatura Española*, II, Buenos Aires, 1973-74, págs. 14-20).

3962

NIETO, J. C. *Mystical theology and «salvation-history» in John of the Cross.* (En *Bibliothèque d'Humanisme et Renaisance*, XXXVI, Ginebra, 1974, n.º 1).

3963

CATRET SUAV, JUAN V. *El «Camino» de la fe, según San Juan de la Cruz.* Madrid. [Martí]. 1975. 50 págs. 23,5 cm.

ROMA. *Teresianum*. Tesi. S. C. B.6998.

3964

PACHO, EULOGIO. *La espiritualidad teresiano-sanjuanista y la liberación.* (En *Vida Espiritual*, XLVII-XLIX, Bogotá, 1975, págs. 200-34).

3965

CASTRO, SECUNDINO. *El amor como apertura trascendental del hombre en San Juan de la Cruz.* (En *Revista de Espiritualidad*, XXXV, Madrid, 1976, págs. 431-63).

3966

GAUDREAU, MARIE M. *Mysticism and image in St. John of the Cross.* Berna. Lang. 1976. 256 págs. 22,5 cm.

3967

MATEO SECO, LUCAS FRANCISCO. *La escatología en la doctrina de San Juan de la Cruz.* (En *Scripta Theologica*, VIII, Pamplona, 1976, págs. 233-78).

T. ap.: Pamplona. 1977. 84 págs. 25 cm. ROMA. *Vaticana*. R. C. Teol. IV.80-27 (int. 8).

3968

PACHO, EULOGIO. *La «croce» nella mistica di san Giovanni della Croce.* (En *La Sapienza della Croce oggi. Atti del Congresso interzionale...* Tomo II. Turín. 1976, págs. 181-96).

3969

San Juan de la Cruz: diálogo y hombre nuevo. Madrid. Edit. Espiritualidad. 1976. 197 págs. 20,5 cm. (Redes, 2).

Augusto Guerra, *San Juan de la Cruz, hombre para el diálogo actual* (págs. 3-10); Federico Ruiz, *San Juan de la Cruz, realidad y mito* (págs. 11-38); J. Damián

Galán, *El camino de la sabiduría* (págs. 39-62); A. Guerra, *Ventura y tormento de la esperanza* (págs. 63-92); Secundino Castro, *El amor como apertura trascendental del hombre en San Juan de la Cruz* (págs. 93-126); Jesús Castellano, *Mística bautismal* (págs. 127-44); Manuel Ferrada, *¿San Juan de la Cruz entre los hippies?* (págs. 145-152); J. Vicente Rodríguez, *¿San Juan de la Cruz, talante de diálogo?* (págs. 153-95). MADRID. *Ministerio de Cultura.* 172.812. *Nacional.* 4-138.487.

3970

MORALES OLIVER, LUIS. *La doctrina de la noche en San Juan de la Cruz. Conferencia.* (En Jiménez Duque, Baldomero. *San Juan de la Cruz.* Madrid. Fundación Universitaria Española. 1977, págs. 37-72).

3971

MORETTI, ROBERTO. *L'ascesi nell' insegnamento di S. Giovanni della Croce.* (En *Rivista di Vita Spirituale*, XXXI, Roma, 1977, págs. 515-33).

Reed. en *Ascesi cristiana*. Roma. Teresianum. 1977, págs. 226-44.

3972

TROELSTRA, S. *Geen enkel beeld Mystieke weg deprojectie en individuatie bij San Juan de la Cruz.* Assen-Amsterdam. Van Gorcum. 1977. 199 págs. 24 cm. (Philosophia Religionis, 17).

3973

BORRAZ GIRONA, FRANCISCO. *Contenido y grados de la oración: relación entre la oración y la vida, según la doctrina de San Juan de la Cruz.* (En *El Monte Carmelo*, LXXXV, Burgos, 1977, págs. 3-60).

3974

CILLERUELO, LOPE. *San Juan de la Cruz, místico de frontera.* (En *Estudio Agustiniano*, XIII, Valladolid, 1978, págs. 427-63).

ASPECTO FILOSÓFICO

3975

PASTORALE, A. *Sul «No saber» di S. Giovanni della Croce.* (En *Scritti di varia filosofia.* Milán. Bocca. 1940, págs. 223-44).

3976

CORTS GRAU, JOSE. *San Juan de la Cruz y la personalidad humana.* (En *Escorial*, IX, Madrid, 1942, páginas 187-204).

Reed. en sus *Estudios filosóficos y literarios.* Madrid. 1954, págs. 243-73.

3977

CRISOGONO DE JESUS, Fray. *La introducción al estudio de la Filosofía en el misticismo de San Juan de la Cruz.* (En *Revista de Espiritualidad*, I, San Sebastián, 1942, págs. 231-40).

3978

JIMENEZ DUQUE, BALDOMERO. *La pedagogía de San Juan de la Cruz.* (En *Revista de Espiritualidad*, I, San Sebastián, 1942, págs. 309-31).

3979

MARCELO DEL NIÑO JESUS, Fray. *Un gran pensador carmelita: S. Juan de la Cruz.* (En *El Monte Carmelo*, XLIII, Burgos, 1942, págs. 131-43).

3980

GARCIA MORENTE, MANUEL. *La idea filosófica de la personalidad en San Juan de la Cruz.* (En *El Monte Carmelo*, XLIV, Burgos, 1943, págs. 135-43, 195-99).

Conferencia.

3981

SAAVEDRA, MANUEL. *Las maneras pedagógicas de San Juan de la Cruz.* (En *Revista de Espiritualidad*, II, San Sebastián, 1943, págs. 95 bis-101 bis).

3982

ALAEJOS, ABILIO. *Personalidad filosófica de San Juan de la Cruz.* (En *Revista de Espiritualidad*, III, San Sebastián, 1944, págs. 49-58).

3983

JUAN JOSE DE LA INMACULADA, Fray. *La Psicología de San Juan de la Cruz.* Santiago de Chile. 1944. 302 págs.

MADRID. *Particular de la Casa Provincial de la Orden del Carmen Descalzo.* Carm. A. 629.

3984

CAPANAGA, VICTORINO DE SAN AGUSTIN. *San Juan de la Cruz. Valor psicológico de sus doctrinas.* Madrid. 1950. 429 págs. 21,5 cm.

a) M. Z., en *La Ilustración del Clero*, XLV, Madrid, 1952, págs. 228-29.
b) Nazario de Santa Teresa, Fray, en *Revista de Espiritualidad*, XI, Madrid, 1952, pág. 103.
c) Pérez Arcos, F. M., en *La Ciencia Tomista*, LXXIX, Salamanca, 1952, págs. 507-508.
d) Segura, F., en *Razón y Fe*, CXLIV, Madrid, 1951, págs. 529-30.
MADRID. *Consejo. General.*—ROMA. *Vaticana.* R.G.Filos. IV.1817.

3985

BRUNO DE JÉSUS - MARIE. *Saint Jean de la Croix et la psychologie moderne.* (En *Etudes Carmélitaines*, XXX, París, 1951, págs. 9-24).

Trad.: *St. John of the Cross and modern psychology.* Trans. by J. Maddrell, en *Cross Currents*, VII, Nueva York, 1957, págs. 154-166.

3986

GAY BERGES, CRISANTO. *Fundamentos del carácter en la doctrina de San Juan de la Cruz.* (En *Estudios Pedagógicos*, IX, Zaragoza, 1951, págs. 32-38; XII, 1952, págs. 24-35).

3987

ALBERTO DE LA VIRGEN DEL CARMEN, Fray. *Naturaleza de la memoria espiritual según San Juan de la Cruz. (Cuestión filosófica previa a la unión de las potencias con Dios).* (En *Revista de Espiritualidad*, XI, Madrid, 1952, págs. 291-99; XII, 1953, págs. 431-50).

3988

RUANO DE LA IGLESIA, A. (P. NAZARIO DE SANTA TERESA). *La mística de Occidente. San Juan de Cruz, filósofo contemporáneo.* Ciudad Trujillo. Montalvo. 1956. XXVI + 243 págs. 23,5 cm.

a) M. F., en *Archivo Ibero-Americano*, XX, Madrid, 1960, pág. 128.
b) Serapio de Santa Teresa, Fray, en *Revista de Espiritualidad*, XVI, Madrid, 1957, págs. 414-15.
BERLIN. *Ibero-Amerikanischen Instituts.*—ROMA. *Teresianum.* Carm. B.1472. *Vaticana.* R.G.Teol.IV.5829.

3989

SIMARRO, PUIG, A. *El «Problema del Conocimiento» resuelto por San Juan de la Cruz.* (En *Revista de Espiritualidad*, XV, Madrid, 1956, págs. 295-308).

3990

MOREL, G. *Nature et transformation de la volonté selon saint Jean de la Croix.* (En *La Vie Spirituelle*, Supl., X, París, 1957, págs. 383-98).

3991

MOSIS, RUDOLF. *Der Mensch vor Gott: Zur Anthropologie des h. Johannes von Kreuz.* (En *Geist und Leben*, XXXV, Munich, 1962, págs. 430-43).

3992

OSCAR ANGEL DE JESUS, Fray. *El ideal estoico y S. Juan de la Cruz.* (En *Cuadernos Teresianos*, Sonsón, 1963, n.º 3, págs. 17-33).

3993
SUMNER, M. OSWALD. *St. John of the Cross and modern psychology.* [Londres]. Guild of Pastoral Psychology. 1963. 31 págs. 18,5 cm.

3994
RODRIGUEZ DIEZ, Fray JOSE. *Humanismo pedagógico de S. Juan de la Cruz.* (En *Revista Agustiniana de Espiritualidad,* V, Calahorra, 1964, págs. 12-25).

3995
BERNARDO MARIA DE LA CRUZ, Fray. *San Juan de la Cruz y la fenomenología husserliana.* (En *Revista de Espiritualidad,* XXV, Madrid, 1966, págs. 62-74; XXVI, 1967, págs. 171-86).

3996
BENDIEK, JOHANNES. *Gott und Welt nach Johannes von Kreuz.* (En *Philosophisches Jahrbuch,* LXXIX, Munich, 1972, págs. 88-105).

3997
LOPEZ-IBOR, JUAN JOSE. *San Juan de la Cruz.* (En *De la noche oscura a la angustia.* Madrid. Rialp. 1973, págs. 15-33).

3998
GAUDREAU, M. MARIE, *Mysticism and Image in St. John of the Cross.* Berna, etc. Lang. 1977. 256 págs. 22,5 cm.
a) Ruiz Salvador, Federico, en *Ephemerides Carmeliticae,* XXX, Roma, 1979, págs. 159-60.
ROMA. *Vaticana.* R.G.Teol.IV.7048.

3999
MALLORY, M. MAY. *Christian Mysticism. Transcending Techniques. A theological reflection on the empirical testing of the teaching of St. John of the Cross.* Asen-Amsterdam. Van Gorcum. 1977. 300 págs. 23 cm.

a) Ruiz Salvador, Federico, en *Ephemerides Carmeliticae,* XXX, Roma, 1979, págs. 155-58.
ROMA. *Vaticana.* R.G.Teol.IV.7096.

4000
JIMENEZ DUQUE, BALDOMERO. *El amor divino en San Juan de la Cruz.* (En *Teología Espiritual,* XXIV, Valencia, 1980, págs. 399-420).

4001
JUBERIAS, FRANCISCO. *La «sinkatábasis» o «condescendencia» de San Juan de la Cruz.* (En *Teología Espiritual,* XXIV, Valencia, 1980, págs. 421-54).

ASPECTO LITERARIO

4002
DOMINGUEZ BERRUETA, MARTIN. *El misticismo de San Juan de la Cruz en sus poesías. Ensayo de crítica literaria. Con un prólogo de Juan Manuel Ortí y Lara.* Madrid. Tip. de F. Pinto. 1894. XV + 57 págs. 18,5 cm.
MADRID. *Nacional.* V-392-29.
—*El Misticismo en la Poesía. Estudio de crítica literaria. San Juan de la Cruz.* 2.ª edición. Salamanca. Imp. Calatrava. 1897. 71 págs. 17 cm.
MADRID. *Nacional.* V-2.511-52.

4003
ENCINAS Y LOPEZ DE ESPINOSA, RAFAEL. *La poesía de San Juan de la Cruz. Discurso crítico...* Valencia. Tip. Moderna Gimeno. 1904. 23 págs. 21 cm.
MADRID. *Nacional.* V-356-2.

4004
BASAVE, AGUSTIN. *Sobre San Juan de la Cruz.* (En *Ensayos críticos.* Guadalajara (México). Edit. e Impr. Jaime, 1918, págs. 179-92).

4005

PEERS, E. ALLISON. *St. John of the Cross.* Cambridge. University Press. 1932. 76 págs. (The Rede Lecture for 1932).

— — —

—En *St. John of the Cross and other lectures and addresses 1920-1945.* Londres. Faber and Faber. 1946, págs. 11-53.
MADRID. *Consejo. General.*

4006

ALONSO, DAMASO. *La poesía de San Juan de la Cruz.* (En *Boletín del Instituto Caro y Cuervo*, IV, Bogotá, 1948, págs. 492-515).

4007

JUNCO, ALFONSO. *Juan de la Cruz: el hombre en el místico.* (En *Sangre de Hispania*. Buenos Aires. Espasa-Calpe. 1940).

— — —

—2.ª ed. 1943, págs. 11-15.
MADRID. *Nacional.*

4008

ALONSO, DAMASO. *La poesía de San Juan de la Cruz. (Desde esta ladera).* Madrid. C.S.I.C. 1942. 291 págs. + 3 hs. 18 cm.

a) Alonso, María Rosa, en *Escorial*, IX, Madrid, 1942, págs. 369-73.
b) Bataillon, M., en *Bulletin Hispanique*, XLVI, Burdeos, 1944, págs. 95-101.
c) Croce, Alda, en *Quaderni della Critica*, Bari, 1947, n.º 8, págs. 76-89.
d) Entwistle, W. J., en *The Modern Language Review*, XXXVIII, Cambridge, 1943, págs. 262-63.
e) Peers, E. A., en *Bulletin of Spanish Studies*, XXI, Liverpool, 1944, págs. 104-6.
f) Romera-Navarro, M., en *Hispanic Review*, XI, Filadelfia, 1943, págs. 179-83.
g) Rüegg, A., en *Zeitschrift für romanische Philologie*, LXIII, Halle, 1943, págs. 436-438.
h) Setién, G. (V. n.º 4030).
MADRID. *Nacional.* 1-96.813.

— — —

—Reed. junto con las *Poesías completas* en Madrid. Aguilar. 1946.

—4.ª ed. Madrid. Aguilar. 1966. 229 págs. 20,5 cm. (Ensayistas hispánicos).
—Reed. en sus *Obras completas*. Tomo II. Madrid. Edit. Gredos. 1973, págs. 871-1075.

— — —

—*La poesia di San Giovanni della Croce.* [*Trad. di Leonardo Cummarano*]. Roma. Ediz. ABETE. [1965]. 203 págs. 22 cm. (Itinerari critici, 1).

4009

BAYO, MARCIAL JOSE. *Aspecto lírico de San Juan de la Cruz.* (En *Revista de Espiritualidad*, I, Madrid, 1942, págs. 300-8).

4010

DIEGO, GERARDO. *Música y ritmo en la poesía de San Juan de la Cruz.* (En *Escorial*, IX, Madrid, 1942, págs. 163-86).

4011

———. *San Juan de la Cruz, poeta lírico.* (En *Escorial*, IX, Madrid, 1942, págs. 13-22).

4012

EMETERIO DE JESUS MARIA, Fray. *La poesía sanjuanista en la evolución del sentimiento cósmico.* (En *El Monte Carmelo*, XLIII, Burgos, 1942, págs. 477-520).

4013

MACHADO, MANUEL. *Juan de la Cruz, poeta.* (En *Escorial*, IX, Madrid, 1942, págs. 339 y ss.).

4014

OROZCO DIAZ, EMILIO. *La palabra espíritu y materia en la poesía de San Juan de la Cruz.* (En *Escorial*, IX, Madrid, 1942, págs. 315-35).

4015

ORS, EUGENIO D'. *Estilo del pensamiento de San Juan de la Cruz.* (En *Revista de Espiritualidad*, I, San Sebastián, 1942, págs. 241-54).

Reed. en *Estilos de pensar*. Madrid. 1945, págs. 119-39.

4016

QUEIROS, A. *A naturaleza na poesía de S. João da Cruz.* (En *Brotéria*, XXXV, Lisboa, 1942, págs. 155-65).

4017

ROSALES, LUIS. *El bosque de miel. Leyendo a San Juan de la Cruz.* (En *Escorial*, Madrid, 1942, n.º 25, págs. 349-50).

4018

SABINO DE JESUS, Fray. *San Juan de la Cruz y la crítica literaria.* Santiago de Chile. Tall. Gráf. San Vicente. 1942, 479 págs. con ilustraciones. 24 cm.

— — —

—Vitoria. Procura de los PP. Carmelitas. [s. a., ¿1948?]. 480 págs. 24 cm.

4019

APRAIZ, ANGEL DE. *San Juan de la Cruz entre el gótico y el barroco.* (En *Revista de Ideas Estéticas*, I, Madrid, 1943, n.º 3, págs. 17-32).

4020

GEIS, CAMILO. *La poesía de San Juan de la Cruz.* Sabadell. 1943.

MADRID. *Particular de la Casa Provincial de la Orden del Carmen Descalzo.*

4021

HORNEDO, RAFAEL M. DE. *El humanismo de San Juan de la Cruz.* (En *Razón y Fe*, CXXIX, Madrid, 1944, págs. 133-150).

4022

——. *El Renacimiento y San Juan de la Cruz.* (En *Razón y Fe*, CXXVII, Madrid, 1943, págs. 513-529).

4023

REYES, ALFONSO. *San Juan de la Cruz.* (En *Capítulos de literatura española.* Segunda serie. Méjico. 1945, págs. 261-66).

Reed. en sus *Obras Completas*, VI, págs. 329-31.

4024

PEREZ EMBID, FLORENTINO. *El tema del aire en la poesía de San Juan de la Cruz.* (En *Arbor*, V, Madrid, 1946, págs. 93-98).

4025

RUBIO, DAVID. *San Juan de la Cruz: La fonte. Comentario.* La Habana. 1946. VII + 42 págs. 17 cm.

— — —

—2.ª ed. Méjico. 1949.

4026

MILNER, MAX. *Poésie et vie mystique chez Saint Jean de la Croix. Préface de J. Baruzi.* Paris. Edit. du Seuil. 1947. 203 págs. 16 cm.

a) Aparicio, F[rancisco], en *Razón y Fe*, CXLIX, Madrid, 1954, págs. 393-94.

b) Emeterio de Jesús María, Fray, en *El Monte Carmelo*, LIX, Burgos, 1951, págs. 289-99.

c) P[eers], E. A., en *Bulletin of Hispanic Studies*, XXX, Liverpool, 1953, pág. 58. MADRID. *Consejo. General.*

— — —

—1951.

MADRID. *Consejo. Instituto «M. de Cervantes».* XXXIV-175. — WASHINGTON. *Congreso.* 55-21706.

4027

OSENDE, P. V. *La Mística en la poesía de San Juan de la Cruz.* (En *La Vida Sobrenatural*, XXVIII, Salamanca, 1948, págs. 341-47).

4028

SPITZER, LEO. *Three Poems on Ecstasy. (John Donne, St. John of the Cross, Richard Wagner).* (En *A Method of interpreting Literature.* Northampton, Mass. Smith College. 1949, págs. 1-63).

MADRID. *Consejo. Instituto «M. de Cervantes».* XVII-153.

— — —

—Reed. en sus *Essays on English und American Literature.* Princeton, N. J., Princeton University Press. 1968, págs. 153-70.
—2.ª ed. 1969, pags. 139-79.

4029
ALONSO, DAMASO. *El misterio técnico en la poesía de San Juan de la Cruz.* (En *Poesía Española...* Madrid, 1950, págs. 217-305).

— — —

—2.ª ed. 1952.
—3.ª ed. 1957.
—4.ª ed. 1962.

4030
EMETERIO DE JESUS MARIA, Fray (G. SETIEN). *Las raíces de la Poesía Sanjuanista y Dámaso Alonso.* Burgos. Edit. El Monte Carmelo. 1950. 4 hs. + 397 págs. + 1 h. 18 cm. (Colección Arte y Estética, 7).
a) Adolfo de la M. de Dios, Fray, en *Revista de Espiritualidad,* XI, Madrid, 1952, págs. 104-5.
MADRID. *Particular de la Casa Provincial de la Orden del Carmen Descalzo.* Carm. A. 568. *Particular de D. Pedro Sainz Rodríguez.*—WASHINGTON. *Congreso.* 55-56195 rev.

4031
GARCIA, P. FELIX. *San Juan de la Cruz.* (En *San Juan de la Cruz y otros ensayos.* Madrid. Religión y Cultura. 1950, págs. 9-36).
MADRID. *Nacional.* 1-107.852.

4032
HATZFELD, H. *Mysteriennähe und Mysterienferne.* (En *Vom Christlichen Mysterium... zum Gedächtnis von Odo Casel...* Dusseldorf. Patmos Verlag. 1951).

4033
REYES, ALFONSO. *San Juan de la Cruz.* (En *Trazos de historia litera-*

ria. [Buenos Aires]. Espasa - Calpe. 1951, págs. 134-36).
MADRID. *Consejo. General.*

4034
DARBORD, MICHEL. *Autour de la «Cetrería de amor», de Saint Jean de la Croix.* (En *Bulletin Hispanique,* LIV, Burdeos, 1952, págs. 203-4).

4035
HATZFELD, H. *Las profundas cavernas. The structure of a symbol of San Juan de la Cruz.* (En *Quaderni Ibero-Americani,* II, Turín, 1952, número 12, págs. 171-74).

— — —

—*Las profundas cavernas. Estructura de un símbolo de San Juan de la Cruz,* en sus *Estudios literarios sobre Mística española.* Madrid. Gredos. 1955, págs. 351-58.

4036
YNDURAIN HERNANDEZ, FRANCISCO. *Mística y poesía en San Juan de la Cruz.* (En *Revista de Literatura,* III, Madrid, 1953, págs. 9-15).

4037
BERNARDEZ, FRANCISCO LUIS. *Ojos, manos y pies de San Juan de la Cruz.* (En *Revista Nacional de Cultura,* Caracas, 1953, n.º 98, págs. 22-28).

4038
TREND, JOHN B. *The poetry of San Juan de la Cruz.* Oxford. Dolphin Book Co. 1953. 19 págs. 22 cm.

4039
FUENTES Y PEREZ, RODRIGO. *La poética de lo sobrenatural en San Juan de la Cruz.*
Tesis. Universidad de Madrid. 1954.

4040
MARASSO, ARTURO. *El «itinerario» de la noche en San Juan de la Cruz.* (En sus *Estudios de literatura caste-*

llana. Buenos Aires. 1955, págs. 99-108).

4041

——. *El lirismo de San Juan de la Cruz.* (En sus *Estudios de literatura castellana.* Buenos Aires. 1955, págs. 77-98).

4042

DIAZ INFANTE NUÑEZ, JOSEFINA. *La poesía de San Juan de la Cruz: influencias y coincidencias.* Méjico. Universidad Nacional Autónoma. 1957. 141 págs. 24 cm.

WASHINGTON. *Congreso.* 59-22901.

4043

TAVERA, JOSE MARIA. *La mística en la poesía española. Santa Teresa de Jesús y San Juan de la Cruz.* Barcelona. Guada. [1958]. 64 págs. 10 cm. (Enciclopedia Pulga, 434).

4044

OROZCO DIAZ, EMILIO. *Poesía y Mística. Introducción a la lírica de San Juan de la Cruz.* Madrid. Guadarrama. [1959]. 285 págs. + 8 láms. 19,5 cm. (Col. Guadarrama de Crítica y Ensayo, 18).

a) Bertini, G. M., en *Estudis Romànics,* VII, Barcelona, 1959-60, págs. 176-79.
b) Cano, J. L., en *Insula,* Madrid, 1959, n.º 157, págs. 8-9.
c) Eulogio de la V. del Carmen, en *El Monte Carmelo,* LXVIII, Burgos, 1960, págs. 524-27.
d) Federico de San Juan de la Cruz, Fray, en *Revista de Espiritualidad,* XIX, Madrid, 1960, págs. 298-300.
e) Ferrer, en *Books Abroad,* XXXV, Norman, 1961, págs. 272-73.
f) Ricard, R., en *Revue d'Ascétique et de Mystique,* XXXVI, Toulouse, 1960, págs. 123-24.

MADRID. *Consejo. Instituto «M. de Cervantes».* LXII-180. *Nacional.* 1-213.109.

4045

OROZCO DIAZ, EMILIO. *Poesía tradicional carmelitana. Notas para una introducción a la lírica de San Juan de la Cruz.* (En ESTUDIOS *dedicados a Menéndez Pidal.* Tomo VI. Madrid. 1956, págs. 407-46).

4046

VEGA, ANGEL CUSTODIO. *En torno a los orígenes de la poesía de San Juan de la Cruz.* (En *La Ciudad de Dios,* LXXIII, El Escorial, 1957, páginas 625-64).

4047

EULOGIO DE LA VIRGEN DEL CARMEN, Fray. *La crítica sanjuanista en los últimos veinte años.* (En *Salmanticensis,* VIII, Salamanca, 1961, págs. 195-246).

4048

GUILLEN, JORGE. *Poesía de San Juan de la Cruz.* (En *Papeles de Son Armadans,* XX, Palma de Mallorca, 1961, págs. 22-44, 121-44).

—Trad. e note di O. Macrí, en *Paragone,* Florencia, 1960, n.º 130, págs. 3-52.

4049

MIRANDA, VASCO. *Da poesía de S. João da Cruz.* (En *Lumen,* XXV, Lisboa, 1961, págs. 234-40).

4050

XIRAU, R. *Poesía y significado.* (En *El Rehilete,* Méjico, agosto 1961, páginas 7-17).

4051

ALVAREZ DE CANOVAS, JOSEFINA. *San Juan de la Cruz en la mano. Ensayo.* Avila. [Tip. Medrano]. 1962. 229 págs. + 4 hs. 21 cm.

MADRID. *Nacional.* 4-50.377.

4052

BALTHASAR, HANS URS VON. *Juan de la Cruz.* (En *Herrlichkeit. Eine theologische Aesthetik.* Tomo II. Einsiendeln. Johannes Verlag. 1968, págs. 465-531).

4053

BIONDINI, MARIA ARCANGELA. *Sentimenti scritti della ven. M. Arcángela Biondini sopra cinque stanze della cantica composta da S. Giovanni della Croce, C. S. di St.* (En *L'Addolorata*, LXIV, Roma - Florencia, 1962, n.º 9, págs. I-21).

4054

CHAMORRO, JOSE. *El paisaje andaluz en la obra de San Juan de la Cruz.* (En *Boletín del Instituto de Estudios Giennenses*. Jaén. 1962, número 34, págs. 9-44).

4055

FERNANDEZ ULLOA, ANA FRANCISCA. *La soledad en la obra de San Juan de la Cruz.* (En *Revista de la Universidad de Madrid*, XII, Madrid, 1963, págs. 744-45).

Resumen de tesis doctoral.

4056

CELAYA, GABRIEL. *La Poesía de vuelta en San Juan de la Cruz.* (En *Exploración de la Poesía*. Barcelona. 1964, págs. 177-226).

MADRID. *Nacional*. 4-54.788.

4057

EULOGIO DE LA VIRGEN DEL CARMEN, Fray. *Escritos sanjuanistas coevos del «Cántico Espiritual».* (En *El Monte Carmelo*, LXXIV, Burgos, 1966, págs. 155-88).

4058

EULOGIO DE LA VIRGEN DEL CARMEN, Fray. *Escritos sanjuanistas anteriores al «Cántico espiritual».* (En *Teología Espiritual*, X, Valencia, 1966, págs. 57-96).

4059

HERRERA, ROBERT A. *La metáfora sanjuanista.* (En *Revista de Espiritualidad*, XXVI, Madrid, 1967, págs. 155-70).

4060

DIEGO, GERARDO. *La naturaleza y la inspiración poética en San Juan de la Cruz.* (En *Revista de Espiritualidad*, XXXVII, Madrid, 1968, págs. 311-19).

4061

GARCIA NIETO, JOSE. *La poesía de S. Juan de la Cruz.* (En *Revista de Espiritualidad*, XXXVII, Madrid, 1968, págs. 320-34).

4062

PACHO, ALBERTO. *Avances en la crítica sanjuanista.* (En *El Monte Carmelo*, LXXVI, Burgos, 1968, páginas 460-63).

4063

CALDERA, ERMANNO. *La poesia di Juan de la Cruz.* Génova. M. Bozzi. 1969. 102 págs. 24,5 cm.

ROMA. *Nazionale*. 220.P.149. — WASHINGTON. *Congreso*. 76-485429.

4064

——. *El manierismo en San Juan de la Cruz.* (En *Prohemio*, I, Barcelona, 1970, págs. 333-55).

4065

RUANO, ARGIMIRO. *La mística clásica. Teoría de lo literario en San Juan de la Cruz.* Río Piedras. Edit. Edil. 1971. 228 págs. 21 cm.

ROMA. *Teresianum*. Carm. B.4415.

4066

CAMON AZNAR, JOSE. *Arte y pensamiento en San Juan de la Cruz.* Madrid. Edit. Católica. 1972. 272 páginas. 17 cm. (Biblioteca de Autores Cristianos. Serie minor, 26).

a) Aldana Fernández, S., en *Arbor*, LXXXV, Madrid, 1973, págs. 505-6.
b) Aperribay, B., en *Verdad y Vida*, XXXII, Madrid, 1972, pág. 244.
c) Cantera, F., en *Sefarad*, XXXII, Madrid, 1972, págs. 396-99.

d) Duvivier, P., en *Bulletin Hispanique*, LXXV, Burdeos, 1973, págs. 420-25.
e) Moniz, R., en *Brotéria*, XCVIII, Lisboa, 1974, pág. 321.
f) Oroz, J., en *Revista Española de Teología*, XXXIV, Madrid, 1974, págs. 439-40.
g) Red, A. de la, en *Religión y Cultura*, XIX, Madrid, 1973, pág. 84.
h) Vázquez, L., en *Estudios*, XXIX, Madrid, 1973, pág. 132.
MADRID. *Consejo. Instituto «M. de Cervantes». VIII-226. Nacional. 4-101.328.*

4067

GARCIA LORCA, FRANCISCO. *De Fray Luis a San Juan. La Escondida Senda.* Madrid. Castalia. 1972. 254 páginas. 23 cm. (La lupa y el escalpelo, 10).

a) Ife, B. W., en *Bulletin of Hispanic Studies*, LII, Liverpool, 1975, págs. 285-87.
b) Lacadena, E., en *Prohemio*, IV, Madrid, 1973, págs. 433-45.
MADRID. *Consejo. Instituto «M. de Cervantes». XV-128.*

4068

WILSON, MARGARET. *San Juan de la Cruz. Poems.* Londres. Grant and Cutler. 1975. 79 págs. 19,5 cm. (Critical Guides to Spanish Texts, 13).

a) Rivarola, José Luis, en *Zeitschrift für romanische Philologie*, XCI, Tubinga, 1975, págs. 711-12.
b) Thompson, Colin P., en *Bulletin of Hispanic Studies*, LV, Liverpool, 1978, pág. 156.
MADRID. *Nacional. V-12.578-3.*

4069

GAGLIO, ARISTIDE-ATTILIO. *Il poeta della mistica.* (En *Palestra del Clero*, LVI, Rovigo, 1977, págs. 735-54, 782-806).

4070

BERTHELOT, A. *A propósito de «Exploración de la poesía» de Gabriel Celaya. San Juan de la Cruz: ¿poesía de vuelta... o relato del viaje?* (En MÉLANGES *à la mémoire d'André Joucla-Ruau*, Provence, 1978, páginas 479-90).

4071

VIVES, JOSE. *Examen de amor: lectura de San Juan de la Cruz.* Santander. Edit. Sal Terrae. 1978. 215 págs. 20,5 cm.
MADRID. *Nacional.* 4-150.145.—ROMA. *Teresianum.* Carm. B.3019.

4072

LOBERA SERRANO, FRANCISCO. *Sulla poetica di San Juan de la Cruz: «En una noche oscura...».* (En STUDI *Ispanici*, Pisa, 1979, págs. 81-104).

4073

RICARD, ROBERT. *Saint Jean de la Croix et l'image de la «bûche enflammeé». Contribution a l'étude d'un thème symbolique.* (En *Les Lettres Romanes*, XXXIII, Lovaina, 1979, págs. 73-85).

«Cántico espiritual»

4074

[CONTRERAS, JUAN DE]. MARQUES DE LOZOYA. *El valor literario del «Cántico Espiritual de San Juan de la Cruz.* (En *Revista de Espiritualidad*, I, San Sebastián, 1941, n.º 1, págs. 4-9).

4075

COSSIO, JOSE MARIA DE. *Rasgos renacentistas y populares en el «Cántico Espiritual» de San Juan de la Cruz.* (En *Escorial*, IX, Madrid, 1942, págs. 205-28).

Reed. en sus *Notas y estudios de crítica literaria. Letras españolas (siglos XV y XVII).* Madrid. 1970, págs. 139-82.

4076

HERRERO GARCIA, MIGUEL. *San Juan de la Cruz y el «Cántico espiritual». Ensayo literario.* Madrid. Escelicer. [1942?]. 105 págs. + 7 láms. 18 cm.

a) M. C., en *Revista de Filología Española*, XXVI, Madrid, 1942, págs. 117-18.

MADRID. *Nacional.* 1-96.811.

— — —

—2.ª ed. 1946.

4077

HORNEDO, RAFAEL MARIA DE. *Boscán y la célebre estrofa XI del Cántico Espiritual.* (En *Razón y Fe*, CXXVIII, Madrid, 1943, págs. 270-286).

4078

MALDONADO DE GUEVARA, FRANCISCO. *La estrofa 24 del «Cántico espiritual».* (En *Revista de Ideas Estéticas*, I, Madrid, 1943, n.º 3, páginas 3-15; II, 1944, n.º 4, págs. 19-50; III, 1945, págs. 77-104; 1949, páginas 3-16).

4079

BATAILLON, MARCEL. *Sur la génèse poétique du «Cantique Spirituel» de saint Jean de la Croix.* (En *Boletín del Instituto Caro y Cuervo*, V, Bogotá, 1949, págs. 251-63).

a) Révah, I. S., en *Bulletin des études portugaises et de l'Institut Français ac Portugal*, XV, Coimbra, 1951, págs. 217-18.

4080

JUAN DE JESUS MARIA, Fray. *El «Cántico Espiritual» de San Juan de la Cruz y «Amores de Dios y el Alma», de Agustín Antolínez.* (En *Ephemerides Carmeliticae*, III, Roma, 1949, págs. 443-542).

4081

E. V. C. *¿«Singularidades» escriturísticas en el Segundo Cántico?* (En *El Monte Carmelo*, LX, Burgos, 1952, págs. 87-106).

4082

M. O.-G. *Le Cantique Spirituel de saint Jean de la Croix.* (En *Revue d'Ascétique et de Mystique*, XXVIII, Toulouse, 1952, págs. 181-88).

4083

BATAILLON, MARCEL. *La tortolica de «Fontefrida» y del «Cántico espiritual».* (En *Nueva Revista de Filología Hispánica*, VII, Méjico, 1953, págs. 291-306).

4084

DE PILUTO, SERGIO. *S. Giovanni della Croce e il suo «Cantico espiritual».* Ronsi. Ed. Conchiglia. 1953. 25 págs. 20 cm.

ROMA. *Teresianum.* Carm. A.2441.

4085

MALDONADO DE GUEVARA, FRANCISCO. *Guirnaldo y Covaleda. La estrofa 25 del primer «Cántico espiritual».* (En *Clavileño*, Madrid, 1954, n.º 28, págs. 22-29).

4086

EULOGIO DE LA VIRGEN DEL CARMEN. *La vida del «Cántico espiritual» y el espíritu científico.* (En *Revista de Espiritualidad*, XIV, Madrid, 1955, págs. 37-52).

4087

ICAZA, ROSA MARIA. *The stylistic relationship between Poetry and Prose in the «Cántico espiritual» of San Juan de la Cruz.* Washington. The Catholic University. 1957. IX + 207 págs. 23 cm. (Catholic University of America. Studies in Romance Languages and Literatures, 54).

a) Federico de San Juan de la Cruz, Fray, en *Revista de Espiritualidad*, XIX, Madrid, 1960, págs. 300-1.

b) Gates, E. J., en *Hispanic Review*, XXVIII, Filadelfia, 1960, págs. 163-65.

c) Otero, C., en *Romance Philology*, XIV, Berkeley, 1960-61, págs. 81-84.

d) Parker, A. A., en *Bulletin of Hispanic Studies*, XXXVI, Liverpool, 1959, págs. 107-109.

e) Peters, C., en *Carmel*, XI, Tilburg, 1958-1959, págs. 341-43.

f) Robilliard, J. A., en *Revue des Sciences Philosophiques et Théologiques*, XLV, Le Saulchoir, 1961, pág. 108.

g) Verbrugghe, E. A., en *Sword*, XX, Washington, 1957, págs. 347-49.

BERLIN. *Ibero-Amerikanischen Instituts.* — ROMA. *Vaticana.* R.G.Lett.est.IV.2292 (54).

4088

MENDIZABAL, LUIS M. *Un comentario agustino a las estrofas de San Juan de la Cruz.* (En *Gregorianum*, XXXVIII, Roma, 1957, págs. 97-102).

Sobre el de A. Antolínez.

4089

EULOGIO DE LA VIRGEN DEL CARMEN, Fray. *El prólogo y la hermenéutica del «Cántico espiritual».* (En *El Monte Carmelo*, LXVI, Burgos, 1958, págs. 1-108).

Tirada aparte: Roma. 1958. 109 págs. 24,5 cm.

ROMA. *Teresianum.* Carm. B.1638.

4090

——. *La clave exegética del «Cántico espiritual».* (En *Ephemerides Carmeliticae*, IX, Florencia, 1958, págs. 307-337; XI, 1960, págs. 312-51).

4091

ROMAN DE LA INMACULADA, Fray. *Il carattere di Dio nel «Cantico spirituale» di S. Giovanni della Croce.* (En *Rivista di Vita Spirituale*, XII, Roma, 1958, págs. 438-49).

4092

EULOGIO DE LA VIRGEN DEL CARMEN, Fray. *Estructura literaria del «Cántico Espiritual».* (En *El Monte Carmelo*, LXVIII, Burgos, 1960, págs. 383-414).

4093

DE GENNARO, GIUSEPPE. *Considerazione sobre el «Cántico espiritual» de S. Juan de la Cruz.* (En *Aloisiana*, II, Nápoles, 1961, págs. 155-233).

4094

CORNEJO POLAR, JORGE. *El «Cántico espiritual» de San Juan de la Cruz.* (En *Humanitas*, Arequipa, 1963, n.º 1, págs. 123-31).

4095

GABRIEL A S. MARIA MAGDALENA [TILLMANS]. *De paradijssymboliek in het «Cántico Espiritual» van San Juan de la Cruz.* Leuven. Katholieke Universiteit. 1966. XXIV + 413 págs. 27 cm.

4096

MORALES, JOSE LUIS. *El cántico de la soledad.* Madrid. Edit. de Espiritualidad. 1967. 52 págs. 19,5 cm.

MADRID. *Nacional.* V-6.429-14.

— — —

—*Le psaume de la solitude. Traduit par Elpidio Díaz.* Salamanca. 1971. 50 págs. 19,5 cm.

MADRID. *Nacional.* V-8.651-2. *Particular de la Casa Provincial de la Orden del Carmen Descalzo.* Carm. A.573.

4097

——. *Adónde te escondiste, Amado...? (El Prólogo al «Cántico Espiritual» de San Juan de la Cruz).* Madrid. Edit. de Espiritualidad. 1968. 100 págs. 19,5 cm.

MADRID. *Particular de la Casa Provincial de la Orden del Carmen Descalzo.* Carm. A. 571.

— — —

—Salamanca. San Esteban. 1970. 78 págs. 18 cm.

MADRID. *Nacional.* V-7.943-24.

4098

CABEZA LORA, J. *El «Cántico espiritual» de San Juan de la Cruz. Acercamiento temático y formal.* (En *Anuario de Filología*, VIII-IX, Maracaibo, 1969-70, págs. 43-74).

4099

PICERNO, R. A. *Temas espirituales en la «Vida retirada» y puntos de contacto entre esta obra y el «Cántico espiritual».* (En *Duquesne Hispanic Review*, IX, Pittsburg, 1971, págs. 1-11).

4100

PEPIN, FERNANDE. *Noces de feu: le symbolisme nuptial du «Cántico espiritual» de Saint Jean de la Croix à la lumière du «Canticum canticorum».* París. Tournai. Desclée. 1972. XLIII + 453 págs. 24 cm. (Recherches de Théologie, 9).

4101

DUVIVIER, ROGER. *Le Dynamisme existentiel dans la poésie de Jean de la Croix. Lecture du «Cántico espiritual».* París. Didier. 1973. 259 páginas. 8.º (Études de littérature étrangére et comparée, 65).

BERLIN. *Ibero-Amerikanischen Instituts.* — MADRID. *Nacional.* 4-169.925.

4102

BERTHELOT, ANDRÉ. *Sobre: la «Oncena lira» del «Cántico espiritual» de San Juan de la Cruz.* (En *Papeles de Son Armadans*, Palma de Mallorca, 1977, núms. 257-58, págs. 114-26).

4103

DE GENNARO, GIUSEPPE. *Il «Prólogo al «Cántico Espiritual» di Juan de la Cruz.* (En *Annali Istituto Universitario Orientale*, XIX, Nápoles, 1977, págs. 43-107).

4104

DUVIVIER, ROGER. *De l'ineffabilité mystique à la confusion critique? Un débat de méthode à propos de la genèse du «Cántico espiritual».* (En ESTUDIOS *de Historia, Literatura*

y Arte ofrecidos a R. A. Molina. Madrid. 1977, págs. 109-27).

4105

THOMPSON, COLIN P. *The Poet and the Mystic. A study of the «Cántico Espiritual» of San Juan de la Cruz.* Oxford. University Press. 1977. XI + 188 págs. 22,5 cm.

a) Goodwyn, F., en *Hispanic Review*, XLVII, Filadelfia, 1979, págs. 111-12.
b) Pacho, E., en *Ephemerides Carmeliticae*, XXX, Roma, 1979, págs. 160-62.
MADRID. *Facultad de Filosofía y Letras.*

4106

URQUIZA, JULIAN. *El «Cántico Espiritual» de San Juan de la Cruz y la beata Ana de San Bartolomé.* (En *Ephemerides Carmeliticae*, XXIX, Roma, 1978, págs. 519-26).

* * *

V. además núms. 3646, 3699, 3718-19, 3722, 3724-27, 3731, 3734, 3738-40, 3745-51, 3753, 3755-3760, 3762, 3764-66, 3772, 3784-85, 3788, 3790-91, 3793-94, 3796, 3799.

«Llama de amor viva»

4107

JUAN JOSE DE LA INMACULADA, Fray. *El último grado de amor. Ensayo sobre la «Llama de amor viva».* Santiago de Chile. 1941. 240 págs. 18,5 cm.

a) Segura, F., en *Razón y Fe*, CXLIV, Madrid, 1951, págs. 529-30.
MADRID. *Particular de la Casa Provincial de la Orden del Carmen Descalzo.* Carm. A. 607.—ROMA. *Teresianum.* Carm. A.945.

4108

SANCHEZ - CASTAÑER, FRANCISCO. *La «Llama de amor viva», cima de la mística y de la poesía del Doctor Extático.* (En *Boletín de la Universidad de Santiago*, XI, Santiago, 1942, págs. 3-26).

Tirada aparte: Santiago. Imp. Paredes. 1943. 26 págs. 24 cm.

4109
LAGMANOVICH, D. *La «Llama de amor viva».* (En *Revista de Educación*, V, La Plata, 1960, t. I, págs. 184-89).

4110
FIGUEROA BRETT, H. *El prodigio de San Juan en «Llama de amor viva».* (En *Anuario de Filología*, Maracaibo, 1971-74, núms. 10-11, págs. 95-105).

4111
GIMENO CASALDUERO, JOAQUIN. *La «Noche oscura» y la «Llama de amor viva» de San Juan de la Cruz: composición y significado.* (En *Cuadernos Hispanoamericanos*, Madrid, 1979, n.º 346, págs. 172-81).

* * *

V. además núms. 3656, 3708, 3761.

«Subida del Monte Carmelo»

4112
BARROSO, SANTIAGO. *La «Subida del monte Sión» y la «Subida del Monte Carmelo». (Dos sendas paralelas).* Murcia. Tip. S. Francisco. 1970. 123 págs. 24,5 cm.
MADRID. *Nacional.* 4-95.264. — ROMA. *Teresianum.* Carm. B.3673.

4113
BALLESTERO, MANUEL. *Juan de la Cruz: de la angustia al olvido. Análisis del fondo intuido en la «Subida del Monte Carmelo».* Barcelona. Ediciones Península. 1977. 268 págs. 20 cm. (Historia, Ciencia, Sociedad, 138).
a) Cilleruelo, L., en *Estudio Agustiniano*, XIII, Valladolid, 1978, pág. 416.
MADRID. *Particular de D. Pedro Sainz Rodríguez.*—ROMA. *Teresianum.* Carm. A.6811.

* * *

V. además núms. 3769, 3782.

«Noche oscura»

4114
CAMPO, AGUSTIN DEL. *Poesía y estilo de la «Noche oscura».* (En *Revista de Ideas Estéticas*, I, Madrid, 1943, págs. 33-58).

* * *

V. además núms. 3803 y 4111.

Otras poesías

4115
RICARD, ROBERT. *Sobre el poema de San Juan de la Cruz «Aunque es de noche».* (En *Clavileño*, Madrid, 1955, n.º 35, págs. 26-29).

4116
ESQUER TORRES, RAMON. *«¡Qué bien sé yo la fonte que mana y corre!»* (En *Boletín de la Sociedad Castellonense de Cultura*, XXXII, Castellón, 1956, págs. 89-96).

4117
——. *Nota sobre «¡Qué bien sé yo la fonte que mana y corre!»* (En ídem, págs. 181-82).

4118
FERNANDEZ U., ANA FRANCISCA. *Análisis ideológico de las «Coplas hechas sobre un éxtasis de alta contemplación» de San Juan de la Cruz.* (En *Revista de Filosofía de la Universidad de Costa Rica*, III, San José, 1961-62, págs. 161-73).

4119
BRATOSEVICH, NICOLAS. *«Tras un amoroso lance» como estructura expresiva.* (En *Revista de Filología Española*, L, Madrid, 1967, págs. 97-121).

4120
HATZFELD, HELMUT. *Una explicación estilística del «Cantar del alma*

que se huelga de conoscer a Dios por fe» de San Juan de la Cruz. (En *Quaderni Ibero-Americani,* Turín, 1967, n.º 34, págs. 71-80).

4121
BLANCO, MAYLING. *San Juan de la Cruz's water imagery in «Aunque es de noche».* (En *Romance Notes,* XV, Chapel Hill, 1973-74, págs. 346-98).

4122
GAITAN, JOSE DAMIAN. *San Juan de la Cruz: un canto en tierra extraña. Exégesis y actualidad de un romance.* (En *Revista de Espiritualidad,* XXXVII, Madrid, 1978, págs. 601-21).

4123
GIMENO CASALDUERO, JOAQUIN. *El pastorcico de San Juan y el pastorcillo de las «Redondillas».* (En *Hispanic Review,* XLVII, Filadelfia, 1979, págs. 77-85).

* * *

V. además núms. 3674, 3676, 3682, 3728.

Avisos y Cautelas

4124
HUBER, MARIE THÉRESE. *Un texte retrouvé de Saint Jean de la Croix.* (En *Nova et Vetera,* XXXVI, Ginebra, 1961, págs. 263-69).

4125
FEDERICO DE SAN JUAN DE LA CRUZ [RUIZ], Fray. *Avisos para profesos: aclaraciones.* (En *Revista de Espiritualidad,* XXIII, Madrid, 1964, págs. 507-16).

4126
NUÑEZ ALONSO, J. M. *La Teología espiritual y su bibliografía. Un nuevo e importante instrumento de trabajo.* (En *Revista de Espiritualidad,* XXIII, Madrid, 1964, págs. 427-31).

4127
SIMEON DE LA SAGRADA FAMILIA, Fray. *Los Avisos sanjuanistas para después de Profesos, en dos textos espirituales de principios del siglo XVII.* (En *Archivum Bibliographicum Carmelitanum,* VIII, Roma, 1965, págs. 201-25).
Plagio en los *Avisos y documentos* del trinitario Fr. Francisco de los Angeles, publicados en sus *Opúsculos,* Roma, 1915, y una traducción italiana de la época.

4128
MATIAS DEL NIÑO JESUS, Fray. *Los «Avisos para profesos» y otros escritos del P. Nicolás Doria.* (En *Revista de Espiritualidad,* XXVI, Madrid, 1967, págs. 337-45).

* * *

V. además núms. 3774-81.

Epistolario

4129
FORTUNATO DE JESUS SACRAMENTADO, Fray. *Observaciones sobre el destinatario de una carta sanjuanista.* (En *Ephemerides Carmeliticae,* XXIII, Roma, 1972, págs. 458-65).

4130
RUIZ SILVA, J. C. *Algunas notas al epistolario de San Juan de la Cruz.* (En *Arbor,* XCVII, Madrid, 1977, páginas 241-46).

4131
JIMENEZ DUQUE, BALDOMERO. *Juan de la Cruz en sus cartas.* (En *Teología Espiritual,* XI, Valencia, 1978, págs. 385-400).

* * *

V. además n.º 3783.

RELACIÓN CON OTROS AUTORES

4132
DOMINGUEZ BERRUETA, JUAN. *Santa Teresa de Jesús y San Juan de la Cruz. Bocetos psicológicos.* Salamanca. Imp. de Calatrava. 1915. 69 págs. 18 cm.

a) Cirot, G., en *Bulletin Hispanique,* XXIII, Burdeos, 1921, págs. 346-51.
MADRID. *Nacional.* V-12.157-6.

4133
ROJO, CASIANO. *La oración mental según San Juan de la Cruz y Santa Teresa de Jesús.* Burgos. R. Monasterio de Santo Domingo de Silos. 1921. XII + 104 págs. 18 cm.

4134
TRUC, G. *Les mystiques espagnols: Sainte Thérèse et Jean de la Croix.* Paris. La Renaissance du livre. 1921. 200 págs.

4135
MARIE DU SAINT-SACREMENT, Mère. *Une retraite sous la conduite de saint Jean de la Croix en union avec sainte Thérèse de l'Enfant Jésus et soeur Élisabeth de la Trinité.* París. P. Lethielleux. 1927. 384 págs. con ilustr. 16.º
PARIS. *Nationale.* D.92506.

4136
DOMINGUEZ BERRUETA, JUAN. *Paralelo entre fray Luis de León y San Juan de la Cruz.* (En *Revista Española de Estudios Bíblicos*, III, Málaga, 1928, págs. 251-65).

4137
RODRIGUEZ, C. *La lección de Fray Luis y de San Juan de la Cruz.* (En *Religión y Cultura*, II, 1928, págs. 544-58).

4138
DOMINGUEZ BERRUETA, J. *San Juan de la Cruz y fray Luis de León.* (En *Criterio*, Buenos Aires, 27 agosto 1929, n.º 78, págs. 565-67; n.º 79, 5 septiembre, págs. 24-25).

4139
BONNARD, MARYVONNE. *Les influences réciproques entre Sainte Thérèse de Jésus et Saint Jean de la Croix.* (En *Bulletin Hispanique*, XXXVII, Burdeos, 1935, págs. 129-148).

4140
MARCELO DEL NIÑO JESUS, Fray. *Las «Noches» sanjuanistas y las «Moradas» teresianas.* (En *El Monte Carmelo*, XLIII, Burgos, 1942, págs. 288-354).

4141
KRYNEN, JEAN. *Saint Jean de la Croix, Antolínez et Thomas de Jesus.* (En *Bulletin Hispanique*, LIII, Burdeos, 1951, págs. 393-412).

4142
SIMEON DE LA SAGRADA FAMILIA. *Tomás de Jesús y San Juan de la Cruz.* (En *Ephemerides Carmeliticae*, V, Florencia, 1951-54, págs. 91-159).

4143
WAACH, HILDEGARD. *Johannes vom Kreuz und Franz von Sales. Versuch einer vergleichenden Studie über strittige Punkte ihrer Lehre.* (En *Jahrbuch für mystische Theologie*, I, Viena, 1955, págs. 179-234).

4144
LARRAÑAGA, VICTORIANO. *San Ignacio de Loyola y San Juan de la Cruz: convergencias y divergencias.*

(En *Revista de Espiritualidad*, XV, Madrid, 1956, págs. 138-51, 261-76).

Reed. en *San Ignacio de Loyola. Estudios...* Zaragoza. 1956, págs. 311-33.

4145

RICARD, ROBERT y FIDELE DE ROS. «*La fonte*» *de saint Jean de la Croix et un chapitre de Laredo.* (En *Bulletin Hispanique*, LVIII, Burdeos, 1956, págs. 265-74).

4146

KRYNEN, JEAN. *Une rencontre revelatrice: Erasme et Saint Jean de la Croix.* (En *Bulletin de l'Institut Français en Espagne*, Madrid, 1957, n.º 97, págs. 72-74).

4147

THIBON, GUSTAVE. *Nietzsche und der heilige Johannes von Kreuz. Eine charakterologische Studie.* Paderborn. Verlag F. Schöningh. 1957. 132 págs. 19,5 cm.

a) Fortunato de J. Sacramentado, Fray, en *Revista de Espiritualidad*, XVIII, Madrid, 1959, pág. 132.
b) Kreuz, A., en *Theologisch - Praktische Quartalschrift*, CVI, Linz, 1950, págs. 249-50.
c) Peters, C., en *Carmel*, XI, Tilburg, 1958-1959, pág. 252.
d) Soballa, G., en *Geist und Leben*, XXXI, Munich, 1958, págs. 316-17.
BERLIN. *Ibero-Amerikanischen Instituts.*

4148

GERARD, M. *Eliot of the Circle and John of the Cross.* (En *Thought*, XXXIV, Nueva York, 1959, págs. 107-127).

— — —

—*Eliot del Círculo y Juan de la Cruz.* (En *Atlántico*, Madrid, 1960, n.º 14, págs. 61-95).

4149

CABRERA LOPEZ, ANA. *San Juan de la Cruz y Paul Valéry.* (En *Universidad de La Habana*. XXIV, La Habana, 1960, págs. 31-40).

4150

GERARD, MARY. *Eliot del Circulo y Juan de la Cruz.* (En *Atlántico*, Madrid, 1960, n.º 14, págs. 61-95).

4151

ULANOV, BARRY. *Shakespeare and Saint John of the Cross.* (En *Sources and resources: the literary traditions of Christian humanism.* Westminster, Md. Nekman. 1960, págs. 150-87).

4152

HATZFELD, HELMUT. *The stylization of divine love in Dante, St. John y the Cross, Pascal and Angelus Silesius.* (En SAGGI *e ricerche in memoria di Ettore Li Gotti.* Tomo II. Palermo. 1962, págs. 76-102).

4153

ISMAEL DE LA INMACULADA, Fray. *La Madre Feliciana de San José y S. Juan de la Cruz.* (En *El Monte Carmelo*, LXX, Burgos, 1962, págs. 189-202).

4154

VEGA, ANGEL CUSTODIO. *Cumbres místicas. Fray Luis de León y San Juan de la Cruz. (Encuentros y coincidencias).* Madrid. Aguilar. [1963]. 288 págs. 20,5 cm. (Ensayistas Hispánicos).

a) Arrilucea, D., en *Religión y Cultura*, Madrid, 1964, págs. 583-97.
b) Cilleruelo, L., en *Archivo Agustiniano*, LVIII, Madrid, 1964, pág. 289.
c) Flórez, R., en *Revista Agustiniana de Espiritualidad*, V, Calahorra, 1964, págs. 99-100.
d) Manrique, A., en *La Ciudad de Dios*, CLXXVII, El Escorial, 1964, pág. 376.
MADRID. *Consejo. Instituto «M. de Cervantes».* XVIII-40. *Nacional.* 4-51.671.

4155

——. *Fray Luis de León y San Juan de la Cruz.* (En STUDIA *philologica. Homenaje, ofrecido a Dámaso Alon-*

so... Tomo III. Madrid. 1963, págs. 563-72).

4156
DISANDRO, CARLOS A. *Tres poetas españoles: San Juan de la Cruz - Luis de Góngora - Lope de Vega.* La Plata. Ed. Hostería Volante. 1967. 184 págs. + 3 hs. 20 cm. (Veterum Sapientia, 3).
MADRID. *Consejo. Instituto «M. de Cervantes».* LXII-45.

4157
LORENZO-RIVERO, LUIS. *Sinfronismo de un Místico y un Profano: San Juan y Guillén.* (En *Hispania,* L, Appleton, Wis., 1967, págs. 266-70).

4158
ANTONINA M. (Sor). *Le symbolisme de la route chez Péguy et Jean de la Croix.* (En *Culture,* XXIX, Québec, 1968, n.º 1, págs. 51-59).

4159
MORALES, JOSE L. *Paralelismo entre Fray Luis de León y S. Juan de la Cruz.* (En *Revista de Espiritualidad,* XXVII, Madrid, 1968, págs. 345-351).

4160
PACHO, EULOGIO. *El tema bíblico del susurro místico: San Gregorio y San Juan de la Cruz.* (En *Yermo,* VI, El Paular, 1968, págs. 175-97).

4161
MOREL, G. *Sur Nietzsche et Jean de la Croix.* (En *Études,* CCCXXX, París, 1969, págs. 208-30).

4162
VEGA, JOSE DE JESUS. *La afinidad ontológica entre San Juan de la Cruz y Juan Ramón Jiménez, Pedro Salinas y Jorge Guillén.* Amn Arbor, Mich. University Microfilm. 1969. 209 págs. 8.º
BERLIN. *Ibero-Amerikanischen Instituts.*

4163
BERTINI, GIOVANNI MARIA. *Bécquer y San Juan de la Cruz.* (En *Quaderni Ibero - Americani,* Turín, 1971, n.º 39-40, págs. 237-42).

4164
MARC'HADOUR, GERMAIN. *Erasme, Thomas More et S. Jean de la Croix.* (En *Moreana,* VIII, Angers, 1971, págs. 75-77).

4165
PACHO, EULOGIO. *San Juan de la Cruz y Juan de Santo Tomás, O. P., en un interesante proceso inquisitorial.* (En *El Monte Carmelo,* LXXIX, Burgos, 1971, págs. 187-211).

4166
——. *San Juan de la Cruz y Juan de Santo Tomás, O. P., en el proceso inquisitorial contra Antonio de Rojas.* (En *Ephemerides Carmeliticae,* XXII, Roma, 1971, págs. 349-90).

4167
SIMEON DE LA SAGRADA FAMILIA, Fray. *Presencia de San Juan de la Cruz en la vida y en los escritos de Santa Teresa de Lisieux.* (En *El Monte Carmelo,* LXXXI, Burgos, 1973, págs. 333-57).

4168
JIMENEZ DUQUE, BALDOMERO. *La alegría en la esperanza: el testimonio de San Agustín y San Juan de la Cruz.* (En *Teología Espiritual,* XVIII, Valencia, 1974, págs. 95-106).

4169
CAPANAGA, VICTORINO. *Poesía, virtud y contemplación en fray Juan de la Cruz y fray Luis de León.* (En *Novos estudos sobre Frei Luis de Leão.* Recife. 1975, **págs.** 57-67).

4170

HUERGA, ALVARO. El «Examen de ingenios» y los fenómenos místicos. (En Angelicum,' LIII, Roma, 1976, págs. 149-84).

Págs. 179-84: Huarte de San Juan y San Juan de la Cruz.

4171

ANDRES MARTIN, MELQUIADES. Teresa y Juan de la Cruz. Proceso de clarificación en la mística. (En Revista de Espiritualidad, XXXVI, Madrid, 1977, págs. 481-91).

4172

SULLIVAN, JOHN. Saint Gregory's «Moralia» and Saint John of the Cross. Commentary on Job's chapters one and three. (En Ephemerides Carmeliticae, XXVIII, Roma, 1977, págs. 59-103).

4173

O'KEEFE, MARTHA L. The Farthest Thunder. A comparison of Emily Dickinson and St. John of the Cross. [Chevy Chase, Maryland]. 1979. 397 págs. 21,5 cm.

MADRID. Nacional. 4-154.829.—ROMA. Teresianum. Carm. B.4740.

4174

PEREZ, JOSEPH. Descartes et Saint Jean de la Croix. (En Les Cultures ibériques en devenir: Essais publiés en hommage à la mémoire de M. Bataillon. París. 1979, págs. 197-207).

DIFUSIÓN. INFLUENCIA

4175

A. M. San Juan de la Cruz en Francia. (En Escorial, Madrid, 1942, número 9, págs. 366-68).

4176

VICTOR DE SAN JOSE, Fray. ¿Influencias de San Juan de la Cruz en «El condenado por desconfiado»?

(En El Monte Carmelo, XLIII, Burgos, 1942, págs. 425-50).

4177

GABRIELE DI SANTA MARIA MADDALENA. S. Giovanni della Croce, Padre e Maestro di S. Teresa del Bambino Ges... Verona. Tip. Opereta. 1943. 36 págs. + 1 lám. 17 cm.

MADRID. Consejo. General.

4178

ENRIQUE DEL SAGRADO CORAZON. Un plagiario más de San Juan de la Cruz: el P. Blas López de los Clérigos Menores. (En Revista de Espiritualidad, VI, San Sebastián, 1947, págs. 506-12).

En sus adiciones a la traducción del Tratado de las Virtudes en las Obras de Ruysbroeck.

4179

OLPHE-GALLIARD, MICHEL. Le P. Surin et saint Jean de la Croix. (En MÉLANGES offerts au R. P. Ferdinand Cavallera... Toulouse. 1948, págs. 425-439).

MADRID. Consejo. General.

4180

CLAUDIO GABRIEL, Fray. San Juan Bautista de la Salle, autor místico de la escuela de San Juan de la Cruz. (En Revista de Espiritualidad, IX, San Sebastián, 1950, págs. 467-477).

4181

EVARISTO DEL NIÑO JESUS, Fray. Un apologista de San Juan de la Cruz olvidado. El P. Louis de Sainte Thérèse y su obra «Traité théologique de l'union de l'âme avec Dieu». (En El Monte Carmelo, LXV, Burgos, 1957, págs. 61-89).

4182

FORSTER, L., y A. A. PARKER. Quirinus Kuhlmann and the poetry of

St. John of the Cross. (En *Bulletin of Hispanic Studies*, XXXV, Liverpool, 1958, págs. 1-23).

4183

MENDEZ PLANCARTE, ALFONSO. *San Juan de la Cruz en México.* Méjico. Fondo de Cultura Económica. 1959. 86 págs. 17,5 cm. (Letras Mexicanas, 54).

a) Barrón García, M., en *Revista de Filología Hispánica*, I, Méjico, 1959, págs. 277-78.
b) Mallo, J., en *Revista Iberoamericana*, XXV, Pittsburgh, 1960, págs. 350-51.
BERLIN. *Ibero-Amerikanischen Instituts.* — MADRID. *Particular de la Casa Provincial de la Orden del Carmen Descalzo.* Carm. A. 620. *Consejo. Instituto «M. de Cervantes».* LX-334. *Nacional.* HA.-44.959.

4184

GREGORIO DE JESUS, Fray. *San Juan de la Cruz y Teilhard de Chardin.* (En *Ephemerides Carmeliticae*, XVIII, Florencia, 1967, págs. 362-67).

4185

RODRIGUEZ, OTILIO. *Una dramatización de la noihe oscura. San Juan de la Cruz, 1542-1591, y Rabindranath Tagore, 1861-1941.* (En *Revista de Espiritualidad*, XXXVII, Madrid, 1968, págs. 407-35).

4186

TRUEMAN DICKEN, E. W. *San Juan de la Cruz y la espiritualidad inglesa actual.* (En *Revista de Espiritualidad*, Madrid, 1968, págs. 449-57).

4187

CERTEAU, M. DE. *Jean-Joseph Surin, interprète de saint Jean de la Croix.* (En *Revue d'Ascétique et de Mystique*, XLVI, Toulouse, 1970, páginas 45-70).

4188

BERTINI, G. M. *Bécquer y San Juan de la Cruz.* (En *Quaderni Ibero-Americani*, V, Turín, 1970-71, págs. 137-142).

4189

OTTONELLO, PIER PAOLO. *Giovanni della Croce nell'ottocento italiano.* (En CHIESA e Spiritualità nell' ottocento italiano. Verona. Mazziane. 1971, págs. 93-99).

ROMA. *Teresianum.* Carm. B.3854.

4190

EISNER, CHRISTINE. *Die Lyrik des Johannes vom Kreuz in deutschen Uebersetzungen.* Kiel. Christian-Albrechts-Universitäts. 1972. 213 págs. 20,5 cm.

4191

JUAN JOSE DE LA INMACULADA, Fray. *Maestro para el año 2000.* [*La esperanza en la escuela de San Juan de la Cruz*]. Vitoria. La Obra Máxima. 1973. 104 págs. 17 cm.

a) D. A., en *Manresa*, XLV, Madrid, 1973, págs. 327-28.
b) J. D. G., en *Revista de Espiritualidad*, XXXII, Madrid, 1973, págs. 439-40.
c) Martín del Blanco, M., en *El Monte Carmelo*, LXXXI, Burgos, 1973, págs. 403-4.
MADRID. *Particular de la Casa Provincial de la Orden del Carmen Descalzo.* Carm. A.560.

4192

SIMEON DE LA SAGRADA FAMILIA, Fray. *Presencia de San Juan de la Cruz en la vida y en los escritos de Sta. Teresa de Lisieux.* (En *El Monte Carmelo*, LXXXI, Burgos, 1973, págs. 333-57; LXXXII, 1974, págs. 365-78; LXXXIII, 1975, págs. 319-29).

4193

CASTELLI, FERNANDO. *Il concetto di «nada» in San Giovanni della Croce e in Ernest Hemingway.* (En *Civiltà Cattolica*, CCXV, Roma, 1974, págs. 555-66).

4194

CERTEAU, MICHEL DE. *Jean de la Croix et Jean-Joseph Surin.* (En *L'absent de l'histoire.* París. Mame. 1974, págs. 41-70).

4195

JUAN JOSE DE LA INMACULADA, Fray. *Hace tal obra el amor.* [*La virtud de la caridad en la escuela de San Juan de la Cruz*]. Vitoria. La Obra Máxima. 1974. 136 págs. 17,5 cm.

a) J. M. C., en *Revista de Espiritualidad,* XXXIII, Madrid, 1974, pág. 542.
b) Martín del Blanco, M., en *El Monte Carmelo,* LXXXII, Burgos, 1974, pág. 431.

4196

KELLY NEMECK, FRANCIS. *Theilhard de Chardin et Jean de la Croix: les «passivités» dans la mystique teilhardienne comparées à certains aspects de la «nuit obscure» de saint Jean de la Croix.* París-Tournai. Desclée et Cíe. 1975. 144 págs. 21 cm. (Coll. Hier-Aujourd'hui, 20).

a) C[astro], S., en *Revista de Espiritualidad,* XXXV, Madrid, 1976, pág. 323.
b) Dufort, J.-M., en *Science et Esprit,* XXVIII, Montreal, 1976, págs. 346-49.
c) M. F., en *Studium,* XVI, Madrid, 1976, pág. 193.
d) Ortall, J., en *Augustinus,* XXI, Madrid, 1976, pág. 410.
e) T.-J. L. F., en *Estudios Eclesiásticos,* LI, Madrid, 1976, págs. 416-17.

4197

CILVETI, ANGEL L. *Thomas Merton y San Juan de la Cruz.* (En *Revista de Espiritualidad,* XXXVI, Madrid, 1977, págs. 469-80).

4198

CULLIGAN, KEVIN GERALD. *Toward a contemporary model of spiritual direction: a comparative study of saint John of the Cross and Carl R. Rogers.* (En *Ephemerides*

Carmeliticae, XXXI, Roma, 1980, páginas 29-89).

Fiestas en su honor. Centenarios

4199

CEBREROS, DIEGO. *Sevilla festiva, aplauso célebre y panegírico que se celebró en el Colegio del Angel de la Guarda, de la esclarecida descalcez del Carmelo, a la beatificación de San Juan de la Cruz...* Sevilla. Juan Cabezas. 1676. 12 hs. + 271 págs. + 2 hs. 20 cm.

V. *B. L. H.,* VII, n.° 7602.

4200

RELAZIONE delle ceremonie et aparato della basilica di S. Pietro nella canonizazione de'beato... Giovanni della Croce... Roma. 1726. 4 págs. 21,5 cm.

ROMA. *Vaticana.* Miscell. F.141.int.2.

4201

VERIDICA e distinta relazione delle funzioni e ceremonie fatte nella... basilica di S. Pietro... per la solenne canonizazione de... San Giovanni della Croce... Roma. 1726.

ROMA. *Vaticana.* R.G.Storia.IV.3220.int.2.

4202

ALFONSO DE LA MADRE DE DIOS, Fray. *La exaltación del amador de la Cruz. Descripción histórica de los festivos cultos... que consagraron las dos frondosas augustas ramas del laurel Eliano a la canonización de San Juan de la Cruz... en... Madrid, año de 1727...* Madrid. Imp. de Joseph Gonçalez. 1729. 10 hs. + 607 págs. + 9 hs. 30 cm.

MADRID. *Nacional.* 1-46.315; 7-12.715.

4203

SARDA, F. *San Juan de la Cruz. Album conmemorativo de su Centenario...* Barcelona. 1891. 8.° apaisado.

4204

PEREZ GOYENA, ANTONIO. *Las fiestas centenarias de San Juan de la Cruz.* (En *Razón y Fe*, LXXXI, Madrid, 1927, págs. 163-67).

4205

CENTENARIO *de San Juan de la Cruz.* (En *Revista de Espiritualidad*, I, San Sebastián, 1942, n.º 2, págs. 1-3; n.º 3, págs. 113-16).

4206

PEERS, E. ALLISON. *The San Juan de la Cruz Quatercentenary.* (En *Bulletin of Spanish Studies*, XIX, Liverpool, 1942, págs. 121-25, 178-86).

4207

QUERN, MANUEL. *Crónica del IV Centenario de San Juan de la Cruz.* (En *Manresa*, V, Madrid, 1942, págs. 362-68).

4208

GRANERO, J. M.ª *Ambiente de Mística en el cuarto centenario de San Juan de la Cruz. Conferencia...* Sevilla. Edit. Católica. 1943. 31 págs. 4.º

4209

MARITAIN, J. *El cuarto centenario de San Juan de la Cruz.* (En *Revista de Indias*, L, Bogotá, 1943, págs. 289-97).

4210

OTILIO DEL NIÑO JESUS, Fray. *Crónica del IV Centenario natal de S. Juan de la Cruz.* (En *El Monte Carmelo*, XLIV, Burgos, 1943, págs. 28-42, 97-118, 160-78, 230-44, 298-304 y 323-31).

4211

GABRIELE DI SANTA MARIA MADDALENA. *Attualità di S. Giovanni della Croce. Ricordo del IV Centenario del Santo.* Florencia. Ediz. Libr. Fiorentina. 1946. 53 págs. 15 cm.

MADRID. *Consejo. General.*

4212

HERRERO, JESUS. *San Juan de la Cruz en el IV Centenario de la reforma carmelitana.* (En *Arbor*, LXX, Madrid, 1968, págs. 325-29).

4213

REP: N. Antonio, I, págs. 681-82; Martialem à S. Joanne Baptista, págs. 216-30; Bibliotheca Carmelitana, I, págs. 829-31; Lucien-Marie de Saint-Joseph, en DS, VIII, 1972, cols. 408-47.

JUAN DE LA CRUZ (Fray)

Agustino. Pasó a Méjico en 1539. Fue confesor y predicador en lengua mejicana.

CODICES

4214

«*Arte de la lengua guasteca*».

Citada por él en la *Doctrina*.

EDICIONES

4215

DOCTRINA *christiana en la lengua Guasteca con la lengua castellana. La guasteca correspondiente acada* (sic) *palabra: de gusteco: Segun que se pudo tolerar en la frasis: de la lengua guasteca: compuesta por yndustria de un frayle de la orden del glorioso sanct Augustin: Obispo y doctor de la sancta yglesia.* Méjico. Pedro Ocharte. 1571. [Colofón: 15 de setiembre]. 6 hs. + 52 fols. con 140 grabados. 4.º gót.

—L. del Virrey.—Decreto del administrador del Arzobispado para el examen de la parte castellana, en que consta el nombre del autor.—Apr. de Fr. Martin de Perea y Fr. Melchor de los Reyes, de la parte castellana.—Decreto para el examen de la parte guasteca.—Apr. del P. Juan Gil.—Apr. de Lope Corso.—Apr. de los interpretes Francisco de la Cueva y Martin Vazquez de Molina.—Apr. de Diego de Mayorga Ximenez.—L. del Arzobispado al impresor.—Escudo del arzobispo Montufar.—Epistola nuncupatoria del autor al Virrey.—Otra del mismo al Arzobispo.—L. V.—Texto.

Gallardo, II, n.º 1.950; Medina, *México*, I, n.º 63.

NUEVA YORK. *Hispanic Society.*

ESTUDIOS

4216
REP: Santiago Vela, II, págs. 175-79.

JUAN DE LA CRUZ (Fray)

Carmelita descalzo. Prior del convento de San Andrés de Málaga y del de Vélez Málaga.

EDICIONES

4217
ORACION evangelica de la Concepcion purissima de María nuestra Señora. En el solemne y sumptuoso Octavario, que la muy Ilustre Esclavitud del Santissimo Sacramento celebró en su parroquia de los Santos Mártires desta nobilissima ciudad de Malaga este año de 1655... Sacada a luz por un Prebendado de la Santa Iglesia... Málaga. Juan Serrano de Vargas. 1655. 16 fols. 20,5 cm.

—Apr. de Ioseph de Giles Pretel.—L. V.— Ded. a la Reyna de los Angeles.—Al lector.—Texto.—Grabado de la Inmaculada.

GRANADA. *Universitaria.* A-31-202 (2).—SEVILLA. *Universitaria.* 112-116 (17 y 20).

Aprobaciones

4218
[*PARECER. Málaga, 22 de mayo de 1651*]. (En Vedmar, Francisco de. *Historia sexitana...* Granada. 1652. Prels.)

MADRID. *Nacional.* 2-15.748.

4219
[*CENSURA. Cuenca, 22 de mayo de 1665*]. (En Francisco de la Madre de Dios, Fray. *Instrucción y modo de tener Exercicios...* Madrid. s. a. Prels.)

MADRID. *Nacional.* 3-57.078.

4220
[*APROBACION de —— y Fr. Juan Gil de Godoy. Madrid, 15 de marzo de 1670*]. (En Parra, Jacinto de. *Rosa Laureada entre los Santos.* Madrid. 1670. Prels.)

SEVILLA. *Universitaria.* 92-187.

JUAN DE LA CRUZ (Fray)

Clérigo. Profesó como dominico en el convento de Atocha de Madrid (1525). En Portugal desde 1539.

EDICIONE

4221
HISTORIA de la Iglesia, que llaman Eclesiastica y tripartita abreviada. Traducida del latin al castellano por un religioso de Santo Domingo. Lisboa. Luys Rodriguez. 1541. 8 hs. + 171 fols.

LOGROÑO. *Pública.*—MADRID. *Facultad de Filosofía y Letras.* 14.287. *Nacional.* R-899[1]. SEVILLA. *Universitaria.* 189-74; 152-78.—VIENA. *Nacional.* 32.Q.29; B.E.10.T.47.

4222
HYSTORIA dela Yglesia, que llaman Ecclesiastica y Tripartita. Abreuiada y trasladada de Latin en Castellano, por vn Religioso de la orden de sancto Domingo. Y aora nueuamente reuista y corregida por el mesmo interprete. [Coimbra. Juan Aluarez]. 1554 [27 de agosto]. 5 hs. + 171 fols. a 2 cols. + 3 hs. 28,5 cm. gót. (menos la Tabla).

—Ded. a Juan III de Portugal.—Prologo del interprete al Lector.—Auisos.—Prologo de Eusebio Obispo de Cesarea.— Texto.—Colofón.—Tabla.

El nombre del traductor consta en el colofón.

Anselmo, n.º 61.

COIMBRA. *Universitaria.* R-12-17 (falto de portada).—LONDRES. *British Museum.* 490. c.22.—MADRID. *Nacional.* R-4.791 (ex libris de la Condesa del Campo de Alange).—NUEVA YORK. *Hispanic Society.*—SALAMANCA. *Universitaria.*—VALENCIA. *Universitaria.*

4223

SVMMA de los mysterios de la fe Christiana. Compuesta en latin por el muy Religioso padre fray Francisco Titelmano de la orden de los Menores. Y trasladada en romance por ——*... Añadiose vn sermon de sant Cypriano martyr de la necessidad que los hombres tienen de morir para esfuerço de los que temen la muerte y consuelo de lo que lloran sus queridos defunctos: y vna carta de Eucherio Obispo del menosprecio del mundo. Trasladada por el mismo.* Salamanca. Andrea de Portonaris. 1555. [Colofón: 1554]. 12 hs. + 319 fols. + 1 h. + 39 fols. + 12 hs. 14 cm.

—Ded. a la Princesa D.ª María, Infanta de Portugal, por ——. Prologo del Interprete.—Prologo del autor.—Texto.—Portada: *Sermon del glorioso Obispo y Martyr Sant Cypriano...* Salamanca. Andrea de Portonaris. 1555.—Texto.—Tabla.

BARCELONA. *Seminario Conciliar.* Res. 254.—MADRID. *Nacional.* R-26.690.

4224

DIALOGO sobre la necesidad y obligacion y provecho de la oración y divinos loores vocales, y de las obras virtuosas y sanctas cerimonias, que vsan los Christianos, mayormente los religiosos... Item vn Sermon de Sant Chrissostomo sobre el psalmo quarenta y vno, y vn tratado de Vincencio Lirinense, que hazen al proposito del Dialogo, trasladados por el mesmo autor. Salamanca, Iuan de Canoua. 1555 [3 de diciembre]. 38 hs. + 555 págs. 20 cm.

—Argumento desta obra.—Prólogo al lector.—Apr. de Fr. Pedro de Sotomayor. L. del Obispo de Salamanca.—L. V.— Tablas de las mas notables sentencias contenidas en todo este libro.—Texto.— Escudo del impresor.—Colofón.

BARCELONA. *Universitaria.* B.4-6-1-450. — CAMBRIDGE, Mass. *Harvard University.*—LONDRES. *British Museum.* 698.g.46.—MADISON. *University of Wisconsin.* — MADRID. *Nacional.* R-14.178.—NUEVA YORK. *Hispanic Society.*—ROMA. *Nazionale.* 8.14.B.4.—SAN LORENZO DEL ESCORIAL. *Monasterio.* 30-V-46.—SANTANDER. «Menéndez Pelayo». R-IX-3-28.—SEVILLA. *Colombina.* 92-99. *Universitaria.* 92-99.

4225

DIALOGO sobre la necesidad y provecho de la oración vocal. Estudio preliminar y edición de Vicente Beltrán de Heredia. (En Cano, Melchor, Domingo de Soto y ——. *Tratados espirituales.* Madrid. Edit. Católica. 1962, págs. 185-512. Biblioteca de Autores Cristianos, 221).

Edición y estudio de Fr. Vicente Beltrán de Heredia.

MADRID. *Consejo. General.*

4226

TREYNTA y dos Sermones en los qvales se declaran los mandamientos de la Ley, articulos de la Fe, y Sacramentos con otras cosas prouechosas sacadas de Latin en Romance. Lisboa. Ioannes Blauio de Colonia. 1558. 8 hs. + 212 fols. 14 cm.

—Ded. al Infante D. Enrique, Cardenal, Arçobispo de Euora, por Fr. Luys de Granada.—Tabla.—Texto.

MADRID. *Nacional.* U-4.386.

4227

——. [Alcalá de Henares. Andrés de Angulo]. [1568]. 8 hs. + 219 fols. 8.º

J. Catalina García, *Tip. complutense,* número 423.

BARCELONA. *Universitaria.* B.51-8-15.—MADRID. *Nacional.* R-19.083.—SAN LORENZO DEL ESCORIAL. *Monasterio.* 22-V-58.

4228

———. Barcelona. En la Casa de la Compañía. [Pedro Malo]. 1574. 8 hs. + 207 fols. + 14. 8.°

BARCELONA. *Universitaria.* B.59-9-31.—MONTRE-LLIER. *Municipale.* 9847.

4229

CRONICA de la Orden de Predicadores, de sv principio y sucesso hasta nuestra edad, y de la vida del bien auenturado sancto Domingo su fundador, y de los sanctos y varones memorables que en ella florecieron. Copulada de Historias antiguas, por ———... Acrecentaronse muchas cosas de memorias antiguas de la orden por diligencia de algunos Religiosos del Conuento de Lisboa... [s. l. Manuel Iuan]. [1567, 24 de diziembre]. 4 hs. + 257 fols. a 2 cols. 28 cm.

—Carta ded. del autor al Principe D. Carlos.—Prologo.—Texto.—Colofón. Anselmo, n.° 718.

MADRID. *Nacional.* R-24.046. (Deteriorado).— ROMA. *Vaticana.* Stamp. Barb. H.XI.75.— SAN LORENZO DEL ESCORIAL. *Monasterio.* M.10-1-11.

JUAN DE LA CRUZ (Fray)

Dominico. Maestro en Teología. Prior del convento de San Pablo de Burgos.

EDICIONES

Aprobaciones

4230

[APROBACION. Burgos, 18 marzo 1661]. (En Jerónima de la Ascensión, Sor. *Exercicios espirituales.* Zaragoza. 1661. Prels.)

MADRID. *Nacional.* 2-1.563.

4231

[CENSURA de Fr. Jacinto de Parra y ———, Madrid, 13 de noviembre de 1668]. (En Remirez de Arellano, Gabriel. *Oración gratulatoria... de la*

Bienaventurada Rosa de Santa María... Madrid. 1668. Prels.)

SEVILLA. *Universitaria.* 110-40 (16).

4232

[APROBACION de ——— y Fr. Juan Gil de Godoy. Madrid, 15 de marzo de 1670]. (En Parra, Jacinto de. *Rosa laureada entre los Santos...* Madrid. 1670. Prels.)

SEVILLA. *Universitaria.* 121-131.

ESTUDIOS

4233

REP: N. Antonio, I, pág. 681

JUAN DE LA CRUZ (Fray)

Dominico. Prior y Rector del R. Convento y Colegio de San Pablo de Córdoba.

EDICIONES

4234

[CENSURA de Fr. Antonio Navarro y ———. Córdoba, 8 de julio de 1694]. (En Francisco de Posadas, Beato. *Sermón en las rogativas...* Córdoba. 1694. Prels.)

MADRID. *Nacional.* 2-64.361.

4235

[APROBACION de ——— y Fr. Antonio Navarro, s. d.]. (En Francisco de Posadas, Beato. *Ladridos evangélicos de el perro...* Córdoba. 1696. Prels.)

MADRID. *Nacional.* 3-66.421.

JUAN DE LA CRUZ (Fray)

Dominico.

EDICIONES

4236

SERMON de Santa Rosa Maria que dijo en el Capitulo general de Predicadores año de 1686. Roma. Nicolas Angel Tinas. 1686. 28 págs. 21,5 cm.

ROMA. *Vaticana.* Miscell. H.102-int.14.

JUAN DE LA CRUZ (Fray)

N. en Talavera. Dominico.

EDICIONES

OBRAS LATINAS

4237

EPITOME de Statv Religionis, et de priuilegiis, quibus a summis Pontificibus est decoratus. Madrid. Cosme Delgado. 1613. 8 hs. + 205 fols. + 3 hs. 8.º

Pérez Pastor, *Madrid*, II, n.º 1.233.
BARCELONA. *Universitaria.* B.15-6-14. — NUEVA YORK. *Hispanic Society.*—PAMPLONA. *General de la Diputación Foral.* 109-13-1/170.

— — —

—Toledo. Diego Rodríguez. 1617. 6 hs. + 202 fols. + 12 hs. 8.º

Pérez Pastor, *Toledo*, n.º 489.
MADRID. *Nacional.* 2-37.543.—PAMPLONA. *General de la Diputación Foral.* 109-5-2/72; etc.
ROMA. *Vaticana.* Stamp. Barb. JJ.I.44.—SEVILLA. *Colombina.* 71-39.

—Lisboa. Petrus Craesbeeck. 1617. 155 fols. 13,5 cm.

MADRID. *Facultad de Filosofía y Letras.* 16.792.

—Colonia Agrippina. Apud Ioannem Kinchium. 1619. 4.º
ROMA. *Vaticana.* Stamp. Barb. HH.II.7.

—Madrid. Viuda de Fernando Correa Montenegro. 1622. 8 hs. + 197 fols. + 11 hs. 8.º Prels. fechados en 1613. En el *Prologo* se advierten las modificaciones introducidas en el texto.

Pérez Pastor, *Madrid*, III, n.º 1.846.
MADRID. *Facultad de Filosofía y Letras.* 15.026. *Nacional.* 3-57.285.

—Venecia. Apud Io. Guerilium. 1620. 8.º
ROMA. *Vaticana.* Stamp. Barb. JJ.I.45.

—Madrid. 1676.
PAMPLONA. *General de la Diputación Foral.* 109-13-5/27.

4238

DIRECTORIVM Conscientiae. Prima pars vbi per ordinem praeceptorum decalogi agitur de omnibus materijs moralibus. Madrid. Viuda de Alonso

Martín. 1620. 4 hs. + 258 fols. + 5 hs. 4.º

Pérez Pastor, *Madrid*, II, n.º 1.663.
MADRID. *Facultad de Filosofía y Letras.* 9.131.

— — —

—Toledo. Iuan Ruyz de Pereda. 1624. 4 hs. + 259 fols. 4.º
Pérez Pastor, *Toledo*, n.º 516.
MADRID. *Facultad de Filosofía y Letras.* 1.307.
SANTIAGO DE COMPOSTELA. *Universitaria.*

—3.ª ed. Toledo. Maria de Sarauia. 1626. 4 hs. + 263 fols. + 7 hs. 4.º
Pérez Pastor, *Toledo*, n.º 524.
MADRID. *Nacional.* 3-76.684; 7-14-951.—SEVILLA. *Universitaria.* 67-44.

—4.ª ed. Toledo. Iuan Ruiz. 1628. 4 hs. + 262 fols. + 7 hs. 4.º
Pérez Pastor, *Toledo*, n.º 528.
SEVILLA. *Universitaria.* 99-33.

—Toledo. Apud. Ioannem Ruiz. 1631. 4 hs. + 251 fols. + 7 hs. 4.º
Pérez Pastor, *Toledo*, n.º 531.
MADRID. *Nacional.* 7-14.337.—PAMPLONA. *General de la Diputación Foral.* 109-10-1/9.—SANTIAGO DE COMPOSTELA. *Universitaria.*—SEVILLA. *Universitaria.* 157-21. 157-21.

—Duaci. Baltasar Bellerus. 1632. 36 hs. + 1.082 págs. + 25 hs. 18 cm.
MADRID. *Facultad de Filosofía y Letras.* 3.452.

—Madrid. 1666.
SEVILLA. *Universitaria.* 93-136.

—[. l.]. Tomás Alfay. 1649. Fol.
ROMA. *Vaticana.* Stamp. Barb. E.III.46.

—*Addito in hac editione novissima tvm Tractatv de Conscientia per R. P. F. Barnabam Gallego de Vera... Tvm Opvscvlo de Legibvs in commvni... Actore R. P. Fr. Hyachinto à Parra...* Madrid. Antonio Gonçalez de Reyes, Sumptibus D. Mariae de Cos et Navamuel. 1676. 6 hs. + 502 págs. a 2 cols. + 10 hs. + 196 (por error: 164) págs. a 2 cols. + 4 hs. 31 cm.
PAMPLONA. *General de la Diputación Foral.* 109-13-5/83.

—Venecia. Antonii Bofii. 1680. 775 págs. 8.º
Toda, *Italia*, II, n.º 2.563.

ESTUDIOS

4239
REP: N. Antonio, I, pág. 681.

JUAN DE DIOS (San)

N. en Montemayor el Nuevo (Evora, Porlada a España, donde es sucesivamente zagal, pastor, soldado y comerciante. Convertido después de oír en Granada un sermón de Juan de Avila, funda un hospital, del que tras su muerte surgirá la Orden hospitalaria. M. en Granada (1550), beatificado en 1630 y canonizado en 1691. Patrono de los enfermos y hospitales (1886) y de los enfermeros (1930).

EDICIONES

4240

[CARTAS de ——, que como reliquias están guardados sus originales.]. [s. l. - s. i.]. [s. a.]. 10 fols. 20,5 cm.

Carece de portada.
—Texto.—Testimonio de copia del original dado en Madrid 7 marzo de 1623.
MADRID. Nacional. V.E.-179-37.

4241

CARTAS que escrivio el Bendito Ivan de Dios, Fundador de la Orden de la Hospitalidad, a diferentes personas, impressas a instancia de Fr. Domingo de Mendoça, de la de S. Domingo de Guzman... Madrid. Juan de la Cuesta. 1623. 6 fols. 21 cm.

—Ded. a Felipe IV y a D.ª Isabel por Fr. Domingo de Mendoza.—Texto.
MADRID. Nacional. V.E.-156-4.

ESTUDIOS

4242

VEGA, LOPE DE. Juan de Dios y Antón Martín. (En Decima parte de las Comedias... Madrid. 1618, fols. 221v-248r).

MADRID. Nacional. R-13.861.

4243

GOVEA, ANTONIO DE. Vida y muerte de el bendito P. Iuan de Dios... Madrid. 1624.

V. B. L. H., XI, núms. 1574-81.

4244

CASTRO, FRANCISCO DE. Historia de la vida y sanctas obras de Iuan de Dios... Granada. R. Rabut. 1588. 112 fols. 8.º

V. B. L. H., VII, núms. 7092-97.

———

—Ed. de Manuel Gómez Moreno. Madrid. Provincias españolas de la Orden Hospitalaria. 1950. 351 págs. + 15 láms. 20,5 cm.
MADRID. Instituto de Cultura Hispánica. — Ministerio de Cultura. 19.925.

4245

VITAE et miraculorum gloriosi patriarchae et pauperum patris beati Joannis a Deo, Lusitani, Ordinis Fratrum Misericordiae primi fundatoris epitome. Viena. Typ. Rickesin. 1669. 125 págs. con ilustr.

CAMBRIDGE, Mass. Harvard University.

4246

CARPINEO, GASPARE. Sacrorum rituum congregatione sive Eminentissimi et Rev. D. Card. ——... canonizationis Beati Joannes de Deo... Roma. Tip. Rev. Cam. Apost. 1675. 164 págs. 20,5 cm.

MADRID. Facultad de Filosofía y Letras.

4247

La Vie de St. Jean de Dieu, instituteur et patriarche de l'ordre des religieux de la Charité, suivi de trois lettres de Juan de Avila a St. Juan de Dios. Paris. D. Horthernels. 1691. 4.º

ROUEN. Municipale. U.1079.

4248

RISTRETTO della vita, morte, e miracoli di S. Giovanni di Dio, gran elemosiniere, fondatore della religione de padri detti Fate bene fratelli... Crema. N. Carcano. 1727. 66 págs.

URBANA. University of Illinois.

4249

ALMENDROS, LUCAS JUAN PEDRO. Epílogo histórico de la vida

de San Juan de Dios. (Poema). Madrid. 1732. 67 págs. 4.º

— — —

—Madrid. 1742. 15 hs. + 136 págs. 8.º

4250
TRUNCHERO, MANUEL. *Pasmosa vida y heroicas virtudes y singulares milagros del Abraham de la ley de gracia... San Juan de Dios.* Madrid. María Martínez. 1829. 1 lám. + XX + 352 págs. 21 cm.

MADRID. *Facultad de Filosofía y Letras.— Nacional.* 3-7.941.

4251
POZO, LUCIANO DEL. *Vida de San Juan de Dios...* Barcelona. Edit. Luis Gili. 1908. XII + 274 págs. con ilustr. 19 cm.

— — —

—3.ª ed. Madrid. Imp. del Asilo de Huérfanos. 1913. 272 págs. 18 cm.
MADRID. *Nacional.* 1-67.048.
—Madrid. 1929.
BARCELONA. *Seminario Conciliar.*

4252
TOMAS, MARIANO. *San Juan de Dios.* Madrid. Biblioteca Nueva. 1939. 170 págs. 18,5 cm.

MADRID. *Facultad de Filosofía y Letras.*

4253
CRUSET, JOSE. *San Juan de Dios. Una aventura iluminada. Prólogo de Guillermo Díaz-Plaja.* Barcelona. Aedos. 1958. 348 págs. + IV láminas + 1 mapa pleg. 22 cm.

MADRID. *Nacional.* 1-215.574.

— — —

—2.ª ed. 1959. 394 págs. + 1 mapa pleg.
MADRID. *Nacional.* 1-218.664.
—3.ª ed. 1964. 382 págs. + V láms. + 1 mapa pleg.
MADRID. *Nacional.* 4-59.805.

4254
PALAZZINI, VITO. *San Giovanni di Dio, fondatore dell'Ordine della Ospitalità.* 4.ª ed. Bari. 1963.

ROMA. *Nazionale.* Coll. Ital. 1864/32.

4255
RUSSOTTO, GABRIELE. *San Giovanni di Dio e il suo ordine ospedialiero.* Roma. Ediz. dell'Ufficio Formazione e Studi dei Fatebenefratelle. 1963. 125 págs. 12,5 cm.

ROMA. *Nazionale.* 211.C.1788/1.

— — —

—1969. 2 vols. 24 cm.
ROMA. *Nazionale.* 241.V.222/1-2.—WASHINGTON. *Congreso.* 77-517518.

4256
COUSSON, JEAN CARADEC. *De l'angoisse à la sainteté: Jean de Dieu, patron des malades et des infirmiers.* París. Beauchesne. [1973]. 170 págs. 19 cm. (Figures d'hier et d'aujourd' hui).

WASHINGTON. *Congreso.* 73-165046.

Interpretación y crítica

4257
SAN GINES, PEDRO. *San Juan de Dios y Sevilla.* (En *Archivo Hispalense,* XIII, Sevilla, 1950, págs. 271-72 + 1 lámina).

Beatificación. Canonización. Panegíricos

4258
PEDRO PAULO DE SAN JOSEPH, Fray. *Lo sucedido desde el Domingo de Marzo, hasta Martes 18 del mismo año 1638, en que se celebró en... Madrid... la Beatificación de... San Iuan de Dios...* Madrid. Francisco Martínez. 1631. 14 fols. 20 cm.

Impresos del XVII, n.º 867.
MADRID. *Nacional.* V.E., 156-32.

4259
SALCEDO DEL VILLAR, MANUEL. *Relación de las Fiestas que hizo...*

Anduxar, a la Beatificacion de... S. Juan de Dios... Jaén. Francisco Pérez de Castilla. 1631. 7 hs. 20 cm.

MADRID. *Nacional.* V.E., 131-24.

4260

[GUZMAN PORTOCARRERO, SANCHO DE]. *Translación del cuerpo del glorioso Patriarca San Juan de Dios... 28 de Nouiembre de 1664...* Granada. Imp. Real de Baltasar de Bolibar. 1664. 10 fols. 20 cm.

Poema.

Impresos del XVII, n.º 869.

MADRID. *Nacional.* V.E., 155-4.

4261

PLAUSIBLE métrico triunfo del esclarecido patriarca S. Iuan de Dios en su gloriosa canonización; su portentosa vida, e inmortales trofeos... Granada. Imp. Real, por Francisco de Ochoa. 1691. 59 págs. 19 cm.

GRANADA. *Universitaria.* C-44-87 (27).—NUEVA YORK. *Hispanic Society.*

4262

SEDEÑO, ALONSO ANTONIO. *Poesías en el Certamen que se celebró en la festiva canonización del Patriarca San Juan de Dios...* Madrid. [s. i.]. 1691. 8 págs. 20,5 cm.

Impresos del XVII, n.º 870.

MADRID. *Nacional.* V.E., 111-32.

4263

GADEA Y OVIEDO, SEBASTIAN ANTONIO DE. *Trivnfales fiestas que a la canonización de San Iuan de Dios... consagró... Granada...* Granada. Imp. Real. 1692. 9 hs. + 1 lám. + 328 págs. 20,5 cm.

V. *B. L. H.,* X, n.º 3704.

4264

JUSTA literaria. Certamen poético, o sagrado influxo, en la solemne, quanto deseada canonizacion de... San Iuan de Dios... Madrid. Bernardo de Villa-Diego. 1692. 9 hs. + 375 págs. 20 cm.

V. JUSTA.

4265

SOLEMNES y afectuosos obsequios, sagradas demostraciones de culto, con que la... Compañía de Jesús, y su Colegio de San Pablo... de Granada, acompañó la pública aclamación y plausibles fiestas de... San Juan de Dios... Madrid. Mateo de Llanos. 1692. 8 hs. + 88 págs. 20 cm.

Impresos del XVII, n.º 1.315.

MADRID. *Nacional.* 7-14.341.

4266

BUENO, FERNANDO. *Aparato solemne y diario festivo con que se celebró la canonización de S. Iuan de Dios.* Lisboa. Alférez Bartolomé Núñez de Castro. 1693.

CORDOBA. *Pública.* 7-70.—NUEVA YORK. *Hispanic Society.*

4267

SANTOS, JUAN. *Lauros panegíricos, aclamaciones reales, y festivos aplavsos, en la canonización del Abrahan de la Ley de Gracia, el Gran Patriarca de la Sagrada Religión de la Hospitalidad, S. Juan de Dios, consagrados con magestvoso cvlto en su convento hospital... de Anton Martin desta Corte...* Madrid. Bernardo de Villa-Diego. 1693. 12 hs. + 1 lám. + 412 págs. + 6 hs. 34 cm.

Con un retrato del Santo y los Sermones que se predicaron.

CORDOBA. *Pública.* 3-214. — MADRID. *Nacional.* 1-13.191.—SANTIAGO DE COMPOSTELA. *Universitaria.*—SEVILLA. *Universitaria.* 134-64.

4268

MARUJAN, JUAN PEDRO. *Refiere a una señora ausente de Granada, la célebre translación de las reliquias.* Granada. Imp. de la Stma. Trinidad. 1757. 23 págs. 8.º

4269

RELACION Verídica, escrita en reales octavas dedicadas al Nacimiento, Vida, y Virtudes del Bienaventurado Patriarca San Iuan de Dios... Madrid. [s. i.]. [s. a.]. 2 hs. 28,5 cm.

MADRID. Nacional. V.E., 201-93 y 204-68.

* * *

V. además Impresos del XVII, núms. 759-760.

4270

REP: O. Marcos, en DHEE, II, págs. 1248-1249; G. Antropius, en DS, VIII, 1972, cols. 469-72.

JUAN DE DIOS (Fray)
Prior del convento de San Juan de Dios de Méjico.

EDICIONES
4271

[DEDICATORIA a D. Martín Berdugo de Avila, Tesorero de la Real Caxa de la ciudad de Zacatecas]. (En Espinosa, Juan de. Sermón... de San Juan de Dios... Méjico. 1695. Prels.)

MADRID. Nacional. R-Varios, 35-20.

JUAN DEL ESPIRITU SANTO (Fray)
Carmelita descalzo. General de la Orden.

EDICIONES
4272

CARTA espiritual para los religiosos y religiosas de nuestra Señora del Carmen Descalço. Toledo. [s. i.]. 1627. 48 fols. 8.º

Pérez Pastor, Toledo, n.º 526.
MADRID. Nacional. R-10.505 (ex libris de Gayangos).

4273

———. 2.ª ed. Toledo. 1640. 8.º

N. Antonio.

4274

IESVS Maria. —— indigno General de los Descalzos de nuestra Señora del Carmen a' sus queridos hermanos Religiosos y Religiosas de la misma Orden... [s. l.-s. i.]. [s. a.]. 2 hs. 31 cm.

Carece de portada.
—Texto, fechado en Segovia, a 6 de julio de 1637.
MADRID. Nacional. R-Varios, 199-25.

4275

MEMORIAL de la religion de los Carmelitas descalzos, en defensa de vnas proposiciones contenidas en el primer tomo de la Historia profetica compuesta por Francisco de Santa Maria. [s. l.-s. i.]. [s. a.]. ¿1632?

NUEVA YORK. Hispanic Society.

4276

[DEDICATORIA al Cardenal Infante Don Fernando de Austria. Madrid, 6 de enero de 1630]. (En Juan de la Cruz, San. Obras. Madrid. 1630. Preliminares).

MADRID. Nacional. R-27.907.

4277

[DEDICATORIA]. (En Esquex, Francisco. Sermón predicado en el Colegio Imperial de la Compañía de Jesús de Madrid, a las honras de la Venerable Señora Doña Leonor María Altamirano. Madrid. 1660. Prels.)

MADRID. Nacional. V.E.-153-26.

ESTUDIOS
4278

REP: N. Antonio, I, pág. 782.

JUAN FELIX DE LA SANTISIMA TRINIDAD (Fray)

EDICIONES
4279

CULTO immemorial de NN. SS. PP. San Juan de Matha, y San Felix de Valois. [s. l.-s. i.]. [s. a.]. 19 págs. 19,5 cm.

MADRID. Nacional. R-Varios, 169-22.

JUAN FRANCISCO DE ANTEQUERA (Fray)

Capuchino.

EDICIONES

4280

CONSEJOS Regulares, encaminados a conseguir la perfección de la vida cristiana y religiosa.

—Ded. a Santiago.—Texto.
SEVILLA. *Universitaria.* 331-93.

4281

CONSIDERAZIONES y peticiones que podrán haçer los Ermanos nouiçios, con las cuales se prepararán para hacer su profession. [s. l. - s. i.]. [s. a.]. 366 págs. 15 cm.

—Ded. a San Agustín.—Texto.
SEVILLA. *Universitaria.* 331-90.

4282

DESENGAÑOS de Curas y Sacerdotes. [s. l. - s. i.]. [s. a.]. 574 págs. 15 cm.

—Ded. a San Pedro.—Texto.
SEVILLA. *Universitaria.* 331-94.

4283

DOCUMENTOS para la más perfecta obseruancia de los tres votos, a que se obligan los frailes menores por la regla que professan. Dízesse a los religiosos moços los grados de perfección que ay en cada uno. Los engaños de que se vale el demonio para que se quebranten, y cómo se an de auer para no ser engañados. Pónesse a lo último un examen de conciencia para confessiones generales de frailes de la orden de todas edades y ocupaçiones. [s. l. - s. i.]. [s. a.]. 386 págs. 15 cm.

—Ded. a San Francisco.—Texto.
SEVILLA. *Universitaria.* 331-95.

4284

EXAMEN de benefiçios diuinos que a reçiuido una criatura, y de la ingratitud con que a correspondido a ellos. Dicesse quien es Dios, y quien es la criatura. Referido a Xpto. Sr. nro. cruçificado. [s. l. - s. i.]. [s. a.]. 384 págs. 15 cm.

—Ded. a Jesucristo.—Texto.
SEVILLA. *Universitaria.* 331-91.

4285

EXCLAMAZIONES y ptiziones que hace un alma a Cristo cruçificado. [s. l. - s. i.]. [s. a.]. 357 págs. 15 cm.

SEVILLA. *Universitaria.* 331-92.

4286

EXERZIZIOS para ayudar a bien morir. Compónense de propuestas que a de haçer el ayudante: de consideraciones, de actos y petiçiones del enfermo. [s. l. - s. i.]. [s. a.]. 137 págs. 15 cm.

—Ded. a San Joseph.—Texto.
SEVILLA. *Universitaria.* 331-98.

4287

LA enfermedad prouechosa i el peregrino aprouechado. [s. l. - s. i.]. [s. a.]. 690 págs. 15 cm.

—Ded. al Angel de la Guarda.—Texto.
SEVILLA. *Universitaria.* 331-97.

4288

JUEZ recto y Visita general. [s. l. - s. i.]. [s. a.]. 633 págs. 15 cm.

—Ded. a San Andrés.—Texto.
SEVILLA. *Universitaria.* 331-99.

4289

RESPUESTAS del Solitario, para la buena criança de los hijos. [s. l. - s. i.]. [s. a.]. **564 págs.** 15 cm.

—Ded. a San Ermenegildo.—Texto.
SEVILLA. *Universitaria.* 331-96.

JUAN FRANCISCO DE MILAN (Fray)

Capuchino.

EDICIONES

4290

[INFORME, en que se demuestra, que los Memoriales que dio a la es-

*tampa el Padre Fr. Bernardino Ytu-
rrigarro son contrarios a las Bulas
de Paulo V, Urbano VIII y Pau-
lo III].* [s. l.-s. i.]. [s. a.]. 20 fols.
29 cm.

—Texto.
MADRID. *Nacional.* V.E.-205-36.

JUAN DE HORCHE (Fray)
Jerónimo.

EDICIONES
4291
*HISTORIA de la vida del glorioso S.
Frvctos, Patron de la civdad de Segouia, y de sus hermanos san Valentin y santa Engracia. Contiene la des-
trvycion de España por los Moros:
grandezas y antiguallas de la ciudad
de Segouia; con vn compendio de
los Reyes y Reynas que han Reynado en España, desde que la comen-
zaron a ganar y restaurar de los Moros. Por el Licenciado Lorenço Caluete.* Valladolid. Christoual Lasso
Vaca. 1610. 20 hs. + 281 fols. + 1 h.
blanca + 16 hs. 14,5 cm.

—Apr. de Fr. Francisco del Cerro.—L. V.
Apr. de Antonio de Herrera.—S. Pr. a
Lorenço Caluete por diez años.—E.—T.
Ded. a la ciudad de Segovia, y noble
junta de los linages de ella.—Al christiano y pio Lector.—Octavas de Hieronymo de Valera Arceo. [«En este valle
de profundos males...»].—Poesía de Diego de Colmenares. [«Fecunda patria pues
tal fructo diste...»].—Poesía latina de Fr.
Pedro de Oñate.—Texto.—Summa de lo
que contienen los quatro libros.—Tabla
de los capítulos.—Tabla de las cosas más
notables.—Colofón.
Gallardo, II, n.º 1.541; Alcocer, n.º 554;
J. Catalina García, *Guadalajara,* n.º 79.
MADRID. *Nacional.* 3-13.820.

ESTUDIOS
4292
REP: J. Catalina García, *Guadalajara,* páginas 28-30.

JUAN DE HUEVA (Fray)
Jerónimo. Maestro de Novicios en el monasterio de San Bartolomé de Lupiana.

EDICIONES
4293
*INSTRVCCION de Religiosos, don-
de qvalqviera dellos, y el qve no lo
es, si lo quisiere ser, hallará lo que
ha menester para saber el estado que
tiene, o quiere tomar, y sus obligaciones, y qual ha de ser su vida para
cumplir con ellas.* Alcalá. Santo Thomas. 1656. 16 hs. + 431 págs. + 12
hs. 14,5 cm.

—Censura de Fr. Juan de Toledo y Fr. Baltasar de los Reyes.—L. O.—Apr. de Fr.
Baltasar de los Reyes.—L. V.—Apr. de
Fr. Alonso de San Bernardino.—S. Pr.
al autor por diez años. (Dice «Hueba»).
E.—S.T.—Prologo.—Tabla de los tratados
y capitulos.—Texto.—Tabla de las cosas
mas notables.
No vista por J. Catalina García (n.º 1.072),
que remite a N. Antonio.
CORDOBA. *Pública.* 14-77.

JUAN DE JESUS (Fray)
Carmelita descalzo, residente en el convento del Angel Custodio de Sevilla.

EDICIONES
4294
*[APROBACION de Fr. Francisco de
San Angelo, Fr. Francisco de los
Santos, —— y Fr. Rodrigo del SS.
Sacramento. Sevilla, 13 noviembre
1641].* (En Hurtado, Tomás. *Iustifi-
cación Moral.* Antequera. 1641. Pre-
liminares).
MADRID. *Nacional.* V-999, n.º 2.

JUAN DE JESUS (Fray)
Franciscano descalzo. Predicador y Presidente del convento de Manila.

EDICIONES
4295
*[DVDAS cerca de las ceremonias de
la Missa, que se suelen excitar por*

los devotos de tan alto mysterio].
(En Huélamo, Melchor de. *Epitome resolutorio, de todo lo contenido en los veinte discursos predicables sobre los Mysterios de la Missa... Añadidas, y resueltas algunas dudas... por* ——. Méjico. 1689. 8 hs. al fin).

Firma además la Ded. el Padre Guardián del Sacro Monte Sión.
Medina, *México*, II, n.° 1.445.

JUAN DE JESUS (Fray)

Trinitario. Lector de Teología. Maestro del Colegio de Zalamea de la Serena.

EDICIONES

4296

ORACION panegyrica, qve en la festiva veneracion que celebró este muy Religioso Colegio de Filosofia, y Theologia Moral de esta Villa de Zalamea de la Serena, al cumplimiento de la Primera Centuria de la Ereccion de nuestra Celestial Descalçez Trinitaria Redemptora, predicó el P. ——. Salamanca. Isidro de Leon. 1700. 2 hs. + 36 págs. 19,5 cm.

—Ded. a D. Juan de Morales Arce y Reynoso, Conde de Arce, etc.—Apr. del Colegio de los trinitarios descalzos de Zalamea.—Apr. de Antonio Gomez Calvo y Iuan Lopez Delgado.—L. O.—L. V.—Prologo a el reparo preciso del Lector.—Texto.

MADRID. *Nacional.* R-Varios, 71-2.

JUAN DE JESUS MARIA (Fray)

Se llamaba Juan Pérez Aravalles y n. en Pastrana (1549). Carmelita descalzo desde 1570. Provincial de Andalucía. M. en Aguilar (1609).

CODICES

4297

[*Tratado de Oración*].
Autógrafo.

ROMA. *Archivo General de la Orden del Carmen.*

* * *

V. además *B. L. H.*, V, núms. 3641-42.

4298

«*La digression de amor. — Oracion con que se Remata el tratado y digression de Amor*».

Letra del s. XVII. 150 × 105 mm.
MADRID. *Nacional.* Mss. 8.149 (fols. 168r-199 bis v).

4299

«*Fundamentos de la perfección*».
Perdido.

EDICIONES

4300

TRATADO de Oración escrito en 1587... Sacado ahora a luz por un religioso de la misma Orden. Toledo. Talls. Gráfs. de Sebastián Rodríguez. [s. a., ¿1926?]. 38 págs. + 1 h. + 210 págs. + 3 hs. 15,5 cm.

Introducción por F. E. V. C. y Prólogo de Francisco Naval.
.BARCELONA. *Central*. S.J.C. 281. — GRANADA. *Universitaria.* B-19-282.

4301

La Perfeta Casada, por el M.° Fray Luis de León. Tercera edición, nuevamente ilustrada con algunas notas de ——. Madrid. Juan Gonçalez. 1632.

.Firma además la Ded. a D.ª Lucrecia de .Palafox, marquesa de Guadalete, en Ma-.drid, 10 de octubre de 1632.

4302

INSTRVCCION de Novicios Descalzos de la Virgen María del monte Carmelo. Conforme a las costumbres de la misma Orden. Madrid. Biuda de Alonso Gomez. 1591. 94 + 2 hs. 8.°

J. Catalina García, *Guadalajara*, n.° 542.

TRADUCCIONES

ALEMANAS

4303

Wie beten? Uebersetzt im Karmel von Mayerling. [Munich. Verlag Ars Sacra]. [1965]. 78 págs. 18 cm.

a) Alberto de la Virgen del Carmen, Fray, en *Revista de Espiritualidad*, XXVI, Madrid, 1967, pág. 120.
b) O'Connor, J., en *Augustinianum*, VI, Roma, 1966, págs. 581-82.

a) FRANCESAS

4304

Instruction des novices. Trad. et présentées par le R. P. François de Sainte-Marie. París. Editions du Seuil. [1945]. 156 págs. 16 cm. (La vigne du Carmel).

WASHINGTON. *Congreso.* A 49-4621*.

ESTUDIOS

4305

FLORIAN DEL CARMELO, Fray. *Un precioso manuscrito de nuestro Archivo Generalicio: Tratado de Oración.* (En *El Monte Carmelo*, XVII, Burgos, 1915, págs. 263-68).

Reproduce la *Introducción*.

4306

ALBERTO DE LA VIRGEN DEL CARMEN, Fray. *Figuras de la Escuela Mística Carmelitana: el P. Juan de Jesús María Aravalles.* (En *Revista de Espiritualidad*, III, Madrid, 1944, págs. 155-79, 377-418; IV, 1945, págs. 288-321).

4307

ANTONIO MARIA DEL SANTISIMO SACRAMENTO, Fray. *Tres tratadistas de oración mental: Granada, Gracián, Aravalles.* (En *El Monte Carmelo*, LXVIII, Burgos, 1960, págs. 266-96, 475-500).

4308

SIMEON DE LA SAGRADA FAMILIA, Fray. *Dos tratados espirituales y su pretendida atribución a Juan de Jesús María Aravalles: «Instrucción de novicios» y el «Tratado de oración».* (En *Ephemerides Carmeliticae*, XIII, Roma, 1962, págs. 617-649).

Tir. ap.: Roma. Teresianum. 1962. 33 págs. 23,5 cm.

4309

REP: N. Antonio, I, págs. 713-14; J. Catalina García, *Guadalajara*, CXII; A. de la V. del Carmen, en DHEE, II, 1972, pág. 1249; Isaías Rodríguez, en DS, VIII, 1972, cols. 575-76.

JUAN DE JESUS MARIA (Fray)

Se llamaba Juan de Robles. N. en Sevilla (1560). Carmelita descalzo desde 1583. El mismo año fue enviado a Méjico. Prior del convento de la Puebla y Definidor provincial. M. en Vélez-Málaga (1623).

CODICES

4310

«Guía interior para las personas espirituales que tienen frato y comunicación con Dios...».

Letra del s. XVII. 425 fols.

MADRID. *Nacional.* Mss. 13.496.

4311

«Guía interior». Segunda parte.

MADRID. *Nacional.* Mss. 7.037.

4312

[Ochenta y tres pláticas espirituales].

Letra del s. XVII. 434 fols.

MADRID. *Nacional.* Mss. 6.813.

4313

«Fundación del Desierto de México y cosas sucedidas en él».

Autógrafo (?). Fechado en febrero de 1608.

MADRID. *Nacional.* Mss. 2.711 (fols. 101-7).

4314

[Epístolas].

Diferentes de las impresas. Se conservaban en el archivo del convento de Carmelitas de Madrid. (N. Antonio).

EDICIONES

4315

EPISTOLARIO Espiritual para personas de diferentes estados. Ucles. Domingo de la Iglesia. 1624. [Colofón: 1623] 9 hs. + 810 págs. a 2 columnas + 7 hs. 30 cm.

—Frontis de Iuan Schorquens.—Pr. a favor de Fr. Iuan de Jesús Maria, por 10 años.—L. O.—Apr. de Fr. Antonio Perez.—T.—E.—Ded. a Melchor de Cuellar, Ensayador Mayor de la Casa de la Moneda de México.—Tabla de Epistolas.— Texto.—Tabla de lugares de Sagrada Escritura.—Colofón.

CORDOBA. *Pública.* 21-164.—GRANADA. *Universitaria.* A-9-65. — MADRID. *Nacional.* 2-67.619; 3-73.878 (con portada mss.). — NUEVA YORK. *Hispanic Society.* — SEVILLA. *Universitaria.* 128-129; 281-84.—ST. LOUIS, Mis. *Washington University.*

4316

ORACION mental, oración vocal. Madrid. Edit. de Espiritualidad. 1960. 112 págs. 19 cm. (Col. Luz y Amor, 2).

MADRID. *Nacional.* V-3.729-44 y 45.

ESTUDIOS

4317

REP: N. Antonio, I, pág. 713; Méndez Bejarano, I, n.º 1.291; A. de la V. del Carmen, en DHEE, II, 1972, pág. 1249; D. de Pablo Maroto, en DS, VIII, 1972, cols. 581-84.

JUAN DE JESUS MARIA (Fray)

Carmelita descalzo. Prior del convento de San José de Barcelona en 1681.

EDICIONES

4318

[*CENSURA. Barcelona, 2 de Noviembre de 1681*]. (En Costart, Marcos. *Meditacionario...* Barcelona. 1682. Prels.)

BARCELONA. *Central.* 24-8-184.

JUAN DE JESUS MARIA (Fray)

EDICIONES

4319

MEMORIAS del Reino de Chile i de don Francisco Meneses... Publicadas con introducción i algunas notas por José Toribio Medina. Lima. Impr.

Liberal de «El Correo del Perú». 1875. X + 124 págs. 22 cm.

CAMBRIDGE, Mass. *Harvard University.*—GAINESVILLE. *University of Florida.* — NEW HAVEN. *Yale University.*

4320

RESTAURACION del Estado de Arauco... (En COLECCIÓN *de historiadores de Chile.* Tomo XI. Santiago de Chile. 1878, págs. 21-98).

BARCELONA. A.96-8.º-5.911. — MADRID. *Instituto de Cultura Hispánica.* — WASHINGTON. *Congreso.* 3-2778.

JUAN DE LAS LLAGAS (Fray)

Franciscano. De la provincia de Ntra. Sra. de la Rábida en Portugal.

EDICIONES

4321

RAZONAMIENTO qve no conviene que tengan los Religiosos Franciscanos Descalços Vicarios Generales, rompiendo el Gouierno Monarchico de la Orden, contra la regla... Con relacion del infelice sucesso, que antiguamente tuuo la institución de Vicarios Generales, impetrada en tiempo del Concilio Constanciense. Añadiose una breue Apologia por el estado de la observancia, en que se muestra que no se viue en ella con dispensaciones, sino muy regularmente. Lisboa. Pedro Crasbeeck. 1622. 6 hs. + 37 fols. 19,5 cm.

—Licenças.—Humildes ruegos de la Orden Franciscana a los pies sagrados del Vicario de Christo.—Texto.—E.

SEVILLA. *Universitaria.* 184-71.

4322

TRIUMPHOS de la Sancta Evangelica pobreza en la Religion Seraphica de nuestro Padre San Francisco. Lisboa. Pedro Craesbeeck. 1625. 6 hs. + 2 láms. + 132 págs. 18,5 cm.

—Licenças.—T.—Soneto de D. Henrique de Portugal. [«Como no triumphará la alta

Pobreza...»].—Indice de los tratados.—
E.—Láminas.—Texto.

SEVILLA. *Universitaria.* 100-2.

4323

[*MEMORIAL para conservar el gouierno antiguo en la sagrada Religion de los Frayles Menores, y no
admitir, que se crie* (sic) *Vicario General para los Descalços en España.*
[s. l. - s. i.]. [s. a.]. 12 fols. 30 cm.

Carece de portada.
—Texto. Al final firma «Fr. Ioann. das
Chagas».

MADRID. *Nacional.* R-Varios, 59-50.

4324

[*RELACION del svcesso, qve en
otros tiempos tuuo, por espacio de
cien años, la institucion de Vicarios
Generales en la Orden de N. P. S.
Francisco...*]. [s. l. - s. i.]. [s. a.]. 10
fols. 30 cm.

Carece de portada.
—Texto.

MADRID. *Nacional.* R-Varios, 59-49.

JUAN DE LA MADRE DE DIOS
(Fray)

Carmelita descalzo de la Provincia de Flandes. Secretario general de la Orden. Predicador de S. M. en su Real Capilla de
Bruselas.

EDICIONES

4325

SERMON *en las Honrras de la Serenissima Señora D.ª Isabel, Clara,
Eugenia, Infanta de España, que celebraron todos sus criados en su cofradia y Hermandad de el glorioso
S. Ildefonso, que la tienen en la Iglesia de Santiago, por otro nombre Co-
bergas, junto a Palacio. Predicado
por —— el 3 de Março de 1634.* Bruselas. Viuda de Huberto Antonio
Velpio. 1634. 4 hs. + 69 págs. + 1 h.
19 cm.

—Ded. al Infante D. Fernando, Cardenal

y Arzobispo de Toledo.—Texto.—Censura
en latin de Henricus Calenus.

Peeters-Fontainas, I, n.º 646.

BRUSELAS. *Royale.*—MADRID. *Nacional.* R-Varios, 153-22.—ROMA. *Nacionale.* 34.9.B.5.4.

4326

SERMON *en las honrras del Excelentissimo Señor Don Carlos Phelipe de Croy, Duque de Haure y de
Croy, Principe del Sacro Imperio,
Marques de Renty, &c., Cauallero del
habito de Sant Iago, Gentilhombre
de la Camara de su Magestad, y del
Sermo. Carl. Infante don Fernando,
Primer Cheffe de Finanzas, Gouernador y gran Bayliu de Tornay, y Tor-
nessis.* Bruselas. Huberto Antonio
Velpio. 1641. 4 hs. + 45 págs. + 1 h.
4.º

Peeters-Fontainas, I, n.º 645.

BRUSELAS. *Royale.* — ROMA. *Nazionale.* 349.
B.5.5.

4327

BREVE *summa de la oracion mental, y de su exercicio, conforme se
practica en los noviciados de los Carmelitas descalços.* Puebla de los Angeles. D. Fernández de León. 1692. 40
págs. 14 cm.

BERKELEY. *University of California. Bancroft
Library.*

4328

SERMONES *varios, panegyricos, y
feriales, con catorze platicas sobre
el primer capitvlo de los Cantares.*
Madrid. Antonio Gonçalez de Reyes.
1699. 14 hs. + 492 págs. a 2 cols. +
12 hs. a 2 cols. 28,7 cm.

—Ded. a Fr. Juan de la Anunciacion, General del Orden de Carmelitas Descalços.
L. O.—Apr. de Fr. Juan Feyxoo Gonçalez de Villalobos. — L. V. — Apr. de Fr.
Francisco Avilés.—Apr. de Diego Ortiz
de Vibanco y Morales.—Pr. al autor por
diez años.—E.—T.—Prologo al lector.—
Indice de los Sermones y Platicas.—Texto.—Indice de los lugares y textos de

la Sagrada Escritura.—Indice de las cosas notables.

MADRID. *Nacional.* 2-51.268.—SEVILLA. *Universitaria.* 106-140.

Aprobaciones

4329
[*APROBACION. Madrid, 4 de marzo de 1600*]. (En Juan de los Angeles, Fray. *Lucha espiritual y amorosa entre Dios y el alma.* Madrid. 1600. Prels.)

MADRID. *Nacional.* R-29.556.

4330
[*APROBACION. Roma, 26 de marzo de 1656*]. (En Campuzano Sotomayor, Baltasar. *Parabién a la Iglesia Cathólica Romana en la Conuersión de Christina Alexandra Reyna de Suecia...* Roma. 1656. Prels.)

MADRID. *Nacional.* 8-15.455.

JUAN DE MADRID (Fray)

N. y m. en Madrid (?-1669). Franciscano descalzo. Guardián de Consuegra. Predicador real.

EDICIONES

4331
ORACION panegyrica, y sagrado elogio a las heroycas virtudes del glorioso, y santo pontifice Eloy, obispo de Noyons en la Francia. [Madrid]. 1659. 4 fols. + 28 págs.

CORDOBA. *Pública.* 4-119.—SEVILLA. *Universitaria.* 113-125 (1).

4332
ORACIONES fúnebres en las Exequias del Rey D. Felipe IV. Madrid. 1666. 4.º

Alvarez y Baena.

Aprobaciones

4333
[*APROBACION. Madrid, 4 de noviembre de 1667*]. (En Huerta, Antonio de. *Historia, y admirable vida*

de... *S. Pedro de Alcántara.* Madrid. 1669. Prels.)

MADRID. *Nacional.* 3-66.203.

4334
[*APROBACION. Madrid, 19 de enero de 1669*]. (En Malo de Andueza, Diego. *Libro Primero de las Reyes Saúl coronado y David ungido.* Madrid. 1671. Prels.)

MADRID. *Nacional.* 3-62.876.

ESTUDIOS

4335
REP: Alvarez y Baena, III, pág. 227.

JUAN DE MADRID (Fray)

N. en Madrid. Franciscano descalzo de la provincia de San José. Confesor del convento de San Gil de Madrid. Predicador real.

EDICIONES

4336
ORACION panegyrica... en las anvales exequias del muy Catolico Rey de las Españas, y Emperador del Nueuo Mundo Don Felipe Quarto el Grande... celebradas en la Real Capilla... Madrid. Ioseph Fernandez de Buendia. [s. a.]. 6 hs. + 18 págs. 20,5 cm.

—Ded. a la Reyna.—L. O. (1666).—L. V. (1666).—Apr. de Fr. Diego de Consuegra.—Censura de Fr. Miguel de Cardenas.—Texto.

MADRID. *Nacional.* R-23.967.

4337
MILICIA Sagrada instituyda contra todo el poder del Infierno, para socorro de las Almas, en el articulo de la muerte. En la qual se dá Doctrina para aquellos que quisieren exercitar las Armas de la Caridad para ayudarlas a salir con victoria de la cruel batalla de aquella hora peligrosa: Adornada con doctrinas, y exemplos de humanas y divinas letras. Madrid. Antonio Francisco de Zafra. [s. a.]. 20 hs. + 640 págs. 15 cm.

—¿1696?
—Ded. a Ioseph Fernandez de Velasco, Condestable de Castilla. — Apr. de Fr. Ioseph de San Juan y Fr. Iuan de Santo Domingo.—L. O.—Apr. de Manuel de Ayala y Salzedo.—Pr. a favor de Fr. Iuan de Madrid por 10 años.—Prologo al Lector.—Tabla de Capítulos.—Texto.
MADRID. *Nacional.* 3-33.779; 2-4.868.—SEVILLA. *Universitaria.* 83-205.

4338

———. 1719.

Alvarez y Baena.

ESTUDIOS
4339
REP: Alvarez y Baena, III, págs. 273-74.

JUAN DE LA MAGDALENA (Fray)

N. en Socuéllamos. Trinitario descalzo desde 1650. M. en Madrid (1694).

CODICES
4340
«*Historia, cautividad y rescate de la Imagen de Jesús Nazareno que se venera en el convento de Trinitarios Descalzos de Madrid*».
Un tomo en folio (Antonino de la Asunción).

ESTUDIOS
4341
REP: Antonino de la Asunción, II, pág. 64.

JUAN DE LA MAGDALENA (Fray)

N. en Illescas. Hermano lego de la Orden de la Trinidad descalza.

CODICES
4342
«*Tratado primero[-cuarto]...*».
Es traducción de la obra italiana del P. Lorenzo Scupoli. 4 vols. Hay copia en el Colegio de San Carlos de Roma. (Antonino de la Asunción).

ESTUDIOS
4343
REP: Antonino de la Asunción, II, pág. 58.

JUAN DE MATA (Fray)

Dominico. Predicador general. Hijo del convento de San Andrés de Medina del Campo.

EDICIONES
4344
SERMON que predicó el Padre ———, *Predicador General de la Orden de Santo Domingo y del Real Conuento de San Andres de la villa de Medina del Campo. Viniendo al dicho Convento por modo de Villa, la Octaua de Pasqua de Resurrección, a dar gracias a la Santissima Virgen del Rosario, a pedirla fauor y consuelo: en ocasion del lamentable caso que sucedió en ella el Viernes Santo de 1629.* Valladolid. [s. i.]. 1629. 10 hs. 20 cm.
—Ded. a la Virgen del Rosario de S. Thelmo de San Sebastian.—Texto.
No citado por Alcocer.
MADRID. *Facultad de Filosofía y Letras.* 8.272.—SEVILLA. *Universitaria.* 113-43(19).

4345
PARAYSO virginal de discvrsos predicables en las fiestas de la siempre Virgen Maria madre de Dios, y Señora nuestra. Con doze platicas para los primeros Domingos del mes en su alabança. Pamplona. Carlos de Labayen. A costa de Iuan de Veynça. 1631. 8 hs. + 234 fols. + 16 hs. 19,5 cm.
—Testimonio de la licencia del Consejo de Navarra.—E.—Apr. de Balthasar de Ozcariz y Beaumont.—Comission.—Apr. de Fr. Raymundo de Camino y Fr. Alonso Velarde.—L. O.—Ded. a la suprema Emperatriz del Cielo, etc.—Prologo al lector.—Texto. — Indice escriturario.—Tabla de las cosas más notables.—Peroración del autor a la Virgen María.—Escudo de la Virgen del Rosario.
Pérez Goyena, II, n.º 431.
BARCELONA. *Convento de Capuchinos de la Avda. del Generalísimo, 450.* Vitrina.—MADRID. *Facultad de Filosofía y Letras.* 14.643.

Nacional. 3-67.557.—PARIS. *Nationale.* D.8761. SEVILLA. *Universitaria.* 96-10.

4346

PARAYSO Virginal. Con Discursos predicables, en las Fiestas de la siempre Virgen y Madre de Dios, Maria Señora nuestra. Añadidos en esta segunda Impression doze Discursos, en cada solemnidad el suyo. Alcalá. Antonio Vazquez. 1637. 8 hs. + 497 págs. + 20 hs. 20 cm.

—S. Pr. (1632).—S. T. (1632).—E.—L. V.— Apr. de Fr. Diego Niseno.—Apr. de Fr. Pedro de Sarmiento.—Apr. de Fr. Iuan del Pozo.—Apr. de Baltasar de Ozcariz. Comisión del Provincial para que se censure.—Apr. de Fr. Raymundo de Camino y Fr. Alonso de Velarde.—L. O.— Ded. a la Suprema Emperatriz del Cielo.—Prologo. — Texto. — Indice de cosas notables.—Sacrae Scripturae index.

J. Catalina García. *Tip. complutense*, número 962.

GRANADA. *Universitaria.* A-11-228.—LYON. *Municipale.* 333.241.—PARIS. *Nationale.* D.8762. SANTIAGO DE COMPOSTELA. *Universitaria.*—SEVILLA. *Universitaria.* 131-71.

4347

TRIUNFOS de Christo Dios y Señor nuestro. Discursos predicables en sus Pasquas y Fiestas. Granada. Martin Fernandez Zambrano. A costa de Blas Martinez. 1634. 7 hs. + 283 fols. a 2 cols. + 19 hs. 20,5 cm.

—Escudo.—T.—E.—Apr. de Fr. Gregorio Martínez.—Apr. de Iuan Crespo de Bricia.—L. O.—Censura de Pedro de Avendaño.—Apr. de Fr. Pedro de Santa Maria.—Pr. al autor por diez años.—Ded. al marques de Estepa.—Texto.—Tabla de lugares de la Sagrada Escritura.—Tabla de cosas notables.

GRANADA. *Universitaria.* A-17-190. — MADRID. *Facultad de Filosofia y Letras.* 8.272. *Nacional.* 3-11.609.—SEVILLA. *Universitaria.* 87-145.

4348

SANTORAL de los dos santissimos patriarcas, y hermanos, nuestros Padres Santo Domingo y S. Francisco, y de los Santos de entrambas Sagradas Religiones. Granada. Blas Martinez, a su costa. 1635. 8 hs. + 347 fols. a 2 cols. + 26 hs. 19 cm.

—T.—E.—Censura de Pedro de Avendaño. L. V.—L. O.—Apr. de Pedro Hurtoz de Ypitia.—Pr. a favor de Iuan de Mata por 10 años.—Ded. de Blas Martinez a Francisco Zapata del Consejo de S. Magestad.—Prologo ó Apologia al lector.— Texto.—Indice de lugares.—Indice de cosas notables.

CORDOBA. *Pública.* 11-93; 13-126; etc.—LYON. *Municipale.* 332.240. — MADRID. *Nacional.* 2-70.059.—PARIS. *Nationale.* H.3.735.—SAN LORENZO DEL ESCORIAL. *Monasterio.* 71-VII-21.

4349

SANTORAL de los dos dos santissimos patriarcas, y hermanos, nuestros padres Santo Domingo, y San Francisco, y de los Santos de entrambas Sagradas Religiones. Barcelona. Pedro Lacavallería. A su costa. 1637. 8 hs. + 202 fols. a 2 cols. + 22 hs. 21 cm.

—T.—L. V. de Barcelona.—Censura de Pedro de Auendaño (1634).—L. V. de Medina del Campo (1634).—L. O.—Apr. de Pedro Hurtiz de Ypitia (1635).—S. Pr. al autor por diez años.—Ded. a D. Francisco Zapata, del Consejo de S. M.—Prologo o Apologia, al Lector.—Texto.—Peroracion del Autor a los Patriarcas y Santos.—Index locorum Sacrae Scripturae.—Indice o elencho de lo mas digno de reparo que ay en este Santoral.

BARCELONA. *Instituto Municipal de Historia.* B. 1637-8.º (4). *Universitaria.* B. 59-5-34/37.— MADRID. *Nacional.* 3-76.003.—SEVILLA. *Universitaria.* 97-55.

4350

DISCVRSOS predicables sobre los quatro rios del Paraiso. Granada. Andrés de Santiago Palomino. 1637. 221 fols. 20,5 cm.

—T.—E.—Apr. de Iuan Gonsalve Gamarra.—Apr. de Fr. Diego Rodriguez Montesinos, Fr. Iuan Sanchez y Fr. Iuan de Espilla.—Pr. al autor por diez años.— Ded. a Iuan Bautista Valençuela, por Andres Santiago Palomino.—Al pio lector.—Texto.—Indice alfabetico de cosas notables.—Indice de Sagrada Escritura.

BARCELONA. *Universitaria.* C.201-6-17.—GRANADA. *Universitaria.* A-26-219; A-11-223.—MADRID. *Facultad de Filosofía y Letras.* 1221; 4502. *Nacional.* 2-11-286.—PARIS. *Nationale.* D.8760. ROMA. *Vaticana.* Stamp. Barb. V.V.20.

4351

ADVIENTO y Dominicas hasta Quaresma en discvrsos predicables. Qvinto tomo del avtor. Alcalá. Antonio Vazquez. A costa de Manuel Lopez. 1638. 8 hs. + 550 págs. a 2 cols. + 13 hs. 20,5 cm.

—S. Pr. al autor.—T.—E.—Censura de Fr. Ioseph de Perlines.—Apr. de Iuan de Monsalve.—Apr. de Fr. Diego Niseno.— Ded. a D. Manuel Lopez.—Prologo al lector. — Texto. — Indice de cosas notables.—Indice de lugares sagrados.

J. Catalina García, *Tip. complutense,* número 965.

MADRID. *Nacional.* 7-14-167. [Falto de la portada y del comienzo de los Prels.]

4352

CUARESMA en discursos predicables... Sexto tomo. Alcalá. Antonio Vázquez. 1639. 7 hs. + 640 págs. + 13 hs. 20 cm.

—S. Pr. al autor.—S. T.—E.—L. V.—L. O.— Apr. de Fr. Joseph de Perlines.—Censura de Fr. Damian Lopez de Hago.—Censura de Iuan Monsalve Gamarra.—Ded. al Dr. D. Bernardo de Ataide, Prior de la insigne iglesia de Guimaraes, etc.—Prologo al lector.—Texto.—Advertencia. — Indice de lo mas notable.—Sacrae Scripturae elenchus.—Colofón.

J. Catalina García, *Tip. complutense,* número 971.

MADRID. *Nacional.* 2-10.712.—PARIS. *Nationale.* D.8759.—SEVILLA. *Universitaria.* 94-27; etc.

JUAN DE LA MISERIA (Fray)

N. en Casarciprano (Nápoles) en 1526 y se llamaba Juan Narduch. Llegó peregrinando hasta Palencia y comenzó a practicar la escultura y la pintura, siendo discípulo de Alonso Sánchez Coello. Después de conocer a Santa Teresa de Jesús ingresó como carmelita en Pastrana (1569). Años después la hizo un famoso retrato. M. en Madrid (1616).

CODICES

4353

«Del modo de Oración por donde Dios llevó a fray Juan de la Miseria».

Carece de título y se reproduce el propuesto por el P. A. C. Vega en una nota mss. unida a las guardas, de 15 de junio de 1962. Dice que «es un resumen de sus contemplaciones místicas, pero tiene muchos datos autobiográficos sobre su vocación religiosa y su oficio de pintor».

Autógrafo (?), con correcciones posteriores. 162 fols. 220 × 145 mm.

—Advertencia, por Fr. Tomas de San Vicente (1603).—Nota firmada por Fr. Leonardo del Spiritu Santo y Fr. Alonso de Jesus en que certifican le incitaron a que escribiera estas consideraciones debajo de su nombre propio.—Texto.

MADRID. *Nacional.* Mss. 7.238.

4354

«Vergel de diuersas flores... Trata del Ssmo. Sacramento y de nuestra señora y de diferentes materias segun que nro. S.ᵒʳ se las iba offreciendo en la oraçion, o en otros lugares».

Letra del s. XVII. Sin fol. 220 × 155 mm.

MADRID. *Nacional.* Mss. 13.751.

4355

«Consideraciones para ser angélico».

Autógrafo.

SEGOVIA. *Convento de Carmelitas descalzos.*

4356

«Carta a una monja».

SAN LORENZO DEL ESCORIAL. *Monasterio.* Z.IV. 18 (fols. 354r-362v).

EDICIONES

4357

[Del modo de oración.—Carta a una monja]. 1964.

V. n.º 4361.

ESTUDIOS

4358

PALOMINO, A. *El Venerable Fray Juan de la Miseria, Carmelita Descalzo, Pintor*. (En *El Parnaso Español pintoresco laureado*. Madrid. 1714.

Reed. en Sánchez Cantón, F. J., *Fuentes literarias para la historia del Arte español*, III, 1936, págs. 78-81.

4359

SANCHEZ CANTON, FRANCISCO JAVIER. *Doña Leonor Mascarenhas y fray Juan de la Miseria*. Madrid. Hauset y Menet. 1918. 12 págs. 24 cm.

MADRID. *Nacional*. V-642-33.

4360

MATIAS DEL NIÑO JESUS, Fray. *El V. H. Fray Juan de la Miseria, sus restos y sus escritos*. (En *El Monte Carmelo*, XLVI, Burgos, 1945, páginas 36-43).

4361

VEGA, A. C. *Fray Juan de la Miseria. De pintor a místico*. (En *Boletín de la R. Academia de la Historia*, CLV, Madrid, 1964, págs. 107-201).

En las págs. 131-201 edita *Del modo de oración* y *Carta a una monja*.

4362

REP: A. de la V. del Carmen, en DHEE, II, pág. 1250.

JUAN DE LA NATIVIDAD
(Fray)

N. en Motril. Trinitario descalzo. Lector de Artes y Teología. Ministro de los conventos de Sevilla, Baeza y Granada (1689-1692). Procurador general de la Orden en España, Definidor general y Escritor general. M. en Granada (1705).

CODICES

4363

«*Historia de la ciudad de Granada*». Dispuesto para la prensa. (Antonino de la Asunción).

EDICIONES

4364

CORONADA historia, descripcion lavreada, de el mysterioso genesis, y principio Augusto de el eximio portento de la Gracia, y admiracion de el Arte la milagrosa Imagen de Maria Santiss.^{ma} de Gracia cuyo Sagrado Bvlto, y titvlo glorioso, ocupa, y magnifica su Real Templo, y Convento de RR. PP. Trinitarios Descalços, Redentores de Cautivos Christianos, desta Nobilissima Ciudad de Granada. Concisso, y claro resvmen de los milagros, y prodigios, que el Omnipotente braço ha obrado por medio de esta Soberana Imagen. Fvndacion decorosa, y antigvedad de dicha Coronada Ciudad, y Real Convento de Granada. Granada. Francisco de Ochoa. 1697. 9 hs. + 604 págs. 29,5 cm.

—Ded. a D. Francisco de la Quadra, Secretario del Rey, encabezada por su escudo de armas.—L. O.—Apr. de Fr. Francisco Navarrete y Alcocer.—L. V.—Apr. de Ioseph Ximenez de la Cerda.—L. del Juez.—Al Lector. Prologo.—Protesta.—E. Oracion deprecatoria a... Maria Santisima Señora Nuestra de Gracia, para el principio y fin que se desea poner a esta obra.—Imagen de Nuestra Señora de Gracia, grabado firmado por Orozco.—Texto.—Indice de las cosas notables que se contienen en esta Historia.

Se intercalan las poesías siguientes:

1. *Musica*. [«A Maria, que Reyna...»]. (Página 213).
2. *Oracion que dixo el Secretario Luis Andres Bermudo*. [«Misera armonia...»]. (Págs. 213-215).
3. *Musica*. [«Escuchad, atended a mi voz...». (Págs. 215-216).
4. *Canciones de Gregoria Francisca de Salazar*. [«Ya que oriental ocaso luminoso...»]. (Págs. 218-219).
5. *Canciones de Pedro de Soria y Sarabia*. [«Quien es esta que sube hasta lo summo...»]. (Págs. 219-220).
6. *Soneto de Francisco de Viedma y Arostigui*. [«Entre glorias de luzes coronada...»]. (Pág. 221).

7. *Soneto de Fr. Luys de Añaya.* [«Que mucho que la tierra, ó gran Maria...»]. (Pág. 222).
8. *Quintillas de Jacinto de la Peña y Soria.* [«La muerte pelada soy...»]. (Págs. 223-224).
9. *Quintillas de Tomás Perez Rico.* [«Oy, pues, me han tocado en suerte...»]. (Págs. 225-226).
10. *Octavas de Marcelo Antonio de Ayala y Guzman.* [«Pulse el plectro sonoro aquel templado...»]. (Pág. 227).
11. *Octavas de Antonio Palomino.* [«Sagrada Imagen, copia peregrina...»]. (Págs. 228-229).
12. *Octavas de Felipe Santiago Zamorano.* [«Virgen de Gracia, la materia hermosa...»]. (Págs. 229-230).
13. *Coplas.* [«Rayos de luz superior...»]. (Pág. 230).
14. *Paranomasias de Diego de Naxera.* [«Llegate a mi mesa, musa...»]. (Págs. 231-232).
15. *Paranomasias de Manuel de Vergara y Guzman.* [«Vaya, á los pobres, y pebres...»]. (Pág. 233).
16. *Glossa de Fr. Gabriel de San Joseph.* [«A la impirea variedad...»]. (Pág. 235).
17. *Glossa de Blás Manuél de Paz.* [«A fuer de humana Maria...»]. (Pág. 236).
18. *Glossa de Fr. Luis de San Marcos.* [«Qué importa que el Cielo sea...»]. (Pág. 237).
19. *Romance de Antonio Lopez de Mendoza.* [«Salve, casta, ilustre Madre...»]. (Págs. 238-239).
20. *Romance de Fr. Juan de San Estevan.* [«Permita Roma al olvido...»]. (Págs. 240-241).
21. *Redondillas de Lucas Navío de la Peña.* [«Será razon no premiar...»]. (Pág. 242).
22. *Redondillas de Fr. Pedro Molinera.* [«Si mi musa no se engaña...»]. (Págs. 243-244).
23. *A la Peor Poesia, de Fr. Juan Gaona Hurtado.* [«Valgame Dios, y los pobres...»]. (Págs. 244-245).
24. *A la Peor Poesia, de Diego Fernandez.* [«Hazia el Conuento de Gracia...»]. (Pág. 246).
25. *Laudatoria.* [«Ya ingenioso Alcides...»]. (Pág. 247).

BARCELONA. *Universitaria.* C.200-3-18. — CORDOBA. *Pública.* 14-295.—GRANADA. *Universitaria.* A-6-175.—MADRID. *Academia de la Historia.* 4-2-5-1.991.—SEVILLA. *Universitaria.* 46-61.

ESTUDIOS

4365
REP: Antonino de la Asunción, II, págs. 152-54.

JUAN DE OCAÑA (Fray)
Capuchino.

EDICIONES

4366
[*SONETO en eco*]. (En Zapata, Sancho. *Justa poetica en defensa de la pureça de la Inmaculada Concepcion de la Virgen...* Zaragoza. 1619, pág. 161).

MADRID. *Nacional.* 2-68.257.

JUAN DE PALMA (Fray)
N. en Palma del Condado (1580). Franciscano. Confesor de la reina Isabel de Borbón. General de su Orden. M. en Madrid (1648).

EDICIONES

4367
REGLAS para la Oración. Sevilla. 1611.
N. Antonio.

4368
COMPENDIO y Sumulas de la facultad de la Oración. Sevilla. Viuda de C. Hidalgo. 1621. 16.º

SEVILLA. *Universitaria.* 81-252.

4369
RELACION de un rayo, y milagroso caso que sucedio con un religioso lego del Convento de San Antonio de Padua, de la Ciudad de Sevilla, por intercession del mesmo Sancto: Lunes veinte y seis de Abril, de este año de mil y seiscientos y treinta y dos... [Sevilla. Luys Estupiñan]. [s. a.]. 2 hs. Fol.

—Texto fechado a último de abril de 1632. Colofón.

LONDRES. *British Museum.* 593.h.17 (111).

4370

VIDA de la Serenissima Infanta Sor Margarita de la Cruz Religiosa descalça de S. Clara. Madrid. Imprenta Real. 1636. 7 hs. + 283 fols. + 10 hs. 28 cm.

—Portada encabezada por escudo, grab. firmado por P. Perete. Madrid. 1636.— Razon del decreto de su Magestad y censura de Iuan de Palafox y Mendoça.—S. Pr. al Autor por 20 años.—S. T. E.—Censura de Fr. Iuan de Soria, Fr. Iuan Merinero y Fr. Gaspar de la Fuente.—L. O.—Censura de Francisco Sanchez.—Censura de Fr. Pedro de Tapia y Fr. Ioan de S. Toma *(sic).*—Censura del P. Agustin de Castro.—Ded. al Rey Felipe IV.—Prologo.—Texto.—Tabla de los capitulos.—Tablas de las sentencias mas notables.

CORDOBA. *Pública.* 13-309; 14-315. — GRANADA. *Universitaria.* A-6-173; A-27-81.—MADRID. *Academia de la Historia.* 5-5-6-2312.

4371

———. Madrid. 1637.

SEVILLA. *Colombina.* 43-5-36.

4372

———. Sevilla. Rodrigues de Abrego. 1653. 8 hs. + 251 fols. + 9 hs. 29,5 cm.

Prels. de la ed. de Madrid. 1636.

CORDOBA. *Pública.* 14-305.—MADRID. *Academia de la Historia.* 5-2-5-421. *Nacional.* 3-52.585. SEVILLA. *Universitaria.* 124-113; 198-51.

TRADUCCIONES

a) Italianas

4373

VITA della Serenissima Infanta d'Avstria Svor Margarita della Croce monaca scalza nel Conuento Regio di Madrid... Tradotta nell'Italiana fauella del M. R. P. Nicolao Roncaglia... Roma. Ignatio de'Lazari. 1680. 8 hs. + 518 págs. 4.º

Toda, *Italia,* II, n.º 2.583. ROMA. *Nazionale.*

ESTUDIOS

4374

PIZARRO, PEDRO. *Satisfacion apologetica, y vindicacion de la Verdad, en orden al autor legitimo del libro intitulado: Vida de la Serenissima Infanta Sor Margarita de la Cruz..., que se imprimio en Madrid año de 1636.* Sevilla. Juan Francisco de Blas. 1708. 18 hs. + 190 págs. a 2 cols. + 1 h.

Sostiene que es autor de la *Vida de Sor Margarita,* que se había incluido en la ed. de las *Obras* de Juan de Palafox y Mendoza, hecha por Fr. José de Palafox.

MADRID. *Nacional.* 2-67.732.

4375

REP: N. Antonio, I, pág. 754 (dice que n. en Madrid); Ramírez de Arellano, I, pág. 462; Castro, M. de, en DS, VIII, cols. 597-98.

JUAN DE LA PAZ (Fray)

EDICIONES

4376

[CENSURA por Fr. Francisco de San Iulián y ———. Madrid, 19 de junio de 1630]. (En Tomás de San Gregorio, Fray. *Apostólicos fundamentos...* s. l. 1630. Prels.)

MADRID. *Nacional.* R-Varios, 1-10.

JUAN «EL PECADOR»

EDICIONES

4377

INVOCACION a la Virgen Nuestra Señora y alabanzas suyas. Madrid. Diego Flamenco. 1620. 16.º

N. Antonio.

ESTUDIOS

4378

REP: N. Antonio, I, pág. 755.

JUAN DE PESQUERA (Fray)

Capuchino. Lector de Teología.

EDICIONES

Aprobaciones

4379

[*APROBACION de Fr. José de Madrid y* ——. *Madrid, 6 de mayo de 1696*]. (En Iribarne, Antonio. *Candelero Roseo y Virgineo*. Madrid. 1697. Prels.)

SEVILLA. *Universitaria*. 98-82.

4380

[*APROBACION de Fr. Thomas Reluz y* ——. *Madrid, 10 de septiembre de 1696*]. (En Iribarne, Antonio. *Práctica del Santissimo Rosario...* Madrid. 1697. Prels.)

SEVILLA. *Universitaria*. 110-8.

JUAN PINTOR (FRANCISCO)

V. PINTOR (FRANCISCO JUAN)

JUAN DE LA PRESENTACION (Fray)

Mercedario descalzo. Cronista general de la Orden.

EDICIONES

4381

VIDA del glorioso San Pedro Nolasco, Patriarca, y Fundador (por diuina Reuelacion) del Sacro, Real, y Militar Orden de N. S. de la Merced... Con Instrvcciones Morales, y Politicas, y noticia de algunos sucessos de los Reyes de España, y Francia. Cádiz. Juan Lorenço Machado. 1665. 15 hs. + 322 fols. + 4 hs. 20,5 cm.

—Ded. a Fr. Alonso Vazquez de Toledo, Obispo de Cadiz, etc.—Apr. de Fr. Francisco de la Cruz y Fr. Luis de la Concepcion.—L. O.—Parecer del P. Ioseph de Madrid.—Apr. de Iuan de Porras y Atienza.—L. V.—Censura del P. Jacinto de Moncada.—S. Pr. al autor por diez años.—E.—S. T.—Hymnos a N. P. S. Pedro Nolasco (en latín).—Al lector.—Autores de que se sacó lo que en esta obra

se contiene.—Protesta.—Texto.—Protesta. Tabla de los Capitulos.

BARCELONA. *Universitaria*. C.190-5-30.—MADRID. *Nacional*. 2-7.346. — NUEVA YORK. *Hispanic Society*.—PARIS. *Nationale*. H.4167.—SANTIAGO DE COMPOSTELA. *Universitaria*.

4382

MACHABEO (El) evangelico. Vida del glorioso Doctor San Pedro Pasqual de Valencia, Religioso del Sacro, Real, y Militar Orden de nuestra Señora de la Merced, Redempción de Cautiuos, Canciller mayor de Castilla, Gouernador del Arçobispado de Toledo, Obispo de Granada, Iaen, y Baeza, y Martir. Con vn apendice de los Religiosos de la Merced, que murieron a manos de Moros en Granada, y otras partes de España. Y vida del santo D. Fray Gonzalo Mercader, Obispo de Granada, y Martir. Madrid. Impr. Real. A costa de Gabriel de Leon. 1671. 16 hs. + 156 fols. a 2 cols. + 6 hs. 20 cm.

—Ded. a D.ª Teresa Sarmiento de la Cerda, duquesa de Vejar, etc. (Con datos genealógicos).—L. O.—Apr. de Fr. Luis de San Bernardo.—Apr. de Fr. Andrés Ferrer de Valdecebro.—L. V.—Apr. de Fr. Francisco de Zuazo.—S. Pr. a la Orden.—E.—S. T.—Parecer de un devoto de esta sagrada Religion y aficionado del Autor.—Liras de Fr. Francisco Ballester. [«Ilustre Valenciano...»].—Lector. Protestacion del Autor.—Texto.—Protestacion del autor.—Tabla de los Capitulos.—Tabla de las notables (sic) de este Libro.

GRANADA. *Universitaria*. A-18-180. — MADRID. *Academia de la Historia*. 5-4-8-1.849 .*Facultad de Filosofía y Letras*. 7.004. *Nacional*. 3-78.380.—NUEVA YORK. *Hispanic Society*.

4383

CAVALLERO (El) de Christo. Vida del Augustissimo... S. Fernando Rey de España... Madrid. Melchor Sánchez. 1678. 21 hs. + 284 págs. 19 cm.

BARCELONA. *Universitaria*. C.193-7-1.—MADRID. *Facultad de Filosofía y Letras*. Res.824. — SANTIAGO DE COMPOSTELA. *Universitaria*.

4384

LUCERO (El) de Sanlucar, Teresita de Jesus. Niña que vistió el habito del Sacro, y Real Orden de Descalzos de Nuestra Señora de la Merced, Redempcion de Cautivos Christianos, en que se manifestó Dios Prodigioso. Y murió de cinco años, un mes, y diez y siete dias. Por el Padre ——. Madrid. Andrés Ortega. 1771. 7 hs. + 142 págs. 19,5 cm.

—Ded. a Doña Maria Teresa de Silva, hija de los Duques de Pastrana.—L. O.—Apr. de Gabriel Sanz.—L. V.—Apr. de Fr. Felipe Baamondes.—Tabla de las Noticias que en este Libro se contienen.—Al Lector.—Texto.—Protesta.—Indice de las cosas mas notables.

MADRID. Academia de la Historia. 16-1-8-752.

4385

GUIRNALDA sacra texida de varias flores de la admirable vida y virtudes de la beata Madre Mariana de Jesús... Barcelona. Carlos Gibert y Tutó. [s. a.]. 5 hs. + 1 grab. + 239 págs. 17 cm.

BARCELONA. Universitaria. B.56-5-24.

4386

VIDA devota de la Beata Madre Maria Ana de Jesús, Religiosa del... Orden de la Merced... 3.ª impresión. Madrid. Isidoro de Hernández Pacheco. 1784. 9 hs. + 1 lám. + 308 páginas + 3 hs. 21 cm.

FILADELFIA. University of Pennsylvania.—MADRID. Consejo. Patronato «Menéndez Pelayo». 7-699. Nacional. 3-69.271; 7-16.993.

Aprobaciones

4387

[PARECER por ——; Fr. Pedro Jesus Maria; Fr. Juan de San Eugenio, y Fr. Joseph de la Encarnacion. Alcalá, 22 de Mayo de 1673]. (En Sicardo, Juan Bautista. Breve Resumen de la disposicion, reverencia y pureza, con que deven llegar los Fieles a recibir el Santissimo Sacramento del Altar... Alcalá. 1673. Prels.)

MADRID. Academia de la Historia. 13-1-8-2.096.

4388

[APROBACION. Alcalá de Henares, 13 de noviembre de 1688]. (En José de Jesús María, Fray. Treno Doloroso... Alcalá. 1688. Prels.)

SEVILLA. Universitaria. 113-34 (3).

ESTUDIOS

4389

REP: N. Antonio, I, pág. 763.

JUAN DE LOS REYES (Fray)

N. en Navarra. Profesó como carmelita en Valladolid. Enviado a Méjico como Visitador de la provincia de San Alberto, fue provincial de la misma en 1639-42. M. en Méjico (1655).

EDICIONES

4390

APOLOGIA en qve se defiende y prveva la Virginidad de los tres Santos Prophetas Elias, Eliseo, i Daniel, en la corriente opinion, i authoridad de los Santos Padres de la Yglesia, i de los mas graves Doctores que han florecido en ella por todos los siglos passados hasta el presente. Compvesta por vn Religioso Descalço de N. Señora del Carmen. Méjico. Francisco Robledo. 1641. 2 hs. + 36 fols. Fol.

Apareció anónima.

—Apr. de Agustin de Barrientos.—L. V.—Texto.

Medina, México, II, n.º 536.

Contra un sermón del jesuita P. Juan de San Miguel.

4391

[RESPUESTA al Papel del Obispo por ——, Fr. Juan de Jesús María, Fr. Andrés de los Santos y Fr. Rodrigo de S. Bernardo. San Sebastián de México, Enero de 1642]. (En Palafox y Mendoza, Juan de. Varon de

desseos, en qve se declaran las tres
vias de la vida espiritval. *Purgatiua,
Illuminatiua, y Vnitiua.* Méjico. 1642.
Prels.)

MADRID. *Nacional.* R-10.683.

JUAN DE RIBERA (San)

Hijo de don Pedro Enríquez y Afán de
Ribera, duque de Alcalá, n. en Sevilla
(c 1532), estudió en la Universidad de
Salamanca ·· fue obispo de Badajoz (1562-
1568), patriarca de Antioquía (1568) y arzobispo de Valencia (1568), hasta su m.
allí en 1621. Beatificado en 1796 y canonizado en 1960. Fundador del Colegio del
Corpus Christi. En 1602-4 fue además Virrey y Capitán General.

CODICES

4392

[*Apuntes escolares de Salamanca,
1546-58*].

VALENCIA. *Colegio del Patriarca.* Mss. 222-48
y 223-50.

4393

[*Sermones*].

Autógrafos.

VALENCIA. *Colegio del Corpus Christi.* Mss.
222-48 y 223-50.

4394

«*Copia de la Carta que el Sr. Patriarca D. Juan de Ribera, Arçobispo de
Valencia, escrivio a su Magd. acerca
de las pazes con Ingleses*».

Letra del s. XVII. 220 × 155 mm.
«De la librería de la Casa Profesa de la
Compañía de Ihs.»

MADRID. *Academia de la Historia.* 9-17-3-3500
(fols. 1r-18r).

4395

*Copia de una Carta del Illmo. Pa-
triarca Arzobispo de Valencia a Dn.
Francisco de Rivera su sobrino par-
tiéndose a la Corte a servir a Su Magestad.* 1578.

Copia del s. XVIII. 4 págs. 220 × 150 mm.

SEVILLA. *Colombina.* 85-4-7-Pp.V.

4396

[*Carta del Patriarca - Arzobispo de
Valencia a Bernardo de Bolea, vice-
canciller de Aragón, para que des-
atendiera las pretensiones de los jurados de Valencia sobre impedir se
leyera teología en algunos de los
conventos de dicha ciudad. Valencia, s. a. 25 de enero*].

Autógrafa.

MADRID. *Academia de la Historia.* 9-10 (número 43).

EDICIONES

4397

*REGLA, y Constituciones de las mon-
jas reformadas descalças augusti-
nas...* Valencia. Pedro Patricio Mey.
1598. 24 hs. + 141 págs. 24.º

VALENCIA. *Colegio del Patriarca.* V-13.

4398

[*CARTA a los Rectores, Predicadores y Confessores de su Arçobispado*]. (En Ayala, Martín de. *Catechismo para instrucción de los nuevamente convertidos de moros.* Valencia. 1599. Prels.)

Con un retrato suyo.
V. *B. L. H.,* VI, n.º 1859.

MADRID. *Nacional.* R-8.647.

4399

*CATECHISMO para instrvccion de
los nvevamente convertidos de moros...* Valencia. Pedro Patricio Mey.
1599. 3 hs. + 1 blanca + 442 págs. +
5 hs. 20 cm.

—Carta del Patriarca y Arçobispo de Valencia D. Iuan de Ribera, a los Rectores, Predicadores, y Confessores de su
Arçobispado. Valencia, 27 de octubre
1599. («Este catechismo llegó a mis manos sin nombre de autor, pero con opinion que era compuesto por Don Martín de Ayala, Arçobispo desta santa
Iglesia: la qual opnion se confirmó con
tantas conjecturas, que vino a ser certeza... Los quaderos estauan sin orden,
y muchas cosas con necessidad de ma-

yor explicacion... y assi fue menester gastar algunos meses en disponer las materas y capitulos, y assi mismo en añadir y mudar palabras y clausulas para mayor claridad de la doctrina. Lo qual hyze juntamente con algunas personas doctas...».—Texto.—Colofón. — Tabla de los Diálogos.

MADRID. *Nacional.* — VALENCIA. *Colegio del Patriarca.* 1696.

4400

[*INSTRUCCION del Arzobispo de Valencia, dirigida a los Predicadores, Rectores y demás ministros de la Iglesia, sobre la enseñanza y doctrina que debe darse a los moros recientemente convertidos al Cristianismo. Valencia, 16 julio 1599*]. [s. l. - s. i.]. [s. a.]. 22 págs. 4.º

MADRID. *Nacional.* V.E., 56-4.

4401

TRASLADO de una Carta que escriuió el Señor Patriarca don Juan de Ribera, Arçobispo de Valencia, a los Curas de su Arçobispado, en el principio de Quaresma deste año de M.DC.VIII. [Valencia?]. [s. i.]. [1608]. 7 fols. 14 cm.

Carece de portada.

SEVILLA. *Colombina.* 87-1-42.

4402

EXPULSION (La) de los moriscos. Sermón predicado... en la Santa Iglesia Catedral de Valencia después que se publicó el Real Decreto de la expulsión de los moriscos. Valencia. José Ortega. 1893. 21 págs. 8.º

Palau, XVI, n.º 266.936.

4403

MONJA (La) de Lisboa. Epistolario inédito entre fray Luis de Granada y el Patriarca Ribera. [Edición de] Ramón Robres y José Ramón Ortolá. Castellón. Sociedad Castellonense de Cultura. 1947. 97 págs.

ESTUDIOS

Biografía

4404

ESCRIVA, FRANCISCO. *Vida del Illvstrisimo y Excellentisimo Señor Don Ivan de Ribera, Patriarca de Antiochia, y Arçobispo de Valencia.* Valencia. Pedro Patricio Mey. 1612. 8 hs. + 492 págs. + 2 hs. 20 cm.

V. *B. L. H.,* IX, n.º 5248.

— — —

—2.ª ed. bilingüe, con textos español e italiano. Roma. 1696.

V. *B. L. H.,* IX, n.º 5250.

4405

BUSQUETS MATOSES, JACINTO. *Idea exemplar de prelados, delineada en la vida y virtudes del Venerable... Don Ivan de Ribera...* Valencia. Real Convento de Nuestra Señora del Carmen. 1683. 10 hs. + 527 págs. + 4 hs. 19,5 cm.

V. *B. L. H.,* V, n.ª 5.717.

4406

XIMENEZ, JUAN. *Vida, y virtudes del venerable siervo de Dios el Ylmo. y Exmo. Señor D. Juan de Ribera, Patriarca de Antioquia, Obispo de Badajoz, y despues Arçobispo de Valencia... Recopilada de varios Autores, y de los Processos, que por Autoridad Ordinaria, y Apostolica, se han formado para su Beatificacion.* Roma. Roque Bernabé. 1734. 14 hs. + 459 págs. + 1 h. 26 cm.

Texto bilingüe.

MADRID. *Nacional.* 3-14.348.

4407

——. *Vida del Beato Juan de Ribera.* Valencia. Joseph de Orga. 1798. XXVIII págs. + 1 lám. + 592 págs. 21,5 cm.

MADRID. *Consejo. Instituto «J. Zurita».* 16-311. *Nacional.* 3-37.612.

4408
CASTRILLO, VICENTE. *Vita del Beato Giovanni de Ribera, Patriarcha di Antiochia, Arcivescovo di Valencia. Vice-Rè e Capitan Generale di tutto il suo Regno...* Roma. Stamp. Salomoni. [1796]. 6 hs. + 1 lám. + 165 págs. 4.º
MADRID. *Nacional.* 7-14.423.

———

—Roma. Stamp. Salomoni. 1797. 4 hs. + 1 lám. + 165 págs. + 2 hs. 4.º
MADRID. *Nacional.* 2-66.688.

4409
TUR, MANUEL. *Elogio del B. Juan de Ribera, patriarca de Antioquía, arzobispo y virrey de Valencia.* Valencia. Hermanos de Orga. 1797. 66 págs. 20,5 cm.
NUEVA YORK. *Hispanic Society.*

4410
MESTRE, JOSE. *Apuntes biográficos del Beato Juan de Ribera, Patriarca de Antioquía, Arzobispo, Virrey y Capitán General de Valencia. Con una sucinta relación de las fiestas de su beatificación en Roma y Valencia.* Valencia. Ferrer de Orga. 1896. 123 págs. 4.º

4411
CUBI, MANUEL. *Vida del Beato Don Juan de Ribera.* Barcelona. H. de Viuda Pla. 1912. IV + 444 págs. con ilustr. 23,5 cm.
MADRID. *Consejo. Instituto «J. Zurita».* 19-1.279.

4412
ROBRES LLUCH, RAMON. *San Juan de Ribera, Patriarca de Antioquía, Arzobispo y Virrey de Valencia, 1532-1611. Un obispo según el ideal de Trento.* Barcelona. Edit. Juan Flors. 1960. 522 págs.
MADRID. *Nacional.* 1-215.795.

Interpretación y crítica

4413
BORONAT Y BARRACHINA, PASCUAL. *El B. Juan de Ribera y el R. Colegio del Corpus Christi. Estudio histórico...* Valencia. 1904. XV + 399 págs. 22 cm.
MADRID. *Nacional.* 1-14.178.

4414
SUAREZ VERDEGUER, FEDERICO. *La personalidad universitaria de Don Juan de Ribera.* (En *Simancas,* Valladolid, 1943).

4415
ROBRES LLUCH, RAMON. *Estudios y trabajos escriturísticos del Beato Juan de Ribera.* (En *Boletín de la Sociedad Castellonense de Cultura,* XXIII, Castellón, 1947, págs. 105-20).

4416
——. *El Patriarca Ribera, la Universidad de Valencia y los jesuitas (1563-1673).* (En *Hispania,* XVII, Madrid, 1957, págs. 510-609).

4417
——. *Museo y Colegio del Patriarca...* Madrid. Publicaciones Españolas. 1957. 29 págs. con ilustr. 24 cm. (Temas Españolas, 328).
MADRID. *Nacional.* B.A.-13.880-29.

4418
CASTELL MAIQUES, VICENTE. *El Beato Juan de Ribera y los estudios eclesiásticos.* Valencia. 1958.

4419
ROBRES LLUCH, RAMON. *Avance de un estudio crítico sobre el Patriarca Ribera.* Madrid. C.S.I.C. 1958. 46 págs. 24 cm.
MADRID. *Nacional.* V-4.725-16.

4420
BATLLORI, B. *La santidad aliñada de don Juan de Ribera.* (En *Razón y Fe*, CII, Madrid, 1960, págs. 9-18).

4421
GONZALEZ MORENO, J. *San Juan de Ribera y Sevilla.* (En *Archivo Hispalense*, XXXII, Sevilla, 1960, págs. 9-19).

4422
GARGANTA, JOSE MARIA DE. *San Juan de Ribera y San Luis Bertrán.* (En *Teología Espiritual*, V, Valencia, 1961, págs. 63-104).

4423
HUERGA, ALVARO. *San Juan de Ribera y fray Luis de Granada. «Dos cuerpos y una misma alma».* (En *Teología Espiritual*, V, Valencia, 1961, págs. 105-32).

4424
OLAECHEA, MARCELINO. *Algunos aspectos de la espiritualidad de San Juan de Ribera.* (En *Teología Espiritual*, V, Valencia, 1961, págs. 11-23).
Carta pastoral.

4425
ROBRES LLUCH, RAMON. *Biblia y ascética en San Juan de Ribera, escriturista postridentino.* (En *Teología Espiritual*, V, Valencia, 1961, páginas 35-62).

4426
RUBIO MERINO, P. *San Juan de Ribera, obispo de Badajoz.* (En *Revista de Estudios Extremeños*, XVII, Badajoz, 1961, págs. 27-49).

4427
FEBRERO LORENZO, MARIA ASUNCION. *Pensamiento y hacer educativo de San Juan de Ribera.*

(En *Revista Calasancia*, VIII, Madrid, 1962, págs. 331-54).

4428
CARCEL, VICENTE. *El inventario de las bibliotecas de San Juan de Ribera, en 1611.* (En *Analecta Sacra Tarraconensia*, XXXIX, Barcelona, 1966, págs. 319-61).

4429
——. *Obras impresas del siglo XVI, en la Biblioteca de San Juan de Ribera.* (En *Anales del Seminario de Valencia*, VI, Valencia, 1966, págs. 111-383).
Tirada aparte: Valencia. [s. i.]. 1966. 136 hs. + 60 láms. 24 cm.
MADRID. *Nacional.* B-73.

4430
ROBRES, RAMON. *San Juan de Ribera. Dos comentarios inéditos al «Cantar de los Cantares».* Valencia. 1975. 18 págs.
a) A. S. G., en *Boletín de la Sociedad Castellonense de Cultura*, LII, Castellón, 1977, pág. 119.

4431
REP: N. Antonio, I, pág. 767; R. Robres Lluch, en DS, VIII, 1972, cols. 652-55, y DHEE, III, págs. 2086-87.

JUAN SALVADOR (Fray)
Carmelita.

EDICIONES
4432
SERMON predicado en el religiosissimo convento de las monjas carmelitas Descalças, de la Ciudad de Sevilla, en siete de Otubre de 1622. En las solemnissimas fiestas, que se hizieron en el dicho Convento a la Canonización de la gloriosa Madre Santa Teresa de Jesus, fundadora de las Religiosas, y Religiosos Carmelitas Descalços. Sevilla. Gabriel Ramos

Vejarano. 1622. 2 hs. + 16 fols. 20,5 cm.

—Apr. de Fr. Ioan Duran.—L. O.—Apr. de Fr. Hernando de Ribera.—L. V.—Texto. GRANADA. *Universitaria.* A-31-201 (8).

JUAN DE SAN AGUSTIN (Fray)
Agustino. Predicador real.

EDICIONES

4433

SERMON en la octava qve el rei nvestro señor Felipe IIII celebro a la Santa Madre Teresa de Iesvs, nvevamente Patrona de España: en el Conuento de las Descalças Carmelitas de Madrid. Madrid. Herederos de Pedro de Madrigal. 1627. 35 págs. 18,5 cm.

—Pág. 3: Ded. al Rey.—Pág. 4: Texto. MADRID. *Nacional.* R-Varios, 3-12.—ROMA. *Vaticana.* Stamp. Barb. U.VII.119. — SAN LORENZO DEL ESCORIAL. *Monasterio.* 104-III-36. SEVILLA. *Universitaria.* 75-76 (13); 113-61 (13).

Aprobaciones
4434

[*APROBACION. Madrid, 12 de diciembre de 1612*]. (En Chinchilla, Alonso. *Memorial II.* Madrid. 1613. Prels.)

MADRID. *Nacional.* 5-7.169.

4435

[*APROBACION. Madrid, 18 de diciembre de 1617*]. (En López de Andrade, Diego. *Tratados sobre los Evangelios...* Tomo II. Madrid. 1617. Prels.)

MADRID. *Nacional.* 2-10.932.

4436

[*APROBACION. Madrid, 7 de enero de 1627*]. (En Reinosa, Plácido de. *Memorial en defensa del estado eclesiástico y religioso.* Madrid. 1627. Prels.)

MADRID. *Nacional.* R-Varios, 13-23.

JUAN DE SAN AGUSTIN (Fray)
Agustino. Lector de Prima de Teología en en el convento de Sevilla.

EDICIONES

4437

ORACION panegirica funeral, en las Honras del Excelentissimo Señor D. Luis Mendez de Haro y Guzman, Duque-Conde de Olivares, que se celebbraron en la Iglesia Colegial de la Villa de Olivares... Senvilla. Juan Gomez de Blas. 1662. 3 hs. + 10 fols. 19 cm.

—Apr. de Juan Baptista Ballester.—L. V.—Texto. SEVILLA. *Universitaria.* 111-54 (30).

4438

TRIVMPHO panegyrico. Aplavso real, y sagrado; celebracion festiva; qve al nvevo cvlto qve a S. Fernando III Rey de Castilla, y Leon, concedio nvestro mvy Santo Padre Clemente decimo. Consagró la... Metropolitana, y Patriarcal Iglesia de Sevilla. Sevilla. Thomé de Dios Miranda. 1671. 15 hs. + 41 fols. + 2 hs. 20 cm.

—Apr. de Fr. Iuan de Alvarado y Fr. Bartolome de Flores.—L. O.—Apr. de Fr. Iuan de San Augustin.—L. V.—Soneto de Rodrigo Martinez de Consuegra. [«Al Leon de Castilla, Sol Tercero...»].—Soneto de Antonio de Morales Mascareñas. [«Solo tu ingenio, y tu Facunda Ciencia...»].—Soneto de Ioseph Augustin de Angulo y Monsalve. [«O Tu! Hijo del Aguila que gusta...»].—Ded. al Dean y Cabildo de la Santa Iglesia Metropolitana de Sevilla.—Al lector.—Texto. [«Audaz impulso, atrevimiento ossado...»].—Soneto de Ioseph Roman de la Torre y Peralta. [«Cessa pues, calma ya, suspende el duelo...»].—Otro del mismo. [«Con que impulso te mueves, o te inclinas...»]. E.—Colofón.

Salvá, I, n.º 952.

MADRID. *Nacional.* 3-51.452; R-Varios, 113-29. NUEVA YORK. *Hispanic Society.*—SEVILLA. *Colombina.* 63-2-27⁴ (61).

Aprobaciones
4439
[*CENSURA. Sevilla, 25 Septiembre 1671*]. (En Veitia Linage, José de. *Norte de la Contratación de las Indias Occidentales.* Sevilla. 1672. Preliminares).
MADRID. *Nacional.* V-54-22.

JUAN DE SAN AGUSTIN (Fray)
Agustino. Lector de Prima en el R. Convento de Sevilla. (Diferente del anterior).
EDICIONES
4440
[*APROBACION. 10 de julio de 1671*]. (En Juan de S. Agustín, Fray. *Triumpho Panegyrico... celebracion festiva; que el nuevo culto que a S. Fernando III... concedio... Clemente Decimo. Consagro la... Patriarcal Iglesia de Sevilla...* Sevilla. 1671. Prels.)
MADRID. *Nacional.* V.E.-113-29.

4441
[*APROBACION. Sevilla, 25 de agosto de 1671*]. (En Ahumada, Fernando de. *Libro de la vida de la V. M. Soror Leonor de Ahumada...* Sevilla. 1674. Prels.)
MADRID. *Nacional.* 3-35.884.

JUAN DE SAN AGUSTIN (Fray)
Trinitario. Definidor general de la Orden.
EDICIONES
4442
[*APROBACION. Madrid, 28 de setiembre de 1886*]. (En José de Jesús María, Fray. *Vida de... Fr. Miguel de los Santos...* Salamanca. 1688. Prels.)
MADRID. *Nacional.* 3-17.480.

JUAN DE SAN ALBERTO (Fray)
Carmelita descalzo.
EDICIONES
4443
[*SONETO*]. (En González de Torneo, Cristóbal. *Vida y Penitencia*

de Santa Teodora de Alexandria. Madrid. 1619. Prels.)
MADRID. *Nacional.* R-31.481.

Aprobaciones
4444
[*CENSURA. Barcelona, 24 de agosto de 1638*]. (En IDEAS *del púlpito y teatro de varios predicadores de España...* Barcelona. 1638. Prels.)
MADRID. *Nacional.* 6.i.-3014.

4445
[*APROBACION. Barcelona, 20 de diciembre de 1638*]. (En Colodero Villalobos, Miguel de. *El Alpheo.* Barcelona. 1639. Prels.)
MADRID. *Nacional.* R-3.749.

JUAN DE SAN AMBROSIO (Fray)
Mercedario descalzo. Lector de Teología. Definidor general de la provincia de la Concepción de su Orden.
EDICIONES
4446
[*APROBACION. Sanlúcar de Barrameda, 31 de enero de 1675*]. (En Andrés de San Agustín, Fray. *Vida exemplar... de... Soror María de la Antigua...* Madrid. 1677. Prels.)
SALAMANCA. *Universitaria.* 26.357.

JUAN DE SAN ANTONIO (Fray)
Franciscano descalzo. Lector de Teología en el convento de San Diego de Valladolid. Guardián del de San Gil de Madrid. Provincial y Definidor de la provincia de San José.
EDICIONES
4447
[*CENSURA. Valladolid, 6 de agosto de 1635*]. (En Mateo de la Natividad, Fray. *Cátedra de la Cruz...* Valladolid. 1639. Prels.)
MADRID. *Nacional.* 2-57.790.

4448

[*APROBACION. Madrid, 7 de agosto de 1689*]. (En Barcia y Zambrana, José de. *Despertador Christiano...* Madrid. 1690. Prels.)

MADRID. *Nacional.* 2-56.512.

4449

[*APROBACION*]. (En Gabriel de la Concepción, Fray. *Sermón panegyrico del Mayor Amante...* Alcalá. 1701. Prels.)

J. Catalina García, *Tip. complutense*, número 1.381.

JUAN DE SAN ATANASIO (Fray)

Trinitario. Definidor general.

EDICIONES

4450

[*CENSURA de ——, y Fr. Pedro de San Miguel. Madrid, 8 de octubre de 1675*]. (En José de Jesús María, Fray. *Vida de Fr. Juan Bautista.* Madrid. 1676).

MADRID. *Nacional.* 2-50.361.

JUAN DE SAN BERNARDINO (Fray)

Franciscano.

EDICIONES

4451

[*SERMON*]. (En SERMONES *predicados en la Beatificación de la B. M. Teresa de Iesus.* Madrid. 1615, fols. 436v-446r).

MADRID. *Nacional.* 2-19.512.

JUAN DE SAN BERNARDO (Fray)

Se llamaba Juan Piña. N. en Jerez de la Frontera (1619). Franciscano descalzo desde 1639. Enviado a Roma para promover la canonización de San Pedro de Alcántara. Primer guardián del convento de Santa Lucía del Monte, en Nápoles, donde m. (1685).

EDICIONES

4452

MEMORIAL al Rmo. Fr. Ivan de Muniessa, comisario General de la Orden de S. Francisco. Presentolo la Provincia de Andaluzia y Reyno de Granada de su tercer orden. En favor de la Custodia de Castilla y Galicia. Sevilla. 1622.

—Texto, que comienza: «El miserable estado de la Tercera Orden en Castilla, nos obliga a presentar...».

MADRID. *Nacional.* V.E.-173-46.

4453

CRONICA de la vida admirable y milagrosa, hazañas del glorioso y santo Padre Pedro de Alcántara. Nápoles. Jerónimo Fasulo. 1667. 12 hs. + 753 págs. + 11 hs. 21,5 cm.

—Ded. fechada en Nápoles, 20 de Junio de 1667.—Texto.—Tabla de los capitulos. Indice de cosas notables.

Toda, *Italia*, II, n.º 2.584.

CORDOBA. *Pública.* 34-52. — GRANADA. *Universitaria.* A-26-172.—MADRID. *Academia de la Historia.* 14-8-8-5-5.644. *Nacional.* 7-14.941 (carece de portado).—NEW HAWEN. *Yale University.* — PARIS. *Nationale.* Rés.H.646. — ROMA. *Vaticana.* Stamp. Barb. U.III.92 y 93.

4454

JUSTICIA del hijo del Seraphin, defendida sin daño del ofensor. Por el Dr. D. Antonio de Cárdenas [seud. de ——]. Trapani. Barbera. 1683 8.º

Toda, *Italia*, II, n.º 2.586 (dudoso).

TRADUCCIONES

4455

DOTTRINA e regole di perfettione con le quali S. Pietro d'Alcantara alleuaua i suoi discepoli. Nápoles. Geronimo Fasulo. 1669. 4.º

Trad. por el autor.

ROMA. *Vaticana.* Stamp. Barb. D.II.141.

4456

CHRONICA dell'ammirabil Vita, e gesti miracolosi del glorioso padre S. Pietro d'Alcantara... Tradotta... del P. M. Fra. Gio. Francesco Olignano... Nápoles. Gio. Francesco Paci. 1674. 8 + 548 + 39 + 36 págs.

ROMA. Nazionale. 8.31.D.22. — WASHINGTON. Holy Name College Library.

4457

CHRONICA dell'ammirabil Vita, e Gesti miracolosi del Glorioso Padre San Pietro d'Alcantara... Tradotta dall'Idioma Spagnolo dal P. M. F. Gio. Francesco Olignano... Venecia. Andrea Poletti. 1717. 8 hs. + 550 páginas. Fol.

Toda, Italia, II, n.º 2.585.
BARI. Nazionale. 149-64. — ROMA. Nazionale. 36.9.D.26.

ESTUDIOS

4458

ALONSO DE VALERIA, GASPAR. En alabanza de S. Pedro de Alcántara y de la historia de su vida compuesta por Fr. Juan de San Bernardo... Oda. (En Engaños desengañados a la luz de la Verdad... Nápoles. 1681, págs. 103-5).

V. B.L.H., V, n.º 1663 (70).

4459

REP: Juan de San Antonio, II, pág. 136.

JUAN DE SAN BERNARDO (Fray)

Franciscano. Provincial de la de Andalucía y Granada. Visitador de la de Portugal. Definidor General de toda la Orden. Calificador de la Inquisición. Examinador sinodal del arzobispado de Sevilla.

EDICIONES

4460

SERMON en las honras que la Santa Iglesia Metropolitana, y Patriarcal de Sevilla consagró a la inmortal memoria del Illustrissimo y Reveren-

dissimo Señor el Señor Don Ambrosio Ignacio Spinola y Guzman, su venerable Arçobispo. Sevilla. Tomas Lopez de Haro. 1684. 24 págs. 20 cm.

—Cens. de Pedro de Santa Gadea.—L. V.— Texto.
SEVILLA. Universitaria. 111-62 (10).

4461

SERMON en las honras que celebro la nobilissima Ciudad de Sevilla a la Reina nuestra Señora Doña Maria Luisa de Borbon. Sevilla. Iuan Francisco de Blas. [s. a.]. 18 hs. 20 cm.

—Texto.
Escudero, n.º 1.860.
SEVILLA. Universitaria. 111-8 (2).

4462

SERMON en las honras que celebró... Sevilla, a la Reina... Doña María Lvisa de Borbon. Sevilla. Juan Francisco de Blas. 13 hs. 21 cm. (En BREVE Relación de las exequias qve... Sevilla dedicó a sv Reina... Doña María Lvisa de Borbón... el día 30 de marzo de 1689. Sevilla. s. a.).

V. B. L. H., V, n.º 5436.
MADRID. Nacional. 3-61.301.—NUEVA YORK. Hispanic Society.

4463

VIDA y milagros de Sta. Rosalía Virgen. Granada. Francisco Compacho. [s. a., 1689]. 176 págs. 15,5 cm.

BARCELONA. Universitaria. B.14-4-25.

———

—Barcelona. Thomás Piferrer. 1689. 2 hs. + 243 págs. 8.º
Palau, XIX, n.º 290.182.
—Sevilla. [s. i.]. A costa de Manuel Angel Xuárez. 1707. 8 hs. + 1 lám. + 244 págs. + 1 h. 14,5 cm.
MADRID. Nacional. 2-33.841.
—Sevilla, 1731. 6 hs. + 194 págs. con ilustr. 12.º
Palau, XIX, n.º 290.185.
—Sevilla. Manuel Nicolás Vázquez. 1773. 206 págs. con ilustr. 8.º
Palau, XIX, n.º 290.186.

—Córdoba. Luis de Ramos. 1774.

NUEVA YORK. *Hispanic Society.*

—Madrid. Marín. 1778. 4 hs. + 187 págs. 4.°
Palau, XIX, n.° 290.187.

—Madrid. 1796. 6 hs. + 172 págs. 8.°
Palau, XIX, n.° 290.188.

—Madrid. 1804. 8.°
Palau, XIX, n.° 290.189.

—Barcelona. Juan Serra y Centené.
Palau, XIX, n.° 290.190.

—Algeciras. Juan Bta. Cotillo. [s. a.]. 8.°
Palau, XIX, n.° 290.191.

Aprobaciones

4464

[*APROBACION. Alcalá, 18 de enero de 1666*]. (En Ortiz Muñoz, Félix. *Oracion panegirica en obsequio doloroso del Rey... D. Phelipe IIII...* Alcalá. 1666. Prels.)

MADRID. *Nacional.* R-Varios, 119-75.

4465

[*APROBACION. Sevilla, 19 de diciembre de 1678*]. (En Minaya, Pedro Ventura de. *Aranzel espiritual de la Venerable Orden Tercera de N. S. P. S. Francisco de Asís.* Sevilla. 1679. Prels.)

SEVILLA. *Universitaria.* 86 (2.°)-105.

4466

[*APROBACION. Sevilla, 21 de enero de 1687*]. (En Liñán, Juan de. *Sermón de la Concepción purissima de María...* Sevilla. 1687. Prels.)

SEVILLA. *Universitaria.* 112-90 (1).

4467

[*APROBACION. Sevilla, 18 de diciembre de 1687*]. (En Vera y Rosales, Francisco Lorenzo de. *Discurso Historico... de Ntra. Sra. de la Iniesta.* Sevilla. 1688. Prels.)

MADRID. *Nacional.* 2-46.472.

4468

[*APROBACION. Sevilla, 26 de octubre de 1691*]. (En Ramírez de Castroviejo, Juan. *Sermón, que en el concurso de oposición a la Canongía... vacante... dixo ——...* Sevilla. 1691. Prels.)

SEVILLA. *Universitaria.* 109-76 (27).

4469

[*CENSURA, 15 de octubre de 1695*]. (En Aranda, P. Gabriel de. *El artífice perfecto, ideado en la vida del V. H. Francisco Díaz del Ribero...* Sevilla. 1696. Prels.)

MADRID. *Nacional.* 2-55.530.

TRADUCCIONES

4470

VITA, e Miracoli di Santa Rosalia Vergine Palermitana... Portata dal Castigliano all'Italiano da Pietro Mataplana... Palermo. Agostino Epiro. 1693. 8 hs. + 280 págs. 8.°

Toda, *Italia*, II, n.° 2.587.

BARCELONA. *Central.* Toda, 9-I-7.

ESTUDIOS

4471

REP: Juan de San Antonio, II, pág. 136.

JUAN DE SAN CIPRIANO (Fray)

Mercedario descalzo. Calificador de la Inquisición. Provincial de Andalucía.

EDICIONES

4472

[*APROBACION. Cádiz, 2 de julio de 1688*]. (En Jerónimo de la Concepción, Fray. *Emporio de el Orbe, Cádiz Ilustrada...* Amsterdam. 1690. Prels.)

MADRID. *Nacional.* 1-22.940.

4473

[*APROBACION. Cádiz, 1 de diciembre de 1700*]. (En Aguilar y Aragón, Fernando de. *Oración fúnebre, en las Reales exequias... a el Rey... D. Carlos II...* Cádiz. 1700. Prels.)

SEVILLA. *Universitaria.* 113-83.

JUAN DE SAN CIRILO (Fray)

Carmelita descalzo.

EDICIONES

4474

[*ROMANCE*]. (En Vega Carpio, Lope de. *Relación de las fiestas que... Madrid hizo en la canonización de San Isidro...* Madrid. 1622, fol. 103).

MADRID. *Nacional*. R-9.090.

JUAN DE SAN DAMASO (Fray)

N. en Lisboa. Mercedario descalzo.

EDICIONES

4475

VIDA admirable del siervo de Dios, Fray Antonio de San Pedro. Religioso professo de los descalzos de Nuestra Señora de la Merced, nacido en el reyno de Portugal, convertido a la Gracia de Dios prodigiosamente, en el reyno del Perú en Lima; espantoso en virtudes, y cosas peregrinas en el de España; vivió y murió en Ossuna con indezible opinión de Santidad. Cádiz. Juan Lorenzo Machado. 1670. 6 hs. + 245 fols. a 2 cols. + 17 hs. 29,5 cm.

—Apr. de Fr. Agustin de Santo Tomas y Fr. Antonio del Espiritu Santo.—L. O.— Apr. de Fr. Antonio de Herrera.—Pr.— T.—Apr. de Fr. Diego Moreno.—L. V.— Ded. a Cristo Señor Nuestro.—Copia de Epistola de Alonso Fernando de Medina al autor.—Copia de un parrafo de Epistola de Fr. Melchor de los Reyes al Autor.—Texto.—Protesta.—Indice de cosas notables.

Medina, *Biblioteca hispano-americana*, número 1.495.

BARCELONA. *Universitaria*. C.194-3-7.—CORDOBA. *Pública*. 13-292.—LONDRES. *British Museum*. 4865.g.23.—MADRID. *Nacional*. 2-71.201.—SANTIAGO DE CHILE. *Nacional*. Sala Medina. — WASHINGTON. *Congreso*.

ESTUDIOS

4476

REP: García Peres, pág. 152.

JUAN DE SAN DIEGO (Fray)

N. en Zamora. Franciscano descalzo.

EDICIONES

4477

IDEAS sacras qve escrivio, y predico, a diversos assvmptos. Salamanca. Gregorio Ortiz Gallardo. A costa de don Alonso de Ouiedo, hermano del Autor. 1683. 12 hs. + 392 págs. 20,5 cm.

—Ded. a María Santissima y a S. Antonio de Padua.—Iuizio de Fr. Antonio de Velasco.—Apr. de Manuel de Alba.—Apr. del P. Pedro Abarca.—Apr. de Fr. Agustín de la Magdalena.—Apr. de Fr. Andrés de la Ascensión.—Apr. de Fr. Miguel de Fuentes.—Censura de Fr. Iuan de Bonilla y de la Guerra.—L. O.—L. V.—Pr. al autor por diez años.—T.—E.—Al lector.—Tabla de los Sermones de este libro. [Son veinte].—Texto.—Págs. 342-48: Tabla de las propuestas, que se prueban con lugares de la Sagrada Escritura.— Págs. 349-63: Elencho de platicas, para dar abitos, y professiones.—Págs. 364-73: Tabla de los lugares de la Sagrada Escritura.—Págs. 374-91: Tabla de las cosas más notables.—Colofón.

MADRID. *Nacional*. 3-54.812.

ESTUDIOS

4478

REP: N. Antonio, I, pág. 683.

JUAN DE SAN ESTEBAN (Fray)

Jerónimo.

EDICIONES

4479

[*ROMANCE*]. (En Juan de la Natividad, Fray. *Coronada historia, descripcion laureada, de la milagrosa Imagen de Maria Santissima de Gracia, cuyo Sagrado Bulto... magnifica su... Convento de RR. PP. Trinitarios Descalços... de Granada...* Granada. 1697, págs. 240-41).

MADRID. *Academia de la Historia*. 4-2-5-1.991.

JUAN DE SAN EUGENIO (Fray)

EDICIONES

4480

[*PARECER por* ——; *Fr. Juan de la Presentacion; Fr. Pedro Jesus Maria, y Fr. Joseph de la Encarnacion. Alcala, 22 de mayo de 1673*]. (En Sicardo, Juan Bautista. *Breve Resumen de la disposicion, reverencia, y pureza, con que deven llegar los Fieles a recibir el Santissimo Sacramento del Altar...* Alcalá. 1673. Prels.)

MADRID. *Academia de la Historia.* 13-1-8-2.096.

JUAN DE SAN FRANCISCO (Fray)

Jerónimo.

EDICIONES

4481

PRIMAVERA Sagrada, o Sermones de Cuaresma. Lisboa. 1675.

SEVILLA. *Universitaria.* 148-195.

4482

PIADOSA concordia, santa comunicacion de todos los bienes espirituales, de ayunos, penitencias, mortificaciones, limosnas, y oracion mental, y vocal, ó de otra qualquier obra buena, y exercicio Christiano, que los de esta Concordia se comunican vnos a otros en esta vida, y en la otra, sin defraudarse de ellos. [Cádiz. Christoval de Requena]. [1696]. 4 hs. 20 cm.

—Parecer de los Reverendos Padres que aprueban, y piden ser admitidos por Hermanos de esta piadosa Concordia.—Texto.—Colofón.—L. V.

MADRID. *Nacional.* R-Varios, 118-28.

4483

——. Cádiz. 1699.

SEVILLA. *Universitaria.* 111-13 (13).

4484

[*Al Autor. Soneto*]. (En Avila, Nicolás de. *Exposición del segundo Mandamiento.* Alcalá. 1596. Prels.)

MADRID. *Nacional.* R-31.907.

Aprobaciones

4485

[*CENSURA. Madrid, 7 de octubre de 1686*]. (En Caballero, Pedro Nolasco. *Prevención para la hora de la Muerte...* Madrid. 1687. Prels.)

ZARAGOZA. *Universitaria.* A-129-14.

4486

[*APROBACION. Zaragoza, 6 de diciembre de 1693*]. (En Moreno, José. *Ave Maria. Niño Gigante. Prodigiosa vida... de el Martyr... San Marmante, ó Mamés.* Zaragoza. 1694. Prels.)

MADRID. *Nacional.* 3-9.528.

4487

[*PARECER*]. (En Belmont, Vicente. *Palma, o Triunfo, celebrado en Jerusalen...* Zaragoza. 1695. Prels.)

MADRID. *Nacional.* V-269-27.

JUAN DE SAN GABRIEL (Fray)

Mercedario descalzo. Lector de Teología.

EDICIONES

4488

SERMONES sobre los Evangelios de Domingos, Miercoles y Viernes de Quaresma. Sevilla. Andrés Grande; Alcalá. María Fernández, y Madrid. Andrés García de la Iglesia. 1648-62. 4 vols. 20 cm.

Tomo I: Sevilla. Andrés Grande. 1648. 552 págs.

Placer, n.º 5.762.

ROMA. *Vaticana.* R.G.Teol.V.2680.—SANTIAGO DE COMPOSTELA. *Universitaria.*

Tomo II: Sevilla. Andrés Grande. 1649. 770 págs.

Placer, n.º 5.673.

MADRID. *Nacional.* 6.i.-250.—ROMA. *Vaticana.* R.G.Teol.V.2680. — SANTIAGO DE COMPOSTELA. *Universitaria.*—SEVILLA. *Universitaria.* 268-18. Tomo III: Alcalá. María Fernández. 1662. 350 págs. Placer, n.º 5.678. LYON. *Municipale.* 333.233-3.—MADRID. *Nacional.* 6.i.-1.847.—ROMA. *Nazionale.* 8.24.E.37-40. SANTIAGO DE COMPOSTELA. *Universitaria.* Tomo IV: Madrid. Andrés García de la Iglesia. 1662. 296 págs. ROMA. *Nazionale.* 8.24.E.37-40. — SANTIAGO DE COMPOSTELA. *Universitaria.*

4489

———. Zaragoza. 1656-61. 4 vols.

Placer, n.º 5.674. BARCELONA. *Central.* R(2)-8.º-498 [el I]. — MADRID. *Nacional.* 6.i.-2.094.—PAMPLONA. *General de la Diputación Foral.* 109-2-1-167/69 [tomos II-IV].

4490

SERMONES *sobre los Evangelios de Domingos, Miercoles, y Viernes de la Qvaresma. Quarta impresión.* Zaragoza. Miguel de Luna. A costa de Tomas Cabeças. 1660-61. 4 vols. 21 cm.

Tomo I: 4 hs. + 396 págs. + 26 hs. —Ded. a Fr. Martín de Allué, Provincial de la Orden de la Merced en Aragón y Cataluña, por Miguel de Luna.—Apr. de Fr. Raimundo Lumbier (1655).—L. V.— Apr. de Fr. Melchor de los Reyes y Fr. Luis de San Remon (1647).—L. O. (1647). Al Lector.—Texto.—Index locorum Sacrae Scripturae.—Tabla de las cosas notables.—Elenco de los Sermones de Quaresma. Tomo II: 562 págs. + 27 hs. —Texto.—Indices.—Tablas.—Elenco de los Sermones. Tomo III: 22 hs. + 349 págs. + 20 hs. Jiménez Catalán, *Tip. zaragozana del siglo XVII,* n.º 1.392 («según el Prov. hay un cuarto tomo que no conozco»); Placer, n.º 5.675. SANTIAGO DE COMPOSTELA. *Universitaria.*

4491

———. Madrid. Andrés García de la Iglesia. 1661-62. 2 vols.

Tomo III: 22 hs. + 349 págs. a 2 cols. + 20 hs.

Placer, n.º 5.676. Tomo IV: 9 hs. + 295 págs. + 16 hs. Placer, n.º 5.677. MADRID. *Nacional.* 6.i.-1.848 [tomos III-IV]. SANTIAGO DE COMPOSTELA. *Universitaria* [tomos III-IV].—ZARAGOZA. *Seminario de San Carlos.* 73-3-13 [un tomo].

ESTUDIOS

4492

REP: N. Antonio, I, pág. 697.

JUAN DE SAN GABRIEL
(Fray)

Trinitario descalzo. Lector de Teología moral del Colegio de Ceuta, Ministro de los conventos de dicha ciudad (1706-10) y de Sevilla (1710-13 y Definidor general (1716-19).

EDICIONES

4493

ORACION *Panegyrica del prodigioso Moyses de la ley Evangelica. S. Juan de Matha Patriarca, y Fundador del celestial Orden de la Santissima Trinidad Redempción de Cautivos.* Granada. Antonio de Torrubia. 1700. 10 hs. + 29 págs. 20 cm.

—Ded. a Francisco del Castillo y Faxardo. Apr. de Estevan Bellido de Guevara.— L. V.—Apr. de Fr. Luis de San Marcos.— L. del Juez.—L. O.—Texto.—Colofón. MADRID. *Nacional.* R-Varios, 136-24.

ESTUDIOS

4494

REP: Antonino de la Asunción, I, págs. 536-37.

JUAN DE SAN GREGORIO
(Fray)

Franciscano.

EDICIONES

4495

RESOLUCION *breve a dificultades graves, en que se satisfaze si los provinciales ministros de la franciscana familia pueden impedir el passo a sus idóneos súbditos, para la con-*

versión de infieles... [Sevilla. s. i.]. [1633]. 12 fols. 4.º

PARIS. *Nationale.* H.5935.

JUAN DE SAN JERONIMO (Fray)

Jerónimo del siglo XVI. Monje del monasterio de El Escorial.

CODICES

4496

«*Libro de Memorias deste Monesterio de Sant Lorençio el Real*».

Quirógrafo. 340 × 245 mm.

Zarco, II, pág. 149.

SAN LORENZO DEL ESCORIAL. *Monasterio.* K.I.7 (fols. 1r-199v).

EDICIONES

4497

MEMORIAS... sobre varios sucesos del reinado de Felipe II. (En COLECCIÓN *de documentos inéditos para la Historia de España,* VII, Madrid, 1845, págs. 5-442).

JUAN DE SAN JERONIMO (Fray)

Jerónimo. Monje del monasterio de Guadalupe.

EDICIONES

4498

VIDA del Rev.ᵐᵒ y venerable Padre Fr. Lope de Olmedo, monge professo del Real Monasterio de Nuestra Señora de Guadalupe, general que fue de la Orden de nuestro Padre San Geronimo, fundador de los monges geronimos de Italia y de los que en España llamaron Indias. Escriviola en Toscano el P. Pio Rosi, traducela al español ——, *Professo de Guadalupe.* Madrid. Manuel Ruiz de Murga. 1693. 12 hs. + 237 págs. + 15 hs. 20 cm.

—Ded. a la Comunidad del Monasterio.— L. O.—Censura y aprobación de Fr. Francisco de S. Clemente.—Apr. de Iuan Martinez.—L. V.—Censura y Apr. de Fr. Ma-

nuel de Silva.—E.—S. T.—Soneto de Fr. Sebastian de Santarén. [«Sublime empleo, y soberano aliento...»].—Al traductor. Dezima de Pedro Carrillo. [«Solo tu ingenio pudiera...»].—Al traductor. Decima de Juan Manuel Mendez Benegasi. [«Quando atento considero...»].—Protesta.—Prologo.—Texto.—Indice de lo contenido.

MADRID. *Nacional.* 3-19.629.—SANTIAGO DE COMPOSTELA. *Universitaria.*

4499

TEATRO abierto, politico y moral, escriviole en lengua toscana Don Antonio Lupis... Traducele en español el P. Fr. Joan de S. Geronimo... Madrid. Manuel Ruiz de Murga. 1697. 15 hs. + 236 págs. 15 cm.

—Ded. a D. Pedro Cayetano Fernández del Campo, Marques de Mejorada, precedida de su escudo.—Censura y Apr. de Fr. Alonso de la Puebla.—L. O.—Apr. del P. Gaspar de Soria.—L. V.—Apr. de Fr. Diego Ares.—S. Pr. al traductor por diez años.—E.—T.—Discreto Lector.—Texto.—Protesta.—Tabla.—Colofón.

MADRID. *Academia de la Historia.* 4-2-9-3.128. *Facultad de Filosofía y Letras.* 28.753. — *Nacional.* 3-3.453.—SAN LORENZO DEL ESCORIAL. *Monasterio.* M.26-II-52.—SANTIAGO DE COMPOSTELA. *Universitaria.*

JUAN DE SAN JERONIMO (Fray)

N. y m. (1705) en Madrid. Mercedario descalzo desde 1668.

EDICIONES

4500

MAYORAZGO de Dios. Heredado en la mverte de los hijos de sv Madre SS. de la Merced. Sermon fvnebre en las honras, qve celebra por los Religiosos Difuntos de su Sagrada y Real Religion: el Capitulo Provincial de Mercenarios descalzos... En el Colegio de Santa Cecilia de Ribas. Año de 1686. Alcalá. Francisco García Fernández. [s. a.]. 4 hs. + 24 páginas. 19 cm.

—L. V. (1686).—Ded. a Maria Santissima de las Mercedes.—Apr. de Fr. Manuel de la Madre de Dios y Fr. Felix del Santissimo Sacramento.—L. O.—Censura del P. Carlos de Echeverría.—Texto. J. Catalina García, *Tip. complutense*, número 1.257.
MADRID. *Nacional*. 2-54.746; R-Varios, 129-49.

ESTUDIOS
4501
REP: Alvarez y Baena, III, págs. 274-75.

JUAN DE SAN JOSE (Fray)
Franciscano.

CODICES
4502
Exercicios quotidianos de perfección.
N. Antonio, que remite a Antonio Daza y Pedro Alba.

EDICIONES
4503
[*APROBACION. Madrid, 29 de julio de 1613*]. (En Bretón, Juan. *Mística Theología...* Madrid. 1614. Prels.)
MADRID. *Nacional*. 3-30.452.

ESTUDIOS
4504
REP: N. Antonio, I, pág. 715.

JUAN DE SAN LUCAS (Fray)
Franciscano descalzo. Guardián del convento de San Bernardino de Madrid.

EDICIONES
4505
[*APROBACION, 28 de julio de 1591*]. (En Yepes, Diego de. *Discursos de Varia Historia*. Toledo. 1592. Prels.)
MADRID. *Nacional*. R-29.299.

4506
[*CENSURA. Madrid, 18 de mayo de 1596*]. (En Gómez de Figueredo, Sebastián. *Milicia christiana de los tres enemigos del Alma*. Salamanca. 1596. Prels.)
MADRID. *Nacional*. R-28.081.

JUAN DE SAN MARTIN (Fray)
Benedictino. Residente en Salamanca.

EDICIONES
4507
[*SONETO*]. (En González, Francisco Ramón. *Sacro Monte Parnaso...* Valencia. 1687, pág. 267).
MADRID. *Nacional*. R-22.520.

JUAN DE SAN MIGUEL (Fray)

EDICIONES
4508
BREVE resumen de la vida, virtudes y muerte de el Siervo de Dios, venerable Padre Fr. Ieronimo Eusebio... Sevilla. Juan Lopez de Haro. 1680. 340 págs. + 1 h. 15 cm.
No citado por Escudero.
BARCELONA. *Universitaria*. C.190-8-19.

4509
[*EPIGRAMMA*]. (En DESCRIPCIÓN prosi-poética, de el sitio del convento de monges de San Gerónimo de Guisando... Sevilla. 1662. Prels.)
MADRID. *Nacional*. 3-52.372.

JUAN DE SAN MIGUEL (Fray)

EDICIONES
4510
[*CENSURA de —— y Fr. Pablo de la Asunción*]. (En Castro, José de. *Vida del Siervo de Dios Fr. Juan de Angulo y Miranda...* Méjico. 1695. Prels.)
Medina, *México*, III, n.º 1.590.

JUAN DE SAN PABLO (Fray)

EDICIONES
4511
[*SERMON*]. (En Luis de Santa María, Fray. *Octava sagradamente culta...* Madrid. 1664, págs. 230-48).
MADRID. *Nacional*. U-6.289.

JUAN DE SAN PEDRO (Fray)

EDICIONES
4512
[*CENSURA de Fr. Francisco de San Antonio,* —— *y Fr. Juan Torres de Brozas. Plasencia, 20 de diciembre de 1697*]. (En Urbina, Francisco. *Sermón...* Salamanca. 1698. Prels.)

MADRID. *Nacional.* R-Varios, 131-26.

JUAN DE SAN ROBERTO (Fray)

Se llamaba Juan Figueras Carpi. N. en Alvalat de Pardiñas, Valencia. Trinitario. Viajó por España, Francia, Holanda e Inglaterra, recogiendo material para unos Anales de su Orden, que dejó inéditos. Provincial y Vicario General de Inglaterra, Escocia e Hibernia. Cronista general.

EDICIONES
4513
COMPENDIO histórico de la vida y martirio de D. Pedro Figueras Carpi de Valencia, Obispo de Jaén... Venecia. 1642. 100 págs. 4.º

Toda, *Italia*, II, n.º 2.589.

OBRAS LATINAS
4514
CRONICUM Ordinis SSmae. Trinitatis de Redemptione Captivorum. Verona. Franciscus de Rubeis. 1645. 630 págs. 4.º

JUAN DE SANTA ANA (Fray)

Franciscano.

EDICIONES
4515
[*APROBACION de* —— *y Fr. Diego Blanco. Villanueva del Fresno, 15 de enero de 1594*]. (En Moles, Juan Bautista. *Recopilación y advertencias del Cerimonial de la Orden de... S. Francisco...* Madrid. 1595. Prels.)

SEVILLA. *Universitaria.* 90-33 (1).

JUAN DE SANTA MARIA (Fray)

N. en Benavente (1551). Estudió Leyes en la Universidad de Salamanca. Franciscano descalzo desde 1569. Confesor de la infanta María, hija de Felipe III, y del convento de las Descalzas reales de Madrid, donde m. (1622).

CODICES
4516
«*Tratado de republica y policia christiana para reyes y principes y para los que en el gouierno tienen sus vezes*».
Letra del s. XVII. 263 fols. 210 × 150 mm.
Inventario, V, pág. 391.
MADRID. *Nacional.* Mss. 1.974.

EDICIONES
4517
TRATADO de Repvblica, y policia christiana. Para Reyes y Principes: y para los que en el gouierno tienen sus vezes. Madrid. Impr. Real. 1615. 8 hs. + 614 págs. + 3 hs. 20 cm.

—Port. (sin nombre de autor).—Pr. al autor por diez años.—Apr. de Fr. Buenaventura de los Reyes.—Apr. de Fr. Diego de Vera.—Apr. de Pedro del Castillo.—L. O.—Apr. de Fr. Placido de Tossantos. Ded. al Rey.—Texto.—Tabla de los capitulos y parrafos.—E.

Pérez Pastor, *Madrid*, I, n.º 1.368.

CHICAGO. *Newberry Library.*—MADRID. *Consejo. Patronato «Menéndez Pelayo».* 15-589. *Nacional.* R-19.241.—ROMA. *Nazionale.* 6.42. C.39.—SEVILLA. *Colombina.* 69-3-53. *Universitaria.* 89-93.

4518
REPUBLICA, y policia christiana... Barcelona. Geronymo Margarit. 1617. 4 hs. + 266 págs. + 3 hs. 15,5 cm.

CAMBRIDGE, Mass. *Harvard University. Andover-Harvard Theological Library.* — MADRID. *Nacional.* R-24.333.—ROMA. *Nazionale.* 6.43G. 18. *Vaticana.* Stamp. Barb. P.I.62.—SEVILLA. *Univcersitaria.* 94-59.—ZARAGOZA. *Seminario de San Carlos.* 21-8-6.

4519
——. Barcelona. Sebastián de Cor-

mellas. 1617. [Colofón: 1616]. 8 hs.
+ 268 fols. + 5 hs. 16 cm.

BARCELONA. *Central.* 6-II-62.—MADRID. *Nacional.* R-24.333; 7-57.714 (incompleto).—PARIS. *Nationale.* *E.3338.

4520

TRATADO de Republica y policia christiana... Barcelona. Sebastian de Cormellas. 1618. 8 hs. + 268 fols. + 4 hs. 8.º

MADRID. *Nacional.* 3-12.610.—ROMA. *Nazionale.* 12.30.D.26. *Vaticana.* R.G.Sc.Soc.V.414.

4521

———. Barcelona. Gerónimo Margarit. 1619. 215 fols. 8.º

BARCELONA. *Central.* 2-I-41.—LYON. *Municipale.* 340.289.—MADRID. *Facultad de Filosofía y Letras.* — *Nacional.* R-24.343. — SANTIAGO DE COMPOSTELA. *Universitaria.*—ZARAGOZA. *Seminario de San Carlos.* 41-8-34.

4522

———. Valencia. Patricio Mey. 1619. 268 fols. + 5 hs. 8.º

BARCELONA. *Central.* R(3)-8.º-100.—MADRID. *Nacional.* R-27.229.—PARIS. *Nationale.* E-3351.—ROMA. *Nazionale.* 12.4.A.12.

4523

REPVBLICA y policia christiana, para reyes y principes, y para los que en el gouierno tienen sus vezes. Lisboa. Antonio Alvarez. 1621. 8 hs. + 265 fols. 14 cm.

—Licenças.—Apr. de Fr. Diego de Vera (1615).—Apr. Fr. Pedro del Castillo (1615). L. O. (1615).—Apr. de Fr. Tomas Roca (1616). — L. del Obispo de Barcelona. — Tabla de los Capitulos.—Texto.

LONDRES. *British Museum.* 4412.aaa.24.—MADRID. *Nacional.* R-7.473.

4524

REPVBLICA, y policia christiana. Aora nuevamente añadido... Nápoles. Domingo Macarano. 1624. 360 págs. 20 cm.

—Ded. a D. Antonio Alvarez de Toledo y Veaumont, Duque de Alva, Virrey, Lu-

garteniente y Capitán General deste Reyno de Nápoles, etc., cuyo escudo figura en la portada (págs. 3-6).—L. O. (pág. 7). Apr. de Fr. Plácido de Tossantos y otra del mismo para lo añadido (pág. 8).—Ded. a Felipe III (págs. 9-12).—Texto.—L. O. (pág. 357).—Tabla de los Capítulos y Párrafos (págs. 358-60).—L. V. (pág. 360). Toda, *Italia,* II, n.º 2.596.

CAMBRIDGE, Mass. *Harvard University. Law School Library.* — MADRID. *Academia de la Historia.* 3-8-5-8.859.—*Nacional.* 3-30.706.

4525

RELACION del martirio que seys Padres Descalços Franciscos, y veynte Iapones (sic) *Christianos y padecieron en Iapon.* Madrid. Lic. Varez de Castro. 1599. [Colofón: 1601]. 8 hs. + 218 fols. + 2 hs. 15 cm.

—T.—E.—Pr. al autor por diez años.—Ded. a Felipe III, precedida de su escudo.— Texto.—Tabla de los capitulos.—Colofon. Pérez Pastor, *Madrid,* II, n.º 800.

MADRID. *Nacional.* R-33.597; 3-22.869.—PARIS. *Nationale.* 8.ºO²o.94.—ROMA. *Nazionale.* 1433. B.56.

4526

———. *Con introducción y notas del P. Fidel de Lejarza.* Madrid. [Raycar Imp.]. 1966. 461 págs. 17,5 cm.

MADRID. *Nacional.* 4-61.510.

4527

MARTYRIO de los santos protomartyres del Iapon. Madrid. Viuda de Alonso Martín. 1628. 8.º

LONDRES. *British Museum.* 1369.a.8.

4528

CHRONICA de la Provincia de San Ioseph, de los Descalços de la Orden de las Menores de nuestro Seraphico Padre S. Francisco, y de las Provincias, y custodias Descalças, que della han salido y son sus hijas. Madrid. Imprenta Real. 1615-18. 2 vols. 29,5 cm.

Tomo I: 9 hs. + 672 págs., a 2 cols. + 3 hs. —L. O.—Apr. de Fr. Pedro del Castillo.—

Apr. de Fr. Lorenzo de S. Geronimo.—
L. V.—Apr. de Fr. Francisco de la Madre de Dios.—Pr. a favor de Fr. Juan
de Santa Maria por 10 años.—E.—T.
Ded. a Martin de Cordova.—Proemio al
lector.—Texto.—Tabla de Capitulos.
Tomo II: 3 hs. + 737 págs. a 2 cols. +
2 hs.
—Pr. a favor de Fr. Iuan de Santa Maria
por 10 años.—T.—E.—L. V.—L. O.—Apr.
y Censura de Fr. Alonso de Iesús Maria.
Apr. de Fr. Pedro del Castillo.—Texto.—
Tabla de capitulos.

Pérez Pastor, *Madrid*, II, núms. 1.367 y
1.571.

LONDRES. *British Museum.* 489.i.7; etc.—LYON.
Municipale. 102.745 [el I] y 103.292 [el II].
MADRID. *Nacional.* 2-23.353/54. — MONSERRAT.
Monasterio. B.CXLVII.Fol.10. — PARIS. *Nationale.* H.1638-1639. — PROVIDENCE. *Brown
University.*—ROMA. *Vaticana.* Stamp. Barb.
H.XI.62 [el II].—WASHINGTON. *Congreso.*

4529

*VIDA, excelentes virtvdes, y obras
miracvlosas del Santo Fray Pedro
de Alcantara, Fundador de la Prouincia de San Ioseph de los Descalços de la Orden de nuestro glorioso
Padre San Francisco en España.* Madrid. Viuda de Alonso Martin. A costa de Alonso Perez. 1619. 8 hs. + 302
fols. + 2 hs. 8.º

—Ded. a D. Martin de Cordoua, Comisario General de la Santa Cruzada, por
Alonso Perez.—T.—Apr. de Fr. Pedro del
Castillo.—L. V.—L. O.—Apr. del P. Iuan
de Moncada.—Pr. al autor por diez años.
E.—Texto.—Tabla de capitulos.

Pérez Pastor, *Madrid*, II, n.º 1.636.

MADRID. *Nacional.* 3-24.781.—ROMA. *Nazionale.* 14.32.A.22.

TRADUCCIONES

a) FRANCESAS

4530

*Repvblique et police chrestienne...
Traduict... par le sieur Du Perier...*
Paris. E. Richer. 1631. 16 cm.

NEW HAVEN. *Yale University.*

b) INGLESAS

4531

*Christian policie: or, The Christian
common-wealth... Translated into
English, by Edward Blount.* Londres. Printed by T. Harper, for R.
Collins. 1632. 481 págs. 21,5 cm.

ANN ARBOR. *University of Michigan.*—CHICAGO.
University of Chicago. — NEW YORK. *Union
Theological Seminary.* — URBANA. *University
of Illinois.*—WASHINGTON. *Folger Shakespeare Library.*

4532

———. Londres. H. Mossley. 1650.
481 págs 21,5 cm.

WASHINGTON. *Congreso.* 17-4878 rev.

4533

*Policie Vnveiled: VVherein May Be
Learned, The Order of true Policie
in Kingdomes, and Common-wealths:
The Matters of Justice, and Governement... Translated into English,
by I. M.* Londres. Thomas Harper,
for Richard Collins. 1632. 481 págs.
21 cm.

BOSTON. *Public Library.*—CHICAGO. *Newberry
Library.*—NEW HAVEN. *Yale University.*—NEW
YORK. *Public Library.*

c) ITALIANAS

4534

*RELATIONE del martirio che sei
padri scalzi di San Francesco et venti giaponesi christiani patirono nel
Giapone l'anno 1597.* Roma. Nicolò
Mutij. 1599. 8.º

BARCELONA. *Universitaria.* B.14-6-21-2405 (falto de portada).—ROMA. *Nazionale.* 9.18.A.41.
Vaticana. Stamp. Barb. H.I.69.

4535

*RELATIONE del martirio che sei
Padri scalzi di San Francesco, et venti Giapponesi Cristiani patirono nel
Giappone, l'anno MDXCVII... Tradotta... per ordine del R. P. F. Gioseppe di S. Maria... E di nuovo fatta*

ristampare in Napoli dal R. P. F. Antonio Minor... con l'aggiunta d'una additione... sapra il martirio di detti martiri... Nápoles. Antonio Pace. 1600. 16 hs. + 144 págs. + 4 hs. 8.º

MADRID. *Nacional.*

4536

REPUBBLICA e Politica Cristiana... Tradotta... da Cesare Braccini. Venecia. G. P. Gielli. 1619. 14 hs. + 480 págs. + 2 hs. 16.º

Toda, *Italia*, II, n.º 2.595.

BARCELONA. *Central.* Toda, 6-II-17. — MADRID. *Nacional.* 7-12.657.—PARIS. *Nationale.* Rés. *E.563.

4537

———. Venecia. Giouanni Salis. 1619. 8.º

Toda, *Italia*, II, n.º 2.596.

BARCELONA. *Central.* Toda, 5-IV-4.—ROMA. *Vaticana.* Stamp. Barb. P.I.63 y P.VI.77.

4538

REPVBLICA, e politica cristiana per li re, e prencipi, e per quelli, chel nel gouerno tengono il luogo loro... Tradotta da... Giulio Cesare Braccini da Giouiano di Lucca... Milán. G. B. Bidelli. 1621. 12 + 407 págs. 16 cm.

ROMA. *Nazionale.* 6.39.B.18. *Vaticana.* R. G. Lett. Est. V.611. — WASHINGTON. *Congreso.* 10-13666.

4539

Vita e miracoli del B. Fr. Pietro d'Alcantara, fondatore della provincia di S. Gioseppe de'Scalzi di S. Francesco... Trad. per... Giovan-Francesco Pizzuto... Roma. P. Discepolo. 1622. VI + 232 págs. 12.º

PARIS. *Nationale.* H.10653.—ROMA. *Nazionale.* 14.37.A.9.

4540

———. Trevigi. 1623.

ROMA. *Nazionale.* 14.37.K.12.

ESTUDIOS

4541

REP: N. Antonio, I, pág. 731.

JUAN DE SANTA MARIA (Fray)

Franciscano. Ministro provincial de la de San Pedro de Alcántara del Reino de Nápoles.

EDICIONES

4542

[*EL que lo saca a luz al Lector sincero, la paz que el inquieto mundo dar no puede*]. (En Molinos, Miguel de. *Guía espiritual... Sacado a luz por* ———... Madrid. 1676. Prels.)

MADRID. *Nacional.* R-22.538.

4543

[*CARTA. Nápoles, 24 de mayo de 1682*]. (En Boneta, José. *Vida exemplar del V. P. M. Fr. Raymundo Lumbier...* Zaragoza. 1867, págs. 187-88).

JUAN DE SANTA MARIA (Fray)

Franciscano.

EDICIONES

Obras atribuidas

4544

ADMIRABLES efectos de la Providencia sucedidos en la Vida, e Imperio de Leopoldo Primero... [Traducido por ———]. Milán. 1696.

V. *B. L. H.*, IV, 2.ª ed., n.º 2024.

JUAN DE SANTA MARIA (Fray)

N. y m. en Madrid (?-1673). Mercedario descalzo desde 1631. Vicario General de la Orden en 1666.

EDICIONES

4545

DICHOSO fin a la vida humana y feliz transito a la eterna de el gran monarca Felipe Qvarto, Rey de las Españas; escrito por el R. P. ———..., *que assistió a su Magestad en su*

santa muerte. [s. l. - s. i.]. [s. a.]. 9
hs. + 28 fols. 20 cm.

—Port. — Retrato de Felipe IV («Marcus
Orozco delinea. et sculpsit. Matriti)».—
Ded. a la Reina.—Juizio de Fr. Juan Bap-
tista Sorribas.—L. V. (1665).—Censura de
Fr. Diego de Silva y Pacheco.—L. del
Consejo (1667).—Texto.

MADRID. *Nacional.* 2-12.688.—NUEVA YORK. *Hispanic Society.* — ROMA. *Vaticana.* Stamp.
Barb. 7.IX.57.—SEVILLA. *Universitaria.* 112-
132 (2).

4546

————. Nápoles. C. Porfile. 1675. 56
págs.

MADRID. *Nacional.* 2-59.485.—PARIS. *Nationale.* 4.º Oc.484.

4547

*CEREMONIAL del Coro, y del Altar,
e Instrvccion de Oficios de los Religiosos Descalços del Orden de Nuestra Señora de la Merced Redempcion de Cautivos. De nuevo enmendado, según los Decretos de la Santa Congregación de Ritos.* Madrid.
Francisco Nieto. 1668. 5 hs. + 146
págs. + 2 hs. + 317 págs. + 5 hs.

—L. O.—Fray Juan de Santa Maria, humilde Vicario General de todo el Orden de
Descalços de Nuestra Señora de la Merced... A los Venerables Padres Prouincia-
les, Difinidores, Comendados, y Comendadoras, y a nuestros muy amados en
Christo, los demas Religiosos y Religiosas de nuestra Obediensia.—Proemio.—
Texto.—Tabla.

MADRID. *Nacional.* 2-13.084.

4548

[*A los Venerables Padres Provinciales, Definidores, Comendadores, y
Comendadoras, y a nuestros muy
amados en Christo los demas Religiosos, y Religiosas de Nuestra Obediencia. Madrid, 10 de febrero de
1669*]. (En Juan de la Virgen, Fray.
Manual de Processiones... Sevilla.
1699. Prels.)

SEVILLA. *Universitaria.* 164-34.

4549

[*DEDICATORIA al Rey*]. (En Pedro
de San Cecilio, Fray. *Annales del Orden de Descalzos de Nvestra Señora
de la Merced... Parte primera.* Barcelona. Dionisio Hidalgo. 1669. Preliminares).

MADRID. *Nacional.* 5-2.141 (vol. I).

4550

[*DEDICATORIA a D.ª Teresa Pimentel y Ponce de León, duquesa de
Sessa, etc.*]. (En Pedro de Jesús María, Fray. *Cielo espiritual, trino y
uno.* Tomo I. 2.ª impresión. Madrid.
1672. Prels.)

MADRID. *Nacional.* 7-13.988.

ESTUDIOS

4551

REP: N. Antonio, I, págs. 731-32; Alvarez
y Baena, III, págs. 232-34; Placer, II, págs.
799-800.

JUAN DE SANTA MARIA (Fray)
Trinitario.

EDICIONES

4552

[*APROBACION. Valencia, 2 de mar-
zo de 1673*]. (En Dávila y Heredia,
Andrés. *Tienda de antojos políticos.*
Valencia. 1673. Prels.)

MADRID. *Nacional.* R-12.213.

JUAN DE SANTA MARIA (Fray)
Residente en Sevilla.

EDICIONES

4553

*SOLILOQUIO a Christo Redentor
nuestro en el contagio que padeció
la Ciudad de Sevilla este año de 1649.*
Sevilla. Juan Gómez de Blas. 1649.
14 hs. 4.º

4554

*POEMA heroyco y aclamación poe-
tica que a las demonstraciones y fies-*

tas de la reducción y entrega de la ciudad de Barcelona a las armas de el rey Felipe quarto hizo la ciudad de Sevilla. Sevilla. Iuan Gomez de Blas. 1652.

NUEVA YORK. *Hispanic Society.*

JUAN DEL SANTISIMO SACRAMENTO (Fray)

Agustino. Provincial de Cerdeña hasta 1693. Teólogo y confesor por 1701 de Fr. Bernabé de Castro, arzobispo de Brindis.

EDICIONES

4555

VIDA de el venerable siervo de Dios Vicente de Pavl, Fundador, y Primero Superior General de la Congregacion de la Mission. Nápoles. De Bonis. 1701. 12 hs. + 566 págs. + 3 hs. 23 cm.

—Ded. al cardenal D. Luis Manuel Portocarrero, Arzobispo de Toledo, etc., precedida de su escudo.—Al que leyere.—L.—Apr. de Fr. Isidro de S. Miguel.—L.—Apr. de Fr. Augustin Martinez de Hinojosa.—Protesta del autor.—Poesías en latín y en italiano.—Soneto de Antonio de Cárdenas. [«Historiador, que en prosa numerosa...»]. — Epigramma latino del mismo.—Texto.—Tabla de los Capitulos.

MADRID. *Academia de la Historia.* 3-7-4-7.032. PAMPLONA. *General de la Diputación Foral.* 109-13-4/216. — ROMA. *Nazionale.* 71.11.C.1. — VALLADOLID. *Universitaria.* 12.079.

Aprobaciones

4556

[*APROBACION*]. (En Uberte Balaguer, Anastasio Marcelino. *Parte primera del origen y grados del Honor...* Nápoles. 1694. Prels.)

SEVILLA. *Colombina.* 67-4-7.

4557

[*APROBACION. Nápoles, 18 de abril de 1695*]. (En Isidro de San Miguel, Fray. *Parayso cultivado...* Nápoles. 1695. Prels.)

MADRID. *Nacional.* 2-67.913.

TRADUCCIONES

a) PORTUGUESAS

4558

VIDA de S. Vicente de Paulo, fundador e primeiro superior geral da Congregação da missão. Traduzida per Jozè Barbosa. Lisboa. J. A. da Sylva. 1738. 611 págs. Fol.

JUAN DE SANTO DOMINGO (Fray)

EDICIONES

4559

[*APROBACION de —— y Fr. Joseph de S. Juan. Madrid, 15 de octubre de 1696*]. (En Juan de Madrid, Fray. *Milicia sagrada.* Madrid. 1696. Prels.)

MADRID. *Nacional.* 3-33.779.

JUAN DE SANTO TOMAS (Fray)

N. en Lisboa, hijo del alemán Pedro Poinsort, secretario del archiduque Alberto de Austria, y de la portuguesa Maria Garces (1589). Estudió en Coimbra y en Lovaina. Dominico. Catedrático de la Universidad de Alcalá. Regente del Colegio de Santo Tomás de Madrid. Censor de la Inquisición. Confesor de Felipe IV. M. en Fraga (1644).

EDICIONES

4560

EXPLICACION de la Doctrina Christiana, y de la obligación de los fieles Christianos en creer y obrar. 2.ª impressión corregida y añadida por el Autor. Alcalá. Antonio Vázquez. 1640. 6 hs. + 118 fols. 8.º

—S. L.—S. T.—E.—L. O.—Apr. de los PP. Juan Eusebio Nieremberg y Agustín de de Castro.—L. V.—Apr. de Fr. Diego Menor.—Oración a la Virgen.—Al lector.—Texto.—Tabla.

J. Catalina García, *Tip. complutense,* número 977.

4561

EXPLICACION de la Doctrina Christiana. Alcalá. Antonio Vázquez. 1641. 16.º

ROMA. *Vaticana.* Stamp. Barb. V.XIV.132.

4562

EXPLICACION de la Doctrina Christiana, y de la obligación de los fieles en creer y obras. Quinta impression corregida, y añadida por su Autor, con un tratado del modo de ayudar a bien morir. Valencia. Silvestre Esparza. A costa de Juan Sanzoni. 1645. 8 hs. + 552 págs. + 5 hs. + 197 págs. 10 cm.

—L. O.—Apr. de los PP. Juan Eusebio Nieremberg y Agustin de Castro (1640). Apr. de Fr. Juan Bautista Palacio (1642). Oracion a la soberana Virgen del Rosario.—Al lector.—Texto.—Tabla.
Sigue: *Practica y consideración...*
GRANADA. *Universitaria.* A-18-386.

4563

——. 5.ª ed. Zaragoza. Pedro Lanaja y Lamarca. 1645. 4 hs. + 118 fols. + 1 h. + 44 fols. + 1 h. 15 cm.

Con Apr. de Fr. Domingo Francés y Fr. Bernardo Romeo. Al fin, lleva una *Practica y consideración para ayudar a bien morir*, del mismo autor.
Jiménez Catalán, *Tip. zaragozana del siglo XVII*, n.º 485.
BARCELONA. *Universitaria.* C.215-7-35. — ZARAGOZA. *Universitaria.* D-25-147.

4564

——. Barcelona. Pedro Juan Dexeu. 1646. 8 hs. + 305 págs. 8.º

Palau, XX, n.º 300.305.

4565

——... Amberes. Emprenta Plantiniana. 1651. XV + 537 págs. + 3 hs. 16.º

Peeters-Fontainas, I, n.º 647.
AMBERES. *Musée Plantin-Moretus.*

4566

——. Valencia. Silvestre Esparsa [y Joseph Gasch, el II]. 1651-53. 2 vols. 16.º

ROMA. *Vaticana.* Stamp. Barb. V.XIV.133.

4567

——. Amberes. En la Emprenta Plantiniana. 1659. XV + 537 págs. + 3 hs. 16.º

Peeters-Fontainas, I, n.º 648.
SEVILLA. *Colombina.* 50-1-6.

4568

EXPLICACION de la Doctrina Christiana. Roma. 1663. 12.º

Cit. en Toda, II, n.º 2.594.

4569

——. Madrid. Impr. Real. 1669. 4 hs. + 430 págs. + 2 hs. 15 cm.

MADRID. *Nacional.* 3-41.257. — ZARAGOZA. *Universitaria.* G-9-286.

4570

——. Barcelona. Josef Forcada. 1678.

BARCELONA. *Instituto Municipal de Historia.* B. 1678. 12.ª (4). *Universitaria.* B.63-7-23; etc.

4571

——. Madrid. 1692.

SAN LORENZO DEL ESCORIAL. *Monasterio.* M.7-II-27.

4572

——. Amberes. Verdussen. 1700. 12.º

Peeters-Fontainas, I, n.º 649.
SEVILLA. *Universitaria.* 84-163.

4573

——. Valencia. [s. i.]. 1703. 377 págs + 2 hs. 15 cm.

BARCELONA. *Universitaria.* C.274-8-7.—MADRID. *Nacional.* 1-11.921.—ZARAGOZA. *Universitaria.* G-9-279.

4574

———. Madrid. J. Ibarra. 1757. 114 + 456 págs. 15,5 cm.

MADRID. *Nacional.* 3-56.321; etc.

4575

———. Madrid. Ramírez. 1760. 398 págs. 15 cm.

WASHINGTON. *Congreso.* 40-22147.

4576

PRACTICA y consideración para ayudar a bien morir. Valencia. Iusepe Gasch. A costa de Iuan Sonzoni. 1645. 5 hs. + 197 págs. 10 cm.

—Apr. de Ioseph Do.—Texto.
GRANADA. *Universitaria.* A-18-386.

4577

RESPUESTA a la alegación hecha por parte del Governador Aluaro de Villegas, acerca de la renovacion de las licencias para confesar de los Religiosos]. [s. l. - s. i.]. [s. a.]. 8 fols. + 2 hs. 30 cm.

Carece de portada.
—Texto.
MADRID. *Nacional.* R-Varios, 31-53 y 41-35.

Aprobaciones

4578

[APROBACION de Fr. Francisco de Arana y ———. Madrid, 6 de agosto de 1622]. (En Maldonado, Alonso. *Chrónica Universal...* Madrid. 1624. Prels.)

MADRID. *Nacional.* 3-19.154.

4579

[APROBACION. Alcalá, 8 de octubre de 1631]. (En Torres, Cristóbal de. *Sermón... a las honras de la... Reina de Polonia Doña Constanza de Austria.* Madrid. 1631. Prels.)

CORDOBA. *Pública.* 4-162.

4580

[APROBACION. Alcalá, 1 de febrero de 1634]. (En Arbues, Luis Vicente.

Discurso y verdadera inteligencia del fuero de Aragón llamado de nueve por ciento... Zaragoza. 1647. Al fin).

MADRID. *Nacional.* R-Varios, 192-7.

4581

[CENSURA de Fr. Pedro de Tapia y ———. Alcalá, 2 de diciembre de 1634]. (En Juan de la Palma, Fray. *Vida de la Serenissima Infanta Sor Margarita de la Cruz...* Madrid. 1636. Prels.)

MADRID. *Academia de la Historia.* 5-5-6-2.312.

4582

[CENSURA. 8 abril 1638]. (En Gonzalo Barroso, Agustin. *Memorial en defensa del Habito que debe traer la Sagrada Religión Premonstratense.* Barcelona, s. a. Al fin).

MADRID. *Nacional.* R-Varios, 134-36.

4583

[APROBACION de Fr. Pedro de Tapia y ———. Madrid, 9 de abril de 1638]. (En Muñoz, Luis. *Vida de Fr. Luis de Granada.* Madrid. 1639. Preliminares).

MADRID. *Nacional.* 2-15.920.

OBRAS LATINAS

4584

ARTIS Logicae. Prima pars. Alcalá. 1631.

——— ——— ———

—2.ª ed. Alcalá. Antonio Vázquez. 1634. 8 hs. + 31 págs. 8.º
J. Catalina García, *Tip. complutense,* número 951.
MADRID. *Nacional.* R-24.841; etc.
—3.ª ed. Roma. Manelphi Manelphii. 1636.
MADRID. *Nacional.* 6.i.-2.382.—ROMA. *Vaticana.* Stamp. Barb. L.I.82.
—4.ª ed. Madrid. Sánchez. 1640. 2 partes en un vol.
MADRID. *Nacional.* 5-3.466.—PARIS. *Nationale.* R.1940.
—5.ª ed. Madrid. 1648.
PARIS. *Nationale.* R-10.873.

4585

ARTIS Logicae. Secunda pars. Alcalá. 1632. 4.º

N. Antonio.

4586

NATURALIS Philosophiae... Prima pars. Madrid. 1633.

MADRID. *Nacional.* 3-66.838.

— — —

—Zaragoza. P. Lanaja. 1644. 436 + 56 págs.
PARIS. *Nationale.* R.1941.

4587

NATURALIS Philosophiae... Secunda pars.

4588

NATURALIS Philosophiae. Tertia pars. Alcalá. 1634.

PARIS. *Nationale.* R.1942.

4589

NATURALIS Philosophiae. Quarta pars. Alcalá. Vázquez. 1635.

MADRID. *Nacional.* 5-4.467.—PARIS. *Nationale.* R.1943.

4590

CURSUS philosophicus tomisthicus. Roma. Manelphi Manelphii. 1637-38. 6 vols. 8.º

Comprende todas las partes de las dos obras anteriores.
Toda, *Italia*, II, núms. 2.591 y 2.593.
BARCELONA. *Universitaria.*
—Colonia. 1638.
—Zaragoza. 1644.
—Lugduni. Sumpt. Philippi Borde, Laurentii Arnaud, Petri Borde et Guilielmi Barbier. 1663. Fol.
BARCELONA. *Universitaria.*—MADRID. *Nacional.* 7-13.578/79.—ROMA. *Vaticana.* Stamp. Barb. L.IX.5.
—Lugduni. Laurentius Arnaud. 1678. 2 vols. 37 cm.
MADRID. *Nacional.* 3-54.191.—VALLADOLID *Universitaria.* 4826/27.
—Ferrara. Bernard. Pomatellum. 1694. 3 vols. 4.º.
Toda, *Italia*, II, n.º 2.592.
BARCELONA. *Universitaria.*

—Etc. (Continúan las ediciones en distintos países hasta nuestros días).

4591

CVRSVS Theologici. In primam partem Divi Thomae. Tomo I. Alcalá. Antonio Vázquez. 1637. 4 hs. + 622 págs. a 2 cols. + 3 hs. Fol.

J. Catalina García, *Tip. complutense*, número 963.

— — —

—Lugduni. Sumpt. Petri Prost. 1643. Fol.
ROMA. *Vaticana.* Stamp. Barb. F.V.48.
—Lugduni. Sumpt. Philippi Borde, Laurentii Arnaud, Petri Borde et Guilielmi Barbier. 1663. 2 partes en 3 vols. Fol.
MADRID. *Facultad de Filosofía y Letras.*—PARIS. *Nationale.* D.166; etc.—ROMA. *Vaticana.* Stamp. Barb. F.V.49-51.

4592

CVRSVS theologici in primam secvndae divi Thomae. Madrid. María de Quiñones. 1645. 2 vols. Fol.

ROMA. *Vaticana.* Stamp. Barb. G.IV.73-74.

— — —

—Lugduni. 1663. 3 vols.
MADRID. *Nacional.* 6.i.-3.074 [el I]; 6.i.-3.075.

4593

CVRSVS theologici in secvndam secvndae. Madrid. 1649.

MADRID. *Nacional.* 3-71.325.

— — —

—Lugduni. Sumptibus Philippi Borde, Laurentii Arnaud, Petri Borde, et Guilielmi Barbier. 1663. Fol.
ROMA. *Vaticana.* Stamp. Barb. F.V.54.

4594

CVRSVS theologici de incarnatione Verbi Dei. Lugduni. Sumptibus Philippi Borde, Laurentii Arnaud, Petri Borde, et Guilielmi Barbier. 1663. Fol.

ROMA. *Vaticana.* Stamp. Barb. F.V.55.

4595

DE Sacramentis in genere, deqve Evcharistiae sacramento et de poenitentia dispvtationes. Paris. Sumptibus Antonii Bertier. 1667. 360 págs. Fol.

PARIS. *Nationale.* D.390. — ROMA. *Vaticana.* Stamp. Barb. F.V.56.—SANTIAGO DE COMPOSTELA. *Universitaria.*

TRADUCCIONES

a) CASTELLANAS

4596

Los dones del Espíritu Santo y la perfección cristiana. Traducción, introducción y notas de Fr. Ignacio G. Menéndez Reigada. Madrid. C.S.I.C. 1948. 617 págs. 25,5 cm.

BARCELONA. *Central.* — MADRID. *Nacional* 4-39.064; etc.

b) FRANCESAS

4597

Catéchisme... Traduit d'espagnol... par Ant. Du Prat Chassagny. Lyon. F. Barbier. 1675. 285 págs. 12.º

PARIS. *Nationale.* D.39314.

4598

Du moyen de discourir sur les péchés des rois. 1643. Texte inédit espagnol du XVIIe siècle. [Trad. por G. Desdevise du Dezert]. Clermont-Ferrand. Imp. G. Mont-Louis. [s. a., 1906?]. 20 págs. 21 cm.

NUEVA YORK. *Hispanic Society.*

4599

Les dons du saint-esprit. Traduction de Raïasa Maritain. 2.ª ed. París. Tequi. [1950]. 223 págs. 23 cm.

COLUMBUS. *Ohio State University.*

c) INGLESAS

4600

CURSUS philosophicus. Sumulae. [Trad. inglesa]. Tomo I. Quebec. Universitates Lavallensis Facultate Philosophiae. 1943.

BLOOMINGTON. *Indiana University.*

d) ITALIANAS

4601

Catechismo... [Tradotto dal P. G. Bonifilio]. Roma. Tinassi. 1663. X + 252 págs.

PARIS. *Nationale.* D.35912.

e) LATINAS

4602

COMPENDIUM totae Doctrinae Christianae... Trans. P. Henricum Hechtermans. Bruselas. F. Vivien. 1650. 414 págs. 12.º

NUEVA YORK. *Public Library.*—PARIS. *Nationale.* D.14814.

ESTUDIOS

4603

TRAPIELLO, F. *Juan de Santo Tomás y sus obras.* Oviedo. 1889.

4604

BELTRAN DE HEREDIA, V. *Breve reseña de las obras de fray Juan de Santo Tomás.* (En *La Ciencia Tomista,* LXIX, Salamanca, 1945, págs. 236-240).

4605

MENENDEZ REIGADA, J. *Fray Juan de Santo Tomás.* (En *La Ciencia Tomista,* LXIX, Salamanca, 1945, págs. 7-20).

4606

REP: González Pola, M., en DHEE, II, 1972, pág. 1251.

JUAN DE SANTO TOMAS (Fray)

Trinitario descalzo. Lector de Teología. Procurador general y Ministro del convento de Salamanca.

EDICIONES

4607

[CENSURA. Salamanca, 9 de mayo de 1692]. (En Pérez, Miguel. *Oración*

fúnebre en las honras... a Fr. Manuel de Guerra y Ribera. Salamanca. s. a. Prels.)

MADRID. *Nacional.* V.E.-15-26.

JUAN DE LOS SANTOS (Fray)

Carmelita. Rector del Colegio del Angel Custodio de Sevilla.

EDICIONES

4608

[*APROBACION de——, y Fray Bartolomé de Jesús María. Zaragoza, 27 de diciembre de 1633*]. (En Arbues, Luis Vicente de. *Discurso y verdadera inteligencia del Fuero de Aragón llamado de nueve por ciento...* Zaragoza. 1647. Al fin).

MADRID. *Nacional.* R-Varios, 192-7.

4609

[*APROBACION de Fr. Francisco de San Angelo, ——, Fr. Iuan de Iesús y Fr. Rodrigo del SS. Sacramento. Sevilla, 13 noviembre 1641*]. (En Hurtado, Tomás. *Iustificación Moral.* Antequera. 1641. Prels.)

MADRID. *Nacional.* V-999, n.° 2.

4610

[*CENSURA. Zaragoza, 12 de septiembre de 1642*]. (En Manero, Pedro. *Apologia de Quinto Septimio Florente Tertuliano... Contra los gentiles en defensa de los Christianos. Escrita en Roma Año ducientos de Christo N. S...* Zaragoza. 1644. Prels.)

MADRID. *Nacional.* U-3.061.

JUAN DE SEVILLA (Fray)

Agustino desde 1595.

EDICIONES

4611

[*COPIA de carta escrita de un Religioso del monasterio de señor S. Felipe de Madrid... al P. Prior de Osuna*]. [s. l. - s. i.]. [s. a.]. 2 hs. 30 cm.

Carece de portada.
—Texto, fechado en Madrid, a 27 de setiembre de 1624.
El nombre del autor aparece al fin. Sobre la muerte del duque de Osuna.

LONDRES *British Museum.* 1322.l.4.(32). — MADRID. *Nacional.* Mss. 18.400, n.° 24.

ESTUDIOS

4612

REP: Santiago Vela, VII, pág. 486.

JUAN DE TOLEDO (Fray)

N. en Pinto por 1622-23. Se llamaba Juan Becerro Fernández. Jerónimo. Predicador real.

CODICES

4613

«*Relación de la genealogía de Sabina Pantoja, vecina y natural de la villa de Pinto, escrita por ——..., su hermano. Año de 1675*]».

Autógrafa en los 30 primeros folios y firmada el 29 de agosto de 1675.
MADRID. *Nacional.* Mss. 12.586.

4614

[*Relación historial del incendio...*].

Estuvo en el archivo.
MADRID. *Archivo del Palacio Real.* San Lorenzo, leg. 143 (caja 1.798).

4615

«*Summa Sacramentorum...*». 1671. 570 fols. a 2 cols.

Antolín, *Catálogo de los códices latinos...,* II, pág. 380.
SAN LORENZO DEL ESCORIAL. *Monasterio.* &.II. 13.

EDICIONES

4616

RELACION historial del incendio y reconstrucción del monasterio de El Escorial (1671-1677). Edición y estudio de Gregorio de Andrés. (En His-

pania Sacra, XXIX, Madrid, 1976, págs. 77-258).

4617

[*POESIAS*]. (En Vega Carpio, Lope de. *Justa poética... que hizo Madrid al bienaventurado San Isidro...* Madrid. 1620).

1. *Soneto*. (Fol. 54r).
2. *Hieroglyfico*. (Fol. 95r).
MADRID. *Nacional*. R-4.901.

4618

[*APROBACION de Fr. Cristóbal de Espinosa, ——, Fr. Ioseph de Toledo y Fr. Ioseph Faxeda. Salamanca, 24 de agosto de 1641*]. (En García, Jerónimo. *Suma moral*. Zaragoza. 1644. Prels.)

MADRID. *Nacional*. 3-56.885.

4619

[*CENSURA de —— y Fr. Baltasar de los Reyes. Madrid, 22 de diciembre de 1655*. (En Juan de Hueva, Fray. *Instrucción de Religiosos*. Alcalá. 1656. Prels.)

CORDOBA. *Pública*. 14-77.

4620

[*PARECER. 18 junio 1658*]. (En Martínez, Juan de. *Discursos teológicos*. Alcalá. 1664. Prels.)

MADRID. *Nacional*. 3-88.

OBRAS LATINAS

4621

[*EPIGRAMMA*]. (En Gibbes, Jacobus. *Escuriale. Oda traduzida por Manuel de Faria y Sousa*. Madrid. 1638. Prels.)

MADRID. *Nacional*. R-13.697.

4622

[*EPIGRAMA*]. (En Gómez Tejada de los Reyes, Cosme. *León Prodigioso*. Madrid. 1636. Prels.)

MADRID. *Nacional*. R-172.

JUAN DE TORRIJOS (Fray)

Jerónimo. Vicario en el monasterio de San Jerónimo de Madrid.

EDICIONES

4623

[*APROBACION. Madrid, 20 de octubre de 1582*]. (En Ruiz Alcohalado, Pedro. *Tractado... para saber bien rezar el Officio Romano...* Toledo. 1584. Prels.)

MADRID. *Nacional*. R-30.803.

JUAN DE LA TRINIDAD (Fray)

Franciscano descalzo, de la Provincia de San Gabriel. Lector de Teología.

EDICIONES

4624

DISCURSOS predicables de la transformación de la Alma en Dios, y medios para llegar a ella, fundados en la Exposición de aquellas palabras del capítulo octavo de los Cánticos. Posse me ut signaculum super cor tuum, ut signaculum super brachium tuum. En las quales, debaxo de nombre y metafora de sello, se exhorta este santo exercicio. Lisboa. Lorenço Craesbeeck. 1633. 4 hs. + 350 fols. + 5 hs. 20 cm.

—Apr. de Fr. Juan de la Huerta.—L. O.— Apr. de Melchior de Abreu.—Otras licencias.—T.—Epigramma.—Ded. a D.ª Beatriz de Mendoça Barreto.—Texto.—Indice de los Discursos y Capitulos.—Elenco y aplicacion de los conceptos deste Tratado a los Sermones que se predican en los Domingos, Miercoles y Viernes de Quaresma.

SEVILLA. *Universitaria*. 14-8.

4625

DISCURSOS espirituales de la transformacion de la Alma en Dios, y medios para llegar a ella. Lisboa. Lorenzo Craesbeeck. 1640. 4 hs. + 350 fols. 20 cm.

—Apr. de Fr. Juan de la Huerta (1632).— L. O. — Parecer de Melchior de Abreu

(1632).—Otras varias licencias de 1632-33. E.—T.—Ded. a D.ª Beatriz de Mendoça Barreto, fechada en 2 de enero de 1633.— Texto.—Indice de los Discursos y Capitulos.—Elenco y aplicación de los conceptos deste Tratado a los Sermones que se predican en los Domingos, Miercoles y Viernes de Quaresma.

SEVILLA. *Universitaria.* 97-39.

4626

CHRONICA de la Provincia de San Gabriel. De Frailes Descalços de la Apostolica Orden de los Menores, y Regular Observancia de nuestro Serafico Padre San Francisco. Sevilla. Iuan de Ossuna. 1652. 7 hs. + 1.031 págs. a 2 cols. + 6 hs. 27,5 cm.

—Frontis firmado por Gaspar de Talavera.—Apr. de Fr. Francisco de Cilleros.— Apr. de Fr. Iuan Bautista de Broças.— Patente de Fr. Iuan de los Hoyos.—L. O. Apr. de Fr. Andres de Gamarra.—L. V.— E.—T.—Advertencia al Lector.—Pr. por 10 años.—Texto.—Indice de Libros y Capitulos. — Catalogo de los Siervos de Dios... de quien se trata en esta Chronica.

BOSTON. *Boston Athenaeum.* — CAMBRIDGE, Mass. *Harvard University.*—MADRID. *Academia de la Historia.* 5-4-6-1.578.—VALLADOLID. *Universitaria.* 8.136.

4627

[INFORMACION en qve se prveva aver sido de la Provincia de San Gabriel de Descalzos de nuestro Serafico Padre san Francisco, el Apostolico varon, y Bienauenturado fray Pedro de Alcantara]. [s. l. - s. i.]. [s. a.]. 38 fols. 20,5 cm.

Carece de portada. El nombre del autor figura al fin del escrito.

CAMBRIDGE, Mass. *Harvard University.*—MADRID. *Nacional.* V.E.-18-5.

4628

[PAPEL que le escriuio al Autor su hermano ——... Puebla, 16 de octubre de 1645]. (En Letona, Bartolomé de. *Sermón de N. P. S. Francisco...* Méjico. s. a. Al fin).

MADRID. *Nacional.* V.E.-3-8.

Aprobaciones

4629

[CENSURA. Madrid, 9 de noviembre de 1664]. (En Juan Bautista de la Expectación, Fray. *Luzes de la Trinidad, en asumptos morales para el púlpito.* Tomo I. Madrid. 1666. Preliminares).

GRANADA. *Universitaria.* A-30-132.

JUAN DE LA VICTORIA (Fray)

Agustino.

CODICES

4630

«La gran hazaña de Judith. Romanze».

Año 1712.

«Quien aquella berdad...».

MADRID. *Nacional.* Mss. 3.916 (fols. 196v-209v).

EDICIONES

4631

SERMON de Santa Teresa de Jesus. Predicolo en su convento de Carmelitas Descalças de la ciudad de Sevilla, dia de San Lucas... Sevilla. Simón Faxardo. 1648. 16 fols. 20,5 cm.

—Censura de Fr. de Laredo.—Censura de Fr. Diego de Bustos.—Ded. a D.º Eugenia María Prato, votada a la Religión de la Santa Madre, en mano de D. Nicolás Prato, su padre.—Texto.

GRANADA. *Universitaria.* A-31-234 (17).

JUAN DE LA VIRGEN (Fray)

Carmelita descalzo. Residió en el convento de Ecija y el Colegio del Angel de la Guarda de Sevilla.

EDICIONES

4632

INFORMACION en Derecho, en que se confirma el Parecer que dio el R. P. ——... y se responde a algunas objeciones. [s. l. - s. i.]. [s. a.]. 10 fols. 28,5 cm.

Carece de portada.

—Texto.— Apr. de Fr. Diego Fernandez Abarca (Ecija, 5-II-1635).

SEVILLA. *Universitaria.* 109-99-14.

4633

INFORMACION en Derecho, en qve de nvebo con razones y avtoridades se procvra fvndar el parecer y informaciones del R. P. ——... Por no estar esta causa sentenciada, y se trata de esso en la Curia Romana. Y se le responde al P. M. Frai Bartolomé de Padilla, de la Orden de Predicadores, y al Licenciado Alonso de Cardenas, Cura de Santa Cruz de Ecija, en lo que an estampado y sacado a luz en la Ciudad de Ecija, Procurando establezer la verdad según derecho, decisiones de la Rota, y estatutos de los Padres Mínimos de San Francisco de Paula. Año de 1636. [s. l. - s. i.]. [s. a.]. 28 fols. 29 cm.

—Ded. a D. Henrique Henriquez de Cordoua, duque de Cardona, etc., por el Dr. Francisco de Velmar.—Texto, dirigido al cardenal Aldobrañdino, Protector de la Orden de los Mínimos de San Francisco de Paula.—Fol. 22*v:* Notas al papel del Licdo. Alonso de Cárdenas, por Franco de Bedmar.

CORDOBA. *Pública.* 2-139.

4634

[PARECER que dio el R. P. —— a cerca si era válida una elección]. [s. l. - s. i.]. [s. a., 1639?]. 13 hs. 28,5 cm.

Carece de portada.
—Texto.

SEVILLA. *Universitaria.* 109-99 (2).

4635

PARECER del R. P. ——... [s. l. - s. i.]. [s. a.]. 6 hs. 29 cm.

—Texto, fechado en Ecija, a 2 de marzo de 1640.—Apr. de los Doctores y Cate-dráticos de la Universidad de Salamanca (19 de abril de 1640).
Sobre el Definitorio del Capítulo General de los jerónimos.

CORDOBA. *Pública.* 2-139.

4636

PARECER acerca de si los Visitadores particulares nombrados por el General de la Orden de una Religión pueden privar del voto al Difinidor del Capítulo privado. [s. l. - s. i.]. 1640.

SEVILLA. *Universitaria.* 110-127 (7).

4637

RESPUESTA a algunas oiecciones, que se han puesto de palabra a la Informacion del R. P. ——, acerca del R. P. Vicario de Guadalupe, que quitó el Reverendissimo. [s. l. - s. i.]. [s. a., 1640?]. 15 hs. 28,5 cm.

Carece de portada.

—Texto.—Apr. que dio Martin Lopez de Ontiberos, a todos los Papeles que ha hecho —— en favor de Fr. Sebastian de Moratilla (Salamanca, 14-X-1640).—Conformanse con este mesmo parecer Martin de Bonilla y otros Dotores y Catedraticos de la Universidad de Salamanca.—Parecer de la Universidad de Osuna (Osuna, 26-XI-1640).

SEVILLA. *Universitaria.* 109-99 (33).

4638

PARECER del R. P. ——... acerca de la elección, que se celebró en la Ciudad de Granada en el Convento Real de San Gerónimo, en veintyseis de Febrero deste año de 1641. [s. l. - s. i.]. [s. a.]. 8 fols. 29 cm.

Carece de portada.
—Texto.

CORDOBA. *Pública.* 2-138.—SEVILLA. *Universitaria.* 111-142 (12).

4639

PARECER del R. P. ——... Razon del hecho del Capitulo Provincial de la Orden de San Augustin de la Provincia de Andalucia, que se celebró en la Ciudad de Granada en 19 de Abril de 1641. [s. l. - s. i.]. [s. a.]. 11 fols. 28,5 cm.

Carece de portada.

—Texto.

SEVILLA. Universitaria. 109-99 (6).

4640

CONSULTA hecha por parte del Padre Fray Andres Davila, Procurador General de la Orden de nuestro Padre San Geronimo, en su nombre. [s. l. - s. i.]. [s. a.]. 8 fols. 29 cm.

—Texto, fechado en Ecija, a 4 de octubre de 1641.

CORDOBA. Pública. 2-138.—SEVILLA. Universitaria. 111-42 (4).

4641

AL Benerable, y gravissimo Capitvlo General del Doctor maximo de la Iglesia N. P. S. Geronimo, que se celebra en el Real Convento de S. Bartolome este año de 1642 a 10 de Mayo. [s. l. - s. i.]. [s. a.]. 2 hs. 29 cm.

Carece de portada.

—Texto, fechado en Ecija, a 24 de abril de 1642.

CORDOBA. Pública. 2-138.—SEVILLA. Universitaria. 109-99 (12).

4642

[PARECER del muy R. P. ——... Preguntase si no solo para iglesia, sino para extension de un convento de Religiosos, o Religiosas, puede el dicho Conuento tomar las casas, y sitios vezinos, que son necessarios para la dicha extension, pagando lo que justamente valen, y se aprecia- ren]. [s. l. - s. i.]. [s. a.]. 2 hs. 29 cm.

Carece de portada.

—Texto, fechado en Sevilla, a 26 de mayo de 1653.

MADRID. Nacional. V.E., 191-73.

4643

MANUAL de Processiones, Oficios particulares, y de la Semana Santa,

Bendiciones, y Sacramentos, con oficio de Sepultura de los Religiosos Descalzos del Orden de N. Señora de la Merced Redempcion de Cautivos. De nuevo enmendado, segun los Decretos de la Sacra Congregacion de Ritos. Sevilla. Herederos de Thomas Lopez de Haro. 1699. 4 hs. + 442 págs. + 2 hs. 19,5 cm.

—Fray Juan de Santa Maria, General de todo el Orden de Descalços de Ntra. Sra. de la Merced, a todos los religiosos de la misma.—L. del Comisario General de la Santa Cruzada.—Proemio.—Texto.— Indice de los Tratados y Capitulos.

SEVILLA. Universitaria. 164-34.

4644

PARECER del R. P. ——... a la Consulta que le fue hecha, acerca de la revocación de los vivae vocis oraculos. [s. l. - s. i.]. [s. a.]. 14 hs. 20,5 cm.

—Propuesta.—Respuesta.

CORDOBA. Pública. 2-77. — MADRID. Nacional. V.E., 179-27.

4645

PARECER, e información del R. P. ——... Por el Real Convento del Monasterio de San Bartolomé de Lupiana de la Orden de nuestro Padre San Gerónimo. Sobre el Derecho, que tiene a la elección de su Prior, y General de la Orden y la jurisdicion que tienen los del Capitulo pribado. [s. l.- s. i.]. [s. a.]. 41 fols. 29 cm.

Carece de portada.

—Texto.

CORDOBA. Pública. 2-139.—SEVILLA. Universitaria. 109-99 (18 y 27).

4646

PARECER que dio el P. —— preguntandole las condiciones, que se requieren el dia de oy para poder fundar de nuevo un Convento de Frayles: aunque sean Mendicantes. [s. l. - s. i.]. [s. a.]. 2 hs. 29 cm.

CORDOBA. Pública. 2-139.

4647

POR nuestro Colegio de Carmelitas Descalzos de la primitiva Observancia de la villa de Mançanares: Con el Patron, o Patronos de la Capilla Mayor del dicho Colegio. [s. l.-s. i.]. [s. a.]. 24 fols. 28,5 cm.

Carece de portada.
—Texto.
SEVILLA. Universitaria. 109-99 (20).

4648

SEGUNDA Informacion en Derecho, del R. P. ——... en que se responde a todas las objectiones opuestas. [s. l.-s. i.]. [s. a.]. 12 fols. 28,5 cm.

Carece de portada.
—Texto, dirigido al Licdo. Benito Cruzado, médico y regidor perpetuo de Ecija.
SEVILLA. Universitaria. 109-99(13).

Aprobaciones

4649

[CENSURA de Francisco Nuñez Navarro y ——. Ecija, 3 de enero de 1638]. (En Barrionuevo y Moya, Juan. Segunda parte de la Soledad entretenida. Valencia. 1640. Prels.)
MADRID. Nacional. R-16.889.

JUAN DE LA VIRGEN (Fray)

N. y m. en Antequera (?-1715). Trinitario descalzo. Ministro del convento de Villanueva de los Infantes.

EDICIONES

4650

CARIDAD (La) lavreada. Sacro elogio al glorioso patriarca San Ivan de Dios. Segvndo Sermon, qve en la civdad de Alcaraz, y en el Convento de su Orden, predicó el año de 1676... Madrid. Antonio de Zafra. 1677. 5 hs. + 26 (por error, 36) págs. 20 cm.

—Apr. de Fr. Diego de Salazar y Cadena. L. V.—Ded. a D. Pedro Mateo de Pobes y Aguilera, caballero de Santiago, etc.— Texto.—Protesta.

MADRID. Nacional. 2-23.717; R-Varios, 136-23. SEVILLA. Universitaria. 112-115 (7).

ESTUDIOS

4651

REP: Antonino de la Asunción, II, págs. 461-63.

JUAN DE VITORIA (Fray)

Predicador general. De la Congregación de San Benito el Real de Valladolid.

EDICIONES

4652

[APROBACION. Monserrat, 1 de febrero de 1614]. (En Pérez, Ciriaco. Compendio breve de exercicios espirituales... Barcelona. 1614. Prels.)
SEVILLA. Universitaria. 46-11.

JUANA DE LA CRUZ (Sor)

Franciscana. Abadesa del monasterio de Ntra. Sra. de la Cruz, en Cubas (Toledo), donde m. en 1534.

CODICES

4653

«ihs. comiença el libro que es llamado conorte el qual es hecho por boca del espiritu santo que hablava en vna rreligiosa elevada en contemplaçion la qual habla se hazia en persona de nuestro señor ihesu christo...».

Año 1509. 438 hs. a 2 cols., con notas marginales.
Las notas son, en su mayoría, de Fr. Francisco de Torres.
Zarco, II, págs. 99-105.
SAN LORENZO DEL ESCORIAL. Monasterio. J.II.18.

EDICIONES

4654

[SERMON de las señales del Anticristo. Fragmento]. (En Navarro, Pedro. Favores de el Rey del cielo... Madrid. 1659, págs. 243-56).

ESTUDIOS

4655

«Indulgencias que se ganan en las quentas vendias que vendijo Dios y *su madre a ynstancia de la Sancta Joanna de la Cruz, Abbadesa del Monasterio de nuestra señora de la Cruz, según lo reueló la dicha Sancta Juana y lo dejó scripto en el libro en questá su vida y las reuelaciones que Dios le hiço...».*

Prohibido por la Inquisición en 1583 (Serrano y Sanz, I, n.º 764).

4656

SOSA, FRANCISCO DE. *En razón del libro de la Santa Soror Juana de la Cruz.* Toledo. 1623.

Zarco.

4657

NAVARRO, PEDRO. *Favores de el Rey del cielo, hechos a su esposa la Santa Juana de la Cruz, Religiosa de la Orden tercera de Penitencia de N. P. S. Francisco. Con anotaciones theologicas y morales, a la historia de su vida.* Madrid. Mateo Fernández. 1659. 8 hs. + 626 págs. + 21 hs. 20,5 cm.

MADRID. *Nacional.* 3-70.450; etc.

4658

REP: Serrano y Sanz, I, pág. 297.

JUANA INES DE LA CRUZ (Sor)

N. en San Miguel de Nepautla, Méjico (1651), y se llamaba Juana de Asbaje y Ramírez. Residió en la corte virreinal hasta 1669, en que profesó en la Orden jerónima. M. en 1695.

BIBLIOGRAFIA

4659

HENRIQUEZ UREÑA, PEDRO. *Bibliografía de Sor Juana Inés de la Cruz.* (En *Revue Hispanique*, XL, Nueva York-París, 1917, págs. 161-204).

—Nueva ed., con notas de Ermilo Abreu, en *El Libro y el Pueblo*, XII, Méjico, 1934, págs. 72-78, 137-43, 175-79, 229-35, 290-98, 336-344, 386-93, 436-41.

—3.ª ed. corregida y añadida, en *Boletín del Instituto de Cultura Latino-Americana*, Buenos Aires, 1937.

4660

SCHONS, DOROTHY. *Some bibliographical notes on Sor Juana Inés de la Cruz.* (En *University of Texas Bulletin*, 8 de julio de 1925, n.º 2.526, págs. 1-30).

4661

——. *Bibliografía de Sor Juana Inés de la Cruz.* Méjico. Imp. de la Secretaría de Relaciones Exteriores. 1927. IX + 67 págs. 8.º (Monografías bibliográficas mexicanas, n.º 7).

MADRID. *Nacional.* B.61.—MEJICO. *Nacional.*

4662

ABREU GOMEZ, ERMILO. *Sor Juana Inés de la Cruz. Bibliografía y biblioteca.* Méjico. Secretaría de Relaciones Exteriores. 1934. XVIII + 421 págs. y facsímil. (Monografías bibliográficas mexicanas, 29).

Traducción del trabajo anterior por J. Mariano Carranza, con adiciones y correcciones de la autora. Suplemento a la de Henríquez Ureña.

a) J. M., en *Revista Hispánica Moderna*, II, Nueva York, 1935, pág. 34.

MADRID. *Nacional.* 1-88.407.—MEJICO. *Nacional.*

4663

PANE, R. U. *Three Mexican poets: Sor Juana Inés de la Cruz, Manuel Gutiérrez Nájera and Enrique González Martínez. A bibliography of theirs poems in English translations.* (En *Bulletin of Bibliography*, XVIII, Boston, 1946, págs. 233-34).

4664

SABAT DE RIVERS, G. *Nota bibliográfica sobre Sor Juana Inés de la Cruz. Son tres las ediciones de Barcelona, 1693.* (En *Nueva Revista de Filología Hispánica*, XXIII, Méjico, 1974, págs. 391-401).

CODICES

4665

«*Amor es más laberinto*».

Letra de fines del XVII. 32 hs. 4.º La segunda jornada es de Juan de Guevara. «—En la hermosura de Fedra...». Paz, I, n.º 170.
MADRID. *Nacional*. Mss. 14.944.

4666

«*Los empeños de una casa*».

Letra del s. XVIII. 51 hs. 4.º «—Hasta que venga mi hermano...». Paz, I, n.º 1.185.
MADRID. *Nacional*. Mss. 16.019.

4667

«*El Septro de Joseph. Autto historial Alegórico*».

84 págs. 20,5 × 14,5 cm. En Biblioteca García (Schons, pág. 31).

4668

«*Romanze. Discurre con ingenuidad ingeniosa, sobre la pasión de los zelos...*».

Año 1712. «Si es causa de amor productiva...». MADRID. *Nacional*. Mss. 3.916 (fols. 62v-70v).

4669

«*Varios versos sacados del libro que compuso Soror Juana Ines de la Cruz, Religiosa profesa en el monasterio de San Geronimo de la Imperial Ciudad de Mexico: llamada por antonomasia la decima Musa*».

Letra del s. XVII.
1. *Al Patriarca San Ioseph. Romance.* [«Escucha, que cosa, y cosa...»]. Fol. 151.
2. *Al mismo Santo.* [«Quan grande Joseph sereys...»]. (Fol. 152r).
3. *Expresa su respeto Amoroso, y dize el sentido en que llama suya a la S.ª Virreyna. Endecasilauo Romance.* [«Diuina Lysi mia...»]. (Fols. 152v-153v).
4. *Embiando una rosa a su Ex.ª Décima.* [«Rosa, que alegre, y ufana...»]. (Fol. 153).
MADRID. *Nacional*. Mss. 3.899.

4670

«*Xacara*».

«Alla va, que fuera sale...».

Serrano y Sanz, I, n.º 757. MADRID. *Nacional*. Mss.

4671

«*Villancico*».

Letra del s. XVIII. Una hoja. Fol. Gayangos, III, pág. 243. «De hermosas contradicciones...». LONDRES. *British Museum*. Add. 15616.

EDICIONES

Obras

4672

INVNDACION castalida de la vnica potisa. Mvsa dezima, ——... Qve en varios metros, idiomas, y estilos, fertiliza varios assumptos: con elegante, svtiles, claros, igniosos, vtiles versos: para enseñanza, recreo, y admiracion... Los saca a luz D. Jvan Camacho Gayna... Madrid. Juan García Infanzon. 1689. 8 hs. + 328 págs. 20,5 cm.

—Romance de Ioseph Perez de Montoro. [«Cytharas Europeas, las doradas...»].—Soneto de Catalina de Alfaro Fernandez de Cordoba. [«La Mexicana Musa, Hija eminente...»].—Apr. de Fr. Luis Tineo de Morales.—L. V.—Apr. del P. Diego Calleja.—S. Pr. a Juan Camacho Gayna por diez años.—E.—S. T.—Prologo al lector.—Texto.

1. *Soneto. A la Exma. Sra. Condesa de Paredes, Marquesa de la Laguna, embiandole estos papeles, que su Excelencia la pidió, y pudo recoger Soror Iuana de muchas manos, en que estavan, no menos divididos, que escondidos, como Thesoro, con otros, que no cupo en el tiempo buscarlos, ni copiarlos.* [«El Hijo, que la Esclava ha concebido...»]. (Pág. 1).
2. *Soneto. Procura desmentir los elogios, que a un Retrato de la Poetisa inscrivió la verdad, que llama passion.* [«Este, que vés, engaño colorido...»]. (Pág. 3).
3. *Soneto. Resuelve la question, de qual sea pesar mas molesto en encontradas correspondencias amar, o aborrecer?* [«Que no me quiera Fabio, al verse amado...»]. (Págs. 3-4).
4. *Soneto. Prosigue el mismo assumpto, y determina, que prevalezca la razon contra el gusto.* [«Al que ingrato me dexa, busco amante...»]. (Pág. 4).

5. *Soneto. Continua el assumpto, y aun le expressa con mas viva elegancia.* [«Feliciano me adora, y le aborrezco...»]. (Pág. 5).

6. *Soneto. Enseña como un solo empleo en amar, es razon, y conveniencia.* [«Fabio, en el ser de todas adoradas...»]. (Págs. 5-6).

7. *Soneto. Quexase de la suerte: insinua su aversion a los vicios, y justifica su divertimiento a las Musas.* [«En perseguirme, Mundo, que interessas?...»]. (Pág. 6).

7. *Soneto. Muestra sentir que la valdonen por los aplausos de su habilidad.* [«Tan grande (ay hado!) mi delito ha sido?...»]. (Págs. 6-7).

8. *Soneto. Escoge antes el morir, que exponerse a los ultrages de la vejez.* [«Miró Celia una Rosa, que en el Prado...»]. (Pág. 7).

9. *Soneto. Engrandece el hecho de Lucrecia.* [«O famosa Lucrecia, gentil Dama...»]. (Pág. 8).

10. *Soneto. Nueva alabança del hecho mismo.* [«Intenta de Tarquino el artificio...»]. (Págs. 8-9).

11. *Soneto. Admira con el sucesso que refiere los efectos imprevenibles de algunos acuerdos.* [«La heroyca Esposa de Pompeyo altiva...»]. (Pág. 9).

12. *Soneto. Contrapone el Amor al fuego material, y quiere achacar remissiones a este; con ocasion de contar el sucesso de Porcia.* [«Qué passión, Porcia, qué dolor tan ciego...»]. (Págs. 9-10).

13. *Soneto. Refiere con ajuste, y embidia sin él, la tragedia de Pyramo y Tysbe.* [«De un funesto moral la negra sombra...»]. (Pág. 10).

14. *Soneto. Efectos muy penosos de Amor, que no por grandes igualan con las prendas de quien le causa.* [«Vesme, Alcino, que atada a la cadena...»]. (Pág. 11).

15. *Discurre inevitable el llanto, a vista de quien ama.* [«Mandas, Anarda, que sin llanto asista...»]. (Págs. 11-12).

16. *Soneto. Solo con aguda ingeniosidad esfuerça el dictamen de que sea la ausencia mayor mal, que los zelos.* [«El Ausente, el Zeloso, se provoca...»]. (Pág. 12).

17. *Romance. El cumplimiento de años del Señor Marqués de la Laguna, Virrey de Mexico, gran Mecenas de la Poetisa.* [«Grande Marqués mi Señor...»]. (Págs. 83-84).

18. *Redondillas. Solicitada de Amor importuno, responde con entereza tan cortés, que aun haze bien quisto el desayre.* [«Dos dudas, en que escoger...»]. (Págs. 14-15).

19. *Glossa. Desmiente en la hermosura, la maxima, de que ha de ser el bien comunicable.* [«Rosa, que al Prado encarnada...»]. *Dezimas.* [«Ves de tu candor, que apura...»]. (Pág. 16).

20. *Glossa. Exorta a conocer los bienes fragiles:* «Presto zelos llorarás». [«En vano tu canto suena...»]. (Pág. 17).

21. *Romance. En frase mas domestica, no menos culta, escrive al Señor Virrey Marqués de la Laguna, el mismo assumpto que en otro.* [«El daros, Señor, los años...»]. (Págs. 17-19).

22. *Romance. Desea, que el cortejo de dar los buenos años al Sr. Marques de la Laguna, llegue a su Excelencia por medio de la Exma. Sra. Doña Maria Luisa su dignissima Esposa.* [«Pues vuestro Esposo, Señora...»]. (Págs. 19-20).

23. *Soneto. Convaleciente de una enfermedad grave, discretea con la Señora Virreyna, Marquesa de Manzera, atribuyendo a su mucho amor, con su mejoría en morir.* [«En la vida que siempre tuya fué...»]. (Págs. 20-21).

24. *Embia las buenas Pasquas de Resurrección a la Exma. Sra. Condesa de Paredes, en ocasion de cumplir años.* [«Darte, Señora, las Pasquas...»]. (Págs. 21-22).

25. *Romance. Celebra el cumplir años la Señora Virreyna con un Retablito de marfil del Nacimiento, que embia a su Excelencia.* [«Por no faltar, Lysi bella...»]. (Págs. 22-23).

26. *Dezima. Embiando una Rosa a su Excelencia.* [«Essa, que alegre, y ufana...»]. (Pág. 24).

27. *Dezima. A la misma Exma. Señora.* [«Este concepto florido...»].

28. *Dezima. Descrive, con enfasis de no poder dar la ultima mano a la pintura, el Retrato de una belleza.* [«Tersa frente, oro el cabello...»].

29. *Loa en las huertas donde fue a divertirse la Exma. Sra. Condesa de Paredes.* [«—Oy la Reyna de las luzes...»]. (Págs. 25-31).

30. *Romance. Discurre, con ingenuidad ingeniosa, sobre la passion de los zelos. Muestra, que su desorden es senda unica, para hallar al amor; y contradize un problema de Don Joseph Montoro, uno de los mas celebres Poetas de este siglo.* [«Si es causa Amor productivo...»]. (Págs. 31-36).

31. *Romance. No aviendo logrado una tarde ver al Señor Virrey, Marqués de la Laguna, que assistió en las Visperas del Convento, le escrivió este Romance.* [«Si daros los buenos años...»]. (Págs. 37-39).
32. *Romance. Aviendo el Dr. Don Joseph de Vega y Vique, Assesor General del Exmo. Sr. Marques de la Laguna, escrito unos Versos en alabança a otros de la Poetisa, le escrive este Romance.* [«Valgame Dios! quien pensara...»]. (Págs. 39-42).
33. *Lyras. Expressa mas afectuosa, que con sutil cuydado, el sentimiento que padece una Muger, Amante de su Marido muerto.* [«A estos peñascos rudos...»]. (Páginas 42-44).
34. *Endechas. Expresa, aun con expressiones mas vivas, el mismo assumpto.* [«Agora, que conmigo...»]. (Págs. 45-46).
35. *Romance. Acusa la hydropesia de mucha ciencia, que teme inutil, aun para saber, y nociva para vivir.* [«Finjamos, que soy feliz...»]. (Págs. 47-49).
36. *Soneto. Sospecha crueldad dissimulada, el alivio, que la esperança da.* [«Diuturna enfermedad de la esperança...»]. (Fol. 49).
37. *Loa a los felizes años del Señor Virrey Conde de Paredes, Marques de la Laguna.* [«—Oy es el feliz natalicio de Adonis...»]. (Págs. 50-59).
38. *Romance. Pide, con discreta piedad, al Señor Arçobispo de Mexico del Sacramento de la Confirmacion.* [«Ilustrissimo Don Payo...»]. (Págs. 59-63).
39. *Romance. Aviendo ya Baptizado su hijo, da la enorabuena de su nacimiento a la Señora Virreyna.* [«No he querido, Lisi mia...»]. (Págs. 63-64).
40. *Loa a los años de la Reyna N. Señora Doña Maria Luisa de Borbon.* [«—Para celebrar los años...»]. (Págs. 65-73).
41. *Ovillejos. Pinta en jocoso numen, igual con el tan celebre de Iacinto Polo, una belleza.* [«El pintar de Lisarda la belleza...»]. (Págs. 73-84).
42. *Redondillas. Arguye de inconsequentes el gusto, y la censura de los hombres, que en las mugeres acusan lo que causan.* [«Hombres necios, que acusais...»]. (Págs. 85-86).
43. *Loa, en celebracion de los años del Rey Nuestro Señor.* [«—Oy al clarin de mi voz...»]. (Págs. 86-100).
44. *Loa al mismo assumpto.* [«—Aunque de la vida son...»]. (Págs. 100-8).
45. *Dezimas. Defiende, que amar por eleccion del Arbitrio, es solo digno de ra-*

cional correspondencia. [«Al Amor qualquier curioso...»]. (Págs. 108-10).
46. *Soneto. Alaba con especial acierto el de un Musico primoroso.* [«Dulce Deidad del viento armonosa...»]. (Pág. 110).
47. *Redondillas. Pinta la armonía simetrica, que los ojos perciben en la hermosura, con otra Musica.* [«Cantar, Feliciana, intento...»]. (Pág. 111).
48. *Dezimas. Sossiega el susto de la fascinacion en una hermosura medrosa.* [«Amarilis celestial...»]. (Pág. 112).
49. *Dezimas. Alma, que al fin se rinde al amor resistido: es alegoría de la ruyna de Troya.* [«Cogióme sin prevencion...»]. (Págs. 112-13).
50. *Romance. Con ocasion de celebrar el primer año, que cumplió el hijo del Señor Virrey, le pide a su Excelencia indulto para un Reo.* [«Gran Marqués de la Laguna...»]. (Págs. 113-16).
51. *Romance. Continúa la significacion de su voluntad, dandole al mismo Primogenito el parabien del año segundo.* [«Señor ya el Relox del Cielo...»]. (Págs. 117-18).
52. *Dezimas. Celebra los años de la Exma. Sra. Condesa de Paredes.* [«Vuestros años, que la esfera...»]. (Pág. 118).
53. *Romance. Solía la Señora Virreyna, como tan amartelada de la Poetisa, favorecerla con la quexa de alguna intermission en sus memorias: de una, da satisfacion.* [«Hete yo, divina Lysi...»]. (Págs. 119-20).
54. *Romance. A la misma Exma. Señora, Alegorico regalo de Pasquas, en unos Pezes, que llaman Bobos, y unas Aves.* [«Allá van para que passes...»]. (Págs. 120-21).
55. *Romance. Norabuena de cumplir años el Señor Virrey.* [«Alto Marqués mi Señor...»]. (Págs. 121-22).
56. *Loa, al año que cumplió el Señor Don Ioseph de la Cerda, Primogenito del Señor Virrey, Conde de Paredes.* [«—Si la Thorrida, hasta aqui...»]. (Págs. 122-30).
57. *Romance. Presentando a la Señora Virreyna un Andador de madera, para su Primogenito.* [«Para aquel, que lo muy grande...»]. (Págs. 130-31).
58. *Romance. Aplaude lo mismo que la Fama en la sabiduria sin par de la Señora Doña Maria de Guadalupe Alencastre, la unica Maravilla de nuestros Siglos.* [«Grande Duquesa de Aveyro...»]. (Págs. 132-35).
59. *Endechas. Prosigue en respecto amoroso, dando norabuenas de cumplir años la Señora Virreyna.* [«Discreta, y hermosa...»]. (Págs. 135-36).

60. *Soneto. Aunque en vano, quiere reducir a metodo racional el pesar de un zeloso.* [«Que es esto, Alcino, como tu cordura...»]. (Pág. 137).

61. *Soneto. Un zeloso refiere el comun pesar, que todos padecen, y advierte a la causa el fin, que puede tener la lucha de afectos encontrados.* [«Yo no dudo, Lysarda, que te quiero...»]. (Págs. 137-38).

62. *Romance. Antepone las medras de quien se halla favorecida, al sentimiento de su ausencia, y le da el parabien de su mismo pesar.* [«Señor D. Diego Valverde...»]. (Págs. 138-41).

63. *Romance. Discurre con sutileza Cortesana, causa, y efecto de averse el Señor Virrey ausentado a un Recreo.* [«Como estarás, Filis mia...»]. (Págs. 141-43).

64. *Loa, a los años del Rey N. Sr. Carlos II, que celebra Don Ioseph de la Cerda, Primogenito del Señor Virrey Conde de Paredes.* [«—Al luminoso Notal...»]. (Págs. 143-53).

65. *Dezimas. Alaba un Sermon de la Concepcion, y se advierte, que el yerro de los consonantes penultimos no se ha, como en otros papeles, corregido aqui: sin quizás, porque aun la dulçura del ceceo con que pronuncia la Poetisa, se la transcrivamos tambien; defecto en que no cae sola.* [«Admiracion, con razon...»]. (Pág. 154).

66. *Glosa. Porque la tiene en su pensamiento, desprecia como inutil, la vista de los ojos: «Aunque cegué de mirarte...».* [«Quando el amor intentó...»]. (Pág. 155).

67. *Soneto. En la muerte de la Exma. Sra. Marquesa de Mancera.* [«De la veldad de Laura enamorados...»]. (Pág. 156).

68. *Soneto. A lo mismo.* [«Bello compuesto en Laura dividido...»].

69. *Loa, a los años del R. P. M. Fr. Diego Velazquez de la Cadena; representada en el Colegio de San Pablo.* [«—Pues, como Reyna absoluta...»]. (Págs. 157-65).

70. *Soneto. Alaba en el P. Balthasar de Mansilla, gran Predicador y Confessor de la Señora Virreyna, de la Compañia de Iesus, tanta sabiduria como modestia.* [«Docto Mansilla, no, para aplaudirte...»]. (Pág. 166).

71. *Soneto. Encarece de animosidad la eleccion de estado durable hasta la muerte.* [«Si los riesgos del mar considerara...»]. (Págs. 166-67).

72. *Soneto. Para explicar la causa a la rebeldia, ya sea firmeza de un cuidado, se vale de opinion, que atribuye a la perfeccion de su forma lo incorruptible en* la materia de los Cielos; usa cuidadosamente terminos de Escuelas. [«Probable opinion es, que conservarse...»]. (Pág. 167).

73. *Soneto. Aplaude la ciencia Astronomica del P. Eusebio Francisco Kino, de la Compañia de Iesus; que escrivió del Cometa, que el año de ochenta apareció, absolviendole de Ominoso.* [«Aunque es clara del Cielo la luz pura...»]. (Pág. 168).

74. *Soneto. Lamenta con todos la muerte de la Sra. Marquesa de Mancera.* [«Mueran contigo Laura, pues moriste...»]. (Páginas 168-69).

75. *Romance. En cumplimiento de años del Capitan Don Pedro Velazquez de la Cadena, le presenta un Regalo, y le mejora con la cultura de versos elegantes.* [«Yo menor de las Ahijadas...»]. (Págs. 169-71).

76. *Dezimas. Presentando un Relox de muestra, a persona de autoridad, y su estimacion, le da los buenos dias.* [«Los buenos dias, me allano...»]. (Pág. 172).

77. *Dezimas. Acusa las disculpas en Verso, de quien no quiso hablar en Prosa.* [«El delito de callado...»]. (Pág. 173).

78. *Dezimas.* [«Tulio Español mal al veros...»]. (Págs. 173-74).

79. *Dezima. Assegura la confiança, de que ocultará todo un secreto.* [«El Page os dirá discreto...»]. (Pág. 174).

80. *Dezima. En un Anillo retrató a la Señora Condesa de Paredes: dize porqué.* [«Este Retrato, que ha hecho...»]. (Pág. 175).

81. *Dezima. Al mismo intento.* [«Este, que a luz mas pura...»].

82. *Dezimas. Esmera su respectoso amor; habla con el Retrato; y no calla con él, dos vezes, dueño.* [«Copia divina, en quien veo...»]. (Págs. 176-77).

83. *Dezimas. Memorial a un Iuez, pidiendole por una Viuda, que la litigavan la vivienda.* [«Juzgo, aunque os canse mi trato...»]. (Pág. 177).

84. *Dezimas. Reusa para si, pidiendola para un Ingles la libertad, a la Señora Virreyna.* [«Oy, que a vuestras plantas llego...»]. (Pág. 178).

85. *Dezimas. Reconociendo al Cabildo de Mexico al singular acierto que tuuo en la idea de un Arco Triunfal, a la entrada del Virrey, Señor Conde de Paredes... que encargó a Soror Iuana Inés, estudio de tan grande humanista, y que ha de coronar este Libro, la presentó el regalo que dize, y agradece.* [«Esta grandeza, que usa...»]. (Pág. 179).

86. *Redondillas. Favorecida y agasajada teme su afecto de parecer gratitud, y no fuerça.* [«Señora, si la belleza...». (Pág. 180).

87. *Endechas. Segunda norabuena, de cumplir años, al Señor Virrey Marques de la Laguna.* [«Llegóse aquel día...»]. (Pág. 181).

88. *Soneto. Al mismo assumpto.* [«Vuestra edad, gran Señor, en tanto exceda...»]. (Pág. 182).

89. *Romance. Porque nació en Iulio su Primogenito, le anuncia prosperidades a la Señora Virreyna, con no mas que Astrologo deseo.* [«Rey coronado del año...»]. (Pág. 183).

90. *Dezima. Presente, en que el cariño haze regalo la llaneza.* [«Lysi, a tus manos divinas...»]. (Pág. 184).

91. *Dezimas. Desea felicidades al Señor Virrey; y piensa con alegría Poetica, que en su Esposa, ha conseguido su Excelencia la mayor.* [«Vuestra edad felice sea...»]. (Pág. 184).

92. *Romance. Coplas para Musica, en festin de cumplimiento de años de su Magestad.* [«Enorabuena, el gran Carlos...»]. (Pág. 185).

93. *Romance. Debió la austeridad de acusarla tal vez el metro; y satisface con el poco tiempo, que empleava en escrivir a la Señora Virreyna las Pasquas.* [«Daros las Pasquas, Señora...»]. (Págs. 185-86).

94. *Romance. En retorno de una Diadema, presenta un dulce de nuezes, que previno a un antojo de la Señora Virreyna.* [«Acuerdome, Filis mia...»]. (Págs. 186-88).

95. *Romance. Puro amor, que ausente, y sin deseo de indecencias, puede sentir lo que el mas profano.* [«Lo atrevido de un pincel...»]. (Págs. 189-91).

96. *Endecasilavo romance. Expressa su respecto amoroso, y dize el sentido en que llama suya a la Señora Virreyna.* [«Divina Lysi mia...»]. (Págs. 192-93).

97. *Endecasilavo. Satisface, con agradecimiento, a una quexa, que su Excelencia tuvo, de no averla esperado a ver.* [«Que bien, divina Lysi...»]. (Págs. 193-94).

98. *Coplas de musica, al celebrar los años de su Magestad, la Señora Virreyna, Condesa de Paredes.* [«Círculos de luzes cumple...»]. (Pág. 194).

99. *Romance. Mezcla con el gracejo la erudicion; y da los años, que cumple la Condesa de Paredes, no por muchos, sino por augmento.* [«Escusado, el daros años...»]. (Págs. 195-96).

100. *Soneto. De Amor, puesto antes en sugeto indigno, es enmienda blasonar del arrepentimiento.* [«Quando mi error, y tu vileza veo...»]. (Pág. 196).

101. *Soneto. Prosigue en su pesar, y dize que aun no quisiera aborrecer tan indigno sugeto, por no tenerle assi aun cerca del coraçon.* [«Sylvio, yo te aborrezco; y aun condeno...»]. (Pág. 197).

102. *Soneto. No quiere passar por olvido, lo descuidado.* [«Dizes, que yo te olvido, Celio, y mientes...»]. (Pág. 197).

103. *Soneto. Sin perder los mismos consonantes, contradize con la verdad, aun mas ingeniosa, su hyperbole.* [«Dizes, que no te acuerdas, Cloris, y mientes...»]. (Pág. 198).

104. *Romance. Escusa discreta componer y embiar versos.* [«Ilustre Mecenas mío...»]. (Págs. 198-99).

105. *Dezima. Disculpa no escrivir de su letra.* [«Fuerça es que os llegue a dezir...»]. (Pág. 200).

106. *Dezima. La escusa de lo mal obrado, empeora.* [«Tenazmente porfiado...»]. (Pág. 200).

107. *Pinta la proporcion hemosa de la Condesa de Paredes, con otra de cuidados, elegantes Esdrujulos, que aun le remite desde Mexico a su Excelencia.* [«Lamina sirva el Cielo al Retrato...»]. (Págs. 200-2).

108. *Romance. A la merced de alguna presa, que Doña Elvira de Toledo, Virreyna de Mexico, la presentó, corresponde con una Perla y este Romance...* [«Hermosa, divina Elvira...»]. (Págs. 203-4).

109. *Soneto. Llegaron luego a Mexico, con el hecho piadoso, las aclamaciones Poeticas de Madrid a su Magestad: que alaba la Poetisa por mas superior modo.* [«Altissimo Señor Monarcha Hispano...»]. (Pág. 214).

110. *Romance. A la Encarnacion.* [«Que oy baxó Dios a la tierra...»]. (Pág. 205).

111. *Villancico. A lo mismo.* [«Oy es del Divino Amor...»]. (Págs. 205-6).

112. *Otro villancico a lo mismo. Estrivillo.* [«Oygan una Palabra, Señores, oygan...»]. *Coplas.* [«Tengan tantica paciencia...»]. (Págs. 206-7).

113. *Villancico. Metro de Endechas Castellanas en idioma Latino.* [«O Domina Coeli...»]. (Págs. 207-8).

114. *Glossa, a San Ioseph:* «Quan grande Ioseph sereis...»]. [«Quien avrá, Ioseph, que mida...»]. (Pág. 208).

115. *Romance. A lo mismo.* [«Escuchen, que cosa, y cosa...»]. (Pág. 209).

116. *Romance. A San Pedro.* [«Del descuido de una culpa...»]. (Pág. 209).
117. *Soneto. A la sentencia que contra Christo dió Pilatos, y aconseja a los Iuezes, que antes de firmar fiscalizen sus propios motivos.* [«Firma Pilatos la que juzga agena...»]. (Pág. 210).
118. *Soneto. A la muerte del Exmo. Sr. Duque de Veraguas.* [«Ves caminante en esta triste Pyra...»]. (Págs. 210-11).
119. *Al mismo.* [«Detén el passo caminante, advierte...»]. (Pág. 211).
120. *Al mismo.* [«Moriste, Duque excelso, en fin moriste...»]. (Págs. 211-12).
121. *Romance. Nacimiento de Christo, en que se discurrió la Abeja, assumpto de Certamen.* [«De la mas fragrante Rosa...»]. (Pág. 212).
—*Villancicos, que se cantaron en la Santa Iglesia Cathedral de Mexico, a los Maytines de... San Pedro, año de 1677 en que se imprimieron.*
122. *Dedicatoria al Licdo. D. García de Legaspi Altamirano y Albornoz, Canonigo de esta Santa Iglesia.*
123. *Primero nocturno. Estrivillo.* [«Seraphines alados, celestes Gilgueros...»]. *Coplas.* [«Reducir a infalible...»]. (Págs. 215-216).
124. *II. Estrivillo.* [«Ea niños Christianos venid a la Escuela...»]. *Coplas.* [«Escrivid Pedro en las aguas...»]. (Págs. 216-217).
125. *III.* [«Aquel Contador...]. (Págs. 217-218). *Estrivillo.* [«Contador divino, cuenta, cuenta, cuenta...»].
126. *Segundo nocturno. I.* [«Ille qui Romulo melior...»]. *Estrivillo.* [«Gaudete Coeli, exultate sydera...»]. (Págs. 218-19).
127. *II. Estrivillo.* [«Oygan, oygan, deprendan versos latinos...»]. *Coplas.* [«Maiores a Pedro aplace...»]. (Págs. 209-10).
128. *III. Estrivillo.* [«Oygan un Sylogismo, señores, nuevo...»]. *Coplas.* [«Qual Sumulista pretendo...»]. (Págs. 220-21).
129. *Tercero nocturno. Jácara. Estrivillo.* [«Ola, como, que, a quien digo...»]. *Coplas.* [«Allá va, cuerpo de Christo...»]. (Págs. 221-22).
130. *II. Ensalada. Introduccion.* [«En el dia de San Pedro...»]. *Glossas.* [«Oy es el Señor San Pedro...]. *Coplas.* [«Timoneyro, que governas...»]. (Págs. 222-24).
—*Villancicos, que se cantaron en la Santa Iglesia Cathedral de Mexico, en los Maytines de... San Pedro, año de 1683 en que se imprimieron.*

131. *Primero Nocturno. Villancico I.* [«Examinar de Prelado...»]. *Estrivillo.* [«Este si, que es examen...»]. (Pág. 225).
132. *Villancico II.* [«Tan sin numero, de Pedro...»]. *Estrivillo.* [«Vengan a aplaudir, vengan todas las almas...»]. (Págs. 225-26).
133. *Villancico III.* [«Para cantar con decoro...»]. *Estrivillo.* [«Seraphines alados...»]. (Pág. 226).
134. *Segundo Nocturno. Villancico IV.* [«Claro Pastor divino...»]. *Estrivillo.* [«Duelete de nosotros...»]. (Pág. 227).
135. *Villancico V.* [«O Pastor, que has perdido...»]. *Estrivillo.* [«Llora, llora, mi Pedro...»]. (Págs. 227-28).
136. *Villancico VI.* [«Pescados amante...»]. *Estrivillo.* [«Barquero, Barquero...»]. (Pág. 228).
137. *Tercero Nocturno. Villancico VII.* [«Oy de Pedro se cantan las glorias...»]. *Estrivillo.* [«Oyd su dolor...»]. (Págs. 228-229).
138. *Villancico VIII. Ensaladilla.* [«Como es día de Vigilia...»]. (Págs. 229-30). *Coplas, en latín.*
—*Villancicos, que se cantaron en la Santa Iglesia Metropolitana de Mexico, en honor de Maria Santissima Madre de Dios, en su Assumpcion Triunfante, y se imprimieron año de 1685.*
—Primero Nocturno.
139. *Villancico I. Coplas.* [«A el Transito de Maria...»]. *Estrivillo.* [«Viva, reyne, triunfe, y mande...»]. (Págs. 231-32).
140. *Villancico II.* [«Pues la Iglesia, Señores...»]. *Coplas.* [«De par en par se abre el Cielo...»]. (Pág. 232).
141. *Villancico III. Estrivillo.* [«Esta es la justicia, oygan el pregon...»]. *Coplas.* [«Triunfante Señora...»]. (Págs. 232-33).
—Nocturno segundo.
142. *Villancico I. Estrivillo.* [«Las flores, y las Estrellas...»]. *Coplas.* [«Las Estrellas es patente...»]. (Págs. 233-34).
143. *Villancico II.* [«A la que triunfante...»]. *Estrivillo.* [«Y pidamos a una voz...»]. (Págs. 234-35).
144. *Villancico III. Coplas.* [«A las excelsas imperiales plantas...»]. *Estrivillo.* [«Y cantemos humildes...»]. (Págs. 235-36).
—Nocturno III.
145. *Villancico I. Cabeza.* [«Fue la Assumpcion de Maria...»]. *Coplas.* [«En dulce desasossiego...»]. (Pág. 236).
146. *Villancico II. Ensalada.* [«Yo perdi el papel, señores...»]. *Coplas, en latín. Vizcayno.* [«Señora Andre Maria...»]. (Págs. 237-39).

—*Villancicos que se cantaron en la Santa Iglesia Metropolitana de Mexico, en honor de Maria Santissima Madre de Dios, en su Assumpcion Triunfante, y se imprimieron año de 1679.*
147. *Dedicatoria.* [«Oy, Virgen bella, ha querido...»]. (Pág. 240).
—Primero Nocturno.
148. *Villancico I.* [«De tu ligera planta...»]. *Estrivillo.* [«Sonoro clarin del viento...»]. (Págs. 240-41).
149. *Villancico II. Latino y Castellano.* [«Divina María...»]. *Estrivillo.* [«Vive, triumpha tranquilla, quando te adorant...»]. (Pág. 242).
150. *Villancico III.* («De hermosas contradiciones...»]. (Págs. 242-43). *Estrivillo* [«Seraphines alados, cantad la gala...»]. (Págs. 242-43).
—Nocturno II.
151. *Villancico IV.* [«La Astronoma grande...»]. *Estrivillo.* [«Vengan a verla todos, vengan, vengan...»]. (Págs. 243-44).
152. *Villancico V,* en latín. (Págs. 244-45).
153. *Villancico VI.* [«Plaza, plaza, que sube vibrando rayos...»]. *Xacara.* [«Aquella muger valiente...»]. (Págs. 245-46).
—Nocturno III.
154. *Villancico VII.* [«Alumbrar la misma luz...»]. *Estrivillo.* [«Subid enhorabuena, subid, Señora...»]. (Págs. 246-47).
155. *Villancico VIII.* [«Por celebrar tanta fiesta...»]. *Estrivillo.* [«Há, há, há...»]. (Páginas 247-48).
—*Villancicos que se cantaron en los Maytines del Gloriosissimo Padre San Pedro Nolasco... dia 31 de Enero de 1677 años, en que se imprimieron.*
156. *Dedicatoria.* [«En fee de sentencia tal...»]. (Pág. 249).
—Primero Nocturno.
157. *Estrivillo.* [«En la mansion inmortal...»]. *Coplas.* [«Aunque qualquier Santo puede...»]. (Págs. 250-51).
158. *Otro. Estrivillo.* [«A de las mazmorras, Cautivos presos...»]. *Coplas.* [«A de las mazmorras...»]. (Pág. 251).
159. *Otro. Estrivillo.* [«Aguija, aguija caminante aprisa...»]. *Coplas.* [«Nolasco, aquel caminante...»]. (Pág. 252).
—Segundo Nocturno.
160. *Estrivillo.* [«Ay como gime! mas ay como suena...»]. *Coplas.* [«Aquel Cisne de Maria...»]. (Págs. 252-53).
161. *Otro. Estrivillo.* [«Escuchen a mi Musa...»]. *Coplas.* [«De Pedro he de discurrir...»]. (Pág. 253).
162. *Otro. Jácara. Estrivillo.* [«Escuchen, como, a quien digo...»]. *Coplas.* [«Oygan, atiendan, que canto...»]. (Págs. 253-54).
—Tercero Nocturno.
163. *Estrivillo.* [«Vengan a ver un Luzero...»]. *Coplas.* [«Porque en Nolasco se crea...»]. (Págs. 254-55).
164. *Villancisco de la Ensaladilla.* [«A los plausibles festejos...». *Estrivillo.* [«Tumba, la, la, la, tumba, le, le, le...»]. *Coplas.* [«Oy dici, que en las Melcede...»]. *Diálogo.* [«—Hodie Nolascus divinus...»]. *Tocotín.* [«Los Padres bendito...»]. (Págs. 255-57).
165. *Villancicos que se cantaron en la Missa.* [«Ay Zagales, Zagales...»]. *Coplas.* [«Gloria a Dios, y nace a penas...»]. *Estrivillo.* [«Cantenle en verdad...»]. (Págs. 257-58).
166. *Otro.* [«A la casa, a la casa, de los pobres...»]. *Coplas.* [«Nace Pedro, y han llenado...»]. (Págs. 58-59).
—*Villancicos que se cantaron en la Santa Iglesia Metropolitana de Mexico, en honor de Maria Santissima... en su Assumpcion Triunfante, año de 1687, en que se imprimieron.*
167. *Villancico primero.* [«Vengan a ver una apuesta...»]. *Coplas.* [«El Cielo, y Tierra este dia...»]. (Págs. 259-60).
168. *Villancico II,* en latín. (Págs. 260-61).
—*Tercero Nocturno.*
169. *Xacara.* [«Aparten, como, a quien digo...»]. (Págs. 261-62).
—*Segundo Nocturno.*
170. *Villancico IV.* [«La Soberana Doctora...»]. *Estrivillo.* [«Y con alegres vozes de aclamacion festiva...»]. (Págs. 262-63).
171. *Villancico V.* [«Aquella Zagala...»]. *Estrivillo.* [«Al monte, al monte, a la cumbre...»]. (Págs. 263-64).
—*Nocturno III.*
172. *Villancico VII.* [«Silencio, atencion...»]. *Coplas.* [«Oy la Maestra divina...»]. (Págs. 265-66).
173. *Villancico VIII. Introduccion.* [«A la aclamacion festiva...»]. *Coplas.* [«Angeles, y hombres, Señora...»]. (Pág. 266).
174. *Neptuno alegorico, (Oceano de colores, Simulacro Politico, que erigió la... Iglesia Metropolitana de Mexico, en las lucidas alegoricas Ideas de un Arco Triumphal, que consagró... a la feliz entrada de... Don Thomas... de la Cerda... Conde de Paredes... Virrey, Governador, y Capitan General de la Nueva España...* (Págs. 268-328). En prosa. Reproduce las poesías expuestas. *Explicación de el Arco.* [«Si acaso, Principe excelso...»]. (Págs. 321-28).

Abreu, n.º 1.

AUSTIN. *University of Texas.*—BERKELEY. *University of California.*—BLOOMINGTON. *Indiana University.*—LONDRES. *British Museum.* 11451. e.3.—MADRID. *Facultad de Filosofía y Letras.* 29.243.—*Nacional.* R-3.053.—MEJICO. *Nacional.* NUEVA YORK. *Hispanic Society y Public Library.*—OVIEDO. *Universitaria.* IV-184.—PARIS. *Nationale.* Yg.158.—PROVIDENCE. *Brown University.* — SEVILLA. *Universitaria.* 86-A-273.— URBANA. *University of Illinois.*—WASHINGTON. *Congreso.* Mic A 46-30.

— — —

—Reprod. facsímil: Méjico. Departamento de Gráficas de la Secretaría de Hacienda y Crédito Público. 1962. 328 págs. 21 cm. WASHINGTON. *Congreso.* 72-225353.

4673

POEMAS de la vnica poetisa americana, mvsa dezima, Soror Jvana Ines de la Crvz, religiosa professa en el Monasterio de San Geronimo de la Imperial Ciudad de Mexico, qve en varios metros, idiomas, y estilos, fertiliza varios assumptos: con elegantes, svtiles, claros, ingeniosos, vtiles versos: para enseñanza, recreo y admiracion... Los saca a lvz D. Jvan Camacho Gayna... Madrid. Juan García Infançon. 1690. 8 hs. + 338 págs. + 3 hs. 20,5 cm.

—De Ioseph Perez de Montoro. Romance. [«Cytharas Europeas, las doradas...»].

Abreu, n.º 2.

AUSTIN. *University of Texas.* — CHICAGO. *Newberry Library.* — MADRID. *Nacional.* R-19.251.—MEJICO. *Nacional.*—NUEVA YORK. *Public Library.*

4674

POEMAS de la única poetisa americana... 3.ª ed. corregida y aumentada. Barcelona. José Llopis. 1691. 8 hs. + 406 págs. + 5 hs.

Abreu, n.º 3.

AUSTIN. *University of Texas.*—BOULDER. *University of Colorado.*—CAMBRIDGE, Mass. *Harvard University.*—CHICAGO. *Newberry Library.*—LONDRES. *British Museum.* 1064.i.18. — MADRID. *Facultad de Filosofía y Letras.* 29.899.—*Nacional.* R-19.233/35.—MEJICO. *Na-*

cional. — MONTPELLIER. *Municipale.* 10052. — NUEVA YORK. *Hispanic Society y Public Library.*—PARIS. *Nationale.* Yg.161.—PROVIDENCE. *John Carter Brown Library.* — SANTANDER. *«Menéndez Pelayo».* R-VI-7-2.

4675

POEMAS de la vnica poetisa americana, mvsa dezima... qve en varios metros, idiomas, y estilos, fertiliza varios assumptos: con elegantes, svtiles, claros, ingeniosos, y vtiles Versos. Para enseñanza, recreo, y admiracion. 3.ª impression. Zaragoza. Manuel Roman. A costa de Mathias de Lezaun. 1682 [*sic*, pero 1692?]. 10 hs. + 336 págs. + 4 hs. 19,5 cm.

—Ded. a D. Juan Miguel de Larraz, por Mathías de Lezaun (1692).—Apr. de Fr. Luis Tineo de Morales (1680).—L. V. de Madrid (1689).—Apr. del P. Diego Calleja (1689). — Romance de Ioseph Perez de Montoro. [«Cytharas Europeas, las doradas...»]. — Soneto de Catalina de Alfaro Fernandez de Cordova. [«La Mexicana Musa, Hija eminente...»]. — Prologo al letor. [«Essos Versos (Lector mio)...»].— Texto.—Tabla de todo lo que contiene este libro.

Jiménez Catalán, *Tip. zaragozana del siglo XVII,* n.º 1.165; Abreu, n.º 4.

LONDRES. *British Museum.* 1073.k.38.—MADRID. *Nacional.* U-3.997; H.A.-9.676. — NUEVA YORK. *Hispanic Society.* — WASHINGTON. *Congreso.* 22-2571 rev. — ZARAGOZA. *Seminario de San Carlos.* 49-7-15.

4676

SEGVNDO volumen de las Obras de Soror ——. Sevilla. Tomás López de Haro. 1692. 52 hs. + 546 págs. + 3 hs. 20 cm.

—Ded. a Orue.—Censura de Navarro Velez.—L. V.—Censura de Cristobal Bañez de Salcedo.—L. del Asistente de Sevilla. Nota.—Elogio de Ambrosio de la Cuesta y Saavedra.—Elogio del P. Pedro Zapata.—Elogio de Fr. Pedro del Santissimo Sacramento.—Elogio de Fr. Gaspar Franco de Ulloa.—Elogio del P. Joseph Zarralde.—Elogio de Fr. Juan Silvestre.— Elogio del H. Lorenzo Ortiz.—Romance de Martin Leandro Costa y Lugo. [«Como para assaltar el Sacro Alcazar...»].

Elogio de Gabriel Alvarez de Toledo Pellizer. [«Ya del Parnasso Americo circunda...»]. — Romance hendecasilabo de Antonio Dongo Barnuevo. [«Porqué Sacra Caliope dilatas...»]. — Otro de Juan Baptista Sandi de Urive. [«Metricas influencias de Thesalia...»].—Romance de Joseph Perez de Montoro. [«Muger; más que dixe? Quando...»].—Romance de Pedro del Campo. [«Valgame la Madre Juana...»].—Soneto de Joseph Bonet Cupo de Arve. [«No sé si en los que mas, Julia, te expressan...»].—Octavas de Antonio de Almeyda Coutiño. [«Tu quien eres, a quien humilde invoco...»].—Panegiricos anagranmas, de Pedro Juan Bogart.—Decimas. [«Angel, o Sacra Deydad...»].—Apr. de Pedro Ignacio de Arce.—Pr. a D. Juan de Orue por diez años.—E.—T.—Texto.

Contiene:

1. *Crisis sobre un Sermón de un orador grande entre los mayores...* (Págs. 1-34). —Poesías lírico-sacras.

2. *Anagramma, que celebra la Concepción de María Santissima.* En latín. Traducción. [«El nombre materno tuvo...»]. (Págs. 35-36).

3. *Letras sagradas que se cantaron en los maytines de la Concepción de la Santa Iglesia Cathedral de la Puebla de los Angeles el año de 1689... Primero nocturno. Letra I. Estrivillo.* [«Oygan un Misterio, que...»]. *Coplas.* [«Si para Madre querida...»]. (Págs. 37-38).

4. *Letra II. Coplas.* [«Dize el Genesis Sagrado...»]. (Pág. 38).

5. *Letra III.* [«La Maternidad sacra...»]. *Estrivillo.* [«Luego a la Preservacion...»].

6. *Segundo nocturno. Letra I. Estrivillo.* [«Oygan, qué cosa, y cosa...»]. *Coplas.* [«No es privilegio de gracia...»].

7. *Letra II. Estrivillo.* [«Un instante me escuchen...»]. *Coplas.* [«Escuchenme mientras cante...»].

8. *Letra III. Coplas.* [«Cielo es Maria mas bello...»]. *Estrivillo.* [«Quien en el punto primero...»]. (Págs. 39-40).

9. *Tercero nocturno. Letra I. Estrivillo.* [«Morenica la Esposa está...»]. *Coplas.* [«Aunque en el negro arrebol...»].

10. *Letra II. Introducción a una Ensalada.* [«Siendo de Angeles la Puebla...»]. *Xacara.* [«Allá va, fuera, que sale...»]. *Prosigue la introducción.* [«Otro, que ya desahogada...»]. *Glosas.* [«Dadle licencia, Señora...»]. *Prosigue la introducción.* [«Como

oyeron a los otros...»]. *Juguetillo.* [«Como entre espinas la Rosa...»]. (Págs. 40-43).

11. *Otra Letra Sagrada a la Concepcion. Coplas.* [«Entre la antigua zizaña...»]. *Estrivillo.* [«Al Jardín, Hortelanos...»]. (Pág. 44).

12. *Otra Letra Sagrada a lo mismo.* [«Un Herbolario estrangero...»]. *Estrivillo.* [«Nadie tenia ponçoña, mortales...»]. (Pág. 45).

13. *Letra pura cantar en la solemnidad del Nacimiento. Estrivillo.* [«Como será esto mi Dios?...»]. *Coplas.* [«Si la Fé, y la vista son...»]. (Pág. 46).

14. *Otra Letra para lo mismo. Estrivillo.* [«Un dia que amaneció...»]. *Coplas.* [«Qué cosa, y cosa Pasqual...»]. (Págs. 46-47).

15. *Otras Letras al mismo intento que se cantaron en los Maytines de Navidad en la Santa Iglesia de la Puebla de los Angeles el año 1689... Primero nocturno. Letra I. Introducción.* [«Por celebrar del Infante...»]. *Estrivillo.* [«Y todos concordes...»]. *Coplas.* [«Pues está tiritando...»]. (Págs. 48-49).

16. *Letra II. Estrivillo.* [«Al Niño Divino, que llora en Belen...»]. *Coplas.* [«Sed tiene de penas...»]. (Págs. 49-50).

17. *Letra III. Introducción.* [«El Alcalde de Belen...»]. *Estrivillo.* [«Oygan atentos...»]. *Seguidillas Reales.* [«Sin farol se venía una Dueña...»]. (Págs. 50-52).

18. *Segundo nocturno. Letra IV. Introducción.* [«Oy, que el mayor de los Reyes...»]. *Estrivillo.* [«Venid, mortales, venid a la Audiencia...»]. *Coplas.* [«Adan, Señor, que goza...»]. (Págs. 52-54).

19. *Letra V. Estrivillo.* [«Pues mi Dios ha nacido a penar...»]. (Págs. 55-57). *Coplas.* [«Pues del Cielo a la tierra rendido...»]. (Págs. 55-57).

20. *Letra VI. Introducción.* [«El retrato del Niño...»]. *Estrivillo.* [«Ay quien me lo pide?...»]. *Coplas.* [«Madexa de oro es su pelo...»]. (Págs. 58-59).

21. *Tercero nocturno. Letra VII. Estrivillo.* [«Alegrar a mi Niño...»]. *Coplas.* [«Qual sonoroso enxambre...»]. (Págs. 59-60).

22. *Letra VIII. Introducción.* [«Escuchen los Sacristanes...»]. *Estrivillo.* [«—Sacristane.—Sacristane...»]. *Coplas.* [«Sepa el Sacristan Benito...»]. (Págs. 60-62).

23. *Letras que se cantaron en los maytines del sublime entre los Patriarcas gloriosissimo Señor S. Joseph por la Santa Iglesia de la Puebla el año 1690... Dedicatoria al mesmo Santo.* [«Divino Joseph, si son...»]. (Pág. 62).

24. *Primero nocturno. Letra I. Estrivillo.* [«—Ay! ay! ay! como el Cielo se alegra...»]. *Coplas.* [«Como aun despues de su muerte...»]. (Págs. 63-64).

25. *Letra II. Coplas.* [«Si manda Dios en su Ley...»]. *Estrivillo.* [«Pues los Angeles todos sus glorias canten...»]. (Págs. 63-64).

26. *Letra III. Estrivillo.* [«Quien vyó? Quien oyo? Quien miró?...»]. *Coplas.* [«Yo lo vi en Moyses...»]. (Págs. 69-70).

27. *Segundo nocturno. Letra I. Coplas.* [«Si en pena a Zacharias...»]. *Estrivillo.* [«Y y assi todos entiendan, que Joseph calla...»]. (Págs. 66-67).

28. *Letra II. Coplas.* [«Qualquiera Virgen intacto...»]. *Estrivillo.* [«Pues supiste Coronas dobles tener...»]. (Págs. 67-68).

29. *Letra III. Introducción.* [«—Dios, y Joseph apuestan. — Qué? qué? qué?...»] *Coplas.* [«Dios, y Joseph parece...»]. (Págs. 68-69).

30. *Tercero nocturno. Letra I. Coplas.* [«Porqué no de simple Virgen?...»]. *Estrivillo.* [«Pues casese en buen hora...»]. (Pág. 70).

31. *Letra II. Ensalada. Introducción.* [«Los que musica no entienden...»]. *Xacara.* [«Va una Xacara de chapa...»]. *Segundo juguete.* [«Oygan una duda de todo primor...»]. *Indio.* [«Yo tambien quimati Dios...»]. *Negro.* [«Pues, y yo...»]. (Págs. 70-73).

32. *Letra para la Missa. A la Epistola. Estrivillo.* [«Santo Thomas dixo...»]. *Coplas.* [«Thomas del sentido...»].

33. *Letra al Ofertorio. Estrivillo.* [«Queditito, ayrezillos...»]. *Coplas.* [«Para no ver el preñado...»]. (Págs. 74-75).

34. *Letra al Alzar. Estrivillo.* [«Ay! que prodigio!...» *Coplas.* [«O quan contrario anda Dios...»]. (Pág. 75).

35. *Letra al Ite Missa est. Estrivillo.* [«Oygan la fineza, que Dios quiere hazer...»]. *Coplas.* [«A poder Dios hazer otro...»]. (Pág. 76).

36. *Letras sagradas en la solennidad de la Profession de una Religiosa. Letra I. Estrivillo.* [«Zagalejos de la Aldea...»]. *Coplas.* [«De tanta fortuna goza...»]. (Pág. 77).

37. *Letra II. Estrivillo.* [«Vengan a la fiesta, vengan, señores...»]. *Coplas.* [«Oy una Niña, que abrasa...»]. (Pág. 78).

38. *Letra III de las Antiphonas. Estrivillo.* [«Venid, venid Mortales, a ver mis go-zos...»]. *Coplas.* [«Celebrad, criaturas...»]. (Págs. 78-79).

39. *Letra IV. Estrivillo.* [«Venid, volad, Serafines alados...»]. *Coplas.* [«Qué puede escrivir la pluma...»]. (Pág. 80).

40. *Letras sagradas en la celebridad de la dedicación de la Iglesia del insigne Convento de Monjas Bernardas de Mexico. Letra I. Coplas.* [«Si es María el mejor Templo...»]. *Estrivillo.* [«Porque los tres haziendo...»]. (Pág. 81).

41. *Letra II. Estrivillo.* [«En el nuevo Templo venid a mirar...»]. *Coplas.* [«Si allá en el Desierto...»]. (Págs. 81-82).

42. *Letra III. Estrivillo.* [«Todo es dulçura este dia...»]. *Coplas.* [«De Maria, a quien la invoca...»]. (Pág. 82).

43. *Letra IV. Estrivillo.* [«Uno hazer un Templo quiso...»]. *Coplas.* [«Del Templo, que admiración...»]. (Pág. 83).

44. *Letra V. Coplas.* [«Templo material, Señor...»]. (Págs. 83-84).

45. *Letra VI. Estrivillo.* [«Oygan lo que del Templo...»]. *Coplas.* [«Este, aunque parece nuevo...»]. (Pág. 84).

46. *Letra VII. Estrivillo.* [«Sepan, que fabricarle a Dios un Templo...»]. *Coplas.* [«Para hazerle Casa a Dios...»]. (Págs. 84-85).

47. *Letra VIII. Estrivillo.* [«Pues Dios en el Cielo habita...»]. *Coplas.* [«La mas decente morada...»]. (Págs. 85-86).

48. *Letra IX. Estrivillo.* [«—Ha del Templo.—Quien llama?...»]. *Coplas.* [«Esta fabrica elevada...»]. (Págs. 86-87).

49. *Letra X. Coplas.* [«De piedad el raro exemplo...»]. *Estrivillo.* [«Llegad al Combite...»]. (Pág. 87).

50. *Letra XI. Estrivillo.* [«Cumplidlo, Señor...»]. *Coplas.* [«Al que edifica a Dios Templo...»]. (Págs. 87-88).

51. *Letra XII. Coplas.* [«A vuestro Nombre, María...»]. *Estrivillo.* [«Por legitimar el Templo...»]. (Pág. 88).

52. *Letra XIII. Estrivillo.* [«El que busca a Dios...»]. *Coplas.* [«Esta es la Casa de Dios...»]. (Pág. 89).

53. *Letra XIV. Coplas.* [«Si en la fabrica excelsa...»]. *Estrivillo.* [«Buen viage, buen viage...»]. (Pág. 90).

54. *Letra XV. Estrivillo.* [«Supuesto, que la Casa...». *Coplas.* [«Aunque ningun lugar es...»]. (Págs. 90-91).

55. *Letra XVI. Estrivillo.* [«En la Dedi-

cacion festiva del Templo...»]. *Coplas.* [«No los Musicos solos...»]. (Págs. 92-93).

56. *Letra XVII. Estrivillo.* [«Si en el Templo mi Dios entrais...»]. *Coplas.* [«Si nuestra maldad sin tassa...»]. (Pág. 93).

57. *Letra XVIII.* Coplas. [«Ay, fuego, fuego, que el Templo se abrasa...»]. *Coplas.* [«Espera, que este no es...»]. (Pág. 94).

58. *Letra XIX. Estrivillo.* [«Si Dios se contiene...»]. *Coplas.* [«En circulo breve...»]. (Págs. 94-95).

59. *Letra XX. Coplas.* [«Templo, Bernardo, y Maria...»]. (Págs. 95-96).

60. *Letra XXI. Estrivillo.* [«Los que tienen hambre...»]. *Coplas.* [«La Espiga veran de Ruth...»]. (Págs. 96-97).

61. *Letra XXII. Estrivillo.* [«Como se debe venir...»]. *Coplas.* [«Tiene el llanto tal valor...»]. (Págs. 97-98).

62. *Letra XXIII. Estrivillo.* [«Diganme, por qué Christo...»]. *Coplas.* [«Está como muerto, porque...»]. (Pág. 98).

63. *Letra XXIV. Estrivillo.* [«Pues en el Sacramento...»]. *Coplas.* [«La locución mal explica...»]. (Págs. 98-99).

64. *Letra XXV. Coplas.* [«De Trigo comparado...»]. *Estrivillo.* [«Pues si es su Vientre hermoso...»]. (Págs. 99-100).

65. *Letra XXVI. Coplas.* [«En la Botillería...»]. *Estrivillo.* [«Y el Cielo gozoso...»]. (Págs. 100-1).

66. *Letra XXVII. Estrivillo.* [«Christo es Lilio, y Maria...»]. *Coplas.* [«Christo en propriedad merece...»]. (Págs. 101-2).

67. *Letra XXVIII. Coplas.* [«Aunque es el metal de azofare...»]. *Estrivillo.* [«Ya aquesta Musica esterile...»]. (Pág. 102).

68. *Letra XXIX. Coplas.* [«En el Sacramento vé...»]. *Estrivillo.* [«Vengan a la Misa...»]. (Págs. 102-3).

69. *Letra XXX. Estrivillo.* [«Quando la Sabiduría...»]. *Coplas.* [«Queriendo hazer un combate...»]. (Pág. 103).

70. *Letra XXXI. Coplas.* [«En el Sol de la Custodia...»]. *Estrivillo.* [«Venid, venid...»]. (Págs. 103-4).

71. *Letra XXXII. Coplas.* [«A este edificio célebre...»]. *Estrivillo.* [«Oygan, que quiero en esdruxulos...»]. (Pág. 104).

—Poesías cómico-sacras.

72. *Loa que celebrando la Concepción de María Santissima se representó en las casas de D. Joseph Guerrero en la Ciudad de Mexico.* [«—Sagrado Assumpto en mi voz...»]. (Págs. 105-12).

73. *Loa para el auto intitulado «El martir del Sacramento S. Hermenegildo».* [«—Que niego la mayor digo...»]. (Págs. 113-20).

74. *El martir del Sacramento S. Hermenegildo. Auto historial alegorico.* [«—A de las claras Antorchas...»]. (Págs. 121-57).

75. *Loa para el auto intitulado «El cetro de Joseph».* [«—Al nuevo Sol de la Fe...»]. (Págs. 158-65).

76. *El cetro de Joseph. Auto historial alegorico.* [«...—Vaya a la cima arrojado...»]. (Págs. 166-97).

77. *Loa para el autor del Divino Narciso.* [«—Nobles Mexicanos...»]. (Págs. 198-206).

78. *Auto sacramental alegorico, intitulado El divino Narciso.* [«—Alabad al Señor todos los hombres...»]. (Págs. 207-46).

—Poesías líricas.

79. *Primero Sueño, que assi intituló y compuso la Madre Juana Inés de la Cruz, imitando a Góngora.* [«Piramidal, funesta, de la tierra...»]. (Págs. 247-76).

80. *Soneto, a la muerte del Señor Rey Philipo IV.* [«O quan fragil se muestra el ser humano...»]. (Pág. 277).

81. *Soneto, aviendo muerto un Toro el Cavallo a un Cavallero toreador.* [«El que Hipogripho de mejor Rugero...»].

82. *Soneto, que escrivió la Madre Juana a su Maestro. Acróstico.* [«Machinas primas de su ingenio agudo...»]. (Pág. 278).

83. *Soneto, que celebra a un graduado de Doctor.* [«Vista tus hombros el verdor lozano...»].

84. *Soneto, en que dá Moral Censura a una Rosa, y en ella a sus semejantes.* [«Rosa Divina, que en gentil cultura...»]. (Pág. 279).

85. *Soneto jocoso a la misma Rosa.* [«Señora Doña Rosa, hermoso amago...»].

86. *Soneto, que consuela un Zeloso epilogando la serie de los Amores.* [«Amor empieza por desassossiego...»]. (Pág. 280).

87. *Soneto, en que satisfaze un rezelo con la Rectorica del llanto.* [«Esta tarde, mi Bien, quando te hablaba...»].

88. *Soneto, en que celebra la Poetisa el cumplimiento de años de un Hermano suyo.* [«O quien, amado Amphriso, te ciñera...»]. (Pág. 281).

89. *Soneto. De una reflexion cuerda, con que mitiga el dolor de una passion.* [«Con el dolor de la mortal herida...»]. (Pág. 281).

90. *Soneto, que contiene una Fantasia con-*

123. *Turdion.* [«A las excelsas, Soberanas plantas...»]. (Págs. 311-12).
124. *Españoleta.* [«Pues la excelsa, Sagrada María...»]. (Págs. 312-13).
125. *Panama.* [«La Divina Lisi...»]. (Págs. 313-14).
126. *Jacara.* [«Oy, que las luzes Divinas...»]. (Págs. 314-15).
127. *Letra con que se coronó el festejo...* [«A la Deydad mas hermosa...»]. (Pág. 315).
128. *Romance, en elogio de una obra de... Fr. Payo de Ribera, Arçobispo y Virrey de Mexico.* [«Candido Pastor, Sagrado...»]. (Pág. 316).
129. *Romance, dando el parabien a un Doctorado.* [«Gallardo Joven, ilustre...»]. (Pág. 317).
130. *Romance, que un Cavallero recien venido a la Nueva España, escrivió a la Madre Juana.* [«Madre, que hazes chiquitos...»]. (Págs. 318-20).
131. *Romance, que respondió nuestra Poetisa.* [«Valgate Apolo por hombre...»]. (Páginas 320-23).
132. *Romance, que escrive a la... Condesa de Paredes, escusandose de embiar un Libro de Musica, y muestra quan eminente era en esta Arte, como lo prueba en las demas.* [«Despues de estimar mi Amor...»]. (Págs. 323-25).
133. *Romance de Pintura ,no vulgar en ecos, de la... Condesa de Gulve, Virreyna de Mexico.* [«El soberano Gaspar...»]. (Página 326).
134. *Endechas, por comparaciones de varios Heroes.* [«Con los Heroes a Elvira...»]. (Pág. 327).
135. *Romance a la misma Señora, en ocasion de cumplir años.* [«Si el dia, que tu naciste...»]. (Págs. 328-29).
136. *Romance a la misma... Señora, hallandola superior a qualquier Elogio.* [«Sobre si es atrevimiento...»]. (Págs. 329-31).
137. *Romance a la misma... Señora, embiandole un zapato bordado, segun estilo de Mexico, y un recado de Chocolate.* [«Tirar el guante, Señora...»]. (Págs. 332-333).
138. *Letra para cantar.* [«Hirió blandamente el ayre...»]. (Pág. 333).
139. *Otra letra.* [«Afuera, afuera, ansias mías...»]. (Págs. 333-34).
140. *Otra letra.* [«Seguro me juzga Gila...»]. (Pág. 334).
141. *Romance, escriviendo a un Cavallero que dezia tener el Alma de nieve.* [«Allá vá, Julio de Enero...»]. (Págs. 334-36).

142. *Romance, respondiendo a un Cavallero del Perú, que le embió unos barros, diziendola que se bolbiesse hombre.* [«Señor, para responderos...»]. (Págs. 336-38).
143. *Romance, que resuelve con ingenuidad sobre Problema entre las instancias de la obligacion y el afecto.* [«Supuesto, Discurso mío...»]. (Págs. 339-41).
144. *Romance, en que cultamente expresa, menos aversión de la que afectaba un enojo.* [«Si el desamor, o el enojo...»]. (Páginas 341-42).
145. *Endechas, que discurren fantasias tristes de un ausente.* [«Prolixa Memoria...»]. (Págs. 349-50).
146. *Loa a los años de... Carlos II.* [«—Escucha mi voz el Orbe...»]. (Págs. 351-60).
147. *Loa a los años de la Reyna Madre D.ª Mariana de Austria.* [«—Al feliz Natalicio...»]. (Págs. 361-67).
148. *Encomiástico poema a los años de la... Condesa de Galve.* [«—Si en proporciones de partes...»]. (Págs. 368-77).
149. *Loa a los años del... Conde de Galve...* [«—A la entrada dichosa...»]. (Págs. 378-88).
150. *Amor es mas labyrinto. Comedia de la qual las jornadas primera y tercera son de la Madre Juana, y la segunda del Lic. D. Juan de Guevara...* [«—En la hermosura de Phedra...»]. (Págs. 389-450).
151. *Loa, que precedió a la Comedia que se sigue.* [«—Para celebrar qual es...»]. (Págs. 450-60).
152. *Los empeños de una casa. Comedia famosa.* [«—Hasta que venga mi Hermano...»]. (Págs. 461-78).
153. *Letra para Bellissimo Narciso.* [«Bellissima María...»]. (Págs. 478-79).
154. *Sainete primero de Palacio.* [«—Alcayde soy de Terrero...»]. (Págs. 479-99).
155. *Letra para Tierno adorado Adonis.* [«Tierno pimpollo hermoso...»]. (Págs. 499-500).
156. *Sainete segundo.* [«—Mientras descansan nuestros camaradas...»]. (Págs. 500-25).
157. *Sarao de quatro naciones.* [«—A la guerra mas feliz...»]. (Págs. 526-32).
—Más poesías lírico-sacras.
158. *Letras que se cantaron en la Santa Iglesia Metropolitana de Mexico, en honor de Maria Santissima en su Assumpcion triumfante. I Nocturno. Letra I. Estrivillo.* [«Si subir Maria al cielo...»]. *Coplas.* [«Paradoxa es, que en mi vida...»]. (Págs. 533-534).

159. *Letra II. Estrivillo.* [«Vengan a ver subir la Ciudad...»]. *Coplas.* [«Vió Juan una Ciudad...»]. (Págs. 534-35).
160. *Letra III.* [«Quien es aquesta Hermosura...»]. *Coplas.* [«Por qué dizes, que al Aurora...»]. (Págs. 535-36).
161. *Letra IV. Coplas.* [«En buena Filosofia...»]. (Págs. 536-37).
162. *Letra V. Coplas.* [«Fabricó Dios el Trono del Impireo...»]. *Estrivillo.* [«Suba, suba con buelo ligero...»]. (Págs. 538-39).
163. *Letra VI. Coplas.* [«O qué hermosos son tus passos...»]. *Estrivillo.* [«Ven, Amiga mía...»]. (Págs. 538-39).
164. *Letra VII. Estrivillo.* [«Como se ha de celebrar...»]. *Coplas.* [«De Maria la Assumpcion...»]. (Págs. 538-39).
165. *Letra VIII. Ensalada.* [«Miren, que en estos maytines...»]. *Jacara entre dos.* [«Allá va una Jacarana...»]. (Págs. 540-42).
166. *Letras a la Presentación de N. Señora. Estrivillo.* [«Pues oy se celebra la Presentacion...»]. *Coplas.* [«Si es la Beldad de Maria...»]. (Pág. 542).
167. *Otra letra. Estrivillo.* [«Ay, ay, ay, Niña bella...»]. *Coplas.* [«Niña, que amor esperas...»]. (Pág. 543).
168. *Otra letra. Estrivillo.* [«Con los pies sube al Templo...»]. (Págs. 543-44).
169. *Al Doctor Maximo de la Iglesia. Redondilla.* [«Siguiendo un mudo Clarín...»]. *Glossa, en dezimas.* [«Geronimo meditaba...»]. (Pág. 544).
170. *Glossa en obsequio de la Concepcion de Maria Santissima. Letra.* [«De tu Planta la Pureza...»]. *Glossa.* [«Ya Maria Pura, y Bella...»]. (Pág. 545).
171. *Soneto al Señor S. Joseph...* [«Nace de la escarchada fresca Rosa...»]. (Pág. 546).

Abreu, n.º 5.

MADRID. *Facultad de Filosofía y Letras.* 19.278. — *Nacional.* R-19.244; R-19.252 (falto de la portada y de las primeras hojas; de las págs. 543-46 y hojas finales).—ROMA. *Vaticana.* R.G.Lett.Est.IV.291.

4677

SEGUNDO *tomo de las Obras...* Barcelona. Joseph Llopis. 1693. 8 + 467 + 5 págs. 20,5 cm.

Abreu, n.º 6; Sabat. (V. n.º 4664).

ANN ARBOR. *University of Michigan. William L. Clements Library.*—BOSTON. *Boston Athenaeum.*—CORDOBA. *Pública.* 17-6.—MADRID. *Facultad de Filosofía y Letras.* 29.244. — *Nacional.* R-19.237; R-19.447; etc.—MEJICO. *Nacional.*—NUEVA YORK. *Hispanic Society.*—SAN LORENZO DEL ESCORIAL. *Monasterio.* 110-V-9/ 10.—SEVILLA. *Archivo de Indias.* H.195.—ZARAGOZA. *Seminario de San Carlos.* 129-6-4.

4678

FAMA, *y Obras posthumas del Fenix de Mexico, decima musa, poetisa americana,* ——... Madrid. Imp. de Manuel Ruiz de Murga. 1700. 76 hs. + 210 págs. + 3 hs. 22 cm.

—Lámina con retrato.—Ded. a la reina D.ª Mariana de Neoburg, por el Dr. Iuan Ignacio de Castorena y Ursua.—A. D.ª Juana Piñateli, Duquesa de Monteleón y Terranova, etc., por el mismo.—Apr. del P. Diego de Heredia.—L. V.—Apr. del P. Diego Calleja. Incluye un Soneto de un amigo, que comienza: «Ya, Juana, si que avrás bien entendido...».—S. Pr.— E.—T.—A la Madre ——, en el Tercer Tomo de sus obras. De Felix Fernandez de Cordoua, Duque de Sessa, etc. Soneto. [«Facil, suave, aguda, decorosa...»]. *Soneto de Pedro Verdugo, conde de Torrepalma.* [«Que murió, Juana, en ti? Ya no te auia...»].—*Soneto de Matheo Ibañez, marques de Corpa.* [«Si extrema el hado infiel sus tyranias...»].— *Soneto de Luis Muñoz Venegas y Guzman.* [«Qué aun respiran en Ayre los nacidos?...»].—*Al aver aprendido a leer a los tres años de su edad Sor Juana Ines de la Cruz. Soneto de Iuan Alonso de Muxica.* [«Tu razon su Cenit se descubría...»].—*Soneto de Diego Rejon de Silva.* [«Pensarás (ó piadoso Peregrino...»].—*A Sor Juana Ines de la Cruz, auiendo aprendido sin Maestro tantas sciencias. Soneto de Feliciano Gilberto de Pisa.* [«No fue de la fortuna contingencia...»]. — *Soneto de Pedro Maria Squarzafigo y Arriola.* [«Tercer buelo en tu pluma, docta Juana...»].—*Soneto de Pedro Alfonso Moreno.* [«Si Juan ostenta (ó Juana) en su apariencia...»].— *Soneto de Marcos Xuarez de Orozco.* [«No pudo obscurecer al tosco olvido...»]. — *Soneto de Juan de Cabrera.* [«No pretendas adornos de varon...»]. *Romance endecasylabo de Alonso de Otazo.* [«Aqui animosidad, medrosa pluma?...»]. — *Lyras de Francisco Bueno.* [«La Beldad que a esplendores...»]. — *Al Dr. D. Juan Ignacio de Castorena y Ursua... Romance de Luis Verdejo Ladron de Guevara.* [«Si a tanto canoro

Cisne...»].—*Soneto de Miguel de Villanueva*. [«Tu Pluma (Nise) tus elogios cante...»].—*Octavas de Lorenzo de las Llamosas*. [«Rompa ya el llanto de la vena mia...»].—*Soneto de Francisco de Leon y Saluatierra*. [«En su dorado luminoso Oriente...»].—*Madrigales de Juan de Bolea Alvarado*. [«La Erudición te dió los desengaños...»].—*Ritmas sextiles, de Martin Davila y Palomares*. [«Ceda mi labio, alterne Gigantéa...»].—*Dezimas de Rodrigo de Ribadeneyra*. [«Quatro estorvos halló Juana...»].—*Romance de Arte mayor, de Joseph de Cañizares.* [«Qué es esto, Urania Celestial? Qué es esto...»]. — *Soneto, de Thomás de Pomar*. [«Delphico assombro de raudal divino...»].—*Soneto, de un ingenio cortesano*. [«Las que silabas doctas examinas...»]. — *Egloga, de Eulogio Francisco de Cordova*. [«En el margen del Rio Mançanares...»].—*Elegia funeral, de Geronimo Monforte y Vera*. [«Verde el Pindo, contra el rayo ardiente...»].—*Dezima de Garcia de Ribadeneyra y Noguerol.* [«El Sol, Padre del saber...»].—*Soneto, de Rodrigo de Ribadeneyra y Noguerol*. [«Si Numeros prestaran a tus dias...»].—*Al cortarse el cabello la Madre Juana Ines, siendo de ocho años... Dezimas de Maria Iacinta de Abogader y Mendoza*. [«Crece con altos descuellos...»].—*Soneto de Francisca de Echavarri*. [«Como admiran del Sol claros fulgores...»]. — *Romance de la misma*. [«En Tercer Tomo, Sor Juana...»].—*Soneto de Catalina de Alfaro Fernandez de Cordoua*. [«De quatro mil Volumenes sabidos...»].—*Soneto de Marcelina de San Martin*. [«Rethoricos aplausos a tu muerte...»]. *Soneto de Ines de Vargas*. [«Luego que la razon empuñó el Cetro...»].— *Soneto, de una señora*. [«El Alma de las Ciencias sin aliento?...»].—*Octavas, de un aficionado*. [«Qué passion, qué deseo inadvertido...»].—*Romance del conde de Clavijo*. [«Si del suspiro a la Pluma...»]. *Romance de Manuel Joseph de Toledo, conde de Galve*. [«Adonde, Numen osado...»].—*Papel de Juan Ignacio de Castorena y Ursua a Jacinto Muñoz Castilblanque.—Parecer de éste.—Elegía anónima*. [«Rama seca de Sauce envejecido...»].—*Prólogo. A quien leyere, el Dr. D. Juan Ignacio de Castorena y Ursua.— Romance de Arte mayor, de Marcial Beneta.* [«Ya, Juana, que tu Ingenio, y tus Virtudes...»].—*Soneto.* [«Tu fuiste, Juana,

el estudioso anhelo...»].—*Laberinto latino, de Gabriel Ordoñez.—Distico latino. Romance, de un apasionado de sus Obras.* [«Muger singular, adonde...»].—*Advertencia.—Dezima acrostica, de una gran señora*. [«Assumptos las Nueye Musas...»]. *Texto.—Tabla de lo que este Libro contiene.*

Contenido:

1. *Carta de Sor Philotea de la Cruz*. (Págs. 1-7).
2. *Respuesta a Sor Philotea de la Cruz*. (Págs. 8-60).
3. *Exercicios devotos, para los nueve dias antes del de la Purissima Encarnacion del Hijo de Dios Jesu Christo Señor Nuestro*. (Págs. 61-108).
4. *Ofrecimientos para el Santo Rosario de quinze Mysterios, que se ha de rezar el dia de los Dolores de Nuestra Señora la Virgen Maria*. (Págs. 109-25).
5. *Protesta, que rubricada con su sangre, hizo de su Fe, y amor a Dios, al tiempo de avandonar los Estudios humanos...* (Págs. 124-26).
6. *Docta explicacion del Misterio y voto que hizo de defender la Purissima Concepcion*. (Págs. 127-29).
7. *Peticion, que en forma causidica, presenta al Tribunal Divino por impetrar perdon de sus culpas*. (Págs. 129-31).
8. *Oracion publicada en latin por Urbano VIII traducida en castellano...* [«Ante tus ojos benditos...»]. (Págs. 132-33).
9. *Romance, en que expressa los efectos del Amor Divino, y propone morir amante, a pesar de todo riesgo*. [«Traigo conmigo un cuidado...»]. (Págs. 134-36).
10. *Romance al mismo intento*. [«Mientras la gracia me excita...»]. (Págs. 37-38).
11. *Romance (en que califica de amorosas acciones todas las de Christo para con las almas en afectos amorosos) a Christo Sacramentado dia de Comunion*. (Págs. 138-39).
12. *Quarteta de don Luis de Gongora*. [«Mientras él mira suspenso...»]. *Glossa*. [«Con luciente buelo ayroso...»]. (Págs. 140-141).
13. *Romance de vn cavallero del Peru, en elogio de la Poetisa...* [«A vos, Mexicana Musa...»]. (Págs. 142-50).
14. *Romance, en que responde la Poetisa...* [«Allá vaa, aunque no debiera...»]. (Págs. 150-57). Al fin dice que el caballero en cuestión es el Conde de la Granja.
15. *Romance, en reconocimiento a las inimitables Plumas de la Europa, que hizie-

ron mayores sus Obras con sus elogios: que no se halló acabado. [«Quando. Numenes Divinos...»]. (Págs. 157-62). Lleva una nota al final.

16. *A una pintura de Nuestra Señora de muy excelente Pincel. Soneto.* [«Si un Pincel, aunque grande, al fin humano...». (Pág. 163).

17. *Al retardarse San Juan de Sahagun en consumir la Hostia Consagrada, por aparecersele en ella Christo visiblemente. Soneto.* [«Quien, que regale visto, y no comido...»] (Pág. 164).

18. *Dezima a D. Juan Ignacio de Castorena.* [«Favores, que son tan llenos...»].

19. Nota del Editor sobre los Elogios de autores mejicanos escritos a la muerte de la autora, de los que seguidamente ofrece una selección.

20. *Epigramma latino de Fr. Juan de Rueda.* (Págs. 167-68).

21. *Elegia latina, de Juan Julian de Villalobos.* (Págs. 169-70).

22. *Poema latino, de Joseph de Guevara.* (Pág. 171).

23. *Epitaphium de Tiburcio Diaz Pimienta.* (Págs. 172-73).

24. *Soneto, de Martin de Olivas.* [«No llora Job, quando Prudente, y Santo...»]. (Pág. 174).

25. *Soneto, de Alonso Ramirez de Vargas.* [«Agoniza del Sol la edad luciente?...»]. (Pág. 175).

26. *Soneto, de Diego Martinez.* [«Sol viuiste, con luz tan escogida...»]. (Pág. 176).

27. *Soneto, de Juan Zapata.* [«Quien es aquella, a quien difunta Estrella...»]. (Página 177).

28. *Romance, de Joseph Miguel de Torres.* [«Suspende Cloto atruida...»]. (Págs. 178-79).

29. *Soneto, de Francisco de Ayerra.* [«Que aqui yazes ó Nisse? Ya se invierte...»]. (Pág. 180).

30. *Endechas Endecasylavas, de Joseph de Villena.* [«America, no llores...»]. (Págs. 181-85).

31. *Soneto, de Iuan de Aviles.* [«Si en la pequeña clara luz de un dia...»] (Pág. 186).

32. *Soneto, de Antonio Deza y Ulloa.* [«A nuevo modo de morir se allana...»]. (Pág. 187).

33. *Romance Heroyco, de Lorenzo Gonzalez de la Sancha.* [«Mediada voz la pena, y el aplauso...»]. (Págs. 188-91).

34. *Romance, de Phelipe Santoyo.* [«En ti (ó papel) que tuviste...»]. (Págs. 198-200).

35. *Elegia funebre, de Lorenzo Gonzalez de la Sancha.* [«Aunque la antigua ley prohibir quiera...»]. (Pág. 201).

36. *Jeroglifico y Epigramma latino, de Phelipe Iriarte y Lugo.* (Pág. 211).

37. *Epitafio latino, de Felipe Santiago de Barrales.* (Pág. 212).

Abreu, n.° 8.

BOSTON. *Public Library.*—CHICAGO. *Newberry Library.* — LONDRES. *British Museum.* 1450. ee.51. — MADRID. *Consejo. Instituto «M. de Cervantes».* XVII-223 (falto de portada).— *Nacional.* R-23.486.—MEJICO. *Nacional.* NUEVA YORK. *Hispanic Society y Public Library.* ROMA. *Vaticana.* R.G.Lett.Est.IV.29.—WOSCESTER. *American Antiquarian Society.*—ZARAGOZA. *Seminario de San Carlos.* 54-6-11.

4679

——. Barcelona. Rafael Figueró. 1701. 136 + 212 + 3 págs. 20,5 cm.

Abreu, n.° 9.

ANN ARBOR. *University of Michigan. William L. Clements Library.*—AUSTIN. *University of Texas.*—CHICAGO. *Newberry Library.*—MADRID. *Facultad de Filosofía y Letras.* 29.245. — *Nacional.* 3-69.098.—MEJICO. *Nacional.*—NUEVA YORK. *Hispanic Society y Public Library.* SANTO DOMINGO DE SILOS. *Monasterio.* 43-A.

4680

——. Lisboa. Miguel Deslandes. 1701. 65 hs. + 212 págs. + 2 hs. 4.°

Abreu, n.° 11.

MADRID. *Nacional.* R-19.235; R-19.238. — NEW HAVEN. *Yale University.*—NUEVA YORK. *Hispanic Society y Public Library.*

4681

POEMAS de la unica poetica americana... Valencia. Antonio Bordazar. A costa de Joseph Cardona. 1709. 8 hs. + 406 págs. + 5 hs. 21 cm.

En los prels. se añade una Ded. a la Virgen de los Desamparados, por José Cardona, y una Apr. de Fr. Vicente Bellmont.

Abreu, n.° 12.

AUSTIN. *University of Texas.* — BOSTON. *Public Library.*—BOULDER. *University of Colorado.*—MADRID. *Academia Española.* S.C.= 23-B-25. *Facultad de Filosofía y Letras.* 10.096. *Nacional.* R-19.2443; R-31.020. — MEJICO. *Nacional.*—NUEVA YORK. *Hispanic Society.*—*Public Library.*—SANTANDER. «Menén-

dez Pelayo». R-V-7-37.—SEVILLA. *Universitaria.* 300-64.—WASHINGTON. *Congreso.* 22-2572 rev.

4682

POEMAS de la única poetisa americana, Musa dezima, Soror ——... Madrid. Imp. Real, Joseph Rodriguez; etc. 1714-15. 3 vols. 21,5 cm.
I. *Poemas...* Madrid. Impr. Real, por Joseph Rodriguez y Escobar. 1714. 8 hs. + 334 págs. + 5 hs.
II. *Fama y obras posthumas...* Madrid. Antonio González de Reyes. A costa de Francisco Laso. 1714. 15 hs. + 318 págs. + 1 h.
III. *Obras poéticas...* Tomo II. Madrid. Imp. Real, por Joseph Rodriguez de Escobar. 1715. 4 hs. + 470 págs. + 3 hs.
Abreu, núms. 13-15.
BERKELEY. *University of California.*—EVANSTON. *Northwestern University.*—MADRID. *Academia Española.* S.C. = 22-A-54 [el I]. *Nacional.* R-19.243/45; 3-69.096. *Senado.* L.13-5. MEJICO. *Nacional.*—NEW HAVEN. *Yale University.*—NUEVA YORK. *Hispanic Society* y *Public Library.*—SAN LORENZO DEL ESCORIAL. *Monasterio.* 48-II-29.—SEVILLA. *Universitaria.* 51-44. — URBANA. *University of Illinois.* — WASHINGTON. *Congreso.*

4683

——. 4.ª impression completa de todas las obras de su Authora. Madrid. Angel Pasqual Rubio. 1725. 3 vols. 4.º
I. *Poemas...* 8 hs. + 374 págs. + 5 hs.
II. *Tomo segundo de las Obras...* 3 hs. + 438 págs. + 3 hs.
III. *Fama y Obras postumas...* 10 hs. + 352 págs. + 3 hs.
Abreu, núms. 16-19.
AUSTIN. *University of Texas.* — BARCELONA. *Universitaria.* B.71-5-23. — BOULDER. *University of Colorado.* — MADRID. *Academia Española.* S.C. = 23-B-26 [el II]. *Nacional.* R-19.403/5; R-19.097 [el III].—MEJICO. *Nacional* [el I].—NUEVA YORK. *Hispanic Society. Public Library.*—ROMA. *Nazionale.* 6.26.K.8-10.—SAN LORENZO DEL ESCORIAL. *Monasterio.* 46-II-29/31.—SANTIAGO DE COMPOSTELA. *Universitaria.*—SEVILLA. *Universitaria.* — WASHINGTON. *Congreso.*

4684

OBRAS Completas. Edición, prólogo y notas de Alfonso Méndez Plancarte. Méjico. Fondo de Cultura Económica. 1951-57. 4 vols. 22 cm. (Biblioteca Americana. Serie de literatura colonial, 19, 21, 27, 32).
I. *Lírica personal;* II. *Villancicos y Letras Sacras;* III. *Autos y Loas;* IV. *Comedias, sainetes y prosa.*
a) Bataillon, M., en *Bulletin Hispanique,* LV, Burdeos, 1953, págs. 419-20.
b) Betancur Arias, C., en *Universidad Pontificia Bolivariana,* XVII, Medellín, 1952, págs. 357-58 [del I].
c) Caillet Bois, Julio, en *Sur,* Buenos Aires, 1953, págs. 129-32.
d) Cardona Peña, Alfredo, en *Cuadernos Americanos,* LXIII, Méjico, 1952, págs. 211-214.
e) Leonard, I. A., en *The Hispanic American Historical Review,* XXXVI, Durham, 1956, págs. 107-8 [del III].
f) Valbuena Briones, A., en *Clavileño,* Madrid, 1952, n.º 17, pág. 75 [del I].
MADRID. *Academia Española.* S.C. = 24-F-9/12. *Consejo. Instituto «M. de Cervantes».* XV-25 [tomos I-II]. *Instituto de Cultura Hispánica.*—*Nacional.* H.A.-35.005/8.— MEJICO. *Nacional.* — WASHINGTON. *Congreso.* 59-68197.—ZARAGOZA. *Universitaria.* Cat. Liter.

4685

OBRAS completas. Prólogo de Francisco Monterde. Méjico. Edit. Porrúa. [s. a., c. 1969]. XXI + 1107 págs. 22 cm. (Sepan cuantos).
Reproduce el texto de la ed. de Méjico, 1951-57.
WASHINGTON. *Congreso.* NUC 70-115194.

—— ——

—*Obras completas. Prólogo de Francisco Monterde.* 2.ª ed. Méjico. Porrúa. 1972. XVII + 941 págs. 22 cm. (Sepan cuantos). ATHENS. *University of Georgia.*—MIDDLEBURY. *Middlebury College.* — WASHINGTON. *Congreso.* NUC 84-65933.

Obras escogidas

4686

OBRAS selectas... Ed. de Juan León Mera. Quito. Imp. Nacional. 1873. LXXXVI + 402 págs.

MADRID. *Academia Española.* 11-X-55.—NUEVA YORK. *Hispanic Society.*—SANTANDER. «*Menéndez Pelayo*». 13.113.—WASHINGTON. *Congreso.*

4687

OBRAS escogidas... Veracruz, etc. Librerías «La Ilustración», etc. 1888. XXIV + 306 págs. 18,5 cm. (Biblioteca de Autores Mejicanos).

—Págs. V-XXIV: «Apuntes biográficos de ——», por R. B. de la Colina.

DURHAM. *Duke University.*—LOS ANGELES. *University of Southern California.*—MEJICO. *Nacional.*—WASHINGTON. *Congreso.* 42-39638.

4688

OBRAS escogidas. Respuesta a Sor Philotea de la Cruz. Poesías. Edición y prólogo de Manuel Toussaint. Méjco. Ed. Cultura. 1928.

AUSTIN. *University of Texas.*—CHICAGO. *University of Chicago.* — EVANSTON. *Northwestern University.*—FILADELFIA. *University of Pennsylvania.*—MEJICO. *Nacional.* — OBERLIN. *Oberlin College.*—WASHINGTON. *Congreso.*

4689

OBRAS escogidas. Buenos Aires. Espasa-Calpe Argentina. [1938]. 177 páginas. 18,5 cm. (Colección Austral, 12).

«Elección y cuidado de los textos a cargo de Pedro Henriquez Ureña, con la colaboración de Patricio Canto».

WASHINGTON. *Congreso.* 39-22158.

— — —

—2.ª ed. 1939.

CAMBRIDGE, Mass. *Harvard University.*—COLLEGE PARK. *University of Maryland.*

—3.ª ed. 1941.

BRYN MAWR. *Bryn Mawr College.* — MADRID. *Ministerio de Cultura.* 4-2.

—4.ª ed. 1943.

EAST LANSING. *Michigan State University.*

—6.ª ed. 1944?

COLUMBUS. *Ohio State University.* — CHAPEL HILL. *University of North Carolina.*

—1945.

LANCASTER. *Franklin and Marshall College.*

—7.ª ed. 1946?

BERKELEY. *University of California.*

—1951.

DEUSTO. *Universitaria.*

—10.ª ed. Méjico. Espasa-Calpe Mexicana. 1959.

MADRID. *Ministerio de Cultura.* 4-18.038.

—11.ª ed. Méjico. Espasa-Calpe Mexicana. 1963.

WASHINGTON. *Congreso.* NUC 72-47049.

—12.ª ed. Méiico. Espasa-Calpe Mexicana. 1967.

WASHINGTON. *Congreso.* NUC 68-50014.

—13.ª ed. Méjico. Espasa-Calpe Mexicana. 1969.

WASHINGTON. *Congreso.* NUC 75-96508.

—14.ª ed. 1976.

MADRID. *Ministerio de Cultura.* 160.893.

—1978.

MADRID. *Ministerio de Cultura.* 195.373.

4690

POESIA y Teatro. Selección y prólogo de Matilde Muñoz. Madrid. Aguilar. 1946. 563 págs. 13 cm. (Col. Crisol, 194).

MADRID. *Nacional.* 4-30.012.

— — —

—1961.

WASHINGTON. *Congreso.* NUC 65-106292.

—4.ª ed. 1964. 512 págs.

MADRID. *Nacional.* H.A.-36.374.—WASHINGTON. *Congreso.* NUC 69-106880.

4691

OBRA poética. Los empeños de una casa. Introducción y selección por Roberto Oropeza Martínez. Méjico. Edics. Ateneo. [1962]. 164 págs. 20 cm. (Col. Obras inmortales).

AUSTIN. *University of Texas.*—WASHINGTON. *Congreso.* 63-29490.

4692

SAINETES. Edición y notas de Francisco Monterde. Méjico. Edit. Intercontinental. 1965. XI + 39 págs. 23 cm.

AUSTIN. *University of Texas.* — UNIVERSITY, Al. *University of Alabama.* — WASHINGTON. *Congreso.* 47-28096*.

4693

POESIA, teatro y prosa. Edición y prólogo de Antonio Castro Leal. Méjico. Edit. Porrúa. 1965. XXXI + 306 págs. 19 cm. (Colección de Escritores Mexicanos, 1).

WASHINGTON. *Congreso.* 67-46344.

—3.ª ed. 1968.
MADRID. *Nacional.* H.A.-43.151.
—6.ª ed. 1973. 306 págs.
WASHINGTON. *Congreso.* NUC 75-126543.

4694

OBRAS *escogidas. Selección, notas, bibliografía y estudio preliminar por Juan Carlos Merlo.* Barcelona. Bruguera. 1968. 554 págs. 18 cm. (Libro Clásico, 49).

a) Sabat de Rivers, G., en *Modern Language Notes,* LXXXV, Baltimore, 1970, páginas 316-17.
MADRID. *Ministerio de Cultura.* 4-22.804. *Nacional.* H.A.-39.776.—WASHINGTON. *Congreso.* NUC 70-10672.

—2.ª ed. 1972.
MADRID. *Ministerio de Cultura.* 104.870. *Nacional.* H.A.-46.197.—WASHINGTON. *Congreso.* 74-333768.

4695

AUTOS *Sacramentales... (El Divino Narciso.—San Hermenegildo). Prólogo: Sergio Fernández. Notas: Alfonso Méndez Plancarte.* Méjico. Universidad Nacional Autónoma. 1970. XXVII + 211 págs. (Biblioteca del Estudiante Universitario, 92).

MADRID. *Instituto de Cultura Hispánica. Ministerio de Cultura.* 99.226. *Nacional.* H.A.-45.657.

4696

OBRAS *selectas. Prólogo, selección y notas Georgina Sabat de Rivers y Elías L. Rivers.* Barcelona. Edit. Noguer. 1971. 812 págs. 20 cm. (Col. Clásicos Hispánicos Noguer, 7).

MADRID. *Consejo. Instituto «M. de Cervantes».* XCIV-300. *Nacional.* H.A.-55.252.—WASHINGTON. *Congreso.* 77-464071.

—1976.
MADRID. *Consejo. Instituto «M. de Cervantes».* XCIV-300. — *Ministerio de Cultura.* 170.344.

Poesías

4697

POESIAS *escogidas de —— (La Décima Musa). Precedidas de su biografía, notas bibliográficas y juicios críticos de escritores españoles y americanos, por Antonio Elías de Molins.* Madrid. Libr. V. Suárez. [1901]. 220 págs. 25 cm.

WASHINGTON. *Congreso.* 31-9739 rev.

—2.ª ed. Barcelona. Araluce. [s. a.]. 219 págs. 22 cm.
CAMBRIDGE, Mass. *Harvard University.* — ITHACA. *Cornell University.* — MEJICO. *Nacional.*

4698

POESIAS *escogidas. Selección y prólogo de Manuel Toussaint.* Méjico. [Imp. Victoria]. 1916. 80 págs. + facs. 16,5 cm. (Cultura, I, n.º 6).

NUEVA YORK. *Hispanic Society.*

4699

POESIAS *escogidas.* Barcelona. Edit. B. Bauzá. 1925. 264 págs. 8.º (Colección Apolo).

MADRID. *Nacional.* H.A.-63.580.

4700

POEMAS *inéditos, desconocidos y muy raros. Descubiertos y recopilados por M. Toussaint.* Méjico. M. León Sánchez. 1926. 16 págs. 24 cm.

a) Schons, Dorothy, en *Revista de Estudios Hispánicos,* I, Río Piedras, 1928, páginas 276-78.
AUSTIN. *University of Texas.*—MEJICO. *Nacional.*—URBANA. *University of Illinois.*

4701

SONETOS. *Edición y notas de Xavier Villaurrutia.* Méjico. La Razón. 1931. 173 págs. 28 cm. (Col. de Clásicos Mexicanos agotados, 2).

Tirada de 500 ejemplares no venales.
MEJICO. *Nacional.*

4702

LIRAS. Edición y notas de E[rmilo] Abréu Gómez. Méjico. Edics. Botas. 1933. 16 págs. 20,5 cm.

CHICAGO. *Newberry Library.* — LOS ANGELES. *University of Southern California.*—NUEVA YORK. *Public Library.*—WASHINGTON. *Congreso.* 44-36732.

4703

ENDECHAS. Edición y notas de Xavier Villaurrutia. [Méjico]. Taller. 1940. 37 págs. 25 cm.

Hay una tirada especial de cien ejemplares numerados.

WASHINGTON. *Congreso.* A 41-622.

4704

POESIAS. Edición, prólogo y notas de Ermilo Abreu Gómez. [Méjico. Edics. Botas]. 1940. 300 págs. 20 cm. (Clásicos de México, 1).

AUSTIN. *University of Texas.*—DURHAM. *Duke University.*—WASHINGTON. *Congreso.* 41-9531.

— — —

—2.ª ed. revisada y corregida. 1970. 299 págs.
BERKELEY. *University of California.* — WASHINGTON. *Congreso.* NUC 72-25438.

4705

POESIAS. Selección y prólogo de Elena Amat. Valencia. Edit. Tip. Moderna. 1941. 60 págs. 8.º (Colección Flor y Gozo, vol. 10).

MADRID. *Ministerio de Cultura.* Foll.C.276-25. *Nacional.* V-1.333-31.

4706

POESIAS completas. [Méjico]. Ediciones Botas. 1941. 583 págs. 19,5 cm.

Con una «Advertencia», de E. Abreu Gómez.

CHAPEL HILL. *University of North Carolina.* KNOXVILLE. *University of Tennessee.*—WASHINGTON. *Congreso.* 42-4057.

— — —

—*Recopilación y prólogo de E. Abreu Gómez.* 2.ª edición. 1948.
AUSTIN. *University of Texas.*—BLOOMINGTON. *Indiana University.*—MEJICO. *Nacional.*

4707

OBRAS poéticas. Buenos Aires. Edit. Molino. [1943]. 170 págs. 19 cm. (Clásicos Americanos, 8).

BOULDER. *University of Colorado.* — MADRID. *Ministerio de Cultura.* 12.639. *Nacional.* H. A.-7.386.—WASHINGTON. *Pan American Union Library.*

4708

POESIAS escogidas. Selección y prólogo de Francisca Chica Salas. Buenos Aires. Estrada. 1943. XVI + 151 págs. 19 cm. (Colección Estrada, 29).

ZARAGOZA. *Universitaria.* 19-7-11.

— — —

—4.ª ed. 1962.
WASHINGTON. *Congreso.* NUC 68-47837.

4709

POESIAS líricas. Méjico. Ed. Porrúa. 1944. 270 págs. 19 cm. (Colección de Escritores Mexicanos, 1).

MADRID. *Instituto de Cultura Hispánica.* — *Nacional.* H.A.-46.678.—MEJICO. *Nacional.*

— — —

—1950.

4710

ANTOLOGIA. Madrid. Edit. Española. 1945. 16 págs. 16 cm.

4711

DOS sonetos, para canto y piano. [*Op. 15*]. Méjico. Edics. Mexicanas de Música. [1949].

4712

AMOR, ausencia, celos. Guadalajara (Méjico). 1951. 38 págs. 23 cm. (Xallixtlico. Suplemento n.º 3).

—Págs. 7-21: «Sor Juana y su amor». Conferencia, por Arturo Rivas Sainz.

ANN ARBOR. *University of Michigan.*—BOULDER. *University of Colorado.*—IRVINE. *University of California.* — MADRID. *Nacional.* H.A.-22.640.

4713

ANTOLOGIA mínima de ——. *Tercer centenario de su nacimiento...*

Puebla. «Bohemia Poblana». [1951]. 19 págs. 15 cm. (Grupo literario «Bohemia Poblana», Folleto n.º 23).
AUSTIN. *University of Texas.*

4714
SUS mejores poesías. Antología, comentarios y biografía por Nina Sesto. Méjico. El Libro Español. 1951. 187 págs. 18 cm.

4715
POESIAS. Selección y notas de Alfonso Teja Zabre. Méjico. Edit. Novaro-México. [s. a., c. 1955]. 191 págs. (Col. Nova-Mex, 1).
MADRID. *Ministerio de Cultura.* 29.399.—PITTSBURGH. *University of Pittsburgh.*

4716
SUS mejores poesías. Edición de Fernando Gutiérrez. Barcelona. Bruguera. 1955. 127 págs. 15 cm.
MADRID. *Ministerio de Cultura.* 4-3.617. *Nacional.* H.A.-34.108.

4717
POESIAS. Méjico. Edit. Divulgación. 1956. 159 págs. (Col. Poesia).
WASHINGTON. *Congreso.* NUC 74-14916.

4718
POESIAS escogidas. Méjico. Libro-Mex. 1957. (Col. Lira).

4719
ANTOLOGIA sorjuanina, a cura di G. Bellini. Milán. La Goliardica. 1961. 211 págs. 24 cm.
MADRID. *Nacional.* H.A.-52.385.—ROMA. *Nazionale.* 221.k.1635; etc.

4720
POESIA. [San Salvador. Ministerio de Educación]. [1961]. 26 págs. 19,5 cm.
MADRID. *Instituto de Cultura Hispánica.* — WASHINGTON. *Congreso.* 63-51921.

4721
ANTOLOGIA. Precedida de un estudio biográfico-crítico. [Méjico]. Edit. Novaro-México. [1962]. 183 págs. 17 cm. (Colección Parnaso, 1).
AUSTIN. *University of Texas.*—WASHINGTON. *Congreso.* 63-27308.

4722
ANTOLOGIA. Selección, introducción y notas de Elías L. Rivers. Salamanca. Anaya. [1965]. 107 págs. 17 cm. (Biblioteca Anaya, 66).
MADRID. *Ministerio de Cultura.* 4-20.347.— WASHINGTON. *Congreso.* NUC 71-98904.

— — —

—1971.
MADRID. *Ministerio de Cultura.* 96.143.

4723
POESIAS escogidas. 2.ª ed. Méjico. Edit. Pax-México. 1968. 153 págs.
ANN ARBOR. *University of Michigan.*—WASHINGTON. *Congreso.* NUC 70-10673.

4724
ANTOLOGIA clave. Selección y prólogo de Hernán Loyola. Santiago de Chile. Edit. Nascimento. 1971. 192 págs. 18 cm. (Biblioteca popular Nascimento, 9).
WASHINGTON. *Congreso.* 74-211874.

4725
SELECCION poética. Selección, estudio preliminar y notas de Alfredo Veiravé. Edición dirigida por María Hortensia Lacau. Buenos Aires. Kapelusz. [c. 1972]. 164 págs. 17 cm. (Grandes Obras de la Literatura Universal).
WASHINGTON. *Congreso.* NUC 75-10998.

4726
ANTOLOGIA. [Selección e introducción de Javier Wimer]. Barcelona. Círculo de Lectores. 1973. 302 págs. 18 cm.

MADRID. *Ministerio de Cultura.* 106.611. *Nacional.* H.A.-46.657.

4727

SONETOS y Endechas. Prólogo y notas de Xavier Villaurrutia. Méjico. Partido Revolucionario Institucional. 1976. 167 págs. 20 cm.

— — —

—*Prefacio de Rosa Chacel.* Barcelona. Labor. 1980. 173 págs. con ilustr. 19 cm. (Ediciones de Bolsillo, 561).
MADRID. *Nacional.* 7-115.306.

4728

SELECCION. Edición preparada por L. Ortega Galindo. Madrid. Editora Nacional. 1978. 259 págs. 18 cm. (Biblioteca de la literatura y el pensamiento hispánicos, 82).
MADRID. *Ministerio de Cultura.* 194.142. — *Nacional.* H.A.-8.325.

Poesías sueltas

4729

[*SONETO al Autor. De Doña Iuana Ynés de Asuage, glorioso honor del Museo Mexicano*]. (En Ribera, Diego de. *Poética descripción de la pompa plausible que admiró esta nobilissima Ciudad de México, en la sumptuosa Dedicatoria de su hermoso, magnifico y ya acabado Templo, celebrada Jueves 22 de Diziembre de 1667...* Méjico. 1668. Prels.)
Reed. por Schoons en su *Bibliografía*, página 17.

4730

[*SONETO, por muestra de lo que estima al autor*]. (En Sigüenza y Góngora, Carlos de. *Panegyrico con que la... Ciudad de México, aplaudió al Exmo. Sr. D. Thomas... de la Cerda..., Conde de Paredes, al entrar por la Triumphal Portada, que erigió... a su feliz venida...* Méjico. 1680. Prels.)

4731

[*GLOSA, por Felipe Salayzes Gutiérrez* (seud.)]. (En Sigüenza y Góngora, Carlos de. *Triumpho parthenico que en glorias de Maria Santissima immaculadamente concebida, celebró la Pontificia, Imperial y Regia Academia Mexicana...* Méjico. 1683, pág. 99).
Se incluyó después en *Fama...*, Barcelona, 1701, pág. 140.

4732

[*SILVA*]. (En Sigüenza y Góngora, Carlos de. *Trofeo de la justicia española en el castigo de la alevosía francesa...* Méjico. 1691. Prels. de los *Epinicios gratularios...*).
Reed. en Schoons, *Bibliografía*, págs. 22-26.

4733

[*SONETO a la descripción que hizo Sigüenza y Góngora en su «Arco Triumphal» del alzado para el recibimiento del Virrey marqués de La Laguna*].
«Dulce, canoro Cisne Mexicano...».
Publicado por primera vez en Beristain, III, págs. 144-45. Reproducido en Medina, *México*, II, pág. 416.

4734

[*SEIS Sonetos*]. (En *La Ilustración Mexicana*, I, Méjico, 1851, págs. 429-430).

4735

[*POESIAS. Edición de Adolfo de Castro*]. (En POETAS *líricos de los siglos XVI y XVII*. Tomo II. Madrid. 1857, págs. 545-48. Biblioteca de Autores Españoles, 42).

4736

REDONDILLAS contra las injusticias de los hombres al hablar de las mujeres. [s. l. - s. i.]. [s. a., c. 1885]. 6 hs. 4.º gót.

«Ejemplar único, Biblioteca Gómez, de Barcelona» (Palau, IV, n.º 65.289).

4737
POESIAS. (En Bolívar, Bogotá, 1951, págs. 741-55).

Villancicos...

4738
VILLANCICOS, qve se cantaron en la Santa Iglesia Cathedral de Mexico, a los Maytines del Gloriosissimo Principe de la Iglesia, el Señor San Pedro, que fundó, y dotó el Doct. y M. D. Simon Estevan Beltran de Alzate y Esquivel... Méjico. Viuda de Bernardo Calderón. 1677. 4 hs. 4.º
Carece de portada.
—Carta ded. al Licdo. D. García de Legaspi, canonigo de dicha catedral.—Texto.
Jerez, pág. 46; Medina, México, II, n.º 1.157.
NUEVA YORK. Hispanic Society.—PROVIDENCE. John Carter Brown Library.

4739
————. Madrid. Juan García Infançon. 1690.
NUEVA YORK. Hispanic Society.

4740
VILLANCICOS que se cantaron en los maitines del gloriosisimo Padre San Pedro Nolasco, fundador de la Sagrada Familia de Redentores del Orden de Nuestra Señora de la Merced, día 31 de enero de 1677 años. Méjico (?). 1677.
«No vista» (Abreu, pág. 228).

4741
VILLANCICOS que se cantaron en la Santa Iglesia Metropolitana de México, en honor de María Santísima Madre de Dios, en su Asunción Triunfante. Méjico. 1679.
«De tu ligera planta...».
Medina, México, II, n.º 1152; Abreu, págs. 230-31.

4742
VILLANCICOS que se cantaron en la Santa Iglesia Catedral de México, en los maitines del gloriosísimo Príncipe de la Iglesia, el Señor San Pedro, año de 1683. Méjico. 1683.
Medina, México, 1.269; Amreu, págs. 231-32.

4743
VILLANCICOS que se cantaron en la Santa Iglesia Metropolitana de México, en honor de María Santísima Madre de Dios, en su Asunción Triunfante. Méjico. 1685.
«Al tránsito de María...».
Abreu, págs. 232-33.

4744
VILLANCICOS que se cantaron en la Santa Iglesia Metropolitana de México, en honor de María Santísima Madre de Dios, en su Asunción Triunfante, año de 1687. Méjico. 1687.
«Vengan a ver una puesta...».
Abreu, pág. 233.

4745
VILLANCICOS, qve se cantaron, en la Santa Iglesia Cathedral de la Puebla de los Angeles, en los Maytines Solemnes de la Purissima Concepcion de Nuestra Señora, este Año de 1689... Pvestos en metro mvsico por el Lic. Don Miguel Matheo Dallo y Lana... Puebla. Diego Fernández de León. 1689. 2 hs. a 2 cols. 4.º
Medina, Puebla, n.º 114.

4746
VILLANCICOS qve se cantaron en la Santa Iglesia Cathedral de la Puebla de los Angeles, en los Maytines Solemnes de la Purissima Concepcion de Nuestra Señora, este Año de 1689... Pvestos en metro mvsico por el Lic. Don Miguel Mateo Dallo y Lana... 2.ª edición. Puebla. Diego Fernández de León. 1689. 8 págs. 4.º

Con una estampa de la Virgen en la portada.

Medina, *Puebla*, n.º 115. (Sospecha que a pesar del pie de imprenta, es una reimpresión peninsular).

4747

VILLANCICOS qve se cantaron en la Santa Iglesia Cathedral de la Puebla de los Angeles, en los Maytines Solemnes del Nacimiento de Nuestro Señor Jesu-Christo este Año de 1689... Puestos en metro mvsico por el Lic. D. Miguel Mateo Dallo y Lana... Puebla. Diego Fernández de León. 1689. 8 págs. 4.º

Medina, *Puebla*, n.º 116. (Sospecha que es una reimpresión peninsular).

4748

VILLANCICOS, con qve se solemnizaron en la Santa Iglesia Cathedral de la Ciudad de la Puebla de los Angeles, los Maytines del gloriosissimo Patriarca Señor San Joseph, este año de 1690... Puebla. Diego Fernández de León. 1690. 16 págs. 4.º

Medina, *Puebla*, n.º 130.

SANTIAGO DE CHILE. *Nacional.* Sala Medina.
SEVILLA. *Particular de D. Luis Montoto,* 2-5-32.

4749

VILLANCICOS que se cantaron en la Santa Iglesia Metropolitana de México en honor de María Santísima en su Asunción Triunfante. Méjico. 1690.

«Si subir María al cielo...».
Abreu, págs. 237-38.

4750

VILLANCICOS que se cantaron en los maitines del glorioso Príncipe de la Iglesia el Señor San Pedro, en la Santa Iglesia Metropolitana de México. Méjico. 1691.

«A las floras de Pedro divino...».

Anónimos.
Abreu, pág. 240.

4751

VILLANCICOS, con qve se solemnizaron en la Santa Iglesia, y primera Cathedral de la Ciudad de Antequera, Valle de Oaxaca, los Maytines de la gloriosa Martyr Santa Catharina, este año de mil seiscientos y noventa y uno... Puebla de los Angeles. Diego Fernández de León. 1691. 14 hs. 4.º

—Escudo de la Orden de Santo Domingo.—L. V.—Ded. al Dr. Jacinto de Laedesa Verastegui por Fr. Francisco de Reina.—Texto.

Medina, *Puebla*, n.º 137.
PROVIDENCE. *John Carter Brown Library.*

4752

VILLANCICOS y letras sacras. Edición, prólogo y notas de Alfonso Méndez Plancarte. Méjico. Fondo de Cultura Económica. 1952. 550 págs. 22 cm.

MADRID. *Ministerio de Cultura.* 24.518.

Neptuno alegórico

4753

NEPTVNO alegorico, oceano de colores, simvlacro politico, qve erigió la mvy esclarecida, sacra y avgvsta Iglesia Metropolitana de Mexico: en las lvcidas alegoricas ideas de vn Arco Trivmphal, que consagró obsequiosa, y dedicó amante a la feliz entrada de el Exmo. Señor Don Thomas... de la Cerda Manrique de Lara..., Conde de Paredes... Virrey, Governador y Capitan General de esta Nueva-España... Méjico. Juan de Ribera. [s. a., 1680?]. 3 hs. + 27 folios. 4.º

—Ded. de la Iglesia Metropolitana de Méjico al Virrey, encabezada por el escudo de éste.—Texto.

Medina, *México*, II, n.º 1.203.
BLOOMINGTON. *Indiana University.*

Explicación sucinta del arco...

4754

EXPLICACION svcinta del arco trivmphal, qve erigió la Santa Iglesia Metropolitana de Mexico en la feliz entrada del Exmo. Señor Conde de Paredes, marques de la Laguna, Virrey, Governador, y Capitan general de esta Nueva-España... [s. l. - s. i.]. [s. a.]. 8 págs. 21 cm.

—Texto. [«Si acaso, Príncipe excelso...»].
Medina, *México*, II, n.º 1.204.
BOULDER. *University of Colorado.* — MEJICO. *Nacional.*

— — —

Reprod. facsímil.
—*Loa con la descripción poética del arco que la Catedral de México erigió para honrar al Virrey, conde de Paredes, el año de 1680... Con un estudio de Manuel Toussaint.* Méjico. Universidad Nacional Autónoma. 1952. 43 págs. + facs. 23 cm.
WASHINGTON. *Congreso.* 52-40599.

Carta atenagórica

4755

CARTA athenagorica de la Madre Jvana Ynes de la Crvz... qve imprime... Sor Phylotea de la Crvz... Puebla de los Angeles. Diego Fernandez de Leon. 1690. 18 hs. 19,5 cm.

—L. del Obispo de la Puebla.—Ded. a la autora, por Sor Phylotea de la Cruz.—Texto: Carta de Sor Juana en que hace juicio de un sermón del P. Vieyra.
Medina, *Puebla*, n.º 131.
BLOOMINGTON. *Indiana University.* — LONDRES. *British Museum.* 4226.aaa.42 [en mal estado].—MADRID. *Nacional.* R-Varios, 126-8; 3-33.206.—MEJICO. *Nacional.*—NUEVA YORK. *Hispanic Society.* — PROVIDENCE. *John Carter Brown Library.*

— — —

Reprod. facsímil: Méjico. 1955. 22 cm.
CAMBRIDGE, Mass. *Harvard University.*—NUEVA YORK. *Public Library.*—WASHINGTON. *Congreso.* A47-4361 rev.

4756

CARTA Athenagorica... Mallorca. Miguel Capo. 1692. 23 hs. 4.º
—L.—Ded.—Texto.

NUEVA YORK. *Hispanic Society.*—PROVIDENCE. *John Carter Brown Library.*

4757

[CRISIS sobre un Sermon de un orador grande entre los mayores, que la Madre Soror Juana llamó Respuesta, por las gallardas soluciones con que responde a la facundia de sus discursos]. (En VIEYRA *impugnado... y defendido...* Madrid. 1731, págs. 65-118).
MADRID. *Nacional.* 3-42.360.

4758

CARTA atenagórica. Respuesta a Sor Filotea. Edición, prólogo y notas de E. Abreu Gómez. Méjico. Edit. Botas. 1934. 82 págs. 23,5 cm. (Clásicos Mexicanos).
WASHINGTON. *Congreso.* A 38-563 rev.

4759

CARTA atenagórica. Notas de E. Abréu Gómez. (En *Crisol*, XI, Méjico, 1934, págs. 234-42, 334-46).

4760

CARTA (La) Atenagórica. (En *Abside*, XXXVII, Méjico, 1973, págs. 286-307).

El divino Narciso

4761

AVTO sacramental del divino Narciso, por alegorias. Compvesto por el singvlar nvmen, y nunca dignamente alabado ingenio, claridad, y propriedad de frase castellana, de la Madre ——*... Sacalo a luz publica... Ambrosio de Lima...* [Méjico]. Viuda de Bernardo Calderón. 1690. 32 págs. 4.º

—Loa.—Texto.
Medina, *México*, III, n.º 1.471.
SANTIAGO DE CHILE. *Nacional.* Sala Medina.
WASHINGTON. *Congreso.* Mic A 49-808. [Copia en microfilm].

4762

AVTO sacramental del divino Narciso. [s. l. - s. i.]. [s. a.]. 16 hs. a 2 columnas. 4.º

Al fin: «Véndese en Madrid en la Imprenta de Francisco Sanz».
Palau, IV, n.º 65.270 (¿de 1702?).

4763

El divino Narciso... Méjico. 1924, 78 págs. 23 cm. (Biblioteca de Autores Mexicanos Antiguos).

BOULDER. *University of Colorado.*—NEW HAVEN. *Yale University.*—UNIVERSITY, Al. *University of Alabama.*

4764

El Divino Narciso. Edición de Alejandro Sanvisens. (En AUTOS sacramentales eucarísticos. Barcelona. 1952, págs. 281-313).

MADRID. *Nacional.* 4-39.341.

Los empeños de una casa

4765

Los empeños de vna casa. Comedia famosa, del Fenix de la Nveva-España Soror Juana Ines de la Cruz. [Sevilla. Viuda de Francisco de Leefdael]. [s. a.]. 32 págs. 21 cm.

N.º 306.
«—Hasta que venga mi hermano...».
MADRID. *Academia Española.—Nacional.* R-25.586 (8).

4766

Los empeños de una casa comedia famosa... [Sevilla. Herederos de Tomás López de Haro. Colofón: Viuda de Francisco de Leefdael]. [s. a.]. 36 págs. 20,5 cm.

N.º 8.
BOSTON. *Public Library.*—MADRID. *Nacional.* T-14.805 (7).—NEW HAVEN. *Yale University.*—NUEVA YORK. *Public Library.*

4767

Comedia famosa. Los empeños de una casa. Barcelona. Joseph Llopis. [s. a.]. 1 h. + 43 págs.

MADRID. *Nacional.* T-2.699.

4768

Los empeños de una casa. Sevilla. José Padrino. [s. a.]. 32 págs. 22 cm.

N.º 210.
«—Hasta que venga mi hermano...».
COLUMBUS. *Ohio State University.*—MADRID. *Nacional.* U-8.664.—TORONTO. *University.*

4769

Los empeños de una casa. Edición de Ramón de Mesonero Romanos. (En DRAMÁTICOS *posteriores a Lope de Vega.* Tomo II. Madrid. 1859, páginas 285-303. Biblioteca de Autores Españoles, 49).

4770

Los empeños de una casa. Prólogo de Julio Jiménez Rueda. Méjico. Universidad Nacional Autónoma. 1940. XXV + 199 págs., con ilustr. (Biblioteca del Estudiante Universitario, 14).

a) Betancur Arias, C., en *Universidad Católica Boliviana,* VIII, Medellín, 1942, págs. 333-35.
MADRID. *Instituto de Cultura Hispánica.*—MEJICO. *Nacional.* — WASHINGTON. *Congreso.* 41-16374.

— — —

—2.ª ed. 1952. 194 págs.
NUEVA YORK. *Columbia University.*
—3.ª ed. 1964. XXII + 163 págs.
AUSTIN. *University of Texas.* — WASHINGTON. *Congreso.* 66-43066.
—4.ª ed. 1977.
MADRID. *Nacional.* H.A.-61.426.

4771

Comedia famosa intitulada «Los empeños de una casa...» Texto íntegro. Edición anotada... Buenos Aires. Sopena Argentina. [1941]. 158 págs. 18 cm. (Colección Orbe).

WASHINGTON. *Congreso.* 43-1083.

Ofrecimientos para el Rosario...

4772

OFRECIMIENTOS para el Rosario de quinze Misterios, que se ha de rezar a los Dolores, y Soledad de N. Señora la Virgen Maria. Sacados sólo de lo que padeció desde que llegó al Calvario, siguiendo los passos dolorosos de Nuestro Salvador, y las consideraciones, que en su Soledad atormentaron, y traspassaron, su Santissima Alma, aquellos tres días: ceñidos a la brevedad que pide vna hora. Méjico. Herederos de la Viuda de Francisco Rodríguez Lupercio. [s. a.]. 8 hs. 8.º

—Texto.
Andrade, n.º 958 (de 1691); Medina, México, III, n.º 1.859.
PROVIDENCE. Brown University.—WASHINGTON. Congreso.

4773

———. 4.ª impresión. Méjico. Francisco de Ribera Calderón. 1709. 8 hs. 8.º

—Texto.
Medina, México, III, n.º 2.206.
PROVIDENCE. Brown University.

4774

———. Méjico. María de Ribera. 1736. 16 hs. con un grab. 4.º
Medina, México, IV, n.º 3.410.
PROVIDENCE. Brown University.

4775

———. [Méjico. María de Rivera]. [1735]. 16 hs. con un grab. 16.º
Medina, México, VIII, n.º 12.350.

4776

———. Méjico. Impr. nueva de la Biblioteca Mexicana. 1755. 14 hs. con un grab. 16.º
Medina, México, V, n.º 4.231.
PROVIDENCE. Brown University.

4777

———. Méjico. Impr. Nuva Antuer-

piana de Phelipe de Zúñiga y Ontiveros. 1767. 21 hs. con un grab. 16.º
Medina, México, V, n.º 5.162.
PROVIDENCE. Brown University.

4778

———. Méjico. María Fernández de Jáuregui. 1804. 16 hs. 16.º
Medina, México, VII, n.º 9.670.

Amor es más laberinto

4779

Amor es más labyrinto. Comedia famosa del Fénix de la Nueva España ———. [Sevilla. Diego López de Haro. s. a.]. 40 págs. 20 cm.

N.º 19.
BOSTON. Public Library. — MADRID. Nacional, T-14805 (14).

4780

Amor es mas labyrinto. Comedia. [Sevilla. s. i.]. [s. a.]. 40 págs. 4.º
Palau, IV, n.º 65.286.

4781

———. Sevilla. Viuda de Leefdael. [s. a.].
NUEVA YORK. Hispanic Society.

4782

———. Sevilla. Imp. Real. [s. a.].
NUEVA YORK. Hispanic Society.

4783

RELACION famosa: Amor es mas labyrinto, por la Monja de Mexico. [Sevilla. Viuda de Francisco de Leefdael]. [s. a.]. 2 hs. 4.º
Palau, IV, n.º 65.287.

Protesta de la Fe...

4784

PROTESTA de la Fee, y renovación de los votos religiosos, que hizo, y dejó escripta con su sangre la M. Juana Inés de la Cruz... Méjico. Herederos de la Viuda de Josepha de Hogal. 1763. 4 hs. con un grab. 16.º
Medina, México, V, n.º 4.826.

Respuesta a Sor Filotea...

4785

RESPUESTA a Sor Filotea de la Cruz. Edición y notas de E. Abreu Gómez. Méjico. La Voz Nueva. [1929]. 47 págs. 24,5 cm.

BERLIN. *Ibero-Amerikanischen Instituts.* — MADRID. *Instituto de Cultura Hispánica.*

4786

RESPUESTA a la muy ilustre Sor Filotea de la Cruz. (En *Sur*, Buenos Aires, 1951, págs. 61-89).

4787

RESPUESTA a Sor Filotea de la Cruz. Introduzione e note a cura di Giuseppe Bellini. Milán. Istituto Editoriale Cisalpino. [1953]. 133 págs. + 1 lám. 22,5 cm. (Biblioteca Hispánica).

MADRID. *Nacional.* H.A.-45.403.

4788

RESPUESTA a Sor Filotea de la Cruz. Prólogo: Grupo Feminista de Cultura. Barcelona. Laertes. 1979. 81 págs. 19 cm.

MADRID. *Nacional.* V-12.960-8.

Primer sueño

4789

PRIMER sueño. Prólogo y notas de [Juan] Natalicio González. Méjico. Edit. Guaranía. 1951. 94 págs. con grabs. + 2 hs. + 2 láms. 23 cm. (Col. Nezahualcoyote).

MADRID. *Instituto de Cultura Hispánica.*

4790

SUEÑO (El). Edición y prosificación, e Introducción y Notas de Alfonso Méndez Plancarte. Méjico. Imp. Universitaria. 1951. LXXXIV + 126 páginas + 1 lám. 20 cm. (Textos de Literatura Mexicana, 4).

a) Bataillon, M., en *Bulletin Hispanique*, LV, Burdeos, 1953, págs. 418-19.

b) Peñalosa, J. A., en *Estudios Segovianos*, Segovia, 1951, págs. 185-86.
c) Vizcaíno, E., en *Montezuma*, Méjico, 1952, n.º 119, págs. 51-52.
MADRID. *Instituto de Cultura Hispánica.*

4791

PRIMERO sueño. Texto con introducción y notas. Buenos Aires. Facultad de Filosofía y Letras. 1953. 86 págs. 22,5 cm.

Edición de Gerardo Moldenhauer.
a) Carballo Picazo, A., en *Clavileño*, Madrid, 1954, n.º 26, págs. 77-78.
b) Ricard, R., en *Bulletin Hispanique*, LVI, Burdeos, 1954, págs. 333-34.
BERLIN. *Ibero-Americanischen Instituts.* — MADRID. *Academia Española.* V-149-12. *Consejo. Instituto «M. de Cervantes».* F-123. *Instituto de Cultura Hispánica.* — NUEVA YORK. *Hispanic Society.*

TRADUCCIONES

a) ALEMANAS

4792

Vorspiel zu dem Auto sacramental «El cetro de Joseph». (En Vossler, Karl. *Du zhate Musa...* Munich. 1934, págs. 29-43).

4793

Die Welt im Traum. Eine Dichtung der «Zehnten Muse von Mexico»... Spanisch und Deutsch. Hrgg. von K. Vossler. Berlín. U. Riemerschmidt. 1941. 117 págs. 8.º

a) Flachstampf, L., en *Romanische Forschungen*, LV, Erlangen, 1941, págs. 288-90.

— — —

—Karlsruhe-Heidelberg. Stahlberg-Verlag. 1946. 123 págs. 8.º

b) INGLESA

4794

The pathless grove. Sonnets of —, trad. by Pauline Cook. Prairie City, Ill. The Decker Press. 1950. 53 págs.

4795

Sor Juana's «Sueño». A Fragment in English Verse. (En *Modern Langua-*

ge Notes, LXXXIII, Baltimore, 1968, págs. 253-61).

Trad. por Gilbert F. Cunnigham.

c) PORTUGUESAS

4796

Loa para o auto sacramental do divino Narciso. Trad. por Manuel Bandeira. (En *Anais da Universidade do Brasil*, Río de Janeiro, 1950, n.º 1, págs. 69-87).

d) RUSAS

4797

[Décima musa. Traducción del español por N. Cereǧovoj]. Moscú. 1966. 134 págs. con ilustr. 17,5 cm. (Biblioteka Latino-Amerikanskoj. Poesía).

MADRID. *Nacional.* Cir.-1.230.

ESTUDIOS

De conjunto

4798

CHAVEZ, EZEQUIEL A. *Sor Juana Inés de la Cruz. Su vida y su obra. Ensayo de Psicología.* Barcelona. Araluce. 1931. 453 págs. 4.º

a) Conroy, R. J., en *Bulletin of Spanish Studies*, X, Liverpool, 1933, págs. 151-53.
b) Schons, D., en *Hispania*, XV, Stanford, 1932, págs. 191-93.

MADRID. *Consejo. Instituto «J. Zurita».* 16-370. *Nacional.* 2-28.143.

4799

PFANDL, LUDWIG. *Die zehnte Muse von México Juana Inés de la Cruz. Ihr Leben. Ihr Dichtung. Ihre Psyche.* Munich. Hermann Rinn. 1946. 359 págs.

a) Hatzfeld, H. A., en *Hispanic Review*, XVI, Filadelfia, 1948, págs. 79-81.
b) Wilhelm, J., en *Universitas*, III, Stuttgart, 1948, págs. 89-90.

BERLIN. *Ibero-Amerikanischen Instituts.*

———

—*Sor Juana Inés de la Cruz, la décima musa de México. Su vida. Su poesía. Su psique. Edición y prólogo de Francisco de*

la Maza. [Traducción de Juan Antonio Ortega y Medina]. Méjico. Instituto de Investigaciones Estéticas de la Universidad Nacional Autónoma. 1963. XXV + 380 págs. 8.º

BERLIN. *Ibero-Amerikanischen Instituts.* — ROMA. *Vaticana.* R.G.Lett.Est.IV.2951 (2). — WASHINGTON. *Congreso.* 64-28860.

4800

GARCES, JESUS JUAN. *Vida y poesía de Sor Juana Inés de la Cruz.* Madrid. [Cultura Hispánica]. 1953. 174 págs. + 4 láms. + 1 h. 20 cm. (Col. Hombres e Ideas).

a) B[ellini], G., en *Quaderni Ibero-Americani*, II, Turín, 1954, págs. 553-54.
b) Cerezales, M. G., en *Arbor*, XXXVI, Madrid, 1953, págs. 163-64.
c) Entrambasaguas, J. de, en *Revista de Literatura*, IV, Madrid, 1953, págs. 398-400.

MADRID. *Nacional.* H.A.-22.421.

4801

FLYNN, GERALD, C. *Sor Juana Inés de la Cruz.* Nueva York. Twayne. 1971. 123 págs. 21 cm.

a) Flightner, J. A., en *Revista de Estudios Hispánicos*, X, Alabama, 1976, págs. 319-320.
b) Ricard, R., en *Bulletin Hispanique*, LXXIV, Burdeos, 1972, pág. 514.
c) Salgado, María A., en *Hispanófila*, Chapel Hill, 1974, n.º 52, págs. 77-78.

BERLIN. *Ibero-Amerikanischen Instituts.* — MADRID. *Consejo. Instituto «M. de Cervantes».* LXVI-313. *Nacional.* H.A.-45.337

MISCELÁNEAS

4802

COMPOSICIONES leídas en la velada literaria que consagró el Liceo Hidalgo a la memoria de Sor Juana Inés de la Cruz, la noche del 12 de noviembre de 1874, aniversario del natalicio de la ilustre poetisa. Méjico. Edit. del Porvenir. 1874. 103 páginas. 17 cm.

MEJICO. *Nacional.*

4803

Sor Juana Inés de la Cruz. Tricentenario de su nacimiento. Bogotá.

[Univ. Nacional de Colombia]. 1951. 124 págs. 17 cm.

a) Bayona Posada, N., en *Universitas*, Bogotá, 1952, n.º 2, pág. 258.
b) Garganta, J. de, en *Boletín del Instituto «Marco Fidel Suárez»*, I, Medellín (Colombia), 1951, págs. 274-76.
MADRID. *Instituto de Cultura Hispánica.*

4804
HOMENAJE a Sor Juana Inés de la Cruz en el centenario de su nacimiento. Madrid. Real Academia Española. 1952. 48 págs. 24 cm.

MADRID. *Consejo. Instituto «M. de Cervantes».* F-736.

4805
HOMENAJE del Instituto de Investigaciones Estéticas a Sor Juana Inés de la Cruz en el Tercer Centenario de su nacimiento. Méjico. Universidad Nacional Autónoma. 1952. 53 págs. + 3 hs. + 1 lám. 23 cm.

MADRID. *Instituto de Cultura Hispánica.*

BIOGRAFÍA

4806
GARCIA NARANJO, NEMESIO. *Biografía de Sor Juana Inés de la Cruz.* (En *Anales del Museo Nacional de México*, 2.ª época, III, Méjico, 1906, págs. 561-73).

4807
NERVO, AMADO. *Juana de Asbaje.* Madrid. Imp. Hijos de M. G. Hernández. 1910. 231 págs. + 2 retratos y 1 facsímil. 20 cm.

MADRID. *Nacional.* H.A.-2.087. — MEJICO. *Nacional.*

———
—La Plata. Calomino. 1946.
—Reprod. en sus *Obras completas.* Tomo VIII. Madrid. Biblioteca Nueva. 1920. 238 págs. + 4 láms.
MADRID. *Nacional.* 7-5.516.

4808
GONZALEZ BLANCO, ANDRES. *Sor Juana Inés de la Cruz. Estudio anecdótico y biografía sentimental.* (En *Nuestro Tiempo*, II, Madrid, 1913, págs. 310-19).

4809
CALLEJA, DIEGO. *Vida de Sor Juana. Anotaciones de E. Abreu Gómez.* Méjico. Antigua Librería Robredo. 1936. 793 págs. + 1 lám. 24 cm.

Reproducida de un ms. de la Biblioteca Nacional de Méjico. La había publicado antes Amado Nervo en su *Juana de Asbaje*, 1910, págs. 179-96 ,y 1928, págs. 189-205.

4810
EGUIARA Y EGUREN, JUAN DE. *Sor Juana Inés de la Cruz. Con una advertencia y notas por E. Abreu Gómez.* Méjico. Robredo. 1936. 21 págs. 23 cm. (Biblioteca Histórica Mexicana de obras inéditas, 2).

MEJICO. *Nacional.*

4811
ABREU GOMEZ, ERMILO. *Semblanza de Sor Juana.* Méjico. Edit. Letras de México. 1938. 69 págs.

4812
———. *Vida de Sor Juana.* (En *Ruta*, Méjico, 1938, n.º 7, págs. 5-28).

4813
CAMPOAMOR, CLARA. *Sor Juana Inés de la Cruz.* Buenos Aires. Edit. Emecé. [1944]. 114 págs. + 3 hs. + 4 láms. y facs. 18 cm. (Colección Buen Aire).

MADRID. *Nacional.* 4-26.099.

4814
WALLACE, ELIZABETH. *Sor Juana Inés de la Cruz, poetisa de corte y convento.* Méjico. Edit. Xóchitl. 1944. 181 págs. (Vidas mexicanas, XIII).

a) Molina, R. A., en *The Americas*, II, Washington, 1946, págs. 514-15.
b) Ríos, Laura de los, en *Revista Hispá-*

nica Moderna, XI, Nueva York, 1945, pág. 107.

BERLIN. *Ibero-Amerikanischen Instituts.*

4815
LEON MERA, JUAN. *Biografía de Sor Juana Inés de la Cruz, poetisa mejicana del siglo XVII, y juicio crítico de sus obras.* (En *Bolívar*, Bogotá, 1951, págs. 677-712).

4816
SALAZAR MALLEN, RUBEN. *Apuntes para una biografía de Sor Juana.* Méjico. Stylo. 1952.

4817
COX, PATRICIA. *Sor Juana Inés de la Cruz.* Méjico. Continental. 1958. 147 págs. con ilustr. 17 cm. (Col. Continental, 3).

4818
XIRAU, RAMON. *Genio y figura de Sor Juana Inés de la Cruz.* Buenos Aires. Edit. Univeristaria. 1967. 176 págs. con ilustr. 16 cm. (Biblioteca de América. Colección Genio y Figura, 16).

a)   F. de la M., en *Anales del Instituto de Investigaciones Estéticas*, Méjico, 1968, número 37, págs. 132-34.

MADRID. *Nacional.* 4-25.907.—WASHINGTON. *Congreso.* 68-139335.

— — —

—2.ª ed. 1970. [Colofón: 1971]. 175 págs.
BERLIN. *Ibero-Amerikanischen Instituts.*

4819
AGUIRRE, MIRTA. *Del encausto a la sangre. Sor Juana Inés de la Cruz.* La Habana. 1973. 92 págs.
WASHINGTON. *Congreso.* 77-564333.

4820
GALEANO OSPINA, CARLOS E. *Juana de Asbaje. Aproximación a la autobiografía de la Décima Musa.* Medellín. 1976. 139 págs.

4821
Sor Juana Inés de la Cruz ante la historia. (Biografías antiguas. La Fama de 1700. Noticias de 1667 a 1892). Recopilación de Francisco de la Maza... Méjico. Universidad Nacional Autónoma. 1980. 612 págs. 22,5 cm.
MADRID. *Facultad de Filosofía y Letras.* Departamento de Literatura Hispanoamericana. *Nacional.* H.A.-11.486.

Parciales

4822
JIMENEZ RUEDA, JULIO. *Camino de perfección. Tríptico de la vida de Sor Juana Inés de la Cruz.* (En *Sor Adoración del Divino Verbo.* Méjico. 1923, págs. 81-110).
BERLIN. *Ibero-Amerikanischen Instituts.*

4823
SCHONS, DOROTHY. *Some Obscure Points in the Life of Sor Juana Ines de la Cruz.* (En *Modern Philology*, XXIV, Chicago, 1926, págs. 141-162).

4824
SCHONS, DOROTHY. *Nuevo datos para la biografía de Sor Juana.* (En *Contemporáneos*, III, Méjico, 1929, n.º 9, págs. 161-76).

4825
SCHONS, DOROTHY. *Algunos parientes de Sor Juana.* Méjico. Imp. Mundial. [1934]. 7 págs. 24 cm.
MEJICO. *Nacional.*

4826
ALFAU DE SOLALINDE, JESUSA. *El barroco en la vida de Sor Juana.* (En *Humanidades*, I, Méjico, n.º 1, 1943, págs. 9-21).

4827
MAZA, FRANCISCO DE LA. *Mujeres distinguidas. La vida conventual de Sor Juana.* (En *Divulgación Histó-*

rica, IX, Méjico, n.º 12, 1943, págs. 666-70).

Su vida en el convento de San Jerónimo de Méjico.

4828
MALLO, JERONIMO. *La vocación religiosa de Sor Juana Inés de la Cruz.* (En *Symposium*, III, Syracuse, 1949, págs. 238-44).

4829
ENRIQUE CALLEJA, ISIDORO. *Las tres celdas de Sor Juana.* Méjico. Aquelarre. 1953.

4830
RICARD, ROBERT. *L'«apellido» paternel de Sor Juana Inés de la Cruz.* (En *Bulletin Hispanique*, LXII, Burdeos, 1960, págs. 333-35).

4831
ZERTUCHE, FRANCISCO M. *Sor Juana y la Compañía de Jesús.* Monterrey. Universidad de Nuevo León. 1961. 52 págs. 24 cm.

WASHINGTON. *Congreso.* 62-44870.

4832
BERISSO, ELSA. *Estampas de la vida de Sor Juana Inés de la Cruz.* Méjico. B. Costa-Amic. [1970]. 103 págs. 21 cm.

BERLIN. *Ibero-Amerikanischen Instituts.* — WASHINGTON. *Congreso.* 70-508818.

4833
ATAMOROS DE PEREZ MARTINEZ, NOEMI. *Sor Juana Inés de la Cruz y la ciudad de México.* [Méjico. Dep. del Distrito Federal. Secretaría de Obras y Servicios]. 1975. 109 páginas. 8.º (Col. Popular Ciudad de México, 25).

BERLIN. *Ibero-Amerikanischen Instituts.*

Documentos

4834
CUATRO documentos relativos a Sor Juana. Advertencia de Lota M. Spell. Méjico. Impr. Universitaria. 1947. 22 págs. + 9 láms.

a) Adib, Víctor, en *Nueva Revista de Filología Hispánica*, IV, Méjico, 1950, págs. 76-80.

4835
FAMILIA (La) de Sor Juana Inés de la Cruz. Documentos inéditos. Introducción y notas de Guillermo Ramírez España. Prólogo de Alfonso Méndez Plancarte. Méjico. Imp. Universitaria. 1947. 121 págs. con ilustr.

MADRID. *Consejo. Instituto «M. de Cervantes».* XXXVI-7.

4836
TESTAMENTO de Sor Juana Inés de la Cruz. (En *Revista de América*, IX, Bogotá, 1947, págs. 428-30).

4837
CERVANTES, ENRIQUE A. *Testamento de Sor Juana Inés de la Cruz y otros documentos.* Méjico. 1949. 53 págs. con grabs.

4838
SALCEDA, ALBERTO G. *El acta de bautismo de Sor Juana Inés de la Cruz.* (En *Abside*, XVI, Méjico, 1952, págs. 5-29).

Iconografía

4839
ABREU GOMEZ, ERMILO. *Iconografía de Sor Juana Inés de la Cruz.* (En *Anales del Museo Nacional de Arqueología, Historia y Etnografía*, 5.ª época, I, Méjico, 1934, págs. 169-188).

4840
PARKER, ALEXANDER A. *The Calderonian Sources of «El divino Narciso» by Sor Juana Inés de la Cruz.* (En *Romanistisches Jahrbuch*, XIX, Hamburgo, 1968, págs. 257-74).

Interpretación y crítica

4841
RADA Y DELGADO, JUAN DE DIOS DE LA. *Juana Inés de la Cruz.* (En *Mujeres célebres de España y Portugal...* Tomo II. Madrid. 1868, págs. 483-85).
Barcelona. *Central.* — Madrid. *Nacional.* 1-383.367.

4842
PINA GUASQUET, SANTOS. *La Décima Musa.* (En *Ilustración Española y Americana,* XVII, Madrid, 1873, págs. 241-43).

4843
VIGIL, JOSE MARIA. *Sor Juana Inés de la Cruz. Su vida y sus obras.* (En *Revista Europea,* VIII, Madrid, 1876, págs. 433-43).

4844
BLANCO GARCIA, FRANCISCO. *Sor Juana Inés de la Cruz.* (En *Revista Agustiniana,* IV, Valladolid, 1882, páginas 505-16; V, 1883, págs. 140-54).

4845
SANCHEZ MOGUEL, ANTONIO. *Sor Juana Inés de la Cruz.* (En *Ilustración Española y Americana,* XXXVI, Madrid, 1892, 2.ª parte, páginas 274-75).
Reed. en su libro *España y América...* Madrid. 1895, págs. 221-30.

4846
VELEZ, P. M. *Sor Juana Inés de la Cruz. Conferencia.* (En *España y América,* III, Madrid, 1917, págs. 97-115, y en *Unión Ibero-Americana,* Madrid, 1917, n.º 7, págs. 25-35).

4847
TOUSSAINT, M. *Sor Juana de la Cruz.* (En *Revista de la Universidad,* XII, Tegucigalpa, 1922, págs. 187-92).

4848
RIPA ALBERDI, HECTOR. *Sor Juana Inés de la Cruz (Juana de Asbaje).* (En *Humanidades,* V, La Plata, 1923, págs. 405-27).

4849
LUISI, LUISA. *Sor Juana Inés de la Cruz.* (En *Contemporáneos,* III, Méjico, 1929, n.º 9, págs. 130-60).

4850
ABREU GOMEZ, ERMILO. *Sor Juana y la crítica.* (En *Universidad de México,* II, Méjico, 1931, págs. 198-212).
Reed. en el *Homenaje a Enrique José Varona...* La Habana. 1935, págs. 227-43.

4851
CHAVEZ, EZEQUIEL A. *Sor Juana Inés de la Cruz. Ensayo de psicología y de estimación del sentido de su obra y de su vida para la historia de la cultura y de la formación de México.* 1931.
Madrid. *Nacional.* 2-88.143.—Mejico. *Nacional.*
— — —
—Méjico. Porrúa. 1970. XIX + 260 págs. 21,5 cm. (Col. Sepan cuantos, 148).
Berlin. *Ibero-Amerikanischen Instituts.* — Madrid. *Nacional.* H.A.-43.094.
—Méjico. Asociación Civil A. Chavez. 1970. [Colofón: 1972]. 560 págs. 23 cm. Son 5 partes en 3 volúmenes.
Madrid. *Nacional.* H.A.-48.184/86; etc.—Washington. *Congreso.* 79-205492.

4852
HENRIQUEZ UREÑA, PEDRO. *Clásicos de América. II: Sor Juana Inés de la Cruz.* (En *Cursos y Conferencias,* I, Buenos Aires, 1931, págs. 227-248, y en *El Libro y el Pueblo,* X, Méjico, 1932, n.º 7, págs. 1-18).

4853
CHAVEZ, EZEQUIEL A. *Notas sobre puntos y aspectos controvertibles de la vida y la obra de Sor Jua-*

na Inés de la Cruz. (En *Universidad de México*, V, Méjico, 1932, págs. 1-10).

4854

FERNANDEZ MAC GREGOR, GENARO. *La santificación de Sor Juana Inés de la Cruz.* Méjico. Edit. Cultura. 1932. 123 págs. 18 cm.

MADRID. *Nacional.* 7-45.663.—MEJICO. *Nacional.*

4855

VOSSLER, KARL. *Die «zehnte Muse von Mexico» Sor Juana Inés de la Cruz.* Munich. C. H. Beck. 1934. 42 págs. 8.º

a) Petersen, W., en *Boletín Bibliográfico del Centro de Intercambio Intelectual Germano-Español,* VII, Madrid, 1934, págs. 33-34.
b) Pfandl, L., en *Deutsche Literaturzeitung,* XIX, Leipzig, 1934, págs. 874-83.

BERLIN. *Ibero-Amerikanischen Instituts.*

— — —

—*La Décima Musa Mexicana, Sor Juana Inés de la Cruz.* Trad. por Marina Frank y el Prof. Arqueles. (En *Universidad de México,* II, Méjico, 1936, n.º 9, págs. 15-24, y en *Investigaciones Lingüísticas,* III, Méjico, 1935, págs. 58-72).
—*Idem.* Trad. por Carlos Clavería, en *Escritores y poetas de España.* Buenos Aires. Espasa-Calpe. 1947, págs. 103-31. Colección Austral, 771.

4856

CASTAÑEDA, CARLOS E. *Sor Juana Inés de la Cruz, primera feminista de América.* (En *Universidad de México,* V, Méjico, 1938, págs. 365-69).

4857

NUÑEZ, ESTUARDO. *Sor Juana y la literatura universal.* (En *La Nueva Democracia,* XVI, Nueva York, 1935, n.º 8, págs. 14-15).

4858

ABREU GOMEZ, ERMILO. *La ruta de Sor Juana.* Méjico. D.A.P.P. 1938.

BERLIN. *Ibero-Amerikanischen Instituts.*

4859

ABREU GOMEZ, ERMILO. *La obra de Sor Juana.* (En *Ruta,* Méjico, 1939, n.º 12, págs. 5-25).

4860

OHANIAN, ARMEN. *La tragedia social de Juana de Asbaje.* (En *Clásicos Mexicanos.* Méjico. 1939, págs. 31-75).

4861

VOSSLER, KARL. *Juana Inés de la Cruz.* (En *Neue Rundschau,* LI, Berlín, 1940, págs. 475-83).

Sobre los *Sueños,* con trad. de algunos fragmentos.

4862

SALINAS, PEDRO. *En busca de Juana de Asbaje.* (En MEMORIAS *del segundo Congreso Internacional de Catedráticos de Literatura Iberoamericana... Los Angeles, 1940.* 1941, págs. 173-91).

Reed. en sus *Ensayos de literatura hispánica.* Madrid. Aguilar. 1961, págs. 205-25.

MADRID. *Consejo. Instituto «M. de Cervantes».*

4863

BARDIN, JAMES C. *A song from Sor Juana.* (En *Bulletin of the Pan American Union,* LXXVI, Washington, 1942, págs. 195-98).

4864

CHAVEZ, EZEQUIEL A. *¿Sor Juana Inés de la Cruz forjó, a lo menos implícitamente, una teoría del conocimiento de todas las cosas? ¿Tuvo clara idea de lo que son y de lo que significan las intuiciones?* (En *Revista Universitaria de la Asociación de Post-Graduados y ex Alumnos de la Universidad Autónoma de Guadalajara,* I, Guadalajara (Méjico), 1943, n.º 3, págs. 14-17).

4865
JIMENEZ RUEDA, JULIO. *Santa Teresa y Sor Juana, un paralelo imposible. Discurso de ingreso en la Academia Mexicana... y respuesta del académico de número Genaro Fernández Mac Gregor.* México, D. F. 1943. 34 págs.

4866
DIEZ-CANEDO, ENRIQUE. *Perfil de Sor Juana Inés de la Cruz.* (En *Revista de las Indias*, V, Bogotá, 1940, págs. 412-30).
Reed. en *Letras de América...* Méjico. El Colegio de México. 1944, págs. 51-70.

4867
URZAIZ RODRIGUEZ, EDUARDO. *El espíritu de Sor Juana* (En *El Hijo Pródigo*, VIII, Méjico, 1945, n.º 25, págs. 11-20).

4868
[ZARDOYA, CONCHA] CONCHA DE SALAMANCA (seud.). *Sor Juana Inés de la Cruz (La Décima Musa).* Madrid. Edit. Aguilar. 1945. 85 págs. con ilustr. 18 cm. (Historias y Leyendas de Ultramar).

4869
QUINTANA, J. M. *Sor Juana en América.* (En *Cuadernos Americanos*, V, Méjico, 1946, n.º 4, págs. 219-22).

4870
TOUSSAINT, M. *Sor Juana Inés de la Cruz.* (En HOMENAJE *a Don Francisco Gamoneda*, Méjico, 1946, págs. 483-87).

4871
VOSSLER, KARL. *Die Welt in Traum, eine Dichtung der «zehnten Muse von Mexico», Juana Inés de la Cruz.* Karlsruhe. Stahlberg. 1946. 123 págs.
a) Wilhelm, J., en *Universitas*, II, Stuttgart, 1947, pág. 1369.

4872
TORRES-RIOSECO, ARTURO. *Sor Juana Inés de la Cruz.* (En *Revista Iberoamericana*, XII, Pittsburgh, 1947, págs. 13-38).

4873
MARTI DE CID, DOLORES. *Sor Juana Inés de la Cruz.* (En *Universidad Pontificia Bolivariana*, XIII, Medellín (Colombia), 1948, n.º 51, págs. 387-403).

4874
RICARD, ROBERT. *Antonio Vieira et sor Juana Inés de la Cruz.* (En *Bulletin des études portugaises et de l'Institut Français au Portugal*, XII, Coimbra, 1948, págs. 1-34).
—*Antonio Vieira y Sor Juana Inés de la Cruz*, en *Revista de Indias*, XI, Madrid, 1951, págs. 61-87.

4875
ACHULTZ DE MANTOVANI, FRYDA. *La Décima Musa* (En *Sur*, Buenos Aires, 1951, págs. 41-60).

4876
ARCE, DAVID N. *Natural y sobrenatural de Sor Juana.* (En *Boletín de la Biblioteca Nacional*, 2.ª época, II, Méjico, 1951, págs. 19-45).
Conferencia.

— — —
—2.ª ed. Guanajuato. [all. Gráf. de la Universidad]. 1955. 46 págs. + 2 hs. 19 cm.
MADRID. *Instituto de Cultura Hispánica.*

4877
ENRIQUEZ PEREGRINA, JOSE. *Un centenario: «La Décima Musa».* (En *Revista Javeriana*, XXXVI, Bogotá, 1951, págs. 294-309).

4878
GARCES, ENRIQUE. *Juana Inés de la Cruz.* Quito. [Casa de la Cultura Ecuatoriana]. 1951. 83 págs. 8.º
BERLIN. *Ibero-Amerikanischen Instituts.*

4879

JIMENEZ RUEDA, JULIO. *Sor Juana Inés de la Cruz en su época.* Méjico. Porrúa. 1951. 131 págs. 8.º

a) Mallo, J., en *Revista Hispánica Moderna,* XX, Nueva York, 1954, págs. 239-40.

4880

JUNCO, ALFONSO. *Sor Juana y su amor.* (En *Bolívar,* Bogotá, 1951, páginas 149-58).

4881

JUNCO, ALFONSO. *Al amor de Sor Juana.* Méjico. Edit. Jus. 1951. 126 págs. 20 cm.

Contiene: *Un libro extraordinario* [sobre el de Chavez] (págs. 13-22); *Sor Juana y su amor* (págs. 25-59); *La Carta atenagórica y los contemporáneos* (págs. 63-69); *Sor Juana y la Virgen* (págs. 103-22).

a) Hornedo, R. M. de, en *Razón y Fe,* CXLV, Madrid, 1952, págs. 547-48.

BERLIN. *Ibero-Amerikanischen Instituts.* — MADRID. *Instituto de Cultura Hispánica.* — *Nacional.* H.A.-56.125.

4882

LANDARECH, ALFONSO M. *Sor Juana Inés de la Cruz. La Décima Musa mejicana.* (En *ECA. Estudios Centro-Americanos,* VI, San Salvador, 1951, págs. 427-37).

4883

LAZO, RAIMUNDO. *Sor Juana Inés de la Cruz.* (En *Anales de la Academia Nacional de Artes y Letras,* XXXIII, La Habana, 1951, págs. 165-186).

4884

LINERO, MAGDALENA. *Sor Juana Inés de la Cruz.* (En *Revista de la Facultad de Filosofía y Humanidades,* III, Córdoba (Argentina), 1951, págs. 285-306).

4885

MISTRAL, GABRIELA. *Silueta de Sor Juana Inés de la Cruz.* (En *Abside,* XV, Méjico, 1951, págs. 501-6).

Reed. en *Estudios,* Santiago de Chile, 1952, n.º 223, págs. 9-14.

4886

NUÑEZ PONTE, J. M. *La Séptima Musa. Sor Juana Inés de la Cruz.* (En *Boletín de la Academia Venezolana,* XIX, Caracas, 1951, págs. 161-167).

4887

PAZ, OCTAVIO. *Sor Juana Inés de la Cruz.* (En *Sur,* Buenos Aires, 1951, n.º 206, págs. 29-40).

Reed. en *Las peras del olmo.* 2.ª ed. Barcelona. 1974, págs. 34-48.

4888

REYES RUIZ, JESUS. *La época literaria de Sor Juana Inés de la Cruz.* Monterrey. Universidad de Nuevo León. Departamento de Acción Social Universitaria. 1951. 91 págs. con ilustr. 24 cm.

WASHINGTON. *Congreso.* 52-24924.

4889

ARROYO, ANITA. *Razón y pasión de Sor Juana. Prólogo de Francisco Monterde.* Méjico. Porrúa y Obregón. 1952. 439 págs. 22 cm.

a) Campos, J., en *Insula,* Madrid, 1955, n.º 119, pág. 9.

b) X., en *Universidad de La Habana,* La Habana, 1954, núms. 112-14, págs. 246-47.

4890

CARILLA, EMILIO. *Sor Juana: ciencia y poesía.* (En *Revista de Filología Española,* XXXVI, Madrid, 1952, páginas 287-307).

4891

CARPINTERO DE LA LLAVE, DAVID. *Sor Juana Inés de la Cruz.* (*Juana de Asbaje y Ramírez de San-*

tillana). Toluca. Gobierno del Estado de México. 1952. 15 págs. 22 cm.

MADRID. *Nacional.* H.A.-43.160.

4892

COSSIO, JOSE MARIA DE. *Observaciones sobre la vida y la obra de Sor Juana Inés de la Cruz.* (En *Boletín de la R. Academia Española,* XXXII, Madrid, 1952, págs. 27-47).

Reed. en sus *Notas y estudios de crítica literaria. Letras españolas (siglos XVI y XVII).* Madrid, 1970, págs. 243-84.

4893

DIEGO, GERARDO. *Segundo sueño.* (En *Boletín de la R. Academia Española,* XXXII, Madrid, 1952, págs. 49-53).

—Santander. Hermanos Bedia. 1953. 28 páginas.

4894

HERNANDEZ DE MENDOZA, CECILIA. *Sor Juana Inés de la Cruz y su símbolo.* (En *Bolívar,* Bogotá, 1952, n.º 15, págs. 891-914).

4895

LASCARIS COMNENO, C. *Fundamentación ideológica de Sor Juana Inés de la Cruz.* (En *Cuadernos Hispanoamericanos,* IX, Madrid, 1952, págs. 50-62).

4896

LAZO, RAIMUNDO. *Sor Juana Inés de la Cruz.* (En *Boletín de la Academia Cubana de la Lengua,* I, La Habana, 1952, págs. 78-94).

4897

MAZA, FRANCISCO DE LA. *Sor Juana en el elogio de sus contemporáneos.* (En *Abside,* XVI, Méjico, 1952, págs. 185-98).

4898

ROYER, FANCHON. *The tenth muse: Sor Juana Inés de la Cruz.* Paterson, N.Y. S. A. Guild Press. 1952. XII + 192 págs. 22 cm.

a) Healy, M. A., en *The Americas,* X, Washington, 1953, págs. 243-44.
b) Villa Badierna, I., en *Collectanea Franciscana,* XXIV, Asís, 1954, págs. 438-39.

ROMA. *Vaticana.* R.G.Vite.IV.4857.

4899

SIERRA PARTIDA, ALFONSO. *El amor en la vida y la obra de Sor Juana.* Méjico. 1952.

4900

VALBUENA BRIONES, ANGEL. *Sor Juana Inés de la Cruz.* (En *Revista de Literatura,* II, Madrid, 1952, págs. 309-24).

4901

ARIAS, AUGUSTO. *Pasión y certeza de Sor Juana.* (En *La Nueva Democracia,* XXXIV, Nueva York, 1954, n.º 4, págs. 88-96).

4902

LEAL, LUIS. *El «Tocotín Mestizo» de Sor Juana.* (En *Abside,* XVIII, Méjico, 1954, págs. 51-64).

4903

NEWBY, EDITH O. *Sor Juana Inés de la Cruz, científica.* (En *Revista Hispánica Moderna,* XX, Nueva York, 1954, sec. escolar, págs. 17-20).

4904

SAZ, AGUSTIN DEL. *Sor Juana Inés de la Cruz.* Barcelona. Seix y Barral. 1954. 149 págs. 18,5 cm.

MADRID. *Nacional.* H.A.-23.500.

4905

LEONARD, IRVING A. *The «encontradas correspondencias» of Sor Juana Inés: An interpretation.* (En *Hispanic Review,* XXIII, Filadelfia, 1955, págs. 33-47).

4906

GOMEZ ALONZO, PAULA. *Ensayo sobre la filosofía de Sor Juana Inés de la Cruz.* (En *Filosofía y Letras,* XXX, Méjico, 1956, págs. 59-74).

4907

MORGAN, PATRICIA. *Sor Juana Inés de la Cruz.* (En *Atenea,* XXXIII, Concepción, 1956, págs. 256-88).

4908

RUBIO Y RUBIO, ALFONSO. *Sor Juana en nuestra vida literaria.* (En PRIMERAS *Jornadas de Lengua y Literatura.* Tomo I. Salamanca. Universidad. 1956, págs. 145-58).

4909

RICARD, ROBERT. *Une poétesse mexicaine du XVIIe siècle: Sor Juana Inés de la Cruz.* París. Centre de Documentation Universitaire. [1957]. 45 págs. 24 cm.

4910

SANCHEZ, LUIS ALBERTO. *Sor Juana Inés de la Cruz.* (En *Escritores representativos de América.* Tomo I. Madrid. Gredos. 1957, págs. 109-26).

4911

GUILARTE, CECILIA G. DE. *Sor Juana Inés de la Cruz, claro en la selva.* Buenos Aires. Edit. Vasca Ekim. 1958. 174 págs. (Biblioteca de Cultura Vasca, 52).

BERLIN. *Ibero-Amerikanischen Instituts.*

— — —

—2.ª ed. *Juana de Asbaje, la monja almirante.* Bilbao. La Gran Enciclopedia Vasca. 1970. 265 págs. 17 cm. (Biblioteca de la Gran Enciclopedia Vasca).

BERLIN. *Ibero-Amerikanischen Instituts.* — MADRID. *Nacional.* H.A.-42.705.—WASHINGTON. *Congreso.* 79-6875.

4912

TORREALBA LOSSI, MARIO. *Sor Juana y el tema del amor.* (En *Revista Nacional de Cultura,* XXII, Caracas, 1959, págs. 69-74).

4913

FLYNN, GERALD C. *A Revision of the Philosophy of Sor Juana Inés de la Cruz.* (En *Hispania,* XLIII, Appleton, Wis., 1960, págs. 515-20).

4914

——. *The Alleged Mysticism of Sor Juana Inés de la Cruz.* (En *Hispanic Review,* XXVIII, Filadelfia, 1960, páginas 233-44).

4915

CORRIPIO RIVERO, MANUEL. *Sor Juana y la música.* (En *Abside,* XXVI, Méjico, 1942, págs. 436-84; XXVII, 1963, págs. 174-95, 479-96; XXVIII, 1964, págs. 90-101).

4916

DURAN, MANUEL. *El drama intelectual de Sor Juana y el anti-intelectualismo hispánico.* (En *Cuadernos Americanos,* XXII, Méjico, 1963, págs. 238-53).

4917

BELLINI, GIUSEPPE. *L'opera letteraria di Sor Juana Inés de la Cruz.* Milán. Istituto Editoriale Cisalpino. [1964]. 196 págs. + 2 hs. 20,5 cm. (Collana Università Comerciale Bocconi, 16).

MADRID. *Nacional.* H.A.-43.121.

4918

PUCCINI, DARIO. *Sor Juana Inés de la Cruz: Studio d'una personalità del barroco messicano.* Roma. Ediz. dell'Ateneo. 1967. 186 págs. 21 cm.

a) Ares Montes, J., en *Cuadernos Hispanoamericanos,* LXXXIII, Madrid, 1970, páginas 664-68.

b) Arroyo, A., en *La Torre*, XVII, San Juan de Puerto Rico, 1969, págs. 167-71.
c) Leonard, I. A., en *Hispanic Review*, XXXVIII, Filadelfia, 1970, págs. 225-26.
d) Pontiero, G., en *Bulletin of Hispanic Studies*, XLVI, Liverpool, 1969, págs. 180-71.
e) Ricard, R., en *Bulletin Hispanique*, LXXI, Burdeos, 1969, págs. 404-6.

BERLIN. *Ibero-Amerikanischen Instituts.* — MADRID. *Consejo. Instituto «M. de Cervantes».* LXI-84. *Nacional.* H.A.-40.719.—WASHINGTON. *Congreso.* 78-350050.

4919
BENASAY - BERLING, MARIE CÉCILE. *Une intellectuelle dans l'Amérique coloniale: Sor Juana Inés de la Cruz.* (En *Les Langues neó-latines*, LXIII, París, 1968, págs. 3-35).

4920
CHAVEZ, EZEQUIEL A. *Sor Juana Inés de la Cruz. Su misticismo y su vocación filosófica y literaria.* México. Asociación civil. «Ezequiel A. Chavez». [1968]. 268 págs. 23 cm.

MADRID. *Nacional.* H.A.-33.255; etc. — WASHINGTON. *Congreso.*

—— —— ——

—2.ª ed. Méjico. Edit. Jus. [1974].
BERLIN. *Ibero-Amerikanischen Instituts.* — MADRID. *Consejo. Instituto «G. Fernández de Oviedo».*

4921
ARES MONTES, JOSE. *Sor Juana Inés de la Cruz en su marco.* (En *Cuadernos Hispanoamericanos*, LXXXIII, Madrid, 1970, págs. 664-668).

4922
ČEŽEGOVA, I. *Desyutaja Muza. Chuana Ines de la Kruz. (La décima Musa. Juana Inés de la Cruz).* (En *Latinskaja Amerika*, Moscú, 1970, n.º 4, págs. 130-50).

4923
FERNANDEZ DEL CASTILLO, FRANCISCO. *La Medicina de Car-*

los de Sigüenza y de Sor Juana Inés de la Cruz. Contribución al pensamiento barroco del siglo XVII en México. (En *Gaceta Médica de México*, C, Méjico, 1970, págs. 98-109).

4924
VERMEYLEN, ALPHONSE. *El tema de la mayor fineza del amor divino en la obra de Sor Juana Inés de la Cruz.* (En ACTAS *del Tercer Congreso Internacional de Hispanistas*, Méjico, 1970, págs. 901-8).

4925
COX, PATRICIA. *El secreto de Sor Juana.* Méjico. 1971. 195 págs. 17 cm.
WASHINGTON. *Congreso.* 72-339551.

4926
ARIAS DE LA CANAL, FREDO. *Intento de psicoanálisis de Juana Inés.* Méjico. Frente de Afirmación Hispanista. 1972. 130 págs. + 1 lám. 21 cm.
BERLIN. *Ibero-Amerikanischen Instituts.* — MADRID. *Nacional.* H.A.-47.805.

4927
IVANYSHYN TRIANTIAFILLOU, HELEN. *Razón y pasión en Sor Juana Inés de la Cruz y en Alfonsina Storni.* (En *Revista de Estudios Hispánicos*, VI, Alabama, 1972, págs. 355-72).

4928
GODOY, EMMA. *Juana cósmica.* (En *Abside*, XXXVII, Méjico, 1973, págs. 225-37).

4929
JUNCO, ALFONSO. *El Amor Humano y el Amor Divino en Sor Juana Inés.* (En *Abside*, XXXVII, Méjico, 1973, págs. 166-89).

4930
AGUIRRE CARRERAS, MIRTA. *Del encausto a la sangre: Sor Juana Inés*

de la Cruz. Méjico. Instituto Nacional de Protección de la Infancia. 1975.

a) Chang-Rodríguez, Raquel, en *Revista Iberoamericana*, XLIV, Pittsburg, 1978, páginas 589-91.

4931
NOBLE, DOROTHY. *La influencia ternaria en algunas obras de Sor Juana.* (En *Abside*, XXXIX, Méjico, 1975, págs. 145-64).

4932
LUMSDEN - KOUVEL, AUDREY y ALEXANDER P. MAC GREGOR. *The Enchantress Almone Revealed: A note on Sor Juana Inés de la Cruz 'Use of a Classical Source' in the «Primero Sueño».* (En *Revista Canadiense de Estudios Hispánicos*, II, Toronto, 1977, págs. 65-71).

4933
SABAT DE RIVERS, GEORGINA. *Trillo y Figueroa y el «Sueño» de Sor Juana.* (En ACTAS *del V Congreso Internacional de Hispanistas*. Tomo II. Burdeos. 1977, págs. 763-75).

4934
DAVISON, NED J. *Primicias de un análisis de algunas obras de Sor Juana a base de técnicas de computadora.* (En *XVII Congreso del Instituto Internacional de Literatura Iberoamericana*. Tomo I. Madrid. Edics. Cultura Hispánica. 1978, págs. 187-206).

4935
FERNANDEZ ALONSO, MARIA DEL ROSARIO. *Sor Juana Inés de la Cruz y Esther de 'Cáceres: dos poetisas de religiosidad vivida y honda transcendencia en sus respectivos ámbitos socioculturales.* (En *XVII Congreso del Instituto Internacional de Lite-*ratura *Iberoamericana*. Tomo I. Madrid. Edics. Cultura Hispánica. 1978, págs. 239-56).

4936
FOX - LOCKERT, LUCIA. *Comparación de Juan del Valle Caviedes con Sor Juana Inés de la Cruz (a raíz de una epístola que no fue contestada).* (En *XVII Congreso del Instituto Internacional de Literatura Iberoamericana*. Tomo I. Madrid. Edics. Cultura Hispánica. 1978, págs. 229-38).

4937
VALDES-CRUZ, ROSA. *La visión del negro en Sor Juana.* (En *XVII Congreso del Instituto Internacional de Literatura Iberoamericana*. Tomo I. Madrid. Edics. Cultura Hispánica. 1978, págs. 207-16).

4938
BELING DE BERNASSY, MARIE-CECILE. *A manera de apéndice. Sor Juana y el problema del derecho de las mujeres a la enseñanza.* (En *La mujer en el teatro y la novela del siglo XVII*. Toulouse. 1979, págs. 89-93).

4939
JONES, JOSEPH R. *«La erudición elegante»: Observations on the Emblematic Tradition in Sor Juana's «Neptuno alegórico» and Sigüenza's «Teatro de virtudes políticas».* (En *Hispanófila*, Chapel Hill, 1979, n.º 65, págs. 43-58).

Fuentes

4940
DELANO, L. K. *The influence of Lope de Vega upon Sor Juana Inés de la Cruz.* (En *Hispania*, XIII, Stanford, 1930, págs. 79-94).

4941
COSSIO, JOSE MARIA DE. *Una fuente de Sor Juana Inés de la Cruz.* (En *Boletín de la Biblioteca Menéndez Pelayo*, XIV, Santander, 1932, págs. 115-17).

4942
PARKER, ALEXANDER A. *The Calderonian 'Sources' of «El divino Narciso» by Sor Juana Inés de la Cruz.* (En *Romanistisches Jahrbuch*, XIX, Hamburgo, 1936, págs. 257-74).

4943
GATES, EUNICE J. *Reminiscences of Góngora in the works of Sor Juana Inés de la Cruz.* (En *Publications of the Modern Language Association of America*, LIV, Baltimore, 1939, págs. 1041-58).

Poesía

4944
HENRIQUEZ UREÑA, PEDRO. *Un problema literario.* (En *Cuba Contemporánea*, XV, La Habana, 1917, págs. 251-56).

4945
DIAZ Y DE OVANDO, CLEMENTINA. *Acerca de las redondillas de Sor Juana Inés de la Cruz.* (En *Anales del Instituto de Investigaciones Estéticas*, IV, Méjico, 1945, n.º 13, págs. 45-54).

4946
GONZALEZ ECHEGARAY, C. *Sor Juana y Frey Lope: dos sonetos.* (En *Boletín de la Biblioteca Menéndez Pelayo*, XXIV, Santander, 1948, págs. 281-89).

Paralelo de forma y fondo entre el soneto «Al que ingrato», de Sor Juana, y «Amaba Filis», de Lope.

4947
SARRE, ALICIA. *Gongorismo y conceptismo en la poesía lírica de Sor Juana.* (En *Revista Iberoamericana*, XVII, Pittburgh, 1951, págs. 33-52).

4948
PEMAN, JOSE MARIA. *Sinceridad y artificio en la poesía de Sor Juana Inés de la Cruz.* (En *Boletín de la R. Academia Española*, XXXII, Madrid, 1952, págs. 55-72).

4949
BELLINI, GIUSEPPE. *La poesía di Sor Juana Inés de la Cruz.* Milán. La Goliardica. [s. a., 1953?]. 99 págs. 25 cm.

Litografiado.

ROMA. *Nazionale.* 221.K.620. — WASHINGTON. *Congreso.* A 54-5069 rev.

4950
NAVARRO, TOMAS. *Los versos de Sor Juana.* (En *Romance Philology*, VII, Berkeley, 1953, págs. 44-50).

4951
RICARD, ROBERT. *Les vers portugais de Sor Juana Inés de la Cruz. (A propos d'une édition récente).* (En *Bulletin Hispanique*, LV, Burdeos, 1953, págs. 243-51).

4952
LAFON, RENÉ. *Phrases et expressions basques dans un villancico de Sor Juana Inés de la Cruz.* (En *Bulletin Hispanique*, LVI, Burdeos, 1954, págs. 178-80).

4953
BRYANT, WILLIAM C. *Reaparición de una poesía de Sor Juana Inés de la Cruz, perdida desde 1714.* (En *Anuario de Letras*, IV, Méjico, 1964, págs. 277-85).

4954
RIVARES VILLOSTA, ANTHONY. *Contribución al estudio poético de Sor Juana Inés de la Cruz.*

Tesis doctoral, dirigida por Rafael de Balbín Lucas. Universidad Complutense de Madrid. 1965.

4955
PUCCINI, DARIO. *La poesía de Sor Juana Inés de la Cruz en sus vértices imaginativos.* (En *Cuadernos Americanos*, XXVII, Méjico, 1968, págs. 197-208).

4956
ROMAN-LAGUNAS, JORGE. *La poesía amorosa de Sor Juana Inés de la Cruz.* (En *Anales de la Facultad de Filosofía y Ciencias de la Educación*, Santiago de Chile, 1969, páginas 125-35).

4957
LUND, CHRISTOPHER C. *Os «Sonetos» filosófico-morais de Gregório de Matos e Sor Juana Inés de la Cruz.* (En *Barroco*, IV, Belo Horizonte, 1972, págs. 77-89).

4958
TERRY, ARTHUR. *Human and divine love in the poetry of Sor Juana Inés de la Cruz.* (En *Studies in Spanish Literature of the Golden Age*, Londres, 1973, págs. 297-313).

4959
MORHARDT, CONSTANCE CONNOR. *The rationalist nature of the lyrical poetry of Sor Juana Inés de la Cruz.* [s. l.]. 1975. 203 págs.

El primer Sueño

4960
ABREU GOMEZ, ERMILO. *El Primero sueño de Sor Juana.* (En *Contemporáneos*, II, Méjico, 1928, n.º 4, págs. 46-54).

4961
VILLEGAS, ABELARDO. *El cielo y la tierra en «El sueño».* (En *Filosofía y Letras*, XXVII, Méjico, 1954, págs. 241-51).

4962
MOLDENHAUER, GERARDO. *Observaciones críticas para una edición definitiva del «Sueño» de Sor Juana Inés de la Cruz.* (En *Boletín de Filología*, VII, Santiago de Chile, 1954-55, págs. 293-306).

4963
GAOS, JOSE. *El sueño de un sueño.* (En *Historia Mexicana*, X, Méjico, 1960-61, págs. 54-71).

4964
CORRIPIO RIVERO, MANUEL. *Una minucia en «El Sueño» de Sor Juana. ¿Almone o Alcione?* (En *Abside*, XXIX, Méjico, 1965, págs. 472-81).

4965
FLYNN, GERALD C. *The «Primero Sueño» of Sor Juana Inés de la Cruz: A Revision of the Criticism.* (En *Revista Interamericana de Bibliografía*, XV, Washington, 1965, págs. 355-59).

4966
RIVERS, ELIAS L. *El ambiguo «Sueño» de Sor Juana.* (En *Cuadernos Hispanoamericanos*, LXIII, Madrid, 1965, n.º 189, págs. 271-82).

4967
DAVIS, WILLIAM M. *«Culteranismo» in the «Sueño» of Sor Juana Inés de la Cruz.* (En *Philologica Pragensia*, XI, Praga, 1968, págs. 96-107).

4968
SABAT MERCADE, GEORGINA. *A propósito de Sor Juana Inés de la Cruz. Traducción poética del tema «sueño» en España.* (En *Modern Language Notes*, LXXXIV, Baltimore, 1969, págs. 171-95).

4969
ROSS, WALDO. *Las «Maha-vidya-s» y el Sueño de Sor Juana.* (En *Yelmo,* Madrid, 1971, n.º 2, págs. 33-38).
Reed. en *Universidad de Antioquía,* XLVIII, Medellín, 1972, págs. 81-99.

4970
SCHWARTZ, KASSEL. *«Primero sueño»: a reinterpretation.* (En *Kentucky Romance Quarterly,* XXII, Lexigton, 1975, págs. 473-90).

4971
LOWE, ELIZABETH. *The Gongorist Model in «El primero sueño».* (En *Revista de Estudios Hispánicos,* X, Tuscaloosa, 1976, págs. 409-17).

Villancicos

4972
PUCCINI, DARIO. *Los «Villancicos» de Sor Juana Inés de la Cruz.* (En *Cuadernos Americanos,* año 24, Méjico, 1965, vol. 142, n.º 5, págs. 223-252).

Carta atenagórica

4973
ABREU GOMEZ, ERMILO. *La Carta atenagórica de Sor Juana y los jesuitas.* (En *Contemporáneos,* IV, Méjico, 1929, n.º 12, págs. 137-43).

4974
JUNCO, ALFONSO. *Antonio Vieira en México. La «Carta Atenagórica» de Sor Juana Inés de la Cruz.* (En *Arquivo Histórico de Portugal,* I, Lisboa, 1932-34, págs. 288-302).

4975
RICARD, ROBERT. *Antonio Vieira et Sor Juana Inés de la Cruz.* (En *Bulletin des Études Portugaises et de l'Institut Français au Portugal,* II, Coimbra, 1948, págs. 1-34).

4976
CORRIPIO RIVERO, MANUEL. *Sor Juana Inés de la Cruz. Un punto en la «Carta atenagógica».* (En *Revista de Indias,* XXVII, Madrid, 1967, páginas 199-202).

4977
ROSSI, GIUSEPPE CARLO. *Manuel Bandeira, traductor e intérprete de Sor Juana Inés de la Cruz.* (En *Revista de Filología Española,* LIV, Madrid, 1971, págs. 107-21).
Como muestra de las relaciones literarias hispano-portuguesas, estudia la *Carta atenagórica* de Sor Juana, sobre el *Sermão do Mandato* pronunciado por el P. Vieira en 1650, y los escritos y la traducción de Bandeira.

4978
JUNCO, ALFONSO. *La «Carta atenagórica» de Sor Juana.* (En *Abside,* XXVII, Méjico, 1973, págs. 286-307).

4979
ALATORRE, ANTONIO. *Avatares barrocos del romance. (De Góngora a Sor Juana Inés de la Cruz).* (En *Nueva Revista de Filología Hispánica,* XXVI, Méjico, 1977, págs. 341-459).

Teatro

4980
USIGLI, R. *El Teatro de Sor Juana Inés de la Cruz.* (En *El Libro y el Pueblo,* X, Méjico, 1932, n.º 5, págs. 8-11).

4981
MONTERDE, FRANCISCO. *Un aspecto del teatro profano de Sor Juana Inés de la Cruz.* (En *Filosofía y Letras,* XI, Méjico, 1946, n.º 22, págs. 247-57).

4982
SALCEDA, ALBERTO G. *Cronología del teatro de Sor Juana* (En *Abside,* XVII, Méjico, 1953, págs. 333-58).

4983

FERNANDEZ, SERGIO. *La Metáfora en el teatro de Sor Juana.* (En *Artes de México*, XVI, Méjico, 1962, págs. 22-29, 97, 102).

4984

BRYANT, WILLIAM C. *Estudio métrico sobre las dos comedias profanas de Sor Juana Inés de la Cruz.* (En *Hispanófila*, VII, Chapel Hill, 1963, págs. 37-48).

4985

BELLINI, GIUSEPPE. *El Teatro profano de Sor Juana.* (En *Anuario de Letras*, V, Méjico, 1966, págs. 107-122).

4986

PAILLER, CLAIRE. *La «Question» d'amour dans le théâtre profano de Sor Juana Inés de la Cruz.* (En *Travaux de l'Institut d'Etudes Ibériques et Latino Américaines*, Estrasburgo, 1973-74, págs. 60-80).

4987

PEREZ, MARIA ESTHER. *Lo americano en el teatro de Sor Juana Inés de la Cruz.* Nueva York. E. Torres & Sons. [1975]. 257 págs. 20,5 cm. (Torres Library and Literary Studies, 20).

MADRID. *Facultad de Filosofía y Letras.*

4988

WILLIAMSEN, VERN G. *La simetría bilateral de las comedias de Sor Juana.* (En *XVII Congreso Internacional del Instituto de Literatura Iberoamericana.* Tomo I. Madrid. Edics. Cultura Hispánica. 1978, páginas 217-27).

Autos

4989

QUADRA SALCEDO, F. DE LA. *Investigación sobre la poetisa vascongada Juana de Asbajé y sus autos sacramentales.* (En *Idearium*, I, Bilbao, 1916, págs. 114-16, 152-57).

Loas

4990

BANDEIRA, MANUEL. *«Loa para o auto sacramental do divino Narciso» de Sor Juana Inez de la Cruz.* (En *Anais da Universidade do Brasil*, Río de Janeiro, 1950, n.º 1, págs. 69-87).

El Divino Narciso

4991

CROS, EDMOND. *El cuerpo y el ropaje en «El divino Narciso» de Sor Juana Inés de la Cruz.* (En *Boletín de la Biblioteca Menéndez Pelayo*, XXXIX, Santander, 1963, págs. 73-94).

4992

RICARD, ROBERT. *Sur «El Divino Narciso», de Sor Juana Inés de la Cruz.* (En *Mélanges de la Casa de Velázquez*, V, París-Madrid, 1969, páginas 309-29).

4993

CALHOUN, GLORIA D. *Un «Triángulo» mitológico, idólatra y cristiano en «El Divino Narciso» de Sor Juana.* (En *Abside*, XXXIV, Méjico, 1970, págs. 373-401).

4994

KRYNEN, JEAN. *Mito y teología en «El Divino Narciso» de Sor Juana Inés de la Cruz.* (En ACTAS del Tercer Congreso Internacional de Hispanistas. Méjico. 1970, págs. 501-5).

Los empeños de una casa

4995

CASTAÑEDA, JAMES A. *«Los empeños de un acaso» y «Los empeños de una casa»: Calderón y Sor Juana. La diferencia de un fonema.* (En *Revista de Estudios Hispánicos*, I, Alabama, 1967, págs. 107-16).

4996
FEUSTLE Jr., JOSEPH A. *Hacia una interpretación de «Los empeños de una casa» de Sor Juana Inés de la Cruz.* (En *Explicación de Textos Literarios*, I, Sacramento, 1973, n.º 2, págs. 143-49).

Sainetes

4997
MONTERDE, F. *El «Sainete segundo», de Sor Juana, y «El pregonero de Dios», de Acevedo.* (En HOMENAJE a *Don Francisco Gamoneda*, Méjico, 1946, págs. 325-33).

4998
HECKEL, ILSE. *Los sainetes de Sor Juana Inés de la Cruz.* (En *Revista Ibero-Americana*, XIII, Méjico, 1947-1948, págs. 135-40).

RELACIONES CON OTROS AUTORES

4999
ARENAS LUQUE, FERMIN V. *Dos poetisas místicas de América: Sor Juana Inés de la Cruz y María Raquel Adler.* Buenos Aires. 1950. 94 págs. 21 cm.
ROMA. *Vaticana.* R.G.Lett.Est.IV.2544.

5000
LOPEZ CAMARA, FRANCISCO. *El cartesianismo en Sor Juana y Sigüenza y Góngora.* (En *Filosofía y Letras*, XX, Méjico, 1950, págs. 107-131).

5001
LOPEZ CAMARA, FRANCISCO. *La conciencia criolla de Sor Juana y*

Sigüenza y Góngora. (En *Historia Mexicana*, VI, Méjico, 1957, págs. 350-73).

5002
XIMENEZ DE SANDOVAL, FELIPE. *Tres poetisas americanas: Sor Juana Inés de la Cruz, Gertrudis Gómez de Avellaneda, Gabriela Mistral.* (En *Boletín de la Biblioteca Menéndez Pelayo*, XLII, Santander, 1966, págs. 305-85).

5003
BELLINI, GIUSEPPE. *Due classici ispano-americani.* Milán. La Goliardica. 1962. 117 págs. 25 cm.
WASHINGTON. *Congreso.* 65-77013.

5004
ROJAS GARCIDUEÑAS, JOSE. *Sor Juana Inés de la Cruz y don Carlos de Sigüenza y Góngora.* (En *Anales del Instituto de Investigaciones Estéticas*, Méjico, 1964, n.º 33, págs. 51-65).

5005
MAZA, FRANCISCO DE LA. *Sor Juana y Don Carlos. Explicación de dos sonetos hasta ahora confusos.* (En *Cuadernos Americanos*, año 25, Méjico, 1966, vol. 145, n.º 2, págs. 150-204).

5006
CASTRO LEAL, ANTONIO. *Robert Graves y Sor Juana de la Cruz.* (En *Revista de Bellas Artes*, Méjico, 1967, n.º 13, págs. 4-12).

5007
MAZA, FRANCISCO DE LA. *Sor Juana y Don Carlos. Explicación de los sonetos hasta ahora confusos.* Méjico. [Fersa]. 1970. 40 págs. 15 cm.
MADRID. *Nacional.* H.A.-47.232.

5008

RICARD, ROBERT. *Manuel Bernardes, Sor Juana Inés de la Cruz et le Père Kircher.* (En *Revista da Facultade de Letras*, Série 3, Lisboa, 1971, n.º 13, págs. 349-53).

5009

GUERNELLI, GIOVANNI. *Gaspara Stampa, Louise Lubé y Sor Juana Inés de la Cruz.* [San Juan]. 1972. 169 págs. 22 cm.

MADRID. *Nacional.* H.A.-46.241.

INFLUENCIA Y DIFUSIÓN

5010

MARTINEZ LOPEZ, ENRIQUE. *Sor Juana Inés de la Cruz en Portugal: un desconocido homenaje y versos inéditos.* (En *Revista de Literatura*, XXXIII, Madrid, 1968, págs. 53-84).

5011

ROSSI, GIUSEPPE CARLO. *Manuel Bandeira, traductor de Sor Juana Inés de la Cruz.* (En NOTAS del Tercer Congreso Internacional de Hispanistas*, Méjico, 1970, págs. 765-78). V. n.º 4977.

ELOGIOS

5012

POEMA heroyco, al merecido aplavso del vnico oraculo de las Masas, glorioso asombro de los Ingenios, y celebre Phenix de la Poesía, la esclarecida, y Venerable Señora, Soror Iuana Ines de la Cruz, Religiosa professa en el Monasterio de San Geronimo de... Mexico. Barcelona. En casa Cormellas, por Thomas Loriente. 1691. 20 hs. 4.º

5013

GONZALEZ SANCHA, LORENZO. *Exequias mitológicas, Llanto de las*

Musas, Coronación Apolínea de la Insigne Poetisa Megicana Sor Juana Inés de la Cruz. Méjico. 1697. Perdida.

Beristain, III, pág. 121.

5014

ALVAREZ DE VELASCO Y ZORRILLA, FRANCISCO. *Rhythmica sacra, moral, y laudatoria... Compuesta de varias Poesias, y Metros, con una Epistola en prosa, y dos en verso, y otras varias Poesias en celebracion de Soror Inés Juana de la Cruz...* [s. l. - s. i.]. [s. a.]. 4.º

¿Burgos, 1701? (Medina, *Biblioteca hispano-americana*, núms. 2.071 y 2.091). Se advierte «averse impreso las obras de que este se compone, por distintos Impresores, en diferentes Lugares, y Tiempos».

Schoons, págs. 39-40.

Contiene la «Carta laudatoria de Soror Inés Juana de la Cruz», que también se imprimió suelta.

—Ded. fechada en Madrid, 1703.

MADRID. *Nacional.* R-2.612.

5015

——. *Carta laudatoria a la insigne Poetisa la señora Soror Inés Juana de la Cruz.* [s. l., Burgos? - s. i.]. [s. a., 1703?]. 4.º

MADRID. *Nacional.* 3-38.115.

5016

CALLEJA, DIEGO. *A la muerte del Fenix de Mexico y Dezima Musa, Poetisa de la America, Sor Juana de la Cruz...* Lisboa. Miguel Deslandes. 1701.

— — —

—Sevilla. Joseph Padrino.

Medina, *Biblioteca hispano-americana*, número 8.409.

5017

REP: Beristain, I, págs. 359-63; Menéndez Pelayo, *Bibliografía*, I, págs. 200-1 y 228; Marie-Cécile Bénassy-Berling, en DS, VIII, 1972, pág. 71.

JUANA DE JESUS MARIA (Sor)

N. y m. en Eibar (?-1674). Agustina recoleta.

EDICIONES

5018

[*DOS Cartas sobre sus revelaciones 1635 y s. a.*]. (En Villerino, Alonso de. *Esclarecido solar...* Madrid. 1690, págs. 162-71).

ESTUDIOS

5019

VILLERINO ALONSO DE. *Esclarecido solar de las religiosas recoletas de N. P. San Augustn...* Madrid. 1690, págs. 162-71 y 411-49.

MADRID. *Nacional.* R.i.-367.

5020

REP: Serrano y Sanz, I, págs. 601-2.

JUANA DE JESUS MARIA (Sor)

N. en Burgos (1564). Monja del convento de Santa Clara. M. en 1650.

EDICIONES

5021

[*ALGUNOS tratados devotos que dexó secritos. — Algunos versos, que compuso, y cantó a la harpa*]. (En Ameyugo, Francisco de. *Nueva maravilla de la Gracia...* Madrid. 1673, págs. 529-44).

MADRID. *Nacional.* 3-65.844.

ESTUDIOS

5022

AMEYUGO, FRANCISCO DE. *Nueva maravilla de la Gracia, descubierta en la vida de la Venerable Madre Sor Iuana de Iesus María...* Madrid. Bernardo de Villa Diego. 1673. 16 hs. + 596 págs. + 2 hs. 20 cm.

Se reed. en Madrid, 1674 y 1677, y se tradujo al alemán en Colonia, 1682.

V. *B. L. H.*, V, 2.ª ed., núms. 2234-36 y 2238.

5023

REP: Serrano y Sanz, I, pág. 602.

JUANINI (JUAN BAUTISTA)

N. en el Estado de Milán (1636). Doctor en Medicina y Cirujía. Criado de D. Juan José de Austria y cirujano de su Cámara. M. en 1691.

EDICIONES

5024

DISCURSO *politico y phisico que muestra los movimientos y efectos que produce la fermentacion y materias nitrosas en los cuerpos sublumares y las causas que perturban las saludables y benignas influencias que goza el ambiente de esta imperial Villa.* Madrid. González de Reyes. 1674. 50 fols. 4.º

Palau, VII, n.º 125.566. Dudosa.

5025

DISCVRSO *politico, y phisico, qve muestra los mouimientos, y efectos, que produce la fermentacion, y materias Nitrosas en los cuerpos Sublunares, y las causas que perturban las saludables, y benignas influencias, que goza el ambiente de esta Imperial Villa de Madrid...* Madrid. Antonio Gonzalez de Reyes. 1679. 1 hs. + 50 fols. 19 cm.

—Texto, dirigido a D. Juan de Austria.

MADRID. *Academia Española.* 21-VII-17. *Nacional.* R-Varios, 14-14.

5026

DISCURSO *fisico y politico que demuestra los movimientos que produce la fermentacion y materias nitrosas en los cuerpos sublunares y las causas que perturban las benignas y saludables influencias de ambiente de esta Villa de Madrid, de que resultan las frecuentes muertes repentinas, breves y agudas enfermedades, que se han declarado en esta Corte, de cinquenta años a*

esta parte. Madrid. Mateo de Llanos y Guzman. 1689. 11 hs. + 108
fols.

CORDOBA. *Pública.* 35-57. — LONDRES. *British
Museum.* 07305.e.14.(2). — MADRID. *Academia
Española.* S.C.=13-E-26. *Nacional.* 2-61.679.
PAMPLONA. *General de la Diputación Foral.*
109-1-3/49; etc.

5027

*NVEVA idea phisica natvral demons-
trativa, origen de las materias qve
mveven las cosas. Compvestas de la
porcion mas pvra de los elementos,
fragvadas en el caos, pvrificadas, y
passadas de potencia a acto en los
tres primeros dias de la Creacion del
Mundo. Formacion del Firmamento,
y causas segvndas de los Sublunares, materia hasta aora nunca tratada, de mucha luz, curiosidad, y
provecho, en particular á los Professores de Medicina, Cirvgia, y Phar-
macevtica. Parte Primera.* Zaragoza.
Hros. de Domingo la Puyada. 1685.
16 hs. + 345 págs. + 19 hs. 20 cm.

—Ded. al Cardenal Portocarrero, Arzobispo de Toledo, etc.—Apr. de Fr. Antonio
Iribarren. — Apr. de Joseph Casalete. —
Apr. de Juan Alós.—Soneto de Fr. Antonio de Hebrera. [«Ya renace en Jva-
nini á mejor fama...»].—Al Lector.—Indice de capítulos.—E.—Texto.—Indice de
las cosas más notables de esta Primera
Parte.

Jiménez Catalán, *Tip. zaragozana del siglo XVII,* n.º 1.054.

LONDRES. *British Museum.* 536.g.24.—MADRID.
Academia Española. S.C. = 30-B-10. *Nacio-
nal.* 2-16.569; 5.008.—SAN LORENZO DEL ESCO-
RIAL. *Monasterio.* 108-V-24. — WASHINGTON.
Congreso. 11-10149.—ZARAGOZA. *Seminario de
San Carlos.* 57-8-1.

5028

*CARTA escrita al noble aretino doc-
tor don Francisco Redi, medico de
su Alteza, en la qual se dize que el
sal acido y alcali es la materia que
construye los espiritus animales.* Ma-

drid. Andrés Blanco. 1689. 2 hs. +
72 págs. 4.º

Palau, VII, n.º 125.569.
LONDRES. *British Museum.* 07305.e.14(1*).

5029

*CARTAS escritas a los muy nobles
Doctores, el Doctor Don Francisco
Redi, Noble Aretino, Medico Archia-
tro de S. A. Serenissima el Gran Duque de Toscana. Y al mvy noble Doctor D. Jvan Mathias de Lucas, Pro-
fessor de la Vniversidad de Hildem-
berga, Medico de Camara de su
Magestad Lusitana Doña Maria So-
fia Isabel de Neuburgo. En las qvales se dize, qve el sal azido, y Alcali,
es la materia que construye los espiritus animales; el oficina de los
quales, es en los anteriores ventrícu-
los del celebro; y el lugar, ó assiento de la facultad sensitiva, en los
anteriores centros ovales; en donde, como en vn trono, se juzgan, y
distinguen las impressiones, que perciben los cinco sentidos de los objetos externos. Materia muy curiosa,
y de vtilidad á los que professan la
Medicina, y Cirugia.* Madrid. Imp.
Real. 1691. 10 hs. + 96 págs. 21 cm.

—Ded. al Duque de S. Lucar, etc.—Apr.
del Dr. Miguel Boix.—L. del Consejo.—
E.—Al lector.—De un amigo del Autor.
Soneto. [«Del celebro de Jobe proce-
dida...»]. — Respuesta del Dr. Francisco
Redi al Autor.—Texto.

MADRID. *Nacional.* R-Varios, 18-27; 2-50.377.
SAN LORENZO DEL ESCORIAL. *Monasterio.* 14-V-
60.—WASHINGTON. *U.S. National Library of
Medicine.*

TRADUCCIONES

a) FRANCESAS

5030

*DISSERTATION physique, où l'on
montre les mouvements de la fer-
mentation, les effets des matières
nitreuses dans les corps sublunaires,*

et les causes qui altèrent la pureté de l'air de Madrid... Traduit d'espagnol en françois, por Jean-Joseph Courtial... Toulouse. Impr. de D. Desclassan. 1685. VI + 102 págs. 12.º

PARIS. *Nationale.* R.54911.

ESTUDIOS

5031

LOPEZ PIÑERO, JOSE MARIA. *Giovanni Battista Giovannini (1636-1691) e gli inizi in Spagna della medicina moderna e della iatrochimica.* (En *Castalia,* XXI, 1965, págs. 83-98).

5032

———. *Juan Bautista Juanini (1636-1691) y la introducción en España de la Medicina moderna y de la Iatroquímica.* (En *Medicina moderna y Sociedad española. Siglos XVI-XIX.* Valencia. 1976, págs. 149-73).

JUAREZ (AGUSTIN)

Licenciado.

EDICIONES

5033

[*Al Autor. Decima*]. (En Quintela, Juan de. *Letras divinas.* s l. 1623. Preliminares).

MADRID. *Nacional.* R-7.049.

JUAREZ (FR. ANTONIO)

Benedictino. Definidor de su Orden.

EDICIONES

5034

[*CENSURA. San Pedro de Cardeña, 8 de septiembre de 1603*]. (En Pérez, Fr. Antonio. *Apuntamientos de todos los Sermones Dominicales y Sancto-*

rales... Medina del Campo. 1603. Preliminares).

SEVILLA. *Universitaria.* 98-100.

JUAREZ (FR. DIEGO)

CODICES

5035

«*Historia del Principio sitio y fundacion y cosas memorables de San Juan de la Peña*».

Letra del s. XVI. 2 hs. + 148 fols. 4.º
Poema en octavas. Sin nombre de autor. En el frontis nota de letra de Joaquín de Traggia, que dice: «El autor de esta obra fue Don Diego Xuarez, abad de Sn. Juan de la Peña, aunque nada dice Latasa en su *Biblioteca de escritores aragoneses*». (Salvá, I, n.º 695).

JUAREZ (DIEGO FELIPE)

Beneficiado de Falces.

EDICIONES

5036

TRIVMPHO de Navarra, y Vitoria de Fuenterrauia... Pamplona. Martin de Labayen. 1638. 4 hs. + 24 fols. 21 cm.

—Cita de Virgilio.—L. del Real Consejo. Apr., y Licencia del Ordinario.—Apr. del P. Sebastian Matienzo.—El Autor.—Decimas al Autor. De Francisco de Eguía. [«Si con valor el Nauarro...»].—De Iuan de Dicastillo y Acedo. [«Alarido es en la fama...»].—De Françisco de Eguía y Veamont. [«Quando en purpura se baña...»].—De Diego de Eguía y Veamunt. [«Embidia la pluma al Griego...»].—De Ioseph Ximenez de Porres. [«Deue Nauarra al honor...»].—De Ioan Francisco Solorzano Sanchez y la Carra. [«La trinchea asalte Garro...»].—Aduertencia.—El Autor a la Virgen Santissima Nuestra Señora.—Soneto. [Si el lauio purifica balbuciente...»].—Texto, en silvas. [«Canto las Armas, la Vitoria canto...»].—Erratas.—Poesía latina del Licdo. Juan Montero de Espinossa.

Gallardo, IV, n.º 3.976; Pérez Goyena, II, n.º 489.

MADRID. *Nacional.* U-10.715 (portada rota; notas mss.).—PAAMPLONA. *Particular del Sr. Zalba.*

JUAREZ (FERNAN)

N. en Sevilla. Beneficiado.

EDICIONES

5037

COMENTARIOS (Los) del Veneciano de las cosas del Turco. Traducidos por ——. Sevilla. 1546.

N. Antonio, I, pág. 394.

5038

COLOQUIO del famoso y gran demostrador de vicios y virtudes Pedro aretina (sic), en el qual se descubren las falsedades: tratos engaños: y hechizerías: de que vsan las mugeres enamoradas: para engañar a los simples: y aun a los muy auisados hombres: que dellas se enamoran. Agora nueuamente traduzido de Lengua toscana en castellano por ——...]. [s. l. - s. i.]. 1548. 94 fols. + 1 h. 14 cm.

La portada dice solamente: *Coloquio de las Damas, agora nueuamente corregido y emendado.* M.D.XL.VIII.

—Fols. 2v-7r: El ynterprete desta obra al lector.—Argumento. — Texto. — Advertencia.—Coplas. [«No ay cosa tan mala, según los doctores...»].

LONDRES. *British Museum.* C.63.e.12.—MADRID. *Nacional.* U-7.631. — NUEVA YORK. *Hispanic Society.*

5039

——. Medina del Campo. Pedro de Castro. 1549. 58 fols. 8.º gót.

PARIS. *Nationale.* Enfer.226.

5040

COLOQVIO de las Damas. Agora nueuamente corregido y emendado. [s. l. - s. i.]. 1607. 141 págs. 13 × 8 cm.

Pág. 26: «Agora nueuamente traduzido de Lengua Toscana en Castellano por el beneficiado Fernan Xuarez, vecino y natural de Seuilla».

Salvá, II, n.º 1.708; Heredia, n.º 2.707.

MADRID. *Nacional.* R-1.971 (portada rehecha). NUEVA YORK. *Hispanic Society.*

5041

[COLOQUIO de las Damas. Edición de M. Menéndez y Pelayo]. (En sus Orígenes de la Novela. Tomo IV. Madrid. 1915, págs. 250-77. Nueva Biblioteca de Autores Españoles, 21).

5042

VERDADERA relacion de lo sussedido en los Reynos e prouincias del Peru..., por Nicolas de Albenino. Edición de ——. Sevilla. Juan de León. 1549.

V. *B. L. H.*, V, n.º 186.

ESTUDIOS

5043

REP: N. Antonio, I, pág. 393.

JUAREZ (FR. FERNANDO)

EDICIONES

5044

[APROBACION. Madrid, 17 de agosto de 1588]. (En Hebreo, León. Diálogos de Amor... Traduzion del Indio... Madrid. 1590. Prels.)

Dice «Xuarez».

MADRID. *Nacional.* R-5.706.

JUAREZ (GASPAR)

Jurado.

EDICIONES

5045

[COPLAS a Santa María Magdalena]. (En JUSTAS literarias hechas en loor del bienauenturado sant Pedro... Sevilla. 1533).

MADRID. *Nacional.* R-6.086.

JUAREZ (ISABEL)

EDICIONES

5046

[*SONETO*]. (En Ferrero, Juan. *Certamen poético a... San Ramón Donat*. Zaragoza. 1618, fol. 90r).

MADRID. *Nacional*. 3-3.338.

JUAREZ (MARCOS)

EDICIONES

5047

[*APROBACION* de ——, Joan de Arando, y Blas Rodríguez. Jaén, 23 de junio de 1650]. (En Rosado, Juan Antonio. *Carta de las razones y motivos que la Universidad de Priores y Beneficiados de la Ciudad de Jaen ofreze a su reyno para hazer suplica a la Beatitud de Innocencio X*. Jaén. 1650. Prels.)

MADRID. *Nacional*. V.E.-185-26.

JUAREZ (PEDRO)

EDICIONES

5048

RELACION muy verdadera en metro, sobre la partida del Principe nuestro señor para Flandes... Y ansi mesmo va aqui tambien el primer dia que sirvio su alteza, al vso de Borgoña, que fue el dia de nuestra señora d'Agosto, deste presente año de M.D.XLVIII. [s. l. - s. i.]. [s. a.]. 4 hs. 4.º gót.

Palau, VII, n.º 125.596.

JUAREZ (VICENTE)

EDICIONES

5049

[*ROMANCE* de pie quebrado]. (En Angulo y Velasco, Isidro. *Triunfos festivos que al crucificado redemptor del mundo, erigió la Real Congregación del Santo Christo de San Ginés... de Madrid...* Madrid. 1656, págs. 174-75).

MADRID. *Nacional*. 3-6.305.

JUAREZ DEL CAMPO (ALONSO)

EDICIONES

5050

[*SONETO*]. (En Arriaga, Gabriel José de. *Fiestas que se celebraron en... Baena en la canonización de los gloriosos Mártires del Japón... Montilla*. 1628).

Gallardo, I, n.º 287.

JUAREZ DE OROZCO (MARCOS)

Mayordomo del duque de Arcos.

EDICIONES

5051

[*SONETO*]. (En Juana Inés de la Cruz, Sor. *Fama, y Obras posthumas del Fenix de Mexico...* Madrid. 1700. Prels.)

MADRID. *Nacional*. R-23.486.

JUAREZ DE PIEDRULA (JERONIMO)

CODICES

5052

[*Décimas, al autor*]. (En Antonio de la Concepción, Fray. *Desengaño del mundo y Conversión del alma... Escrito en Barcelona*. 1633).

Gallardo, II, n.º 1.879.

JUAREZ DE VARGAS (CRISTOBAL)

EDICIONES

5053

[*POESIAS*]. (En González de Varela, José. *Pyra religiosa, mausoleo sacro, pompa funebre...* Madrid. 1642).

1. *Jeroglífico.* (Pág. 96).
2. *Soneto.* (Pág. 97).
3. *Jeroglífico.* (Pág. 98).
MADRID. *Nacional.* 2-8.674.

JUBERA (ALONSO DE)

Vecino de Ocón. Boticario.

EDICIONES

5054

DECHADO y reformacion de todas las medicinas compuestas vsuales, con declaracion de todas las dudas en ellas contenidas, assi de los simples que en ellos entran y succedaneos que por los dudosos se hayan de poner, como en el modo de las hazer. Valladolid. Diego Fernandez de Cordoua. 1578. 10 hs. + 5-336 fols. 19 cm.

—Autores que en este libro estan alegados. Jesucristo (grab.).—Tabla de lo contenido en este libro.—Texto.—Colofón.
Salvá, II, n.º 2.712; Picatoste, n.º 395; Alcocer, n.º 284.
HUESCA. *Pública.*—LONDRES. *British Museum.* 546.f.2.—MADRID. *Academia Española.* VIII-35; 9-X-35. *Nacional.* R-8.466.

ESTUDIOS

5055

REP: N. Antonio, I, pág. 31.

JUBERO (FR. DIONISIO)

N. en Barbastro. Carmelita calzado. Catedrático de Propiedad y Maestro en Teología en Salamanca, donde m. (1612).

CODICES

5056

«*Diccionario Hebraico*».

Desapareció de la biblioteca del convento de Carmelitas de Salamanca, a causa de una inundación del Tormes. (N. Antonio).

EDICIONES

5057

POST Pentecosten. Salamanca. Viuda de Artus Taberniel. 1610. 10 hs. + 1.939 columnas. 20,5 cm.

En los Prels. se indica el título de diferentes formas, la más completa: *Sermones de las 24 Dominicas post Pentecosten.*
—Frontis.—T.—Apr. de Fr. Pedro Cornejo.—L. O.—Apr. de Fr. Francisco Tamayo.—Pr. por diez años al autor.—Apr. de Fr. Isidro Valcacer.—Pr. de Aragón por diez años al autor.—Ded. a D. Luis Abarca de Bolea, de la Real Chancillería de Valladolid.—Prologo.—Texto en castellano.—Tabla de los lugares de Escritura.—Tabla de cosas notables.
MADRID. *Nacional.* 3-54.186.—PAMPLONA. *General de la Diputación Foral.* 109-1-3/80.—PARIS. *Nationale.* D.8265.

5058

POST Pentecosten. Barcelona. Ioan Amello. A costa de Sebastián Cormellas. 1610. 4 hs. + 620 págs. a 2 cols. + 56 hs. 21 cm.

—Remisión a censura.—Apr. de Fr. Thomas Roca.—Apr. del P. Raphael Guerau. Apr. de Fr. Antonio Taffalla.—L. V.—Ded. a Fr. Iosef Serrano, Provincial de la Orden del Carmen, etc., por Ioan Amello.—Texto.—Tabla de los lugares de la Sagrada Escritura contenidos en este libro.—Tabla de cosas notables.
MADRID. *Nacional.* 3-55.039.—PAMPLONA. *General de la Diputación Foral.* 109-1-3/81.

5059

SERMONES de todas las Dominicas después de Pentecostés. Salamanca. Artur Tabernier. 1612. 4.º
Palau, VII, núms. 125.649 y 125.651.

Aprobaciones

5060

[*APROBACION. Madrid, 20 de agosto de 1609*]. (En Tamayo, Francisco. *Primera parte de las grandezas y mejoras de Christo... Madrid. 1610. Prels.*)

OBRAS LATINAS

5061

IN Dialecticam, et Philosophiam Disputationes. Salamanca. Tabernier. 1610. 4.º
Palau, VII, n.º 125.650.

5062

REP: Latassa, 2.ª ed., II, págs. 77-78; Velasco, B., en *DHEE*, II, 1972, pág. 1253.

JUBERO (FR. FRANCISCO)

Cartujo. Prior de Aula Dei.

EDICIONES

5063

[*APROBACION. Cartuja de Aula Dei, 27 de abril de 1679*]. (En Dicastillo, Miguel de. *Aula de Dios, Cartuxa Real de Zaragoza.* Zaragoza. 1679. Prels.)

MADRID. *Nacional.* 2-64.601.

JUBERO (JUAN FRANCISCO)

EDICIONES

5064

[*INFORMACION en Fuero y Derecho para mostrar que no es parte legitima para Denunciar Mossen Pedro de Sada y que los Señores Inquisidores lo pueden, y deven declarar*]. [s. l. - s. i.]. [s. a.]. 8 págs. 30 cm.

—Texto.

MADRID. *Nacional.* V.E.-191-58.

JUDICE FIESCO
(JUAN BAUTISTA)

Doctor en Teología y ambos Derechos. Teólogo del virrey de Nápoles duque de Alcalá.

EDICIONES

5065

EPITOME de la virtvosa, i exemplar vida de Don Fernando Afan de Ribera i Henriqvez, Sexto Marqués de Tarifa... Palermo. Decio Cirillo. 1633. 4 hs. + 104 págs. 21 cm.

—Ded. a D.ª María de Ribera i Henríquez, Princesa de Paterno, Duquesa de Montalto i de Biuona.—Dos Epigramas latinos del P. Francisco Scorso.—Distico latino de Martín Lafarina.—De Rodrigo

Iuan de Vargas, al Autor: Soneto. [«Tan altamente, en tan piadoso asunto...»].— Otro soneto de poeta incognito al Author. [«Gira Faeton en carro luminoso...»].—Pág. 1: «Epítome...».—Pág. 45: Varias composiciones poeticas que en diuersas lenguas se hizieron en las exequias del diffunto Marqués de Tarifa.— Griegas. (Pág. 41). — Latinas. (Págs. 42-67). — Italianas. (Págs. 68-84). — Castellanas:

1. *Soneto de Iuanetin Doria.* [«Edificio inmortal fundó Fernando...»]. (Pág. 85).
2. *Soneto del Principe de Paternó.* [«Detén el passo caminante, i mira...»]. (Pág. 85).
3. *Soneto de Pedro Fernandez de Acuña.* [«En años tiernos, en virtud gigante...»]. (Pág. 86).
4. *Soneto del mismo.* [«O excelso Iouen, que a tan alto buelo...»]. (Pág. 86).
5. *Soneto de Sebastian de Acosta, i Pereyra.* [«De Trinacría a los montes leuantados...»]. (Pág. 87).
6. *Soneto con Eco de Rodrigo Iuan de Vargas.* [«Tierna estacion de Primauera era...»]. (Pág. 87).
7. *Soneto de Francisco Xaramillo.* [«En esta si funesta excelsa Pira...»]. (Pág. 88).
8. *Soneto de Fernando Palomares.* [«Esta que admiras majestuosa pompa...»]. (Pág. 88).
9. *Soneto de Iuan de Saauedra.* [«Gran penitencia ocupa, si edad breue...»]. (Pág. 89).
10. *Soneto de Phelipe de Moura.* [«Si la perfecta herencia es la del cielo...»]. (Pág. 89).
11. *Soneto de Francisco de los Cameros.* [«O Marques de Tarifa, o Iouen fuerte...»]. (Pág. 90).
12. *Soneto de Iuan Montesinos de Niebla.* [«Antes de respirar la luz Phebea...»]. (Pág. 90).
13. *Soneto de Pedro Leonés de Gueuara.* [«Esta de admiraciones la primera...»]. (Pág. 91).
14. *Soneto del Lic. Alonso Guerrero de Villegas.* [«Seis vezes en dos lustros tu tijera...»]. (Pág. 91).
15. *Soneto del mismo.* [«Esta que ves figura lamentable...»]. (Pág. 92).
16. *Epitafio del mismo.* [«En esta funebre alfombra...»]. (Pág. 92).
17. *Epitafio del mismo.* [«Este Teatro de horror...»]. (Págs. 92-93).
18. *Epitafio de Sebastian Soler.* [«Aqui de la noble España...»]. (Pág. 93).

19. *Decimas de Pedro Leones de Guebara.* [«Iace aqui la juuentud...»]. (Págs. 93-94).

20. *Epitafio de Pedro Fernandez de Acuña.* [«Tu que passas mira aqui...»]. (Pág. 94).

21. *Romance del mismo.* [«De la Riuera apacible...»]. (Págs. 94-95).

22. *Elegía de Rodrigo Iuan de Vargas.* [«No sé si llore, o si me aplique al canto...»]. (Págs. 95-104).

Gallardo, III, n.° 2.572.

MADRID. *Nacional.* R-6.572.—ROMA. *Vaticana.* Stamp. Barb. z.V.82.

5066

MEMORIAL. Madrid. [s. l.]. 1630. Sin fol. 15 cm.

MADRID. *Nacional.* V.E.-9-24.

«JUEGO (El) del Hombre»

CODICES

5067

«*El juego del hombre*».

Año 1625. 20 hs. 4.° Perteneció a la biblioteca ducal de Osuna. Firmado al fin por Luis Mejía de la Cerda, a quien se lo atribuye Paz.

«—Tuyo el mundo.—No lo dudes...».

Paz, I, n.° 1.846.

MADRID. *Nacional.* Mss. 48.873.

EDICIONES

5068

JUEGO (El) del hombre: auto sacramental. [*Edición de Louis Imbert*]. (En *Romanic Review,* VI, Nueva York, 1915, págs. 239-82).

JUFRE DEL AGUILA (MELCHOR)

N. en Madrid.

EDICIONES

5069

COMPENDIO historial del Descvbrimiento, Conquista, y Guerra del Reyno de Chile, con otros discursos. Uno de Auisos prudenciales en las materias de gouierno y guerra. Y otro de lo que catolicamente se deue sentir de la Astrologia Iudiciaria... Compuesto por el Capitan D. Melchor Xufré del Aguila... Lima. Francisco Gomez Pastrana. 1630. 22 hs. + 302 págs. + 4 hs. 4.°

—Carta del oydor dotor Luis Merlo de la Fuente al autor.—S. L.—E.—Pr.—T.—Tres apr.—Prólogo.—Ded. al Conde de Chinchón, Virrey del Perú.—Tres sonetos.—Texto.

Medina, *Lima,* I, n.° 146. (Inserta lámina con facsímil de la portada).

5070

COMPENDIO historial del descubrimiento y conquista del Reino de Chile, seguido de dos discursos: Avisos prudenciales de gobierno y guerra. De la astrologia judiciaria. Santiago de Chile. Universidad. 1897. XIV + XI + 353 págs. 4.°

Ed. por L. Montt y Diego Barros Arana.

MADRID. *Nacional.* H.A.-1.261.—PARIS. *Nationale.* 4.°Pp.214.

«JUICIO de Salomón...»

EDICIONES

5071

[*IVIZIO de Salomon. Acerca de aueriguar quien sea la verdadera madre de un hijo llamado antiguamente* Continuo, *despues* Glossa continua, *y aora* Cadena de oro. *Sacado a luz, y dispuesto por el P. Fr. Martin Perez de Guevara...*]. [s. l. - s. i.]. [s. a.]. 43 págs.

Carece de portada.

MADRID. *Nacional.* V.E.-66-32.

«JUICIO del cometa...»

EDICIONES

5072

IVIZIO del cometa del año de mil seiscientos y ochenta, sobre nvestro

emisferio, a la parte setentrional.
[s. l. - s. i.]. [s. a.]. 4 hs. 20 cm.

—Texto, en octavas reales. [«Va por humilde, del Sol acariciado...»].—Al Autor un intimo amigo suyo. Dezima. [«Tan remontado de buelos...»].

MADRID. *Academia de la Historia.* 9-17-3-3.487.

«JUICIO hallado y trovado...»

EDICIONES

5073
JUYZIO hallado y trovado para emienda de nuestras vidas de las cosas que en nuestros dias ha de acontecer sacado por los cursos del cielo z planetas z esperiencias de las cosas que cada dia veemos. Es la orden tal de esta obra: z proceder que so titulo de disparates algo dize de lo que quiere: z una cosa suenan algunas de las coplas: z otras entienden de suerte que debaxo del sayal ay al. [s. l. - s. i.]. [s. a.]. 6 hs. a 2 cols. 4.º gót.

¿De Salamanca, Juan de Porras, entre 1510 y 1520?
—Texto. [«De la llena de los ríos...»].
Rodríguez Moñino, *Diccionario,* n.º 911; Norton, n.º 491 («c. 1510»).

CAMBRIDGE. *University Library.*

«JUICIO Poetico...»

EDICIONES

5074
JUICIO Poetico. Astrologico, que en la recuperada salud del Monarca de dos mundos, Don Carlos Segvndo (que Dios guarde) forma su mas leal Vasallo... Romance Endecasylavo. [s. l. - s. i.]. [s. a.]. 8 págs. 20,5 cm.

—Texto. [«Soberana harmonía, en cuyas vozes...»].

MADRID. *Nacional.* V.E.-119-92.

«JUICIO universal...»

CODICES

5075
«Juicio Vniuersal y parte singular de conceptos ocultos».

En un volumen de *Manuscritos Curiosos,* recopilados por el Conde de Potting en 1671. Letra del s. XVII. 205 × 145 cm. Kraft, pág. 14.

VIENA. *Nacional.* Mss. 5880d (fols. 365r-466v).

5076
«Iuizio vniversal y parto singular de conceptos occultos».

Sin fol. 220 × 160 mm.
Sobre los jesuitas.
COIMBRA. *Universitaria.* Mss. 41.

JULIA (JUAN)

Oriundo de Esparraguera (Barcelona). Cartujo desde 1596. Prior de Montalegre (1611-1613). Procurador. M. en 1620.

EDICIONES

5077
DESENGAÑO de la vida humana y instrucción espiritual para ella. Barcelona. 1620.

Cartujo-Juliá, pág. 82.

5078
REP: Cartujo-Juliá, pág. 82.

JULIA (MIGUEL)

EDICIONES

5079
RESUMEN de los milagros obrados en Gandía por intercesión del B. Ignacio de Loyola. 8 Agosto 1601. Fol.

Palau, VII, n.º 125.960.

5080
RELACION y carta comun... cerca del feliz y dichoso tránsito desta vida del bendito hermano Alonso Rodríguez de la... Compañia de Jesús. 1617. Fol.

JULIA (NARCISO P.)

EDICIONES

5081

ORACION funebre en las exequias de la Excma. Señora Doña Catalina Folch de Cardona de Lacerda y Aragón... en la Iglesia Cathedral de Gerona... 18 del mes de abril de 1698. Gerona. Geronimo Palol. 1698. 26 hs. 12.º

BARCELONA. *Instituto Municipal de Historia.* A-12.º-Op.154.

JULIAN (FRANCISCO)

N. en Gerona. Doctor.

EDICIONES

5082

INDUSTRIAS para bien morir. Dispvestas por el M. R. P. Julio Cesar Recupito, de la Compañia de Jesvs. Traducidas por... ——... Barcelona. Josef Llopis, a su costa. 1687. 12 hs. + 724 págs. 13,5 + 7 cm.

—Ded. a los Congregantes de la Congregación de María Santissima del Colegio de la Compañia de Jesus de Barcelona, por Josef Llopis.—Censura del P. Manuel Piñeiro.—Apr. del P. Francisco Garau. — Protesta por el Autor. — Al letor cristiano.—Indice de los Tratados e Industrias.—Introducción.—Texto. Uriarte, *Anónimos*, III, n.º 4.103.

MADRID. *Nacional.* 3-56.850.

5083

CRISTIANO (El) Interior o Gvía facil para salvarse con perfeccion, sacado de las Conferencias, Cartas i manuscritos de Monsiur de Bernieres... Tomo Segundo. Tradvzido de Frances en Italiano... i agora de Italiano en Español por ——. Barcelona. [s. i.]. 1688. 360 págs. 4.º

Uriarte, *Anónimos*, III, n.º 3.959.

5084

[SONETO]. (En JUSTAS poéticas hechas a devoción de D. Bernardo Catalán de Valeriola. Valencia. 1602, pág. 11).

MADRID. *Nacional.* R-8.779.

JULIAN (FR. JUAN)

Cartujo. Monje de la de Montealegre.

EDICIONES

5085

DESENGAÑO de la vida humana, e instrucción espiritual para ella. Con Exercicios para todos los estados. Barcelona. Sebastián de Cormellas. 1620. 8 hs. + 226 fols. 15 cm.

—L. O.—Apr. de Fr. Iuan Serrano.—L. del Virrey.—Carta ded. a todos los que dessean salvarse.—Prólogo.—Texto.

BARCELONA. *Universitaria.* B.63-9-17.

ESTUDIOS

5086

REP: N. Antonio, I, pág. 828.

JULIAN (FR. MANUEL)

Fraile del Colegio de San Bernardo.

EDICIONES

5087

[POESIAS]. (En Manrique, Angel. Exequias, tumulo y pompa funeral que la Universidad de Salamanca hizo en las honras de... Felipe III... Salamanca. 1621).

1. *Glosa.* (Págs. 164-65).
2. *Octavas.* (Págs. 171-74).
3. *Soneto.* (Pág. 207).
4. *Romance aventurero.* (Pág. 248).

MADRID. *Nacional.* 2-67.733.

JULIAN (MIGUEL)

Catedrático de la Universidad de Valencia.

EDICIONES

5088

[MOTE]. (En Valda, Juan Bautista de. Solenes fiestas que celebró Valencia a la Inmaculada Concepcion... Valencia. 1663, pág. 594).

MADRID. *Nacional.* 3-18.636.

5089

[*JEROGLIFICOS*]. (En Valda, Juan Bautista de. *Solenes fiestas que celebró Valencia a la Inmaculada Concepción...* Valencia. 1663, págs. 119-125).

MADRID. *Nacional.* 3-18.636.

JULIAN DE JESUS (Fray)

EDICIONES

5090

[*CENSURA. Madrid, 5 enero 1693).* (En Francisco de Santa Clara, Fray. *Sermón de la Dominica Quarta de Adviento.* Madrid. 1693. Prels.)

MADRID. *Nacional.* V.E.-138-17.

JULIAN Y MONPLAU (BALTASAR)

EDICIONES

5091

[*ROMANCE*]. (En REAL *Academia celebrada en el Real de Valencia...* Valencia. 1669, págs. 68-69).

MADRID. *Nacional.* 2-43.853.

JULIS (FR. PEDRO)

N. y m. en Zaragoza (1602-165?). Dominico desde 1618. Predicador General.

CODICES

5092

«*Dissertación sobre las memorias romanas de Julia Celsa, hoy Velilla...*».

Autógrafo. 12 págs. Se conservaba en la biblioteca del convento de dominicos de Zaragoza (Latassa).

5093

«*Historia del convento de Predicadores y sus capillas de Nuestra Señora y del Milagro*». Tomo I.

505 fols. Fol.

Arco y Garay, *Repertorio*, n.º 1.173.
ZARAGOZA. *Universitaria.* Mss. 14.311.

ESTUDIOS

5094

REP: Latassa, II, págs. 78-79.

JUNCO (FR. ANTONIO)

Francisco. Lector de Teología del convento de San Francisco de Valladolid.

EDICIONES

5095

[*APROBACION. Valladolid, 1 de febrero de 1663*]. (En Benito de la Madre de Dios, Fray. *Sermón...* Valladolid. 1663. Prels.)

MADRID. *Nacional.* R-Varios, 13-35.

JUNCO (PEDRO DE)

Arcediano de Deza. Canónigo de la catedral de Lugo. M. en 1652.

EDICIONES

5096

FUNDACION, Nombres, y Armas de la ciudad de Astorga. Pamplona. Martin de Labáyen. 1635. 8 hs. + 42 fols. 22 cm.

—Apr. de Ignacio de Zuasti.—L.—Verso y Geroglifico de Geronimo de Villalobos. [«De Roble una recia rama...»].—Poesia de Francisco Perez de Torres. [«Habló Junco al junco ñudo...»]. — Poesia del Doctor Alonso de la Vecilla. [«Despues que a nuestra Ciudad...»].—Dos poesias latinas de Francisco de Gandia.—Poesia latina del P. Sebastian Matienzo.—Ded. a la ciudad de Astorga.—Texto.

Pérez Goyena, II, n.º 464.

LONDRES. *British Museum.* 10160.ee.13.—MADRID. *Academia de la Historia.* 5-5-7-2.422. *Facultad de Filosofía y Letras.* 9.181. *Nacional.* 2-7.708.

5097

———. Pamplona. Martín de Labayen. 1639. 8 hs. + 70 fols. 4.º

Salvá, II, n.º 2.988.

CORDOBA. *Pública.* 6-162. — LONDRES. *British Museum.* 10161. — MADRID. *Academia de la Historia.* 14-9-10-7.926. *Nacional.* R-9.550; 3-70.446. — SANTIAGO DE COMPOSTELA. *Universitaria.*

ESTUDIOS

5098

REP: N. Antonio, II, pág. 208.

«JUNTA de muertos...»

CODICES

5099

«*Junta de Muertos. Desengaño de Vibos. Los tres de la fama de 1668*».
En un volumen de *Manuscriptos Curiosos*, recopilados por el Conde de Pötting en 1671.
Letra del s. XVII. 205 × 145 mm.
Kraft, pág. 14.
VIENA. *Nacional*. Mss. 5880d (fols. 137*r*-153*v*).

«JUNTA de vivos y muertos...»

CODICES

5100

«*Junta de Vivos y Muertos en el Panteon del Escorial. Reziprocas quejas. Cargos y descargos en presencia de la Magestad del Sr. Rey Dn. Phelipe 4.º, entre el Sr. Dn. Juan de Austria, y el Duque de Medinaceli sobre su Gobierno en el valimiento y primer Ministerio del Reynado del Sr. Dn. Carlos Segundo. Año 1684*».
Letra del s. XVII. 42 págs. 210 × 150 mm.
SEVILLA. *Colombina*. 83-3-11.

5101

«*Junta de vivos y muertos en el Panteon del Escorial, presidida por la Magestad de Phelipe quarto, entre su Bastardo hijo don Juan de Austria, y el Duque de Medina Celi... anno de 1684*».
Letra del s. XVIII. 207 × 150 mm.
V. *Catalogue des manuscrits de la Bibliothèque Royale de Belgique*, X, n.º 6.790.
BRUSELAS. *Royale* 16042-43 (fols. 151*r*-191*v*).

«JUNTA y marcha del ejército...»

EDICIONES

5102

IVNTA, y marcha del exercito de sv Magestad Catolica, para el socorro de la plaça de Lerida, qve govierna Don Gregorio Brito, Valeroso, y Leal Portugues. Con la derrota del Exercito Frances. Valencia. Claudio Macé. 1646. 4 hs. 19 cm.
—Texto.—L.

MADRID. *Nacional*. R-Varios, 43-10 (con ex libris del Duque de Forli) y 173-3.

JURADO (JUAN SEVERINO)

Colegial del Mayor de la Universidad de Sevilla. Doctor. Canónigo lectoral de la catedral de Málaga.

EDICIONES

5103

[*CENSURA. Málaga, 15 de agosto de 1682*]. (En Rojas y Angulo, Antonio de. *Oración evangélica... a la gloriosa Sancta María Magdalena...* Cádiz. 1682. Prels.)
SEVILLA. *Universitaria*. 113-129 (3).

JURADO (PEDRO)

Presbítero. Rector de la parroquia de Omnium Sanctorum de Córdoba.

EDICIONES

5104

SERMON panegyrico en la festiva celebridad de la Missa nueva de vn nuevo sacerdote, predicado en la villa de Montalvan... Córdoba. Diego de Valverde y Leyva y Acisclo Cortés de Ribera. 1693. 4 hs. + 12 fols. 19,5 cm.
—Ded. a la Assumpción de la Virgen.—Apr. de Rafael Ortiz.—L. V.—Texto.
CORDOBA. *Pública*. 3-83.

JURADO DE PORRES (FRANCISCO)

EDICIONES

5105

[*POESIAS*]. (En Fernández Navarro, Mateo. *Floresta espiritual*. Toledo. 1613).
1. *Octavas*. (Fol. 179*r*-180*r*).
2. *Décimas*. (Fols. 183*v*-184*v*).
MADRID. *Nacional*. 2-63.308.

«JURAMENTO...»

EDICIONES

5106

IVRAMENTO (El) qve el Serenissimo don Phelippe, quinto deste nom-

bre, *Principe natural heredero deste reyno de Nauarra, nuestro Señor: Y el Excellentissimo señor don Francisco Hurtado de Mendoça... su Visorey... hizo en su nombre al dicho Reyno, y tres Estados del. Y el que los dichos tres Estados prestaron a su Alteza... en las Cortes que se celebraron en... Pamplona, este presente año de 1586*. Pamplona. Thomas Porralis. 1586. 8 hs. Fol.

MADRID. *Nacional.* R-2.968⁸.

5107

IVRAMENTO (El) qve la Señora Infanta doña Ana, por si, y en nombre del señor Infante don Carlos, y la señora Infanta doña Maria sus hermanos hizieron al Principe don Felipe nuestro señor: En las Cortes que se celebraron en la villa de Madrid, a diez y seis de Abril del año passado de mil y seiscientos y siete. Y assi mismo el que hizieron a su Alteza los Prelados, Grandes, y Caualleros de titulo, y los Procuradores de las Ciudades y Villa de voto en Cortes destos Reynos, en presencia de las Magestades del Rey y de la Reyna nuestros señores. Madrid. Luis Sánchez. 1608. 12 fols. Fol.

—Texto.
MADRID. *Academia de la Historia.* 9-1.039.

— — —

Reed. en *Relaciones breves de actos públicos celebrados en Madrid de 1541 a 1650.* Edición de José Simón Díaz. Madrid. Instituto de Estudios Madrileños. 1982, págs. 61-69.

«JURAMENTO y Voto...»

EDICIONES

5108

IURAMENTO y voto publico a la Concepción inmaculada de la Virgen Santissima nuestra Señora que hizo la Real Congregación del Santo Christo de San Gines de esta villa de Madrid el día de la Invención de la Santa Cruz, tres del mes de Mayo de mil y seiscientos y cinquenta y tres años. Madrid. Herederos de Antonio Parra. 1653. 2 hs. 31 cm.

—Texto.
MADRID. *Nacional.* R-Varios, 177-23.

5109

[*JURAMENTO y voto que por el Misterio de la Inmaculada Concepción hizo la antigua cofradía de N. Señora de los Remedios; instruida en el Convento de Sta. Ana de la Orden de S. Francisco a viernes 24 Henero de 1653*]. [s. l. - s. i.]. [1653]. 2 hs. 31,5 cm.

Carece de portada.
—Texto.
MADRID. *Nacional.* R-Varios, 185-62.

5110

JURAMENTO y voto publico que la muy noble, illustre Congregacion de la Sanctissima Trinidad, sita en la Casa Professa de la Compañia de Iesus, de Sevilla, hizo Domingo 19 de Enero de 1653 por el mysterio de la Inmaculada Concepcion de la Virgen Maria Nuestra Señora. [s. l. - s. i.]. [s. a.]. 1 h. 30 cm.

—Texto.
GRANADA. *Universitaria.* A-31-140 (24).

«JUSTA cosa ha sido...»

EDICIONES

5111

[*IVSTA cosa a sido eligir por Patrona de España, y admitir por tal, a Santa Teresa de Iesus y en ello no se hizo perjuyzio alguno al Patronato del Señor Santiago Apostol y Patron de España*]. [s. l. - s. i.]. [s. a.]. 7 fols. 30,5 cm.

Carece de portada.
—Texto.
MADRID. *Nacional.* R-Varios, 216-58.

«JUSTA en alabanza...»

EDICIONES

5112

JUSTA en alabança de los muy gloriosos y bienauenturados sant Juan Bautista, y sant Juan Euangelista: compuesta por vno de los menores, reprehendiendo las parcialidades que a cerca de estos gloriosos santos ay entre muchas personas, especialmente religiosas. El nombre y renombre del autor va declarado en el siguiente prohemio. [Alcalá. Joan de Brocar]. [1548, 2 de marzo]. 6 hs.

—Prohemio. [«Forçado de mi deseo...»].— Texto. [«Helos salen a la tela...»].—Colofón.

MADRID. *Nacional.* V-1.896-28.

«JUSTA literaria...»

EDICIONES

5113

JUSTA literaria en loor y alabança del bianeuenturado sant Juan euangelista. Año M.D.XXXI. [s. l. - s. i.]. [s. a.]. 8 hs. 25 cm. gót.

«... Hecha en los palacios arçobispales de... Seuilla en presencia del... señor don Alonso Manrrique cardenal de sant Calixto: arçobispo de Seuilla... el primer día de Deziembre del año de M.D.XXXI...».
1. El bachiller Cespedes. [«Aguila caudal diuina...»].
2. Villancico a sant Juan euangelista. [«Si del río que beuistes...»].
3. Canción. [«Uno de los doze vos...»].
4. Martel de Mariño. Villancico. [«Alegrate euangelista...»].
5. Diego de Quirós. [«O coronista sin par...»].
6. Diego de Esquiuel. Villancico. [«Pues os offende alabaros...»].
Escudero, que no lo vio, hace referencia a Gallardo en su n.° 307.

MADRID. *Nacional.* R-6.086¹; V-268-24.

5114

JUSTA literaria en loor del bienauenturado sant Juan bautista hecha en los palacios arçobispales de... Sevilla: *en presencia del Ilustrissimo y reuerendissimo señor don Alonso manrique... seys d'Enero de M.D.XXX.II.* [s. l. - s. i.]. [s. a.]. 12 hs. 21 cm. gót.

—Texto.
Con poesías de Pero Mexía, Andrés de Quebedo, el capitán Salazar, Pedro de Salinas, el bachiller Cespedes, Diego de Esquivel, Gaspar Suarez, Francisco de la Herrera, Balthasar Suarez, Diego Amado y varios anónimos.
Gallardo, I, n.° 1.154; Rodríguez Moñino, *Diccionario,* n.° 908.
MADRID. *Nacional.* R-6.086 (2).

5115

IVSTA literaria, propvesta por la ilvstre Congregacion de Ministros, i Familiares del Santo Oficio de la Inquisicion, que milita en esta Corte debaxo la proteccion del glorioso S. Pedro Martir. Consagrada en honor de los improperios que con sacrilego atreuimiento hizieron los Iudios en la Imagen de Christo Crucificado. [s. l. - s. i.]. [s. a., 1633?]. 6 hs. 19 cm.

Es la convocatoria.
MADRID. *Nacional.* R-Varios, 45-38.

5116

[JVSTA literaria de delgadas Plumas, que atajos de ajustados compases de vozes y conceptos publica el Real Convento de San Agustin de Sevilla en las Fiestas de la Canonizacion de Sto. Thomas de Villanueva. Viernes 24 de Octubre de 1659. Convento de S. Agustin de Sevilla. [s. l. - s. i.]. [s. a.]. Una hoja plegada. 63 cm.

Es el cartel.
MADRID. *Nacional.* R-Varios, 200-93.

5117

JUSTA literaria, Certamen poetico, o sagrado influxo, en la solemne, qvanto deseada Canonizacion del Pasmo de la Caridad, el Glorioso Patriarca, y Padre de Pobres San Juan de Dios, Fundador de la Religión de la Hospitalidad. Celebrose en el claustro del convento Hospital de Nuestra Señora del Amor de Dios, y Venerable Padre Anton Martín de esta Corte, el Domingo diez de Junio del Año de mil seiscientos y noventa y vno... Y la descrive Don Antonio de Sarabia, Secretario que fué de dicho Certamen. Madrid. Imp. de Bernardo de Villa-Diego. 1692. 9 hs. + 375 págs. 20 cm.

1. Introducción Poética. [«Rompió el silencio el Jupiter del Dia...»]. (Págs. 11-15).
2. Canción Real de Francisco Bueno. [«Quiso Pedro, al rebés crucificado...»]. (Págs. 16-18).
3. Estancias de Juan de Quevedo Arjona. [«De Juan azañas canto...»]. (Págs. 18-21).
4. Canción de Juan de Ferreras. [«Aquel Monstruo cruel, por quien severo...»]. (Páginas 21-23).
5. Canción de Fr. Domingo Alvarez de Mendoça. [«De Pedro, universal Pastor del Mundo...»]. (Págs. 23-25).
6. Canción de Joseph Francisco de Luera. [«Abra Clio las puertas de su Archivo...»]. (Págs. 26-28).
7. Canciones de Frey Diego del Peral Vereterra. [«Es de San Iuan de Dios nuevo Portento...»]. (Págs. 28-31).
8. Canción Real de Francisco de Campos Salazar. [«Qué estruendo es este, que los Orbes yere...»]. (Págs. 31-35).
9. Canción Real de Fernando de Toledo. [«Util aprehension (si es bien fundada)...»]. (Págs. 35-38).
10. Canción de Gines Campello. [«Sobre su Sacra espalda, Jesus siente...»]. (Págs. 38-41).
11. Canción de Antonio de Vargas. [«La admiración, confiessese rendida...»]. (Págs. 41-44).
12. Canción Real de Clemente Lopez de Camarena. [«De animos Reales son, Reales empresas...»]. (Págs. 44-46).
13. Canciones de Andrés de Alvarado. [«No quiso Pedro competir muriendo...»]. (Págs. 47-49).
14. Liras de Juan de Espeleta. [«Hasta donde camina...»]. (Págs. 52-53).
15. Liras de Francisco Bueno. [«Andrés, á Christo viendo...»]. (Págs. 53-55).
16. Liras de Juan Estevan. [«Demostrando el Bautista...»]. (Pág. 55-56).

17. Liras de Jacinto Yañez de Ortega. [«O Fuerza milagrosa...»]. (Págs. 57-58).
18. Liras de Manuel de Flores Velez. [«Divino Amor Sagrado...»]. (Págs. 58-60).
19. Liras de Manuel de Losada y Quevedo. [«Juan, y Andrés, Peregrinos...»]. (Páginas 60-61).
20. Liras de Joseph Navarro. [«Grave impulso en la vista...»]. (Págs. 61-62).
21. Liras de Andrés de Alvarado. [«Andrés, iluminado...»]. (Págs. 63-64).
22. Liras de Juan de Ferreras. [«El hermoso Luzero...»]. (Págs. 64-65).
23. Romance de Arte Mayor de Antonio de Zamora. [«Hijo del trueno, donde rayo armado...»]. (Págs. 68-70).
24. Romance Heroico de Joseph Antonio Mulsa. [«Permitidme oy (ò Soberano Apostal!...»]. (Págs. 70-72).
25. Romance Heroico de Joseph de Arroyo. [«Hijo de el trueno, el Cebedeo rompe...»]. (Págs. 73-75).
26. Romance Heroico de Rodrigo Ribadeneira Noguerol, y Palma. [«Abançase Santiago á numerosas...»]. (Págs. 75-77).
27. Romance de Arte Mayor de Francisco de Matos y Guzmán. [«De dos victorias, ambas excelentes...»]. (Págs. 78-80).
28. Romance Heroico de Antonio de Orveta. [«De aquel Invicto Marti, aquel Sagrado...»]. (Págs. 80-82).
29. Romance Heroico de Fernando de Valenzuela. [«Si empresa es Problematica el Assunto...»]. (Págs. 83-85).
30. Romance Heroico de Ignacio Alvarez de Toledo. [«Noble Patron de España, cuyos Timbres...»]. (Págs. 85-87).
31. Soneto de Luis Antonio de Vargas. [«Al Sol, que aun brilla en el postrer fracaso...»]. (Pág. 90).
32. Soneto de Francisco de Viedma Narbaez y Arostiguy. [«Si merece el Discipulo querido...»]. (Págs. 90-91).
33. Soneto de Fray Antonio de Ayala. [«Maria, con el nombre de muger...»]. (Pág. 91).
34. Soneto de Gregorio Ortiz de Moncayo Muñoz. [«Dios hombre, y Juan de Dios, en el morir...»]. (Págs. 91-92).
35. Soneto de Miguel Guerrero Valvellido. [«Muere el Sol en patibulo cruento...»]. (Pág. 92).
36. Soneto de Eugenio Berrocal. [«Del Aguila Evangelica colijo...»]. (Pág. 93).
37. Soneto de Francisco Bueno. [«El que desde la Cruz, Christo espirando...»]. (Páginas 93-94).
38. Soneto de Jacinto Yañez de Ortega.

[«Eres Iuan, tu el Discipulo querido...»]. (Pág. 94).
39. *Soneto de Agustin Hontova de Espinosa.* [«Muere de Amor Dios hombre, y satisfaze...»]. (Págs. 94-95).
40. *Soneto de Juan Maestre y Polanco.* [«Muere Jesus, de Amor aun mas herido...»]. (Pág. 95).
41. *Soneto de Antonio de Vargas.* [«Quando juntos, poder, y Amor lograron...»]. (Págs. 95-96).
42. *Soneto de Manuel Suarez y Leyva.* [«La sed de padecer, que en Iuan ardia...»]. (Pág. 96).
43. *Soneto de Geronimo Verdugo.* [«Qué es esto, inmenso Dios? No basta al suelo...»]. (Pág. 97).
44. *Soneto de Nicolas de Ibarrola.* [«Miró Iuan, que el Sol puro, á su carrera...»]. (Págs. 97-98).
45. *Soneto de Francisco Salgado.* [«Iuan assiste á Maria al Sacro trance...»]. (Pág. 98).
46. *Soneto de Andres de Pitillas.* [«Espiraba el Mesias deseado...»]. (Págs. 98-99).
47. *Soneto de Teodosio de Contreras de Silva.* [«Muere Christo en la Cruz, siempre assistido...»]. (Pág. 99).
48. *Soneto de Joseph Tavares Ferreira.* [«Un nombre, en dos favores igualados...»]. (Págs. 99-100).
49. *Soneto de Fr. Tomas Joseph de Santa Maria.* [«Eclipsandose el Sol mas luminoso...»]. (Pág. 100).
50. *Soneto de Fr. Tomás Joseph de Santa Maria.* [«Christo muere, y su Madre Sacrosanta...»]. (Págs. 100-101).
51. *Soneto de Pedro Alfonso Moreno.* [«Maria, del Amado Madre quede...»]. (Pág. 101).
52. *Soneto de Joseph de Arroyo.* [«Agoniza la Luz de el Firmamento...»]. (Pág. 102).
53. *Soneto de Pedro Pablo Villet.* [«De Christo, y del Autor de Sacra Historia...»]. (Págs. 102-103).
54. *Soneto de Silvia Monteser.* [«Qué buriles! qué plumas! qué pinceles!...»]. (Página 103).
55. *Soneto de Diego de Cosio Bustamante.* [«Dios es suma Equidad, y es evidente...»]. (Págs. 103-104).
56. *Soneto de Juan de Volea y Alvarado.* [«Maria, y Juan, al transito glorioso...»]. (Pág. 104).
57. *Soneto de Manuel Beltran.* [«En la agonia de un sudor postrado...»]. (Págs. 104-105).

58. *Soneto de Maria Colodro.* [«Por rendido, por firme, y por Amante...»]. (Pág. 105).
59. *Soneto de Luys Venegas de Saavedra.* [«Palida de la Muerte la agonia...»]. (Pág. 106).
60. *Soneto de Juan Duran Cervera de Segura.* [«El Apostol, el Hijo regalado...»]. (Págs. 106-107).
61. *Soneto de Juan Blanco Alvarado y Moncada.* [«Solo un Sol, por hermoso, no pudiera...»].
62. *Soneto de Fray Miguel de Lima.* [«Juan de Dios es tu nombre, y fué tu muerte...»]. (Pág. 107-108).
63. *Soneto de Fray Leonardo de Espinosa.* [«Muere el Sol, de dolores oprimido...»]. (Pág. 108).
64. *Soneto de Teresa de Mesia.* [«Al transito de Christo fué Maria...»]. (Pág. 109).
65. *Soneto de Andres Solis.* [«Embutido en el coral el cristalino...»]. (Págs. 109-110).
66. *Soneto de Juan de Ferreras.* [«Pobre, á los pobres, Christo condolido...»]. (Pág. 110).
67. *Soneto de Juan de Ferreras.* [«Ora Iesus, qual loco le abandonan...»]. (Págs. 110-111).
68. *Soneto de Bartolome Ponce de Leon.* [«Yaze, exaltado ignominiosamente...»]. (Pág. 111).
69. *Soneto Acróstico de Joseph de Cuña Arvelos.* [«A Christo asisten, qual mas firme, y fuerte...»]. (Pág. 112).
70. *Soneto de Fray Juan Martinez.* [«Juan de Dios muere, y muere acompañado...»]. (Págs. 112-113).
71. *Soneto de Andres Nuñez de Silva.* [«En los braços se via de la Muerte...»]. (Pág. 113).
72. *Soneto de Juan Pereira de Silva.* [«Pendiente del Patibulo Sagrado...»]. (Páginas 113-114).
73. *Soneto de Andres de Alvarado.* [«Luz á Maria, el Aguila mirava...»]. (Pág. 114).
74. *Soneto de Antonio Ossorio y Pantoja.* [«Litigue la Virtud Executorias...»]. (Pág. 115).
75. *Romance de Pedro de Castro Zorrilla Marañon.* [«Qué confussion de prodigios...»]. (Págs. 118-120).
76. *Romance de Antonio Lopez de Mendoza.* [«Muere Felipe en aquel...»]. (Págs. 121-123).
77. *Romance de Gregorio Ortiz Moncayo y Muñoz.* [«O! El aire, no de las Musas...»]. (Págs. 124-126).
78. *Romance de Petronila de Valcazar.*

[«Para bolar a la altura...»]. (Págs. 127-129).

79. *Romance de Juan de las Hevas.* [«Dos Heroes que á duros golpes...»]. **(Págs. 130-132).**

80. *Romance de Manuel de San Martin Ozina y Benavente.* [«Qué portento es el que admira...»]. (Págs. 133-135).

81. *Romance de Francisco Carrasco Sanz.* [«Entre las grandes Virtudes...»]. (Págs. 136-138).

82. *Romance de Antonio de Torres.* [«**Azia** dos partes se escuchan...»]. (Págs. 139-141).

83. *Romance de Diego de Naxera Cegri.* [«Muere en una **Cruz** Felipe...»]. **(Págs. 142-144).**

84. *Introducción y Romance de Francisco Tomas de Castellanos y Villa - Nueva.* [«Abrasados Serafines...»]. (Págs. 145-151).

85. *Romance de Pedro Pablo Villet.* [«No es valor, es cobardia...»]. (Págs. 151-154).

86. *Romance de Blas Antonio Artacho y Gamboa.* [«Si oy el discurso es Palestra...»]. (Págs. 154-156).

87. *Rimas de Francisco Candámo.* [«De Armenia el Golfo, al Zefiro suave...»]. (Páginas 159-160).

88. *Octavas de Pedro de Castro Zorrilla Marañon.* [«Sacro cadavez, venerado bulto...»]. (Págs. 161-162).

89. *Octavas de Fray Pedro de Santa Teresa.* [«Ea, Sagrado Apostol! buen viage...»]. (Págs. 163-164).

90. *Octavas de Antonio Gamarra.* [«Naufragio de coral, en duro leño...»]. (Págs. 165-166).

91. *Octavas de Marcelo Antonio de Ayala y Guzmán.* [«Muetra una luz, una centella viva...»]. (Págs. 167-168).

92. *Octavas de Bernardo de Andia.* [«Ea, Sagrado Apostol! buen viage...»]. (Págs. 169-170).

93. *Octavas de Martin Carrera.* [«Aquél Babél de vidrio, cuya espuma...»]. (Págs. 171-172).

94. *Octavas de Juan de Granada y Feijó.* [«A esse Monstruo, que casi el Mundo sorbe...»]. (Págs. 173-174).

95. *Octavas de Frey Diego del Peral Vereterra.* [«Sagrado Coro, del furor Museo...»]. (Págs. 175-176).

96. *Octavas de Juan Pereyra de Silva.* [«Impiamente feróz, ardiendo en ira...»]. (Págs. 177-178).

97. *Octavas de Andres de Alvarado.* [«Pesada carga sobre espalda leve...»]. (Págs. 179-180).

98. *Octavas de Bartolome Ponce de Leon*

y *Corruchaga.* [«Canto la tempestad mas sossegada...»]. (Págs. 181-182).

99. *Dezimas de Joseph Antonio Mulsa.* [«Como, el orden alterado?...»]. (Págs. 185-186).

100. *Dezimas de Antonio de la Roca.* [«Para Predicar combida...»]. (Págs. 187-188).

101. *Dezimas de Joseph de Ocariz.* [«De Mateo, el Misterio...»]. (Págs. 189-190).

102. *Dezimas de Antonio de Vargas.* [«Fee, Esperança, y Caridad...»]. (Págs. 191-192).

103. *Dezimas de Pedro Alonso Moreno.* [«Al combite singular...»]. (Págs. 193-194).

104. *Glossa de Joseph Tinoco.* [«El milagro, y la evidencia...»]. (Págs. 197-198).

105. *Glossa de Diego de Naxera Zegri.* [«Pablo, y Elias lloravan...»]. **(Págs. 199-200).**

106. *Glossa de Francisco Bueno.* [«Tadéo comió obediente...»]. (Págs. 201-202).

107. *Glossa de Antonio de Ascargorta.* [«Aunque Dios, por su clemencia...»]. (Págs. 203-204).

108. *Glossa de Frey Diego del Peral Vereterra.* [«De ingenio es, y habilidad...»]. (Págs. 205-206).

109. *Glossa de Juan Claudio de la Hoz y Medina.* [«Medio pan á Pablo ofrece...»]. (Págs. 207-208).

110. *Glossa de Joseph de Arroyo.* [«San Judas, favorecido...»]. (Págs. 209-210).

111. *Glossa de Gregorio Ortiz Moncayo y Muñoz.* [«Con medio pan socorrido...»] (Págs. 211-212).

112. *Glossa de Antonio de Torres.* [«Oy forman lucha Sagrada...»]. (Págs. 213-214).

113. *Glossa de Antonio de Benavides.* [«Como seria (hazed quenta)...»]. (Págs. 215-216).

114. *Glossa de Francisco Leitao Ferreira.* [«Juan, aquel de quien oy hablo...»]. (Páginas 217-218).

115. *Glossa de Manuel Antonio de Velasco.* [«Oy feliz, por atrevido...»]. (Págs. 219-220).

116. *Glossa de Juan de Villaroel Davila Calderón.* [«Con Pablo, Juan, competencia...»]. (Págs. 221-222).

117. *Glossa Jocoseria de Feliciano Fernandez de Heredia Pisa Gilbert y Carbi.* [«Dios reparte los Talentos...»]. (Págs. 223-224).

118. *Glossa de Juan Gomez de Bustamante.* [«Crece á desmayos, sin tassa...»]. (Páginas 225-226).

119. *Tercetos de Luys Antonio Ramirez.* [«Qué es esto? aun dura el odio en que se mira...»]. (Págs. 229-230).

120. *Tercetos de Gabriel de Campos.* [«De-

sigual lucha, en ademán ossado...»]. (Págs. 231-232).

121. *Tercetos de Francisco de Saavedra.* [«Donde de tu Virtud, glorioso el abuelo...»]. (Págs. 232-234).

122. *Tercetos de Fray Pedro de Santa Teresa.* [«Pisa Diego del Templo la alta cumbre...»]. (Págs. 235-236).

123. *Tercetos de Antonio de Vargas.* [«De el Decreto del Cielo, nunca excede...»]. (Páginas 237-238).

124. *Endechas Endecasilavas de Francisco de Santa Luzia.* [«Regular successiva...»]. (Págs. 241-242).

125. *Endechas Endecasilavas de Alonso Maza.* [«Siendo efecto de culpa...»]. (Páginas 244-246).

126. *Endechas Endecasilavas de Eugenio Medrano.* [«Simón, librando un justo...»]. (Págs. 247-249).

127. *Endechas Endecasilavas de Agustin Navarrete.* [«Si á explicar acertáre...»]. (Págs. 250-252).

128. *Endechas Endecasilavas de Manuel de Arriaga y Ribadeneira.* [«Aquél, que de piedades...»]. (Págs. 253-255).

129. *Endechas Endecasilavas de Juan de Quevedo Arjona.* [«De la Fé las primicias...»]. (Págs. 256-258).

130. *Endechas Endecasilavas de Diego de Naxera Zegri.* [«Ya que es la voz de el Alma...»]. (Págs. 259-261).

131. *Endechas Endecasilavas de Jacinto Yañez de Ortega.* [«O qué bien se compiten...»]. (Págs. 262-264).

132. *Endechas Endecasilavas de Agustin Entonado Espinosa.* [«Por Simón habla un niño...»]. (Págs. 265-267).

133. *Redondillas de Diego de Naxera Zegri.* [«La hermosura de la llama...»]. (Págs. 270-272).

134. *Redondillas de Antonio de Vargas.* [«Dos Assuntos Soberanos...»]. (Págs. 273-275).

135. *Redondillas de Nicolás de Ibarrola.* [«Recibió el hombre el aliento...»]. (Págs. 276-278).

136. *Poesías latinas de Fr. Francisco Montero.* (Págs. 282-284).

137. *Poesía latina de Ioannes de Santa Cruz.* (Pág. 285).

138. *Poesías latinas de Estevan Cruzado y Ferrer.* (Pág. 286).

139. *Poesía latina de Onofre Ibañez.* (Pág. 287).

140. *Poesía latina de Isidro Lopez Ramirez.* (Pág. 288).

141. *Poesía latina de Fr. Pedro de Torres.* (Pág. 289).

142. *Poesía latina de Francisco Antonio de la Huerta.* (Pág. 290).

143. *Poesía latina de Fr. Pedro de Santa Maria.* (Pág. 291).

144. *Poesía latina de Jodocus de Backer.* (Pág. 292).

145. *Poesía latina de Nicolas Lucini.* (Pág. 293).

146. *Poesía latina de Emmanuel Thomas de Legazpi.* (Pág. 294).

147. *Poesía latina de Alfonso Antonio Sedeño.* (Pág. 295).

148. *Interpretación.* [«Tomás, Apostol Divino...»]. (Págs. 296-297).

149. *Dezima Castellana Latina.* [«Glorias respira inmortales...»]. (Pág. 298).

150. *Poesía latina de Petrus Falcon.* (Pág. 299).

151. *Poesía latina de Fr. Simón de Santo Angelo.* (Pág. 300).

152. *Poesía latina de Petrus Falcon.* (Página 301).

153. *Poesía latina de Didaci Flores.* (Pág.-302).

154. *Poesía latina de Fr. Michael Alima.* (Pág. 303).

155. *Poesía latina de Isidorus Antonius de Porras.* (Pág. 304).

156. *Poesía latina de Petrus Gundisalvus de Godoy.* (Pág. 305).

157. *Poesía latina de Jacobus Dardane.* (Pág. 306).

158. *Poesías latinas de Salvator Comina.* (Págs. 307-308).

159. *Poesía latina de Didacus Sanchez.* (Pág. 309).

160. *Poesía latina de Josephus Rupertus de Yritico.* (Pág. 310).

161. *Poesía latina de Ioannes de Chozas.* (Pág. 311).

162. *Poesía latina de Petro Scotti.* (Pág. 312).

163. *Poesía latina de Fr. Ioannes Garcia Feyjoo.* (Pág. 313).

164. *Quintillas Jocosas de Fernando la Peña.* [«Un asno, con gran primór...»]. (Páginas 315-317).

165. *Quintillas de Fray Pedro de Santa Teresa.* [«Hablár de un robo imagino...»]. (Págs. 318-320).

166. *Quintillas Jocosas de Manuel de Vergara Guzmán y Leiva.* [«En el Certamen me he entrado...»]. (Págs. 321-323).

167. *Quintillas de Juan de Segovia Manzano.* [«Musa,, prestame tu aliento...»]. (Págs. 324-326).

168. *Quintillas de Diego de Naxera.* [«Pues soy hijo del Parnaso...»]. (Págs. 327-329).
169. *Quintillas de Juan Sancho de Caviedes.* [«Musa, mas de dos mil dudas...»]. (Págs. 330-332).
170. *Quintillas de Antonio de Urueña Navamuel.* [«Pues del burro, y Ladron trato...»]. (Págs. 333-335).
171. *Quintillas de Diego de Villegas y Luna.* [«Judas, Ladron, y pollino...»]. (Págs. 336-338).
172. *Quintillas de Juan de Villaviciosa y Valladolid.* [«No ay sino es salir de dudas...»]. (Págs. 339-341).
173. *Quintillas de Diego Velazquez del Puerto.* [«De un asno pardo he de hablár...»]. (Págs. 342-344).
174. *Quintillas de Juan Gomez de Bustamante.* [«Va de quento, y sepan quantos...»]. (Págs. 345-347).
175. *Quintillas de Un Incognito.* [«Pues tan severos leeis...»]. (Págs. 348-350).
176. *Quintillas de Fray Juan Perez Palomares.* [«De Judas á hablar me allano...»]. (Págs. 351-353).
177. *Quintillas de Fermin de Contreras y Unçueta.* [«Un Ladron, que hurtár quería...»]. (Págs. 354-356).
178. *Quintillas de Lucas Manjares.* [«Veinte Quintillas aplico...»]. (Págs. 357-359).
179. *Quintillas de Tomas Joseph de Santa Maria.* [«El Certamen me ha mandado...»]. (Págs. 360-362).
180. *Canción Real de Juan de Quevedo Arjona.* [«De la ligera Fama...»]. (Págs. 363-369).

Salvá, I, n.º 385; Gallardo, IV, n.º 383.

GRANADA. *Universitaria.* B-73-103; A-2-238.— MADRID. *Facultad de Filosofía y Letras.* 29.075; 29.473. *Nacional.* R-15.239; 2-43.819.— SANTANDER. «*Menéndez Pelayo*». R-I-A-83; R-VII-2-181.—SEVILLA. *Colombina.* 21-2-23.

«JUSTA poética...»

5118

IVSTA potica, a la pvreza de la Virgen Nuestra Señora. Celebrada en la parroquia de San Andrés de la Ciudad de Cordoua, en quinze de Enero, de 1617. Sevilla. Gabriel Ramos Bejarano. 1617. 12 hs. 19 cm.

—Ded. a la Virgen María.—Glosa de Pedro de Cardenas y Angulo. Letra: «El que se os concede a vos...»]. *Glosa.* [«Si en Dios para tomar ser...»].—Romance de

José Perez de Ribas. [«Triunfos blasonando altiuos...»].—Soneto de Francisco de Galuez. [«Este Imperioso soberanamente...»].—Soneto de Iuan de Peñalosa y Sandoual. [«Cisnes, que entre erizadas, si luzientes...»].—Decimas del mismo. [«Nueua adquiera ya esperança...»]. Otavas del mismo. [«No humano assunto erija vano acento...»].—Glosa de Andres Lopez de Robles. Letra: [«El que se os concede a vos...». Glosa. [«Quiso Dios, quando os formó...»].—Otavas de Antonio de Paredes. [«Oy ilustra mi mente sacra idea...»].—Soneto del Padre Marquez. [«En el diluuio Vniuersal se vido...»].—Soneto de Pedro Díaz de Ribas. [«Por insinuar Virgen tu belleza...»].—Soneto de Luys de Gongora y Argote, glosando el verso «Virgen pura, si el Sol, Luna, y Estrellas. [«Si ociosa no assistió naturaleza...»].—Soneto glosando el mismo pie, de Enrique Vaca de Alfaro. [«Deidad suprema no, suprema hechura...»].—Canción del mismo. [«De una alma Primauera...»].—Romance jocoso del mismo. [«Madruga a regar Aljofar...»].

MADRID. *Nacional.* R-Varios, 58-44. — NUEVA YORK. *Hispanic Society.*—SEVILLA. *Colombina.* 63-4-7. *Universitaria.* 95-13(5).

5119

IVSTA poetica por la Virgen Santissima del Pilar. Celebración de su Insigne Cofradía. Sacada á luz, por el Licenciado Iuan Bautista Felices de Caceres. Zaragoza. Diego la Torre. 1629. 2 hs. + 144 págs. 19,5 cm.

—Apr. del Licdo. Iuan de Fuentes Saz.— L.—Poesía latina del Dr. Bartolomé Leonardo de Argensola.

—*Introducción.* [«El aureo Apolo, el delfico Monarca...»]. (Págs. 1-27).
1. *Cancion del P. Fr. Miguel Dezpeleta.* [«Si goça cada dia (raro caso)...»]. (Págs. 33-37).
2. *Cancion de Pedro de Vargas Machuca.* [«En su mayor silencio, no passada...»]. (Págs. 37-42).
3. *Cancion de Fr. Angelo Hermitaño.* [«Aguas que vays risueñas a la muerte...»]. (Págs. 42-46).
4. *Cancion del Lic. Iuan Nadal.* [«Presidiendo en la silla de su imperio...»]. (Páginas 47-51).
5. *Cancion del Lic. Francisco Lopez de*

Virgen. [«Partiose el Sol, que a la Estrella...»]. (Págs. 128-29).

50. *Geroglifico del Lic. Dislate.* [«Pues este yrse y quedarse, tan a punto...»]. (Pág. 129).

51. *Romance de Maria Petronila Serra.* [«Templo, y primicia de España...»]. (Págs. 137-38).

52. *Romance de Melchor de Talabera.* [«Diuino, fuerte, inuencible...»]. (Págs. 138-140).

Jiménez Catalán, *Tip. zaragozana del siglo XVII,* n.º 282.

MADRID. *Nacional.* 3-70.301. — ZARAGOZA. *Universitaria.* A 62-245.

5120

IVSTA poetica, lid de ingenios, y celebrada academia en la Real Fabrica del Tabaco. Presidiendo en ella Don Lvis de Acosta y Amezqvita, y su Fiscal D. Ioseph Ruiz, y Secretario D. Manuel López Laguna. Celebrose en esta ilvstre civdad de Granada el día 16 de Agosto de 1674 años. Granada. Imp. Real de Nicolás Antonio Sánchez. 1674. 29 fols. + 1 h. 20 cm.

1. *Oración de Luys de Acosta y Amezquita.* [«Turbado mi discurso...»]. Fols. 3r-4r).

2. *Dezimas de Iacinto Roca.* [«Dorotea que en verdad...»]. (Fols. 7v-8r).

3. *Madrigales de Antonio Andrés de Ribera.* [«Vives, ó mueres, tu, que al desengaño...»]. (Fol. 8).

4. *Romance de Rodrigo Lopez de Vega.* [«Yaze en la Ilustre Granada...»]. (Fol. 9).

5. *Romance de Fernando de Acosta y Amezquita.* [«A una Poeta bastarda...»]. (Fols. 9v-10r).

6. *Canción de Alonso de Cordova.* [«O Tu, que no has labrado...»]. (Fol. 10).

7. *Octavas de Clemente Francisco de Ortega.* [«Trabose una contienda entre los quatro...»]. (Fol. 11).

8. *Glossa de Iuan Perez de Castro.* [«Clori, si mi amor te inflama...»]. (Fols. 11v-12v).

9. *Endechas de Pedro Dionisio Sesse.* [«Cercada de amarguras...»]. (Fol. 12).

10. *Soneto de Iuan de Espinosa.* [«Suabe,

hermosa, clara, transparente...»]. (Fols. 12v-13r).

11. *Redondillas de Iuan Feliz de la Vega.* [«Lisis, de escrivir me han dado...»]. (Fol. 13).

12. *Liras de Lucas Teran.* [«Oy mi pluma sin ira...»]. (Fols. 13v-14r).

13. *Quintillas de Francisco de Vrra.* [«Un hombre mi assunto es...»]. (Fol. 14).

14. *Quintillas de Blas del Castillo.* [«Una vid darle dispuso...»]. (Fols. 14v-15r).

15. *Endechas de Francisco de Medina.* [«Triste, y pensativo...»]. (Fol. 15).

16. *Dezima de Iuan Felix de la Vega.* [«Prolijos giros haziendo...»]. (Fol. 25v).

17. *Soneto de Antonio Andrés de Ribera.* [«Pensil, hermoso centro de las ciencias...»]. (Fol. 26r).

18. *Dezima de Antonio Andrés de Ribera.* [«Curioso, si immortal quieres...»]. (Fol. 26).

19. *Octava de Antonio Andrés de Ribera.* [«Tenga eterno el renombre que merece...»]. (Fol. 26v).

20. *Quintilla de Antonio Andrés de Ribera.* [«No cesse la aclamación...»]. (Fol. 26v).

21. *Soneto de Rodrigo Lopez de Vega.* [«Archivo eres de Ingenios expeditos...»]. (Fol. 27r).

22. *Madrigales de Iuan Felix de la Vega.* [«Si del Parnaso globo al Sacro Imperio...»]. (Fol. 27).

23. *Pronóstico en Esdruxulos de Francisco Morote.* [«Aunq' mis discursos justicos...»]. (Fols. 27v-28r).

24. *Quintillas de Iacinto Joseph Roca y Gras.* [«No cesse la lengua mia...»]. (Fol. 28).

25. *Romance de Lucas Teran.* [«Dava entre horrores y sombras...»]. (Fols. 28v-29v).

MADRID. *Nacional.* 3-32.970.

5121

JUSTA poética celebrada en la Parroquia de San Andrés de Córdoba el día 15 de Enero de 1617. Con una advertencia y adiciones por José M. de Valdenebro y Cisneros. Tirada de cien ejemplares. Sevilla. C. de Torres. 1889. XI + 61 págs. + 1 h. 16,5 cm.

MADRID. *Nacional.* R-5.881.—URBANA. *University of Illinois.*

JUSTA Y PONT (JERONIMO)

Secretario del Consejo de S. M. y del obispo de Plasencia D. Luis Crespí de Borja.

EDICIONES

5122

[*DEDICATORIA*]. (En Esquex, Francisco. *Sermon en las exequias... al... Señor D. Luis Crespi de Borja, Obispo de Plasencia...* Madrid. 1663. Preliminares).

MADRID. *Nacional.* 2-17.221.

«JUSTAS literarias...»

EDICIONES

5123

JUSTAS litterarias hechas en loor del bienauenturado sant Pedro principe de los apostoles y de la bienauenturada santa Maria Magdalena. Agora nueuamente hechas en el año de mil y quinientos y XXXII. z XXXIII. [Sevilla. Bartholomé Perez]. [1533]. 18 hs. 21 cm. gót.

—Alabanças de sant Pedro y de la bienauenturada santa Maria Magdalena.— Fueron vistas y examinadas y dadas por muy catholicos las presentes coplas... por Fr. Luys de Caruajal y Fr. Pedro de Ribera.—Poesías.—Colofón.

Composiciones de Antonio Perez, Pedro de Salinas, Bernardo de la Torre, Andres Quebedo, etc.

Gallardo, I, n.º 1.155; Rodriguez Moñino, *Diccionario,* n.º 909.

MADRID. *Nacional.* R-6.986 (3).

5124

JUSTAS literarias en loor del glorioso apostol sant Pablo: y de la bienaventurada santa Cathalina virgen y martyr: hechas en las casas de la morada del... Obispo de escalas en... Seuilla. La vna el primero día de Diziembre del año M.D.XXXIII. La otra... a onze de Enero del año mil y quinientos y treynta y quatro. [Se-villa. Bartholome Perez]. [1534]. 20 hs. 21 cm. gót.

Gallardo, I, n.º 1156; Rodríguez Moñino, *Diccionario,* n.º 910.

MADRID. *Nacional.* R-6.086 (4).

«JUSTAS poéticas...»

EDICIONES

5125

IVSTAS poeticas hechas a devocion de Don Bernardo Catalan de Valeriola. Valencia. Iuan Chrysostomo Garriz. 1602. 4 hs. + 267 págs. + 2 hs. 14,5 cm.

—Pr. del Lugarteniente y Capitán General del Reino de Valencia a D. Bernardo Catalá, en valenciano.— Apr. de Pedro Iuan Assensio.—Ded. a D. Francisco de Rojas Sandoual, Duque de Lerma, etc., por Bernardo Catalan de Valleriola.—Al lector.—E.—Texto.

1. *Soneto de Francisco Tarrega.* [«Guarida eterna alcança en aquel seno...»]. (Página 1).
2. *Soneto de Miguel de Ribellas.* [«La Capitana del Virgineo coro...»]. (Pág. 2).
3. *Soneto de Marco Antonio Pintor.* [«Hermosos espiritus, que con Dios asidos...»]. (Págs. 2-3).
4. *Soneto de Ioachim de Calatayu.* [«Hoy sube al cielo la inclyta Donzella...»]. (Págs. 3-4).
5. *Soneto de Francisco Crespi de Valldaura.* [«Virgen y Madre, que del Sol vestida...»]. (Pág. 4).
6. *Soneto de Alonso de Rebolledo.* [«La palma de Cades Virgen subida...»]. (Pág. 5).
7. *Soneto de Antonio de Padilla.* [«Sobre los altos cedros de la cumbre...»]. (Págs. 5-6).
8. *Soneto de Francisco Iuan Pintor.* [«Aunque libre de culpa, no se espanta...»]. (Páginas 6-7).
9. *Soneto de Fernando Pretel.* [«De infinitos despojos rodeada...»]. (Pág. 7).
10. *Soneto de Gaspar de Arellano.* [«Entre la Luna, y Sol puesta la tierra...»]. (Págs. 7-8).
11. *Soneto de Geronymo Virues.* [«Maria Fenix unica gloriosa...»]. (Págs. 8-9).
12. *Soneto de Evaristo Mont.* [«Como la piedra Yman de virtud rara...»]. (Pág. 9).

13. *Soneto de Iuan de Mendoço.* [«Nacistes Virgen, y gloriosa planta...»]. (Pág. 10).
14. *Soneto de Fray Francisco Diago.* [«La Corte de los cielos populosa...»]. (Págs. 10-11).
15. *Soneto de Francisco Iulian.* [«La muerte, ley que al hijo d'Eva obliga...»]. (Pág. 11).
16. *Soneto de Pedro Marañon.* [«Del Sol que ella vistio, toda vestida...»]. (Pág. 12).
17. *Octavas de Fernando de Moncada.* [«Del campo azul las flordelises de oro...»]. (Págs. 12-15).
18. *Octavas de Feliciano Adrian.* [«En la viña qu'el Padre eterno planta...»]. (Págs. 15-17).
19. *Octavas de Fernando Pretel.* [«De la fuente más rara que Elicona...»]. (Págs. 17-19).
20. *Octavas de Evaristo Mont.* [«Dame de tu dulçura alguna parte...»]. (Págs. 19-21).
21. *Octavas de Miguel de Ribellas.* [«Tu que con pecho noble despreciaste...»]. (Páginas 22-24).
22. *Octavas de Alonso de Rebolledo.* [«Si busco entre los santos lo que veda...»]. (Págs. 24-26).
23. *Redondillas de Marco Antonio Pintor.* [«Mientras os veo dormido...»]. (Págs. 26-29).
24. *Redondillas de Gaspar Escriva de Romani.* [«Sagrado y divino Iuan...»]. (Págs. 30-32).
25. *Redondillas de Francisco Iuan Pintor.* [«Atrevierame a escribir...»]. (Págs. 32-35).
26. *Redondillas de Alonso de Rebolledo.* [«Aguila caudal no huyas...»]. (Págs. 35-37).
27. *Redondillas de Miguel de Ribellas.* [«Vos Iuan que siendo luz nuestra...»]. (Págs. 37-39).
28. *Redondillas de Fernando Pretel.* [«Gallarda presa aveys hecho...»]. (Págs. 40-42).
29. *Redondillas de Geronymo Virues.* [«Si vuestras grandezas Iuan...»]. (Págs. 42-44).
30. *Redondillas de Vicente Ioachim de Miravee.* [«Vuestras alabanças Iuan...»]. (Páginas 44-47).
31. *Romance de Alonso de Rebolledo.* [«La Virgen que pario a Dios...»]. (Págs. 47-50).
32. *Romance de Hernando Pretel.* [«Si partiendose Maria...»]. (Págs. 51-55).
33. *Romance de Iayme Orts.* [«En la recogida celda...»]. (Págs. 55-58).
34. *Sentencia Primera de Francisco Tarrega.* [«Abrese con estruendo la morada...»]. (Págs. 58-88).
35. *Soneto de Francisco Tarrega.* [«Tierra

de promision, q'el pan de vida...»]. (Pág. 89).
36. *Tercetos de Marco Antonio Pintor.* [«Quando la fuerça de la Fe en Maria...»]. (Págs. 90-93).
37. *Tercetos de Gaspar Escolano.* [«En la borrasca temerosa y fuerte...»]. (Págs. 93-94).
38. *Soneto de Gaspar Aguilar.* [«El verde Campo de la humana fuerte...»]. (Págs. 94-95).
39. *Soneto de Gaspar Escriva de Romani.* [«Combate el ancho mar tempestuoso...»]. (Pág. 95).
40. *Soneto de Miguel Beneyto.* [«Tuvo Dios una torre fabricada...»]. (Pág. 96).
41. *Soneto de Fr. Antonio Iuan.* [«Si ser de la Fé padre le conviene...»]. (Págs. 96-97).
42. *Soneto de Felipe Cathalan.* [«Es tan grande tu Fe Virgen que admira...»]. (Páginas 97-98).
43. *Soneto de Hernando Pretel.* [«Si dos manos asidas la Fe tiene...»]. (Pág. 98).
44. *Soneto de Pedro Iuan de Villanueva.* [«Puso Dios en la Torre de Maria...»]. (Pág. 99).
45. *Soneto de Fr. Iuan Nuñez.* [«Madre de aquel, en quien la Fe no mora...»]. (Págs. 99-100).
46. *Soneto de Pedro Iuan de Tapia.* [«La Fe constante, y caridad ardiente...»]. (Págs. 100-101).
47. *Soneto de Iayme Garcia.* [«Divina luz serena, clara, y pura...»]. (Pág. 101).
48. *Redondillas de Francisco Iuan Pintor.* [«Quiero Benito alabar...»]. (Págs. 102-104).
49. *Octavas de Marco Antonio Pintor.* [«Nuevo Abraham cabeça de una gente...»]. (Págs. 105-107).
50. *Octavas de Hernando Pretel.* [«Dexa los triunfos del Romano suelo...»]. (Págs. 107-109).
51. *Octavas de Sor Bernarda Romero.* [«Benito vuestra vida nos espanta...»]. (Págs. 109-112).
52. *Octavas de Fr. Antonio Iuan.* [«Segun publica la Romana trompa...»]. (Págs. 112-114).
53. *Octavas de Iuan Andres Nuñez.* [«Buscó Benito del fragoso hiermo...»]. (Págs. 114-116).
54. *Octavas de Iusepe Gascon.* [«Sagradas trompas de la eterna fama...»]. (Págs. 116-119).
55. *Octavas de Constantino Salort.* [«De tiernos años, aunque ya endiosado...»]. (Páginas 119-121).

estar naturaleza corrompida...»]. (Págs. 241-267).

MADRID. *Nacional.* R-8.779.

5126

JUSTAS poéticas sevillanas del siglo XVI (1531-1542). Reimpresas por vez primera... con un estudio preliminar de Santiago Montoto. Valencia. Castalia. 1955. XXIX + 349 págs. + 5 hs. 18 cm. (Col. Joyas Poéticas Españolas, 6).

MADRID. *Nacional.* 4-44.190.

JUSTE (FR. LUIS)

EDICIONES

5127

RELACION de la persecvcion qve tvbo la Iglesia en el Japon en dos años, es a saber, desde el 1626 hasta el 1628... Traduzida de Italiano en Castellano por ——. Barcelona. Francisco Cormellas. 1669. 28 fols. + 2 hs. 12.º

JUSTE Y HARMIDA (JUAN DE)

EDICIONES

5128

[*GLOSSA*]. (En *Fiestas Minervales...* Santiago. 1697, pág. 108).

MADRID. *Nacional.* 3-55.216.

«JUSTICIA...»

EDICIONES

5129

IVSTICIA del inclyto Principe D. Iuan IV. Rey de Portugal, de los Algarues, y conquista de Guinea. Arbol de los Reyes Portugueses, y casa de Bergança. Leyes de Lamego, hechas en la fundacion del Reyno, Privilegios que prometiò guardar el Rey D. Felipè II, en su nombre, y de sus successores. Iuramento de D. Alfonso I. Rey de Portugal, de la Vision de Iesu Christo, quando le diò las armas: En que parece que se prometia al Reyno la marauillosa Coronacion de el Rey D. Iuan IV, con otros Titulos en fauor de este Principe. Barcelona. Iayme Romeu. Y a su costa. 1642. 10 hs. 21 cm.

—Al amigo de saber con certeza.—Texto.

MADRID. *Nacional.* R-Varios, 169-50.

JUSTICIA (P. JOSE DE LA)

N. en Calatayud (1613). Jesuita desde 1629. Residió en Méjico. Rector de los Colegios de Mérida y Oaxaca. M. en Querétaro (1681).

CODICES

5130

«*Premiar por solo saber*».

Letra del primer tercio del s. XVII. 18 hs. 4.º Entre los interlocutores de esta comedia figura Antonio de Nebrija.

«—¿A dónde te quieres ir?...».

Paz, I, n.º 2.948.

MADRID. *Nacional.* Mss. 3.907 (fol. 181).

EDICIONES

5131

APARATO fvnebre de la imperial civdad de Zaragoza, en las exequias de la S. M. C. Doña Isabel de Borbon Reina de España. Zaragoza. Hospital Real y General de N. S. de Gracia. 1644. 4 hs. + 28 + 94 págs. + 15 hs. 20 cm.

—Ded. a la ciudad de Zaragoza.—Adviertese al lector.—Texto.

1. *Emblema. Décimas.* [«Fuerte, i muger? Contradize...»]. (2.ª Parte. Pág. 4).
2. *Geroglífico. Décimas.* [«Nace en Francia porque sea...»]. (Pág. 5).
3. *Geroglífico. Décimas.* [«En su vizarra beldad...»]. (Pág. 6).
4. *Geroglífico. Decimas.* [«Nacer Reina fue ventura...»]. (Pág. 7).
5. *Geroglífico. Décimas.* [«No fue lo mas desarmar...»]. (Pág. 8).
6. *Geroglífico. Decimas.* [«Dio por si misma vestido...»]. (Pág. 9).
7. *Emblema. Décima.* [«Prodiga mies contribuye...»]. (Pág. 10).

8. *Emblema. Decimas.* [«Mayor vitoria enoblece...»]. (Pág. 11).
9. *Geroglifico. Decimas.* [«Morir viviendo la fama...»]. (Pág. 12).
10. *Emblema. Decimas.* [«Liman del tiempo las plumas...»]. (Pág. 13).
11. *Geroglífico. Décimas.* [«Fue su liberal grandeza...»]. (Pág. 14).
12. *Geroglífico. Décimas.* [«Tan noble celeste Idea...»]. (Pág. 15).
13. *Geroglífico. Décimas.* [«Cupo a Filipo la suerte...»]. (Pág. 16).
14. *Emblema. Décimas.* [«Las joyas quiso vender...»]. (Pág. 17).
15. *Geroglífico. Décimas.* [«Negada su inclinación...»]. (Pág. 18).
16. *Emblema. Décimas.* [«Sin embarazos de hermosa...»]. (Pág. 19).
17. *Geroglífico. Décimas.* [«Apacible condicion...»]. (Pág. 20).
18. *Emblema. Décimas.* [«Atenta al feliz govierno...»]. (Pág. 21).
19. *Emblema. Décimas.* [«No pudo belleza tal...»]. (Pág. 22).
20. *Geroglífico. Décimas.* [«Ser entre grandes igual...»]. (Pág. 23).
21. *Geroglífico. Décimas.* [«Murio Isabel: al engaño...»]. (Pág. 24).
22. *Geroglífico. Décimas.* [«Aunque la muerte marchita...»]. (Pág. 25).
23. *Geroglífico. Dézimas.* [«Muere Isabel en los llenos...»]. (Pág. 26).
24. *Emblemas latinos.* (Págs. 27-40).
25. *Francesa, tvvo española el alma. Soneto.* [«Deste bello prodigio se prohija...»]. (Pág. 41).
26. *Hija de Enrique Qvarto, belicosissimo principe. Soneto.* [«No fue arbitrio el nacer, ni fue ventura...»]. (Pág. 42).
27. *En avsencias del Rei govierna la Reina con svmo acierto. Soneto.* [«El siglo de oro, con que baña el suelo...»]. (Pág. 43).
28. *Fomentó la guerra contra franceses. Soneto.* [«Ya, Francia, a la que fue Reina de flores...»]. (Pág. 44).
29. *No llora al avsentarse el Rei, i mvere estando avsente. Soneto.* [«Ausente muere, la que ausente vive...»]. (Pág. 45).
30. *Mvere de vna erisipela. Soneto.* [«Fogoso humor destempla de tu cara...»]. (Página 46).
31. *Mvrio la Reina de mediana edad. Soneto.* [«El Sol, que buelto en si con el rocio...»]. (Pág. 47).
32. *A la Muerte de la Serenissima Reina de España, Doña Isabel de Borbon. Soneto.* [«Yaze en nevado marmol, la que rojos...»]. (Pág. 48).

33. *A su muerte. Soneto.* [«Llora en Tumbas España la que estrellas...»]. (Pág. 49).
34. *A su muerte. Soneto.* [«En el Zenid mas claro de la vida...»]. (Pág. 50).
35. *A su muerte. Soneto.* [«En lobreguez de Piras abreviada...»]. (Pág. 51).
36. *Al tumulo. Soneto.* [«Este que miras funeral portento...»]. (Pág. 52).
37. *Al tumulo. Soneto.* [«En pardas sombras de la muerte yaze...»]. (Pág. 53).
38. *Al Tvmulo. Soneto.* [«Este difunto alarde que eminente...»]. (Pág. 54).
39. *Poesías latinas.* (Págs. 55-84).
40. *Lyras.* [«No de Apolo la lira...»]. (Páginas 85-86).
41. *Lyras.* [«A la Flor mas hermosa...»]. (Págs. 86-87).
42. *A la muerte de la Reina... Romance.* [«Primera llora en el Hebro...»]. (Págs. 88-89).
43. *Geroglífico. Décima.* [«Lo valiente con lo hermoso...»]. (Pág. 90).
44. *Geroglífico.* [«Isabel hecha Gigante...»]. (Pág. 91).
45. *Geroglífico.* [«En dos Atlantes España...»]. (Pág. 91).
46. *Geroglífico.* [«Aunque el acero fatal...»]. (Pág. 92).
47. *Geroglífico.* [«Hecha un Argos se quebranta...»]. (Pág. 92).
48. *Geroglífico.* [«Del achaque de ser flor...»]. (Pág. 93).
MADRID. *Nacional.* 3-66.412.—NUEVA YORK. *Hispanic Society.*

5132
HISTORIA de la Virgen de la Cveva Santa. Escriviola ——... *Pvblicala... Iuan Mariano Arnau...* Valencia. Bernardo Nogués. 1655. 1 lám. + 7 hs. + 251 págs. + 2 hs. 20 cm.

—L. O.—Apr. de Pedro Garrido.—L. V.— Advertencia, y Protestacion del Autor.— Ded. a la Reina D.ª Mariana de Austria, por Arnau.—A. D.ª Mariana de Velasco, Condesa de Sinarcas, el mismo.—Texto. Indice de los capitulos.—Colofón.

MADRID. *Academia de la Historia.* 5-4-8-1.915. *Facultad de Filosofía y Letras.* 25.548. *Nacional.* 3-67.029 (sin la lámina).

5133
HISTORIA de la Virgen de la Cveva Santa. Escriviola ——... *Pvblicala... Iuan Mariano Arnau...* Valencia. Ber-

nardo Noglés. 1665. 1 lám. + 7 hs. + 251 págs. + 2 hs. 20 cm.

—L. O.—Apr. de Pedro Garrido.—L. V.— Aduertencia, y Protestacion del Autor.— Ded. a la Reina D.ª Mariana de Austria, por Arnau.—A D.ª Mariana de Velasco, Condesa de Sinarcas, el mismo.—Texto.— Indice de los capitulos.—Colofón.

MADRID. *Academia de la Historia.* 5-4-8-1.915. *Nacional.* 3-67.029 (sin la lámina).

5134

SANTUARIO de la Virgen de la Cueva Santa: Compendio de su Historia y Novenario. Añadido y enmendado en esta segunda edición por su autor. Valencia. Antonio Bordázar. 1738. 1 h. + 60 págs. 8.º

Aprobaciones

5135

[APROBACION, 8 de mayo de 1658]. (En Llana, Ignacio de la. *Nunc Optimo Mecœnati reverenti dicat Obsequio Opus Obiective Immaculatum...* Méjico. 1658. Prels.)

Medina, *México,* II, n.º 852.

ESTUDIOS

5136

REP: N. Antonio, I, pág. 807; Latassa, 2.ª ed., II, pág. 79.

«JUSTIFICACION de las acciones de España...»

EDICIONES

5137

IVSTIFICACION de las acciones de España. Manifestacion de las violencias de Francia. [Madrid]. Viuda de Pedro Madrigal. A costa de Pedro Coello. 1635. 63 págs. 20,5 cm.

—Pág. 53: *Respvesta de vn vassallo de Sv Magestad, de los Estados de Flandes, a los manifiestos del Rey de Francia. Traducida por Martin Goblet.*

BARCELONA. *Central.* F. Bon. 28.—SANTIAGO DE COMPOSTELA. *Universitaria.*

5138

[IVSTIFICACION de las acciones de España, Manifestacion de las violencias de Francia]. [s. l.- s. i.]. [s. a.]. 40 fols. 20 cm.

Carece de portada. De tiempo de Felipe IV. BARCELONA. *Central.* F. Bon. 30.—CORDOBA. *Pública.* 16-205. — MARID. *Nacional.* 2-61.464. — ROMA. *Vaticana.* Stamp. Barb. P.VII.56.int.3.

5139

IVSTIFICACION de las acciones de España, manifestacion de las violencias de Francia. [s. l.- s. i.]. [s. a.]. 31 págs. 19,6 cm.

BARCELONA. *Central.* F. Bon. 5933.

5140

[IVSTIFICACION de las acciones de España. Manifestacion de las violencias de Francia]. [s. l.- s. i.]. [s. a.]. 51 fols. 20 cm.

Carece de portada.
—Texto.
MADRID. *Nacional.* V.E.-62-51.

TRADUCCIONES

a) Italianas

5141

GIVSTIFICATIONI delle attioni di Spagna, e manifestatione delle violenze di Francia. [s. l.- s. i.]. [s. a.]. 60 págs. 20,5 cm.

BARCELONA. *Central.* F. Bon. 5933.

«JUSTIFICACION (La) real...»

EDICIONES

5142

JUSTIFICACION (La) real ofendida de los perturbadores del bien, y quietud de Barcelona. [s. l.- s. i.]. [s. a.]. Fol.

ROMA. *Vaticana.* Stamp. Barb. FF.V.12.int.5.

JUSTINIANO (JUAN)

Criado del duque de Calabria.

EDICIONES

5143

LIBRO llamado Instrucion de la muger Christiana: El qual contiene como se ha de criar vna virgen hasta casarla. y despues de casada como ha de regir su casa: y biuir prosperamente con su marido. y si fuere biuda lo que es tenida a hazer. Traduzido aora nueuamente de latin en romance, por ———. [Valencia. Jorge Costilla]. [1528, 6 de marzo]. 4 hs. + 100 fols. con grabs. 29 cm.

—Port. a dos tintas, roja y negra, sin nombre de autor.—Prologo de ———, dirigido a la Reina Germana.—Tabla.—Texto.—Colofón.

Blanco, IV, n.° 1.933.

Es obra de Juan Luis Vives.

LONDRES. *British Museum.* C.20.e.29.—MADRID. *Academia de la Historia.* 1-1-3-159. *Nacional.* R-1.289.

5144

———. Alcalá de Henares. [s. i.]. 1529. 8 hs. + 172 fols. 4.° gót.

J. Catalina García, *Tip. complutense,* número 116; Blanco, IV, n.° 1.934.

5145

———. [Sevilla. s. i.]. 1535 [20 de abril]. 8 hs. + 170 fols. + 1 h. 4.°

Salvá, II, n.° 4.040.

5146

———. Zamora. Pedro Touans. 1539. 8.°

Blanco, IV, n.° 1.935.
MADRID. *Nacional.* R-4.562.

5147

———. Zaragoza. George Coci. 1539. 4.°

Blanco, IV, n.° 1.936; Sánchez, I, n.° 215.
MADRID. *Nacional.* R-26.795.

5148

———. Zaragoza. Jorge Coci. 1545. 4.°

Salvá, II, n.° 4.040.

5149

———. Zaragoza. Bartolomé de Nágera. 1555.

Blanco, IV, n.° 1.938; Sánchez, II, n.° 370.
LONDRES. *British Museum.* 8415.dd.38. — MADRID. *Nacional.* R-25.700; R-2.719.

5150

———. Valladolid. Diego Fernández de Córdoba. 1584.

Alcocer, n.° 308; Blanco, IV, n.° 1.939.
LONDRES. *British Museum.* 4406.cc.8.—MADRID. *Nacional.* R-8.297.

5151

———. Madrid. Viuda e hijo de Marín. 1792. 2 vols.

Blanco, IV, n.° 1.940.
MADRID. *Nacional.* 2-44.196/97.

5152

———. Madrid. Benito Cano. 1793.

Blanco, IV, n.° 1.941.
MADRID. *Nacional.* 7-47.316.

5153

———. Madrid. Agustín Aurial. [s. a., ¿1896?]. (Biblioteca de la Mujer, 6).

Blanco, IV, n.° 1.943.

5154

———. [*Edición, prólogo y notas de Salvador Fernández Ramírez*]. [Madrid. Signo]. [1936]. 184 págs. 10 cm. (Primavera y Flor).

a) E. A., en *Revista de Filología Española,* XXIII, Madrid, 1936, págs. 316-17.
MADRID. *Nacional.* 4-111.812.

JUSTINIANO (JUAN BAUTISTA)

N. en Cuenca, hijo de italianos. Presbítero.

EDICIONES

5155

RELACION verdadera, en la qval se da cuenta de la manera que en el rio

de Huecar, de la ciudad de la Estre-
lla, por otro nombre llamada Cven-
ca se corren los toros fuertes de la
sierra, y las desgracias que en ellos
muchas vezes suceden. Cuenca. Domingo de la Iglesia. 1625. 16 hs.

—Apr. de Pedro de Solera Reynoso.—Soneto de Fr. Iuan García. [«Lapídeas hojas, inmortales piras...»]. — S o n e t o de
Francisco Ruyz. [«Cantas los toros, y
las peñas cantas...»].—Soneto de Diego
de Vargas. [«O tu que del remate fuyste
solo...»].—Soneto de Miguel de la Hoz.
[«Tuuo por singular Filipe el Sabio...»].
Dezima de Antonio Martinez de Miota.
[«Cante la Troyana guerra...»].—Canción
castellana de Pedro de Solera Reynoso.
[«Leí del Griego famoso...»].—Dezima de
Iuan Guijarro. [«En estos versos leydos...»].—Dezima de Iuan García Figueroa. [«Iustiniano, pues que ya...»].—Dezima de Gil de Zetina. [«Iustiniano tu
eloquencia...»].—Octava de Pedro Serrano
de Buedo. [«Quisiera Iustiniano engrandeceros...»].—Quintilla de Antonia Esva-
la. [«Cantar a lo Castellano...»].—Soneto
de Francisco Sanchez de Castro. Coloquio entre Xucar y un C i u d a d a n o.
[«Quien a este H u e c a r c i l l o a puesto
graue...»].—Soneto de Andres Lopez de
Cordoua. [«Tu alabança las Ninfas deste Rio...»]. — Soneto de un Aficionado.
[«Que inuoquen, y que en mi ayuda llame al hado...»].—Texto, en octava rima.
[«Apolo, y Alfion me den su lyra...»].—
Advertencia final.

NUEVA YORK. *Hispanic Society.*

————

Reprod. facsímil en *Relaciones poéticas*
sobre las fiestas de toros y cañas. Edición
de Antonio Pérez Gómez. Tomo V. Cieza.
1973, n.º 1. (El ayre de la almena, 34).

JUSTINIANO (LUCAS)
Licenciado.

CODICES

5156

«*Los ojos del cielo y martirio de*
Santa Lucía».

Copia de Valladolid, 30 de marzo de 1615.
33 hs. 4.º Procede de la biblioteca ducal de
Osuna.

«—Deja el papel, no le escondas...».
Paz, I, n.º 2.674.
MADRID. *Nacional.* Mss. 17.027.

5157

«*La abogada de los ojos, Santa Lu-*
cía».

Letra del s. XVII. 52 hs. 4.º Perteneció a
Durán. El título primero de la portada es
de mano de Francisco de Rojas, capellán
de San Ginés.
Paz, I, n.º 2.674.
MADRID. *Nacional.* Mss. 15.050.

ESTUDIOS

5158

REP: La Barrera, págs. 199-200.

JUSTO DEL ESPIRITU SANTO
(Fray)

N. y m. en Madrid (1568-1645). Agustino
descalzo desde 1593.

EDICIONES

5159

TESORO de hvmildad en discvrsos
predicables. Es libro de mvcha im-
portancia, para que los Padres espi-
rituales encaminen bien los espiritus
destos tiempos. Madrid. Viuda de
Iuan Gonzalez. 1634. 8 hs. + 440 páginas (pero incompleto). 20 cm.

—T.—E.—L. O. (dos).—L. V.—L. de Vica-
rio General de la Orden.—S. Pr. al autor
por diez años.—Apr. de Fr. Pedro de
Vargas.—Apr. del P. Tomas Hurtado.—
Apr. de Fr. Luis de San Iuan Euange-
lista.—Apr. de Fr. Iuan Ponce de Leon.
Págs. 1-7: Ded. al Infante Cardenal D.
Fernando de Austria.—Texto.
CORDOBA. *Pública.* 3-126. — MADRID. *Nacional.*
3-11.765.

ESTUDIOS

5160

REP: Alvarez y Baena, III, págs. 331-34.

KINO (P. EUSEBIO FRANCISCO)

N. en Trento. Jesuita. Catedrático de Matemáticas en la Universidad de Ingolstad.
Misionero en Méjico desde 1680 y en California. M. en 1710.

EDICIONES

5161

EXPOSICION astronomica de el co-
meta, que el año de 1680 por los me-

*ses de Noviembre, y Diziembre, y
este año de 1681 por los meses de
Enero y Febrero, se ha visto en todo
el mundo, y se ha observado en la
Ciudad de Cadiz.* Méjico. Francisco
Rodríguez Lupercio. 1681. 8 hs. + 1
lám. pleg. + 28 fols. 4.º

—Ded. al Virrey Conde de Paredes, precedida de su escudo.—Apr. del P. Francisco Ximénez.—L. del Virrey.—Apr. del
P. Francisco de Florencia.—L. V.—Poesía
anónima.—Texto.

Medina, *México,* II, n.º 1.228.

LONDRES. *British Museum.* 8560.bb.1.(2).

5162

*KINO escribe a la Duquesa. Corres-
pondencia del —— con la Duquesa
de Aveiro y otros documentos. Por
Ernest J. Burrus, S. J.* Madrid. José
Porrúa Turanzo. 1964. XXXII + 536
págs. con ilustr. 26 cm. (Colección
Chimalistuc, 18).

MADRID. *Nacional.* 4-56.719.

ESTUDIOS

5163

SIGÜENZA Y GONGORA, CARLOS
DE. *Manifiesto filosófico contra los
Cometas.* Méjico. 1681. 4.º

Beristain, III, pág. 145.

5164

——. *Libra astronomica, y philoso
phica en que... examina no solo lo
que a su Manifiesto Philosophico
contra los Cometas opuso el R. P.
Eusebio Francisco Kino... sino lo
que el mismo R. P. opinó, y preten-
dió haver demostrado en su Exposicion Astronomica del Cometa del
año 1681.* Méjico. Herederos de la
Viuda de Bernardo Calderón. 1690.
10 hs. + 188 págs. 4.º

Medina, *México,* III, n.º 1.484.

KRESA (P. JACOBO)

N. en Smrschitz, Moravia, en 1645. Jesuita
desde 1667. Enseñó Gramática, Hebreo y
Matemáticas en Praga. Catedrático de los
Reales Estudios de Madrid. M. en Brunn
(1715).

EDICIONES

5165

*ELEMENTOS geometricos de Evcli-
des, los seis primeros libros de los
planos; y los onzeno, y dozeno de
los solidos: con algvnos selectos
theoremas de Archimedes. Traducidos y explicados por el ——...* Bruselas. Francisco Foppens. 1689. 4 hs.
+ 459 págs. + 7 págs. 4.º

Peeters-Fontainas, I, n.º 406.

MADRID. *Nacional.* 2-54.983.—SEVILLA. *Colombina.* 71-5-39; 89-4-24. *Universitaria.* 218-127.

Aprobaciones

5166

[*APROBACION. Madrid, 3 de agosto
de 1692*]. (En Gaztañeta, Antonio.
Norte de navegación. Sevilla. 1692.
Prels.)

MADRID. *Nacional.* 3-48.921.

L.B.R.D.M.

EDICIONES

5167

*BLANCO lilio, azuzena nupcial, que
consagra a D. Migvel Mañara Leca y
Colona, Cavallero del Orden de Calatrava, en las felices bodas con mi
Señora D.ª Geronima Carrillo de
Mendoza. El ——. Ilustrado por el
L.D.I.D.M.O.* Granada. Francisco Sánchez y Baltasar de Bolívar. 1648.
16 hs. 4.º

—Texto, en verso, con un comentario en
prosa, que ocupa 11 hojas.

Gallardo, I, n.º 883.

L.D.G.F.D.R.

EDICIONES

5168

DECLAMACION Funebre, llanto de la muerte, aprecio de la vida de la Reyna nuestra Señora Doña Isabel de Borbón. Dizela a la monarquia de España un vassallo. Madrid. [s. i.]. 1644. 5 hs. + 14 fols. 23 cm.

—Ded. al Rey N. Señor.—Apr. del P. Agustin de Castro. — Censura del P. Cosme Zapata.—S. T.—Texto.

MADRID. Nacional. V.E., 155-43.

L.P.F.N.

EDICIONES

5169

DONATIVO (El) voluntario que a la Magestad Catolica hazen sus Reynos. [s. l. - s. i.]. [s. a.]. 4 fols. 31 cm.

¿Licenciado Pedro Fernández de Navarrete?

MADRID. Nacional. V.E.-211-7.

L.R.D.M.

EDICIONES

5170

[SONETO]. (En Sánchez de Espejo, Andrés. Relación historial de las exequias... de la Reyna... doña Ysabel de Borbón... Granada. 1645. Preliminares).

MADRID. Nacional. 3-7.335.

LABALSA (JORGE)

Doctor. Decano de la Corte del Justicia de Aragón.

EDICIONES

5171

PUBLICA información en causa propia, del doctor ——, decano de la Corte del Ilustr.mo Señor Justicia de Aragón. Contra la Invectiva Criminal o Denunciación de la Santa Igle-

sia de Nuestra Señora del Pilar de la Ciudad de Çaragoça. Ante el Grande, y Supremo Tribunal de los Ilustr.mo Señores Iudicantes, los Ilustrissimos Señores Don Fray Benito Latrás, Abad de la Real Casa de Santa Maria de la O: Doctor Don Pedro Marin de Funes, Dean de la Santa Iglesia carthedral de la Ciudad de Taraçona, y Vicario General de su Obispado: Doctor Don Pablo Mezquita, Canonigo de la S. Iglesia Cathedral de la Ciudad de Teruel: (por el Braço Eclesiástico). Don Ioseph Berenguer Bermudez de Castro, y Baxardi, Marqués de Cañizares, y San-Felices: Don Miguel Marin de Villanueva, y Palafox Conde de San-Clemente: (por el braço de Nobles). Don Antonio de Urries, y Castilla, Señor de Nisano: Don Pedro de Arbues, Infanzon: (por el braço de Cavalleros, e Hijosdalgo). Don Felipe Mateo Estausa, Ciudadano de la Ciudad de Zaragoça: y Don Martín de Sissamon, de la comunidad de Calatayud. (Por el braço de Universidades). Nombrados, y Extractos en este presente año 1671. [Zaragoza]. Herederos de Pedro Lanaja y Lamarca. 1671. 2 hs. + 153 págs. 31,5 cm.

—E.—Texto.

No citado en la Tip. zaragozana del siglo XVII, de Jiménez Catalán.

SEVILLA. Universitaria. 110-142 (10).

LABANZA (LUIS DE)

CODICES

5172

«Espejo para principes y Auisos para toda criatura humana».

Letra del s. XVII. 190 × 147 mm.
De principios del reinado de Felipe III. Colección de máximas.

MADRID. Nacional. Mss. 6.914.

5173

«*Espejo de Principes, y auisos para toda humana criatura*».

Letra del s. XVIII. 2 hs. 310 × 210 mm. En las seis última hojas, se copian los *Proverbios* del marqués de Santillana.

MADRID. *Nacional*. Mss. 18.721⁶³.

LABAÑA

(V. LAVAÑA)

LABASTIDA (P. HERNANDO DE)

V. BASTIDA (HERNANDO DE LA)
[*B. L. H.*, VI, pág. 381]

LABATA (ANTONIO)

N. en Zaragoza por 1544. Visitador del Real Patrimonio de Aragón. M. en 1592.

EDICIONES

5174

ALEGACIONES *de Micer Labata, sobre la justa pretension que su Magestad tiene de poder poner Virrey extrangero en el Reyno de Aragon*. Zaragoza. En el Real Palacio de la Aljafería, por Lorenço de Robles. 1590. 114 págs. Fol.

—Texto, fechado en Zaragoza a 21 de octubre de 1588.

Sánchez, II, n.° 704.

MADRID. *Nacional*. R-8.529.

ESTUDIOS

5175

REP: Latassa, 2.ª ed., II, págs. 83-84.

LABATA (P. FRANCISCO)

N. en Zaragoza (1549). Jesuita desde 1567. Rector de los Colegios de Avila, Medina y Salamanca. Viceprovincial de Castilla. M. en Valladolid (1631).

EDICIONES

5176

QVATRO *puntos en qve se recoge lo mas vtil y agradable a Dios, de la oracion Mental, y Vocal*. Madrid.

Iuan de la Cuesta. 1610. 8 fols. 10 cm.

—Texto.

Pérez Pastor, *Madrid*, II, n.° 1.097.

MADRID. *Nacional*. 2-54.833.

5177

————. (En Ripalda, Jerónimo. *Suave razonamiento que haze el pecador a su Dios*. Lérida. Luis Manescal. 1618. 14 hs. al fin).

Backer-Sommervogel.

5178

[*SERMON*]. (En Ríos Hevia Cerón, Manuel de los. *Fiestas que hizo Valladolid... en la beatificación de la Santa M. Teresa de Jesús*. Valladolid. 1615, fols. 182*v*-195*v*).

MADRID. *Nacional*. U-2.278.

5179

SERMON *de la Inmaculada Concepción*. Salamanca. 1619. 4.°

Alva y Astorga, *Militia*.

5180

DISCURSOS *morales sobre los Evangelios de los Santos*. Valladolid. Viuda de Francisco Fernández. 1624. 4.°

CORDOBA. *Pública*. 3-125.

5181

DISCVRSOS *morales sobre los Evangelios de los Santos*. Valladolid. Viuda de Francisco Fernandez de Cordoua. 1625. 4 hs. + 539 págs. a 2 cols. + 13 hs. 20,5 cm.

—T.—E.—S. Pr. al autor por diez años.— L. O.—Apr. del P. Gaspar Suarez.—Apr. del P. Luys de Valdiuia.—Censura de Fr. Francisco Galindo.—Prólogo al Letor.—Texto.—Tabla de las fiestas en que se predican los discursos deste tomo.— Tabla de las cosas notables.—Tabla de los lugares de Escritura.—Colofón.

Alcocer, n.° 709.

MADRID. *Facultad de Filosofía y Letras*. 5.125. *Nacional*. 2-10.928.—SEVILLA. *Universitaria*. 101-44; 106-59.

OBRAS LATINAS

5182

APPARATUS Concionatorum, seu loci communes ad contiones, ordine alphabeticus digesti. Lugduni. Horatius Cardon. 1614-21. 3 vols. 35 cm.

GRENOBLE. *Municipale.* B.841.—MADRID. *Nacional.* 3-54.193/95.—ORIHUELA. *Pública.* XXVI-2-14/15 y 18.—PAMPLONA. *General de la Diputación Foral.* 109-13-6/58.—VALLADOLID. *Universitaria.* 4549/50; 9347/48 [tomos I-II].

— — —

—Brixiae. J. B. y A. Bozzolae. 1616. Fol.
—Lugduni. Sumpt. Jacobi Cardon et Petri Cavellat. 1619. 634 fols. (El tomo I).
—*Loci communes ad Conciones...* Lugduni. Sunpt. J. Cardon et P. Cavellat. 1621. 838 págs. Fol.

BERKELEY. *University of California. Law Library.* — MADRID. *Facultad de Filosofía y Letras.* 3.914. *Nacional.* 2-44.243.—ORIHUELA. *Pública.* 83-1-9.

—Colonia. Apud Ioannen Crithium. 1621. 1374 págs.
—Colonia. Ex Officina Crithiana. 1627. 1060 págs. 4.º

LYON. *Municipale.* 109.075.

—*Magnvs apparatvs Concionatorvm, seu loci Commvnes ad Conciones...* Colonia Agrippina. Ex Officina Crithiana. 1627. 734 págs. 4.º
—*Mugni apparatus Concionatorvm...* Idem. 1628. 734 págs.

FILADELFIA. *Lutheran Theological Seminary. Krauth Memorial Library.*

—*Idem.* 1630-31. 2 vols.

5183

LOCA Moralia... Lugduni. [s. i.]. Sumptibus Claudii Du-four. 1638. 5 hs. + 448 págs. Fol.

LYON. *Municipale.* 100.620. — MADRID. *Nacional.* 2-44.247.

5184

PATRUM expositionibus illustrata: et ad commodiorem vsum concionatorum. Lugduni. Sumptibus Claudii Du-four. 1638. 6 hs. + 448 págs. Fol.

5185

THESAURUS moralis. Colonia. 1652. 2 tomos en un vol.

PAMPLONA. *General de la Diputación Foral.* 109-12-4/86-89.

— — —

—Antuerpia. 1652. 2 vols.

LATROBE, Pen. *Saint Vincent College and Archabbey.*—LYON. *Municipale.* 21.123.—PAMPLONA. *General de la Diputación Foral.* 109-10-4/7.

ESTUDIOS

5186

REP: N. Antonio, I, pág. 435-36; Latassa, 2.ª ed., II, pág. 84; Backer-Sommervogel, IV, cols. 1291-93.

LABAYEN (CARLOS DE)

EDICIONES

5187

[*A D. Juan Jorge Fernández de Heredia. Dedicatoria*]. (En Eslava, Antonio de. *Parte primera del libro intitulado Noches de Inuierno.* Barcelona. 1609. Prels.)

MADRID. *Nacional.* R-12.456.

«LABERINTO...»

EDICIONES

5188

LABIRINTO contra fortuna en la muerte del marques de pescara en coplas.

«La fortuna bien girando...».
Abecedarium de la Colombina, n.º 9.781.

LABIANO (FR. BALTASAR DE)

Dominico. Rector del Colegio de Santo Tomás de Alcalá.

EDICIONES

5189

[*APROBACION. Madrid, 16 de octubre de 1630*]. (En Riojano, Jorge Antonio. *Gerarchia Seraphica.* Valladolid. 1633. Prels.)

MADRID. *Nacional.* R-27.770.

«LABIRINTO...»

V. «LABERINTO...»

LABORA DE ANDRADE (PEDRO)

CODICES

5190

«Relacion de la antiguedad, Origen y fundacion de la mui noble y mui leal ciudad de la Coruña, cabeça y llaue del Illmo. Reyno de Galizia, con un tratado general de Nobleza».

Letra del s. XVII. 195 × 145 mm.

—Carta al autor de Juan Melio de Sande.— Texto.

MADRID. *Nacional*. Mss. 10.734 (fols. 118r-161r).

LA BORDA (FR. JERONIMO)

Trinitario. Ministro del convento de Villa franca de Panadés.

EDICIONES

5191

[*APROBACION. Barcelona, 12 de marzo de 1623*]. (En Aznar, Pablo. *Exercicios espirituales*. Barcelona. 1625. Prels.)

BARCELONA. *Central*.

LABORDA (JORGE)

EDICIONES

5192

[*AL Marqués de San Felices Moncayo, coronado de laurel. Soneto*]. (En Moncayo y Gurrea, Juan de. *Rimas*. Zaragoza. 1652. Prels.)

MADRID. *Nacional*. R-2.642.

5193

[*AL que leyere. De Iorge La Borda, amigo grande del Autor*]. (En Navarro, José. *Poesías varias*. Zaragoza. 1654. Prels.)

MADRID. *Nacional*. R-9.510.

LABORDA (MANUEL)

Doctor. Rector de la parroquia de Murero.

EDICIONES

5194

[*APROBACION. Murero, 25 de Diciembre de 1693*]. (En Moreno, José. *Ave Maria. Niño Gigante. Prodigiosa vida... de el Martyr... San Marmante, o Mamés*. Zaragoza. 1694. Prels.)

MADRID. *Nacional*. 3-9.528.

LABRA (DIEGO DE)

EDICIONES

5195

ACASOS de Don Ulises de Androbando, hijo natural del Marqués del Sacro Imperio, acaecidos en el año de 1699. Valencia. B. Nogués. 1699.

MADRID. *Particular del Duque de Alba*. 9.009.

«LABRADOR (Un)...»

EDICIONES

5196

LABRADOR (Un), amigo del Patan, dedica este Papel a los cvriosos. [s. l. - s. i.]. [s. a.]. 4 hs. 20,5 cm.

—Texto. [«A Vsted, señor Natural...»].

MADRID. *Nacional*. V.E., 98-19 y 119-65.

LABRESIO DE LA PUENTE (BARTOLOME)

CODICES

5197

«Paralelos de las tres Lenguas, Castellana, Francesa e Italiana...».

Original? 8.º

Gallardo, III, n.º 2.599. (Da relación de contenido y fragmentos).

LACAVALLERIA (PEDRO)

EDICIONES

5198

DICCIONARIO Castellano... Dictionaire Français... Dictionari Català...

Barcelona. 1641. Sin fol. 8.º apaisado. Gallardo, III, n.º 2.600.

5199

DICTIONARIO castellano... Dictionaire français... Dictionari català... Barcelona. Pedro Lacavallería. 1642. 256 págs. 14,5 cm.

En tres lenguas, en columnas paralelas. AUSTIN. *University of Texas.*—LONDRES. *British Museum.* 629.a.5.—PARIS. *Nationale.* Rés. X.2086.—URBANA. *University of Illinois.*

5200

——. Barcelona. A. Lacavallería. 1647. 256 págs. 14,5 cm.

CHICAGO. *Newberry Library.*

5201

TRACTATUS: Zelus Christi contra Judaeos, Sarracenos et infideles... Venecia. Apud de Baretiis. 1592. 4.º

Gallardo, III, n.º 2.601 (expone reparos sobre la atribución a este autor). CAMBRIDGE. *University Library.*—MADRID. *Nacional.* R-28.418; etc.—PARIS. *Nationale.* D. 5740.

5202

SALA, P. GASPAR. *Abbrégé du commencement et des progrés de la guerre de Catalogne ès anneés 1640 et 1641... trad. par* ——. Rouen. 1642.

MADRID. *Nacional.* 2-63.778.—PARIS. *Nationale.* 4ºOi.47.

LA CABRA Y CORDOBA (ANTONIO)

EDICIONES

5203

[SONETO]. (En Amada y Torregrosa, José Félix de. *Palestra numerosa austriaca...* Huesca. 1650, fol. 23r).

MADRID. *Nacional.* 2-66.981.

LA CUEVA (CRISOSTOMO)

EDICIONES

5204

[SONETO]. (En Boneta, José. *Vida exemplar del V. P. M. Fr. Raymun-*

do Lumbier... Zaragoza. 1687, pág. 191).

MADRID. *Nacional.* 2-70.040.

LADRON (BALTASAR)

Caballero de Montesa. Tesorero General de la Orden. Señor de la Losa y Beniatía. Gobernador del Baylío de Moncada.

EDICIONES

5205

[REDONDILLAS]. (En Martínez de la Vega, Jerónimo. *Solenes i grandiosas Fiestas...* Valencia. 1620, págs. 483-486).

MADRID. *Nacional.* R-10.717.

5206

[DECIMAS]. (En Cros, Francisco. *Fiestas que en la insigne Universidad de Valencia se celebraron de... S. Lucas.* Valencia. 1626, págs. 92-93).

MADRID. *Nacional.* 2-62.147.

5207

[Al Autor. Decima. (En Orti y Ballester, Marco Antonio. *Siglo quarto de la conquista de Valencia.* Valencia. 1640. Prels.)

MADRID. *Nacional.* R-12.714.

LADRON (FR. BALTASAR)

Cluniacense.

EDICIONES

5208

[ROMANCE]. (En Torre, Francisco de la. *Reales fiestas a la... Virgen de los Desamparados...* Valencia. 1667, págs. 256-57).

MADRID. *Nacional.* R-5.740.

5209

[POESIAS]. (En Rodríguez, José. *Sacro y solemne novenario.* Valencia. 1669).

1. *Octavas.* (Pág. 436).
2. *Romance.* (Págs. 443-444).
3. *Glosa.* (Pág. 473).

MADRID. *Nacional.* 3-67.912.

LADRON DE CEGAMA (JUAN FRANCISCO)

EDICIONES

5210

[*DEDICATORIA a María Santísima*]. (En Torrado de Guzmán, Pedro. *Triunfo inmaculado de la Emperatriz de Cielo y Tierra... Dalo a la estampa Don* ——... Sevilla. 1669. Preliminares).

MADRID. *Nacional.* 3-22.928.

LADRON DE GUEVARA (FR. BARTOLOME)

Mercedario.

EDICIONES

5211

[*APROBACION*]. *Méjico, 30 de septiembre de 1636*]. (En Moreno, Jerónimo. *Reglas ciertas, y precisamente necessarias para Iuezes y Ministros de Iusticia de las Indias...* Méjico. 1637. Prels.)

Medina, *México*, II, n.º 490.

LADRON DE GUEVARA (DIEGO)

Obispo de Panamá, Guamanga y Quito. Virrey del Perú y Chile.

EDICIONES

5212

DICERTACION canonica y legal sobre si en la immvnidad espiritual pveda aver avtos de legos y otros derechos de la misma inmunidad... Lima. Joseph de Contreras y Alvarado. 1693. 41 fols. 28 cm.

Medina, *Lima*, n.º 650.
BLOOMINGTON. *Indiana University.*

5213

CARTA Pastoral. Madrid. Diego Martínez Abad. 1698. 96 hs. 29 cm.

—Apr. de Fr. Joseph Montes de Porres.— L. V.—L. del Consejo de las Indias.— Texto.

MADRID. *Nacional.* 2-65.958.

5214

CARTA pastoral... A todos sus amados hijos los fieles del obispado de Qvito, exhortandolos a que se conserven en la fidelidad de vasallos del señor Filipo qvinto... Lima. Joseph de Contreras y Alvarado. 1711.

SANTIAGO DE CHILE. *Nacional.*

5215

——. Segunda impresión. Madrid. Diego Martínez Abad. 1712. 4 hs. + 92 fols. Fol.

MADRID. *Nacional.* 3-63.209.

5216

DISCERTACION juridica, canonica y moral de voto... Madrid. Diego Martínez Abad. 1712. 66 fols. Fol.

CAMBRIDGE, Mass. *Harvard University.*—MADRID. *Nacional.* H.A.-20.615.

LADRON DE GUEVARA (LUIS)

EDICIONES

5217

MILAGROSA caída, al gloriosissimo apostol de las gente San Pablo. Madrid. 1699. 4.º

LONDRES. *British Museum.* T.1303.(54).

LADRON DE GUEVARA (MELCHOR)

EDICIONES

5218

[*ROMANCE*]. (En NUEVO *Parnaso...* Nápoles. 1660, fols. 21v-22v).

MADRID. *Nacional.* R-11.882.

LADRON DE GUEVARA (MIGUEL)

Licenciado. Abogado de los Reales Consejos.

EDICIONES

5219

[*APENDICE al Discvrso Legal, Politico, Historico de la Dignidad, Preheminencias, y Honores de...* Grana-

da...]. [s. l. - s. i.]. [s. a.]. 6 fols. 29,5 cm.

Carece de portada.
—Texto.

MADRID. *Nacional.* V.E., 67-38.

5220

POR don Alonso de Avella Fuertes... D. Juan de Ozaeta, D. Lorenzo de Auina, y D. Juan de Sierra Ossorio... alcaldes de el crimen de la Real Audiencia de Mexico; y don Geronimo Barredo, que fue nombrado fiscal de la de Manila por titulos despachados en el año de 1667. Con el señor Fiscal del Consejo Real de las Indias. Sobre que se deben poner en exencion las mercedes hechas de dichas plazas... [s. l. - s. i.]. [s. a.]. 23 fols. 29 cm.

¿Madrid, 1693?

NUEVA YORK. *Public Library.*

5221

[PAPEL]. (En Ettenhard, Francisco Antonio de. *Diestro italiano y español...* Madrid. 1697. Prels.)

MADRID. *Nacional.* R-12.272.

Aprobaciones

5222

[CENSURA. Madrid, 6 de marzo de 1689]. (En Parra, Juan Manuel de la. *Breve viage a la tumba... de la Señora Reyna Doña Maria Luisa de Borbon y Valois...* Madrid. s. a. Preliminares).

MADRID. *Nacional.* V.E., 115-15.

5223

[APROBACION. Madrid, 14 de septiembre de 1692]. (En Solís y Ribadeneyra, Antonio de. *Varias poesías sagradas y profanas.* Madrid. 1692. Prels.)

MADRID. *Nacional.* R-14.467.

LADRON VELEZ DE GUEVARA (BELTRAN)

EDICIONES

5224

[GLOSA]. (En Roys, Francisco de. *Relación de la demostraciones festivas... que celebró la... Universidad de Salamanca...* Salamanca. 1658, página 314).

MADRID. *Nacional.* 2-46.494.

LA DUEÑA (DIEGO)

EDICIONES

5225

La más constante muger. Comedia de Juan Maldonado, —— y Jerónimo Cifuentes. 1658.

V. *B. L. H.*, VIII, n.º 4256.

LAFAILLE (P. JUAN CARLOS DE)

N. en 1597. Jesuita. Catedrático de Matemáticas y de Re militari en los Estudios Reales de Madrid. M. en 1662.

EDICIONES

5226

[APROBACION. Madrid, 26 de marzo de 1639]. (En Gallo, Antonio. *Destierro de Ignorancias de todo genero de soldados de Infanteria.* Madrid. 1639. Prels.)

Dice «De la Falle».

MADRID. *Nacional.* R-11.472.

OBRAS LATINAS

5227

THEOREMATA de centro gravitatis partivm circvli et ellipsis. Amberes. Jan de Meure. 1632. 4 + 53 + 2 págs. 26 cm.

Con viñetas grabadas por Rubens.

BOSTON. *Public Library.*

LAFRANQUI (P. VICENTE)

Clérigo menor.

EDICIONES

5228

[APROBACION de —— y Nicolas de Rossi. Zaragoza, 26 noviembre 1642]. (En Liperi, Antonio. Lecciones sacras. Zaragoza. 1642. Prels.)

MADRID. Nacional. 3-54.870.

LAFUENTE (FR. GASPAR DE)

V. FUENTE (FR. GASPAR DE LA)
[B. L. H., X, págs. 421-22]

LAFUENTE (JERONIMO DE)

V. FUENTE (JERONIMO DE LA)
[B. L. H., X, pág. 422]

LAGARRIGA VARON (RAMON)

EDICIONES

5229

[ROMANCE]. (En JARDÍN de Apolo... Madrid. 1655, fols. 22r-23v).

MADRID. Nacional. R-1.551.

LAGARTO (JUAN)

EDICIONES

5230

Juan de Ortega. Tratado sutilissimo de Arithmetica... de nuevo enmendado por ——... Sevilla. Juan Cromberger. 1537. 232 fols. 4.º gót.

Escudero, n.º 384.

5231

——. Sevilla. J. Cromberger. 1542.

Escudero, n.º 417.

5232

——. Sevilla. 1552.

Escudero, n.º 548.

5233

Juan de Hortega. Tractado... d'aritmetica y geometría... de nuevo

emendado... por ——... Granada. René Rabut. 1563, 8 de abril. 4.º gót.

LONDRES. British Museum. 528.c.6. — NUEVA YORK. Hispanic Society.

LAGO (JUAN DE)

EDICIONES

5234

ESTANZAS a la sortija que en la plaza de Madrid mantuvo el Duque de Feria... Madrid. L. Sánchez. 1609. 8.º

Cit. por Tamayo de Vargas en su Junta de libros.

LAGO (PEDRO DE)

EDICIONES

5235

[DOS Sonetos]. (En Covarrubias Herrera, Jerónimo de. Los cinco libros intitulados La enamorada Elisea. Valladolid. 1594. Prels.)

MADRID. Nacional. R-11.214.

LAGRAVETA DE MAYOLAS

EDICIONES

5236

GLORIOSA (La) aliança de Francia con España. La Glorieuse alliance de la France avec l'Espagne. París. [s. i.]. 1661. 58 págs. 8.º

Firmado: La Gravéte.
PARIS. Nationale. Rés.Lb.³⁷ 3359 (con las armas de Ana de Austria).

5237

ATRIBUTOS italianos y espagñoles (sic), propios y muy convenientes a la persona del illustrissimo Segnier... chanciller de Francia. [s. l. - s. i.]. [s. a.]. Plano. Fol.

Firmado: Lagraveta.
PARIS. Nationale. Fol.Ln.²⁷ 18770.

5238

BREVES representaciones en lengua

italiana y española... [s. l. - s. i.]. [s. a.]. 10 hs.

GRENOBLE. *Municipale.* F.8732.

5239

[*CARTA de consvelo a los encarcelados, a svs especiales amigos y parientes*]. [s. l. - s. i.]. [s. a.]. 4 hs.

Carece de portada.

—Texto. Al fin: La Graueta.

MADRID. *Nacional.* R-106.

5240

CARTA de parabien a los illustrissimos señores de la congregacion general de la cleresia de Francia. Lettre de coniouyssance. [s. l. - s. i.]. [s. a.]. 4.º

¿De 1700?

—Texto bilingüe, en español y francés. Seguido de *Retrato abreviado de los señores... de la cleresia de Francia*, en español e italiano.

LONDRES. *British Museum.* 3902.g.24.

5241

CARTA de parabien a los invincibles cavalleros del Orden. Lettre de coniovissance avx invincibles chevaliers de l'Ordre. [s. l. - s. i.]. [s. a.]. 5 hs.

—Texto, español, en las páginas impares y francés en las pares, firmado al fin por La Graveta y La Gravete, respectivamente.

MADRID. *Nacional.* R-106.

5242

CARTA de parabien a los señalados varones ivezes incorrvptibles de la Camara de Ivsticia. [s. l. - s. i.]. [s. a.]. 8 hs.

—Texto. Al fin: La Graveta.

MADRID. *Nacional.* R-106.

5243

CARTA de regosijo al dichoso nacimiento del preciosissimo Delfin tan desseado de todos. A la Reyna. Lettre de reiovissace svr l'hevrevse naissance dv tres precievx Davphin si desiré de tovs. A la Reyne. [s. l. - s. i.]. [s. a.]. 1 lám. + 5 hs.

—Retrato del Delfín, con nota biográfica. En París, chez P. Bertrand.—Portada.— Texto, español en las páginas impares y francés en las pares, firmado al fin por La Graveta y La Gravete, respectivamente.—A la Reyne sur la Conualescense. Sonnet.

MADRID. *Nacional.* R-106.

5244

CARTELES (Los) españoles, de La Graveta. En fauor de todos los Caualleros que resplandecieron tres dias enteros bizarreando suntuosamente en los torneos y juegos de sortija y de cañas... para regalar y dar la Norabuena de la dichosa venida a Francia de Maria Tereza de Avstria, «La bien querida»... 6 hs. + 5 láms.

Al pie de los retratos: París. Ch. P. Bertrand.

—Retratos de Luis XIV, Felipe de Borbón, duque de Orleáns; Luis de Borbón, príncipe de Condé, etc.—Texto: Los cavalleros Romanos a la Reyna.—Los cavalleros Persianos...—Los cavalleros Turcos....—Los cavalleros indianos y los cavalleros salvajes.

MADRID. *Nacional.* R-106.

5245

Centum dicta, partim latina, partim gallica, partim hispanica et partim italica, in stemmata praeclarissimi et vigilantissimi viri D. Foucquet. [s. l. - s. i.]. [s. a.]. 6 hs. + 100 láminas grabadas con textos manuscritos. 4.º

Firmado: La Gravete.

PARIS. *Nationale.* 4ºLn.²⁷ 7816.

5246

———. [s. l. - s. i.]. [s. a.]. 2 partes en 1 vol. con láms. y un retrato de Foucquet.

Firmado: De La Gravette.

PARIS. *Nationale.* Rés.Z.925.

5247

DICHOS *lindos y galanes italianos y hespañoles para las famosas y mas señaladas damas y señoras de Francia.* [s. l. - s. i.]. [s. a.].

Firmado: La Graveta.
PARIS. *Nationale.* Rés.Z.2562 [con las armas de Ana de Austria].

5248

MAXIMAS *memorables italianas y españolas...* [s. l. - s. i.]. [s. a.]. 55 págs.

GRENOBLE. *Municipale.*

5249

RETRATO *(El) abreviado de Isabel-Clara-Evgenia Infanta de España tradvcido puntualmente por Don Antonio Lagraveta de la obra francesa del famoso Señor De Morgues de Sangerman.* [s. l. - s. i.]. [s. a.]. 1 lámina + 37 págs.

—Lámina con retrato de Isabel Clara Eugenia, por B. Montornet, 1657.—Texto.
GRENOBLE. *Municipale.* F.8842. — MADRID. *Nacional.* R-106.

5250

RETRATO *(El) de la Christianissima Magestad, de Maria Teresa de Avstria la bien qverida, la poderosissima Reyna de Francia.* [s. l. - s. i.]. [s. a.]. 1 lám. + 8 hs. 24,5 cm.

Carece de portada. Al fin dice: «Lagraveta».
—Lámina con el retrato y biografía de la Reina. En París, chez P. Bertrand.—Texto.
MADRID. *Nacional.* R-106 (ex libris de Dionys Franc. Secousse).

5251

[RETRATO *del serenissimo y magnanimo principe de Condé, que tiene por merecido dignamente el renombre del mas valeroso capitan del universo*]. 13 págs.

Carece de portada.
—Texto, firmado por La Graveta.
MADRID. *Nacional.* R-106.

5252

SENTENTIAS *españolas. Sacadas y recopiladas con Grande vigilancia de muchos resabidos varones y discretos autores, en fauor de los que Quieren la lengua Española: metrificadas en lengua Franceza para el contento de todos. Conueniente lecion à toda suerte y Estado de Gentes.* [s. l. - s. i.]. [s. a.]. 2 hs. + 104 págs. 17 cm.

—Ded. al Ilmo. Sr. el prudentissimo Gaulmin de Montgeorges, por Lagraveta (cuyo nombre sólo figura en este lugar).—Al letor.—Texto (sentencia en castellano, y la misma en verso francés).
MADRID. *Nacional.* R-11.927 (ex libris de Gayangos). *Palacio.* 1-B-168.—PARIS. *Nationale.* Z.18019.—ROUEN. *Municipale.* Mt.P.17338.

5253

TRIVNFO *(El) glorioso de si mismo con la paz del alma.* [s. l. - s. i.]. [s. a.]. 52 págs.

—Al letor. — Prologo. — Texto. — Epilogo y Conclusion.
MADRID. *Nacional.* R-106.

ESTUDIOS

5254

REP: Cioranescu, II, 1969, núms. 39.240-65.

«LAGRIMAS de Cataluña...»

EDICIONES

5255

LAGRIMAS *de Cathalunya en la mverte de sv rey Lvys trezeno.* Barcelona. Gabriel Nogués. 1643. 2 hs.

NUEVA YORK. *Hispanic Society.*

«LAGRIMAS (Las) de San Pedro...»

EDICIONES

5256

[LAS *lagrimas de San Pedro. Otavas*]. [s. l. - s. i.]. [s. a.]. 4 hs. 20 cm.

—Texto. [«Yo aquel, que un tiempo en mi çampaña *(sic)* ruda...»].

MADRID. *Nacional.* R-Varios, 155-18; R-11.453 (ex libris de Gayangos).

«LAGRIMAS numerosas...»

EDICIONES

5257

LAGRIMAS numerosas en la muerte de Doña Maria de Sanabria y Salas. Lloradas por su padre y dirigidas a su esposo. Lima. Bernardino Guzmán. 1633. 8 hs. 19 cm.

—Texto.
MADRID. *Nacional.* V.E.-158-62.

LAGUNA (ANDRES DE)

N. en Segovia. Estudió en Salamanca y París. Catedrático de la Universidad de Salamanca. Acompañó a Carlos V a Gante y por 1540 residía en Metz. Doctor por la Universidad de Bolonia (1545). Médico del Papa Julio III (1550). Volvió a Segovia y m. en 1560 cuando formaba parte del cortejo encargado de acompañar a Isabel de Valois.

EDICIONES

De la materia medicinal.
(Trad. de Dioscórides)

5258

PEDACIO Dioscorides Anarzabeo, *acerca de la materia medicinal, y de los venenos mortiferos. Traducido de lengua Griega, en la vulgar castellana, illustrado con claras y substanciales Annotaciones, y con las figuras de innumerables plantas exquisitas y raras, por el Doctor* ——... Anvers. Iuan Latio. [1555]. 4 hs. + 616 págs. con grabs. + 12 hs. 28 cm.

—Dioscorides al Conde de Melito: [«Siendo nacido en Grecia y sustentado...»].— Soneto de Luis de la Cerda al Dr. Laguna. [«Tu que ganando eterno nombre y vida...»].—Ded. al Principe D. Felipe.— Texto.—Tabla.—Varios privilegios. Peeters-Fontainas, I, n.° 349.

LONDRES. *British Museum.* C.130.e.3.—MADRID. *Nacional.* R-8.514 (en vitela). *Palacio.*

5259

PEDACIO Dioscorides Anazarbeo, *acerca de la materia medicinal, y de los venenos mortiferos. Traduzido de lengua Griega, en la vulgar Castellana, & illustrado con claras y substanciales annotaciones, y con las figuras de innumeras plantas exquisitas y raras, por el Doctor* ——... Salamanca. Mathias Gast. 1563. 6 hs. + 616 págs. con ilustr. + 14 hs. 31 cm.

—Pr. al autor por quince año (1555).—T.— E. — Traslado del Pr. anterior por el tiempo restante a Miguel Xuarez y Catalina Velazquez, herederos del autor (1561). — Poesia de «Dioscorides» a Rui Gomez de Silva, Conde de Melito, etc. [«Siendo nacido en Grecia, y sustentado...»].—Retrato del autor.—Soneto de Luis de la Cerda al autor. [«Tu que ganando eterna nombre, y vida...»].—Ded. al Principe D. Felipe. — Texto. — Al Benigno Lector.—Tabla de los nombres.— Nota.—Pr. de Aragon.—Priuilege pour les pays de Brabant, & de Flandres.

MADRID. *Nacional.* R-29.996 (expurgado en 1640 por Fr. Alonso de Herrera, según nota mss. de la portada).—PARIS. *Nationale.* Rés. Te.¹³⁸ 50.—VIENA. *Nacional.* 69.P.25.

5260

——. Salamanca. Mathias Gast. 1566. 6 hs. + 616 págs. con grabs. + 14 hs. 30 cm.

BETHESDA, Mar. *National Library of Medicine.* LONDRES. *British Museum.* 449.i.6. — MADRID. *Nacional.* R-2.007. — PARIS. *Nationale.* Fol. Te.¹³⁸ 503. — ROMA. *Vaticana.* Stamp. Barb. J.IV.3.—SAN LORENZO DEL ESCORIAL. *Monasterio.* 33-I-16.—TOLEDO. *Pública.*

——— ——— ———

—Reprod. facsímil. Madrid. Instituto de España. 1968-69. 2 vols. 32 cm.

MADRID. *Ateneo.* C-41.240/41. *Consejo. General.*—*Nacional.* R-33.783/84; etc.

5261

PEDACIO Dioscorides Anazarbeo, *acerca de la materia medicinal, y de los venenos mortiferos, traduzido... por* ——... Salamanca. Mathias Gast.

1570. 6 hs. con un retrato + 616 págs. con láms. + 8 hs. Fol.

Salvá, II, n.º 2.697.

BETHESDA, Mar. *National Library of Medicine.* LONDRES. *British Museum.* C.80.e.7; etc. — MADRID. *Facultad de Filosofía y Letras.* 9.372. — *Nacional.* R-4.323; R-32.110. *Palacio.*—NUEVA YORK. *Hispanic Society.*—PALMA DE MALLORCA. *Fundación Bartolomé March.* PARIS. *Nationale.* Rés.T.¹³⁸; etc. — SEVILLA. *Colombina.* 141-1-32.—SORIA. *Pública.* — TOLEDO. *Pública.* — VALENCIA. *Colegio del Corpus Christi.*—VIENA. *Nacional.* BE.2.K.18.

5262

————. Valencia. Miguel Sorolla. 1636. 9 hs. + 616 págs. con láms. + 14 hs. Fol.

Salvá, II, n.º 2.698.

LYON. *Municipale.* 134.568.

5263

PEDACIO Dioscorides Anazarbeo, acerca de la Materia medicinal, y de los venenos mortiferos. Traducido de lengua Griega, en la vulgar Castellana, é ilustrado... por el Doctor ————... *Corregido y emendado de muchos errores que tenia conforme el Catalogo nueuo del Santo Oficio.* Valencia. Claudio Maçé. A costa de Iuan Sonzoni. 1651. 9 hs. + 617 págs. con ilustr. + 13 hs. 29 cm.

—Ded. a la Virgen de los Desamparados, por Iuan Sonzoni.—Al lector.—Cencura *(sic)*, de Fr. Lamberto Nouella (1635).— L.—Tabla para hallar el remedio (y tambien la causa) de todo genero de enfermedades, con otras cosas curiosas. — Texto.—Al lector.—Index.—Tabla de los nombres.

MADRID. *Consejo. General.* — *Nacional.* R-27.330..—ZARAGOZA. *Seminario de San Carlos.* 51-2-23.

5264

————. Valencia. Heredero de Benito Mace. 1695. 12 hs. + 617 págs. + 15 hs. Fol.

Salvá, II, n.º 2.699.

MADRID. *Nacional.* R-22.301; 7-12.946.

5265

La «Materia Médica» de Dioscórides, traducida y comentada por D. Andrés de Laguna. (Texto crítico). (En Dubler, César E. *La «Materia Médica» de Discórides. Transmision medieval y renacentista.* Tomo III. Barcelona. 1955. XXVIII + 618 págs. con grabs. 24,5 cm.).

MADRID. *Ateneo.* P-172. *Consejo. General.*

Discurso sobre la pestilencia

5266

DISCVRSO breve, sobre la cvra y preservacion de la Pestilencia. Amberes. Christoual Plantin. 1556. 88 fols. 14,5 cm.

—Fols. *2r-7r:* Ded. a D. Gomez de Figueroa y de Cordoua, Conde de Feria, etc., precedida de su escudo.—Texto. Peeters-Fontainas, I, n.º 659.

BETHESDA, Mar. *National Library of Medicine.* LONDRES. *British Museum.* 1167.b.22 (3).—MADRID. *Nacional.* R-17.231.—VIENA. *Nacional.* 18.010-a.

5267

————. Salamanca. Matías Gast. 1566. 48 fols. 16 cm.

BETHESDA, Mar. *National Library of Medicine.*

Cuatro Oraciones de Cicerón. (Trad.)

5268

QVATRO elegantissimas y gravissimas Orationes de M. T. Ciceron, contra Catilina, trasladadas en lengua Española por ...————. *Amberes.* Christoual Plantin. 1557. 8 hs. + 88 fols. 14 cm.

—Ded. a D. Francisco de Erasso, Secretario y del Consejo de S. M., por ————. Argumento de las quatro Orationes.— Texto.

Gallardo, III, n.º 2.602; Peeters-Fontainas, I, n.º 253.

LONDRES. *British Museum.* 835.c.10 (2).—MADRID. *Nacional.* R-17.231. *Palacio.* III-3.188. URBANA. *University of Illinois.*

5269

QVATRO elegantissimas y gravissimas oraciones de M. T. Ciceron contra Catilina. Tradvcidas de Latin en lengua Española por ——. Madrid. Francisco Martínez. 1632. 2 hs. + 55 fols. + 1 h. 13 cm.

—Argumento de las quatro Oraciones de Cicerón, contra Lucio Catilina.—Texto.— Colofón.

MADRID. Nacional. 3-47.898; U-1976.—SEVILLA. Universitaria. 4-41.

5270

——. (En Salustio. Obras... Madrid. González. 1786).

5271

——. (En Salustio. Obras. Madrid. Imp. Real. 1796).

MADRID. Consejo. General. — Nacional. 2-23.909.

Poesías sueltas

5272

[A una parra]. (En POETAS líricos de los siglos XVI y XVII. Ed. de Adolfo de Castro. Madrid. Rivadeneyra. 1857, pág. 549. Biblioteca de Autores Españoles, 42).

Reproducida de sus Anotaciones a Dioscórides.

Cuentos

5273

Contes à la prémiere personne, extraits des livres sérieux du docteur Laguna, par M. - Batàillon. (En Bulletin Hispanique, LVIII, Burdeos, 1956, págs. 201-6).

OBRAS LATINAS

5274

ANATOMICA methodvs, sev de sectione hvmani corporis contemplatio... París. Apud Jacobum Kerner. 1535. 61 fols. con ilustr. + 8 hs. 16 cm.

Hay dos variantes.

BETHESDA, Mar. National Library of Medicine.—MADRID. Nacional. R-28.348.

———

—París. Apud Ludovicum Cyneum. 1595. 61 fols. + 3 hs. 8.º

MADRID. Nacional. R-13.917.—SALAMANCA. Universitaria.

5275

Galeni de urinis libri duo, ante hac nunquam in lucem emissi, Andrea a Lacuna... interprete. París. Apud Poncetum le Preux. 1536. 45 págs. + 4 hs. 17 cm.

MADRID. Nacional. 3-4.087.

5276

ARISTOTELIS de mundo seu de cosmographia liber unus ad Alexandrum, Andrea à Lacuna... interprete, nunc primum in lucem emissus. Luciani dialogus tragopodagra nominatus, non minus eruditus q. festiuus & elegans. Per eundem Andream à Lacuna... latinitate donatus. [Alcalá. Juan de Brocar]. [1537, 14 de noviembre]. 48 fols. 8.º

J. Catalina García, Tip. complutense, número 163.

5277

Constantinus Magnus.—Ex commentariis geoponicis, sive De re rustica octo ultimi libri. [Edición de ——]. [s. l. - s. i.]. [1541]. 8.º

ROMA. Vaticana. Stamp. Barb. N.XI.48.int.2.

5278

[Cassianus Bassus]. Ex commentarius Geoponicis, sive de re rvstica olim Diuo Constantino Caesari adscriptis octo ultimi libri... ex Graecis Latini facti Andrea a Lacuna... interprete... Coloma. Ioannes Aquensis. 1543. 2 partes. 14,5 cm.

Carece de foliación. La primera parte carece de datos y sigue, con portada propia: Castigationes Andreae a Lacuna... in traslationem octo ultimorum librorum de Re Rustica, Constantini Caesaris, per Ianum

Cormarium... Colonia. Prope D. Lupum
Ioannes Aquensis. 1543.
MADRID. *Nacional.* R-26.672.—PARIS. *Nationale.* S.15011; etc. — ROMA. *Vaticana.* Stamp.
Barb. K.-XII-48 y N.XI.48.int.3.

5279

COMPENDIUM *curationis, praecautionisque morbi passim populariterque grassantis, hoc est, vera et exquisita ratio noscendae, praecavendae atque propulsandae febris pestilentialis...* Argentorati. Per Vuendelinum Richelium. 1542. 24 págs.
16 cm.
BETHESDA, Mar. *National Library of Medicine.*

— — —

—[*Compendivm praecavtionis et cvrationis pestilentis morbi*]. (En Angelerio,
Quinto Tiberio. *Epidemiología.* 2.ª ed. Madrid. 1958, fols. 84r-94r).
MADRID. *Nacional.* R-25.947.

5280

Aristotelis... de virtutibus vere aureus atque adamantinus libellus, ex Graeco in sermonem Latinum per Andreaz a Lacuna... conversus, scholiisque & exemplis multi locupletatus. Additue sunt ad calcem aliquat in Grynaeum castigationes... Colonia.
Ioan Aquensis. 1543. 8.º
BRUSELAS. *Royale.* 20.916.—MADRID. *Nacional.*
R-33.957. — ROMA. *Vaticana.* Stamp. Barb.
J.I.72.—VIENA. *Nacional.* 70.Bb.292.

— — —

—Basilea. 1552.
PARIS. *Nationale.* R.18064; etc.

5281

De origine regum turcarum compendiosa quaedam Perioche... Colonia.
Joannes Ruremundanus. 1543.
METZ. *Municipale.*

— — —

—Basilea. R. Winter. 1544.
MADRID. *Nacional.* R-33.979.
—Amberes. 1544.
—Maguncia. 1552.

5282

Aristotelis... De Natura stirpium liber unus et alter, exigui quidem, si Chartas numeres, caeterum multis gemmis ornati... Andrea a Lacuna... Interprete. Colonia. Ioan. Aquensis.
1543. 39 fols. 17 cm.
LONDRES. *British Museum.* 972.b.1.(1).

5283

EVROPA ΕΛΥΤΗΝΤΙΜΩΡΟΥΜΕΝΗ,
hoc est miserè se discrucians, suamq. calamitatem deplorans... Haec declamatio lugubris, fuit recitata Coloniae, in celebri Artium Gymnasio... Anno 1543... [Colonia. Lupus Ioannes Aquensis]. [1543]. 38 folios. 8.º
CAMBRIDGE. *Trinity College.*—MADRID. *Facultad de Medicina.*—METZ. *Municipale.*

5284

DISCURSO *sobre Europa.* Segovia.
Diputación Provincial. [Valencia.
Tip. Moderna]. [1962]. 246 págs. +
2 hs. 21,5 cm. (Joyas Bibliográficas.
Serie Conmemorativa, XI).
Edición bilingüe, que contiene:
—Presentación, por El Aprendiz de Bibliófilo [seud. de Carlos Romero de Lecea].
(Págs. 13-28).—«El Dr. Andrés Laguna,
médico», por Teófilo Hernando Ortega.
(Págs. 29-47).—«El humanismo de Andrés
Laguna y su "Discurso sobre Europa"»,
por José López de Toro. (Págs. 49-82).—
Notas al «Discurso sobre Europa», por
el Archiduque Otto de Austria Hungría.
(Págs. 83-87).—Texto latino reproducido
en facsímil. (Págs. 90 y pares siguientes).
Traducción castellana, por José López de
Toro. (Págs. 91 e impares siguientes).
MADRID. *Academia de la Historia.* 8⁴-35-2-1.
Nacional. 1-223.392.

5285

Galeni... De philosophica historia liber unus, imò singularis thesaurus, non minus Poetis & Oratoribus, quam Medicis & Philosophis utilis & necessarius... Andrea à Lacuna...

Interprete... Colonia. Iohannes Aquensis. 1543. 50 fols. + 4 hs. 14 cm.

MADRID. *Nacional.* 2-39.475.

5286

Victus ratio, scholasticis pauperibus parata facilis & salubris. París. Jacobus Bogardus. 1547. 8.º

— — —

—Colonia. Henrium Mameranum. 1550. 15 hs. 8.º
N. Antonio.
—*De victus et exercitiorum ratione...* Colonia. Jaspar Gennepeus. 1596. 20 págs. 14 cm.
BETHESDA, Mar. *National Library of Medicine.*

5287

ANNOTATIONES in Galeni interpretes... Venecia. Apud Hieronymum Scotum. 1548. 56 fols. 17 cm.

BETHESDA, Mar. *National Library of Medicine.*—CAMBRIDGE. *University Library.*—MADRID. *Facultad de Medicina* 612-211a [falto de portada]. *Nacional.* R-28.349.

— — —

—Lugduni. Apud Gulielmum Rouillium. 1553. 166 págs. 13 cm. (Es el tomo IV de la obra siguiente).
BETHESDA, Mar. *National Library of Medicine.*—SANTIAGO DE COMPOSTELA. *Universitaria.*
—Lugduni. Apud Gulielmum Rouillium. 1574. 340 págs. 16.º
MADRID. *Nacional.*—SALAMANCA. *Universitaria.*

5288

EPITOMES omnium Galeni pergamini operum... Venecia. Scotum. 1548. 5 vols. con ilustr. 16 cm.

En el tomo V: «Vita Galeni Pergameni ex Galeno ipso, et ex variis authoribus, per Andream Lacunam... collecta».
BETHESDA, Mar. *National Library of Medicine.*—CAMBRIDGE. *Trinity Hall College.*—*University Library.*—MADRID. *Facultad de Medicina.* 612-211 [dos tomos]. *Nacional.* R-28.349/90.—MILAN. *Universitaria.* C.2.C.103.—PARIS. *Nationale.* Rés.T.²³75.

— — —

—Basilea. Mich. Isingrinium. 1551. 8 págs. + 1299 cols. + 146 págs., con ilustr. 34 cm.
BETHESDA, Mar. *National Library of Medici-*

ne.—CAMBRIDGE. *University Library.*—MILAN. *Universitaria.* Alf. Ant.F.35.—PCLMA DE MALLORCA. *Fundación «Bartolomé March».*—PARIS. *Nationale.* Fol. T.²³75.
—Lugduni. Apud Guilielmum Rouillium. 1553. 4 vols. con ilustr. 13 cm.
Baudrier, IX, págs. 207-8.
BETHESDA, Mar. *National Library of Medicine.*—MADRID. *Nacional.* 5-5.277.—PARIS. *Nationale.* 8º T.²³74A. *Santa Genoveva.* T.8º151-154 inv. 1376-1379.—ROMA. *Vaticana.* Stamp. Barb. N.VI.132. — SANTIAGO DE COMPOSTELA. *Universitaria.*
—Lugduni. Apud G. Riuillium. 1554. 477 páginas + 1 h. 8.º
CAMBRIDGE. *Emmanuel College.*—*Sidney Sussex College.*—MADRID. *Nacional.* R-20.466.—MILAN. *Universitaria.* Alf. Ant.U.268.
—Basilea. T. Guarinum. 1571.
CAMBRIDGE. *Emmanuel College.*—*Sidney Sussex College.*
—Basilea. 1574.
PARIS. *Nationale.* Fol. T.²³ 75A.
—Lugduni. 1643.
PARIS. *Nationale.* Fol. T.²³ 75B.

5289

De articvlari morbo commentarivs... Cui accessit Tragopodagra Luciani, iuxta fidem exemplarium Graecorum, per eundem —— in Latinam linguam conuersa. Roma. Apud Valerium & Aloysium Doricos. 1551. 23 fols. 15 cm.

BETHESDA, Mar. *National Library of Medicine.* [Imperfecto].—MADRID. *Nacional.*—PARIS. *Santa Genoveva.* T.8º 1087 inv. 3183 (p. 3).

5290

ANNOTATIONES in Dioscoridem Anazarbevm... Lugduni. Apud Gulielmum Rouillium. 1554. 340 págs. 13 cm.

Baudrier, IX, pág. 212.
BETHESDA, Mar. *National Library of Medicine.*—MADRID. *Nacional.* 3-4.865.—PARIS. *Santa Genoveva.* S 8º 246 inv. 2128.—SALAMANCA. *Universitaria.*

5291

EPITOME omnivm rervm et sententiarum, quae in commentariis Galeni in Hippocratem extant. Lugduni.

Apud Gulielmum Rouillium. 1554. 478 págs. 17 cm.

BETHESDA, Mar. *National Library of Medicine.*—MADRID. *Facultad de Medicina.* 616-h. 11.A; etc.—PARIS. *Nationale.* 8° T.²³ 39.—ROMA. *Vaticana.* Stamp. Barb. N.V.54.—ZARAGOZA. *Universitaria.*

5292

METHODUS cognoscendi, extirpandique excrescentes in vesicae collo caruntulas. [s. l.-s. i.]. [s. a., ¿1551?]. 24 fols. 15 cm.

¿Roma?

BETHESDA, Mar. *National Library of Medicine.*—MADRID. *Nacional.* R-19.529.

— — —

—Alcalá. Juan de Brocar. 1555. 38 págs. 12.°

BARCELONA. *Central.*

5293

Cl. Galeni libellus De theriaca ad Pisonem, interprete & commentatore, Joanne Juvene... Ejusdem De antidotis lib. II ab Andrea Lacuna in epitomem redacti... Antuerpia. Apud Joannem Bellerum. [Col.: Typis Aegidii Radaei]. 1575. 234 págs. 13 cm.

BETHESDA, Mar. *National Library of Medicine.*

5294

[*EIUSDEM* (= Ioan. Iuuene) *de Antidotis libri II, ab Andrea Lacuna in compendium redacti*]. (En [Everard, Gilles] Aegidio Euerarto. *De herba panacea...* Amberes. Ioannem Bellerum. 1587).

PARIS. *Santa Genoveva.* T.8° 1685³ inv. 4474 (p.1) Rés.—SANTIAGO DE COMPOSTELA. *Universitaria.*

OBRAS ATRIBUIDAS

VIAJE a Turquía.

V. VILLALON (CRISTOBAL DE).

TRADUCCIONES

a) CASTELLANAS

5295

DISCURSO sobre Europa. 1962. V. n.°

b) INGLESAS

5296

Galens bookes of elementes, as they be in the Epitome... published foorth of Latine into English, by John Jones... Londres. William Jones. 1574.

Trad. del *Epitome* latino.

BETHESDA, Mar. *National Library of Medicine* (imperfecto). *Henry E. Huntington Library.*

c) ITALIANAS

5297

Il Remedio delle podagre. Con la Tragopodragre del Luciano... Roma. Gio. Marie Siotto. 1552. 24 fols. 8.° Toda.

ESTUDIOS

De conjunto

5298

OLMEDILLA Y PUIG, JOAQUIN. *Estudio histórico de la vida y escritos del sabio español Andrés Laguna médico de Carlos I y Felipe II y célebre escritor y botánico del siglo XVI.* Madrid. Tip. de El Correo. 1887. 198 págs. + 1 h.

MADRID. *Nacional.* 1-49.517.

5299

DUBLER, CESAR E. *Don Andrés de Laguna y su época.* (En *La «Materia Médica» de Dioscórices. Transmisión medieval y renacentista.* Tomo IV. Barcelona. 1955. XI + 367 págs.).

V. Bataillon, Marcel. *Un libro sobre el doctor Laguna,* en *Estudios Segovianos,* XI, Segovia, 1959, págs. 275-301.

MADRID. *Consejo. General.*

Biografía

5300

COLMENARES, DIEGO DE. *Andrés*

de Laguna. (En *Historia... de Segovia...* 2.ª ed. Madrid. 1640).

V. *B. L. H.*, VIII, n.º 4841.

En la ed. de Segovia, 1969-74, se añaden importantes notas y bibliografía a este capítulo. (Tomo III, págs. 57-61).

5301
BATAILLON, MARCEL. *Les nouveaux chrétiens de Ségovie en 1510.* (En *Bulletin Hispanique*, LVIII, Burdeos, 1956, págs. 207-31).

5302
[CONTRERAS, JUAN DE] MARQUES DE LOZOYA. *Andrés Laguna y el problema de los conversos segovianos.* (En *Estudios Segovianos*, XII, Segovia, 1960, págs. 63-70).
Conferencia.

5303
HERNANDO ORTEGA, TEOFILO. *Vida y labor médica del doctor Andrés Laguna.* (En *Estudios Segovianos*, XII, Segovia, 1960, págs. 71-188).

5304
V[ERA], J[UAN] DE. *Descentorium, notas y documentos sobre los Laguna.* (En *Estudios Segovianos*, XII, Segovia, 1960, págs. 263-79, más un árbol genealógico pleg.).

5305
VERA, J[UAN] DE. *Algo más sobre el doctor Andrés de Laguna.* (En *Estudios Segovianos*, XII, Segovia, 1960, págs. 221-42).

Interpretación y crítica
5306
CALONGE RUIZ, JULIO. *Andrés Laguna, humanista.* (En *Estudios Segovianos*, XII, Segovia, 1960, págs. 45-62).
Conferencia.

5307
FOLCH JOU, G. *Andrés Laguna, naturalista.* (En *Estudios Segovianos*, XII, Segovia, 1960, págs. 5-23).

5308
SANCHEZ GRANJEL, L. *Vida y obra del doctor Laguna.* (En *Estudios Segovianos*, XII, Segovia, 1960, págs. 25-44).
Conferencia.

5309
LAZA, MODESTO. *Interés permanente por Andrés Laguna.* (En *Gibralfaro*, Málaga, 1961, n.º 12, págs. 19-22).

Lenguaje
5310
DUBLER, C. E. *Los nombres árabes de materia médica en la obra del doctor Laguna.* (En *Al-Andalus*, XVI, Madrid, 1951, págs. 141-64).

5311
[LEXICO especial de Andrés de Laguna]. (En *La Materia médica...* Tomo VI. Barcelona. 1959).
V. n.º 5265.

Aspecto médico
5312
HARRIS, FRASER. *On a latin translation of the complete works of Galen by Andrea Laguna, M. D., the spaniard, Strassburg, 1604.* (En *Annals of Medical History*, II, Nueva York, 1919, págs. 384-90).

5313
BLANCO JUSTE, FRANCISCO. *Laguna, traductor y comentarista de Dioscórides.* Segovia. 1935. 32 págs.

5314
CONDE CARVAJAL, FELICIDAD. *Andrés Laguna. Su vida y su obra.* (En *Trabajos de la Cátedra de Historia Crítica de la Medicina*, IV, Madrid, 1935, págs. 157-66).

5315
BAÑUELOS, MISAEL. *Ensayo sobre el epítome de las obras de Galeno, publicado bajo la dirección de Andrés Laguna.* (En *Gaceta Médica Española*, XXIII, Madrid, 1949, págs. 247-49).

5316
PESET LLORCA, VICENTE. *A note of the Spanish version of Dioscorides «Materia Medica».* (En *Journal of the History of Medicine...*, IX, Nueva York, 1954, págs. 49-58).

5317
BATAILLON, MARCEL. *La «Materia Médica» de Dioscórides...* (En *Bulletin Hispanique*, LVIII, Burdeos, 1956, págs. 232-52).

5318
MARTIN MARCOS, LUIS. *El médico segoviano Andrés Laguna, figura universal del siglo XVI.* (En *Estudios Segovianos*, XII, Segovia, 1960, págs. 243-47.

5319
BATAILLON, MARCEL. *Sur l'humanisme du docteur Laguna. Deux petits livres latins de 1543.* (En *Romance Philology*, XVIII, Berkeley, 1963, págs. 207-34).
Se refiere a los núms. 5280 y 5284.

5320
ALEJANDRO, JOSE MARIA DE. *Dos actitudes ante Europa: Andrés de Laguna y Ortega y Gasset.* (En *Arbor*, LVIII, Madrid, 1964, págs. 235-63).

Atribución del «Viaje de Turquía»

5321
BATAILLON, MARCEL. *Dr. Andrés Laguna, «Peregrinaciones de Pedro de Urdemalas». (Muestra de una edición comentada).* (En *Nueva Revista de Filología Hispánica*, VI, Méjico, 1952, págs. 121-37).

5322
——. *Nouvelles recherches sur le «Viaje de Turquía».* (En *Romance Philology*, V, Berkeley, 1951-52, págs. 77-97).

5323
——. *Quelques notes sur le «Viaje de Turquía».* (En *Les Langues Néolatines*, 1954, n.º 128, págs. 1-8).

5324
——. *Andrés Laguna, auteur du «Viaje de Turquía», à la lumière de recherches récentes.* (En *Bulletin Hispanique*, LVIII, Burdeos, 1956, págs. 121-81, y en *Estudios Segovianos*, IX, Segovia, 1957).
Trad.: *Andrés Laguna, autor del «Viaje de Turquía», a la luz de recientes investigaciones*, en *Estudios Segovianos*, XV, Segovia, 1963, págs. 5-69.

5325
——. *Le Docteur Laguna, auteur du «Voyage en Turquie».* París. Libr. des Éditions Espagnoles. 1958. 156 págs.
a) Ares Montes, J., en *Insula*, XIV, Madrid, 1959, n.º 149.
b) López Estrada, F., en *Revista de Filología Española*, XLII, Madrid, 1958-59, páginas 347-48.
c) Montes, en *Boletín del Instituto Caro y Cuervo*, XIII, Bogotá, 1958, págs. 313-15.
d) Rébersat, J., en *Les Langues Néo-Latines*, LII, París, 1958, n.º 3, págs. 69-71.
e) Ricard, R., en *Bulletin Hispanique*, LX, Burdeos, 1958, págs. 415-16.
f) Schalk, F., en *Romanische Forschungen*, LXXI, Colonia, 1959, págs. 234-36.

Centenarios

5326
CRONICA del centenario de Laguna. (En *Estudios Segovianos*, IX, Segovia, 1960, págs. 280-88).

5327
REP: Hernández Morejón, II, págs. 227-68; Vergara, n.º 1.474, págs. 516-28.

LAGUNA (ANTONIO DE)

Fiscal Protector de Chile.

EDICIONES

5328

[*AL Autor*]. (En Villarroel, Gaspar de. *Govierno eclesiástico pacífico, y vnion de los dos cvchillos, Pontificio, y Regio*. Madrid. 1656. Prels.)

MADRID. *Nacional*. 3-78.313.

LAGUNA (FR. JOSE)

Mínimo. Provincial de la de Valencia.

EDICIONES

5329

SERMON del glorioso Patriarca San Iosef. Predicado en el Religioso Convento de los Padres Carmelitas Descalços de la Ciudad de Valencia dia decimo. Qve se sigvio al lvcido novenario de la Santa Madre Teresa de Iesvs. Fiesta de la señora Marquesa de la Casta, que hizo voto de celebrarla en gracias por la salud de su hija Doña Teresa, y de repetirla mientras viviere la Niña. Patente el Santissimo. Valencia. Gerónimo Vilagrasa. 1664. 4 hs. + 30 págs. 20 cm.

—Apr. de Fr. Luis de Valencia.—L. V.—
L. — Ded. a Ana Maria de Palafox y Cardona, Marquesa de la Casta.—Texto.
MADRID. *Nacional*. R-Varios, 169-26.

5330

ORACION Evangelica, qve en la profession de Sor Benita de la Huerta... dixo en el... Real Monasterio de la Trinidad de... Valencia... Barcelona. Imp. Mathevat, administrada por Martín Gelabert. 1677. 4 hs. + 20 páginas. 19,2 cm.

BARCELONA. *Central*. F. Bon. 8.344.—ORIHUELA. *Pública*. XXXI-6-18.

5331

SERMON... de los Dolores... Valencia. 1692.

GERONA. *Pública*. A-6.128.

LAGUNAS (JUAN BAUTISTA DE)

Franciscano. Guardián del convento de Guayangareo. Definidor de la provincia de Mechoacán y Jalisco.

EDICIONES

5332

ARTE y dictionario: con otras obras, en lengua michuacana. Méjico. Pedro Balli. 1574. 13 + 174 + 190 + 107 págs. 15,5 cm.

Medina, *México*, I, n.º 68.

BERKELEY. *University of California*.—MADRID. *Palacio*. D.274.—NUEVA YORK. *Hispanic Society*.—PROVIDENCE. *John Carter Brown Library*. WASHINGTON. *Congreso*. 4-9090 Revised.

5333

ARTE y diccionario tarascos... Los reimprime por vez primera... Nicolás León... Morelia. Imp. en la Escuela de Artes. 1890. VIII + 168 páginas. facs. 23 cm. (Biblioteca histórico-filológica michoacana. Sección 1.ª, 1).

WASHINGTON. *Congreso*. 4-21821.

LAGUNEZ (MATIAS)

N. en Sigüenza (1619). Estudió Leyes en la Universidad de Salamanca. Ejerció la abogacía en Madrid. Fiscal de la Audiencia de Quito. Oidor de la de Lima, donde m. en 1703.

EDICIONES

5334

MEMORIAL, qve... ——... Oydor de la Real Audiencia de San Francisco de Quito, haciendo oficio de Fiscal en ella dió y presentó en dicha Real Audiencia... Madrid. [s. i.]. 1686. 11 fols. + 1 h. Fol.

NUEVA YORK. *Public Library*. — PROVIDENCE. *John Carter Brown Library*.

OBRAS LATINAS

5335

TRACTATUS de fructibus in quo selectiora jura ad Rem Frustuariam

*pertinentia expondatur, ac difficilio-
ra referantur.* Madrid. Melchor Alvarez. 1686. 2 vols. Fol.

LONDRES. *British Museum.* 5305.c.1.—MADRID.
Nacional. 5-1.714.

— — —

—Venecia. Paulus Balleonius. 1701. 2 vols.
MADRID. *Facultad de Filosofía y Letras.*
20.424. *Nacional.* 3-74.815.—PARIS. *Nationale.*
Fol. F.347.
—Lugduni. Anisson et J. Possuel. 1702.
10 hs. + 592 págs. + 60 hs. Fol.
CAMBRIDGE, Mass. *Harvard University. Law
School Library.*—PARIS. *Nationale.* *E.35.
—Lugduni. Anisson et J. Possuel. 1703. 9 hs.
+ 592 págs. + 60 hs. Fol.
—Lugduni. Tournes fraters. 1727. 10 hs. +
592 págs. + 52 hs. Fol.
MADRID. *Nacional.* 2-20.954.
—Genevae. 1727. Fol.
MADRID. *Nacional.* 7-13.231.
—Genevae. 1757. 10 hs. + 529 págs. Fol.
WASHINGTON. *Congreso.*

5336
REP: J. Catalina García, *Guadalajara*, número CXIV.

LA HUERTA (DIEGO)
Doctor.

EDICIONES
5337
[*APROBACION. Zaragoza, 13 de
abril de 1617*]. (En Morejón, Pedro.
*Relación de la persecución que huvo
estos años contra la Iglesia de Japón...* Zaragoza. 1617. Prels.)
MADRID. *Nacional.* R-19.328.

LAINEZ (ANTONIO)
Doctor.

EDICIONES
5338
[*APROBACION. Sevilla, 30 de abril
de 1622*]. (En Durán, Juan. *Sermón
en la fiesta de... San Francisco de
Paula...* Sevilla. 1622. Prels.)
MADRID. *Nacional.* 2-51.988.

LAINEZ (CRISTOBAL)

EDICIONES
5339
[*POESIA*]. (En Cerone, Pedro. *El
Melopeo.* Nápoles. 1613. Prels.)
MADRID. *Nacional.* R-9.274.

LAINEZ (FR. JOSE)
N. en Madrid. Agustino, primero recoleto
y después calzado. Catedrático de Teología en Alcalá y Salamanca. Predicador real
(1635). Obispo de Guadix, donde m. en
1652.

EDICIONES
5340
*DOS (Los) estados de Ninive cavtiva,
y libertada, deduzidos del libro de
Ionas Profeta, por fray Ioseph de la
Madre de Dios...* Madrid. Iuan de
la Cuesta. 1619. 20 hs. + 925 págs. +
41 hs. 12 cm.

—Apr. de Fr. Geronimo de San Augustín.
Apr. de Fr. Francisco de la Concepción.
Censura de Fr. Diego de Campo.—L. O.
S. Pr.—T.—E.—Lámina con escudo.—Ded.
a D. Bernabé de Bivanco y Velasco, Cauallero de Santiago, etc.—Prologo al Lector. — Estado de cautiuerio de Niniue,
deduzido del capitulo primero y segundo de Ionas Profeta. — Argumento del
cap. primero y segundo de Ionas.—Texto.—Tablas.
GRANADA. *Universitaria.* A-4-25; A-2-219. —
LYON. *Municipale.* 334778.—MADRID. *Nacional.*
R-25.140.—SAN LORENZO DEL ESCORIAL. *Monasterio.* 3-XII-7.—SANTIAGO DE COMPOSTELA. *Universitaria.* — SEVILLA. *Universitaria.* 101-86;
117-59.

5341
*CONSIDERACIONES sobre los
Evangelios de la Qvaresma.* Toledo.
María Hortiz y Sarauia. 1625. 4 hs.
+ 254 fols. + 6 hs. 20 cm.

—Ded. a D. Diego de Guzman, Patriarca de
las Indias, etc.—Prologo.—S. Pr. al autor
por diez años.—L. O.—Censura de Fr.
Diego de Campo.—Apr. del P. Juan Bautista Poza.—T. — E. — Texto. — Indice de
lugares de la Sagrada Escritura.

Pérez Pastor, *Toledo*, n.º 522.
GRANADA. *Universitaria.* A-13-180.—PAMPLONA. *General de la Diputación Foral.* 109-2-3/7; etc.—PARIS. *Nationale.* D.8394.—SANTIAGO DE COMPOSTELA. *Universitaria.*—SEVILLA. *Universitaria.* 89-42.—ZARAGOZA. *Seminario de San Carlos.* 17-7-10.

5342

APOLOGIA o Defensa del ——, del Ponegirico que compuso al Excelentissimo Señor Conde Duque. Pamplona. Carlos de Labáyen. 1631. 11 fols. 19 cm.

—Texto.—Copia de la Censura de Fr. Hortensio Felix de Paravicino.—Copia de las censuras de Iuan Sanchez y el P. Gaspar Hurtado.

Pérez Goyena, II, n.º 430.

MADRID. *Nacional.* R-Varios, 153-9.—PAMPLONA. *General de la Diputación Foral.* Folletos, C.ª 12, n.º 1.

5343

PRIVADO (El) Christiano. Deducido de las vidas de Ioseph y Daniel que fueron valanzas de los validos en el fiel contraste del pueblo de Dios que escribia Al Exm.º S.ᵉʳ Don Gaspar de Guzman. Conde Duque de San Lucar la mayor, primer Ministro de Don Phelippe Quarto el Grande, Rey Catholico de las Españas y Emperador de America. Madrid. Imprenta del Reyno. 1641. 10 hs. + 316 págs. a 2 cols. 30 cm.

—Frontis de Iuan Noort.—Estampa de Felipe IV, de Iuan Noort. — Apr. de Fr. Francisco Boyl.—L. V.—Censura del P. Agustín de Castro.—Apr. de Fr. Francisco Guiral.—L. O.—Pr. a faovr de Fr. Ioseph Lainez por 20 años.—E.—T.—Tabla de capitulos.—Texto.

CORDOBA. *Pública.* 1-33.—LONDRES. *British Museum.* 4824.d.9 [deteriorado].—MADRID. *Nacional.* 2-41.945. *Palacio.* X-75. *Particular de D. Bartolomé March.*—PARIS. *Nationale.* Rés. *E.53.—ROMA. *Vaticana.* Stamp. Barb. V.VI.25.—SAN LORENZO DEL ESCORIAL. *Monasterio.* 70-IX-23. — SEVILLA. *Universitaria.* 310-167; 196-140.—URBANA. *University of Illinois.*

5344

ACCION de gracias a Dios Nuestro Señor por la Entrada Triunfal en la Ciudad de Lérida, trofeo esclarecido de la Augvstissima Piedad de nuestro Inclito Monarca Felipe IV el Piadoso... A la Solemnidad celebre con que se reconocio devota a la Sacratissima Imagen de Nuestra Señora de Monserrat, la Nobleza de los Catalanes desta Corte. En nombre de la que contesta ausente, violentada y oprimida, monumento eterno de su fidelidad, diziendo la Misa de Pontifical el... Obispo de Barcelona. Qve predico en San Martin... Fray Joseph Laynez... Pamplona. [s. i.]. [s. a., ¿1644?]. 16 hs. 4.º

—Texto.

Pérez Goyena, II, n.º 516.

5345

DANIEL (El) cortesano en Babilonia, Svsanam, y Echatanam. Prisionero de Nabuco en la ocupación de Israel. Oy ciudadano de la Iervsalem celestial. Adorado por Dios de sv primer rey Nabvco. Priuado de siete Monarcas, Caldeos, Persas, y Medos... Madrid. Iuan Sanchez. 1644. 12 hs. + 542 págs. a 2 cols. + 2 hs. 29,5 cm.

—Retrato de Felipe IV por Juan de Noorth. Ded. a Felipe IV el Piadoso.—Censura del P. Agustín de Castro.—L. V.—Apr. de Fr. Micael de Auellan.—S. Pr.—T.—E.— Si leyeres.—Vida de Daniel.—Texto.—Indice de los capítulos.—E.

CORDOBA. *Pública.* 29-148.—GRANADA. *Universitaria.* A-17.231.—MADRID. *Facultad de Filosofía y Letras.* Res. 41. *Nacional.* 2-15.423.—ROMA. *Vaticana.* Stamp. Barb. P.IV.14.—SAN LORENZO DEL ESCORIAL. *Monasterio.* 43-V-6.—SANTIAGO DE COMPOSTELA. *Universitaria.*—SEVILLA. *Universitaria.* 310-166.—VALLADOLID. *Universitaria.* 5604.

5346

SERMONES varios qve predicados en diferentes ocasiones escribia a

D. *Felipe Qvarto, el Piadoso... la obligación del Rmo.* ——... Madrid. Viuda de Francisco Martínez. 1645. 8 hs. + 442 págs. 21 cm.

—Ded. a Felipe IV.—Apr. del P. Agustín de Castro.—L. V.—Apr. de Fr. Francisco Verdugo.—Pr. al autor por diez años. E.—T.—Si leyeres.—Tabla de los Sermones.—Texto.

CORDOBA. *Pública.* 1-64.—GRANADA. *Universitaria.* A-3-166.—MADRID. *Nacional.* 2-58.947 (incompleto; con 442 págs.).—PAMPLONA. *General de la Diputación Foral.* 109-1-1/73.—SEVILLA. *Universitaria.* 98-95; 99-66; etc.

5347

SERMON de S. Antonio Abad. Valencia. Claudio Macé. 1647.

NUEVA YORK. *Hispanic Society.*

5348

JOSEPH (El) Virrey de Egipto. Madrid. 1652.

Alvarez y Baena.

5349

JOSUE (El). Esclarecido Caudillo, Vencedor de Reyes, y gentes. Por Israel libertada impera seguro y triunfa glorioso. Madrid. Gregorio Rodriguez. 1653. 7 hs. + 554 págs. a 2 cols. + 3 hs. 32,5 cm.

—Ded. a Felipe IV.—Censura de Fr. Francisco Boyl.—L.—Apr. del P. Agustin de Castro.—S. Pr. a favor del autor por diez años.—T.—E.—Prologo.—Texto.—Indice de capitulos.

CORDOBA. *Pública.* 21-141.—GRANADA. *Universitaria.* A-19-72.—MADRID. *Nacional.* 3-62.138.—SEVILLA. *Universitaria.* 196-137; 310-168.

5350

HISTORIA de la vida y virtudes del Venerable Hermano Juan de Jesús San Joaquín..., por fray José de la Madre de Dios. Madrid. Bernardo de Villa Diego. 1684. 372 págs. 4.º

Poesías sueltas

5351

[*AL Autor. Décima*]. (En Lara, Gaspar Agustín de. *Obelisco Fvnebre...* Madrid. 1684. Prels.)

MADRID. *Nacional.* 2-49.930.

Aprobaciones

5352

[*APROBACION. Zaragoza, 6 de junio de 1644, de Muestra la preparación primera o remota de la Muerte...*]. (En Ortigas, Manuel. *Llama eterna.* s. l. - s. a., 3.ª parte).

GRANADA. *Universitaria.* A-31-124 (2).

5353

[*CENSURA. Madrid, 19 de julio de 1649*]. (En Pellicer de Tovar, José. *Missión evangélica al Reyno de Congo...* Madrid. 1649. Prels.)

MADRID. *Academia de la Historia.* 14-8-8-5.693.

5354

[*CENSURA. Madrid, 2 de abril de 1650*]. (En Pellicer de Tovar, José. *Alma de la gloria de España...* Madrid. 1650. Prels.)

MADRID. *Nacional.* 2-27.001.

ESTUDIOS

5355

REP: N. Antonio, I, pág. 808; Alvarez y Baena, III, págs. 35-37; Manrique, A., en DHEE, II, pág. 1267.

LAINEZ (FR. JUAN)

EDICIONES

5356

COPIA de vna Carta qve escrivio el Padre ——, Predicador, y Comissario Provincial de la provincia de Lima: a el Reverend.ᵐᵒ Padre Fr. Ioseph de Sisneros, Padre de la santa Provincia de la Concepcion, y Comissario de todas las del Pirú. En que le da cventa del viage de los Galeones, batalla con Pie de palo, y otros sucessos hasta que llegaron a España. Habla el Autor desta car-

ta como testigo de vista, porque se halló en el Almiranta, en que venía embarcado. Málaga. Iuan Serrano de Vargas y Ureña. 1639. 16 hs. 29,5 cm.
—Texto.
CORDOBA. Pública. 3-72. — MADRID. Nacional. R-3.668.—NUEVA YORK. Hispanic Society.

5357
―――. Madrid. Juan Serrano de Vargas y Ureña. 1639. 32 págs. 4.º
Gallardo, III, n.º 2.603; Palau, VII, número 130.222.

LAINEZ (PEDRO)
¿N. en Madrid, 1538? Criado del príncipe don Carlos. M. en 1584.

CODICES
5358
«Sus obras...».
Letra de fin del XVI o principios del XVII. 11 hs. + 200 fols. + 6 hs.
V. Entrambasaguas, Estudio preliminar a su edición, I, págs. 96-106.
Perteneció a la biblioteca del duque de Gor, en Granada.
MADRID. Particular de D. Bartolomé March.

5359
[Poesías].
Letra del s. XVII. 256 fols.
Morel-Fatio, n.º 958; Entrambasaguas, loc. cit., I, págs. 107-16.
PARIS. Nationale. Mss. 314.

5360
[Soneto].
Letra del s. XVII.
Poesías, de F. de Rioja, en que se incluye como anónimo el soneto «Salga con la doliente ánima fuera...».
MADRID. Nacional. Mss. 3.888 (fol. 290v).

5361
[Poesías].
Letra del s. XVIII.
Tomo IV del Parnaso Español, en que se incluyen como anónimos el soneto «Memorias tristes del dolor pasado...» y la glosa «El gusto de contemplaros...».
MADRID. Nacional. Mss. 3.915 (fols. 10r y 12v).

5362
[Poesías].
Contiene varios poemas, utilizados en la ed. Entrambasaguas (V. II, págs. 360-61).
MADRID. Nacional. Mss. 3.968.

5363
[Poesías].
Letra del s. XVII.
Incluye entre las obras de Diego Hurtado de Mendoza la glosa «El gusto de contemplaros...» (fol. 238r) y cómo de Figueroa la égloga «Sobre neuados riscos leuantado...» (fols. 257r-261r).
MADRID. Nacional. Mss. 4.256.

5364
[Poesía].
En «Flores de varia poesia...».
MADRID. Nacional. Mss. 2.973.

5365
[Poesías].
Letra del s. XVII.
Incluye como anónima la poesía «Ay tanto que temer do no ay ventura...».
MADRID. Palacio Real. Mss. 1.587.

5366
[Poesías].
Letra del s. XVII.
Contiene como anónimo «En términos me tiene el mal que siento...» (fol. 92v) y «Soñara yo que tenía... (fol. 278r).
Morel-Fatio, n.º 600.
PARIS. Nationale. Mss. 307.

5367
[Poesías].
Contiene como anónimos cuatro composiciones suyas.
PARIS. Nationale. Mss. 371.

5368
[Poesías].
Letra del s. XVII.
Contiene: «Crezca con el licor del llanto mío...» (fol. 190v) y «Mill veces os he offrescido...» (fol. 283v).
Morel-Fatio, n.º 602.
PARIS. Nationale. Mss. 373.

5369

[*Poesías*].

Letra del s. XVI.
Contiene treinta y una.
OXFORD. *All Souls College*. Ms. 189.

EDICIONES
5370

POESIAS. Edición preparada por Antonio Marín Ocete. Granada. Universidad. [Imp. El Sagrado Corazón]. 1950. XVIII + 385 págs. 21,5 cm. (Anejo del Boletín de la Universidad de Granada).

a) Fucilla, J. G., en *Hispanic Review*, XX, Filadelfia, 1952, págs. 342-45.

MADRID. *Nacional*. 4-37.552. — WASHINGTON *Congreso*.

5371

OBRAS. Estudio preliminar y notas de Joaquín de Entrambasaguas con la colaboración de Juana de José Prades y Luis López Jiménez. Madrid. C.S.I.C. [Jura]. 1951. 2 vols. con láms. I-XXV. 22 cm. (Nueva Colección de Libros Raros y Curiosos, vols. II y III).

Tomo I:
—Estudio preliminar (págs. 10-364); Apéndice (págs. 367-75); Poesías de otros autores incluidas en el ms. del París (págs. 376-452).

Tomo II:
—Poesía.
—I. «Ms. de Gor» y «Ms. de París».
1. *A una partida de Fili*. [«Estando de vos ausente...»]. (Págs. 11-13).
2. *A Fili*. [«Fili, que siempre matáis...»]. (Págs. 13-14).
3. *Embiando a Fili una Diana*. [«Diana, de quien se escriue...»]. (Págs. 14-15).
4. *Coplas castellanas*. [«¿Dónde está mi libertad...?»]. (Págs. 15-32).
—Villancicos.
5. *Villancico*. [«No ay mal que a mi mal se iguale...»]. (Págs. 33-34).
6. *Otro*. [«Pues que los males se acaban...»]. (Págs. 34-35).
7. *Otro*. [«Soñaua yo que tenía...»]. (Págs. 35-37).

8. *Otro*. [«Plazeres, podéis bolueros...»]. (Págs. 37-38).
9. *Villancico*. [«Que ni duermen los mis ojos...»]. (Págs. 39-40).
10. *Otro*. [«Da Amor mal, quiçá, por bien...»]. (Pág. 40).
11. *Otro*. [«Pues acabaste mi gloria...»]. (Págs. 40-41).
12. *Glosa:* «Quiero lo que no a de ser». [«El gusto de contemplaros...»]. (Pág. 43).
13. *Otra*. [«Señora, si con amaros...»]. (Pág. 44).
14. *Glosa:* «Nunca mucho costó poco». [«De tan alta hermosura...»].
—[Paráfrasis].
15. *De un epigrama griego*. [«Por quedar bien satisfecho...»]. (Págs. 45-46).
16. *De toscano*. [«Mil vezes os e ofrecido...»]. (Págs. 47-48).
—Eglogas.
17. *I*. [«Después que en varias partes largo tiempo...»]. (Págs. 51-75).
18. *II*. [«Sobre neuados riscos leuantado...»]. (Págs. 76-82).
19. *III*. [«Afloja, nimpha, ya la cuerda dura...»]. (Págs. 82-100).
—Canciones.
20. *Canción*. [«Señora, bien conozco que mirando...»]. (Págs. 103-109).
21. *Canción*. [«La alegre Primauera...»]. (Págs. 109-12).
22. *Canción*. [«Pues el graue dolor del mal presente...»]. (Págs. 112-16).
23. *Canción*. [«Si un rato me dexase...»]. (Págs. 117-20).
24. *Canción*. [«Yo voi por donde Amor quiere lleuarme...»]. (Págs. 120-24).
25. *Canción*. [«Si el summo nouedor del alto cielo...»]. (Págs. 124-29).
26. *Canción*. [«Por los llorosos ojos derramando...»]. (Págs. 130-31).
27. *Canción*. [«Yo viuo, aunque muriendo, a tu despecho...»]. (Págs. 132-37).
—Epístolas.
28. *Epístola*. [«Si os parece, señor, que el atreuerme...»]. (Págs. 141-45).
29. *Epístola*. [«¡O, con quánto temor mi flaca mano...»]. (Págs. 145-54).
—Elegías.
30. *Elegía en la muerte del emperador Carlos Quinto*. [«Leuante Apolo el flaco entendimiento...»]. (Págs. 155-62).
31. *Elegía en la muerte de Luisa Sigea, muger doctíssima*. [«Si de triste licor tan larga vena...»]. (Págs. 163-70).
32. *Otaua rima a doña Leonor de Toledo*. [«Fiero dolor, pues tan profunda vena...»]. (Págs. 170-72).

33. *Elegía en la muerte de mi padre.* [«Si todo es vanidad, si todo es viento...»]. (Págs. 172-79).
34. *Elegía en la muerte de... doña Isabel, reyna de España.* [«Si pudiera mi boz enflaquecida...»]. (Págs. 180-91).
—Sonetos.
35. *Soneto.* [«Planta real de varias flores llena...»]. (Pág. 195).
36. *Soneto.* [«Entre los raros dones que contino...»]. (Pág. 196).
37. *Soneto.* [«¡Oh, sol, de quien es rayo el sol del cielo!...»]. (Págs. 196-97).
38. *Soneto.* [«Ardiente fuego, dardo o lazo estrecho...»]. (Pág. 197).
39. *Soneto.* [«Peligroso, atreuido pensamiento...»]. (Pág. 198).
40. *Soneto.* [«¡Quán manifiesta y clara es la locura!...»]. (Págs. 198-99).
41. *Soneto.* [«Dulce y fuerte prisión de mi alegría...»]. (Pág. 199).
42. *Soneto.* [«Vana esperança, Amor mal entendido...»]. (Pág. 200).
43. *Soneto.* [«Varios discursos haze el pensamiento...»]. (Págs. 200-1).
44. *Soneto.* [«Ay tanto que temer do no hay ventura...»]. (Pág. 201).
45. *Soneto.* [«Pues el furor del mar, contrario el viento...»]. (Pág. 202).
46. *Soneto.* [«¡Ay, fiero, auaro, inexorable hado!...»]. (Págs. 202-3).
47. *Soneto.* [«Memorias triste del plazer pasado...»]. (Págs. 203-4).
48. *Soneto.* [«En la fértil sazón que el cortés cielo...»]. (Pág. 204).
49. *Soneto.* [«No hay en Amor tan áspera sentencia...»]. (Págs. 204-5).
50. *Soneto.* [«¡Ay dulce libertad, vida segura!...»]. (Págs. 205-6).
51. *Soneto* [«Los lazos que con hebras de oro fino...»]. (Pág. 206).
52. *Soneto.* [«Si el cielo no remedia el mal que siento...»]. (Págs. 206-7).
53. *Soneto.* [«No pudo tanto la profunda vena...»]. (Págs. 207-8).
54. *Soneto.* [«Cese del duro pecho la aspereza...»]. (Pág. 208).
55. *Soneto.* [«Aunque no pueda el artificio humano...»]. (Págs. 208-9).
56. *Soneto.* [«Derramando voi lágrimas sin cuento...»]. (Págs. 109-10).
57. *Soneto.* [«Salga con la doliente ánima fuera...»]. (Pág. 210).
58. *Soneto.* [«Del encendido fuego, viuo, ardiente...». (Págs. 210-11).
59. *Soneto.* [«Sus rayos de oro ya el señor de Delo...»]. (Págs. 211-12).

60. *Soneto.* [«La vida que yo paso es propria muerte...»]. (Pág. 212).
61. *Soneto.* [«Baxad los claros ojos, que quitando...»]. (Págs. 212-13).
62. *Soneto.* [«De mi firma esperar contrario efeto...»]. (Págs. 213-14).
63. *Soneto.* [«Hermosisima Fili, en quien florece...»]. (Pág. 214).
64. *Soneto.* [«Si sólo imaginar que e de partirme...»]. (Págs. 214-15).
65. *Soneto.* [«Valor y cortesía ¿qué se an hecho?...»]. (Págs. 215-16).
66. *Soneto.* [«Término de la umana hermosura...»]. (Pág. 216).
67. *Soneto.* [«Quando los daños del error pasado...»]. (Págs. 216-17).
68. *Soneto.* [«Mil varias prueuas hizo Amor en vano...»]. (Págs. 217-18).
69. *Soneto.* [«¡Quién leuantara tanto el pensamiento...»]. (Pág. 218).
70. *Soneto.* [«Si creyendo atajar mi pensamiento...»]. (Págs. 218-19).
71. *Soneto.* [«Ligero tiempo a mi sólo espacioso...»]. (Págs. 219-20).
72. *Soneto.* [«En términos me tiene el mal que siento...»]. (Pág. 220).
73. *Soneto.* [«Siento vuestro dolor, alta señora...»]. (Págs. 220-21).
74. *Soneto.* [«Pireno, cuyo canto celebrado...»]. (Pág. 221).
75. *Soneto.* [«No vió el pasado siglo ni el presente...»]. (Págs. 222-23).
76. *Soneto.* [«Con tan sublime buelo e leuantado...»]. (Págs. 222-23).
77. *Soneto.* [«No de Mincio el cantor famoso y claro...»]. (Págs. 223-24).
78. *Soneto.* [«Damón, si en la presente desuentura...»]. (Pág. 224).
79. *Soneto.* [«Ya que esté de plazer mi alma agena...»]. (Págs. 224-25).
80. *Soneto.* [«Crezca con el licor del llanto mío...»]. (Págs. 225-26).
81. *A la Seteníssima Princesa de Portugal Doña Juana. Soneto.* [«Altíssima princesa, en quien el cielo...»]. (Pág. 226).
82. *En la muerte de la Reyna de Ingalaterra, nuestra Señora. Soneto.* [«Debaxo desta piedra dura y fría...»]. (Pág. 227).
83. *Soneto.* [«¡O, instables ruedes de la umana suerte!...»]. (Págs. 227-28).
84. *Soneto.* [«Si en tu diuina y alta prouidencia...»]. (Pág. 228).
85. *Al Viernes Santo. Soneto.* [«¡Oh, coraçón de piedra sin sentido!...»]. (Pág. 229).
86. *Soneto.* [«Callar quisiera tanto, si pudiera...»]. (Págs. 229-30).

87. *Soneto.* [«Amor, que en la serena vista ardiente...»]. (Pág. 230).
88. *Soneto.* [«No se nos muestra tan hermoso el cielo...»]. (Pág. 231).
89. *Soneto.* [«Llore con llanto amargo en noche escura...»]. (Págs. 231-32).
90. *Soneto.* [«Libres rayos del sol, sueltos o en velo...»]. (Pág. 232).
91. *Soneto.* [«Claro, ilustre Francisco, de las nueue...»]. (Pág. 233).
92. *A Montemayor. Soneto.* [«Diuino Ausías, libre del recelo...»]. (Págs. 233-34).
93. *Soneto.* [«Qual sale alguna vez la rubia Aurora...»]. (Pág. 234).
94. *Soneto.* [«¡O, dulce, de mi dulce pensamiento...»]. (Pág. 235).
95. *Soneto.* [«El dolor graue de tu acerba muerte...»]. (Págs. 235-36).
—Glosas.
96. *Otaua rima.* [«Pues a llegado ya mi desuentura...»]. (Págs. 239-42).
97. *Glosa:* «Aquí quiero llorar la suerte mía...». [«Pues mi contraria estrella ¡ay, suerte dura! ...»]. (Págs. 242-43).
98. *Glosa:* «Tu dulce canto, siluia, me a traído...». [«Viéndome, con correr presto y ligero...]. (Págs. 244-45).
—Otras composiciones.
99. *Diálogo. Otaua rima.* [«—Charón, Charón. —¿Quien llama tan penado?...»]. (Página 249).
100. *Otaua rima.* [«Raro y nueuo milagro de Natura...»]. (Págs. 249-50).
101. *Al príncipe con Carlos en Alcalá.* [«Príncipe, digno bien de quanto el cielo...»]. (Págs. 250-51).
102. *Embiando a Fili un Amadís en toscano.* [«Del famoso Amadís la insigne historia...»]. (Págs. 251-53).
103. *Otaua rima.* [«De la más alta cumbre as derribado...»]. (Págs. 253-54).
II. Otros manuscritos.
104. *Elegía a la muerte del Señor Don Juan de Austria.* [«Si las mudanças varias de fortuna...»]. (Págs. 257-70).
105. *Respuesta de Laynez a Lizana.* [«Alcino, aunque entre aquella illustre gente...»]. (Pág. 270).
106. *Soneto.* [«Quien bee las blancas y hermosas rosas...»]. (Pág. 271).
107. [¿*Fragmentos de* «Engaños y desengaños de Amor»?]. [«—Cerca de aquella dulce i clara fuente...»]. (Págs. 272-325).
III. Impresos.
108. *A Christoual de las Casas.* [«El que más a la fuente insigne deue...»]. (Págs. 329-31).

109. *A Antonio de Cabezón. Soneto.* [«Fénix en todo el Orbe, único y raro...»]. (Págs. 331-32).
110. *A Pedro de Padilla. Soneto.* [«De la varia, sotil red amorosa...»]. (Pág. 332).
111. *A Benito Caldera. Soneto.* [«Batto, por largos años conoscida...»]. (Pág. 333).
112. *Canción al mismo seraphico Sant Francisco.* [«Caudillo celestial, cuyo gouierno...»]. (Págs. 334-41).
Prosa.
113. *Dedicatoria.* [¿*Al príncipe don Carlos?*]. Figura al frente del ms. de París. (Págs. 345-46).
114. *Dedicatoria.* [¿*Al duque de Pastrana?*]. Figura al frente del ms. Gor. (Págs. 346-48).
115. *A los lectores.* En *Los Lusiadas,* de Camoens, trad. de Caldera. (Págs. 348-51).
116. *Aprobación.* De las *Eglogas,* de Padilla. (Pág. 352).
117. *Aprobación.* Del libro de Gómez de Luque. (Págs. 352-53).
118. *Aprobación.* De *La Austriada,* de Rufo. (Págs. 353-54).
119. *Censura.* De *El Pastor de Filida,* de Gálvez de Montalvo. (Págs. 354-55).
120. *Aprobación.* De las *Obras* de G. Silvestre. (Pág. 355).
—Variantes y notas del texto. (Págs. 359-393).
—Indice de primeros versos. (Págs. 395-400).
—Advertencia [sobre la edición de Marín Ocete]. (Págs. 401-27).

a) Granero, J. M., en *Razón y Fe,* CL, Madrid, 1954, págs. 395-96.
b) Penedo, M., en *Estudios,* IX, Madrid, 1953, págs. 606-7.
c) Romera - Navarro, M., en *Hispania,* XXXVI, Washington, 1953, págs. 125-26.
d) Sarmiento, E., en *The Modern Language Review,* XLVIII, Washington, 1953, páginas 482-83.
MADRID. *Nacional.* 1-108.625/26; etc. — WASHINGTON. *Congreso.* 53-18908.

Poesías sueltas

5372
[*POESIA*]. (En Casas, Cristóbal de las. *Vocabulario de las dos lenguas toscana y castellana...* Sevilla. 1570, fol. 8*v*).

MADRID. *Nacional.* R-4.942.

5373
[*SONETO*]. (En Cabezón, Antonio. *Obras de Música...* Madrid. 1578. Prels.)
MADRID. *Nacional.* R-3.891.

5374
[*A Benito Caldera. Soneto*]. (En Camones, Luis de. *Los Lusiadas..., traduzidos... por Benito Caldera.* Alcalá. 1580. Prels.)

5375
[*Al Autor. Soneto*]. (En Padilla, Pedro. *Thesoro de varias poesias.* Madrid. 1580. Prels.)
MADRID. *Nacional.* R-163.

5376
[*CANCION al mismo seraphico Sant Francisco*]. (En Padilla, Pedro de. *Jardín espiritual...* Madrid. 1585, folios 226-30).
MADRID. *Nacional.* R-11.298.

5377
[*SONETO inédito*]. (En PARNASO *Español... por Juan José López de Sedano.* Tomo VIII. Madrid. 1774, página 402).
«De un evano sutil dos bellas piernas...». Dudoso. Se ha atribuido también a Espinel.

5378
[*ALGUNAS poesías... Publícalas R. Schevill*]. (En *Revue Hispanique,* LXXXI, 2.ª parte, Nueva York-París, 1933, págs. 10-28).

5379
[*EGLOGA. Ed. de J. L. Picoche*]. 1973.
V. n.º 5391.

Aprobaciones

5380
[*APROBACION. Madrid, 17 de julio de 1580*]. (En Castillo, Julián del.

Historia de los reyes godos... Burgos. 1582. Prels.)
MADRID. *Nacional.* R-14.029.

5381
[*CENSURA. Madrid, 2 de junio de 1581*]. (En Galver de Montalvo, Luis. *El pastor de Filida.* Madrid. 1582. Prels.)
No se conoce ningún ejemplar en que figuren las páginas correspondientes. Reproducida en la ed. de Lisboa. 1589.

5382
[*APROBACION. Madrid, 2 de octubre de 1581.* (En Padilla, Pedro de. *Eglogas pastoriles.* Sevilla. 1582. Preliminares).
MADRID. *Nacional.* R-2.230.

5383
[*APROBACION. Madrid, 7 de diciembre de 1581*]. (En Gómez de Luque, Gonzalo. *Libro primero de los famosos hechos del príncipe Celidón de Iberia.* Alcalá. 1583. Prels.)
MADRID. *Nacional.* R-28.301.

5384
[*APROBACION. Madrid, 28 de marzo de 1582*]. (En Rufo, Juan. *La Austríada.* Madrid. 1584. Prels.)
MADRID. *Nacional.* R-1.448.

5385
[*APROBACION, sin datos*]. (En Silvestre, Gregorio. *Obras.* Granada. 1582. Prels.)
MADRID. *Nacional.* R-11.617.

Prólogos

5386
[*A los lectores*]. (En Camoes, Luis de. *Los Lusíadas, traducidos por Benito Caldera.* Alcalá. 1580. Prels.)

ESTUDIOS

5387
[*DOCUMENTOS sobre Pedro Laínez*]. (En Pérez Pastor, Cristóbal.

Bibliografía madrileña. Tomo III Madrid. 1907, págs. 391-403).

5388
[*DOCUMENTO* sobre la familia de Pedro Laínez]. (En Pérez Pastor, Cristóbal. *Noticias y documentos relativos a la historia y literatura españolas,* en *Memorias de la R. Academia Española,* X, Madrid, 1911, pág. 228).

5389
SCHEVILL, RUDOLPH. *Laínez, Figueroa and Cervantes.* (En HOMENAJE *ofrecido a Menéndez Pidal,* II, Madrid, 1925, págs. 425-41).

5390
[*TESTAMENTO de Pedro Laynez*]. (En Astrana Marín, Francisco. *Vida de... Cervantes.* Tomo V. Madrid. 1953, pág. 464).

5391
SERIS, HOMERO. *Un nuevo manuscrito con poesías inéditas de Laínez.* (En *Bulletin Hispanique,* LVII, Burdeos, 1955, págs. 325-26).

5392
FUCILLA, JOSEPH G. *Otra versión de «Sobre nevados riscos levantado...».* (En *Nueva Revista de Filología Hispánica,* X, Méjico, 1956, págs. 395-400).
Se reproduce de un ms. de la Biblioteca Nazionale de Florencia.

5393
BLECUA, JOSE MANUEL. *¿Un nuevo poema de Pedro Laynez?* (En HOMENAJE. *Estudios de Filología e Historia literaria...* La Haya. 1966, págs. 137-42).

5394
PICOCHE, JEAN-LOUIS. *«Los Amantes de Teruel» avant et après.* (En RECHERCHES *sur le monde hispanique*

au dix-neuvieme siècle. Lille. Université. 1973, págs. 97-126).

I. *Pedro Laínez, un prédécesseur peu connu d'Hartzenbusch.* (Págs. 99-117). En las págs. 106-17 reproduce la *Egloga de Galatea y Amaranta* del ms. de París.
MADRID. *Consejo. Instituto «M. de Cervantes».* LIX-168.

Elogios

5395
CERVANTES SAAVEDRA, MIGUEL DE. [*Elogio*]. (Al final del *Canto de Caliope,* en *Primera parte de La Galatea.* Alcalá. 1585, fol. 340r).

«... que todos los ingenios son deudores
a estos de quien yo me satisfago,
satisfazese dellos todo el suelo
y aun los admira porque son del cielo.
Estos quiero que den fin a mi canto
y a una nueua admiracion comienço
y si pensays que en esto me adelanto
quando os diga quien son vereys que os
                                    [venço.
Por ellos hasta el cielo me leuanto
y sin ellos me corro y me auerguenço;
tal es Laynez, tal es Figueroa,
dignos de eterna y de incessable loa.»
MADRID. *Nacional.* Cerv.-1.255.

5396
VEGA, LOPE DE. [*Elogio*]. (En su *Laurel de Apolo...* Madrid. 1630, folios 36v-37r).

«Vaya tambien la Fama
Amante Apolo de la verde rama,
El nombre dilatando
Por quanto cielo el Sol los Polos mide
De Pedro de Laynez, celebrando
La pura Estrella que a la noche impide
El passo original que maldezía
El que esperaua tras la noche el día».
MADRID. *Nacional.* R-14.177.
Reed. en *Sobre Poesía de la Edad de Oro.* Madrid. 1970, págs. 89-95.

LAINEZ DE TORRELUENGA (JOSE)

EDICIONES

5397
[*A Gaspar Augustín de Lara. Dézima*]. (En Lara, Gaspar Augustín de.

Obelisco fúnebre... Madrid. 1684. Prels.)

MADRID. *Nacional.* 2-49.930.

LAMADRID (FR. ANTONIO DE)

Dominico. Confesor del arzobispo de Sevilla.

EDICIONES

5398

[*CENSURA y Aprobación. Sevilla, 4 de diciembre de 1655*]. (En Ribas Carrillo, Juan de. *Sermón predicado el Jueves Santo...* Sevilla. 1655. Preliminares).

SEVILLA. *Universitaria.* 113-43 (16).

LAMADRIZ (FR. FRANCISCO DE PAULA DE)

Franciscano. Predicador mayor del convento de San Antonio Abad de Granada.

EDICIONES

5399

SERMON en la acción de gracias de la toma de Granada, predicado en su Santa Iglesia Metropolitana a dos de enero de mil seyscientos y sesenta y nueve años... Granada. Imp. Real de Baltasar de Bolíbar. 1669. 4 hs. + 12 fols. 20 cm.

—Apr. de Fr. Sebastián Capote.—L. O.— Censura de Diego del Castillo.—L. V.— Ded. a Fr. Alonso Salizanes, Ministro General de toda la Religión Seráfica.— Texto.

GRANADA. *Universitaria.* A-31-234 (4).

LAMAR CARRIO (JUSTO DE)

Colegial del de San Clemente en la Universidad de Santiago. Catedrático de Filosofía. Magistral de púlpito en Tuy. Vicario general de los ejércitos de Galicia. Administrador general de los Hospitales Reales del Ejército y Fronteras. Capellán de S. M. en la de Reyes Nuevos de Toledo.

EDICIONES

5400

[*APROBACION. Madrid, 10 de abril de 1669*]. (En Passano de Haro, An-

drés. *Exemplar eterno de prelados... en la vida, y acciones del... Señor Don Baltasar de Moscoso y Sandoval...* Toledo. 1670. Prels.)

MADRID. *Nacional.* 2-56.688.

LAMARCA (DOMINGO)

EDICIONES

5401

COMBATE contra amancebados agora nuevamente compuestos (sic), *con unos avisos para un mancebo que se quería casar, avisandole como se ha de regir antes y despues de casado.* Barcelona. Antonio Lacavalleria. 1677. 4 hs. 4.°

Palau, VII, n.° 130.332.

LAMARCA (LUIS)

EDICIONES

5402

TEATRO historico, politico, y militar, noticias selectas y heroycas hechas de los principes, y varones mas ilustres que celebra la fama. Valencia. Francisco Mestre. 1690. 4 hs. + 243 págs. a 2 cols. 20 cm.

—Ded. a la Virgen de los Desamparados. Censura de Matoses.—Texto.—Tabla de lo que contiene.

LONDRES. *British Museum.* 9008.c.13.—MADRID. *Academia de la Historia.* 1-2-7-919. *Facultad de Filosofía y Letras.* 8.554. *Nacional.* 2-65.778.—MONTPELLIER. *Municipale.* 9289.

LAMARRA (JERONIMO)

EDICIONES

5403

[*VILLETE al Autor*]. (En Uberte Balaguer, Anastasio Marcelino. *La obligación prevenida...* Puzol. 1678. Prels.)

MADRID. *Nacional.* R-15.263.

LA MATA
(FRANCISCO LUCAS)

EDICIONES

5404

DISCURSO apologético sobre el uso e inteligencia del Privilegio de Veynte que goza (por muchos titulos) la ciudad de Zaragoça. [s. l. - s. i.]. 1644. 19 págs. Fol.

Palau, VII, n.° 130.597.

LAMBAN (FR. JUAN BASILIO)

Franciscano. Lector de Teología del Colegio de San Diego de Zaragoza.

EDICIONES

5405

[*APROBACION. Zaragoza, 3 de septiembre de 1675*]. (En Arín, Baltasar de. *Regla y práctica de exercicios espirituales...* Zaragoza. 1676. Prels.)

MADRID. *Nacional.* 3-10.731.

LAMBERTO (P. ESTEBAN)

EDICIONES

5406

[*APROBACION. Madrid, 1 de marzo de 1648*]. (En López, Diego. *Comento sobre el Syntaxis del Arte de Gramatica.* Madrid. 1652. Prels.)

MADRID. *Nacional.* 3-41.638.

5407

[*APROBACION, 25 de marzo de 1650*]. (En Casanova, José de. *Primera parte del Arte de escrivir todas formas de letras.* Madrid. 1650. Prels.)

MADRID. *Nacional.* R-16.125.

LAMBRECHTS (JUAN)

Licenciado.

EDICIONES

5408

RAMILLO o guirnalda de discursos politicos y ethicos. Bruselas. Felipe Vleugaert. 1656. 4 hs. + 238 págs. + 1 h. 4.°

Peeters-Fontainas, I, n.° 665.

MADRID. *Nacional.* R-2.654.

«LAMENTABLE compendio...»

EDICIONES

5409

LAMENTABLE compendio, romance fvnebre de la intempestiva mverte que dio a su muger Sebastian de Arcos. [s. l. - s. i.]. 1674.

NUEVA YORK. *Hispanic Society.*

«LAMENTACION de amores...»

EDICIONES

5410

LAMENTACION de amores en coplas.

«Alma triste que eres mía...».
Abecedarium de la Colombina, n.° 13.021.

«LAMENTACION sobre la muerte...»

EDICIONES

5411

LAMENTACION sobre la mverte del Cardenal Dvqve de Richeliev y consolacion a sv Magestad sobre svs llantos en la misma mverte. Barcelona. Iayme Romeu. 1643. 4 hs. 20 cm.

Palau, VII, n.° 130.707.

BARCELONA. *Instituto Municipal de Historia.* B.1643-8.°(op)19.

«LAMENTACIONES de amor...»

EDICIONES

5412

LAMENTACIONES de amor hechas por un gentil hombre, en coplas.

«Ven ya muerte pues te pido...».
Abecedarium de la Colombina. n.° 14.502.

«LAMENTACIONES de amores...»

EDICIONES

5413

LAMENTACIONES de amores hechas por vn gentil hombre apassionado. Con otras de los comendadores por mi mal os vi. Y la glosa sobre el romance de A la mia gran pena forte: hecha por vna monja: la qual se quexa que por engaños la metieron pequeña en el monesterio con otras sobre Circundederunt me: en las quales se quexa Sant Pedro porque nego a su señor. [s. l. - s. i.]. [s. a.]. 4 hs. 4.º gót.

1. [«Lagrimas de mi consuelo...»].
2. [«De la mia gran pena forte...»].
3. [«Ay circundederunt me...»].

Rodríguez Muñino, *Diccionario*, n.º 922.

MADRID. *Nacional.* R-9.423.

«LAMENTOS apológicos...»

EDICIONES

5414

[*LAMENTOS Apologicos de Abusos dañosos, bien recibidos, por mal entendidos, en apoyos del memorial de la despoblación, pobreza de España, y su remedio, de Francisco Martinez de Mata, siervo de los padres afligidos hermano de la Tercera Ordel de Penitencia*]. [s. l. - s. i.]. [s. a.]. 4 hs. 30 cm.

—Texto.

MADRID. *Nacional.* R-Varios, 213-41.

LA MOTA (DIEGO DE)

V. MOTA (DIEGO DE LA)

LAMOTE (SEÑOR DE)

Caballero gascón.

EDICIONES

5415

[*AL Autor*]. (En Moulere, Señor de.

Vida y muerte de los Cortesanos. París. 1614. Prels.)

Poesía.

MADRID. *Nacional.* R-13.412.

LAMPEREZ Y BLAZQUEZ (VALENTIN)

Colegial del de teólogos de Aragón de la Universidad de Alcalá. Doctor en Teología. Catedrático de Moral de la catedral de Sevilla. Examinador sinodal del arzobispado. Teólogo de cámara del Arzobispo.

EDICIONES

5416

EXHORTACION a los Exercicios Espirituales, que deben preceder a los Sagrados Ordenes, para mejor disponerse a recebirlos. Propone sus motivos y utilidades. Sevilla. Lucas Martín de Hermosilla [1691]. 5 hs. + 199 págs. 14,5 cm.

—Ded. a los Ordenandos desta Diocesi.— Parecer de Fr. Pedro Cueto.—L. V.— Texto.

Escudero, n.º 1.873.

SEVILLA. *Universitaria.* 80-189.

5417

MANUAL de Documentos y Avisos espirituales para los que han hecho los exercicios espirituales para recibir las sagradas ordenes. Sevilla. L. Martín de Hermosilla. 1691. 5 hs. + 198 págs. 8.º

SEVILLA. *Colombina.* 11-2-105 = N. *Universitaria.* 80-189 (2.º).

Aprobaciones

5418

[*APROBACION. Sevilla, 8 de abril de 1692*]. (En Sanz, Manuel. *Tratado breve contra la secta mahometana...* Sevilla. 1693. Prels.)

MADRID. *Nacional.* R-30.611.

5419

[*APROBACION. Sevilla, 21 de junio de 1697*]. (En Castilla, Fray Juan de.

Discursos Predicables... Sevilla. 1698.
Prels.)

MADRID. *Nacional.* 3-17.130.

5420
[*CENSURA. Sevilla, 17 de abril de 1699*]. (En Silvestre, Francisco. *Glorias de María Santissima...* Sevilla. 1699. Prels.)

SEVILLA. *Universitaria.* 282-107.

OBRAS LATINAS

5421
DISCIPLINA vetus Ecclesiastica a... Inocentio XII instaurata. Sevilla. L. Martini. 1696. 17 hs. + 263 págs. + 1 h. 4.°

Escudero, n.° 1.911.

MADRID. *Facultad de Filosofía y Letras.* 18.593.—PAMPLONA. *General de la Diputación Foral.* 109-13-3/166.

———

—Méjico. María de Benavides. 1698. 16 hs. + 322 págs. 4.°

Medina, *México*, III, n.° 1.696.

LAMPREA GORDON (MANUEL)

EDICIONES

5422
[*ROMANCE*]. (En Manrique, Angel. *Exequias, tumulo y pompa funeral que la Universidad de Salamanca hizo en las honras de... Felipe III...* Salamanca. 1621, págs. 253-54).

MADRID. *Nacional.* 2-67.733.

LAMUELA (JUAN FRANCISCO)

EDICIONES

5423
XACARA, y Relacion verdadera de los hechos y prision del famoso Bandolero Sierrallonga. Barcelona. Viuda Liberós. 1633. 8 págs. con 3 grabs.

Romance.

Palau, VII, n.° 130.851.

5424
VERDADERA Relación en Romances muy curiosos, de la prision, sentencia, y muerte agora nuevamente exercitada en la persona de Juan Sala de Sierralonga, el mayor Bandolero que se ha oido contar, como todo se verá por la obra. Madrid. María de Quiñones. 1635. 4 hs. 20,5 cm.

—Texto. [Quisiera largo escrivir...»].—Romance del Duque de Fridland por Iaime Soler. [«El que bien vive, bien muere...»]. Soneto al Valor de España. [«Invicta España, que produzes hijos...»].—Poesía. [«Entre los sueltos cavallos...»].

MADRID. *Nacional.* V.E.-156/42.

LANA (BRAULIO)

EDICIONES

5425
DESCRIPCION de las casas y solares de Andia, Irarraçabal, Zarate, Recalde y Bivero. Madrid. Iuan Sanchez. 1620. 18 hs. + 105 fols. 29 cm.

—Ded. a Francisco Gonzalez de Andia.— Tabla de Privilegios, Titulos, Provisiones y demas cosas que contiene este libro.— Texto.

Pérez Pastor, *Madrid*, II, n.° 1.665.

MADRID. *Nacional.* 2-11.042 (sin portada).— SEVILLA. *Universitaria.* 9-78.

LANAJA (JUAN DE)

EDICIONES

5426
[*TERCETOS*]. (En Díez de Aux, Luis. *Retrato de las fiestas que a la beatificación de... Santa Teresa de Iesus... hizo... Zaragoça...* Zaragoza. 1615, pág. 66).

MADRID. *Nacional.* R-457.

5427
[*DEDICATORIA a los Diputados del Reino de Aragón*]. (En Leonardo de Argensola, Lupercio. *Declaración su-*

maria de la Historia de Aragón. Zaragoza. 1621. Prels.)

MADRID. *Nacional.* 3-30.215.

LANAJA (P. MARTIN DE)

N. y m. en Zaragoza (1606-1696). Jesuita desde 1623. Rector de los Colegios de Calatayud y de Zaragoza. Penitenciario apostólico de la Santa Casa de Ntra. Sra. de Loreto, por la lengua de España.

EDICIONES

5428

ESTADO de la persegvida iglesia del Xapon, prodigioso milagro del Apostol de las Indias S. Francisco Xavier de la Compañia de Iesvs, e ilustre Muerte del Venerable Padre Marcelo Mastrilo de la misma Compañía. Zaragoza. Hospital Real y General de Ntra. Sra. de Gracia. 1639. 32 págs. 19,5 cm.

—Págs. 3-4: Ded. a D. Miguel Batista de Lanuza, Regidor y administrador del Hospital de Ntra. Sra. de Gracia, cuyo escudo figura en la portada.—Texto.

Jiménez Catalán, *Tip. zaragozana del siglo XVII,* n.° 402.

MADRID. *Nacional.* 2-34.051.

5429

INDUSTRIAS para aumentar el merito de las buenas obras. Murcia. Juan Fernández. 1642.

N. Antonio.

5430

EXCELENCIA (De la), frutos y mysterios del sacrosanto sacrificio de la Misa. Zaragoza. Dionisio de Pujada. 1648.

N. Antonio.

5431

VIDA del Ven. Dr. Francisco Garzia de la Sierra. Zaragoza. 1654.

N. Antonio.

5432

VIDA de Santa Lucilla Virgen y Mar-

tyr, cuyo cuerpo se guarda en Calataiud. Zaragoza. Dionysiun de Puiada. 1654. 4.°

N. Antonio, II, pág. 104.

5433

CONTRA el nocivo y barbaro espectaculo de correr Toros. Zaragoza. Dionisio de Pujada. 1661.

N. Antonio.

5434

EPITOME de la Vida, y Virtudes de San Francisco de Borja, Espejo de Santidad, en todos los Estados en que vivio, de Moço, Casado, Gobernador, Viudo, Religioso y Perlado. [Zaragoza. Iuan de Ybar]. 1671. 16 hojas. 4.°

5435

MISSIONERO (El) perfecto deducido de la vida, virtudes, predicacion, y missiones del venerable y apostolico predicador, Padre Geronimo Lopez, de la Compañia de Iesvs. Con vna practica muy cumplida, de la perfecta forma de azer Missiones, con fruto de las Almas, conforme el estilo, que en ellas guardava el mismo V. P. y otros Misioneros insignes. Zaragoza. Pasqual Bueno. 1678. 9 hs. + 622 págs. a 2 cols. + 5 hs. 29,7 cm.

—Ded. a Miguel Sabater.—Apr. del P. Orencio Ardanui.—Apr. del Dr. Vicente Navarrete.—L. O.—E.—Pról. y Razón del Libro.—Protestación del autor.—Epigrama latino del P. Simón Plaza.—Décima del mismo. [«Tarea del Sol ermosa...»].—Indice de Capítulos.—Indice de doctrinas muy importantes que se suelen predicar en los Sermones de Misión.—Texto.—Indice de Cosas notables.—Advertencia última a los que leyeron el Libro.

Jiménez Catalán, *Tip. zaragozana del siglo XVII,* n.° 927.

MADRID. *Nacional.* 7-13.788; 3-62.874.—SANTIAGO DE COMPOSTELA. *Universitaria.* — SEVILLA. *Universitaria.* 169-110.

Aprobaciones

5436

[*APROBACION. Zaragoza, 16 de abril de 1663*]. (En Continente, Pedro Jerónimo. *Predicación fructuosa...* Zaragoza. 1664. Prels.)

SEVILLA. *Universitaria.* 120-29.

TRADUCCIONES

a) ITALIANAS

5437

[*De la excelencia... de la Misa*]. Bolonia. 1658.

N. Antonio.

ESTUDIOS

5438

REP: N. Antonio, II, pág. 104; Latassa, 2.ª ed., II, págs. 385-86.

LANAJA (PEDRO)

Impresor del Reino de Aragón y de la Universidad de Zaragoza.

EDICIONES

5439

[*DEDICATORIA a D. Gerónimo de Atayde, marqués de Colares*]. (En Andrés de Uztarroz, Juan Francisco. *Relación del juramento de los Fueros de Aragón, que hizo el... Príncipe Don Balthasar Carlos...* Zaragoza. 1645. Prels.)

5440

[*DEDICATORIA a D. Miguel Batista de Lanuza, cavallero de la Orden de Santiago, etc.*]. (En Coreno, Jacobo. *Escudo de paciencia. Trad. por Diego Castellón.* Zaragoza. 1648. Preliminares).

MADRID. *Nacional.* 2-69.585.

LANAJA Y FRANCES (FRANCISCA)

EDICIONES

5441

[*SONETO*]. (En Andrés de Uztarroz,

Juan Francisco. *Obelisco histórico y honorario...* Zaragoza. 1646, pág. 54).

MADRID. *Nacional.* 2-65.227.

LANAJA Y LAMARCA (PEDRO)

EDICIONES

5442

RELACION del Iuramento de los Fueros de Aragon que hizo el Serenissimo Principe Balthasar Carlos en la Iglesia Metropolitana de Zaragoza en 20 de Agosto 1645. Zaragoza. Pedro Lanaja. 1645. 3 hs. + 16 págs. 20 cm.

—Ded. a Geronimo de Atayde.—Dibujo del teatro i trono del Iuramento.—Texto.

Jiménez Catalán, *Tip. zaragozana del siglo XVII*, n.º 479.

MADRID. *Nacional.* R-Varios, 188-23.—SEVILLA. *Universitaria* 111-8 (31); 110-127 (50).

LANARIO Y ARAGON (FRANCISCO)

N. en Nápoles (1589). Capitán de Caballería en Flandes. Miembro del Consejo de Guerra de los Países Bajos. Gobernador de las provincias napolitanas de Principato citra y Basilicata. En 1624 se le concedió el título de duque de Carpignano, un hábito de Calatrava y la nacionalidad española.

EDICIONES

5443

GVERRAS (Las) de Flandes, desde el año de mil y quinientos y cincuenta y nueue hasta el de seiscientos y nueue. Madrid. Luis Sanchez. 1623. 5 hs. + 1 blanca + 154 fols. 20 cm.

—Ded. a D. Gaspar de Guzman, Conde de Oliuares, etc.—A quien leyere estas Guerras.—S. Pr.—S. T.—E.—L. V.—Censura de Luis Varona Zapata.—Texto.

Salvá, II, n.º 2.991; Pérez Pastor, *Madrid*, n.º 1.954.

CHICAGO. *Newberry Library.*—LONDRES. *British Museum.* 154.e.1; etc.—MADRID. *Academia de la Historia.* 3-7-6-7509; 1-6-7-3358. *Nacional.* 2-21.013.—NUEVA YORK. *Hispanic Society.*—PARIS. *Nationale.* Rés. M.535; etc.—ROMA. *Nazionale.* 6.10.K.34.—SAN LORENZO DEL

ESCORIAL. *Monasterio.* M.8-II-10.—SANTANDER. «*Menéndez Pelayo*». R-V-6-19.—SEVILLA. *Colombina.* 77-2-9. *Universitaria.*—URBANA. *University of Illinois.*

5444

BREVE discvrso donde se mvestra qve los Reyes an de tener Priuado. Palermo. Angelo de Orlandi. 1624. 31 págs. 4.º

Salvá, II, n.º 3.924.

5445

TRATADOS (Los) del Principe y de la guerra. Palermo. Juan Bautista Maringo. 1624. 44 + 232 págs. + 16 hs. + 188 págs.

—Ded. a D. Antonio Alvarez de Toledo. [«... Aunque la obra consta en seys libros y estos en sesenta y nueve tratados y que lo tengo acabado en mi lengua, se imprimen solo los tratados del Principe y de la Guerra... por ser estos llave de toda la obra...»].—A quien leyere.—Prefacio e indice de los seis libros.—Indice del primer tratado.—Tabla de los Consejos en los cuales se alegan lugares de la Sagrada Escritura.—Indice de los autores que se alegan y de las personas dignas por sus dichos sentenciosos.—Texto del libro primero (págs. 1-232).—E.—Indice del segundo tratado.—Lugares de la Sagrada Escritura—Indice de los autores.—Tratado segundo (págs. 1-177).—Apr. de Baltasar Balduci.—Apr. de Fr. Bernardo de Vargas.—Apr. de Fr. Alonso de Molina.—Apr. de Fernando Matute y Acevedo.—Pr. al autor por diez años.—E.

Toda, *Italia*, II, n.º 2.658.

LONDRES. *British Museum.* 522.d.37.—ZARAGOZA. *Seminario de San Carlos.* 24-5-29.

5446

TESORO de virtudes, y conocimiento de vicios, sacado de las Sagradas Letras. Madrid. Viuda de Luis Sánchez. 1628. 6 hs. + 174 fols. 10,5 cm.

—Ded. a D. Manuel de Zuñiga y Fonseca, caballero de Calatrava, etc.—Al lector.—Prefación—.L. de Fr. Julian Abarca.—L. de Fr. Francisco Boyl.—S. Pr.—E.—T.—Texto.—Tabla de los capítulos.

Gallardo, III, n.º 2.604.

GRANADA. *Universitaria.* A-23-195.

5447

EXEMPLAR de la constante paciencia christiana y politica. Madrid. Imprenta del Reyno. [Al fin: Viuda de Luis Sánchez]. 1628. 6 hs. + 100 fols. 19,5 cm.

—Remisión a censura.—Apr. de Fr. Iulian Abarca.—Apr. de Fr. Francisco Boyl.—S. Pr. al autor por diez años.—E.—S. T.—Indice de los Capitulos.—Ded. a D. Ramiro Felipe de Guzman, Duque de Medina de las Torres, etc.—A quien leyere este tratado.—Texto.—Colofón.

Gallardo, III, n.º 2.605.

LONDRES. *British Museum.* C.67.e.5.—MADRID. *Nacional.* 2-3.609.

5448

————. Nápoles. Lazaro Scorigio. 1630. 10 hs. + 199 págs. 4.º

Toda, *Italia*, II, n.º 2.662.

ROMA. *Vaticana.* Stamp. Barb. U.XIII.52.

5449

ESPEJO del Dvque de Alcala. Con el exemplar de la constante paciencia Christiana y Politica. Nápoles. Lázaro Scoriggio. 1630. 4 hs. + 152 págs. 20 cm.

—Ded. a D. Fernando Afan de Rivera y Enriquez, Duque de Alcalá, Virrey de Napoles, etc., cuyo escudo figura en la portada.—Al lector.—Texto.

Toda, *Italia*, III, n.º 2.661.

CAMBRIDGE, Mass. *Harvard University. Law School Library.* — MADRID. *Academia de la Historia.* 20-5-5-2172. *Nacional.* 3-35.611. — MANNHEIM. *Scholssbibliothek.* 322 Theol. — ROMA. *Vaticana.* Stamp. Barb. U.XIII.51.— ZARAGOZA. *Seminario de San Carlos.* 20-7-22.

TRADUCCIONES

a) FRANCESAS

5450

Histoire des Guerres de Flandre despuis le commencement iusques a la fin. París. Sebastien Chappelet. 1618. 31 hs. + 202 págs. + 11 hs. 4.º

CHICAGO. *Newberry Library.*—PARIS. *Nationale.* M.8132.

b) ITALIANAS

5451

Le guerre di Fiandra brevemente narrate... Anuersa. [Amberes]. Apud Hieronimum Verdusium. 1615. 208 págs. 21,5 cm.

GENOVA. *Universitaria.* 2.P.VIII.6. — MADRID. *Nacional.* 2-46.485.—PARIS. *Nationale.* M.8131. ROMA. *Nazionale.* 8.11.L.30. *Vaticana.* Stamp. Barb. K.III.16; Capponi. IV.177. — WASHINGTON. *Congreso.*

5452

Le gverre di Fiandra breuemente narrate. Milán. Gio. Battista Bidelli. 1616. 216 págs. + 12 hs. 12.º

Toda, *Italia,* II, n.º 2.657.

MADRID. *Nacional.* 3-65.337.—NUEVA YORK. *Columbia University.*—ROMA. *Nazionale.* 6.27. H.24. *Vaticana.* Capponi. V.70.

5453

——. Venecia. Biglione. 1616. 194 págs.

CHICAGO. *Newberry Library.*—MADISON. *University of Wisconsin.*—ROMA. *Nazionale.* 34. 3.G.2,4. *Vaticana.* Ferraioli. IV.1774.

5454

Il Principe bellicoso... Nápoles. Lázaro Scoriggio. 1631. 18 hs. + 168 págs. + 14 hs. + 132 págs. 4.º

Toda, *Italia,* II, n.º 2.659.

MADRID. *Nacional.* 2-19.693.—PARIS. *Nationale.* *E.933.*—ROMA. *Nazionale.* 14.2.C.34. *Vaticana.* Stamp. Barb. N.II.69.

LANCASTER Y LANCASTER ENRIQUEZ GIRON (ALFONSO DE)

Duque de Abrantes.

EDICIONES

5455

PAPEL que ha hecho un señor zeloso de la dignidad sacerdotal, y de la de los grandes de España. [s. l.-s. i.]. [s. a., ¿1645?]. 4.º

LONDRES. *British Museum.* 765.i.7 (9).

5456

RESUMEN de las razones que se ofrecen para ser el duque de Abrantes conseruado despues de sacerdote en el mismo tratamiento. [s. l.-s. i.]. [s. a., ¿1645?]. Fol.

LONDRES. *British Museum.* 765.i.7 (8).

LANCASTER SANDE PADILLA (AGUSTIN DE)

Duque de Abrantes, Marqués de Valdefuentes, etc.

EDICIONES

5457

INFORME hecho por el duque marqués de Valde Fuentes, sobre el sucesso entre algunos señores, y soldados de la Guarda... 7 de Julio de 68. [s. l.-s. i.]. [1668]. Fol.

¿De Madrid?

LONDRES. *British Museum.* T.16.* (30).

LANCINA (FRANCISCO DE)

EDICIONES

5458

VIDA de S. Francisco Xavier, apostol de las Indias. Assvntos politicos, y morales de Poesia. Madrid. Melchor Aluarez. 1682. 6 hs. + 52 fols. orlados. 20 cm.

—Ded. a D. Pedro Coloma, Comendador de Auñón, etc.—Al señor marques de Canales. Soneto acrostico. [«Diuino numen, precisò rendida...»].—Apr. de Fr. Francisco García.—L. V.—Apr. del P. Andrés Mendo.—S. L. del Consejo de Castilla.— Al assunto de esta obra.—Soneto de Gaspar Agustín de Lara. [«De aquel Segundo Pablo, cuyo zelo...»].—Al lector.— Texto. (Poesías sobre episodios de la vida del Santo).

Salvá, I, n.º 699.

LONDRES. *British Museum.* 4829.c.23.—MADRID. *Nacional.* R-Varios, 114-26.

LANCINA (JUAN ALFONSO DE)

Señor de la villa de la Cueva de Santiago. Juez tres veces de la Gran Corte de la Vicaría en el Reino de Nápoles. Superintendente Delegado de las materias de Estado.

CODICES

5459

«Comentarios políticos a los Annales de Cayo Vero Cornelio Tácito». Letra del s. XVII. II + 257 fols. 308 × 210 mm. Parece el original usado para la impresión.

Inventario, V, págs. 139-40.

MADRID. Nacional. Mss. 1.754.

EDICIONES

5460

COMMENTARIOS politicos a los Annales de Cayo Vero Cornelio Tacito. Madrid. Melchor Alvarez. 1687. 6 hs. + 492 págs. + 4 hs. 30 cm.

—Grab.—Ded. al Conde de Oropesa.—Censura del P. Iuan de Palazol.—L. V.—Censura de Felix de Lucio Espinosa y Malo. Pr. al autor por diez años.—E.—S. T.—Proemio, y razon de la Obra.—Texto.—Indice.

Da texto y traducción por párrafos y después el comentario.

GRANADA. Universitaria. A-15-314. — MADRID. Academia de la Historia. 4-2-4-1822; 2-6-2-1889; etc. Facultad de Filosofía y Letras.—Nacional. 3-52.581; 3-75.839.—PAMPLONA. General de la Diputación Foral. 109-2-5/81.—SANTIAGO DE COMPOSTELA. Universitaria.—SEVILLA. Colombina. 95-6-15; 90-4-13. Universitaria. 127-140; 168-57.

5461

HISTORIA de las Reboluciones del Senado de Messina, que ofrece al Sacro, Catolico, Real Nombre de D. Carlos Segundo, Nuestro Señor por su Consejo y Camara de Castilla. Madrid. Julian Paredes. 1692. 7 hs. + 522 págs. + 7 hs. 29 cm.

GERONA. Pública. A-3170.—MADRID. Academia de la Historia. 5-5-6-2367. Nacional. 3-15.288. SAN LORENZO DEL ESCORIAL. Monasterio. 69-IX.16.—URBANA. University of Illinois.

LANCINA Y ULLOA (LUIS FELIX DE)

Doctor.

EDICIONES

5462

RELACION de la fvneral pompa, en las honras que hizo la muy insigne Vniuersidad de Salamanca, en XXI de Deciembre de M.DC.XLIIII. años. A la buena memoria, y Magestad de la Reyna N. S. D. Isabel de Borbon muger del muy Catholicho Monarcha de España y Emperador de America Philipo IIII el Grande... Hazela por comission de la Vniuersidad... ——. Salamanca. Francisco de Roales. [s. a.]. Port. + 1 h. blanca + 2 hs. + 114 fols. + 1 h. pleg. 21 cm.

—Ded. a Felipe IV.—Texto: Fols. 47r-54v: Panegyrico sagrado, que dixo el P. Pedro Pimentel. Fols. 55r-61r: Oratio latina por Fernando Vazau, Rector.—Fols. 63r-114r: Certamen poetico. 2.ª edición.

GRANADA. Universitaria. A-3-220.—MADRID. Nacional. 3-60.263.

LANDA (FR. DIEGO DE)

N. en Cifuentes (1524). Llegó a Yucatán en 1594 y allí se hizo sacerdote y franciscano. Provincial de su Orden (1561). Obispo de Mérida del Yucatán (1572). M. en 1579.

CODICES

5463

«Relación de las cosas de Yucatán». Letra del s. XVII. 8.º

Copia incompleta, que editó Brasseur de Bourbourg.

J. Catalina García, Guadalajara, n.º 550.

MADRID. Academia de la Historia. 9-24-3-B-68.

——— ——— ———

Hay copias fotostáticas de este mss. en BATON ROUGE. Louisiana State University y CAMBRIDGE, Mass. Harvard University.

EDICIONES

5464

RELATION des choses de Yucatan, texte espagnol et traduction française en regard, comprenant les signes du calendrier, et de l'alphabet hiéroglyphique de la langue maya... París. A. Bertrand. 1864. CXII + 516 págs. con ilustr. 8.º (Collection de documents dans les langues indigènes, pour servir a l'étude de l'histoire et de la philologie de l'Amérique ancienne..., 3).

LYON. *Municipale.* 416.847.—MADRID. *Nacional.* H.A.-1.554; etc.—NUEVA YORK. *Hispanic Society.*—PARIS. *Nationale.* 4ºP.445 y 4ºP.Angrand.793.

5465

[*RELACION de las cosas de Yucatán*]. (En Rosny, León de. *Ensayo sobre la interpretación de la Escritura Hierática de la América Central. Traducción anotada y prólogo de Juan de Dios de la Rada y Delgado.* Madrid. Imp. Tello. 1881, págs. 69-114).

Se transcribe el ms. de la Academia de la Historia por estimar que la ed. de 1864 no era exacta ni completa.

MADRID. *Nacional.* H.A.-15.663.

5466

RELACIONES de Yucatán. Edición de José María Asensio y Toledo. (En COLECCIÓN *de documentos inéditos relativos al descubrimiento, conquista y organización de las antiguas poblaciones españolas de Ultramar.* Tomo XIII. Madrid. 1900, págs. 265-411).

5467

RELATION des choses de Yucatan... Texte espagnol et traduction française par Jean Genet. París. Les Editions Gasset. 1928. 2 vols. 22,5 cm. (Coll. de textes relatif aus anciennes civilisations du Mexique et de l'Amérique centrale).

Quedó incompleta, a falta del tomo III.

BERKELEY. *University of California. Bancraft.* MADRID. *Consejo. General.*—WASHINGTON. *Congreso.*

5468

RELACION de las cosas de Yucatán, sacada de lo que escribió el P. ——... Primera edición yucateca, precedida de una «Nota preliminar sobre la vida y la obra de ——», escrita por... Alfredo Barrera Vázquez; y seguida de un apéndice que contiene la reimpresión de diez relaciones de las escritas por los encomenderos de Yucatán en los años de 1579 y 1581. Mérida, Yucatán. E. G. Triay e hijos, impr. 1938. XXI + 207 págs. con ilustr. 24 cm.

EVANSTON. *Northwestern University.* — NEW HAVEN. *Yale University.* — WASHINGTON. *Congreso.* 39-8470.

5469

RELACION de las cosas de Yucatán... Introducción y notas por H. Pérez Martínez. 7.ª ed., con un apéndice en el cual se publican por primera vez varios documentos importantes y cartas del autor. Méjico. Edit. P. Robredo. 1938. 416 págs. 4.º

a) López, A., en *Archivo Ibero-Americano,* I, Madrid, 1941, págs. 308-14.

SAN DIEGO. *University of California.*—WASHINGTON. *Congreso.*

5470

RELACION de las cosas de Yucatán... Introducción por Angel María Garibay K. Méjico. Porrúa. 1959. XVIII + 252 págs., con ilustr. + 1 lám. 23 cm. (Biblioteca Porrúa, 13).

— — —

—9.ª ed. 1966.

GRANADA. *Facultad de Filosofía y Letras. Sem. H.ª América.*—MADRID. *Nacional.* H.A.-46.387.

—1973.
MADRID. *Facultad de Filosofía y Letras.* Seminario de Literatura Hispanoamericana.

5471
DOCTRINA *christiana traducida en la lengua de los indios de Yucatán.*
Cit. en el *Informe contra idolorum cultores,* de Pedro Sánchez de Aguilar, 2.ª ed., pág. 35 (Medina, *México,* I, n.° 200d).

TRADUCCIONES

a) FRANCESAS

V. núms. 5464 y 5467.

b) INGLESAS
5472
Yucatan before and after the conquest... with other related documents, maps and illustrations. Translated with notes by William Gates. Baltimore. The Maya Society. 1937. XV + 162 págs. con ilustr. 26 cm. The Maya Society. Publication, n.° 20).
HAVERFORD. *Haverford Callege.*—WASHINGTON. *Congreso.* 37-3238.

———

—Reprint: Nueva York. Dover Publications. 1978.
MADRID. *Nacional.* H.A.-61.490.

5473
Landa's Relación de las cosas de Yucatán, a translation, edited with notes by Alfred M. Tozzer. Cambridge, Mass. The Museum. 1941. XIII + 394 págs. con ilustr. 27 cm.
WASHINGTON. *Congreso.* 41-15387.

5474
The Maya: Diego de Landa's account of the affairs of Yucatán. Edited and translated by A. R. Pagden. Chicago. J. P. O'Hara. [1975]. 191 págs. con ilustr. 24 cm.
WASHINGTON. *Congreso.* 70-190752.

c) RUSAS
5475
[*Soobshchenis o delskh v Illkatane*]. Moscú. 1955. 272 + XVII págs. con ilustr. 23 cm.
a) Curtiss, J. S., en *The Hispanic American Historical Review,* XXXVII, Durham, 1957, pág. 118.
WASHINGTON. *Congreso.* 56-18154.

ESTUDIOS
5476
THOMAS, CYRUS. *A study of the manuscript Troano. With an introduction by D. G. Brinton.* Washington. Govt. print. off. 1882.

5477
SERRANO Y SANZ, MANUEL. *Vida y escritos de Fr. Diego de Landa, O. F. M.* (En *Revista de Archivos, Bibliotecas y Museos,* I, Madrid, 1897, págs. 54-60, 109-17).

5478
MEDINA, JOSE TORIBIO. *Fray Diego de Landa, inquisidor de los indios en Yucatán.* (En INTERNATIONAL *Congress of Americanist.* Londres. 1912, págs. 484-96).
NUEVA YORK. *Hispanic Society.*

5479
SCHOLES, FRANCES V. y RALPH L. ROYS. *Fray Diego de Landa and the Problem of Idolatry in Yucatan.* (En COOPERATION *in Research. Essays dedicated to John Merriam...* Washington. 1938, n.° 501, págs. 585-620).

5480
SANZ Y DIAZ, JOSE. *Nuevos datos para la biografía del cifontino fray Diego de Landa y Calderón.* (En *Correo Erudito,* IV, Madrid, 1946, págs. 155-56).

5481
SHIRLEY, PAUL. *En el cuarto cen-*

tenario de la misión de fray Diego de Landa en América. (En *Revista de Archivos, Bibliotecas y Museos,* LXII, Madrid, 1956, págs. 379-86).

5482

PLEITO entre don Francisco Velázquez de Gijón, gobernador de Yucatán, y el obispo fray Diego de Landa. Año 1574. Guadalajara, Jal. 1960. 16 págs. 23 cm. (Colección Siglo XVI, 7).

5483

LOPEZ AMABILIS, MANUEL. *De la vida azarosa y venturosa de fray Diego de Landa.* (En *Revista de la Universidad de Yucatán,* III, Mérida, 1961, págs. 61-73).

5484

MARTINEZ PAREDES, DOMINGO. *Fray Diego de Landa, testigo principal del Padre Las Casas.* (En *Boletín Bibliográfico,* época 2.ª, año IX, Méjico, 1963, n.º 267, págs. 16-17).

5485

FONCERRADA DE MOLINA, MARTA. *Fray Diego de Landa y la historia maya de Yucatán.* (En *Missionalia Hispanica,* XXXV, Madrid, 1968, págs. 369-72).

5486

SATTERHWAITE, LINTON. *The form, dating and probable use of Landa's Christian-Maya year table.* (En *Revista Española de Antropología Americana,* VI, Madrid, 1971, págs. 9-44).

Sobre el calendario maya-cristiano.

5487

PAGDEN, ANTHONY. *Diego de Landa in Mexico.* (En *History Today,* XXVII, Londres, 1975, págs. 480-88).

5488

REP: J. Catalina García, *Guadalajara,* CXV; Borges, P., en DHEE, II, pág. 1268.

LANDA (FR. JUAN DE)

Predicador mayor de San Benito el Real de Valladolid.

EDICIONES

5489

ACLAMACION evangelica a María Señora Nuestra, por amparo de las armas reales. Dixola... en... 14 de noviembre... de 1655. Valladolid. Bartolome Portoles. [s. a.]. 1 h. + 23 págs. 4.º

No citado por Alcocer.

SANTIAGO DE COMPOSTELA. *Universitaria.*

5490

ORACION evangelica del Paralítico, predicada al Gouernador y Alcaldes mayores del Reyno de Galicia... León. Agustín Ruiz de Valdivielso. [s. a., 1670]. 8 fols. 4.º

MADRID. *Academia de la Historia.* 9-29-1-5756-11. — SANTIAGO DE COMPOSTELA. *Universitaria.* [Incompleto al fin].

LANDECHO Y ANTOLINEZ (JUAN)

Abogado de la Audiencia de Lima.

EDICIONES

5491

[*SONETO*]. (En Prado Beltrán de Guevara, Bernardino de. *Razonamiento panegirico al Excelentissimo Señor D. Garcia de Haro y Auellaneda, Conde del Castrillo...* Madrid. 1638, fol. 8r).

MADRID. *Nacional.* R-14.162.

LANDECHO CARRILLO DE CORDOBA (JUAN DE)

EDICIONES

5492

[*SONETOS*]. (En Alvarez de Faria, Pedro. *Relación de las funerales exequias que hizo el... Tribunal de la Inquisición de Los Reyes del Perú,* al... Príncipe... Don Baltasar Carlos de Austria... Lima. 1648).

1. (Prels.).
2. (Fol. 34v).

MADRID. *Nacional.* 2-49.972.

LANDO (FRANCISCO MANUEL DE)

EDICIONES

5493
[*GLOSA*]. (En Mesía de la Cerda, Pedro. *Relación de las fiestas... que... Córdoba ha hecho a su Angel Custodio.* Córdoba. 1653, fols. 69v-70r).

MADRID. *Nacional.* R-4.036.

LANDO Y RAYON (FR. J. CRISOSTOMO)

EDICIONES

5494
SERMON en la festividad de San Juan de Sahagún. Salamanca. 1698.

Palau, VII, n.º 131.053.

LANFRANQUI (P. VINCENCIO)

Clérigo reglar. Prepósito del convento de la Virgen del Favor de Madrid. Calificador del Consejo de la Inquisición. Predicador real.

EDICIONES

5495
[*APROBACION de los PP.* —— *y Nicolás de Rossi. Zaragoza, 26 de noviembre de 1642*]. (En Liperi, Antonio. *Lecciones Sacras.* Zaragoza. 1642. Prels.)

MADRID. *Nacional.* 3-54.870.

5496
[*APROBACION. Zaragoza, 18 de febrero de 1644*]. (En Velasco de Villarín, Luis. *Aclamacion evangelica. Pvblicacion de la Bvlla de la Santa Crvzada. Y sermon de la tercer dominica de Adviento.* Zaragoza. 1644. Prels.)

MADRID. *Nacional.* R-Varios, 7-9.

5497
[*CENSURA. Madrid, 21 de septiembre de 1652*]. (En Calascibetta, Manuel. *Epitome de la vida del glorioso S. Cayetano Tiene...* Méjico. 1691. Prels.)

Medina, *México,* III, n.º 1.492.

5498
[*CENSURA. Madrid, 10 de noviembre de 1658*]. (En Agustín, Antonio. *Excelencias del santíssimo nombre de María.* Madrid. 1658. Prels.)

MADRID. *Nacional.* V.E.-6-12.

LANGA (MARTIN DE)

EDICIONES

5499
RELACION mvy verdadera, de las crveldades e imposiciones del Conde Duque en toda la Monarquia de España, y particularmente la depravada voluntad con que ha deseado destruyr, y aniquilar el Principado de Cataluña y ciudad de Barcelona. Barcelona. Iayme Matevad. 1641. 4 hs. 20 cm.

BARCELONA. *Central.* F. Bon. 2.411; 94; etc.— MADRID. *Nacional.* R-3.625; V-1.351-3.—NUEVA YORK. *Hispanic Society.*

LANGREN (MIGUEL FLORENCIO VAN)

Cosmógrafo y Matemático de S. M. en Flandes.

EDICIONES

5500
[*ADVERTENCIAS de* ——... *a todos los professores y amantes de la Matematica, tocantes a la proposicion de la longitud, por mar y tierra, que ha hecho a su Magestad Catolica*]. [s. l.-s. i.]. [s. a.]. 4 hs. 4.º

BRUSELAS. *Royale.*

5501

PRIMER Apendix, Van Langrem, Cosmographo de sv Magd., deseoso de dar entera satisfaçion a la Curiosidad del Exmo. Señor Marques de Fromista, y Caracena, y adelantar el Servicio de Su Magd. y bien de estos Payses-Baxos, y en defensa de su Profession, ha puesto en sus manos un Modelo de madera del Puerto y Villa de Ostende, y offreçido de dar tres mil Escudos (de lo que alcança de su sueldo) si sus Contrarios pudieran por Demonstraçion Mathematica refutar los Argumentos de su Memorial Impreso, que el año passado 1659 embió a Su Magd. y dio a Su Ex.ª [s. l. - s. i.]. [s. a.]. 6 hs. + 8 + 2 págs. Fol.

Peeters-Fontainas, I, n.º 668. [De Bruselas, 1660?].

GANTE. *Universitaire.*

5502

VERDADERA (La) longitvd por mar y tierra: demostrada... por ——...
[s. l. - s. i.]. [s. a.]. 1664. 14 págs. Fol.

Peeters-Fontainas, I, n.º 669.

BRUSELAS. *Royale.*—LONDRES. *British Museum.* 716.i.6 (2).

LANINI SAGREDO (PEDRO FRANCISCO)

CODICES

5503

«Allá van leyes do quieren Reyes. Comedia... de Lanini».

Es de Guillén de Castro.

V. *B. L. H.,* VII, n.º 7.106.

MADRID. *Nacional.* Mss. 16.943.

5504

«Cumplir a un tiempo quien ama con su Dios y con su dama».

Comedia de José de Cañizares y de ——.

(V. *B. L. H.,* VII, n.º 4314).

5505

«El apóstol valenciano, San Vicente Ferrer, de —— *y Juan Bautista Diamante».*

Letra de principios del XVIII. 49 hs. 220 × 150 mm.

«—Terrible terremoto...».

BARCELONA. *Instituto del Teatro.* CL-5.

5506

«El Gran Cardenal de España Fr. Francisco Ximénez de Cisneros, por Iuan Bautista Diamante y ——».
Primera parte.

V. *B. L. H.,* IX, n.º 2774.

5507

«El hilo de Flandes. Baile».

Letra del s. XIX. (Copiado de *Ociosidad entretenida.* Madrid. 1668). 8 cuartillas. 200 × 155 mm. Con notas ms. de E. Cotarelo y Mori.

«—Un hilo de Flandes soy...».

BARCELONA. *Instituto del Teatro.* 41.783.

5508

«El juego del hombre. Baile».

Letra del s. XIX. (Copiado de *Flor de entremeses.* Zaragoza. 1676). 9 cuartillas. 200 × 155 mm. Con notas de Cotarelo.

«—Atención, que a hacer un baile...».

BARCELONA. *Instituto del Teatro.* 46.780.

5509

«El parto de Juan Rana. Entremés».

Letra del s. XIX. (Copiado de *Colección de Entremeses).* 19 cuartillas. 200 × 155 milímetros. Con notas de Cotarelo.

«—A vos, Cosme Berrueco...».

BARCELONA. *Instituto del Teatro.* 46.772.

5510

«El sacristán Tarasca. Entremés».

Letra del s. XIX. 18 cuartillas. 200 × 155 mm. Notas de Cotarelo.

«—Con tal priesa, señor sacristán colea?...».

BARCELONA. *Instituto del Teatro.* 46.778.

5511

«Introducción para la comedia en celebridad de Nuestra Señora de Peñasacra».

Letra del s. XIX. (Copiado del autógrafo). 13 cuartillas. 200 × 140 mm. Notas de Cotarelo.

«—Venid al católico aplauso, venid...».

BARCELONA. *Instituto del Teatro*. 41.592.

5512

«*La pelota. Baile*».

Letra del s. XIX. Copiado del *Libro de Bailes*, de Bernardo L. del Campo). 8 cuartillas. 200 × 155 mm. Notas de Cotarelo.

«—A jugar a la pelota...».

BARCELONA. *Instituto del Teatro*. 46.782.

5513

«*La Plaza de Madrid. Baile*».

Letra del s. XIX. (Copiado de *Ramillete de sainetes*. Zaragoza. 1672). 6 cuartillas. 200 × 155 mm. Notas de Cotarelo.

«—La plaza soy de Madrid...».

BARCELONA. *Instituto del Teatro*. 46.773.

5514

«*La plaza de Madrid. Entremés*».

Letra del s. XIX. (Copia incompleta de un ms. del XVII). 8 cuartillas. 200 × 155 mm. Notas de Cotarelo.

«—Vuestro traje, Torote, es bien extraño...».

BARCELONA. *Instituto del Teatro*. 46.774

5515

«*La pluma. Entremés*».

Letra del s. XIX. (Copia del autógrafo de la Biblioteca Osuna). 10 hs. 215 × 150 mm.

«—A daros pascuas, señor...».

BARCELONA. *Instituto del Teatro*. 61.550.

5516

«*La pluma. Entremés*».

Letra del s. XIX. (Copia de un ms. del XVIII). 16 cuartillas. 200 × 155 mm. Notas de Cotarelo.

«—Doctor Matalotodo, yo me muero...».

BARCELONA. *Instituto del Teatro*. 46.775.

5517

«*La 'sacadora. Entremés*».

Letra del s. XIX. (Copiado de *Ociosidad entretenida*. Madrid. 1668). 16 cuartillas. 200 × 155 mm. Notas de Cotarelo.

«—Bien venidas seais a aquesta casa...».

BARCELONA. *Instituto del Teatro*. 41.771.

5518

«*La tía y la sobrina. Mojiganga*».

Letra del s. XIX. (Copia del autógrafo). 22 cuartillas. 200 × 155 mm. Notas de Cotarelo.

«—Don Cosme, amigo ¿qué es esto?...».

BARCELONA. *Instituto del Teatro*. 46.779.

5519

«*La víspera de Pascua. I y II*».

Letra del s. XIX. (Copiado de *Flor de entremeses*. Zaragoza. 1676). 14 + 7 hs. 200 × 155 mm. Notas de Cotarelo.

«—Qué tienes, hombre?...».

BARCELONA. *Instituto del Teatro*. 46.777.

5520

«*Las Alhajas. Baile*».

Letra del s. XIV. (Copiado de *Flor de entremeses*. Zaragoza. 1676). 10 cuartillas. 200 × 155 mm. Notas de Cotarelo.

«—Yo soy una entremetida...».

BARCELONA. *Instituto del Teatro*. 46.781.

5521

«*Las cinco blancas de Juan de Espera en Dios. Comedia*».

Letra del s. XVIII. 51 hs. 210 × 150 mm.

«—Al grande Tiverio...».

BARCELONA. *Instituto del Teatro*. 82.666.

5522

«*Loa para la fiesta de Nuestra Señora de Peña Sacra. 1682*».

Letra del s. XIX. (Copia del autógrafo). 25 cuartillas. 200 × 140 mm. Notas de Cotarelo.

«—La antorcha radiante...».

BARCELONA. *Instituto del Teatro*. 46.592.

5523

«*Loa para la fiesta de Nuestra Señora de Peñasacra. 1688*».

Copia del autógrafo, en letra del XIX. 32 cuartillas. 200 × 140 mm. Con notas de Cotarelo.

«—Escuchad de la fama...».

BARCELONA. *Instituto del Teatro*. 46.592.

5524

«*Los tontillos. Entremés*».

Letra del s. XIX. (Copia del autógrafo). 15 cuartillas. 200 × 155 mm. Notas de Cotarelo.

«—Habeis perdido el juicio...».

BARCELONA. *Instituto del Teatro.* 46.776.

5525

«*Los valles de Sopitrán. Comedia*».

Autógrafo. 48 hs. 220 × 150 mm.
—Apr. de Francisco de Bueno (Madrid, enero 1697).—Apr. de Agustín Gallo (14 enero 1697).—Texto. [«—¿No me dirás que es tu intento?...»].

«—¿No me dirás que es tu intento?...».

BARCELONA. *Instituto del Teatro.* 82.659.

5526

«*Vida, muerte y colocación de San Isidro, por seis ingenios*».

Original, firmado. Es suya la segunda parte de la primera jornada. 43 hs. 220 × 150 mm.

BARCELONA. *Instituto del Teatro.* Vitr. A. Est. 5 (4).

5527

[*Aprobación. 1679*]. Autógrafa. (En Cañizares, José de. *El Sol de Occidente, San Benito*). Autógrafa?

MADRID. *Nacional.* Mss. Res. 64.

5528

[*Aprobación. 1685*]. (En Figueroa y Córdoba, José y Diego. *Mentir y mudar a un tipo. (El mentiroso en la Corte)*. Autógrafa?

BN: Mss. 14.914.

5529

[*Censura. 1689*]. (En Calderón de la Barca, Pedro. *El galán fantasma*).

Paz, I, n.º 1.487.

MADRID. *Nacional.* Mss. 15.672.

5530

[*Censura. 1691*]. (En Castro, Matías de. *Entremés famoso al nacimiento de Carlos II*). Copia de 1691.

MADRID. *Nacional.* Mss. 15.127.

5531

[*Aprobación*]. (En Bances Canda-

mo, Francisco. *Más vale el hombre que el hombre*).

Letra del XVII. Al fin.

MADRID. *Municipal.* 1-128-13.

5532

[*Aprobación. Madrid, 28 de noviembre de 1704*]. Autógrafa. (En Cañizares, José de. *El más valiente extremeño, Bernardo del Montijo*). Autógrafa.

MADRID. *Nacional.* Mss. 15.136.

EDICIONES

Obras varias

5533

[*OBRAS*]. (En MIGAXAS *del ingenio, y apacible entretenimiento...* Zaragoza, s. a.).

1. *Bayle de los hilos de Flandes.* (Fols. 27v-29v).
2. *Bayle de xacara.* (Fols. 30r-32v).
3. *Loa para la compañía de Feliz Pasqual.* (Fols. 32v-41r).
4. *Entremés del Degollado.* (Fols. 41v-48r).
5. *Bayle del herrador.* (Fols. 48r-51r).
6. *Loa para la compañía de Vallejo.* (Fols. 51v-59v).
7. *Entremés del día de San Blas en Madrid.* (Fols. 59v-64r).
8. *Bayle de los metales.* (Fols. 64r-66v).
9. *Entremés de la Tataratera.* (Fols. 72v-76v).
10. *Bayle cantado de los reloxes.* (Fols. 77r-79r).

MADRID. *Nacional.* T-18.545.

Comedias sueltas:

Darlo todo...

5534

Darlo todo y no dar nada. (En PARTE *treinta y seis. Comedias escritas por los mejores ingenios de España.* Madrid. 1671, págs. 441-73).

MADRID. *Nacional.* R-22.689.

El águila de la Iglesia...

5535

El Aguila de la Iglesia San Agustín. De Francisco Gonçalez Bustos y ——.

(En PARTE *treinta y ocho de Comedias nuevas...* Madrid. 1672, págs. 1-50).

MADRID. *Nacional.* R-22.691.

El ángel de las Escuelas...

5536

El ángel de las Escuelas, Santo Tomás de Aquino. Comedia famosa de Don ———. [Sevilla. Fracisco de Leefdael]. [s. a.]. 36 págs. 20 cm.

Escudero, n.º 2.758.

LONDRES. *British Museum.* 11728.i.8 (10).—MADRID. *Nacional.* T-3.403.

5537

El ángel de las Escuelas, Santo Tomás. [s. l., s. a.]. 64 hs. 4.º

—«¡Arma!... ¡Guerra!... Mueran todos...».

MADRID. *Nacional.* Mss. 14.777.

El Eneas de la Virgen...

5538

El Eneas de la Virgen y primer rey de Navarra. De Francisco Villegas y ———. (En PARTE *quarenta y dos de Comedias nuevas...* Madrid. 1676, págs. 464-504).

MADRID. *Nacional.* R-22.695.

5539

Las Eneas de la Virgen y el primer Rey de Navarra. Comedia famosa de D. Francisco de Villegas y D. ———. [Sevilla. Viuda de Francisco de Leefdael]. [s. a.]. 28 págs. 21 cm.

N.º 135.

«No fue tanto milagro escapar vivo...».

MADRID. *Nacional.* T-15.059.

5540

La Eneas de la Virgen, y primer Rey de Navarra. Comedia famosa de Francisco de Villegas y ———. [Valencia. Viuda de Joseph de Orga]. [1765]. 34 págs. 20 cm.

N.º 90.

«—No fue tanto milagro espacar vivo...».

CHAPEL HILL. *University of North Carolina.*—MADRID. *Academia Española.—Nacional.* T-14.843.

5541

Comedia famosa. El Eneas de la Virgen, y primer rey de Navarra, por Francisco Villegas y ———. [s. l.- s. i.]. [s. a.]. 40 págs.

N.º 47.

«—No fue tanto milagro escapar vivo...».

TORONTO. *University.*

El gran cardenal de España...

5542

El gran cardenal de España, Fr. Francisco Ximenez de Cisneros.

El gran rey anacoreta...

5543

El gran rey anacoreta S. Onofre. (En PARTE *quarenta y dos de Comedias nuevas...* Madrid. 1676, págs. 420-63).

MADRID. *Nacional.* R-22.695.

El lucero de Madrid...

5544

El luzero de Madrid Nuestra Señora de Atocha. (En PARTE *quarenta y dos de Comedias nuevas...* Madrid. 1676, págs. 163-218).

MADRID. *Nacional.* R-22.695.

El monstruo de la amistad

5545

El monstruo de la amistad. Comedia famosa. [Valencia. Viuda de Joseph de Orga]. 1768. 40 págs.

N.º 123.

«—Para daros a entender...».

MADRID. *Academia Española.*—SEVILLA. *Universitaria.* 250-228 (12).

El rey D. Alfonso el Bueno

5546

El rey don Alfonso el Bueno. (En PARTE *quarenta de Comedias nuevas de diversos autores.* Madrid. 1675, fols. 18r-42r).

MADRID. *Nacional.* R-22.693.

El sol del Oriente...

5547

El sol del oriente, San Basilio Magno. Comedia famosa. De Don ——. [Sevilla. Francisco de Leefdael]. [s. a]. 32 págs. 20 cm.

N.º 230.

BILBAO. *Provincial.* A-9-5-71.—LONDRES. *British Museum.* 11728.c.81; etc.—MADRID. *Nacional.* T-14.997 (18).

5548

Comedia famosa. El Sol del Oriente, San Basilio Magno. [s. l. - s. i.]. [s. a.]. 43 págs.

«—Camino, hermano Alcaparra...».

OVIEDO. *Universitaria.* P-70.

La batalla de las Navas

5549

Comedia famosa. La Batalla de las Navas, y el Rey D. Alfonso el Bueno. [Valencia. Impr. de la Viuda de Joseph de Orga]. [1761]. 40 págs. 22 cm.

N.º 2.

«—Viva Alfonso...».

CHAPEL HILL. *University of North Carolina* (dos variantes). — MADRID. *Academia Española.*—*Nacional.* T-14.839.—OVIEDO. *Universitaria.* P-9-2; P-18-6.—SEVILLA. *Universitaria.* 250-228 (10).—TORONTO. *University.*

La nueva maravilla...

5550

La nueva maravilla de la gracia. Iuana de Iesus Maria. (En PARTE *quarenta y tres de Comedias nuevas...* Madrid. 1678, págs. 346-93).

MADRID. *Nacional.* R-22.696.

Resucitar con el agua.

5551

Resucitar con el agua. De Ioseph Ruiz, Iacinto Hurtado de Mendoça y ——. (En PARTE *veinte y seis de Comedias nuevas...* Madrid. 1666, folios 211v-231v).

MADRID. *Nacional.* R-22.679.

5552

Resucitar con el agua. Comedia famosa de Joseph Ruiz, Jacinto Hurtado y ——. [Sevilla. Francisco de Leefdael]. [s. a.]. 32 págs.

N.º 174.

«—No me mates, Pedro, aguarda...».

CHAPEL HILL. *University of North Carolina.*

5553

——. [Barcelona. Carlos Sapera]. [1770]. 32 págs.

N.º 142.

«—No me mates, Pedro, aguarda...».

CHAPEL HILL. *University of North Carolina.*

Santa Rosa del Perú

5554

Santa Rosa del Perú. Las dos Iornadas de Agustín Moreto (que fueron las últimas que escriuió en el discurso de su vida). Acabóla ——. (En PARTE *treinta y seis. Comedias escritas por los mejores ingenios de España.* Madrid. 1671, págs. 1-44).

MADRID. *Nacional.* R-22.689.

5555

Santa Rosa del Perú. Comedia famosa... de Agustín Moreto. [s. l. - s. i.]. [s. a.]. 40 págs.

«—Ser Reyna de las Flores...».

CHAPEL HILL. *University of North Carolina.*
MADRID. *Academia Española.*

5556

Santa Rosa del Perú. Comedia famosa, de Agustín Moreto. [Valladolid. Alonso del Riego]. [s. a.]. 20 hs.

«—Ser Reyna de las Flores...».
MADRID. *Academia Española.*

Será lo que Dios quisiere

5557

Será lo que Dios quisiere. (En PARTE *quarenta y dos de Comedias nuevas...* Madrid. 1676, págs. 347-86).
MADRID. *Nacional.* R-22695.

Comedias atribuidas

5558

El deseado principe de Asturias, y Jueces de Castilla. Comedia famosa... de un Ingenio de esta Corte... [s. l. - s. i.] [s. a.]. 36 págs.
¿De ―― y Juan de la Hoz y Mota?
«—Nuestro Invicto Rey Ordoño...».
CHAPEL HILL. *University of North Carolina.*

5559

El monstruo de Cataluña y peñas de Monserrate, fray Juan Guarin. Comedia nueva. [Barcelona. Juan Francisco Piferrer]. [s. a.]. 40 págs.
¿De Nicolás de Villarroel y ――?
«—Espantoso Dragon, que con intento...».
CHAPEL HILL. *University of North Carolina.*

5560

Pluma, púrpura y espada, solo en Cisneros se halla, y restauración de Orán. Comedia famosa... de un Ingenio de esta Corte. [Madrid. Antonio Sanz]. [1759]. 36 págs.
N.º 241.
«—Muera, amigos, quien se atreve...».
¿De Diamante y ――?
CHAPEL HILL. *University of North Carolina.*

5561

――. [Valencia. Joseph y Thomas de Orga]. [1777]. 36 págs.
«—Muera, amigos, quien se atreve...».
CHAPEL HILL. *University of North Carolina.*

Relaciones

5562

Relación del primer Rey de Navarra, de Don ――. [Sevilla. Manuel Nicolás Vázquez. s. a.]. 2 hs. 20 cm.
«—Valeroso Don Gastón...».
MADRID. *Nacional.* V.E., caja 385 (66).—SEVILLA. *Colombina.* N.5-5.B. *Facultad de Letras.* Caja 7 (28). *Universitaria.* 25-B-235 (16).

Bailes

5563

Bayle del hilo de Flandes. (En OCIOSIDAD *entretenida en varios entremeses, bayles, loas...* Madrid. 1668, fols. 34r-36r).
MADRID. *Nacional.* R-18.573.

5564

La plaza de Madrid. (En RAMILLETE *de Saynetes escogidos de los mejores ingenios de España.* Zaragoza. 1672, n.º 19).
BARCELONA. *Instituto del Teatro.*

5565

Bayle del juego del hombre. (En FLOR *de Entremeses, Bayles y Loas...* Zaragoza. 1676, págs. 192-98).
MADRID. *Nacional.* T-9.087.

5566

Bayle de las alhajas para Palacio. (En FLOR *de Entremeses, Bayles y Loas...* Zaragoza. 1676, págs. 185-91).
MADRID. *Nacional.* T-9.087.

5567

[*Baile de los mesones. Edición y estudio de Miguel Herrero García*]. (En *Revista de la Biblioteca, Archivo y Museo,* V, Madrid, 1928, págs. 4 y ss.).
«—Aposentador de amor...».
Reed. ampliada en su libro *Madrid en el Teatro.* Madrid. Instituto de Estudios Madrileños. 1963, págs. 307-13.

5568

Baile cantado de los relojes. Edición y estudio de Miguel Herrero García. (En *Revista de la Biblioteca, Archivo y Museo,* IX, Madrid, 1932, págs. 46-67).

«—A tomar la residencia...».

Reed. aumentada en *Madrid en el Teatro,* págs. 325-46.

Entremeses

5569

Entremés de la víspera de Pascua. (En Flor *de Entremeses, Bayles y Loas...* Zaragoza. 1676, págs. 199-209).

Madrid. *Nacional.* T-9.087.

5570

Entremés de la sacadora. (En Ociosidad *entretenida en varios entremeses, bayles, loas...* Madrid. 1668, fols. 42v-47v).

Madrid. *Nacional.* R-18.573.

5571

Entremés de El Infierno de la Plaza de Madrid. (En Jardín *ameno de varias flores...* Madrid. 1684, págs. 39-46).

Dice «Laynez» en vez de Lanini.

Barcelona. *Instituto del Teatro.*

5572

Entremés del día de San Blas en Madrid. Edición y estudio de Miguel Herrero García. (En *Revista de la Biblioteca, Archivo y Museo,* XXIII, Madrid, 1954).

«—¡Bravo día de San Blas!...».

Reed. en *Madrid en el Teatro,* págs. 366-77.

5573

Entremés del día de San Blas en Madrid. Nota preliminar de José Simón Díaz. Notas gramaticales de Pilar Lapesa. Madrid. Instituto «Isabel la Católica». 1963.

a) Rozas, J. M., en *Revista de Literatura,* XXIII, Madrid, 1963, págs. 287-88.

Poesías sueltas

5574

[*PINTURA de los poetas más conocidos*]. (En Ramillete *de Saynetes escogidos de los mejores ingenios de España.* Zaragoza. 1672. Prels.)

En seguidillas.

Barcelona. *Instituto del Teatro.*

5575

[*POESIAS*]. (En *Ecos sonoros de las plausibles vozes que celebraron con festivas Salves al... simulacro de Maria Santissima de Belen... En la ocasion que feliz logro Eugenio Serrano...* Madrid. 1682).

1. *Romance.* (Fol. 10r).
2. *Romance.* (Fol. 14).
3. *Diálogo entre tres.* (Fol. 15).
4. *Romance.* (Fol. 16r).
5. *Romance.* (Fol. 17r).
6. *Romance.* (Fol. 19v).
7. *Diálogo.* (Fols. 20r-25r).
8. *Romance.* (Fol. 26r).
9. *Romance.* (Fol. 27r).
10. *Diálogo.* (Fols. 27v-38v).
11. *Romance.* (Fol. 39v).
12. *Letra.* (Fol. 40v).

Madrid. *Nacional.* R-Varios, 113-66.

5576

[*POESIAS*]. (En Ecos *sonoros de las plausibles vozes que celebraron... al siempre venerado simulacro de María Santissima de Belen...* Madrid. 1682).

1. *Romance.* (Fol. 10r).
2. *Romance.* (Fol. 14).
3. *Diálogo entre tres. Romance.* (Fol. 15).
4. *Romance.* (Fol. 16r).
5. *Romance.* (Fol. 17r).
6. *Romance.* (Fol. 19v).
7. *Diálogo que se representó...* (Fols. 20r-25r).
8. *Romance.* (Fol. 26r).
9. *Romance.* (Fol. 27r).

10. *Diálogo que se representó...* (Fols. 27*v*-38*v*).
11. *Romance.* (Fol. 39*r*).
12. *Romance.* (Fol. 39*v*).
13. *Letra.* (Fol. 40*v*).
MADRID. *Nacional.* R-Varios, 113-66.

5577
[*ROMANCE endecasylabo*]. (En Boneta, José. *Vida exemplar de... Fr. Raymundo Lumbier...* Zaragoza. 1687. Prels.)
MADRID. *Nacional.* 2-70.040.

5578
[*SONETO*]. (En Baena Parada, Juan de. *Epitome de la vida, y hechos de Don Sebastian... Rey de Portugal...* Madrid. 1692. Prels.)
MADRID. *Nacional.* 2-64.959.

Aprobaciones
5579
[*APROBACION. Madrid, 29 de junio de 1671*]. (En PARTE *treinta y ocho de Comedias nuevas...* Madrid. 1672. Prels.)
MADRID. *Nacional.* R-22.691.

5580
[*APROBACION. Madrid, 10 de agosto de 1677*]. (En PARTE *quarenta y quatro de Comedias nuevas...* Madrid. 1678. Prels.)
MADRID. *Nacional.* R-22.697.

5581
[*APROBACION. Madrid, 8 de noviembre de 1692*]. (En Cortes, Pedro Luis. *Demonstraciones festivas con que... Almansa celebró la canonización de... San Pascual Baylón...* Madrid. 1693. Prels.)
MADRID. *Nacional.* 3-7.331.

ESTUDIOS
5582
[*DOCUMENTOS sobre P. F. Lanini Sagredo.* (En Pérez Pastor, Cristó-

bal. *Noticias y documentos relativos a la historia y literatura españolas,* en *Memorias de la Real Academia Española,* X, Madrid, 1911, págs. 228-230).

5583
G[ARCIA] SOLALINDE, ANTONIO. *«Allá van leys o mandan reys».* (En *Revista de Filología Española,* III, Madrid, 1916, págs. 298-300).
Sobre el tema de la comedia *Allá van leyes...*

5584
REP: La Barrera, págs. 200-1.

LANUZA (Sor BLANCA BERNARDA DE)
Religiosa en el convento de Trasovares.

EDICIONES
5585
[*SONETO*]. (En Melendo, Juan. *La Serrana celestial, historia, aparecimiento y milagros de... Nuestra Señora de la Sierra.* Zaragoza. 1627. Prels.)
MADRID. *Nacional.* 2-22.288.

LANUZA (FR. JERONIMO BATISTA DE)
V. BATISTA DE LANUZA (FR. JERONIMO)
[*B. L. H.,* VI, págs. 384-85]

LANUZA (JOSE ALBERTO DE)

EDICIONES
5586
[*LIRAS*]. (En Huerta, Antonio de. *Triunfos gloriosos a la canonización... de San Pedro de Alcántara.* Madrid. 1670, págs. 58-59).
MADRID. *Nacional.* 3-39.078.

LANUZA (P. LUIS)

N. en Leocata, Sicilia (1591), hijo de un militar español que era gobernador de la ciudad. Jesuita desde 1608. M. en Palermo (1656). Se inició su preceso de beatificación.

EDICIONES

5587
PRECIOSO Antídoto contra la Peste del Pecado Mortal. Palermo. Nicolás Bua. 1640. 12.º

N. Antonio. Apareció anónimo.

OBRAS ITALIANAS

5588
MODO de ringratiare il Signore. Vsato dal P. Lvigi la Nvsa. Palermo. Heredi del Bossio. 1677. 2 hs. 4.º

Toda, *Italia*, II, n.º 2.668.

5589
Le due Machine potentissime per convertire l'anime a Dio, cioè le considerationi delle due morti temporale ed eterna. Palermo. Anglese e Leone. 1695. 12.º

Toda, *Italia*, II, n.º 2.670.

———

—Palermo. Anglese e Leone. 1699. 12.º
—Venecia. Seb. Coletti. 1753. 12.º

OBRAS LATINAS

5590
MODVS agendi gratias ex P. Aloisio la Nusa. Panormi. Haeredes Bossii. 1677. 2 hs. 4.º

TRADUCCIONES

a) INGLESAS

5591
Twelwe Considerations on Death... Translated by the author of St. Willibror. Londres. Burns and Oates. 1877.

Cit. por Toda, que la poseía.

b) ITALIANAS

5592
ANTIDOTO pretioso contro il Peccato Mortale... Tradotto... da Carolo Latio. Palermo. Giuseppe Bisagni. 1662. 12.º

Toda, *Italia*, II, n.º 2.667.

———

—Palermo. Pere d'Isola. 1678. 24.º

ESTUDIOS

5593
LO CASCIO, GIUSEPPE. Breve relazione d'alcune eroiche virtù del P. Luigi Lanuza, della Compagnia di Giesù, Apostolo della Sicilia... in verso eroico. Palermo. 1656. 4.º

5594
FRAZZETTA, MICHELE. Vita, e virtv del venerabile servo di Dio P. Lvigi La Nvsa della Compagnia di Giesv̀. Palermo. Heredi del Bossio. 1677. 4 hs. + 355 págs. + 3 (?) hs. 19,5 cm.

MADRID. *Nacional*. 2-37.198 (incompleto al fin).

5595
REP: N. Antonio, II, pág. 44; Latassa, 2.ª ed., II, pág. 98; Backer-Sommervogel, IV, cols. 1.497-98.

LANUZA (MARCOS DE)

V. LANUZA MENDOZA Y ARELLANO (MARCOS DE)

LANUZA (MIGUEL BATISTA DE)

V. BATISTA DE LANUZA (MIGUEL)
[*B. L. H.*, VI, págs. 386-89]

LANUZA (FR. VICENTE)

Agustino.

EDICIONES

5596
[APROBACION, s. l., ¿Valencia?, 1 de agosto de 1635]. (En Franco-Furt, Arnaldo. El tribunal de la justa vengança... Valencia. 1635. Prels.)

MADRID. *Nacional*. R-11.160.

LANUZA MENDOZA Y ARELLANO (MARCOS DE)

Gentilhombre de la Boca de S. M. Conde y Señor de Clavijo. Vizconde de la Aldehuela.

EDICIONES

5597

[*A Don Juan de Vera Tassis y Villarroel y a Don Pedro Calderón de la Barca. 16 de febrero de 1683*]. (En Calderón, Pedro. *Sexta parte de comedias*. Madrid. 1683. Prels.)

MADRID. *Nacional.* R-11.350.

5598

FABULA de Hipermenestra y Linceo. Fiesta que se escrivió para celebrar el dia de los Años de la Reyna Madre nuestra Señora Doña Mariana de Austria. Y se representò a sus Magestades en el Salon de Palacio el mesmo dia 22 de Diziembre de 1686. [s. l.-s. i.]. [s. a.]. 56 págs. 22 cm.

«—Plumado viuo baxel...».

BARCELONA. *Instituto del Teatro.* 45.256. — BILBAO. *Provincial.* A-9-5-63.

5599

BELIDES (Las). Zarzuela que escrivió para celebrar el dia de los Años de la Reyna Madre... Mariana de Austria y se representó... el día 22 de diciembre del año 1686. [Madrid. Sebastián de Armendáriz. [1687]. 6 hs. + 56 págs. 4.º

BARCELONA. *Instituto del Teatro.* 57.196. — MADRID. *Nacional.* T-14.996[17]. — NUEVA YORK. *Hispanic Society.*

5600

ZELOS vencidos de Amor, y de Amor el mayor trivnfo. Fiesta zarzvela que se representó a svs Magestades en vno de los Jardines de la Priora... Madrid. Francisco Sanz. 1698. 2 hs. + 24 págs. 24,5 cm.

—Ded. a la Reina.—Loa. [«—Resuene en el Orbe...»].—Comedia. [«—En el dicho-co día...»].—Al Autor. Soneto de Pedro de Castro Zorrilla. [«Quando la pluma en Cómicas Tareas...»].—Otro de Antonio de Zamora. [«No la amistad, o Conde, sino el juicio...»].

BARCELONA. *Instituto del Teatro.* 39.597. — MADRID. *Nacional.* T-19.679.

5601

JUPITER y Yoo. Los cielos premian desdenes. Fiesta zarzuela... Madrid. Francisco Sanz. 1699. 20 hs. 4.º

MADRID. *Nacional.* T-23.659.

Poesías sueltas

5602

[*Bexamen que dió a los ingenios de la Academia su Fiscal* ——]. (En ACADEMIA *a que dio assumpto la religiosa y catholica Accion, que el Rey nuestro Señor... executo el dia 20 de Henero de este año de 1685...* s. l. 1685, fols. 35v-44v).

MADRID. *Nacional.* R-Varios, 124-23.

——— ———

—Idem, en la 2.ª ed., s. a., fols. 27r-28r.

MADRID. *Nacional.* V.E.-125-5.

LANZ (MIGUEL DE)

CODICES

5603

[*Escrito al Rey, de tema militar*]. Autógrafo. 4 hs. 310 × 215 mm.

—Texto, fechado en Pavía, a uno de julio de 1568, que comienza: «Muchas uezes he visto dudar entre soldados, porque quando marcha un exercito siempre van las hileras con numeros de nones...».

MADRID. *Nacional.* Mss. 3.827 (fols. 85r-88v).

LANZA DE MENDOZA (FR. JUAN)

EDICIONES

5604

[*DECIMAS*]. (En APLAUSO *gratulatorio de la escuela de Salamanca, a...*

Don Gaspar de Guzman, Conde de Oliuares... Barcelona. s. a., pág. 94).

MADRID. *Nacional.* R-3.705.

«LANZAROTE DEL LAGO»

V. *B. L. H.,* III b, 7223-30.

LAPIS (TOMAS)

Catedrático en Valencia.

EDICIONES

5605

[CENSURA. 3 diciembre 1651]. (En Gregorio Alberto de Santa Teresa, Fray. *Historia de la Milagrosa imagen de la Madre de Dios de la Paciencia...* Valencia. 1653. Prels.)

MADRID. *Nacional.* V.E.-155-53.

LA POLA ARGÜELLES (FRANCISCO)

Doctor.

EDICIONES

5606

[POESIAS]. (En RELACIÓN *de las exequias que en la muerte del Rey... Felipe IV... hizo la Universidad de Oviedo...* Madrid. 1666).

1. *Soneto.* (Pág. 166).
2. *Otro.* (Págs. 166-67).
3. Canción. (Págs. 183-85).
4. *Glossa.* (Págs. 200-1).
5. *Otra.* (Págs. 202-3).
6. *Octavas hiroycas.* (Págs. 211-12).
7. *Dezimas.* (Págs. 224-25).
8. *Geroglyfico.* (Pág. 234).
9. *Romance heroyco.* (Págs. 260-65).

MADRID. *Nacional.* 2-39.356.

LAPORTA (ISABEL)

EDICIONES

5607

[TERCETOS]. (En Díez de Aux, Luis. *Compendio de las fiestas que ha celebrado... Çaragoça...* Zaragoza. 1619, págs. 187-89).

MADRID. *Nacional.* R-4.908.

LA PORTA CORTES (JUAN)

Doctor.

EDICIONES

5608

[SONETO]. (En Italiano, Bernardo. *Viaje a la santa civdad del Iesusalem...* Nápoles. 1632. Prels.)

MADRID. *Nacional.* R-11.153.

5609

[DECIMAS]. (En López de Bonilla, Gabriel. *Discurso, y relación cometographia del repentino aborto de los Astros, que sucedió del Cometa que apareció por Diziembre de 1653.* Méjico. 1653. Prels.)

Medina, *México,* II, n.º 784.

LA PORTE (ARNOLD DE)

EDICIONES

5610

COMPENDIO de la lengva española. Institvtie van de spaensche tale. Amberes. C. J. Trognesius. 1637. 2 hs. + 64 fols. + 2 hs. 12.º

Peeters-Fontainas, I, n.º 676.

BRUSELAS. *Royale.*

5611

————. Amberes. Marcelis Pariis. 1659. 8.º

5612

————. Amberes. Godt-gaf Verhulst. 1669. 77 págs. 8.º

Texto español y flamenco.
Peeters-Fontainas, I, n.º 678.

5613

Den nieuwen Dictionaris oft Schadt der Duytse eñ Spaensche Talen... Nuevo Dictionario, o Thesoro de la lengua Española y Flamenca. Sale aora corregido y añadido de una

Grammatica Española, muy proue-
chosa para los que quieren perfec-
tamente aprender la Lengua Caste-
llana. Por... Arnaldo de la Porte...
Amberes. Ieronymo y Iuan Bapt.
Verdussen. 1659. 180 + 192 fols. w 23
págs. 4.º

Peeters-Fontainas, I, n.º 679.

LONDRES. *British Museum.* 12972.f.11.—MADRID.
Nacional. Cat-1206; 3-75303; etc.

LARA

EDICIONES
5614

COMBITE espiritual: el qual es vtil
y provechoso para todo buen Chris-
tiano, Compuesto por el Licenciado
Lara. [s. l.]. Guillermo Droy. 1584.
4 hs. + fols. 9-102. 14 cm.

—Apr. de Fr. Alonso de Villauicencio.—E.
L. real al autor.—Ded. a D. Miguel Clemente, del Consejo de S. M., etc.—Prólogo al Christiano Lector.—Texto.

SAN LORENZO DEL ESCORIAL. *Monasterio.* 21-
V-10.

LARA (ANTONIO DE)

N. en Navalcarnero. Doctor. Vecino de la
villa de Torres.

EDICIONES
5615

[PENSAMIENTO de ——..., á cerca
del augmento de la labrança. Diri-
gido a los Señores del Consejo su-
premo de justicia, para que en lo
que fuere del Servicio de Dios nues-
tro Señor, y de su Magestad, y bien
de la Republica, lo reciban, y en lo
demas suplan sus faltas y perdonen
su atrevimiento]. [s. l. - s. i.]. [s. a.].
6 hs. 28 cm.

Carece de portada.
—Texto.

MADRID. *Nacional.* R-Varios, 206-32.

LARA (FR. ANTONIO DE)

Trinitario.

EDICIONES
5616

[APROBACION. Sevilla, 20 de sep-
tiembre de 1683]. (En Clavijo, Luis.
Sermón panegírico de el dulcissimo
nombre de María... Sevilla. 1683.
Prels.)

SEVILLA. *Universitaria.* 113-83.

LARA (FR. CRISTOBAL DE)

EDICIONES
5617

[POESIAS]. (En *El primer certamen*
que se celebró en España en honor
de la Purísima Concepción [*1615*]...
Madrid. 1904).

1. *Jeroglífico.* (Págs. 151-153).
2. *Jeroglífico.* (Págs. 153-155).
3. *Octavas.* (Págs. 195-196).

MADRID. *Nacional.* 1-14.447.

LARA (FRANCISCO DE)

EDICIONES
5618

[ROMANCE de la linda Melisenda
glosado por ——]. [s. l. - s. i.]. [s. a.].
4 hs.

V. *B. L. H.,* III, 2.ª ed., 2.º vol., n.º 3000.

LARA (FRANCISCO DE)

EDICIONES
5619

ESTIMULO para bien obrar. Madrid.
Guillermo Drouy. 1579. 8.º

N. Antonio.

OBRAS LATINAS
5620

COMPENDIVM admodvm vtile
Grammatices. Madrid. Pierres Cosin.
1579. 48 fols. 8.º

Palau, VII, n.º 131.517.

5621
REP: N. Antonio, I, pág. 436.

LARA (FR. FRANCISCO DE)

Doctor teólogo. Lector en el convento de Santa Cruz La Real de Granada.

EDICIONES

5622
[APROBACION. Granada, 12 de octubre de 1648]. (En Vander Hammen y Leon, Lorenzo. Modo de llorar los pecados. Granada. 1649. Preliminares).

MADRID. Nacional. 2-61.552.

LARA (FR. FRANCISCO DE)

Trinitario.

EDICIONES

5623
[APROBACION. Valencia, 4 de junio de 1676]. (En Dávila y Heredia, Andrés. Comedia sin música. Valencia. 1676. Prels.)

MADRID. Nacional. R-1.180.

LARA (GASPAR DE)

EDICIONES

5624
[A un llanto, y risa juntamente. Romance]. (En ACADEMIA que se celebró en la Real Aduana desta Corte... 1678. Madrid. s. a., págs. 64-67).

MADRID. Nacional. 3-72.371.

LARA (GASPAR AGUSTIN DE)

EDICIONES

5625
VOZES nvmerosas de la fama. [s. l. - s. i.]. 1668.

NUEVA YORK. Hispanic Society.

5626
POMPA translativa, magnifico aparato, magestvosa colocacion, qve en la mvy coronada Villa de Madrid se hizo al gloriosissimo Cuerpo de su Grande Patron S. Isidro Labrador, a la nueua Capilla, el dia quinze de Mayo deste año de mil seiscientos y sesenta y nueue. [s. l. - s. i.]. [s. a.]. 15 hs. 20 cm.

—Ded. a D. Geronimo Mascareñas, Cauallero y Definidor general de la Orden de Calatrava, etc.—Texto, en octavas. [«La translacion gloriosa, el sacro assiento...»]. Soneto de Francisco Lazcano y Mendoça. [«Assi, la translacion gloriosa cantas...»]. Dezimas, del mismo. [«Al que assi traslada en suma...»].—Soneto de Iuan del Vado. [«Si del Sol una Trompa se formara...»].

MADRID. Nacional. 3-32.970; R-Varios, 104-7.

5627
CON ocasion del acidente del Rey N. Señor, que obligó á sangria. Anagrama nvmerosamente purissimo. [s. l. - s. i.]. [s. a.]. 2 hs. 19 cm.

Carece de portada.
1. Soneto. [«A Diez Soler (Señor) que os ciñen, un...»].
2. Anagrama.
3. Romance. [«Señor, aqueste Anagrama...»].

MADRID. Nacional. R-Varios, 111-13. (En el título se ha añadido a mano, después de «sangría»: «en el mes de Jullio de 1672»).

5628
INCENDIO horroroso, claro prodigio, librado en la protección milagrosa de María Santissima de la Soledad, en la Plaza Mayor de Madrid, el día veinte de Agosto de este año de mil y seiscientos y setenta y dos. [s. l. - s. i.]. [s. a.]. 10 hs. 4.º

Gallardo, III, n.º 2.608.

5629
ECOS numerosos de la vida, metricas vozes de la muerte, percibidas en la noche de la mejor perla española... Margarita de Austria... emperatriz de Alemania. [Madrid. s. i.]. [1673]. 4.º

LONDRES. British Museum. 851.k.16 (9).

5630

CORNVCOPIA nvmerosa, alphabeto breve de principios assentados, y rvdimentos conocidos de la Verdadera Filosofía, y destreza de las Armas. Colegidos de las Obras de don Lvis Pacheco de Narbaez, Principe de esta Ciencia. Respondese a las treinta y ocho Asserciones Impressas este año, en quanto se oponen a las Doctrinas de estos principios. Madrid. Antonio Gonçalez de Reyes. 1675. 32 hs. + 136 págs. + 2 hs. 20 cm.

—Apr. de Fr. Antonio de Herrera.—L. V.— Apr. de Alonso Siliceo.—Pr.—E.—S. T.— Papel de Francisco Antonio de Ettenhard al Autor.—Papel del Autor a Ioseph Antonio de Rueda, remitiendole la obra.— Respuesta de Rueda.—Soneto de Francisco de la Torre y Sevil. [«Tu copia, nuevo Euclides Castellano...»].—Dezima de Agustín de Salaçar. [«Docto, suave, ingenioso...»].—Soneto de Francisco Lazcano. [«Es Marte, o es Apolo, quien te inspira...»]. — Dezima de Francisco de Atayde. [«Cantas la destreza suma...»].— Soneto de Fracisco Bueno. [«Ya en Armonico Plectro dulce suena...»].—Dezima de Iuan de Luna. [«Aunque obscurecer intente...»].—Soneto de Nicolas de Arda y Mogica. [«Frutos dulces de planta sazonada...»]. — Dezima de Christoval Ferroche Laso de la Vega. [«Tus conceptos soberanos...»].—Dezima de Pedro Gomez. [«En su diestra celebrada...»].—Ded. a Manuel Ioseph Cortizos de Villasante, Marques de Villaflores, etc.—Armas que ciñe lo que contiene este Libro. [Indice de autoridades].—Prólogo al Lector.— Compendio numeroso del Prologo. [«El Cristal de Elicona...»].—Venia a los Maestros de la verdadera destreza de las Armas.—Compendio numeroso de la Venia. [«El Campo inmenso de Sabiduría...»]. — Proemio para el discipulo. — Compendio numeroso del Proemio. [«La confusa, barbara arrogancia...»].—Texto. Indice de las materias que contiene el Romance.—In Zoilum. (Poesía latina).

1. *Romance.* [«La Destreza de las Armas.»]. (Págs. 1-30). *Notas al Romance.* (Cada una va seguida de un Compendio en verso).

2. *Compendio numeroso de la Prefaccion.* [«No ha sido vanidad, superfluo vicio...»]. (Págs. 33-34).

3. *Idem de la Nota primera.* [«Si el objeto engrandece...»]. (Págs. 36-38).

4. *Idem de la Nota segunda.* [«Vano es el exercicio...»]. (Págs. 41-42).

5. *Idem de la Nota tercera.* [«La Defensa es natural...»]. (Págs. 44-45).

6. *Idem de la Nota quarta.* [«Extensamente se une...»]. (Págs. 46-47).

7. *Idem de la Nota quinta.* [«Va la prudencia, por qualquier camino...»]. (Págs. 50-51).

8. *Idem de la Nota sexta.* [«Si lo racional violentan...»]. (Pág. 53).

9. *Idem de la Nota séptima.* [«El Propio vencimiento...»]. (Págs. 57-59).

10. *Idem de la Nota octava.* [«Por todas partes vá precipitado...»]. (Págs. 61-62).

11. *Idem de la Nota nona.* [«El valor, es el precio que mantiene...»]. (Págs. 77-82).

12. *Idem de la Nota dezima.* [«Iuntarse buelos Reales...»]. (Págs. 84-85).

13. *Idem de la Nota onze.* [«Nota, di quien escrivió...»]. (Pág. 127).

14. *Idem de la Nota doze.* [«Ayudar, no resistir...»]. (Págs. 129-30).

15. *Idem de la Nota treze.* [«De el Diestro, al Aporreador...»]. (Págs. 133-36).

MADRID. *Academia de la Historia.* 1-2-5-764. *Nacional.* R-15.221. — NUEVA YORK. *Hispanic Society.*—SEVILLA. *Colombina.* 88-2-7.

5631

VOZES nvmerosas de la Fama, percibidas el dia dos de Setiembre de este año de 1686 que las Armas del Señor Emperador de Alemania Leopoldo I ganaron al Gran Turco la Plaça de Buda, Metropoli del Reyno de Vngria. Madrid. Melchor Alvarez. 1686. 16 págs. orladas. 20,5 cm.

—Ded. a Carlos II.—Texto, en romance endecasilabo. [«Si aquesta vez (ó Mantua Carpentana!)...»].

Gallardo, III, n.º 2.609.

MADRID. *Nacional.* R-Varios, 106-28.

5632

BREVE nvmeroso diseño de las fvnebres honras, que con Augusto sentimiento, y Imperial demostracion celebraron las Magestades Catolicas en su Real Capilla el dia dos de Ju-

nio deste presente Año, a la señora Emperatriz Claudia Felicitas, que Dios tiene. Madrid. Mateo de Espinosa y Arteaga. 1676. 6 hs. 8.º

Gallardo, III, n.º 2.607; Jerez, pág. 83. NUEVA YORK. *Hispanic Society.*

5633

OBELISCO fvnebre, pyramide fvnesto qve construía, A la Inmortal memoria de D. Pedro Calderón de la Barca... Madrid. Eugenio Rodríguez. 1684. 56 hs. + 172 págs. 21,5 cm.

V. *B. L. H.,* VII, n.º 3270.

5634

CVMPLIENDO años el Rey nvestro señor D. Carlos II de Avstria, monarca de dos Mundos. Vaticinio nvmerico, que consagra á las Augustas plantas de la Reyna nuestra Señora... Madrid. Melchor Alvarez. 1687. 16 págs. 21,5 cm.

—Ded. a la Reyna.—A. D. Manuel Francisco de Lyra.—Texto: Romance endecasílavo. [«Yo, del Impireo Alcaçar moradora...»].—Notas.

MADRID. *Nacional.* R-Varios, 113-36.

5635

CVMPLIENDO años el Rey N. Señor D. Carlos II de Avstria. Empressa para sv Magestad. [s. l. - s. i.]. [s. a.]. 8 fols. orlados con un grab. 22,5 cm.

—Ded. a D. Manuel de Lira, cavallero de Santiago, etc.—Texto, en Octavas. [«Desde el Bellon de oro, hasta los pezes...»].

MADRID. *Nacional.* R-Varios, 128-21 y 113-36.

5636

PARANGON de la fe de Avstria, regvlado, por la acción religiosamente Catolica, que el Rey N. S. Don Carlos Segvndo, hizo, el Sabado veinte de Henero deste año, apeandose de su Carroça, para que fuese en ella el Sacerdote, que halló en el Campo con el Beatico, a quien acompañó a pie, *hasta el Lecho de vn pobre Hortelano, a quien se ministrava; y desde alli a San Marcos, Ayuda de Parroquia de S. Martin desta Corte.* [s. l.]. Sebastian de Armendariz. [s. i.]. [s. a.]. 2 hs. + 12 págs. + 6 hs. 20,5 cm.

—Ded. a la Reyna Madre D.ª Mariana de Austria.—Romance endecasilabo. [«Repitan (o gran Carlos!) tus acciones...»].— Octavas. [«Carlos, Dios te dé honor, como tu honraste...»].—Nota.—Soneto de Antonio de Lodosa. [«Baxando sube Carlos: Rara hazaña!...»]. — Canción real. [«Rustico humilde anhelo...»]. — Letra. [«La accion Religiosa de...»]. — Glossa primera, por Ioseph de Garzaron y Vidarte. [«Una, y otra accion piadosa...»]. Segunda glossa. [«Al celebrar una acción...»].—Tercera glossa. [«En la voz *Deus* se explica...»]. — Dezimas. [«Llegó Carlos a encontrar...»].—Soneto acrostico. [«Como se encumbra tu adorable Alteza...»].—Laberinthus. Versos latinos.

MADRID. *Academia de la Historia.* Misc. 9-3550/9. *Facultad de Filosofía y Letras.* 10.975. *Nacional.* R-Varios, 128-40.

Poesías sueltas

5637

[*ROMANCE y Dezima.* (En Cantero Jiménez, José. *Plausibles elogios...* Valladolid. 1659. Prels.)

MADRID. *Nacional.* 2-8.501.

5638

[*DISEÑO del magnifico Octavario que ha hecho el zelo feruoroso Peruano, a la gloriosissima Rosa de Santa Marfía en su Beatificación. Epigrama*]. (En Campo y de la Rinaga, Nicolás María. *Rasgo breve...* Madrid. 1668. Prels.)

MADRID. *Academia de la Historia.* 9-29-1-5.749.

5639

[*Al Autor. Romance Endecasilavo*]. (En Cansino, Nicolás. *Simbolos selectos y parabolas historicas del P. Nicolas Cansino... Traduzido de La-*

tin... por Francisco de la Torre. Madrid. 1677. Prels.)

MADRID. *Nacional.* 2-46.535.

5640

VEJAMEN con que dio fin a la academia que se celebró en el jardín de Antolín de Casanova. Madrid. Melchor Alvarez. 1681.

NUEVA YORK. *Hispanic Society.*

5641

[*NUMEROSO desempeño de la vida... Romance Endecasilavo*]. (En CANTOS *fúnebres de los cisnes de Manzanares a... Doña María Luisa de Borbón...* s. l. - s. a., fols. 83r-87r).

Con una Ded. al Condestable de Castilla.

MADRID. *Nacional.* R-2.634.

5642

[*DESCRIBESE el salir, y ponerse el sol, con alusión a Eráclito, y Demócrito, en sus estremos de risa y llanto, en ocho Octavas*]. (En ACADEMIA *que se celebró en el convento de los Padres Clérigos Reglares...* Madrid. 1681, págs. 28-30).

MADRID. *Nacional.* 3-72.200.

5643

[*ROMANCE endecasilabo*]. (En ACADEMIA, *que celebraron los Ingenios de Madrid el día 11 de Enero de 1682...* s. l. - s. a., págs. 57-60).

MADRID. *Nacional.* 3-3.088.

5644

[*AL assunto de esta obra. Soneto*]. (En Lancina, Francisco de. *Vida de S. Francisco Xavier...* Madrid. 1682. Prels.)

MADRID. *Nacional.* R-Varios, 114-26.

5645

[*SONETO*]. (En POMPA *festival...* s. l. - s. a., fol. 28r).

MADRID. *Nacional.* R-5.794.

Epístolas

5646

[*AL autor. Papel, 19 de mayo de 1675*]. (En Ettenhard, Francisco Antonio de. *Compendio de los fundamentos de la verdadera destreza y filosofía de las armas.* Madrid. 1675. Prels.)

MADRID. *Nacional.* R-12.783.

5647

Al Autor. Respuesta, 7 de Agosto de 1685]. (En Vinzani del Aguila, Felipe. *Naturaleza de la agua termal, azida, de Puerto-Llano...* Madrid. 1685. Prels.)

MADRID. *Nacional.* V-1.136-3.

LARA (HIPOLITO DE)

N. en Roa. Clérigo.

CODICES

5648

«*Peregrino ignorante: poema heroico*».

Original.

Gallardo, III, n.° 2.610.

LARA (INES DE)

EDICIONES

5649

[*DEZIMAS*]. (En Alvarez de Faria, Pedro. *Relación de las funerales exequias que hizo el... Tribunal de la Inquisición de Los Reyes del Perú, al... Príncipe... Don Baltasar Carlos de Austria...* Lima. 1648. Prels.)

MADRID. *Nacional.* 2-49.972.

LARA (JORGE DE)

EDICIONES

5650

[*POESIAS*]. (En Fomperosa y Quintana, Ambrosio de. *Días sagrados y geniales...* Madrid. 1672).

1. *Endechas*. (Fols. 157r-159v).
2. *Octavas*. (Fols. 217v-218r).
MADRID. *Nacional*. 2-12.889.

5651
[*PONDERA los afectos de un Galán, que soñaua, que su dama se le huía de entre sus braços. Romance endecasylabo*. (En ACADEMIA, *que se celebró en la Real Aduana desta Corte... Año de 1678*. Madrid. s. a., págs. 86-88).
MADRID. *Nacional*. 3-72.371.

5652
[*DESCRIPCION de la navegación de Cortés a las Indias... En catorze Octavas*]. (En ACADEMIA *que se celebró por Carnestolendas... este año de 1675... Madrid. s. a., págs. 42-47*).
MADRID. *Nacional*. R-4.071.

LARA (JUAN DE)

EDICIONES
5653
[*CANCION*]. (En Mesía de la Cerda, Pedro. *Relación de las fiestas... que... Cordova ha hecho a su Angel Custodio. Córdoba. 1653*, fols. 49r-51r).
MADRID. *Nacional*. R-4.036.

LARA (LUIS DE)
Secretario del cardenal Espínola. Arcediano de la Reina en Santiago. Vicario, Juez eclesiástico ordinario de testamentos y últimas voluntades. Visitador de conventos de monjas de Jerez de la Frontera. Canónigo de la iglesia de El Salvador de la misma ciudad.

EDICIONES
5654
SERMON *Funebre en las honras que celebró el Colegio de la Compañía de Jesus de la Ciudad de Xerez de la Frontera al Reverendissimo P. Vincencio Garrafa su Preposito*

General Predicado por ———. *Sacada a luz por Lupercio Cerdan de Biamonte, amigo del Autor*. Zaragoza. Hospital de Ntra. Sra. de Gracia. 1650. 20 fols. 19 cm.
—Al Autor por Lupercio Cerdán.—Texto.
GRANADA. *Universitaria*. A-31-232 (17).—MADRID. *Nacional*. R-Varios, 152-37.

5655
[*APROBACION y Juicio, 18 de mayo de 1650*]. (En Sotomayor, Basilio de. *Espiritual Medicina contra el contagio... Jerez de la Frontera. 1650*. Prels.)
MADRID. *Nacional*. R-Varios, 12-27.

LARA (MANUEL DE)

EDICIONES
5656
[*POESIAS*]. (En Villar, Francisco del. *Relación de la fiesta que celebró el... Conuento de San Francisco de Andújar al glorioso San Pedro Baptista y sus compañeros... Granada. 1629*).

1. *Décimas*. (Fol. 31v).
2. *Glosa*. (Fols. 33v-34r).
MADRID. *Academia de la Historia*. 9-29-1-5.755.

LARA (MELCHOR DE)
Doctor.

EDICIONES
5657
[*APROBACION. Madrid, 25 de marzo de 1631*]. (En Villa, Esteban de. *Examen de Boticarios*. Burgos. 1632. Prels.)
MADRID. *Nacional*. R-4.700.

5658
[*APROBACION*]. (En Colmenero de Ledesma, Antonio. *Curioso tratado de la naturaleza y calidad del chocolate... Madrid. 1631*. Prels.)
MADRID. *Nacional*. U-5.396.

LARA (FR. PEDRO MATEO DE)

Franciscano. Lector de Teología del convento de San Francisco de Córdoba.

EDICIONES

5659

AVTO General de Fee, qve promulgan, la Religion, y la Ivsticia, vencedoras contra el eror (sic), *y la perfidia en trivmpho Romano Catholico: Que celebran el Nvevo Testamento de la lvz, y la Iglesia Esposa, contra el antiguo de las sombras, y sus derogadas prescripciones. Qve coronan, el Arbol Redemptor Sacrosancto, y el Dios de las Piedades fruto suyo; escandalo al Hebreo, necedad al Gentil, empresa de salud al Catholico. Qve executan las Colvmnas Christianopoliticas de la Fe, y la Monarchia, los Juezes Apostolicos en el Sancto Tribunal de Cordoba.* Cordoba. [Salvador de Cea Tesa]. 1665. 11 hs. 30 cm.

—Ded. al Consejo de la Inquisición.—A quien Leyere.—Texto.—Colofón.

Salvá, II, n.° 3.925; Vandenebro, n.° 221, no pudo hallarla.

GRANADA. *Universitaria.* A-31-130 (28).—MADRID. *Nacional.* V-248-70. — NUEVA YORK. *Hispanic Society.*

5660

[APROBACION. Córdoba, 28 de noviembre de 1665]. (En Pérez Fadrique, Juan Eulogio. *Modo práctico de embalsamar cuerpos defunctos...* Sevilla. 1666. Prels.)

MADRID. *Nacional.* R-12.426.

LARA (RODRIGO DE)

EDICIONES

5661

TRASLADO de una carta en que declara lo sucedido en los estados de Flandes desde fin de Agosto hasta 20 de Octubre 1624. Madrid. Juan Delgado. 1624. 2 hs. 30 cm.

—Texto, fechado en Amberes, 20 octubre 1624.

Pérez Pastor, *Madrid,* III, n.° 2.077.

GRANADA. *Universitaria.* A-31-130 (73). — LONDRES. *British Museum.* 593.4.22 (24).—MADRID. *Nacional.* R-Varios, 190-2.—NUEVA YORK. *Hispanic Society.*

5662

[TRASLADO de vna carta en qve declara todo lo sucedido en los estados de Flandes, desde fin de Agosto, hasta 20 de Octubre de 1624]. [Barcelona. Sebastian y Iayme Matevad]. [1624]. 2 hs. 21 cm.

Carece de portada. Fechada en Amberes, a 20 de octubre de 1624.

LISBOA. *Nacional.* Res. 256⁵.

LARA (TOMAS DE)

EDICIONES

5663

TRES romances nuevos. El primero, de las virtudes de la noche. El segundo y tercero, de las grandezas de Córdoba y Madrid. [s. l. - s. i.]. 1680. 4.°.

Al fin: «Vendense en Sevilla en casa de Juan Cabezas».

Palau, VII, n.° 131.564.

LARA (TOMAS ANTONIO DE)

EDICIONES

5664

[SONETO y Decima]. (En Díaz Morante, Pedro. *Quarta parte del Arte nueva de escrivir.* Madrid. 1631. Preliminares).

MADRID. *Nacional.* U-10.414.

LARA Y BRACAMONTE (JUANA DE)

EDICIONES

5665

[AL Marqués de San Felices. Soneto]. (En Moncayo y de Gurrea, Juan

de. *Poema trágico de Atalanta y Hipómenes.* Zaragoza. 1656. Prels.)

MADRID. *Nacional.* R-6.814.

LARA MOGROVE (JOSE DE)

Gentilhombre de cámara del Conde de Lemos y Andrade.

EDICIONES

5666

[*POESIAS*]. (En Torre y Sebil, Francisco de la. *Luzes de la Aurora...* Valencia. 1665, págs. 233-34 y 240).

MADRID. *Nacional.* 17.374.

LARA MOGROVEJO (ANTONIO DE)

Licenciado.

EDICIONES

5667

[*APROBACION. Méjco, 2 de enero de 1664*]. (En Montemayor de Cuenca, Juan Francisco de. *Summaria investigación de el origen, y privilegios de los Ricos Hombres, o Nobles, Caballeros, Infanzones o Hijos Dalgo, y Señores de Vassallos de Aragón... Parte primera.* Méjico. 1664. Prels.)

Medina, *México*, II, n.º 920.

5668

[*ELOGIO*]. (En Navarra y de la Cueva, Pedro de. *Logros de la Monarquia en aciertos de vn valido.* Madrid. 1669. Prels.)

MADRID. *Nacional.* R-10.907.

LARDIAS (MIGUEL JACINTO)

EDICIONES

5669

[*DECIMAS*]. (En CERTAMEN *poético a las fiestas de la translación de la reliquia de San Ramón Nonat...* Zaragoza. 1618. Prels.)

MADRID. *Nacional.* R-17.826.

LARDIN (TOMAS)

EDICIONES

5670

[*DEZIMA*]. (En LID *ingeniosa. Certamen poetico... a la Inmaculada Concepcion.* Orihuela. 1696, pág. 55).

MADRID. *Nacional.* 3-33.211.

LARDITO (FR. JUAN BAUTISTA)

N. y m. en Madrid (1660-1723). Benedictino. Maestro General de la Orden. Catedrático de Físicos de la Universidad de Salamanca. Regente de los estudios del Colegio de San Vicente.

EDICIONES

5671

HISTORIA del estado presente del imperio otomano, qve tradvcida, y añadida, ofrece a la lvz pvblica, con vn compendio de los progressos de la Liga Sagrada contra Turcos, ——... Salamanca. Lucas Perez. 1690. 5 hs. + 539 págs. + 2 hs. 19 cm.

—Ded. al Cardenal de Aguirre.—L. V.— S. Pr.—E.—S. T.—Texto.—Tabla de los capitulos.

MADRID. *Nacional.* 2-55.394.—NUEVA YORK. *Hispanic Society.*—SEVILLA. *Universitaria.* 13-13.

5672

IDEA de una perfecta riligiosa en la vida de Santa Getrudis (sic). *Parte primera.* Madrid. Francisco del Hierro. 1717. 14 hs. + 1 lám. + 304 págs. + 4 hs. 20 cm.

MADRID. *Facultad de Filosofía y Letras.* 7.361. *Nacional.* 6.i.-1.836.

———

—Madrid. Francisco del Hierro. 1718. 333 págs. 4.º

SANTIAGO DE COMPOSTELA. *Universitaria.*

—2.ª impression. Madrid. Francisco del Hierro. 1720.

MADRID. *Academia de la Historia.* 13-1-9-2.533.—SANTIAGO DE COMPOSTELA. *Universitaria.*

5673

CUATRO Sermones Panegíricos, predicados a la dedicación de la iglesia nueva del Colegio de N. P. S. Bernardo de la Universidad de Salamanca. Por ...——, Fr. Bernardo Temiño... y Fr. Bernardo Alvarez... Salamanca. Gregorio Ortiz Gallardo. [s. a., 1698?]. 59 págs. 4.º

SANTIAGO DE COMPOSTELA. *Universitaria.*

Aprobaciones

5674

[*APROBACION. Salamanca, 6 de marzo de 1689*]. (En Fernández, José. *Philosophia...* I parte. Barcelona. 1692. Prels.)

BARCELONA. *Universitaria.* B.62-4-25.

5675

[*APROBACION. Salamanca, 8 de mayo de 1691*]. (En Navarro, Manuel. *Oracion panegirica sagrada, en la primera fiesta qve celebro a... San Anselmo..., la Vniversidad de Salamanca...* Salamanca. 1691. Prels.)

MADRID. *Nacional.* 2-61.294.

5676

[*APROBACION. Salamanca, 16 de octubre de 1691*]. (En Alvarez, Bernardo. *Lustro primero del púlpito...* Salamanca. 1692. Prels.)

MADRID. *Nacional.* 2-36.677.

5677

[*APROBACION. Salamanca, 29 de mayo de 1697*]. (En Ponce Vaca, Ignacio. *Manifiesto de la cierta verdad del privilegio e indulgencia sabatina del Escapulario de María Santíssima del Carmen...* Salamanca. 1697. Preliminares).

MADRID. *Nacional.* 3-71.197.

ESTUDIOS

5678

REP: Moral, T., en DHEE, II, pág. 1269.

LA REA

V. LARREA

LAREDO
(FR. BERNARDINO DE)

N. en Sevilla (1482). Médico. Franciscano.
M. en Villaverde del Río, Sevilla (1540).

EDICIONES

Subida del monte Sión

5679

SUBIDA del monte sion: por la via contemplativa. Contiene el conocimiento nro.: y el seguimiento de xpo.: y el reuerenciar a Dios en la contemplacion quieta. Copilado en vn convento de frayles menores. [Sevilla. Juan Cromberger]. [1535, 1 de março]. 272 fols. 19,5 cm. gót.

—Port. a dos tintas, roja y negra, sin nombre de autor.—Fols. 1v-2v: Epistola al cardenal Alonso Manrrique, Arçobispo de Seuilla, etc.—Fols. 3r-5r: Sumario y recolecion de la sustancia de todo el libro.—Fols. 5v-262r: Texto.—Fol. 262r: Colofon. — Fols. 262v-272r: Tabla. — Fol. 272r: Registro de toda la obra.—Súplica al lector.

Escudero, n.º 370.

AVILA. *Pública.*—MADRID. *Nacional.* R-10.574 (ex libris de Gayangos).—SEVILLA. *Universitaria.* 121-50.—TOLEDO. *Pública.*

5680

SUBIDA del monte sion nueuamente renouada... Contiene el conoscimiento nuestro: y el seguimiento de xpo.: y el reuerenciar a dios en la contemplacion quieta. [Sevilla. Jacobo Cromberger]. 1538 [22 de febrero]. 224 fols. 20 cm. gót.

—Port. a dos tintas, roja y negra, sin nombre de autor y con la misma orla de la 1535.—Indicación de las reformas introducidas en esta segunda impresión.

MADRID. *Nacional.* R-4.486; R-9.386.

5681

SUBIDA del monte sion nueuamente renouada... [Medina del Campo. Pedro de Castro. A costa de Juan de despino. 1542. 4 hs. + 224 fols. 19,5 cm. gót.

Al verso de la portada: «En esta segunda impression van mas declaradas muchas cosas...»].

Pérez Pastor, *Medina*, n.º 30.

LONDRES. *British Museum.* C.63.g.35.—ZARAGOZA. *Universitaria.* H.-24-33.

5682

———. Sevilla. 1553.

N. Antonio.

5683

SVBIDA del monte Sion. Contiene el conocimiento nuestro y el seguimiento de Christo, y el reuerenciar a Dios en la contemplacion quieta. Corregida y emendada en esta ultima impression por Fr. Geronimo Alcocer... Valencia. Felipe Mey. A costa de Baltasar Simón. 1590. 4 hs. + 367 págs. + 4 hs. 20 cm.

—Port. sin nombre de autor.—L. del Virrey a B. Simón.—Apr. de Pedro Iuan Assensio (1590).—Ded. a D. Gaspar Punter, Obispo de Tortosa, por Baltasar Simón.—Ded. al cardenal D. Alonso Manrique.—Anteponese en esta obra un Notable y tres Reglas.—Texto.—Tabla de los capitulos.

LONDRES. *British Museum.* 4406.ee.20. — ZARAGOZA. *Nacional.* U-1.322.—TOLEDO. *Pública.*

5684

SVBIDA del Monte Sion, contiene el conocimiento nuestro y el seguimiento de Christo, y el reuerenciar a Dios en la contemplacion quieta. Compuesta por Bernardino de Laredo, Frayle de la Orden del S. P. S. Francisco, como se colige de la quarta parte de las Coronicas de la misma Orden, aunque el autor por su humildad no quiso manifestar su nombre. Alcalá. En casa de Iuan Gracian, que sea en gloria. 1617. 4 hs. + 519 fols. + 9 hs. 20 cm.

—L.—T.—E.—Poesía a la Virgen.—Varias advertencias y presupuestos.—Prólogo.—Tabla.

J. Catalina García, *Tip complutense*, número 876.

MADRID. *Nacional.* 3-68.433.—PAMPLONA. *General de la Diputación Foral.* 109-7-1/50.—SEVILLA. *Particular de D. L. Toro.* 12-6.—VALLADOLID. *Universitaria.* 9.992.

Sobre el Mesue

5685

MODUS faciendi cum ordine medicandi... [Sevilla. Jacobo Cromberger]. [1527]. 228 fols. a 2 cols. 30 cm. gót.

Escudero, n.º 268.

GRANADA. *Universitaria.* C-22-14.—MADRID. *Facultad de Medicina.* R-615-L.23b. *Nacional.* R-2.466.—NUEVA YORK. *Hispanic Society.* (Imperfecto).

5686

SOBRE el Mesue z Nicolao. Modus faciendi: cum ordine medicandi. A medicos z Boticarios muy comun y necessario. Agora nueuamente corregido por el mesmo auctor: z añadidas cosas muy notables. [Sevilla. Juan Cronberger]. [1534]. 224 fols. Fol.

MADRID. *Nacional.* R-5.243.—SALAMANCA. *Universitaria.*

5687

SOBRE el Mesue & Nicolao. Modus faciendi. Nueuamente por el auctor corregido y en esta impression tercera annedido un notable tractado de secretos curativos... [Sevilla. Juan Cromberger]. 1542. 224 fols. 29 cm.

MADRID. *Nacional.* R-3.357.—NUEVA YORK. *Hispanic Society.*—WASHINGTON. *U.S. National Library of Medicine.*

OBRAS LATINAS

5688

METAPHORA medicina... [Sevilla. Juan Varela de Salamanca]. [1522, diciembre]. 122 fols. a 2 cols. 27 cm. gót.

—Portada a dos tintas: roja y negra.—Texto.—Tablas.—Colofón.

Escudero, n.º 227.
MADRID. *Nacional.* R-5.622. (Portada incompleta).

TRADUCCIONES

5689

The ascent of Mount Sion, being the third book of the treatise of that name. Translated with an introduction and notes by E. Allison Peers. Londres, Faber and Faber. [1952]. 275 págs. 21 cm. (Classics of the contemplative life).

a) Fidéle de Ros, en *Revue d'Ascétique et de Mystique*, XXVIII, Toulouse, 1952, págs. 176-80.

BERKELEY. *University of California.*—BOULDER. *University of Colorado.*—WASHINGTON. *Congreso.* 52-25943.

—Nueva York. Harper. [1952]. 275 págs. 21 cm. (Classics of the contemplative life).

BOSTON. *Public Library.*—WASHINGTON. *Congreso.* 52-4612.

ESTUDIOS

De conjunto

5690

PONTES Y ROSALES, JOSE DE. *Ensayo biográfico - bibliográfico de fray Bernardino Laredo, farmacéutico del siglo XVI...* Madrid. Imp. de Rafael Anoz. 1863. 15 págs. 23 cm.

GRANADA. *Universitaria.* — MADRID. *Nacional.* V-1.161-13.

5691

FORONDA, BIENVENIDO. *Fr. Bernardino de Laredo, O. F. M. Su vida, sus escritos y su doctrina teológico-mística.* (En *Archivo Ibero-Americano*, XXXIII, Madrid, 1930, págs. 213-250, 497-526).

5692

CABALLERO VILLALDEA, SERGIO. *Fray Bernardino de Laredo, médico y boticario franciscano del siglo XVI. Su vida, su época y sus obras.* Madrid. Imp. Prensa Española. 1948.

79 págs. + 10 láms. 24,5 cm. (Notas para la Historia de la Farmacia Española, 4).

MADRID. *Academia Española.*—*Nacional.* V-2.051-67.

MISCELÁNEAS

5693

SESION necrológica en honor de Fr. Bernardino de Laredo, franciscano lego, boticario del siglo XVI, celebrada en Sevilla el dia 10 de diciembre de 1955. Madrid. 1956, 40 págs. 8.º

a) Meseguer Fernández, J., en *Archivo Ibero-Americano*, XVII, Madrid, 1957, pág. 963.

INTERPRETACIÓN Y CRÍTICA

5694

MIGUEL ANGEL, Fray. *Traité des «Mystères du très glorieux saint Joseph», publié en 1535, par le Fr. Bernardino de Laredo...* Toulouse. [1925]. XXVI + 134 págs. 8.º

5695

FOLCH Y ANDREU, RAFAEL. *El primer libro propiamente de Farmacia escrito en castellano...* (En *Anales de la Universidad de Madrid*, II, Madrid, 1933).

Tir. ap.: s. l. - s. i., s. a. 59 págs. 23 cm.
MADRID. *Nacional.* V-11.743-1.

5696

FIDELE DE ROS. *La connaisance de nous-mêmes d'après Laredo.* (En *Bulletin Hispanique*, XLVII, Burdeos,, 1945, págs. 34-56).

5697

ALCAIDE, SANTIAGO. *La espiritualidad franciscana en Fr. Bernardino de Laredo.* (En *Boletín de la Sociedad Española de Historia de la Farmacia*, VII, Madrid, 1956, págs. 32-40).

5698
FOLCH JOU, SEBASTIAN. *Fray Bernardino de Laredo a través de sus obras científicas.* (En *Boletín de la Sociedad Española de Historia de la Farmacia,* VII, Madrid, 1956, págs. 21-31).

5699
RICARD, ROBERT y FIDELE DE ROS. *La «fonte» de saint Jean de la Croix et un chapitre de Laredo.* (En *Bulletin Hispanique,* LVIII, Burdeos, 1956, págs. 265-74).

5700
GRACIA Y GUILLEN, DIEGO. *La fisiología escolástica de Fr. Bernardino de Laredo.* (En *Cuadernos de Historia de la Medicina Española,* XII, Madrid, 1973, págs. 125-92).

Lenguaje
5701
CUEVAS GARCIA, CRISTOBAL. *La prosa métrica. Teoría. Fr. Bernardino de Laredo. Estructuración y relaciones con el verso.* Granada. Universidad. 1972. 368 págs.

Fuentes
5702
FIDELE DE ROS. *Herphius et Laredo.* (En *Revue d'Ascétique et de Mystique,* XX, Toulouse, 1939, págs. 265-85).
Influencia del *Directorium aureum contemplatiorum,* de Fr. Eurique Herp, en la *Subida.*
a) I. M., en *Archivo Ibero-Americano,* I, Madrid, 1941, págs. 184-85.

5703
———. *Influencia de Francisco de Osuna en Laredo y los Mártires.* (En *Archivo Ibero - Americano,* III, Madrid, 1943, págs. 378-90).

Influencia
5704
JOSE ANTONIO (Fray). *La Josefina de Bernardino de Laredo ¿influyó en Santa Teresa de Jesús?* (En *Estudios Josefinos,* II, Valladolid, 1948, págs. 229-37).

5705
FIDÈLE DE ROS. *Un inspirateur de Sainte Thérèse. Le Frère Bernardin de Laredo.* París. Libr. Philosophique J. Vrin. 1948. 368 págs.
a) Enrique del S. Corazón, en *Revista de Espiritualidad,* IX, Madrid, 1950, págs. 228-237.
b) Jiménez, en *Manresa,* XXIV, Madrid, 1952, pág. 334.
c) Meseguer Fernández, J., en *Archivo Ibero-Americano,* IX, Madrid, 1949, págs. 562-70.
d) Ricard, R., en *Bolletin Hispanique,* LI, Burdeos, 1949, págs. 69-71.

5706
REP: Hernández Morejón, II, págs. 209-221; Méndez Bejarano, I, n.º 1.342; Castro, M. de, en DHEE, II, pág. 1269; Roldán, III, págs. 17-19.

LAREDO (JOSE)

EDICIONES
5707
RELACION *fidedigna de lo svcedido en Rossellon, desde los nueue de Iunio 1639, en que entró el exercito Frances en el, hasta 6 de Enero 1640, en que entregaron la plaça de Salsas... Escrita por —— que se halló presente...* Barcelona. S. y J. Mathevat. 1640. 8 hs. 20,3 cm.
BARCELONA. *Central.* F. Bon. 6125.

Poesías sueltas
5708
[*DECIMAS*]. (En Huerta, Antonio de. *Triunfos gloriosos... que se celebraron... en Madrid... a la cano-*

nización... de... San Pedro de Alcántara... Madrid. 1670, pág. 68).

MADRID. *Nacional.* 3-39.078.

LAREDO (FR. JUAN DE)

EDICIONES

5709

[*CENSURA*]. (En Vitoria, Juan de. *Sermón de Santa Teresa de Jesús...* Sevilla. 1648. Prels.)

SEVILLA. *Universitaria.* 112-131 (3).

LAREDO (NICOLAS DE)

EDICIONES

5710

[*SONETO*]. (En Squarzafigo y Arriola, Vicencio. *Compendio historial del origen, antigüedad y milagros de la... imagen de Ntra. Sra. de Buen Ayre...* Madrid. 1696. Prels.)

MADRID. *Nacional.* 3-66.308.

LAREDO (P. PEDRO DE)

EDICIONES

5711

SERMON *panegirico a la publica aclamacion de la Reyna de los Angeles, en el primer instante de su Concepcion Purisima, que en la solemne fiesta votiva, que la Ilustre Congregacion de el Espiritu Santo, sita en el Colegio de la Compañia de Iesus de la ciudad de Granada, consagró (descubierto el Santissimo Sacramento) con voto, y juramento de defender la Immunidad de Maria Santissima, y preservacion de la Original Culpa. En manos del Ilustrissimo Señor D. Martin Carrillo y Aldrete, Arçobispo de la dicha Ciudad. Predicó el R. ——. Lunes, 24 de febrero de 1653.* [Granada. Imp. Real, por Baltasar de Bolibar]. [1653]. 24 hs. 19,5 cm.

—Apr. del P. Tomas de Leon.—L. V.— Romance burlesco, dando vaya a la serpiente, en ocasion del voto que ofrece la Congregacion, de defender la inmunidad de Maria Santissima. [«Si por serpiente presumes...»].—Texto.—Colofón.

GRANADA. *Universitaria.* 3-31-202 (4).

LAREDO SALAZAR (ANTONIO DE)

Secretario de D. Fernando Afán de Ribera, duque de Alcalá.

EDICIONES

5712

[*AL lector*]. (En Afán de Ribera Enríquez, Fernando. *Del título de la Cruz de Christo...* 2.ª edición. s. l. - s. a.).

MADRID. *Nacional.* 3-35.639.

LARIOS (FR. PEDRO DE)

Agustino. Lector de Teología del convento de San Agustín de Sevilla.

EDICIONES

5713

SERMON, *qve se predico a la fiesta qve hizo el Conuento de san Agustin de Seuilla, en la Beatificacion del glorioso don fray Tomás de Villanueua, Arçobispo de Valencia, y Religioso del mismo Orden.* Sevilla. Iuan Serrano de Vargas y Ureña. 1620. 16 fols. 19,5 cm.

—Fol. 2*r*: Aprobación del P. Diego Granado.—L. V.—Fol. 2*v*: Dedicatoria a D. Gaspar Iuan de Saauedra, Conde del Castellar.—Texto. (Fols. 3*r*-16*v*).

GRANADA. *Universitaria.* A-31-201 (24); etc.— MADRID. *Nacional.* R-Varios, 52-6.—SEVILLA. *Colombina.* 113-15 (6), 62 (16), etc.

LARIOS MONJE (ALONSO)

Visitador de las iglesias de Sevilla.

EDICIONES

5714

COPIA *de una Carta... escrita al Señor Arçobispo don Pedro de Cas-*

tro, sobre las pretensiones de los Curas simples, remitida de Sevilla a Granada, año de 1620. [Sevilla. s. i.]. [1620]. Una hoja. 27,5 cm.

Carece de portada.

SEVILLA. *Colombina.* 63-7-1 (17).

LA RIPA (FR. DOMINGO)

N. en Hecho. Benedictino. Prior conventual del claustro de San Juan de la Peña. Visitador general de la Tarraconesa y Cesaragustana. Cronista de Aragón.

EDICIONES

5715

DEFENSA historica, por la antigvedad del Reyno de Sobrarbe. Zaragoza. Herederos de Pedro Lanaja. 1675. 35 hs. + 581 págs. + 15 hs. 29 cm.

—Frontis.—Ded. al Reyno de Aragon, en sus diputados...—L. O.—Apr. de Iosef Antonio Salas Diesaro.—Apr. de Carlos Bueno y Predrafita.—Censura de Miguel María de Villanueva y Palafox.—Censura de Francisco Fabro Bremundan.—Censura de Fr. Gerónimo Escuela.—Censura de Fr. Iosef Serrano. — Carta de Sancho Abarca Herrera al autor.—Al que leyere. Texto.—E.—Indice de lo contenido.

Salvá, II, n.º 2.993.

MADRID. *Academia de la Historia.* 5-4-5-1.455; 2-4-4-1.036; etc. *Facultad de Filosofía y Letras.* 12.191. *Nacional.* 2-46.464. — NUEVA YORK. *Hispanic Society.*—ROUEN. *Municipale.* Mt.P.2267.—SANTIAGO DE COMPOSTELA. *Universitaria.* — SEVILLA. *Colombina.* 141-22-14. *Universitaria.* 108-103.

5716

CORONA Real del Pirineo, establecida y disputada. Zaragoza. Diego Dorner. 1685-88. 2 vols. 29 cm.

Tomo I: 22 hs. + 861 págs. 17 hs.

—Lámina de I. Renedo.—Ded. a los Diputados del Reino de Aragón.—Apr. de Miguel Pascual.—Apr. de Iosef Esmir.— Censura de Francisco de Montemayor.— Censura de Fr. Ioseph Serrano.—Censura de Fr. Ioseph Antonio de Herbera.— Prologo.—Autores que se citan.—Texto. Escudo.—E.—Indice de cosas notables.

Tomo II: 12 hs. + 345 págs. + 14 hs.

—Ded. a la Proteción Ilustrissima de su esclarecido reyno.—L. O.—Censura de Fr. Ioseph Serrano.—Prologo.—Tabla de los parrafos.—Apr. de Fr. Ioseph Antonio de Hebrera.—Texto.—Indice de cosas notables.

Salvá, II, n.º 2.994.

BERLIN. *Öffentl. Wiss. Bibl.* Qr.3166. — MADRID. *Academia de la Historia.* 14-7-6-3.534/35; etc. *Municipal.* R-134/35. *Nacional.* 3-28.327/28. — PAMPLONA. *General de la Diputación Foral.* 109-2-5/6. — SANTIAGO DE COMPOSTELA. *Universitaria.* — SEVILLA. *Colombina.* 36-6-15-17.

LA RIPIA (JUAN DE)

V. RIPIA (JUAN DE LA)

LARIZ (ANDRES)

Almirante.

V. LARIZ DURANGO (ANDRES)

LARIZ DURANGO (ANDRES)

Almirante.

EDICIONES

5717

[*SONETO*]. (En Bramón, Francisco. *Los sirgueros de la Virgen sin original pecado.* Méjico. 1620. Prels.)

Gallardo, II, n.º 1.474; Medina, *México,* II, n.º 319.

5718

[*SONETO*]. (En Gutiérrez, Sebastián. *Arco triumphal, y explicación de sus historias...* Méjico. 1625. Preliminares).

Medina, *México,* II, n.º 376.

LARIZ SARMIENTO (SANCHO)

Alcalde de la Hermandad de hijosdalgo de Alcalá de Henares.

EDICIONES

5719

[*POESIAS*]. (En Porres, Fracisco Ignacio de. *Justa poetica zelebrada por la Universidad de Alcalá...* Alcalá. 1658).

1. *Soneto.* (Pág. 317).
2. *Jeroglíficos.* (Págs. 416-17).
MADRID. *Nacional.* R-5.764.

5720
[*SONETO al Autor*]. (En Ochoa de Velendiz, Juan. *Elucidatio nova, a nomine usque adeo animdversu...* Alcalá. s. a., 1660. Prels.)

LA ROCHA (FRANCISCO DE)
V. ROCHA (FRANCISCO DE LA)

LARRANDO DE MAULEON (FRANCISCO)
N. en Mediana (1664). Capitán de Infantería. Ingeniero. M. en 1736.

EDICIONES
5722
ESTOQUE de la Guerra, y Arte militar. Primera y segunda Parte, que cada una contiene quatro tratados. Barcelona. Thomas Loriente. 1699. 2 vols. 14 cm.

Primera parte: 16 hs. + 189 págs.
—Ded. a Francisco Antonio Fernandez de Velasco y Tobar.—Prologo.— Soneto de Fernando de Villaroel y Pedro. [«Estos que à luz das nuevos escritos...»]. Dezima. [«Mirados con atención...»].—Indice de los Capitulos. — Advertencia. — E. — Texto.
Segunda parte: Barcelona. En casa Cormellas, por Thomas Loriente. 7 hs. + 222 págs. + 3 hs. plegs. con grabs.
—Introducción.—Indice de los capítulos y cosas más memorables.—E.—Texto.
LONDRES. *British Museum.* 1398.a.15. — MADRID. *Academia de la Historia* 2-1-6-279 [el II]. *Nacional.* R-11.645 [el I] y R-17.218 [el II].—SANTIAGO DE COMPOSTELA. *Universitaria.*

5721
REP: Latassa, 2.ª ed., II, pág. 100.

LARRAZ (FR. ATANASIO)
Dominico. Del convento de Valencia.

CODICES
5723
«*Summa de Excelencias de el Santis-*

simo Rosario en uarios y singulares assumptos predicables...».
Letra del s. XVII. 2 vols. 221 × 154 mm.
Gutiérrez del Caño, II, págs. 173-74.
VALENCIA. *Universitaria.* Mss. 1.253.

LARREA (FR. ALONSO DE)
Franciscanos. Lector de Teología. Cronista de la provincia de Mechoacán.

EDICIONES
5724
CHRONICA de la Orden de N. Seraphico P. S. Francisco, Prouincia de S. Pedro y S. Pablo de Mechoacan en la Nueua España... por Fr. Alonso de la Rea. Méjico. Viuda de Bernardo Calderón. 1643. 8 hs. + 171 fols. + 1 h. 20 cm.

—L. del Virrey.—L. O.—Censura de Fr. Alonso Brauo de Lagunas.—Ded. a Fr. Christoual Vaz, Ministro Provincial de la Prouincia de los Apostoles S. Pedro y S. Pablo de Mechoacan.—Al lector.— L. O.—Texto.—Fols. 167r-171v: Tabla.— Colofón.
MADRID. *Nacional.* R-4.109.

5725
SERMON qve predico en la festividad de nuestra Madre Santa Clara, y del Santissimo Sacramento, teniendole descubierto en la mano, en la Dominica 12 post Pent. en su religiosissimo convento del pueblo de Queretaro ———... Méjico. Viuda de Bernardo Calderón. 1646. 8 hs. 4.º

—Texto.
Medina, *México,* II, n.º 630.

LARREA (IGNACIO DE)
EDICIONES
5726
[*SONETOS*]. (En CORONA *sepulcral. Elogios en la muerte de Don Martin Suárez de Alarcón.* s. l. - s. a., folio 137v).
MADRID. *Nacional.* R-9.117.

LARREA (JUAN DE)

EDICIONES

5727

RELACION de la grandeza con que se recibió al señor Cardenal Barberino. Legado a Latere de nuestro muy santo Padre Urbano VIII. Madrid. Andrés de Parra. 1626. 2 hs. 30 cm.

—Texto.

Gallardo, IV, n.º 3.583; Alenda, n.º 884.

MADRID. *Nacional.* R-Varios, 186-83. — ROMA. *Vaticana.* Stamp. Barb. S.IV.8.int.3.

5728

[*RELACION de todo lo Sucedido en la Legacia del Illustrissimo señor Don Francisco Barbarino* (sic), *sobrino de la santidad de N. Beatisimo padre Vrbano Octauo, donde se refiere su Iornada, desde Roma a esta Corte, Entrada, Recebimiento, Visitas, assi a los señores Reyes, y Infantes, como a los Monesterios de monjas, y frayles: Bautismo, y Procession del Corpus. Va tambien el traslado de la Carta que su Santidad embió a la Reyna N. S.*]. [Madrid. Andrés de Parra]. [1626]. 2 hs. 32 cm.

Carece de portada.
—Texto.—Colofón.
Gallardo, IV, n.º 3.582; Alenda, n.º 873.

MADRID. *Academia de la Historia.* 9-3.776 (22); etc. *Nacional.* R-Varios, 60-77 y 59-111; Mss. 2.358 (fols. 346-47).

5729

[*RELACION de todo lo Sucedido en la Legacia del Illustrissimo señor Don Francisco Barbarino, sobrino de... Vrbano Octavo, donde se refiere su Iornada, desde Roma a esta Corte, Entrada, Recebimiento, Visitas, assi a los señores Reyes, y Infantes, como a los Monesterios de monjas, y frayles: Bautismo, y Pro-*

cession del Corpus...]. [s. l. - s. i.]. [s. a.]. 2 hs. 32 cm.

Carece de portada.
MADRID. *Nacional.* R-Varios, 59-103.

5730

———. [s. l.]. Bernardino de Guzmán. [s. a.]. 2 hs. Fol.
Gallardo, IV, n.º 3.581.

5731

———. (En RELACIONES *breves de actos públicos celebrados en Madrid de 1541 a 1650. Edición de José Simón Díaz.* Madrid. Instituto de Estudios Madrileños. 1982, págs. 339-342).

5732

CANCIONES. Gracias que Madrid da a Su Santidad por la venida de D. Francisco Barberino, legado a latere. [s. l. - s. i.]. [s. a., 1626]. 8.º
ROMA. *Vaticana.* Stamp. Barb. KKK.II.19.

Poesías sueltas

5733

[*EPIGRAMA*]. (En Pellicer de Tovar, José. *Anfiteatro de Felipe el Grande.* Madrid. 1631, fol. 47v).
MADRID. *Nacional.* R-7.502.

LARREA
(JUAN BAUTISTA DE)

N. en Madrid. Alumno y catedrático de la Universidad de Salamanca. Oidor de la Chancillería de Granada. Fiscal del Consejo de Hacienda. Caballero de Santiago (1636). Ministro del Consejo de Castilla. M. en 1645.

CODICES

5734

«*De las Ligas del Principe Catholico*».

Letra del s. XVI. 212 × 150 mm.
Inventario, III, págs. 307-8.
MADRID. *Nacional.* Mss. 1.093 (fols. 189-239).

EDICIONES

5735

[*RESPUESTA*]. (En Juan de la Virgen, Fray. *Por el convento de los Padres Carmelitas Descalzos de Antequera...* Ecija. 1641. Al fin).

SEVILLA. *Universitaria.* 109-99 (8).

5736

El doctor don ——... *Con... Francisco de la Barreda, fiscal de la Real Audiencia... de Mexico. Sobre la culpa que se le imputa en la causa de Iuan Tolinque.* [s. l. - s. i.]. [s. a.]. Fol.

De Madrid. 1660?

LONDRES. *British Museum.* 1324.i.I.(36).

5737

POR el Real Fisco, el Doctor Don ——... *Fiscal del Consejo. Con el Dvque de Arschot, Principe de Aremberg, Caballero del Tuyson, Genhilhombre de la Camara de su Magestad, de los Consejos de Estado y Guerra de Flandes, Gouernador de la Prouincia de Namur, Caçador y Montero mayor de los Estados y Prouincias de Flandes. Sobre la cvlpa qve se le impvta en el trato sedicioso, que para leuantamiento de las Prouincias fieles y obedientes de Flandes, hizieron los Principes de Sipinoy, Barbançon, Condes de Egmont, y de Henin.* [s. l. - s. i.]. [s. a.]. 81 fols. 28 cm.

—Texto.

MADRID. *Nacional.* 3-72.993.

5738

POR la avtoridad de los Ministros. [s. l. - s. i.]. [s. a.]. 1 h. + 39 fols. 19 cm.

Memorial al Rey, motivado por una relación calumniosa hecha contra un ministro, y en defensa de éstos.

MADRID. *Nacional.* V.E.-4-28. — SANTIAGO DE COMPOSTELA. *Universitaria.*

OBRAS LATINAS

5739

NOVAE decisiones sacri regii Senatus Granatensis... ——. Lugduni. Sumpt. J. et P. Prost. 1636. 16 + 646 págs. 4.º

GENOVA. *Universitaria.* 3.N.VIII.1.

— — —

—Lugduni. 1636-39.

MADRID. *Nacional.* 2-49.338/39.

—*Novarum decisionum...* Lugduni. Sumpt. L. Arnaud, P. Borde, J. et P. Arnaud. 1679. 2 vols. Fol.

MADRID. *Instituto de Estudios Jurídicos.* 295/96; etc. *Nacional.* 2-1.770, 3-65.954.—PAMPLONA. *General de la Diputación Foral.* 109-3-7/32-33.—PARIS. *Nationale.* F.4284-85.—PISA. *Universitaria.* A.e.4.34.

—Lugduni. Sumpt. Deville et Chalmette. 1729. 2 tomos en un vol. Fol.

PAMPLONA. *General de la Diputación Foral.* 109-4-7/57.—PARIS. *Nationale.* F.4286-4287.

—Lugduni. Sumpt. Deville fratrum et L. Chalmette. 1736. 2 tomos en un vol. Fol.

PARIS. *Nationale.* F.4288-4289.

5740

ALLEGATIONUM Fiscalium. Lugduni. Prost. 1642-45. 2 vols. 4.º

GENOVA. *Universitaria.* 3.S.VII.18. — MADRID. *Nacional.* 2-49.340/41.

— — —

—Lugduni. Bordes. 1651.

GRENOBLE. *Municipale.* B.1720.

—Lugduni. 1652.

MADRID. *Nacional.* 5-1.174.

—3.ª ed. Lugduni. Sumpt. P. Borde, L. Arnaud, P. Borde et G. Barbier. 1665-66. 2 partes en un vol. Fol.

MADRID. *Instituto de Estudios Jurídicos.* 317/18. *Nacional.* 3-29.332/33.—PARIS. *Nationale.* *E.82.

—Lugduni. 1699.

MADRID. *Nacional.* 5-7.555.—PAMPLONA. *General de la Diputación Foral.* 109-3-7/34.

—Lugduni. Sumpt. A. Servant. 1732. 2 tomos en un vol. 36 cm.

MADRID. *Nacional.* 7-48.236.—PARIS. *Nationale.* *E.83.

ESTUDIOS

5741

REP: Alvarez y Baena, III, págs. 167-68.

LARREA Y ZURBANO (JUAN DE)

Alcalde mayor; Teniente de Corregidor y regidor perpetuo de la villa de Molina.

EDICIONES

5742

[*DECIMA*]. (En Castillo Solórzano, Alonso del. *Jornadas alegres*. Madrid. 1626. Prels.)

MADRID. *Nacional*. R-279.

5743

[*DECIMA*]. (En Castillo Solórzano, Alonso del. *Tiempo de Regozijo.:.* Madrid. 1627. Prels.)

MADRID. *Nacional*. R-6.958.

5744

[*DECIMAS*]. (En Pérez de Montalbán, Juan. *Fama posthuma a la vida y muerte de... Lope Felix de Vega Carpio...* Madrid. 1636. Fol. 142v).

MADRID. *Nacional*. 3-53.447.

5745

[*DECIMAS*]. (En Grande de Tena, Pedro. *Lágrimas panegiricas a la temprana muerte del... Dr. Juan Pérez de Montalbán*. Madrid. 1639, fol. 71v).

MADRID. *Nacional*. 2-44.053.

5746

[*SONETO*]. (En EXEQUIAS *Reales que Felipe el Grande quarto de este nombre... mandó hazer en San Felipe de Madrid a los soldados que murieron en la batalla de Lérida...* Madrid. 1644, fol. 11r).

MADRID. *Nacional*. R-Varios, 164/29.

LARREDONDA (DAMIAN DE)

N. y residió en Valladolid. Maestro de leer, escribir y contar.

CODICES

5747

«*Orthographia Castellana y pronunciaciones del ABC. En verso...*».

Original. 67 hs.
Gallardo, III, n.° 2.612.

LARRIATEGUI (FR. MAURO DE)

Benedictino. Abad de los monasterios de Santa María y Obona y San Pedro de Eslonza. Definidor de la Orden. Predicador real.

EDICIONES

5748

[*CENSURA. 17 de febrero de 1699*]. (En Ximénez Barranco, Miguel. *Oracion Evangelica... de la Concepcion de Maria Santissima, con la advocacion de Nuestra Señora de la Zarza...* Madrid. 1699. Prels.)

MADRID. *Nacional*. V.E.-126-3.

LARRIMPE (JUAN FRANCISCO)

Doctor. Catedrático de Medicina de la Universidad de Oñate. Médico de la ciudad de San Sebastián.

EDICIONES

5749

[*APROBACION. San Sebastián, 14 de febrero de 1680*]. (En Beinza, Matías de. *Discurso sobre los polvos universales purgantes*. Bayona. 1680. Prels.)

MADRID. *Nacional*. 3-5.521.

LARRINAGA SALAZAR (JUAN DE)

N. en Lima (1593). Doctor en Cánones. Catedrático de la Universidad de San Marcos de Lima y su procurador en Madrid. Regidor perpetuo de Lima y oídor de Panamá.

EDICIONES

5750

MEMORIAL discursivo sobre el oficio de protector general de los Indios del Piru... [Madrid].. [1626]. 34 fols.

BERKELEY. *University of California*. [Copia en microfilm]. — PROVIDENCE. *John Carter Brown Library*.

5751
[*DEDICATORIA al Rector y Claus-tro de la Universidad de San Mar-cos*]. (En CONSTITUCIONES *añadidas por los Virreyes, Marques de Mon-tesclaros y Principe de Esquilache, a las que hizo el Virrey Don Fran-cisco de Toledo para la Real Uni-versidad y Estudio General de San Marcos de la ciudad de Los Reyes del Piru*. Madrid. Impr. Real. 1624. Prels.)

ESTUDIOS
5752
REP: N. Antonio, I, pág. 716.

LASA (FR. PEDRO DE)
EDICIONES
5753
[*APROBACION de Fr. Juan de Que-ro, Fr. Baltasar de Porres y ——*]. (En Benítez Zapata, Juan. *Sermón...* Córdoba. 1662. Prels.)
Valdenebro, n.° 210.

LASAGA (JUAN DE)
Licenciado.
EDICIONES
5754
[*GLOSA*]. (En Amada y Torregrosa, José Félix de. *Palestra numerosa austríaca...* Huesca. 1650, fol. 53*r*).
MADRID. *Nacional*. 2-66.981.

LASALA Y ABARCA (FRANCISCO VENTURA DE)
V. SALA Y ABARCA (FRANCISCO VENTURA DE LA)

LASARTE (DIEGO DE)
EDICIONES
5755
[*SONETO*]. (En Gálvez de Montal-vo, Luis. *El pastor de Philida*. Lis-boa. 1589. Prels.)
MADRID. *Nacional*. R-13.074.

LASARTE (MARTIN DE)
EDICIONES
5756
[*SONETO en eco*]. (En Zapata, San-cho. *Justa poetica en defensa de la pureça de la Inmaculada Concep-cion de la Virgen...* Zaragoza. 1619, 168-69).
MADRID. *Nacional*. 2-68.257.

LASCANO (Maestro)
EDICIONES
5757
[*APROBACION. Madrid, 6 de junio de 1587*]. (En Cueva, Juan de la. *Coro febeo de romances historiales*. Sevi-lla. 1588. Prels.)
MADRID. *Nacional*. R-6.285.

LASCANO (PEDRO)
EDICIONES
5758
[*SONETO al Autor*]. (En Andrade y Ribera, Francisco de. *Pensión del endevotado*. s. l. - s. a. Al fin).
LONDRES. *British Museum*. 11451.d.

ESTUDIOS
5759
CLARAMONTE CORROY, ANDRES DE. [*Elogio*]. (En *Letanía moral*. Sevilla. 1613).
MADRID. *Nacional*. R-7.891.

LASCARI (ANTONIO)
N. en Antequera de Méjico. Párroco de Tututepec. Canónigo de la catedral de Méjico.
EDICIONES
5760
REAL Panteon, Oratorio, Fvnebre: Sermon que... predicó en las svmp-tvosas, qve la Provincia de Tuquila, y su Beneficiado, celebraron Exe-quias, erigieron Monumento: a las

Reales Ceniças, a los Soberanos Recuerdos, y Santas Memorias de... Felipe IV el Grande... Méjico. Viuda de Bernardo Calderón. 1667. 5 hs. + 11 fols. 4.º

—Ded. a la Congregación de la Purissima del Colegio de S. Pedro y S. Pablo de Méjico.—Apr. del P. Antonio Nuñez.— Apr. de Juan de la Peña Butron.—Texto.

Medina, *México*, II, n.º 972.

5761

SERMON a la Celebridad de los Dolores de Maria Santissima Señora Nuestra. Viernes, 6 de Quaresma y del Consilio, este año de 82... Méjico. Juan de Ribera. 1683. 4 + 6 págs. 20,5 cm.

PROVIDENCE. *John Carter Brown Library.*

LA SERNA
V. SERNA

LAS EVAS
V. EVAS

LAS HERAS
V. HERAS

LA SIERRA (ALONSO)
N. en Barbastro.

EDICIONES

5762

SOLITARIO (El) poeta... El qual trata los Mysterios de la vida de Christo, y de la Virgen Santissima, por el orden de las Fiestas solemnes que canta la Santa Madre Iglesia. Obra vtil y prouechosa. Con vn Elogio a la muerte del Rey Phelipe nuestro señor. Zaragoza. Angelo Tauano. 1605. 8 hs. + 117 fols. + 2 hs. 14 cm.

—Apr. de Antonio Ximenez Mora.—L. V.— Pr. al autor por diez años.—L. del Consejo de Aragón. — Ded. al Licdo. Luys Abarca de Bolea y Castro, del Consejo de S. M. y su Oydor en la R. Chancille-

ría de Burgos.—Prólogo (enumera los principales poetas de España e Italia).— Soneto de Martin de Bolea y Castro. [«Sierra tan fertil, que en el seco imbierno...»].—Soneto de Andres Rey de Artieda. [«Sobre un collado verde, que al sol cierra...»]. — Soneto de Augustín Palacio. [«Plantó Dios un jardin, y aunque escogido...»]. — Estancias de Francisco de Segura. [«Coger naranjas en la altiua sierra...»].—Texto.

Gallardo, III, n.º 2.614.

MADRID. *Nacional.* R-30.715.—NUEVA YORK. *Hispanic Society.*

ESTUDIOS

5763

REP: N. Antonio, I, pág. 49.

LA SIERRA (JUANA CLARA)

EDICIONES

5764

[SONETO]. (En CERTAMEN *poético a las fiestas de la translación de la reliquia de San Ramón Nonat...* Zaragoza. 1618, fol. 45v).

MADRID. *Nacional.* R-17.826.

LA SIERRA (FR. MIGUEL DE)
V. SIERRA (FR. MIGUEL DE LA)

LA SIERRA (PEDRO)
N. en Cariñena. Infanzón.

EDICIONES

5765

SEGVNDA parte de Espeio de Principes y Cavalleros, en dos libros: donde se tratan los altos hechos del Emperador Trebacio, y de sus caros hijos, el gran Alphebo é inclito Rosicler, y del muy excelente Claridiano, hijo del Cauallero del Febo, y de la Emperatriz Claridiana: y assi mismo de Poliphebo de Tinacria y de la excelentissima Archisilora Reyna de Lira, y de otros muy altos Principes. Zaragoza. Pedro Cabarte. A costa de Juan de Bonilla. 1617. 124 fols., a 2 cols. 30 cm.

—Texto.
Jiménez Catalán, *Tip. zaragozana del siglo XVII*, n.º 169 bis.
PARIS. *Nationale.* Rés.Y.²246.

LASO (MANUEL)

EDICIONES
5766
RELACION de la fiesta y solemnidad del Bateo de la Serenissima Infanta doña Margarita Maria Catalina, vnica hija de los Reyes Catolicos de España... [Madrid. Viuda de Alonso Martin. [s. a., 1623]. 2 hs. 29 cm.
Gallardo, III, n.º 2.616; Pérez Pastor, *Madrid*, III, n.º 1.955; Alenda, n.º 821.
GRANADA. *Universitaria.* A-31-143 (34).—MADRID. *Municipal.* MB-2.052.

5767
————. (En RELACIONES *breves de actos públicos celebrados en Madrid de 1541 a 1650. Edición de José Simón Díaz.* Madrid. Instituto de Estudios Madrileños. 1982, págs. 274-275).

LASO (PEDRO)

CODICES
5768
«*Carta de Pedro Laso, por otro nombre Polidoro, o el cautibo al duque de nagera le sea admitido en su servicio*».
Letra del s. XVII. 250 × 149 mm.
«Manrique eroyco, gloria de los hombres...».
MADRID. *Nacional.* Mss. 3.797 (fols. 8*v*-13*v*).

LASO (PEDRO)

Impresor.

5769
[*DEDICATORIA a Antonio Gracian Dantisco, Secretario de S. M.*]. (En

Contreras, Jerónimo de. *Selva de Aventuras.* Salamanca. 1573. Prels.)
MADRID. *Nacional.* R-4.661.

5770
[*DEDICATORIA al Dr. D. Iun de Solorzano Pereira, cauallero de Santiago, etc.* (En Mela, Pomponio. *La Geographia... Que traduxo Luis Tribaldos de Toledo...* Madrid. 1642. Prels.)
MADRID. *Nacional.* R-18.577.

LASSO (Licenciado)

CODICES
5771
«*Tratado nueua mente compuesto por el licdo. lasso... En que por nuebo stilo y manera de deçir se examina y funda de dr.º como el mudo a natura es capaz...*».
Autógrafo. 70 hs. 205 × 135 mm.
—Texto, fechado en el monasterio de Oña en octubre de 1650 y firmado por el autor.—Tabla de autoridades.
Gallardo, III, n.º 2.615.
MADRID. *Nacional.* Mss. 6.330 (con una nota ms. de Paz en las guardas).

EDICIONES
5772
TRATADO legal sobre los mudos... 1550. Con un estudio preliminar y notas de Alvaro López Núñez. Madrid. Sobrinos de la Suc. de M. Minuesa de los Ríos. 1919. XCIX + 125 págs. 8.º
BERKELEY. *University of California.*—CHICAGO. *Newberry Library.*

LASSO (ANTONIO)

Regidor perpetuo de Oviedo.

EDICIONES
5773
[*GLOSA*]. (En Roys, Francisco de. *Pyra real, que erigió la maior Athenas...* Salamanca. 1666, pág. 401).
MADRID. *Nacional.* 2-59.457.

LASSO (JUAN)

Catedrático de Griego en Salamanca.

EDICIONES

5774

[*GLOSA a una décima de Góngora*]. (En Vaca de Alfaro, Enrique. *Lyra de Melpomene a cvyas armoniosas vozes y dvlces avnque fvnestos ecos oye atento ——— la tragica metamorphosis de Acteon, y la escribe.* Córdoba. 1666. Prels.)

MADRID. *Nacional.* R-12.845.

LASSO DE OROPESA (MARTIN)

Secretario de la marquesa de Cenete y del cardenal D. Francisco de Mendoza, Obispo de Burgos.

EDICIONES

5775

HYSTORIA (La) que escriuio en latin el poeta Lucano: trasladada en castellano por ——*...* [Lisboa. Luys Rodriguez]. [1541, 20 de mayo]. 10 hs. + 154 fols. 19,5 cm. gót.

—Ded. a D. Pedro de Gueuara, señor de Juan Vela, etc.—La vida de Marco Anneo Lucano sacada en suma de los mas autenticos autores. — Las causas generales por donde se mouio esta guerra tan grande que escriue Lucano.—Texto (en prosa).—Colofón.

Salvá, I, n.º 750.

MADRID. *Nacional.* R-629; R-12.261. — OVIEDO. *Universitaria.* A-120; A-291.—SEVILLA. *Facultad de Filosofía y Letras.* 20/256.—ZARAGOZA. *Universitaria.*

5776

LVCANO poeta, y historiador antigvo: en que se tratan las guerras Pharsalicas, que tuuieron Iulio Cesar y Pompeyo. Traduzido de Latín en Romance Castellano, por ——*.* Amberes. Pedro Bellero. 1585. 8 hs. + 397 págs. 15 cm.

—Ded. a D. Pedro de Gueuara, Señor de zIuan Vela, etc.—La vida de Marco Anneo Lucano, sacada en suma de los mas au tenticos autores.—Las causas generales por donde se mouio esta guerra tan grande que escriue Lucano.

Salvá, I, n.º 751.

MADRID. *Nacional.* R-10.448 (con ex libris del Museo del Montino).

5777

LVCANO poeta, y historiador antigvo. En que se tratan las guerras Pharsalicas, que tuvieron Iulio Cesar y Pompeyo, traduzido de Latin en Romance Castellano por Martín Lasso de Oropesa. Amberes. Iuan Cordier. 1585. 8 hs. + 397 págs. 8.º

MADRID. *Museo Lázaro Galdiano.—Nacional.* R-25.047.

5778

LVCANO tradvcido de verso latino en prosa castellana, por ——*. Nueuamente corregido y acabado con la Historia del Triunuirato.* Burgos. Phelippe de Iunta. 1588. [Colofón: 1578]. 9 hs. + 411 págs. Fol.

Salvá, I, n.º 752; Gallardo, III, n.º 2.619.

BURGOS. *Pública.* — CIUDAD REAL. *Pública.* — COIMBRA. *Universitaria.* R-64-14.—CORDOBA. *Pública.* 23-148. — LONDRES. *British Museum.* 11386.l.14.—MADRID. *Academia de la Historia.* 2-4-3-2.016. *Museo «Lázaro Galdiano».— Nacional.* R-25.307; R-2.583; etc. *Palacio.—* NUEVA YORK. *Hispanic Society.*—SALAMANCA. *Universitaria.*—SANTIAGO DE COMPOSTELA. *Universitaria.*—SEVILLA. *Colombina.* 53-7-25; etc. TOLEDO. *Pública.*

LASSO DE LA VEGA (DIEGO)

Colegial de San Pelayo en Salamanca.

EDICIONES

5779

[*SONETO*]. (En Yagüe de Salas, Juan. *Los amantes de Tervel, Epopeya tragica...* Valencia. 1616. Prels.)

MADRID. *Nacional.* U-713.

LASSO DE LA VEGA (FELIX)

CODICES

5780

«*Miscelánea Histórica, Geográfica, Chronológica y Corográfica de* ——».

Letra del s. XVII. 435 págs. 320 × 230 mm.
SEVILLA. *Colombina.* 85-5-32.

LASSO DE LA VEGA (GABRIEL)

N. en Madrid (1559). Contino de S. M.
M. en 1615.

CODICES

5781

v*El sitio y presa de Ostende y plaças
de Frisa».*

Letra del s. XVII. 305 × 205 mm. Procede
de la colección Mascareñas.

—Prologo. (Fol. 219).—Ded. a D. Philippe
Spínola, primogenito de Ambrosio Spínola, marqués de Sexto. Madrid, 8 febrero
1612. (Fol. 212).—Texto. (Fols. 221-56).—
Romance del autor al Marques. [«Oi
buelve el ligurio Achiles...»]. (Fol. 257).—
Otro del autor a D. Phelippe Spinola.
[«Ascanio bello, glorioso...»]. (Fols. 257v-
258r).

Inventario, VI, pág. 314.

MADRID. *Nacional.* Mss. 2.346 (fols. 219-58).

5782

*«Barones y honbres doctos, eminen-
tes, y ynsignes en letras, naturales
de España, y el lugar de ella donde
cada uno naçio, que han dado sus
obras a la estampa assi teologos
como juristas, poetas, oradores, cro-
nistas, historiadores, filosofos, ma-
tematicos, astrologos y medicos y
otros, assi antiguos como modernos.
Recopilados por ——...».*

Quirógrafo. 148 hs. 215 × 155 mm.
Zarco, II, págs. 263-64.
SAN LORENZO DEL ESCORIAL. *Monasterio.* L.III.
27.

5783

«Curia española».

V. Martin, Henry, *Cat. des ms. de la bibliothèque de l'Arsenal,* III, 1887, pág. 472,
n.° 3.703.
PARIS. *Arsenal.* 58.H.F.

«——».

5784

V. idem, IV, 1888, pág. 382, n.° 4.532.
PARIS. *Arsenal.* 4532 (576.H.F.), fol. 257.

EDICIONES

5785

*PRIMERA parte de Cortés valero-
so, y Mexicana.* Madrid. Pedro Madrigal. 1588. 8 hs. + 193 fols. +27 hs.
20,5 cm.

—Al retrato de Fernando Cortes. Soneto
de Luis de Vargas Manrique. [«Este es
aquel que (aunque cortés) se puso...»].—
Retrato y escudo de Cortés.—Epístola del
Marqués del Valle al Autor.—Ded. a D.
Fernando Cortés.—Soneto de Mateo Vazquez de Leca. [«Los altos hechos de inmortal memoria...»].—Soneto de Geronimo Cortes, hijo del Marques del Valle.
[«Con dulce son, de nueuo se derra-
ma...»].—Poesía latina de Pedro Cortés.
Apr. de Lucas Gracián Dantisco.—Prólogo.—Al retrato del Autor. Soneto del
Capitán Aldana. [«Tu quel furor Frances
cantar pudieras...»]. — Retrato y escudo
del Autor.—Texto. [«Canto el furor de
Marte sanguinoso...»]. — Pr.—Soneto de
Luis de Vargas Manrique. [«De aquel
varon insigne, y eminente...»]. — Soneto
de Geronimo Lobo Lasso de la Vega.
[«Si el valeroso Iulio afortunado...»].—
Soneto en italiano de Gutierre de San-
doval. — Soneto de Gaspar de Morales.
[«A tu cantar preclaro Gabriel Lasso...»].
Soneto de Alonso Lopez. [«Engolfase el
varon, el heroe Hispano...»].—Soneto de
Luys Alonso Maldonado. [«Cante de un
nuevo Marte Gabriel Lasso...»].—Tabla.—
E.

Contiene doce cantos.

Salvá, I, n.° 701; Gallardo, III, n.° 2.620;
Heredia, II, n.° 1.925; Pérez Pastor, *Madrid,* I, n.° 283.

LONDRES. *British Museum.* 1071.m.7 (2) [con
notas ms.].—MADRID. *Facultad de Filosofía
y Letras.* 640. *Museo Lázaro Galdiano.—Nacional.* R-10.967; R-9.073.—NUEVA YORK. *Hispanic Society.*—SAN LORENZO DEL ESCORIAL. *Monasterio.* 21-V-3.

5786

*MEXICANA de ——, emendada y
añadida por su mismo Autor... Lleva esta segvnda impression treze
cantos mas que la primera.* Madrid.
1594. 8 hs. + 304 fols. 14 cm.

—E.—Apr. de Alonso de Erzilla.—Pr.—Soneto de Luis de Vargas Manrique.—Re-

trato de Cortés.—Prólogo de Geronimo Ramirez al discreto Lector.—Ded. al Marques del Valle (7 marzo 1594).—Sonetos de Geronimo Cortes y Francisco de Aldana.—Retrato del autor.—Texto. [«Canto las armas, y el varon famoso...»]. Con 25 cantos.—Fols. 295r-304r: *Apología en defensa del ingenio y fortaleza de los Indios de la nueua España, conquistados por don Fernando Cortes, Marques del Valle*, por Geronimo Ramirez.

Salvá, I, n.º 702; Heredia, II, n.º 1.926; Gallardo, III, n.º 2.621; Pérez Pastor, *Madrid*, I, n.º 438.

MADRID. *Nacional*. R-10.493 (ex libris y nota autógrafa de Gayangos).—NUEVA YORK. *Hispanic Society*.—SANTIAGO DE COMPOSTELA. *Universitaria*.—SEVILLA. *Colombina*. 76-1-8.

5787

PRIMERA parte del Romancero y Tragedias de ——. Alcalá de Henares. En casa de Iuan Gracián, que sea en gloria. A costa de Ioan de Montoya. 1587. 16 hs. + 239 fols. 14 cm.

—T.—E.—Apr. de Fr. Pedro de Padilla.—Pr.—Ded. a D. Phelipe, Principe de las Españas.—Prólogo.—Soneto de Luys de Vargas Manrique. [«En torno del famoso Monumento...»].—Soneto de Francisco de Monsalve. [«Si tanto la Española Musa deue...»].—Soneto de Hieronymo Velez de Gueuara. [«Preclaro Gabriel Laso deriuado...»].—Soneto de Gaspar de Morales. [«Quedó la tierra obscurecida y triste...»]. — Soneto de Diego Lopez de Castro Gallo. [«Oy se enriquece el Español thesoro...»]. — Soneto de Antonio de Tapia Buytrago. [«Venid las nueue hermanas del Parnaso...»].—Tabla.—Texto.—Colofón.

Contenido:

1. *Romance del Palladion Troyano, y engaños del cauto Sinon*. [«Sobre la mas alta almena...»]. (Fols. 1r-3v).
2. *Romance de la retirada de Dario, en la batalla con Alexandro Magno de Macedonia*. [«De la batalla sangrienta...»]. (Fols. 3v-5r).
3. *Romance del Ciclope Poliphemo, las quexas a Galatea, y muerte de su competidor Acis*. [«En un peñasco encumbrado...»]. (Fols. 5r-8r).
4. *Romance del estrecho en que puso a Roma el Capitan Coriolano, y las causas*

de no destruyrla. [«Apretada tiene a Roma...»]. (Fols. 8r-9v).
5. *Romance del razonamiento que Caton hizo en el Senado, y resolucion de la destruycion de Cartago*. [«En el Senado de Roma...»]. (Fols. 10r-11v).
6. *Romance de un valeroso hecho de la muger de Asdrubal en el incendio de Cartago y del sentimiento de Scipion*. [«Aviendo puesto por tierra...»]. (Fols. 11v-13v).
7. *Romance de la ruyna de Numancia (dicha Soria en España) por Scipion*. [«Con nueuo exercito pone...»]. (Fols. 13v-15v).
8. *Romance de la conjuracion de Lucio Cathilina y razonamiento en el Senado Romano*. [«Los verdes animos mueue...»]. (Fols. 15v-17v).
9. *Romance de la passada de Iulio Cesar el rio Rubicon, y entrada de Arimino en Italia*. [«Al dorado Rubicon...»]. (Fols. 17v-19v).
10. *Romance de como Pompeyo dexo a Italia y se embarcó a juntar gente para las guerras ciuiles*. [«Ya las mayores estrellas...»]. (Fols. 19v-21v).
11. *Romance de la tormenta que Iulio Cesar passó en la varca de Amiclas*. [«De lo mas alto del cielo...»]. (Fols. 21v-23v).
12. *Romance de la sanguinosa batalla de Iulio y Pompeyo en los campos Pharsalicos*. [«Iuntas de Pompeyo y Iulio...»]. (Fols. 23v-24v).
13. *Romance de la retirada de Pompeyo, su llegada a Lesbos y muerte en Egipto*. [«Ya desampara Pompeyo...»]. (Fols. 24v-26r).
14. *Romance de la muerte de Iulio Cesar en el Senado por los conjurados*. [«Despues de auer Iulio Cesar...»]. (Fols. 26r-27v).
15. *Romance de la muerte del Consul Ciceron*. [«En la alborotada Roma...»]. (Fols. 27v-29r).
16. *Romance de la muerte que Nero hizo dar al eloquente Lucano*. [«La rigurosa sentencia...»]. (Fols. 29r-30r).
17. *Romance de la sangrienta vengança de Rosimunda en Alboyno su marido Rey de los Longobardos*. [«Aviendo Alboyno vencido...»]. (Fols. 30v-32v).
18. *Romance de la competencia de Parrasio y Zeusis pintores*. [«En aspera competentia (sic)...»]. (Fols. 32v-34v).
19. *Romance de la election del Rey don Rodrigo de España y su casamiento*. [«Por muerte del Rey Acosta...»]. (Fols. 34r-35v).
20. *Romance de las prodigiosas señales de la ruyna de España y las causas*. [«Con rigurosas señales...»]. (Fols. 35v-37v).

21. *Romance de la entrada de los moros de Africa por Tarifa en España, y su sangrienta y lamentable perdicion.* [«Del Conde Iulian traydor...»]. (Fols. 37*v*-40*r*).

22. *Romance de los valerosos echos del Infante don Pelayo esforçado Godo y como por él se restauró la perdida de Españña.* [«Por nunca usados caminos...»]. (Fols. 40*r*-42*v*).

23. *Romance de un valeroso hecho que un moro Rey de España hizo, llamado Acabat reynando en ella.* [«Despues que el Conde traydor...»]. (Fols. 42*v*-44*v*).

24. *Romance de la yda de Bernardo del Carpio a Leon, y el razonamiento que hizo en el consejo de guerra del rey don Alonso el Casto.* [«El valeroso Bernardo...»]. (Fols. 44*v*-46*v*).

25. *Romance de la yda de Bernardo del Carpio a Çaragoça a juntarse con Brauonel y gente del Rey Marsilio de Aragon.* [«Las varias flores despoja...»]. (Fols. 46*v*-48*v*).

26. *Romance de la porfiada batalla de Roncesualles y muerte de los Paladines por Bernardo del Carpio y Brauonel de Çaragoça y sus gentes.* [«Con crespa y dorada crin...»]. (Fols. 48*v*-50).

27. *Romance del sentimiento que hizo Bernardo del Carpio quando supo la muerte de su padre, y como salió del Carpio.* [«Aspero llanto hazía...»]. (Fols. 50*r*-52*v*).

28. *Romance de un memorable hecho del Rey don Ramiro de Aragón.* [«Don Ramiro de Aragon...»]. (Fols. 52*v*-54*r*).

29. *Romance del Conde Fernan Gonçalez de Castilla y de la victoria que tuuo contra el Rey Almançor y un estraño caso sucedido en el real del Conde.* [«Contra las copiosas hazes...»]. (Fols. 54*v*-56*r*).

30. *Romance de la muerte del Rey don Sancho sobre Zamora.* [«Mirando se sale Phebo...»]. (Fols. 56*r*-57*v*).

31. *Romance del Cid Ruy Diaz, quando ganó el castillo de Alcocer a los moros.* [«Estando cumpliendo el Cid...»]. (Fols. 57*v*-59*r*).

32. *Romance de los infaustos amores del infante don Pedro de Portugal con doña Ines de Castro y Valladares.* [«El valeroos don Pedro...»]. (Fols. 59*r*-60*r*).

33. *Romance de la muerte de doña Inés de Castro...* [«Contento con doña Ines...»]. (Fols. 60*v*-61*v*).

34. *Romance de los amores de la mora Zayda, hija del Rey de Seuilla, con el Rey don Alonso el sexto de Castilla.* [«La hermosa mora Zayda...»]. (Fols. 61*v*-63*r*).

35. *Romance de una pintura que un pintor acabó haziendo a caso lo que no pudo con la industria.* [«Auiendo un diestro pintor...»]. (Fols. 63*v*-64*v*).

36. *Romance del moro Albenhuc, que por su valor ganó a Murcia y fue Rey della, y hechó a los Almogades de España.* [«El cuydoso labrador...»]. (Fols. 64*v*-66*v*).

37. *Romance del infante Alnayar de Almeria, y como valerosamente echó del reyno de Granada al Rey Hizquierdo, y se entregó y fue Rey della.* [«De la alta sierra los pueblos...»]. (Fols. 66*v*-67*r*).

38. *Romance de la tomada de Alhama por Rodrigo Ponce de Leon, Marques de Cadiz...* [«Coronaua las alturas...»]. (Fols. 68*r*-70*r*).

39. *Romance del como el Conde de Cabra prendió al Rey Chico de Granada junto a Lucena.* [«Sobre el muro de Baena...»]. (Fols. 70*r*-71*v*).

40. *Romance de un valeroso hecho de Luys Fernandez Portocarrero, Señor de Palma.* [«Despues que el Rey don Fernando...»]. (Fols. 71*v*-72*v*).

41. *Romance de Doraycel de Almería, y la mora Ayafa.* [«Sauiendo la mora Ayafa...»]. (Fols. 72*v*-73*v*).

42. *Romance de los amores y zelos del moro Alhabiz y la mora Geuiça.* [«El valeroso Alhabiz...»]. (Fols. 73*v*-74*v*).

43. *Romance de la tomada de Loxa, y el valor que Martín de Alarcon mostró en ella.* [«En Loxa estaua el Rey Chico...»]. (Fols. 75*r*-76*r*).

44. *Romance de como el Rey Don Fernando el Catholico, continuó la conquista del reyno de Granada hasta dar vista a la ciudad.* [«Yendo el Catholico Rey...»]. (Fols. 76*r*-77*r*).

45. *Romance de la toma y entrega de Baça por el valeroso Zidiyaya, Infante de Almería que la acaudilló.* [«Confuso está y atajado...»]. (Fols. 77*r*-80*r*).

46. *Romance de Fernan Perez de Pulgar, quando metió la Auemaría en Granada y escripta en un pergamino la fixó en la Mezquita con un Puñal.* [«En espantoso silencio...»]. (Fols. 80*r*-82*r*).

47. *Romance del escandalo que causó en Granada el hallar la Auemaría, y lo que dello succedió.* [«Sobre el mas alto collado...»]. (Fols. 82*r*-83*r*).

48. *Romance del moro Tarphe quando sacó la Auemaría pendiente de la cola del cauallo, y fue a la frontera del Rey don Fernando.* [«En un rebuelto Andaluz...»]. (Fols. 83*v*-84*v*).

49. *Romance de Garci Laso de la Vega, quando salió al campo con el moro Tarphe y le cortó la cabeça y presentó al Rey con el letrero de la Auemaría.* [«De inojos puesto ante el Rey...»] (Fols. 84v-86r).

50. *Romance de un valeroso hecho de Fernan Perez del Pulgar, Alcayde del Salar junto a Guadix.* [«Teniendo cercada a Baça...»]. (Fols. 86r-88r).

51. *Romance de otro notable hecho del mismo Pulgar en Salobreña teniendola cercada el Rey Chico de Granada.* [«El Rey Chico de Granada...»]. (Fols. 88v-90r).

52. *Romance de don Alonso de Granada Vanegas quando vino al seruicio de los Reyes Catholicos en Sancta Fe.* [«Curiosamente vestido...»]. (Fols. 90r-92r).

53. *Romance de don Alonso de Granada Venegas en un desafio con el moro Alhizan.* [«Estando el buen don Alonso...»]. (Fols. 92r-93v).

54. *Romance de una justa que venció Don Alonso de Granada Venegas en Çaragoça de Aragon.* [«Libre del duro exercicio...»]. (Fols. 93v-95v).

55. *Romance de Don Alonso de Granada Venegas, quando venció al Rey de Argel en una batalla naual.* [«La sumergida cabeça...»]. (Fols. 95v-98r).

56. *Romance de un memorable hecho de don Antonio de Fonseca en presencia del rey Carlos de Francia.* [«Entre el rey Carlos de Francia...»]. (Fols. 98r-99v).

57. *Romance de una liberalidad del gran Capitan Gonçalo Fernandez de Cordoua.* [«Auiendo el conde Nauarro...»]. (Fols. 100r-101r).

58. *Romance de las cuentas que se le pidieron al gran Capitan... y el descargo que dio.* [«Tomandole estan las cuentas...»]. (Fols. 101r-103r).

59. *Romance de la retirada de Solimán gran Turco por el inuicto Carlos Quinto en Viena.* [«Al soñoliento escorpion...»]. (Fols. 103r-104v).

60. *Romance Pastoril.* [«Tocadas ya del rocío...»]. (Fols. 104v-106r).

61. *Romance pastoril.* [«La variada ribera...»]. (Fols. 106r-107v).

62. *Romance pastoril.* [«Aviendo al caer del sol...»]. (Fols. 107v-109r).

63. *Romance pastoril.* [«Iunto a un Aliso sentado...»]. (Fols. 109v-110v).

64. *Romance pastoril.* [«Fauorecido se halla...»]. (Fols. 110v-112r).

65. *Romance pastoril.* [«Quexandose está Moranto...»]. (Fols. 112r-113r).

66. *Romance pastoril.* [«A tiempo que del Occeano...»]. (Fols. 113r-114v).

67. *Romance pastoril.* [«Contento esta Bargarino...»]. (Fols. 115r-116v).

68. *Romance pastoril.* [«Con su lampara fogosa...»]. (Fols. 116v-118r).

69. *Romance pastoril.* [«De un engañoso mirar...»]. (Fols. 118r-120v).

70. *Romance pastoril.* [«Quando celosa Clicie...»]. (Fols. 120r-121v).

71. *Romance pastoril.* [«En su tramontar el sol...»]. (Fols. 122r-123v).

72. *Romance pastoril.* [«Viendose ya Poliphemo...»]. (Fols. 123v-125v).

73. *Romance pastoril.* [«Cuydoso el pastor Lasindo...»]. (Fols. 126r-128r).

74. *Romance pastoril.* [«Estando la bella Lusi...»]. (Fols. 128v-130r).

75. *Romance pastoril.* [«El impetuoso curso...»]. (Fols. 130r-131v).

76. *Romance de Don Alonso de Granada Benegas en el assiento de las paces en la rebelion del reyno de Granada.* [«Entre los neuados riscos...»]. (Fols. 131v-134r).

77. *Cancion amorosa.* [«A tu morada estrecha...»]. (Fols. 134v-136r).

78. *Estancias a un estudiante amigo del autor que queria dexar el estudio.* [«Con subtil inuentiua artificiosa...»]. (Fol. 136).

79. *Soneto a Don Alonso de Granada Venegas, cuyas son Campotejar y Iayena.* [«El fuerte robre que tu frente aprieta...»]. (Fol. 137r).

80. *Soneto a Don Pedro de Granada Venegas su hijo, succesor en su casa.* [«Claro don Pedro, que en el tronco claro...»]. (Folio 137v).

81. *Soneto a Alonso de Varros... para un libro que hizo.* [«Dexa Apollo las veras por un tanto...»]. (Fol. 138r).

82. *Soneto a una dama descriuiendo sus partes.* [«A quien la lisa hebra plateada...»]. (Fol. 138v).

83. *Soneto descriuiendo las de otra.* [«Las hijas de Mnemosine sagradas...»]. (Fol. 139r).

84. *Soneto a un libro que hizo el Licenciado Castro.* [«No de Zeusis la mano artificiosa...»]. (Fol. 139v).

85. *Soneto a la profesión de fray Pedro de Padilla.* [«Leuanta Titan la dorada frente...»]. (Fol. 140r).

86. *Soneto a un libro de Lopez Maldonado.* [«Bien se puede llamar la cipria Diosa...»]. (Fol. 140v).

87. *Soneto a una election de Alcaldes de un lugar.* [«Iuntanse en Penilla a hazer concejo...»]. (Fol. 141r).

88. *Soneto a otro libro del Licenciado Castro Gallo.* [«Llamate inuicta España venturosa...»]. (Fol. 141v).

89. *Tragedia llamada Honra de Dido restaurada, trata los amores de Hyarbas Rey de los Mauritanos, el casto proceder de Dido, y el verdadero suceso de su muerte.*

a) Argumento. (Fols. 142r-145v).

b) Introyto. [«Sentandose a comer un cauallero...»]. (Fols. 146r-147v).

c) Texto. [«—Ya el hado de mis quexas condolido...»]. (Fols. 148r-195v).

90. *Tragedia de la destruycion de Costantinopla, cabeça del Imperio Griego, por Mahometo Soliman gran Turco.*

a) Argumento. (Fols. 196r-198v).

b) Introyto. [«Dandole en un combite a un vizcayno...»]. (Fol. 199).

c) Texto. [«—O sueño para mi tan enojoso...»]. (Fols. 200r-239v).

J. Catalina García, *Tip. complutense,* número 626.

MADRID. *Nacional.* R-14.999.—NUEVA YORK. *Hispanic Society.* — SAN LORENZO DEL ESCORIAL. *Monasterio.* 20-VI-7.

5788

ELOGIOS *en loor de los tres famosos varones Don Iayme Rey de Aragon, Don Fernando Cortes Marques del Valle, y Don Aluaro de Baçan Marques de Santacruz.* Zaragoza. Alonso Rodriguez. 1601. 8 hs. + 144 fols. con grabs. 15 cm.

—Apr. de Iuan Briz Martinez. — Apr. de Hieronymo Martel.—L. V.—Privilegio.— Prólogo.—Ded. a D. Gaspar Galçaran de Castro y Pinos, Conde de Guimaran, etc., cuyo escudo va en la portada.—Soneto de Domingo de Vengoechea. [«A la grandeza y Magestad Augusta...»].—Otro del mismo. [«Quien rige en tierna edad ceptro y corona...»].—Soneto de Alonso de Gurrea y Heril. [«Heroyco Iayme que tu nombre exaltas...»].—Soneto de Francisco de Segura. [«Atiça el fuego el eloquente Lasso...»].—Retrato del autor.— Texto.

Salvá, I, n.° 266.

LONDRES. *British Museum.* 614.b.19; etc. — MADRID. *Nacional.* R-3.247; R-11.157.—NUEVA YORK. *Hispanic Society.* — PARIS. *Nationale.* Yg.2522.—SANTIAGO DE COMPOSTELA. *Universitaria.*

5789

MANOJUELO *de romances nuevos y otras obras.* Barcelona. Sebastián de Cormellas. 1601. 197 fols. + 4 hs. 12 cm.

Contenido del ejemplar incompleto de Madrid, añadiendo los datos que faltan del de Roma, según la ed. de 1941:

—Prologo al Lector. [«Por andar con la costumbre...»].—Texto.

1. *Romance.* [«La abiltada y sin honore...»]. (Fols. 3r-4r).

2. *Iuguete.* [«De colorzillos quebrados...»]. (Fols. 4r-6r).

3. *Otro romance.* [«Para los que os ofensaron...»]. (Fols. 6r-7r).

4. *Iuguete.* [«Señor Estudiante dexese desso...»]. (Fols. 7r-8r).

5. *Romance.* [«Con las temidas reliquias...»]. (Fols. 8r-9r).

6. *Otro Romance.* [«Corra Tajo por do suele...»]. (Fols. 9r-10v).

7. *Otro Romance.* [«Forçudos braços de Godos...»]. (Fols. 10v-12r).

8. *Otro Romance.* [«Señor Moro vagabundo...»]. (Fols. 12r-13v).

9. *Otro Romance.* [«Pastor conuertido en fiera...»]. (Fols. 13v-14v).

10. *Otro romance en Endechas.* [«Ya tengo gastadas...»]. (Fols. 14v-16v).

11. *Otro Romance.* [«Por Dios señores Poetas...»]. (Fols. 16v-18v).

12. *Otro Romance.* [«Han dado en recopilar...»]. (Fols. 18r-19v). Contra los que han editado una *Flor de Romances,* en que han incluido varios suyos.

13. *Otro Romance.* [«En las galeras yo muera...»]. (Fols. 19v-21r).

14. *Otro Romance.* [«Mientras otros cantan lloro...»]. (Fols. 21r-22r).

15. *Otro Romance.* [«Algun ginebro maldito...»]. (Fols. 22r-23r).

16. *Otro Romance.* [«Un cantor de seguidillas...»]. (Fols. 23r-24v).

17. *Otro Romance.* [«Despues que el Conde traydor...»]. (Fols. 24r-26r).

18. *Otro Romance.* [«Oyd señoras taymadas...»]. (Fols. 26r-27r).

19. *Otro Romance.* [«De la honesta vestidura...»]. (Fols. 27r-28r).

20. *Otro Romance.* [«Mia fe perdoneme el Reye...»]. (Fols. 28r-29r).

21. *Otro Romance en Endechas.* [«Hermana Benita...»]. (Fols. 29r-30v).

22. *Otro Romance.* [«Canonigos valerosos...»]. (Fols. 30v-31v).

23. *Otro Romance.* [«No os llamo canalla vil...»]. (Fols. 31v-32v).
24. *Otro Romance.* [«En estas Cortes se pide...»]. (Fols. 32v-34r).
25. *Otro Romance.* [«Las varias flores despoja...»]. (Fols. 34r-).
26. *Otro Romance.* [«Afuera los confitados...»]. (Fols. 36v-38r).
27. *Otro Romance.* [«Aspero llanto hazía...»]. (Fols. 38r-40r).
28. *Otro Romance en Endechas.* [«Vario pensamiento...»]. (Fols. 40r-41r).
29. *Otro Romance.* [«Con solos diez de los suyos...»]. (Fols. 41r-43r).
30. *Otro Romance.* [«Agua va, tenga señora...»]. (Fols. 43r-44v).
31. *Otro Romance.* [«Auiendo Alboyno vencido...»]. (Fols. 45r-46v).
32. *Otro Romance.* [«Valgate el malo Marica...»]. (Fols. 46v-48v).
33. *Otro Romance.* [«Todo me sobra sin ti...»]. (Fols. 48v-49v).
34. *Otro Romance.* [«Quien compra diez y seys moros...»]. (Fols. 49v-50v).
35. *Otro Romance.* [«Causada memoria mia...»]. (Fols. 50v-51v).
36. *Otro Romance.* [«A su carta respondiendo...»]. (Fols. 51v-53v).
37. *Otro Romance.* [«Don Ramiro de Aragon...»]. (Fols. 54r-55r).
38. *Letra.* [«Barquerito del Tajo de Fontidueña...»]. (Fols. 55v-56r).
39. *Otro Romance.* [«La posta corre Almançor...»]. (Fols. 56r-58r).
40. *Otro romance en Endechas.* [«Las del Bachiller...»]. (Fols. 58r-60r).
41. *Otro Romance.* [«La mañana del Baptista...»]. (Fols. 60r-61r).
42. *Otro Romance en Endechas.* [«Sagrado Xarama...»]. (Fols. 61v-...).
43. *Letra.* [«Quien dixere que oluida el ausente...»]. (Fol. 63).
44. *Otro Romance.* [«Entre las cenizas frías...»]. (Fols. 63v-65r).
45. *Otro Romance.* [«Poetas a lo moderno...»]. (Fols. 65r-66r).
46. *Otro Romance.* [«Yo passo mi triste ausencia...»]. (Fols. 66r-67r).
47. *Otro Romance.* [«Contra las copiosas azes...»]. (Fols. 67r-68v).
48. *Otro Romance.* [«Por cierto señora Tirsi...»]. (Fols. 68v-70r).
49. *Otro Romance.* [«En las Occenas (*sic*) aguas...»]. (Fols. 70r-71v).
50. *Otro Romance.* [«Alla nos aguarda a todos...»]. (Fols. 72r-73v).
51. *Otro Romance en Endechas.* [«Señora Teresa...»]. (Fols. 73v-74v).

52. *Otro Romance.* [«La hermosa mora Zayda...»]. (Fols. 74v-75v).
53. *Otro Romance.* [«Ya entendí que estaua libre...»]. (Fols. 75v-77r).
54. *Otro Romance.* [«No ay canas donde ay honor...»]. (Fols. 77r-78v).
55. *Otro Romance.* [«A vos la fermosa jouen...»]. (Fols. 78v-79v).
56. *Otro Romance.* [«A señor don Escupido...»]. (Fols. 79v-80v).
57. *Otro Romance.* [«Tuerto me fazedes Reye...»]. (Fols. 80v-82r).
58. *Letra.* [«Qual mas qual menos...»]. (Fol. 82).
59. *Otro Romance.* [«De Burgos sale Rodrigo...»]. (Fols. 83r-84r).
60. *Otro Romance.* [«Era se que será niñas...»]. (Fols. 84r-85r).
61. *Otro Romance.* [«El vasallo desleale...»]. (Fols. 85r-86v).
62. *Otro Romance.* [«Quien me mete a mi en dibuxos...»]. (Fols. 86v-87v).
63. *Otro Romance.* [«Parad mientes Rey Alfonso...»]. (Fols. 87v-89v).
64. *Otro Romance.* [«Erase un Rey patituerto...»]. (Fols. 89r-90v).
65. *Otro Romance.* [«O noble Cid campeador...»]. (Fols. 90v-92r).
66. *Otro Romance en Endechas.* [«Erase que sera...»]. (Fols. 92r-93v).
67. *Otro Romance.* [«Atento escucha el mandato...»]. (Fols. 93v-94v).
68. *Otro Romance.* [«Seys Nauidades señora...»]. (Fols. 94v-...).
69. *Otro Romance.* [«La antecámara espejada...»].
70. *Otro Romance.* [«Dos almagrados de amor...»].
71. *Otro Romance.* [«Varia fortuna que fuyste...»]. (Fols. 98r-99r).
72. *Iuguete.* [«Si entendió que el otro día...»]. (Fols. 99r-100r).
73. *Otro Romance.* [«Hagan bien para hazer bien...»]. (Fols. 100r-101v).
74. *Iuguete.* [«Si lo que pude te di...»]. (Fols. 101v-102r).
75. *Romance.* [«Riguroso desengaño...»]. (Fols. 102v-103v).
76. *Otro Romance.* [«La miserable tragedia...»]. (Fols. 103v-105r).
77. *La boda de Llorente y Dominga.* [«Quierese casar Llorente...»]. (Folios 105r-...).
78. *Otro Romance.* [«Eclipsada ya del todo...»]. (Fols. 110r-111r).
79. *Otro Romance.* [«El ydolo de mis gustos...»]. (Fols. 111r-112r).
80. *Otro Romance.* [«Miente el Moro vil, aleue...»]. (Fols. 112r-113r).

81. *Otro Romance.* [«Quiero murmurar un poco...»]. (Fols. 113r-114v).
82. *Otro Romance.* [«Antigua madre comun...»]. (Fols. 114v-116r).
83. *Otro Romance.* [«Sobre el muro de Baena...»]. (Fols. 116r-117r).
84. *Otro Romance.* [«Mancebito de buen rostro...»]. (Fols. 117r-   ).
85. *Otro Romance.* [«Habiendo cercado a Baza...»].
86. *Otro Romance.* [«Tras largo acompañamiento...»]. (Fols. 120r-122v).
87. *Otro Romance.* [«En espantoso silencio...»]. (Fols. 122v-124v).
88. *Otro Romance.* [«Arrimar quiero las coplas...»]. (Fols. 124v-125v).
89. *Otro Romance.* [«Sobre el mas alto collado...»]. (Fols. 125v-126v).
90. *La boda de hermano Perico con hermana Marica.* [«Por quitarse de contiendas...»]. (Fols. 126v-128r).
91. *Otro Romance.* [«En un rebuetlo Andaluz...»]. (Fols. 128r-129v).
92. *Otro Romance.* [«Acabelo de creer...»]. (Fols. 129v-131r).
93. *Otro Romance.* [«Garzilasso de la Vega...»]. (Fols. 131r-...).
94. *Un Romance en endechas.* [«Bella Villanchuela...»].
95. *Otro Romance.* [«Don Alonso de Granada...»]. (Fols. 135r-136v).
96. *Otro Romance.* [«El Rey Chico de Granada...»]. (Fols. 136v-138r).
97. *Otro Romance.* [«La del sacamanchas...»]. (Fols. 138r-139r).
98. *Otro Romance.* [«Guardate Alcayde famoso...»]. (Fols. 139r-140v).
99. *Otro Romance.* [«La sumergida cabeça...»]. (Fols. 140v-142r).
100. *Otro Romance.* [«En el lugar de Penilla...»]. (Fols. 142r-143v).
101. *Otro Romance.* [«No quiero Delio que seas...»]. (Fols. 143r-144v).
102. *Otro Romance.* [«Entre el Rey Carlos de Francia...»]. (Fols. 144v-146r).
103. *Otro Romance.* [«Dexeme cuerpo de tal...»]. (Fols. 146r-147r).
104. *Otro Romance.* [«Quando la callada noche...»]. (Fols. 147r-148v).
105. *Ensaladilla.* [«Desde el campanario sobre sus çancos...»]. (Fols. 149r-151r).
106. *Otro Romance.* [«Auiendo el Conde Nauarro...»]. (Fols. 151r-152r).
107. *Otro Romance.* [«Al soñoliente escorpion...»]. (Fols. 152r-153r).
108. *Otro Romance.* [«Ha dado en hazerme guerra...»]. (Fols. 153r-154r).
109. *Otro Romance.* [«Donde su crespa madeja...»]. (Fols. 154r-156r).

110. *Otro Romance.* [«Las que me oyeren quexar...»]. (Fols. 156r-...).
111. *Otro Romance.* [«El que de la varia Diosa...»].
112. *Otro Romance.* [«Señora doña enfadosa...»].
113. *Otro Romance.* [«Las habladoras estatuas...»].
114. *Otro Romance en endechas.* [«No se espante nadie...»].
115. *Otro Romance.* [«Entre los nevados riscos...»].
116. *Otro Romance en endechas.* [«Ya saben, señoras...»].
117. *Otro Romance.* [«Suspende, sañudo Marte...»].
118. *Otro Romance.* [«Menandro que por Corinthia...»]. (Fols. 167v-168v).
119. *Cancion a la muerte de don Aluaro de Baçan, Marques de Santa Cruz.* [«Alma gentil hermosa...»]. (Fols. 168v-173r).
120. *Otro Romance en Endechas.* [«Ya callo señora...»]. (Vols. 173r-175r).
121. *Romance a la prisión de un cauallero.* [«Seays a vuestras cabañas...»]. (Fols. 175r-176r).
122. *Otro Romance.* [«A donde cantó sus glorias...»]. (Fols. 176r-177r).
123. *Otro Romance.* [«Cuydoso el pastor Lidonio...»]. (Fols. 177r-178v).
124. *Novela.* [«Un Cortesano discreto...»]. (Fols. 178v-181r).
125. *Otro Romance.* [«Estando la bella Lusi...»]. (Fols. 181r-182r).
126. *Otro Romance.* [«Afuera que van mis quexas...»]. (Fols. 182r-183r).
127. *Otro romance.* [«La ciudad que daua leyes...»]. (Fols. 183v-184v).
128. *Otro Romance en Endechas.* [«Madrastra fortuna...»]. (Fols. 184v-186r).
129. *Otro Romance.* [«Yendo a buscar un botarga...»]. (Fols. 186r-187v).
130. *Otro Romance en Endechas.* [«Triunfa a tu plazer...»]. (Fols. 187v-189r).
131. *Otro Romance.* [«La dificil prueua mira...»]. (Fols. 189r-190r).
132. *Otro Romance.* [«No quiere ya Constanzilla...»]. (Fols. 190r-191v).
133. *Otro Romance.* [«Sobre un isleño peñasco...»]. (Fols. 191v-194r).
134. *Otro Romance.* [«El nueuo Rey de Granada...»]. (Fols. 194r-195r).
135. *Otro Romance.* [«Dexemos ya Musa mía...»]. (Fols. 195r-197r).

MADRID. *Nacional.* R-12.940 (faltan los folios 35, 62, 95-97, 106, 108-9, 118, 132 y 157-66).
OVIEDO. *Universitaria.* A-447.

5790

———. Zaragoza. 1601.

Se reproduce la portada en la ed. de 1942.
FREIBURG i.Br. *Universitätsbibliothek.*—NA-
POLES. *Nazionale.* — ROMA. *Nazionale.* Banc.
Rari.1.A.5.

5791

MANOJUELO de romances. Madrid.
Edit. Saeta. [Nuevas Gráficas]. 1942.
XLIII + 387 págs. 14 cm.

Con Prólogo de Eugenio Mele y Angel González Palencia.

MADRID. *Nacional.* 4-6.815.

5792

———. *Segunda parte.* Zaragoza.
1603.

Visto por Gallardo. Perdido.

5793

*FELIZ (La) campaña y los dichosos
progresos que tuvieron las armas
de... Phelipe Quarto en estos Payses
Bajos... 1642.* [s. l. - s. i.]. 1643. 4.º

LONDRES. *British Museum.* 1164.g.46.

Poesías sueltas

5794

[*SONETO*]. (En Mata, Gabriel de.
*Segundo volumen del Cavallero Asi-
sio...* Logroño. 1589. Prels.)

MADRID. *Nacional.* R-2.160.

Aprobaciones

5795

[*APROBACION. Madrid, 4 de enero
de 1591*]. (En Aldana, Cosme de. *Invectiva contra el Vulgo y su maledi-
cencia...* Madrid. 1591. Prels.)

MADRID. *Nacional.* R-12.002.

OBRAS ATRIBUIDAS

5796

[*ROMANCES*]. (En ROMANCERO general... Madrid. Iuan de la Cuesta.
1604).

En un ejemplar propiedad de Pérez Pastor, había unas notas mss. en que se le
atribuían los romances anónimos que co-
mienzan:

«Quiero descansar un poco...».
«Yo quiero contar mis males...».
«Tras largo acompañamiento...».
(Pérez Pastor, *Madrid*, II, pág. 77).

ESTUDIOS

5797

ALDANA, FRANCISCO DE. *A Gra-
biel Lasso de la Vega.* (En *Segunda
parte de las Obras...* Madrid. 1591,
fols. 67v-68r).

MADRID. *Nacional.* R-1.845.

5798

CERVANTES SAAVEDRA, MIGUEL
DE. [*Referencia*]. (En *Viage del Parnaso.* Madrid. 1614, fol. 45v).

MADRID. *Nacional.* Cerv.-359.

5799

RESTORI, ANTONIO. *Il «Manojuelo
de romances», parte 1.ª di Gabriel
Lasso de la Vega.* (En *Revue Hispanique*, X, París, 1903, págs. 117-41).

Tirada aparte: 36 págs. 26 cm.

SANTANDER. «*Menéndez Pelayo*». 11.625.

5800

[*DOCUMENTOS sobre Gabriel Laso
de la Vega*]. (En Pérez Pastor, Cristóbal. *Bibliografía madrileña.* Tomo III. Madrid. 1907, págs. 403-4).

5801

[*DOCUMENTOS sobre Gabriel Laso
de la Vega*]. (En Pérez Pastor, Cristóbal. *Noticias y documentos relativos a la historia y literatura españolas*, en *Memorias de la R. Academia
Española*, X, Madrid, 1911, pág. 230).

5802

ARTIGAS, MIGUEL. *Lobo Lasso de
la Vega.* (En *Revista Crítica Hispano-
Americana*, III, Madrid, 1917, págs.
157-66).

5803

REP: N. Antonio, I, págs. 506-7; Alvarez y Baena, II, págs. 264-65; La Barrera, págs. 217-19.

LASSO DE LA VEGA (JUAN)

EDICIONES

5804

COMPENDIO de las obligaciones, excelencias, Privilegios, é indulgencias de V. Orden Tercera de Penitencia de N. P. S. Francisco, con la novissima Constitución de N. Smo. P. Benedicto XIII en que su Santidad por favor especial nuevamente confirma la Regla, Estatutos, Gracias, Indulgencias y otros indultos Apostolicos. Sevilla. 1626. 14 hs. + 404 págs. 14,7 cm.

—Ded. a San Francisco Xavier.—Apr. de Fr. Gabriel de Castellanos.—L. V.—Apr. de Pedro de Contreras.—L. del Juez.— Ded. a los Hermanos de N. S. P. San Francisco. — Texto. — Autoridades de las Bulas y Doctores Alegados a este Compendio.—Tabla de capítulos.

MADRID. *Nacional.* 2-12.527.

LASSO DE LA VEGA Y CERDA (LORENZO)

CODICES

5805

[SONETO]. (En Balboa Troya y Quesada, Silvestre de. *Espejo de Paciencia...* Prels.)

V. *B. L. H.,* VI, n.° 2265.

LASTANOSA (JUAN AGUSTIN DE)

EDICIONES

5806

[GEROGLIFICO]. (En Díez de Aux, Luis. *Retrato de las fiestas que a la beatificación de... Santa Teresa de Iesús... hizo... Zaragoça... Zaragoza.* 1615, págs. 30-31).

MADRID. *Nacional.* R-457.

LASTANOSA (JUAN ORENCIO DE)

Doctor. Canónigo de la catedral de Huesca. Diputado del Reino de Aragón.

EDICIONES

5807

[BLASONES del lvgar de Vandalies. Sitio en el Obispado de Hvesca. Restavrados por el Doctor Diego de la Balsa, y Villasayas..., por —— y Iuan Francisco Andrés (de Uztarros)]. [s. l. - s. i.]. [s. a.]. 4 págs. 29 cm.

Carece de portada.

—Texto, fechado en Zaragoza a 21 de octubre de 1651.—Dezima de Domingo Calbete. [«En Vandalos, la grandeza...»].— Epigramma latino del mismo.

MADRID. *Nacional.* R-Varios, 207-16.

Poesías sueltas

5808

[ROMANCE]. (En JUSTA *poética por la Virgen... del Pilar.* Zaragoza. 1629, págs. 114-15).

MADRID. *Nacional.* 3-70.301.

[AL Autor. Décimas]. (En Moncayo, Juan de. *Rimas.* Zaragoza. 1652. Preliminares).

MADRID. *Nacional.* R-2.642.

Aprobaciones

5809

[CENSURA. *Huesca, 22 de octubre de 1650*]. (En Amada y Torregrosa, José Félix de. *Palestra numerosa austríaca...,* Huesca. 1650. Prels.)

MADRID. *Nacional.* 2-66.981.

5810

[CENSURA. *Zaragoza, 23 de junio de 1652*]. (En Moncayo, Juan de. *Rimas.* Zaragoza. 1652. Prels.)

MADRID. *Nacional.* R-2.642.

ESTUDIOS

5811

ANDRES DE UZTARROZ, JUAN FRANCISCO. *Dedicatoria al Dr. Iuan*

Orencio de Lastanosa. (En su Mo-
numento de los Santos Mártiyres
Iusto i Pastor... Huesca. 1644. Prels.)
MADRID. Nacional. 2-44.700.

LASTANOSA
(PEDRO JUAN DE)

EDICIONES

Aprobaciones

5812

[CENSURA sobre las nueuas Addiciones. Madrid, 20 de septiembre de
1567]. (En Illescas, Gonzalo de. Historia pontifical y catholica. Salamanca. 1569. Prels.)

MADRID. Nacional. R-312.104.

5813

[APROBACION. Madrid, 5 de septiembre de 1569]. (En Casas, Cris-
tóval de las. Vocabvlario de las dos...
toscana y castellana... Sevilla. 1570.
Prels.)

MADRID. Nacional. R-4.942.

LASTANOSA
(VINCENCIO JUAN DE)

CODICES

5814

«Piedra de toque de la moneda ia-
quesa».

Original. 28 fols. 4.º
Arco y Garay, La erudición..., págs. 281-82.
MADRID. Nacional. Mss. 18.727-38.

5815

[Descripción de su casa].

Letra del s. XVII. Incompleto: sólo com-
prende las págs. 102-49.
Arco, La erudición, págs. 287-88.
MADRID. Nacional. Mss. 287-88.

5816

«Mvseo de las Medallas desconocidas de España qve pvblico Don Vincencio Ivan de Lastanosa... Baria

Erudicion para Illustrar la segunda
Inpresion del Museo de las Medallas...».

Letras del s. XVII. 201 fols. con numero-
sos dibujos. 210 × 150 mm.
Tomo misceláneo, que contiene numerosas
cartas originales de J. Zurita y diversos
tratados.
Fols. 4r-14r: Disertación sobre las Medallas antiguas españolas del Museo de Don
Vinvencio Juan de Lastanosa, a cuia petición la escrivió Don Francisco Fabro.
Fol. 15r: «Discurso de las Medallas desconocidas españolas», por Bartholomé Alcázar.
MADRID. Nacional. Mss. 6.334. Nota mss.:
«Dio este original de Lastanosa a la Rl.
B.ª D. Luis Velazquez, natural de Malaga,
Academico de la Historia, en 18 de Agto.
1751».

5817

Narración de lo que le pasó a don
Vincencio Juan de Lastanosa a 15
de octubre del año 1662 con un religioso docto y grave».

Letra del s. XVII.
Arco, La erudición, págs. 288-89. La repro-
duce en esa obra.
MADRID. Nacional. Mss. 18.727-55.

5818

«Linajes de Aragón, Cataluña, Navarra, Castilla y León».

Letra del s. XVII. 129 fols. 4.º
Arco, n.º 487; La erudición, pág. 290.
MADRID. Nacional. Mss. 3.444.

5819

«Oráculo manual y arte de prudencia, sacado de aforismos de las obras
de Lorenzo Gracián».

Letra del s. XVII.
V. Arco, La erudición..., págs. 293-96.
MADRID. Academia de la Historia. 12-26-7 =
D-170.

5820

«Rúbrica de los registros, libros,
procesos y papeles que había antiguamente en el Archivo del Reino de

Aragón, mandada hacer por los diputados del mismo».
Año 1660. 152 fols.
Arco, *La erudición*, pág. 288.
ZARAGOZA. *Archivo de la Diputación Provincial*. Leg. 654, n.º 1.

5821

[*Versión al español de los «Elementos químicos» de Jean Beguin*].
Citado por su hijo. Perdido. (Arco, pág. 291).

5822

«Discursos genealógico de la casa de Lastanosa y de otras que tienen vínculo de sangre con ella».
1631. 4.º Perdido. (Arco, págs. 291-92).

5823

«Recuerdo histórico de D.ª Catalina Gastón y Guzmán».
Perdido. (Arco, pág. 292).

5824

«La Dactiloteca».
Citado por su hijo. Perdida.
Arco, págs. 286-87.

5825

«Indice de las antigüedades de la casa de Lastanosa».
Perdido. (Arco, págs. 289-90).

5826

«Monumento de claros e ilustres varones del Reino de Aragón».
Perdido. (Arco, pág. 290).

5827

«Habitación de las musas, recreo de los doctos, asilo de los virtuosos».
Letra del s. XVIII. En Latassa y Artín, Félix de. *Memorias literarias de Aragón*. Tomo I, fol. 104.
Poesías.
HUESCA. *Pública*. Mss. 76.

5828

[*Carta al conde de Guimerá. Huesca, 9 de julio de 1631*].

Autógrafa. 230 × 150 mm.
Inventario, IV, pág. 399.
MADRID. *Nacional*. Mss. 1.511 (5.ª hoja de guarda).

EDICIONES

5829

MVSEO de las medallas desconocidas españolas... Huesca. Iuan Nogues. 1645. 14 hs. + 221 págs. + 3 láminas + 7 hs. 19,5 cm.
—Texto de Plinio.—Apr. del P. Vicente Bisse.—Apr. de Fr. Gerónimo de S. Iosef. — Ded. a D. Bernardino Fernandez de Velasco, Duque de Frías, Virrey de Aragón, etc. (Con datos biográficos).— A los lectores.—Empresa del autor (Grabado).—Texto. (Págs. 1-116).—*Discurso I de las Medallas desconocidas españolas*, por el P. Paulo Albiniano de Rojas. (Páginas 117-42).—*Discurso II...*, por Iuan Francisco Andres [de Uztarroz]. (Págs. 143-204).—*Discurso III...*, por Francisco Ximenez de Urrea. (Págs. 205-20).—Láminas.—Indice de las cosas memorables.
Salvá, II, n.º 3.567.
BERKELEY. *University of California.*—BOSTON. *Public Library*. — GRANADA. *Universitaria*. Sem. H.ª del Derecho. — LONDRES. *British Museum*. 681.c.5; etc.—MADRID. *Academia de la Historia*. 14-9-6-7.063. *Facultad de Filosofía y Letras*. 20.481. *Nacional*. R-5.327; R-6.516.—MONSERRAT. *Monasterio*. A.LXXVIII. 8.35.—NUEVA YORK. *Hispanic Society.*—OVIEDO. *Universitaria*. A.253.—PARIS. *Nationale*. J.5084.—ROMA. *Vaticana*. Stamp. Barb. O. VII.61. — ROUEN. *Municipale*. Mt.M.5597. — SANTIAGO DE COMPOSTELA. *Universitaria.*—SEVILLA. *Colombina*. 54-4-32. *Universitaria*. 220-51.—ZARAGOZA. *Seminario de San Carlos*. 56-6-15; 63-7-18.

5830

TRATADO de la moneda iaqvesa, y de otras de oro, y plata, del Reyno de Aragon. Zaragoza. [s. i.]. 1681. 18 hs. + 64 págs. + 9 láms. + 2 hs. 20,5 cm.
—Carta del Reyno de Aragon al Autor.—Ded. al Reyno de Aragón.—Censura de Miguel Marta Gomez de Mendoza.—L. O. Censura de Diego Iosef Dormer.—L. del Regente de la Cancilleria.—Elogios a la memoria del Autor por Diego Vincencio de Vidania.—Al que leyere.—E.—Texto.—

Láminas.—Explicacion de las notas, y caracteres que rubrican las monedas.— Advertencia sobre el tamaño de las monedas.

Salvá, II, n.º 3.568; Gallardo, III, n.º 2.626. CAMBDRIDGE, Mass. *Harvard University.*—CHICAGO. *University of Chicago.*—LONDRES. *British Museum.* 140.a.3.—MADRID. *Academia de la Historia.* 14-9-67.070; 3-7-5-7.279; etc. *Nacional.* R-22.748 (ex libris de Fernando José de Velasco). — MONSERRAT. *Monasterio.* A. LXXVIII.8.47. — PARIS. *Nationale.* *E.529.— SANTIAGO DE COMPOSTELA. *Universitaria.*—SEVILLA. *Universitaria.* 43-208.

5831

[*JEROGLIFICO*]. (En JUSTA *poética por la Virgen... del Pilar.* Zaragoza. 1629, pág. 126).

MADRID. *Nacional.* 3-70.301.

5832

[*CARTAS. Edición de R. del Arco, en* La erudición..., *1934, págs. 298-304*].

Editor de Baltasar Gracián

5833

HEROE (El), de Lorenço Gracián. Publícala ——. Huesca. Iuan Nogués. 1637.

Firma la Ded. a Felipe IV. Perdida.

5834

DISCRETO (El) de Lorenzo Gracián, que publica ——. Huesca. Iuan Nogués. 1646.

Firma la Ded. al Príncipe Baltasar Carlos y «A los letores».

V. *B. L. H.,* XI, n.º 1696.

5835

POLITICO (El) D. Fernando el Católico, de Lorenzo Gracián. Que publica ——. Huesca. Iuan Nogués. 1646.

V. *B. L. H.,* XI, n.º 1685.

5836

ORACULO Manual y Arte de Prudencia. Sacada de los Aforismos que se

discurren en las obras de Lorenço Gracián. Publicola ——. Huesca. Iuan Nogués. 1647.

Sobre el alcance de su participación, véase Arco, *La erudición,* págs. 293-96.

V. *B. L. H.,* XI, n.º 1704.

5837

AGVDEZA y Arte de Ingenio... por Baltasar Gracián... 2.ª impresión... Publícala ——. Huesca. Iuan Nogués. 1648.

V. *B. L. H.,* XI, n.º 1689.

ESTUDIOS

5838

ANDRES DE UZTARROZ, JUAN FRANCISCO. *Descripción de las antigüedades i jardines de Don Vincencio Juan de Lastanosa...* Huesca. 1647.

V. *B. L. H.,* V, núms. 2677-78 y 2691.

5839

ALFAY, JOSE. *Dedicatoria a D. Vicencio Iuan de Lastanosa, Nobilissimo Ornamento de las buenas letras, Cavallero Aragonés, y Ciudadano de Huesca.* (En Ayala, Jacinto de. *Sarao de Aranjuez...* Madrid. 1666. Prels.)

MADRID. *Nacional.* R-1.169.

5840

LASTANOSA, HERMENEGILDO. *Resumen de los autores impresos y manuscritos que hablan de don Vincencio Juan de Lastanosa. Recogidos por mí,* ——, *su hijo.*

Letra del s. XVIII. En Latassa y Ortín, Félix de. *Memorias literarias de Aragón.* Tomo I.

HUESCA. *Pública.* Mss. 76.

5841

COSTER, A. *Une description inédite de la demeure de don Vincencio Juan de Lastanosa.* (En *Revue Hispanique,* XXVI, Nueva York-París, 1912, págs. 566-610).

5842

SELIG, KARL LUDWIG. *Góngora and Numismatics.* (En *Modern Language Notes*, LXVII, Baltimore, 1952, págs. 47-50).

5843

——. *Lastanosa and the brothers Argensola.* (En *Modern Language Notes*, LXX, Baltimore, 1955, págs. 429-30).

5844

FABRO BREMUNDAN, FRANCIS-CO. *Disertación sobre las Medallas antiguas españolas del Museo de Don Vincencio Juan de Lastanosa. Edición de E. Varela Hervías.* (En *Numario Hispánico*, IX, Madrid. 1960, págs. 199-212).

5845

ARCO Y GARAY, RICARDO DEL. *Noticias inéditas acerca de la famosa biblioteca de don Vincencio Juan de Lastanosa.* (En *Boletín de la R. Academia de la Historia*, LXV, Madrid, 1914, págs. 316-42).

5846

——. *Los amigos de Lastanosa. Cartas interesantes de varios eruditos del siglo XVII.* (En *Revista Histórica*, I, Valladolid, 1918, págs. 284-317).

5847

——. *Gracián y su colaborador y mecenas.* (En *Nuestro Tiempo*, XXIV, Madrid, 1924, n.º 4, págs. 5-18).

———

—Zaragoza. Imp. del Hospicio Provincial. 1936. 30 págs. 8.º

5848

——. *La erudición aragonesa en el siglo XVII en torno a Lastanosa.* Madrid. [Góngora]. 1934. 376 págs. 25 cm.

MADRID. *Consejo. Patronato «Menéndez Pelayo».* 8-1.295. *Nacional.* 2-93.196.

5849

CORREA CALDERON, EVARISTO. *Lastanosa y Gracián.* (En HOMENAJE *a Gracián.* Zaragoza. 1958, págs. 65-76).

**LASTRES
(MANUEL ANTONIO DE)**

Caballero de Alcántara.

EDICIONES

5850

MEMORIAL *genealogico de la Casa de Pineda.* Córdoba. 1695. Fol.

Cit. por Franckenau. (Valdenebro, n.º 265).

**LASTRES Y AGUILAR
(PEDRO DE)**

Doctor. Colegial del Mayor de Cuenca de la Universidad de Salamanca. Canónigo magistral de la catedral de Granada. Catedrático de Prima de Teología en su Universidad. Visitador de sus Estudios. Juez y examinador sinodal. Confesor de las monjas del convento de la Encarnación de Madrid.

EDICIONES

5851

[APROBACION. *Granada, 6 de febrero de 1684*]. (En Guerrero y Solana, Francisco. *Symbolos Mysticos en las divinas letras de la victoria contra el turco, en el sitio de Viena...* s. l. 1684. Prels.)

MADRID. *Nacional.* V.E.-108-8.

5852

[CENSURA, *Madrid, 28 de octubre de 1686*]. (En José de Jesús María, Fray. *Vida de... Fr. Miguel de los Santos...* Salamanca. 1688. Prels.)

MADRID. *Nacional.* 3-17.480.

5853

[CENSURA. *Madrid, 3 de abril de 1692*]. (En Zuazo, Antonio Jacinto de. *Espejo del amor divino.* Madrid. 1692. Prels.)

MADRID. *Nacional.* 3-61.305.

LASTRI (FR. PEDRO)

EDICIONES

5854

[*APROBACION por —— y Fr. Geronimo Tudela. Zaragoza, 2 de febrero de 1683*]. (En Pérez López, Juan. *Instantes del heroe subtil, y mariano... el Venerable P. Juan Dunsio Escoto...* Zaragoza. 1683. Prels.)

MADRID. *Nacional.* 3-68.701.

LATAS (FR. FRANCISCO DE)

Dominico. Provincial de Aragón. Prior dos veces del convento de Zaragoza.

CODICES

5855

[*Carta a los religiosos y religiosas de la provincia de Aragón, notificándoles que Fr. Juan Tomás de Rocaberti había conseguido de Clemente X varios indultos y privilegios. Zaragoza, 23 septiembre 1670*].

Letra del s. XVII, con firma autógrafa. 4 hs. 295 × 210 mm.

Gutiérrez del Caño, II, pág. 185.

VALENCIA. *Universitaria.* Mss. 1.280.

EDICIONES

5856

[*APROBACION. Zaragoza, 20 de mayo de 1675*]. (En Ezquerra, Pablo. *Escuela de perfección.* Zaragoza. 1675. Prels.)

MADRID. *Nacional.* 3-63.985.

5857

[*APROBACION por Fr. Jerónimo de Funes y ——. Zaragoza, 8 de mayo de 1678*]. (En Maya Salaberría, Andrés de. *Vida... de la V. M. Sor Martina de los Angeles y Arilla...* Zaragoza. 1678. Prels.)

MADRID. *Nacional.* 3-31.001.

5858

[*APROBACION de Fr. Jerónimo de Funes y ——. Zaragoza, 4 de diciembre de 1679*]. (En Sobrecasas, Francisco de. *Ideas varias de orar evangelicamente.* Zaragoza. 1681. Prels.)

MADRID. *Nacional.* 1-27.530.

LATASSA Y PUJOL (CRISTOBAL)

EDICIONES

5859

[*DEDICATORIA*]. (En Pujol, Joseph. *Glossa de la carta del Rey Almanzor, y vida del Emperador. Conrado.* Madrid. 1677. Prels.)

MADRID. *Nacional.* 2-59.972.

LATINO (JUAN)

EDICIONES

5860

AD catholicvm, pariter et invictissimvm Philippvm Dei gratia Hispaniarum regem, de foelicissima serenissimi Ferdinandi principis natiuitate, epigrammatum liber. [Granada. Hugo de Mena]. [1573]. 44 págs. 20,5 cm.

BOSTON. *Public Library.* — CAMBRIDGE, Mass. *Harvard University.*—LONDRES. *British Museum.* 11405.e.22.—MADRID. *Facultad de Filosofía y Letras.* 11.641. *Nacional.* R-4.116; R-28.263.—NEW HAVEN. *Yale Universty.*

5861

AD catholicvm, et invictissimvm Philippvm Dei gratia Hispaniarum regem, de augusta, memorabili, simul & catholica regalium corporum ex varijs tumulis in vnum regale templum translatione... epigrammatum siue epitaphiorum, libri duo... [Granada. Hugo de Mena]. [1576]. 15 páginas. 21 cm.

CAMBRIDGE, Mass. *Harvard University.*

ESTUDIOS

5862

ARCO, ANGEL DEL. *El Maestro Juan Latino.* (En *Revista de Archi-*

vos, Bibliotecas y Museos, XVIII, Madrid, 1908, págs. 204-12).

5863
MARIN OCETE, ANTONIO. *El negro Juan Latino. Ensayo de un estudio biográfico y crítico.* (En *Revista del Centro de Estudios Históricos de Granada*, XIII, Granada, 1923, págs. 97-120).

5864
——. ——. Granada. Libr. Guevara. 1925. 94 págs. 22 cm.
a) U. G. de la C., en *Revista de Filología Española*, XIV, Madrid, 1927, págs. 297-98.
b) V. R., en *La Ciudad de Dios*, CXLIII, El Escorial, 1925, pág. 301.
MADRID. *Nacional.* V-1.621-13.

5865
SPRATLIN, V. B. *Juan Latino, Slave and Humanist.* Nueva York. Spinner Press. 1938. XIV + 216 págs.
a) Green, O. H., en *Hispanic Review*, VII, Filadelfia, 1939, págs. 259-60.

LA TORRE

V. TORRE

LATRE (ANTONIO)

EDICIONES

5866
[*GEROGLIFICOS*]. (En Díez de Aux, Luis. *Retrato de las fiestas que a la beatificación de... Santa Teresa de Iesús... hizo... Çaragoça.* Zaragoza. 1615, págs. 32-33).
MADRID. *Nacional.* R-457.

5867
[*SONETO*]. (En CERTAMEN *poético a las fiestas de la translación de la reliquia de San Ramón Nonat...* Zaragoza. 1618, fol. 89r).
MADRID. *Nacional.* R-17.826.

5868
[*EMPRESA*]. (En Díez de Aux, Luis. *Compendio de las fiestas que ha celebrado... Çaragoça...* Zaragoza. 1619, pág. 228).
MADRID. *Nacional.* R-4.908.

5869
[*JEROGLIFICOS*]. (En Zapata, Sancho. *Justa poetica en defensa de la pureça de la Inmaculada Concepcion de la Virgen...* Zaragoza. 1619, pág. 144).
MADRID. *Nacional.* 2-68.257.

LATRE Y FRIAS
(P. MIGUEL ANTONIO)

N. en Huesca (1650). Jesuita desde 1669. M. en 1728.

EDICIONES

5870
SERMON a la festividad de el Nacimiento de San Ivan Baptista. [s. l. - s. i.]. [s. a.]. 3 hs. + 31 págs. a 2 cols. 19 cm.
—Ded. a Miguel de Frias, Obispo de Jaca, por Bernardino Mulsa de la Casta.—Censura de Fr. Diego Gracia.—Apr. de Miguel Claramunte.—Texto.
¿De Zaragoza, 1689? No citado por Jiménez Catalán.
MADRID. *Nacional.* R-Varios, 107-31.—ZARAGOZA. *Seminario de San Carlos.* Sermones (5).

5871
——. Zaragoza. Pasqual Bueno. 1689. 31 págs. 19,5 cm.
BARCELONA. *Universitaria.* 20-1-1-3; etc.

5872
ORACION fvnebre en las honras de la Ilma. Señora Doña Esperanza de Gvrrea, Condesa de Robres, y de Mont-Agvt, Marqvesa de Vilanant. Celebradas en el Templo de Nuestra Señora del Pilar del Religiosissimo Convento de Capuchinos de la ciudad de Huesca. Zaragoza. Pas-

qual Bueno. 1696. 4 hs. + 24 págs. 20 cm.

—Ded. a D. Agustín de Pomar, Conde de Robres, etc., por Joseph Pedro de Alcántara de Latrés, Conde de Atarés.—Censura.—Apr.—L.—Texto.

Jiménez Catalán, *Tip. zaragozana del siglo XVII*, n.º 1.229.

ZARAGOZA. *Universitaria.*

5873

[*ORACION funebre en las honras de la Reyna Madre nuestra Señora*]. [s. l. - s. i.]. [s. a.]. 3 hs. + 39 págs. + 1 h. 19,5 cm.

Carece de portada.

—Apr. de Joseph de Azedo y Badarán.—L. V. (1696).—Noticia previa.—Texto.—Elogio Sepulcral. [«Aqui yace...»].

MADRID. *Nacional.* R-Varios, 114-42.

5874

ORACION Gratulatoria, y Panegyrica, en la solemnissima accion de gracias, con que don Melchor Rafael de Macanaz, Superintendente General de las Rentas Reales de Aragon, celebró el dichoso Nacimiento del Serenissimo Infante de España Don Felipe, en el Colegio de la Compañia de Jesvs de... Zaragoça... Zaragoza. Pedro Carreras. 1712. 22 págs. 20 cm.

—Texto.

Jiménez Catalán, *Tip. zaragozana del siglo XVIII*, n.º 157.

Poesías sueltas

5875

[*REDONDILLAS*]. (En Andrés de Uztarroz, Juan Francisco. *Certamen poético de Nuestra Señora de Cogullada...* Zaragoza. 1644, pág. 155).

MADRID. *Nacional.* 2-64.961.

5876

[*POESIAS*]. (En Andrés de Uztarroz, Juan Francisco. *Obelisco histórico i honorario...* Zaragoza. 1646).

1. *Romance.* (Págs. 25-26).
2. *Canción.* (Págs. 62-64).

MADRID. *Nacional.* 2-65.227.

5877

[*ROMANCE*]. (En Amada y Torregrosa, José Félix de. *Palestra numerosa austríaca...* Huesca. 1650, fol. 81r).

MADRID. *Nacional.* 2-66.981.

LAUDER (Licenciado)

N. en Zaragoza.

EDICIONES

5878

[*EPITAFIO*]. (En Grande de Tena, Pedro. *Lágrimas panegiricas a la temprana muerte del... Dr. Juan Pérez de Montalbán.* Madrid. 1693. fol. 76r).

MADRID. *Nacional.* 2-44.053.

LAUNAY (PEDRO ALBERTO DE)

Gentilhombre de S. M. Cronista real.

CODICES

5879

«*Catálogo de los Regentes Governadores, Lugar Tenientes y Capitanes Generales de los Estados de Flandes y Borgoña, con sus Elogios y Blasones de Armas desde el año de 1404 hasta el de 1672*».

—Ded. a D. Juan Domingo de Zúñiga y Fonseca, conde de Monterrey. Bruselas, 15 de junio de 1672.—Texto.

1672. VIII fols. + 89 págs. 230 × 185 mm. Con 42 escudos de armas en colores, iniciales en oro y colores.

Inventario, III, págs. 288-89.

MADRID. *Nacional.* Mss. 1.075.

5880

«*Relación genealógica de las familias de García León, Muro, Ezquerra y Valdeosera, de las quales procede Don Manuel Garcíia de León, año de 1678*».

Letra del s. XVII. Con escudos de armas dibujados.
Codicis Manuscripti Bibliothecae Regiae Monacensis, VII, Munich, 1858, n.º 564, fols. 1-18.

LAURA

EDICIONES

5881

[*EPIGRAMA*]. (En Pellicer de Tovar, José. *Anfiteatro de Felipe el Grande.* Madrid. 1631, fol. 33r).

MADRID. *Nacional.* R-7.502.

5882

[*AL Autor. Espinelas*]. (En Peña, Juan Antonio de la. *Discurso en exaltación de los improperios que padeció la sagrada imagen de Christo N. S. a manos de la perfidia judaica...* Madrid. 1632. Prels.)

MADRID. *Nacional.* V.E.-35-108.

«LAURA lusitana...»

EDICIONES

5883

LAURA Lusitana o Sermones varios de diversos Predicadores... Madrid. Andrés García de la Iglesia. A costa de Gabriel de León. [1679]. 6 hs. + 409 págs. + 6 hs. 20,5 cm.

—Ded. a D. Duarte Ribeyro de Macedo, cauallero del habito de Christo, etc., por Gabriel de León.—Apr. de Baltasar Faxardo. — L. V. — Apr. de Fr. Pedro de Agramonte. — S. Pr.—E.—S. T.—Tabla de los Sermones.—Indice de Doctrina.—Indice de la Sagrada Escritura.

Contiene:

1. *Sermón de los Desagravios de Christo Sacramentado.* (No consta autor).
2. *Sermón de la Concepción de la Virgen María...* (No consta autor).
3. *Sermón del amado Discípulo y Evangelista San Juan...* (No consta autor).
4. *Sermón en la fiesta de San Gregorio Magno...* (No consta autor).
5. *Sermón en la Dominica de la Quinquagésima,* por Fr. Luis de San José.
6. *Sermón de Nuestra Señora de la Piedad,* por idem.

7. *Sermón en la fiesta de la Anunciación de la Virgen María... y del inefable misterio de la Encarnación...,* por idem.

GERONA. *Pública.* A-3.762.—MADRID. *Nacional.* 2-34.600/1.—SEVILLA. *Universitaria.* 112-95.

5884

LAUREA lusitana... Segunda parte. Traducidos por Estevan de Aguilar y Zuñiga. Madrid. 1679.

V. AGUILAR Y ZUÑIGA (ESTERON DE).

«LAUREA Complutense...»

EDICIONES

5885

LAVREA Complvtense, adornada, y texida de hermosas hojas de florida elocvencia, de ilvstres ramas de sagrada ervdicion. Sermones varios a singvlares asvntos. Escritos por Insignes Maestros de la Oratoria Christiana. Alcalá. Francisco García Fernández. 1666. 8 hs. + 440 págs. + hs. 20,5 cm.

—Ded. a Fr. Nicolás Lozano, franciscano, confesor que ha sido de la Reina de Francia D.ª Ana Mauricia de Austria, etc., por Francisco García Fernández.—Censura de Diego Ros y Medrano.—L. V.—Apr. de Fr. Diego de Vitoria.—S. Pr.—S. T.—E.—Al Letor.—Indice de los Sermones. Texto.—Tabla de los lugares de la Sagrada Escritura.—Tabla de las cosas más notables.—Colofón.

Contiene los siguientes Sermones:

1. *De S. Tomás de Villanueva,* de Fr. Diego Lozano. (Págs. 1-31).
2. *Del Mandato,* de Fr. Iuan Sendín Calderón. (Págs. 32-51).
3. *De San Bruno,* del P. Iuan Cortés Ossorio. (Págs. 52-85).
4. *Del Angélico Doctor S. Tomás de Aquino,* de Fr. Diego de Toledo. (Págs. 86-102).
5. *De la Natividad de N. Señora,* de Fr. Francisco de Mendoza. (Págs. 103-26).
6. *De la festividad de N. Señora del Carmen,* de Fr. Antonio Rojo. (Págs. 127-46).
7. *De S. Iuan de Mata,* de Fr. Antonio del Espíritu Santo. (Págs. 147-78).
8. *De la Adoración de la Santa Cruz,* de Iuan Zafrilla y Azagra. (Págs. 179-98).
9. *De Animas,* de Fr. Francisco de Vergara. (Págs. 199-220).

10. *Del SS. Sacramento*, de Fr. Pedro de Moura. (Págs. 221-41).
11. *De S. Cyrilo*, de Fr. Ioseph Vallejo. (Págs. 242-60).
12. *De S. Augustin*, de Fr. Francisco de Hontiveros. (Págs. 261-72).
13. *De la Asumpción de Maria S. N.*, de Fr. Alexandro de Toledo. (Págs. 273-93).
14. *De la Conuersión de la Madalena*, de Fr. Miguel Mayers y Caramuel. (Págs. 294-314).
15. *De San Francisco*, de Fr. Lucas de Loarte. (Págs. 315-35).
16. *De los Santos Martyres S. Iusto y S. Pastor*, de Francisco Ignacio de Porres. (Págs. 336-76).
17. *De S. Sebastián*, de Fr. Isidro de San Iuan. (Págs. 377-92).
18. *De la Natiuidad de N. Señora y quarenta horas*, de Fr. Martin de Villanueva. (Págs. 393-414).
19. *De la Publicación de la Bula de la S. Cruzada*, de Francisco Ignacio de Porres. (Págs. 415-40).

GRANADA. *Universitaria*. A-2-30.—MADRID. *Facultad de Filosofía y Letras.—Nacional*. 3-54.552. — NUEVA YORK. *Hispanic Society*. — PAMPLONA. *General de la Diputación Foral*. 109-2-1/110.—SANTIAGO DE COMPOSTELA. *Universitaria.—*SEVILLA. *Universitaria*. 115-105.

LAUREANO DE LA CRUZ (Fray)

CODICES

5886

«*Nuevo descubrimiento de el Río de Marañón, llamado de las Amazonas, hecho por la Religion de San Francisco, año 1651... escrito... en Madrid año 1653...*».

Letra del s. XVII. 305 × 210 mm.
Inventario, IX, pág. 217.
MADRID. *Nacional*. Mss. 2.950 (fols. 114r-175v).

EDICIONES

5887

NUEVO descubrimiento del río de las Amazonas hecho por los misioneros de la provincia de San Francisco de Quito, el año 1651. Publicación dirigida por Raúl Reyes y Reyes... Quito. [Imp. del Ministerio de Gobierno]. [1942]. VIII + 68 págs. 33 cm. (Biblioteca Amazonas, 7).

ANN ARBOR. *University of Michigan*. — WASHINGTON. *Congreso*. 44-13.507.

5888

NUEVO descubrimiento del río Marañón llamado de las Amazonas. Madrid. La Irradiación. 1900. 132 págs. 16 cm. (Biblioteca de «La Irradiación»).

MADRID. *Nacional*. 2-60.008.—PARIS. *Nationale*. 8.º P.1358.—PROVIDENCE. *Brown University.—*WASHINGTON. *Catholic University of America Library. Ibero-American Collection.* — *Congreso*. 2-29953.

«LAUREL de Apolo...»

EDICIONES

5889

LAVREL de Apolo, preservado de los Rayos de Ivpiter. Svplica el Fiscal del Certamen Salmantino de la sentencia de Apolo. Dase traslado a Thalia. Remitese el Rayo de Ivpiter a la censura de Lope de Vega. Ivicio que Lope de Vega haze de este Autor. Sentencia de Apolo Definitiva. Sacale a luz el Autor del Contracertamen, a costa suya. No se bende (sic), *repartese en el Parnaso.* [s. l. - s. i.]. [s. a.]. 29 págs. 19,5 cm.

Contiene:
1. *Censura de Lope de Vega del Rayo de Ivpiter*. (Págs. 3-19).
2. *Poesía*. [«Ha de la adusta gruta...»]. (Págs. 20-22).

MADRID. *Nacional*. V.E.-128-30.

LAURENCIO DE SAN NICOLAS (Fray)

V. LORENZO DE SAN NICOLAS (Fray)

LAURENCIO DE SANTO DOMINGO (Fray)

Mercedario descalzo.

EDICIONES

5890

SERMON predicado en el convento de Santa Barbara de Madrid, de Re-

ligiosos Descalços de nuestra Señora de la Merced... el vltimo dia de la otaua, que celebró solene, a su glorioso Patriarca, Padre, y Fundador sean Pedro Nolasco, en las primeras luzes de su declaracion por Santo canonizado. Madrid. Iuan Gonçalez. 1630. 1 h. + 24 fols. 19,5 cm.

MADRID. *Nacional.* R-Varios, 4-13. — SEVILLA. *Universitaria.* 112-13 (17).

LAUSIN (FR. PEDRO)

Trinitario. Doctor en Teología por la Universidad de Zaragoza. Lector de Teología, dos veces Rector del convento y Regente de Estudios del convento de la Santisima Trinidad de Zaragoza.

EDICIONES

5891

[*APROBACION. Zaragoza, 28 de mayo de 1675*]. (En Ramón, Fr. Pablo. *Cartilla y explicación de los rudimentos de la Theología moral.* 2.ª ed. Madrid. 1688. Prels.)

MADRID. *Nacional.* 3-10.991.

5892

[*APROBACION. Zaragoza, 21 de octubre de 1680*]. (En Boneta y la Plana, José. *Vida de Santos...* Zaragoza. 1680. Prels.)

MADRID. *Nacional.* 2-69.158.

LAVAÑA (JUAN BAUTISTA)

N. en Lisboa a mediados del XVI. Fue enviado a Italia por el rey D. Sebastián para ampliar estudios. Catedrático de la Academia de Ciencias creada por Felipe II en el Real Alcázar de Madrid (1583). Viajes a Flandes (1605) y a Aragón (1607-10), para hacer un mapa. Cosmógrafo y Cronista mayor de Portugal bajo Felipe III y Felipe IV. M. en Madrid (1624).

CODICES

5893

«*Descripcion del Vniverso*».

Letra del s. XVII. 34 fols. orlados con numerosas ilustraciones en color. 275 × 200 mm.

—Ded. al Principe N. Sr., fechada en S. Lorenço el Real a 20 de agosto de 1613 y firmada.—Texto.

MADRID. *Nacional.* Mss. 9.251.

5894

«*Nobiliario do Conde D. Pedro, filho del Rei D. Dinis de Portugal. Ordenado e illustrado com notas e indices por Joao Baptista Lavanha...*».

1622. 311 fols. 343 × 240 mm.

Con Ded. fechada en Madrid, a 22 de mayo de 1622 y rubricada por él.

Inventario, IV, págs. 326-27.

MADRID. *Nacional.* Mss. 1.450.

5895

«*Libro de linages, hecho por el Conde don Pedro, Infante de Portugal...*».

Letra del s. XVII. 109 fols. 340 × 240 mm.

Con notas diferentes a las ed. de Lavaña y Faria.

MADRID. *Nacional.* Mss. 1.373.

5896

Compendio de la Geographia ordenado por el erudito varon Juan Bautista Lauaña...».

Letra del s. XVII. 7 hs. 310 × 200 mm.

Numeración antigua: págs. 166-78, que indica se ha desglosado de un volumen.

MADRID. *Nacional.* Mss. 18.646[11].

5897

[*Informe sobre la utilidad de la brújula de Luis de Fonseca*].

Autógrafo. 4 hs. Fol. En portugués. Cuartero-Vargas Zúñiga, XL, n.º 13.468.

En el mismo volumen hay varios papeles sobre el mismo tema, con su firma.

MADRID. *Academia de la Historia.* 9-1.067 (folios 29-32).

5898

[*Otro informe sobre lo mismo*].

Autógrafo. 4 hs. En portugués. Cuartero-Vargas Zúñiga, XL, n.º 13.469.

MADRID. *Academia de la Historia*, n.º 63.469 (fols. 33-36).

EDICIONES

5899

VIAGE de la catholica real magestad del Rei D. Filipe III N. S. al Reino de Portvgal i relacion del solene recebimiento que en el se hizo. Sv Magestad la mando escriuir por ——... Madrid. Thomas Iunti. 1622. 3 hs. + 76 fols. 36 cm.

—Apr. del P. Antonio Colaço.—Apr. del M.º Gil Gonçalez Dauila.—T.—S. Pr.—E.— Ded. al Rey.—Texto, con poesías intercaladas.

Salvá, II, n.º 3.781; Pérez Pastor, *Madrid*, III, n.º 1.850.

CAMBRIDGE, Mass. *Harvard University.*—CHICAGO. *Newbery Library.* — LONDRES. *British Museum.* 594.h.11. — MADRID. *Nacional.* R-15.044.—NUEVA YORK. *Columbia University.*— *Hispanic Society.*—PARIS. *Nationale.* Fol.Oc. 1608.—ROMA. *Vaticana.* Stamp. Barb. R.V. 16.—URBANA. *University of Illinois.*—VALLADOLID. *Universitaria.* 9.195. — ZARAGOZA. *Universitaria.* G-188-19.

5900

NOBILIARIO de D. Pedro, Conde de Barcelos, ordenado y ilustrado con notas y índices por ——... Roma. Estevan Paulino. 1640. 6 hs. + 402 págs. + 18 hs. + 46 págs. + 2 hs. Fol.

Salvá, II, n.º 3.542; Toda, *Italia*, II, n.º 2.704.

LONDRES. *British Museum.* 9903.l.3; etc. — MADRID. *Nacional.* 3-27.065.—NUEVA YORK. *Hispanic Society.*—*Public Library.*—PARIS. *Nationale.* Rés.On.8.—ROMA. *Vaticana.* Stamp. Barb. Z.II.21.—SEVILLA. *Colombina.* 94-F-19. WASHINGTON. *Catholic University of America Library.* Ibero-America Collection.

5901

——. Madrid. Alonso de Paredes. 1646. Fol.

LONDRES. *British Museum.* 606.h.3 [en mal estado].—PARIS. *Nationale.* Fol.On.8.A.

5902

NOBYLIARIO de Don Pedro, Conde de Barcelos... ordenado, y ilustrado con notas y índices por ——... *Traducido de portugués en castella-*

no por un curioso. Sevilla. [s. i.]. 1652. 402 fols. + 23 hs. 30 cm.

—Al lector.—Ded. a D. Manuel de Moura y Corte Real, Marqués de Castel Rodrigo (1622).—El traductor al lector.—Prólogo.— Texto.—Indices.

SEVILLA. *Universitaria.* 331-127.

5903

SILVA genealógica de los fundatotes i príncipes de la monarquía española. [s. l. - s. i.]. [s. a.]. Fol.

PARIS. *Nationale.* Dép. des Mss. Duss. bleus. 251, Espagne, fol. 23.

Aprobaciones

5904

[APROBACION. Madrid, 7 de agosto de 1585]. (En Guevara, Pedro de. *Breve y sumaria Declaración de la Arte general.* Madrid. 1586. Prels.)

MADRID. *Nacional.* R-25.477.

OBRAS PORTUGUESAS

5905

REGIMENTO nautico. Lisboa. Simão Lopez. 1595. 37 fols. 4.º

Anselmo, n.º 813; Picatoste, n.º 398.

CAMBRIDGE. *Trinity College.*—MADRID. *Nacional.* R-5.037.—NUEVA YORK. *Hispanic Society.*

5906

——. Lisboa. A. Aluarez. 1606. 37 fols.

PARIS. *Nationale.* V.9722.—PRINCETON. *Princeton University.*

5907

NAUFRAGIO da nao S. Alberto e itinerario da gente que delle se salvov. Lisboa. Alexandre de Siqueira. 1597.

CHICAGO. *Newberry Library.*—MADRID. *Nacional.* R-28.513; etc. — NUEVA YORK. *Hispanic Society.*

5908

——. Lisboa. [s. i.]. [s. a., c. 1735]. 65 págs. 20,5 cm.

CAMBRIDGE, Mass. *Harvard University.*—NUEVA YORK. *Hispanic Society.*—*Public Library.*

5909

QVARTA Decada da Asia de Ioão de Barros... Reformada accrescentada e illvstrada com notas e taboas geographicas por Ioão Baptista Lavanha. Madrid. Impr. Real. [Anibal Falorsi]. 1615. 11 hs. + 711 págs. + 6 hs. + 3 mapas. Fol.

Pérez Pastor, Madrid, II, n.º 1.318.

MADRID. Nacional. R-15.769/75. — NUEVA YORK. Hispanic Society.—ROMA. Vaticana. Stamp. Barb. S.II.31.

5910

VIAGEM da Catholica Real Magestade del Rey D. Filipe II ao Reyno de Portvgal E rellação do solene recibimento que nelle se lhe fez... Madrid. Thomas Iunti. 1622. [Colofón: 1621]. 4 hs. + 78 fols. 33,5 cm.

Con 15 láminas grabadas en cobre, la mayoría firmadas por Schorquens, de ellas tres plegables no foliadas.

Pérez Pastor, Madrid, III, n.º 1.849.

ANN ARBOR. University of Michigan.—BARCELONA. Universitaria. C.212-2-1.—MADRID. Nacional. R-11.231.—NUEVA YORK. Hispanic Society.—OVIEDO. Universitaria. A-15.—SEVILLA. Colombina. 19-88.

5911

DOIS roteiros do século XVI, de Manuel Monteiro e Gaspar Ferreira Reimão, atribuidos a João Baptista Lavanha. Introdução e notas de Humberto Leitão. Lisboa. Centro de Estudos Históricos Ultramarinos. 1963. 106 págs. con ilustr. 24 cm.

WASHINGTON. Congreso. 74-223595.

ESTUDIOS

5912

GARCIA DE CESPEDES, ANDRES. [Cap. XIII. En que se pone una advertencia, cerca de un regimiento de navegacion que hizo Juan Bautista Lauaña...]. (En Regimiento de Navegación. Madrid. Iuan de la Cuesta. 1606. Segunda parte, folio 47).

5913

[DOCUMENTOS sobre Juan Bautista Lavaña]. (En Pérez Pastor, Cristóbal. Bibliografía madrileña. Tomo II. Madrid. 1906, págs. 313-22).

5914

GARCIA MIRANDA, M. Biografía de D. Juan Bautista Labaña (1560-1624), Cosmógrafo Mayor y Cronista de los reyes Felipe II, III y IV. Madrid. 1917. 9 págs. 4.º

5915

LEITÃO, HUMBERTO. Uma corta de João Baptista Lavanha a respeito das agulhas de Luis da Fonseca Coutinho. Coimbra. Junta de Investigações do Ultramar. 1966. 36 págs. (Agrupamento de Estudos de Cartografia Antiga. Serie separatas, 11).

WASHINGTON. Congreso. NUC 74-116282.

Elogios

5916

VEGA, LOPE DE. A Iuan Bautista Labaña. Soneto. (En La hermosura de Angélica, con otras diuersas Rimas. Madrid. 1602, fol. 301r).

MADRID. Nacional. R-5.403.

5917

——. [Elogio]. (En El peregrino en su patria. Sevilla. 1604, fol. 156v).

MADRID. Nacional. R-9.660.

5918

HERRERA MALDONADO, FRANCISCO. [Elogio]. (En Sannazaro. Jacobo. Sanazaro Español. Los tres libros del Parto de la Virgen... Traducción de Francisco Herrera Maldonado. Madrid. 1620, fol. 57).

«Corónete de estrellas y de flores
O Lauaña famoso, nueuo Euclides,
Por dimensor de Ethereos explendores
La elemental Region, que docto mides».

5919

REP: N. Antonio; Muñiz, págs. 184-85; Barbosa, II, págs. 598-600; Picatoste, pág. 160; García Peres, págs. 313-14.

LAVAÑA (MANUEL DE)

Capitán.

EDICIONES

5920

[*DECIMAS*]. (En NUEVO *Parnaso*... Nápoles. 1660, fols. 17*v*-18*r*).

MADRID. *Nacional*. R-11.882.

LAXA (JUAN GREGORIO DE)

Beneficiado propio de San Lorenzo y Contador mayor de la Mesa Capitular de la catedral de Sevilla.

EDICIONES

5921

[*DEDICATORIA a D. Alonso de Solis Ossorio*]. (En Antonio de Cáceres, Fray. *Oración en la rogativa... Dala a la estampa* ——... s. l.- s. a. Prels.)

V. *B. L. H.*, V, 2.ª ed., n.º 5039.

LAYA (FRANCISCO DE)

Doctor.

EDICIONES

5922

[*APROBACION. Méjico, 24 de septiembre de 1598*]. (En Baptista, Juan. *Sermonario en lengua mexicana*. Méjico. 1606. Prels.)

Medina, *México*, II, n.º 227.

LAYNEZ

V. LAINEZ

LAZANA ARNEDO (FR. FRANCISCO DE)

Mercedario. Lector de Artes y de Teología. Comendador del convento de Cuenca.

EDICIONES

5923

[*APROBACION. Cuenca, 26 de mayo de 1648*]. (En Agustín de Jesús Ma-

ría, Fray. *Arte de orar evangélicamente*. Cuenca. 1649. Prels.)

MADRID. *Nacional*. 3-55.029.

«LAZARILLO DE TORMES»

BIBLIOGRAFIA

5924

MELE, EUGENIO. *Una traduzione inédita del «Lazarillo de Tormes»*. (En *Rassegna bibliografica della Letteratura Italiana*, IV, Pisa, 1914, páginas 141-45).

5925

LOVIOT, LOUIS. *La première traduction française du «Lazarillo de Tormes», 1560*. (En *Revue des Livres Anciens*, II, París, 1916, págs. 163-69).

5926

ALEWYN, RICHARD. *Die ersten deutschen Uebersetzen des «Don Quijote» und «Lazarillo de Tormes»*. (En *Zeitschrift für Deutsche Philologie*, LIV, Halle, 1929, págs. 203-16).

5927

MACAYA LAHMANN, ENRIQUE. *Bibliografía del Lazarillo de Tormes*. San José de Costa Rica. Edics. del Convivio. 1935. 164 págs. + 2 hs. 15 cm.

MADRID. *Ateneo.—Consejo. Patronato «Menéndez y Pelayo»*. 7-2.567.

5928

SIMS, E. R. *An Italian translation of «Lazarillo de Tormes»*. (En *Hispanic Review*, III, Filadelfia, 1935, págs. 331-37).

5929

HESPELT, HERMAN. *The first German Translation of «Lazarillo de Tormes»*. (En *Hispanic Review*, IV, Filadelfia, 1936, págs. 170-75).

5930
MARCU, A. *Une traduction roumaine du «Lazarillo de Tormes».* (En *Revista de Filología Española*, XXIV, Madrid, 1937, págs. 88-91).

5931
SIMS, E. R. *Four Seventeenth Century Translations of «Lazarillo de Tormes».* (En *Hispanic Review*, V, Filadelfia, 1937, págs. 310-32).
Se ocupa de las de Londres, 1688; Lyon, 1697; Bruselas, 1698, y Bruselas, 1701.

5932
LAPLANE, GABRIEL. *Les anciennes traductions françaises du «Lazarillo de Tormes» (1560-1700).* (En HOMMAGE *à Ernest Martinenche*, París, 1939, págs. 143-55).

5933
BERTINI, GIOVANNI MARIA. *Un «Lazarillo de Tormes» in italiano inedito.* (En *Quaderni Ibero-Americani*, I, Turín, 1946, págs. 3-4).

5934
SCHNEIDER, HANS. *La primera traducción alemana del «Lazarillo de Tormes».* (En *Clavileño*, Madrid, 1953, n.º 22, págs. 56-58).

5935
KELLER, DANIEL S. *«Lazarillo de Tormes», 1554-1954. An Analytic Bibliography of Twelve Recent Studies.* (En *Hispania*, XXXVII, Baltimore, 1954, págs. 453-56).

5936
RUMEAU, A. *Notes sur les «Lazarillos», éditions d'Anvers, 1553, in 16.* (En *Bulletin Hispanique*, LXVI, Burdeos, 1964, págs. 57-64).

5937
RUMEAU, A. *Notes au «Lazarillo». (Des éditions d'Anvers, 1554-1555, à*

celles de Milán, 1587-1615). (En *Bulletin Hispanique*, LXVI, Burdeos, 1964, págs. 272-93).

5938
RUMEAU, A. *Notes au «Lazarillo». (Les éditions d'Anvers, 1554-1555, de «La vida de Lazarillo» et de «La segunda parte»).* (En *Bulletin Hispanique*, LXVI, Burdeos, 1964, págs. 257-71).

5939
LAMBERT, M. *Filiation des éditions françaises du «Lazarillo de Tormes».* (En *Revue des Sciences Humaines*, Lille, 1965, fasc. 120, págs. 587-603).

5940
LAURENTI, JOSEPH L. *Ensayo de una bibliografía del «Lazarillo de Tormes» (1554) y de la «Segunda parte de la vida de Lazarillo de Tormes...» de Juan de Luna (1620).* (En *Annali dell'Istituto Universitario Orientale*, Sezione Romanza, VIII, Nápoles, 1966, págs. 265-317; XIII, 1971, págs. 293-330).

5941
RUMEAU, A. *Notes au «Lazarillo». Les éditions romantiques et Hurtado de Mendoza (1810-1842).* (En MÉLANGES *à la mémoire de Jean Sarrailh.* Tomo II. París. 1966, págs. 301-11).

5942
RUMEAU, A. *Sur les «Lazarillo» de 1554. Problème de filiation.* (En *Bulletin Hispanique*, LXXI, Burdeos, 1969, págs. 476-501).

5943
DAMIANI, B. *Lazarillo de Tormes Present State of Scholarship.* (En *Annali dell'Istituto Universitario Orientale.* Sezione Romanza, XII, Nápoles, 1970, págs. 5-19).

5944

CASO GONZALEZ, JOSE. *La primera edición de «Lazarillo de Tormes» y su relación con los textos de 1554.* (En Studia *Hispanica in honorem R. Lapesa.* Tomo I. Madrid. Gredos. 1972, págs. 189-206).

5945

BRANCAFORTE, BENITO y CHARLOTTE LANG. *La primera traducción italiana del «Lazarillo de Tormes» por Giulio Strozzi.* Ravenna. Longo Editore. 1977. 180 págs. + 2 hs. 22 cm.

a) Basaliscq, L., en *Rivista di Letterature Moderne e Comparate,* XXXII, Florencia, 1979, págs. 65-68.
b) Meregalli, F., en *Rassegna Iberistica,* Venecia, 1978, n.º 2, págs. 60-61.
MADRID. *Nacional.* 7-105.078.

5946

SANTOYO, JULIO CESAR. *Ediciones y traducciones inglesas del «Lazarillo de Tormes» (1568-1977).* Vitoria. Colegio Universitario de Alava. 1978. 182 págs. 25 cm.

a) Colón, I., en *Revista de Literatura,* XLI, Madrid, 1979, págs. 257-59.
b) Mackenzie, A. L., en *Bulletin of Hispanic Studies,* LVII, Liverpool, 1980, págs. 345-46.
c) Polo García, V., en *Anales de la Universidad de Murcia,* XXXVII, Murcia, 1980, págs. 195-97.
MADRID. *Nacional.* 4-168.546.

5947

LAURENTI, JOSEPH y ALBERTO PORQUERAS MAYO. *Una rara colección de traducciones inglesas del «Lazarillo» (siglos XVI, XVII y XVIII) en la Universidad de Illinois.* (En *La Picaresca. Orígenes, textos y estructuras. Actas del I Congreso Internacional sobre la Picaresca...* Madrid. Fundación Universitaria Española. 1979, págs. 1195-1212).

5948

RICAPITO, J. V. *La vida de Lazarillo de Tormes.* (En su *Bibliografía razonada y anotada de las obras maestras de la picaresca española.* Madrid. Castalia. 1980, págs. 257-417).

5949

VICENTE ALVAREZ, SATURNINO. *El «Lazarillo de Tormes» en las traducciones alemanas.* (En *Yelmo.* Madrid. 1980, n.º 46-47, págs. 21-23; n.º 48-49, págs. 65-118).

CODICES

5950

[*Lazarillo de Tormes. Trad. por Oiluigi Jzzortesse, seud. de Giulio Strozzi*].

Año 1608. 152 hs. 260 × 190 mm. Ofrecido en ese año al cardenal Scipione Borghese. Publicada por B. y Ch. L. Brancaforte.
TURIN. *Particular de G. M. Bertini.*

5951

«*Vita de Lazzaro di Tormes*».
Letra del s. XVII. 128 fols. 195 × 132 mm. Jones, I, n.º 165.
ROMA. *Vaticana.* Barb. lat. 3684.

5952

«*Vita di Lazzariglio del Tormes*». [Trad. da Girolano Visconti].

Mele, E. *Una traduzione inedita del «Lazarillo de Tormes»,* en *Rassegna Bibliografica della Letteratura Italiana,* IV, Genova, 1914, págs. 141-45.
NAPOLES. *Nazionale.*

EDICIONES

5953

[*VIDA (La) de Lazarillo de Tormes...*]. Amberes. 1553. 16.º

«Cependant nos notes nous fournissent l'indication d'une édition d'Anvers, 1553, in-16, que toutefois nous n'avons vue». (Brunet, III, col. 385).
Nadie ha conseguido después, tampoco, ver tal edición, pero la crítica se inclina cada vez más a suponer que existieron

una o varias ediciones anteriores a la de 1554. (V. el minucioso estudio de Alberto Blecua en su ed. de 1974, págs. 49-70).

5954

VIDA (La) de Lazarillo de Tormes, y de sus fortunas: y aduersidades. Nueuamente impressa, corregida, y de nueuo añadida en esta segunda impression. Alcalá de Henares. Salzedo. 1554 [26 de febrero]. 46 fols. 8.º gót.

—Prólogo.—Texto.—Colofón.—Grab.

LONDRES. *British Museum.* C.57.aa.21; 1074. d.21.(6).

* * *

Facsímil: *El Lazarillo de Tormes (Alcalá de Henares, Burgos y Amberes, 1554).* Noticia bibliográfica por E. Moreno Báez. Cieza. «... la fonte que mana y corre...». 159. XV págs. + 100 hs. + 40 fols.
a) Bataillon, M., en *Bulletin Hispanique,* LXII, Burdeos, 1960, págs. 336-39.
b) Green, O. H., en *Hispanic Review,* XXIX, Filadelfia, 1961, pág. 79.

GRANADA. *Universitaria.* XIX-4-8. — MADRID. *Academia Española.* 29-IX-82. *Ateneo.* C-16.714. *Nacional.* 1-124.561; etc.—NUEVA YORK. *Hispanic Society.*

5955

VIDA (La) de Lazarillo de Tormes: y de sus fortunas y aduersidades. [Burgos. Juan de Junta]. [1554]. Sin fol. gót.

—Prólogo.—Texto.—Colofón.

* * *

Reprod. facsímil por E. Moreno Báez. Cieza. «... la fonte que mana y corre...». 1959.

5956

VIDA (La) de Lazarillo de Tormes, y de sus fortunas y aduersidades. Amberes. Martin Nucio. 1554. 48 fols. 12,5 cm.

—Fol. 1r: Portada.—Fols. 2r-3r: Prólogo.— Fol. 3 v: S. Pr. a favor de Martín Nucio, por cinco años.—Texto. (Fols. 4r-48r).

Gallardo, III, n.º 2.551; Peeters-Fontainas, I, n.º 687.

BERKELEY. *University of California.*—BOSTON. *Public Library.*—LONDRES. *British Museum.* G.10133.—MADRID. *Nacional.* R-8.401; R-33.609; etc.—NUEVA YORK. *Hispanic Society.*—VIENA. *Nacional.* 40.Mm.71. — WASHINGTON. *Folger Shakespeare Library.*

* * *

Reprod. facsímil por E. Moreno Báez. Cieza. «... la fonte que mana y corre...». 1959.

5957

VIDA (La) de Lazarillo de Tormes, y de svs fortunas, y aduersidades. Amberes. Guillermo Simon. 1555. 95 págs.

Salvá, II, n.º 1.852; Peeters-Fontainas, I, n.º 689.

FILADELFIA. *University of Pennsylvania.* — NUEVA YORK. *Hispanic Society.*—VIENA. *Nacional.* 40.Mm.121.

5958

[LAZARILLO de Tormes Castigado]. (En Torres Naharro, Bartolomé de. *Propaladia de* ——, *y Lazarillo de Tormes.* (Madrid. Pierres Cosín. 1573, fols. 373-417).

—Nota.—Al lector.—Prólogo del autor a un amigo suyo.—Texto.

Juan López de Velasco, dice *Al lector:* «Aunque este tratadillo de la vida de Lazarillo de Tormes, no es de tanta consideracion en lo que toca a la lengua, como las obras de Christoual de Castillejo, y Bartolomé de Torres Naharro, es una representacion tan biua y propria de aquello que imita con tanto donayre y gracia, que en su tanto merece ser estimado, y assi fue siempre a todos muy acepto, de cuya causa aunque estaua prohibido en estos reynos, se leya, y imprimia de ordinario fuera dellos. Por lo qual con licencia del consejo de la santa inquisicion y de su Magestad, se emendó, y se le quitó toda la segunda parte, que por no ser del autor de la primera, era muy impertinente y desgraciada».

Pérez Pastor, *Madrid,* I, n.º 80.

LONDRES. *British Museum.* 12491.a.15.—NUEVA YORK. *Hispanic Society.*

5959

VIDA (La) de Lazarillo de Tormes, y de sus fortunas y aduersidades. Milán. [Iacobo Maria Meda]. Ad instanza de Antoño de Antonii. 1587. 4 hs. + 75 fols. 14,7 cm.

—Ded. al Sr. Leandro Marni, Chanchiller de la Cancileria *(sic)* secreta del Estado de Milan, por Ant. de Antonii, Librero.— Indice.—Prólogo.—Texto.—Colofón.

Fols. 1*r*-30*r*: Primera parte.—Fols. 30*v*-75*r*: Segunda parte.

Gallardo, III, n.º 2.553; Salvá, II, n.º 1.853; Toda, *Italia*, II, n.º 2.342 (con facsímil de la portada).

ANN ARBOR. *University of Michigan.*—LONDRES. *British Museum.* 1074.d.1; 1075.e.20.—MADRID. *Museo «Lázaro Galdiano».* — *Nacional.* R-12.036 (con ex libris de Gayangos); R-1.575.—NUEVA YORK. *Hispanic Society.*—PARIS. *Nationale.* Rés.Y.² 3581.—WALLA WALLA. *Whitman College.*

5960

VIDA (La) de Lazarillo de Tormes, y de sus fortunas y aduersidades. [s. l.]. Oficina Plantiniana. 1595. 95 págs. 8.º

Peeters-Fontainas, I, n.º 690.

ANN ARBOR. *University of Michigan.*—CAMBRIDGE. *Clare College.—Emmanuel College.* LONDRES. *British Museum.* 1074.d.33.—MADRID. *Nacional.* R-1.841. — NUEVA YORK. *Hispanic Society.*

5961

VIDA (La) de Lazarillo de Tormes y de sus fortunas y aduersidades. Bergemo. A instanza de Antoño de Antoni. 1597. 4 hs. + 75 fols. 15,5 cm.

—Ded. a D. Iuan Rodriguez de Salamanca, Potestad de Milan, por Antonio de Antoni. («Ha sido tan bien recibido el Libro de Lazarillo de Tormes en Italia de los que se deleitan en leer Libros Hespañoles, que hauiendose acauado los de la primera [*sic*] impression, las instancias de algunos amigos me ha hecho boluerle a imprimir...»).—Tabla.—Texto.

Salvá, II, n.º 1.854; Toda, *Italia*, II, n.º 2.343.

LONDRES. *British Museum.* G.10134.—MADRID.

Nacional. R-10.713; etc.—NUEVA YORK. *Hispanic Society.*

5962

VIDA (La) de Lazarillo de Tormes. Zaragoza. Juan Pérez de Valdivielso. 1599.

Cit. por Ebert, Salvá, Brunet, etc., pero no hallada por Sánchez (II, n.º 846). Según Palau (n.º 133.400) existe en la Nationale de París.

5963

LAZARILLO de Tormes castigado. Agora nueuamente impresso y emendado. Madrid. Luis Sánchez. 1599. 84 fols. con grabs. 12,5 cm.

V. *B. L. H.,* XI, n.º 2177.

NUEVA YORK. *Hispanic Society.*—OVIEDO. *Universitaria.* A-148.

5964

LAZARILLO de Tormes nuevamente corregido. Barcelona. Sebastián de Cormellas. 1599. 40 hs. 8.º

NUEVA YORK. *Hispanic Society.*

5965

LAZARILLO de Tormes. Madrid. Luis Sánchez. 1600.

Citada en el *Libro de la Hermandad de Impresores de Madrid.* (Pérez Pastor, *Madrid*, I, n.º 691). Palau (VII, n.º 133.400) supone que la nota puede referirse a la de 1599.

5966

VIDA (La) de Lázaro de Tormes y de sus fortunas y aduersidades. Roma. Antonio Facchetto. 1600. 108 págs.

Toda, *Italia*, II, n.º 2.344.

BARCELONA. *Central.*

5967

VIDA (La) de Lazarillo de Tormes. Y de sus fortunas y aduersidades. La vie de Lazarillo de Tormes. Et de ses fortunes et aduersitez. Tradvction novvelle, reportée et confe-

rée avec l'espagnol, par M. P. B. Parisien. París. Nicolas et Pierre Bonfons. 1601. 238 págs.

Texto bilingüe, en español y francés.

— — —

—París. Nicolás Bonfons. 1609. 252 págs. 12.º

Salvá, II, n.º 1.856.

GRENOBLE. *Municipale.* F.1787.—MADRID. *Nacional.* U-724.—PARIS. *Arsenal.* 8º BL.29644.

—París. Jean Corrozet. 1615. 12.º

—París. Gille Robinot. 1615. 239 págs. 12.º

—París. Adrián Tiffaine. 1616. 239 págs. 12.º

LONDRES. *British Museum.* 12490.a.30.—PARIS. *Nationale.* Inv. Y.²7501.

—*Vida de Lazarillo de Tormes. Corregida, y emendada por I. de Lvna...* París. Rolet Boutonné. 1520 [por error, es 1620]. 5 + 120 págs. 14,5 cm.

Partes primera y segunda.

Salvá, II, n.º 1.857.

BERKELEY. *University of California.* — CAMBRIDGE, Mass. *Harvard University.*—CHAPEL HILL. *University of North Carolina.* — LONDRES. *British Museum.* 687.d.10.—LYON. *Municipale.* 801.786.—MADRID. *Nacional.* R-7.038; R-12.978. — NEW HAVEN. *Yale University.* — NUEVA YORK. *Hispanic Society.*—PARIS. *Arsenal.* 8º BL.29640. *Nationale.* Inv.Y.²52853. ROUEN. *Municipale.* O.2443.

—París. 1623.

—París. 1628.

GRENOBLE. *Municipale.* L.9297.

5968

VIDA (La) de Lazarillo de Tormes, y de sus fortunas y aduersidades. [s. l.]. Oficina Plantiniana. 1602. 120 págs. 8.º

Salvá, II, n.º 1.855; Peeters-Fontainas, I, n.º 691.

CHAPEL HILL. *University of North Carolina.*—LONDRES. *British Museum.* 12490.a.11. — MADRID. *Nacional.* R-14.338.—NUEVA YORK. *Hispanic Society.*

5969

[*LAZARILLO de Tormes Castigado*]. (En Gracián Dantisco, Lucas. *Galateo Español...* Valladolid. Luis Sánchez. 1603, fols. 217r-295v).

Figura sólo en algunos ejemplares del *Galateo* y Alcocer (n.º 434) supone que también circuló suelta.

MADRID. *Nacional.* R-13.521.—NUEVA YORK. *Hispanic Society.*

5970

[*LAZARILLO de Tormes Castigado*]. (En Gracián Dantisco, Lucas. *Galateo Español...* Medina del Campo. Christoual Lasso y Francisco García. 1603, fols. 208-82).

V. *B. L. H.*, XI, n.º 2180.

5971

LAZARILLO de Tormes Castigado. Aora... emendado. Alcalá. Iusto Sanchez Crespo. 1607. 12.º

LONDRES. *British Museum.* 1074.d.34.

5972

VIDA (La) de Lazarillo de Tormes. Milán. Iuan Baptista Bidelo. 1615. 552 págs. 14 cm.

LONDRES. *British Museum.* 1074.d.32.—LYON. *Municipale.* 801.803.—MADRID. *Nacional.* R-7.561; etc. — OVIEDO. *Universitaria.* A-429. — ROMA. *Vaticana.* Stamp. Barb. KKK.I.36.

5973

LAZARILLO de Tormes. Nuevamente corregido. Barcelona. Sebastián de Cormellas. 1620. 40 hs. con láminas. 12.º

Copia la ed. de Madrid, 1573.

Salvá, II, n.º 1.858.

NUEVA YORK. *Hispanic Society.*

5974

VIDA de Lazarillo de Tormes corregida y emendada por H. de Luna... Zaragoza. Pedro Destar. 1520 [pero 1620]. 5 + 120 págs.

Con la Segunda parte.

LONDRES. *British Museum.* 12490.a.1; etc.— NUEVA YORK. *Hispanic Society.*

5975

LAZARILLO de Tormes. Nuevamente corregido. Barcelona. Hieronymo Marguerit. 1621. 40 hs. 8.º

MADRID. *Nacional.* R-15.930.—NUEVA YORK. *Hispanic Society.*

5976

LAZARILLO de Tormes. Lisboa. Antonio Alvarez. 1626. 12.º

LONDRES. *British Museum.* 12490.b.6.

5977

[*LAZARILLO de Tormes castigado*]. (En Gracián Dantisco, Lucas. *Galateo Español...* Madrid. Viuda de Alonso Martín. 1632, fols. 143v-192r).

V. *B. L. H.,* XI, n.º 2184.

NUEVA YORK. *Hispanic Society.*

5978

VIDA de Lazarillo de Tormes. Corregida, y emendada por H. de Lvna... Zaragoza. Pedro Destar. 1652. 6 hs. + 120 págs.

Gallardo, III, n.º 2.554; Salvá, II, n.º 1.859; Jiménez Catalán, *Tip. zaragozana del siglo XVII,* n.º 590.

ANN ARBOR. *University of Michigan.* — CAMBRIDGE, Mass. *Harvard University.*—GRENOBLE. *Municipale.* F.1788. — ITHACA. *Cornell University.* — LONDRES. *British Museum.* 12491.b.13; etc.—MADRID. *Nacionale.* R-2.815; etc. *Palacio.* I.C.258.—NUEVA YORK. *Columbia University.*—*Hispanic Society.*—WASHINGTON. *Congreso.* 28-29178.

5979

VIDA (La) del Lazarillo de Tormes... La vie de Lazarille. (Segunda parte... sacada de las crónicas... de Toledo. Seconde partie). Reueue... par H. de Lune... Traduite par L. S. D. [Le sieur Vital d'Audiguier]. París. Augustin Courbé. 1660. 239 págs. 12.º

Partes primera y segunda. Texto bilingüe: español y francés.

LONDRES. *British Museum.* 12490.a.31.—NUEVA YORK. *Hispanic Society.* — PARIS. *Arsenal.* 8º BL.29641.

———

—París. G. de Lvynes. 1660. 547 págs. 15 cm.

ANN ARBOR. *University of Michigan.*—NUEVA YORK. *Hispanic Society.*

—París. E. Mavcroy. 1660. 547 págs. 15 cm. 547 págs. 15 cm.

ANN ARBOR. *University of Michigan.*

5980

———. París. Pierre Baudouyn. 1660. 549 págs. 12.º

PARIS. *Nationale.* Inv.Y.²11235.

—París. Geofroy Marche. 1660.
—París. Arnould Cotinet. 1660.
MADRID. *Nacional.* R-5.436.
—París. I. Hanocq et I. Laisne. 1660.
CHICAGO. *Newberry Library.*
—París. Le Gras. 1660.
NUEVA YORK. *Public Library.*
—París. Antoine de Sommaville. 1660. 549 págs. 12.º
Salvá, II, n.º 1.860.

5981

[*Lazarillo de Tormes: historia entretenida*]. Lisboa. Domingos Carnero. 1660. 24 fols.

NUEVA YORK. *Hispanic Society.*

5982

LAZARILLO de Tormes castigado... Zaragoza. Ibar. 1660. 112 págs.

Seguido de otras obras.

ANN ARBOR. *University of Michigan.*

5983

LAZARILLO de Tormes castigado. (En Gracián Dantisco, Lucas. *Galateo Español...* Madrid. Andrés García de la Iglesia. 1664, fols. 161r-214r).

V. *B. L. H.,* XI, n.º 2186.

NUEVA YORK. *Hispanic Society.*

5984

[*VIDA de Lazarillo de Tormes castigado*]. (En Gracián Dantisco, Lucas. *Galateo Español...* Madrid. Juan Sanz. 1722, págs. 215-85).

V. *B. L. H.,* XI, núms. 2188 y 89.

5985

———. (En idem. Madrid. Francisco Martínez Abad. 1722, págs. 205-71).

5986

[*VIDA de Lazarillo de Tormes, castigado*]. (En Gracián Dantisco, Lucas. *Galateo Español...* Madrid. Pedro Joseph Alonso y Padilla. 1728, págs. 205-72).

V. *B. L. H.*, núms. 2189 y 90.

5987

——. (En idem. Madrid. 1746, págs. 215-85).

V. *B. L. H.*, XI, n.º 2191.

5988

——. (En idem. Madrid. s. a. 73 págs.).

Macaya, n.º 47. Se supone posterior a la ed. de 1746 y relacionable con la de Valencia, 1769.

5989

——. (En idem. Valencia. Benito Monfort. 1769. 2 + 73 págs.).

V. *B. L. H.*, XI, n.º 2192.

5990

——. (En idem. Madrid. Joseph de Urrutia. 1789, 71 págs.).

V. *B. L. H.*, XI, pág. 2194.

5991

[*VIDA (La) de Lazarillo de Tormes, novela escrita en castellano*]. (En COLECCIÓN *universal de novelas y cuentos en compendio.* Tomo II. Madrid. Imp. de González. 1789, págs. 53-140).

MADRID. *Nacional.* 3-51.776.

5992

[*VIDA de Lazarillo de Tormes castigado*]. (En Gracián Dantisco, Lucas. *Galateo Español.* Barcelona. Juan Francisco Piferrer. 1796, 71 páginas.

V. *B. L. H.*, XI, n.º 2195.

5993

VIDA de Lazarillo de Tormes casti-

gado... Madrid. Imp. de Josef López. 1800. 79 págs. 14 cm.

MADRID. *Nacional.* U-8.845.

5994

VIDA de Lazarillo de Tormes. Cotejada con los mejores exemplares y corregida por J. J. Keil. Gotha. C. Stendel. 1810. 174 págs. 16,5 cm. (Bibliotheca Española, 3).

Texto español y francés.

CHICAGO. *University of Chicago.*

5995

VIDA del Lazarillo de Tormes castigado: ahora nuevamente impreso y enmendado. Madrid. [s. i.]. 1811. 79 págs. 14 cm.

COLUMBIA. *University of Missouri.*—CHICAGO. *Newberry Library.* — MADRID. *Nacional.* 1-18.120; etc.—NUEVA YORK. *Hispanic Society.*

5996

VIDA (La) del Lazarillo de Tormes y sus fortunas y adversidades. Por D. Diego Hurtado de Mendoza. Madrid. Imprenta de Sancha. Se halla en París en la Librería de Teófilo Barrois el hijo. 1813. XII + 111 págs. 13,5 × 8,5 cm.

MADRID. *Nacional.* R-21.233.

5997

VIDA (La) de Lazarillo de Tormes, y de sus fortunas y adversidades. Por D. Diego Hurtado de Mendoza. Burdeos. Impr. de P. Beaume. 1816. XII + 111 págs. 14 cm.

ANN ARBOR. *University of Michigan.*—CAMBRIDGE, Mass. *Harvard University.*

5998

VIDA (La) de Lazarillo de Tormes, y de sus fortunas y adversidades. Por don Diego Hurtado de Mendoza. Filadelfia. Matías Carey e Hijos. 1821. XVI + 142 págs.

FILADELFIA. *Philadelphia Bar Association.*—NUEVA YORK. *Hispanic Society.*

5999

VIDA (La) del Lazarillo de Tormes y sus portunas y adversidades. Por D. Diego Hurtado de Mendoza. Nueva edición notablemente corregida e ilustrada. París. Imp. Goultier Laguiome. 1827. 170 págs.

Salvá, II, n.° 1.861.

ANN ARBOR. *University of Michigan.*—LONDRES. *British Museum.* 12490.de.1.—MADRID. *Nacional.* 3-5.821; etc.—NUEVA YORK. *Hispanic Society.*—SANTANDER. «*Menéndez Pelayo*». 3.836.

6000

VIDA de Lazarillo de Tormes, castigado. Ahora nuevamente impreso y enmendado. Madrid. Imp. Ramos y Cía. 1829. 79 págs.

MADRID. *Nacional.* 1-37.994.—NUEVA YORK. *Hispanic Society.*—SANTANDER. «*Menéndez Pelayo*». 1.629.

6001

VIDA del Lazarillo de Tormes, y sus fortunas y adversidades. Por D. Diego Hurtado de Mendoza. Nueva edición, notablemente corregida e ilustrada, y adornada con dos estampas. Madrid. Imp. Calle del Amor de Dios, n.° 14. 1831. XXVI + 149 págs.

ANN ARBOR. *University of Michigan.*—LONDRES. *British Museum.* 12490.aa.6.—MADRID. *Nacional.* U-7.646.—NUEVA YORK. *Hispanic Society.*

6002

VIDA (La) del Lazarillo de Tormes, sus fortunas y adversidades. Por D. Diego Hurtado de Mendoza. Gerona. Antonio Oliva. 1834. XX + 139 págs.

NUEVA YORK. *Hispanic Society.*

6003

VIDA (La) del Lazarillo de Tormes, sus fortunas y adversidades. Por D. Diego Hurtado de Mendoza. Nueva ed. Barcelona. Librería de Antonio Francisco. 1834. XX + 139 págs. 14,5 cm.

ANN ARBOR. *University of Michigan.*

6004

VIDA (La) de Lazarillo de Tormes y de sus fortunas y adversidades. Obra generalmente atribuida a D. Diego Hurtado de Mendoza. Madrid. 1835.

6005

VIDA (La) de Lazarillo de Tormes, y de sus fortunas y adversidades. Por D. Diego Hurtado de Mendoza. Burdeos. Imp. de la V.ª Laplace y Beaume. 1837. XVIII + 144 págs.

ITHACA. *Cornell University.* — MADRID. *Nacional.* U-1.177; U-7.166.—NUEVA YORK. *Hispanic Society.*

6006

VIDA (La) de Lazarillo de Tormes, y sus fortunas y adversidades, por D. Hurtado de Mendoza. Aumentada con dos segundas partes anónimas. [*Precedida de unas noticias sobre el autor y la obra, por Benito Maestre*]. Madrid. [Castelló]. Imp. de P. Omar (*sic*, por Mora) y Soler. 1844 [1845]. 3 partes en un vol. de 2 hs. + VII + 382 págs. con ilustr. + 1 h. + 1 lámina. 23 cm.

ANN ARBOR. *University of Michigan.* — BLOOMINGTON. *Indiana University.*—LONDRES. *British Museum.* 12490.f.26.—MADRID. *Academia de la Historia.* 2-1.343; etc. *Nacional.* 1-73.008.—NUEVA YORK. *Hispanic Society.*—SANTANDER. «*Menéndez y Pelayo*». 2.846.—URBANA. *University of Illinois.*—WASHINGTON. *Congreso.* Priority 4 Collection.

6007

VIDA (La) del Lazarillo de Tormes y sus fortunas y adversidades. Por Diego Hurtado de Mendoza, seguida del Zeloso Estremeño, por el inmortal Cervantes. Barcelona. Imp. de Pedro Fullá. 1844. 224 págs. + 1 lám. 16.°

Hidalgo, III, pág. 401.

NUEVA YORK. *Hispanic Society.*

6008

VIDA (La) de Lazarillo de Tormes,

y de sus fortunas y adversidades.
Por D. Diego Hurtado de Mendoza.
Sevilla. Imp. de Estillarte Herma-
nos. 1844. XXII + 176 págs.
NUEVA YORK. *Hispanic Society.*

6009
[*VIDA (La) de Lazarillo de Tormes*
y de sus fortunas y adversidades, por
D. Diego Hurtado de Mendoza. Edi-
ción de B. C. Aribau]. (En NOVELIS-
TAS *anteriores a Cervantes.* Madrid.
Rivadeneyra. 1846, págs. 77-90. Bi-
blioteca de Autores Españoles, 3).

6010
VIDA (La) de Lazarillo de Tormes,
y sus fortunas y adversidades, por
D. Diego Hurtado de Mendoza...
(En TESORO *de novelistas españo-*
les... Tomo I. París. Baudry. 1847,
2.ª parte, págs. 1-34. Colección de
los mejores autores españoles, 36).
Precedida de una «Breve noticia», por
Benito Maestre.
LONDRES. *British Museum.* 12230.i.—MADRID.
Ateneo. C-5.551. *Nacional.* F-906.—NEW HA-
VEN. *Yale University.*—NUEVA YORK. *Hispanic*
Society.

6011
LAZARILLO de Tormes. Novela de
Don Diego Hurtado de Mendoza. Madrid. Imp. de la Instrucción Universal. 1859. IV + 60 págs. 8.º (La Instrucción Universal, I).
Hidalgo, V, pág. 377.

6012
VIDA de Lazarillo de Tormes, por
Diego Hurtado de Mendoza. Madrid.
Impr. L. Beltrán. 1861. 47 págs. 17
cm.
WASHINGTON. *Congreso.* 54-52359.

6013
VIDA (La) de Lazarillo de Tormes
y de sus fortunas y adversidades,
por Diego Hurtado de Mendoza.

[Barcelona. La Maravilla]. [1862].
VI + 82 págs. con ilustr. 27 cm.
(Obras en prosa, festivas y satíricas
de los más eminentes ingenios españoles, 2).
ITHACA. *Cornell University.*—MADRID. *Nacio-*
nal. 2-92.099.

6014
LAZARILLO de Tormes. (En Hurtado de Mendoza, Diego. *Obras. Co-*
leccionadas por Nicolás del Paso y
Delgado. Tomo I. Granada. 1864, páginas 139-81).
MADRID. *Nacional.* 1-68.207.

6015
PRIMERA parte de Lazarillo de Tor-
mes y sus fortunas y adversidades,
por don Diego Hurtado de Mendoza.
Nueva edición de lujo y económica.
Madrid. Imp. de Luis Beltrán. 1865.
62 págs.
NUEVA YORK. *Hispanic Society.*

6016
VIDA (La) de Lazarillo de Tormes
y sus fortunas y adversidades. Madrid. Imp. de la viuda de F. Martínez, a cargo de Miguel Rodríguez.
1868. 10 págs.

6017
[*LAZARILLO de Tormes*]. (En Hur-
tado de Mendoza, Diego. *Obras en*
prosa. Madrid. Libr. de la viuda de
Hernando. 1881, págs. 191-244. Bi-
blioteca Clásica, 41).
BARCELONA. *Universitaria.* S.27-5-21.—GRANADA.
Universitaria. B-74-86. — MADRID. *Academia*
Española. 29-V-34. *Nacional.* 5-9.990 (vol. 41).

—Madrid. Viuda de Hernando. 1888.
—Madrid. Perlado, Páez y Cía. 1907.
—Madrid. Perlado, Páez y Cía. 1911.

6018
VIDA (La) de Lazarillo de Tormes
y de sus fortunas y adversidades.

Por D. Diego Hurtado de Mendoza. Madrid. [s. i.]. 1882. 192 págs. 14 cm. (Biblioteca Universal, 79).

Contiene también la *Segunda parte* de Juan de Luna (págs. 79-179).

BOSTON. *Public Library.*—GRANADA. *Universitaria.* XCV-13-5.—LONDRES. *British Museum.* 732.a. — MADRID. *Academia de la Historia.* 1-2.558. — NUEVA YORK. *Hispanic Society.* — WASHINGTON. *Congreso.* 30-20710.

— — —

—Madrid. Hernando. 1899.
SEATTLE. *University of Washington.*
—Madrid. Sucs. de Hernando. 1905. 179 páginas.
MADRID. *Consejo. General.*
—Madrid. Perlado. 1910.
SWARTHMORE. *Swarthmore College.*
—Madrid. Perlado. 1914.
IRVINE. *University of California.*
—Madrid. Perlado. 1919.
—Madrid. Perlado. 1922.
—Madrid. Edit. Hernando. 1926.
—Madrid. Edit. Hernando. 1929.
CAMBRIDGE, Mass. *Harvard University.*—FILADELFIA. *University of Pennsylvania.*

6019

[*LAZARILLO (El) de Tormes, de Hurtado de Mendoza*]. (En NOVELAS *españolas. Narraciones escogidas de Cervantes, Quevedo y Hurtado de Mendoza.* Barcelona. C. Verdaguer. 1882, págs. 223-95).

Con ilustraciones de Apeles Mestres.

MADRID. *Nacional.* 1-68.654.

6020

LAZARILLO (El) de Tormes de D. Diego Hurtado de Mendoza, con un estudio crítico por M. de Toro y Gómez. París. Garnier. Hermanos. 1884. 143 págs. 18 cm.

Con la *Segunda parte* de Luna y *El donado hablador.* En págs. 1-2: *Breve noticia sobre la novela titulada «La vida de Lazarillo de Tormes»...,* por Benito Maestre.

IOWA CITY. *University of Iowa.*—ITHACA. *Cornell University.*—MADISON. *University of Wisconsin.* — MADRID. *Nacional.* 4-36.935. — NUEVA YORK. *Hispanic Society.* — OBERLIN. *Oberlin College.*—WASHINGTON. *Congreso.* 16-5139.

6021

VIDA (La) de Lazarillo de Tormes y sus fortunas y adversidades. Obra generalmente atribuida a don Diego Hurtado de Mendoza. Madrid. Editor: M. M. de Santa Ana. Impr. de «La Correspondencia de España». 1885. 44 págs.

MADRID. *Nacional.* 1-3.569.—NUEVA YORK. *Hispanic Society.*

6022

VIDA (La) de Lazarillo de Tormes. Barcelona. Subirana. 1886. VI + 238 págs. 19 cm. (La Verdadera Ciencia Española, 62).

Con la *Vida del Buscón,* de Quevedo.

ANN ARBOR. *University of Michigan.*—BARCELONA. *Universitaria.* D.388-4-43.

6023

VIDA (La) de Lazarillo de Tormes. Herausgegeben von Adolf Kressner. Leipzig. Rengersche Buchhandlung. 1890. X + 66 págs. (Bibliothek spanischer Schrifsteller, 10).

ANN ARBOR. *University of Michigan.*—CAMBRIDGE, Mass. *Harvard University.* — CHICAGO. *Newberry Library.*—FILADELFIA. *University of Pennsylvania.*

6024

LAZARILLO de Tormes, por D. Hurtado de Mendoza. Barcelona. 1892. 158 págs. 8.º

6025

LAZARILLO de Tormes. Conforme a la edición de 1554. Publícalo a sus expensas H. Butler Clarke. Oxford. B. H. Blackwell. 1897. IV + 94 págs. 17 cm.

a) [Foulché - Delbosc, R.] J. Chastenay (*seud.*), en *Revue Hispanique,* IV, París, 1897, pág. 336.

ANN ARBOR. *University of Michigan.*—COLUMBUS. *Ohio State University.*—MADRID. *Nacional.* 2-38.751; etc.—NUEVA YORK. *Hispanic Society.*—SANTANDER. «Menéndez Pelayo». 3.232. WASHINGTON. *Congreso.* 23-3635.

6026

LAZARILLO de Tormes. Restitución de la edición príncipe por R. Foulché-Delbosc. Barcelona-Madrid. 1900. VI + 72 págs. (Biblioteca Hispánica, 3).

a) Bonilla y San Martín, A., en sus *Anales de la literatura española (años 1900-1904)*, Madrid, 1904, págs. 217-21.
ANN ARBOR. *University of Michigan.*—BOSTON. *Public Library.*—MADRID. *Academia Española.* S.C.=11-D-112. *Nacional.* R-22.765.—NUEVA YORK. *Hispanic Society.*—SANTANDER. *«Menéndez Pelayo».* 6.873.—WASHINGTON. *Congreso.* 1-22939 Revised.

6027

VIDA (La) de Lazarillo de Tormes y sus fortunas y adversidades. Por don Diego Hurtado de Mendoza. La Coruña. Tip. de «La Mañana». 1901. 68 págs. (Biblioteca de «La Mañana»).

Seguida de la *Segunda parte* de Juan de Luna, impresa en 1900, con 99 págs.
NUEVA YORK. *Hispanic Society.*

6028

VIDA (La) de Lazarillo de Tormes, sus fortunas y adversidades. Por don Diego Hurtado de Mendoza. Salamanca. Est. Tip. del Noticiero Salmantino. 1901. 41 págs.

Con la *Segunda parte* de Juan de Luna, 69 págs.
NUEVA YORK. *Hispanic Society.*

6029

VIDA de Lazarillo de Tormes. Madrid. Pérez y Cía. 1901. 88 págs.

6030

LAZARILLO de Tormes, por Hurtado de Mendoza, y El Diablo Cojuelo, por Luis Vélez de Guevara. París. Luis Michaud. 1902. Sin pág. (Biblioteca Económica de Clásicos Castellanos).

Con la *Segunda parte*, de J. de Luna.
MADRID. *Palacio.*

— — —

—1913. 258 págs. 18,5 cm.
CAMBRIDGE, Mass. *Harvard University.*—GRANADA. *Universitaria.* LXXVI-2-6.—NUEVA YORK. *Public Library.*

6031

VIDA de Lazarillo de Tormes y de sus fortunas y adversidades.—Rinconete y Cortadillo, de Miguel de Cervantes Saavedra. Prólogo de Juan Givanel y Mas. Barcelona. Edit. Antonio López. 1905. 208 págs. 15 cm. (Colección Diamante, 100).

MADRID. *Ateneo.* 39.G.32. *Consejo. General.* R.M.-2.122.

6032

RESTITUCION del texto primitivo d'la «Vida del Lazarillo de Tormes y de sus fortunas y adversidades», impresso al estilo de la época. Seguido d'la «Segunda Parte», escrita por Luna. Edición dirigida y reuisada por Edualdo Canibell... Tirada de 200 ejemplares. Barcelona. Tip. de La Academia de Serra Hermanos y Rufell. 1906. 6 hs. + LXXIX págs. 23 × 16 cm. (Joyas de la Bibliografía Española, 1).

Tirada de 150 ejemplares en caracteres góticos, a dos tintas.
a) Wagner, C. P., en *Modern Language Notes*, XXX, Baltimore, 1915, págs. 85-90.
ANN ARBOR. *University of Michigan.* — BARCELONA. *Universitaria.* 178-4-33. — CAMBRIDGE, Mass. *Harvard University.* — MADRID. *Palacio.*—NUEVA YORK. *Hispanic Society.*

6033

VIDA (La) de Lazarillo de Tormes, y de sus fortunas y aduersidades. Brani scelti da Eugenio Mele. Roma. E. Loescher & C.ª 1907. 27 págs. 21,5 cm. (Testi romanzi per uso delle scuole).

CAMBRIDGE, Mass. *Harvard University.*—CHICAGO. *University of Chicago.*—EUGENE. *University of Oregon.*—FLORENCIA. *Nazionale.* B.1908-660.—NEW HAVEN. *Yale University.*—PISA. *Universitaria.* Collezione, LXXI, 21.

6034

VIDA (La) de Lazarillo de Tormes, por Diego Hurtado de Mendoza. Madrid. Fomento Naval. 1907. 307 págs. 16 cm.

MADRID. Facultad de Filosofía y Letras.

6035

VIDA (La) del Lazarillo de Tormes, por Diego Hurtado de Mendoza; El Diablo Cojuelo, por Luis Vélez de Guevara; Historia de la vida del Gran Tacaño, por Francisco de Quevedo. Madrid. Liga Hispano - Americana. 1908. 36 + 73 + 166 págs. 17 cm.

6036

VIDA (La) de Lazarillo de Tormes y de sus fortunas y adversidades. Madrid. Monitor del Progreso. 1909. 115 + 48 págs. 18 cm. (Biblioteca de la Revista de «El Hogar Español», 1).

CAMBRIDGE, Mass. Harvard University.—MADRID. Consejo. Instituto «M. de Cervantes». CIX-29. Facultad de Filosofía y Letras.— Nacional. 4-78.890. Palacio. VIII-3.676.

6037

VIDA (La) de Lazarillo de Tormes. Edición y notas de L. Sorrento. Estrasburgo. J. H. G. Heitz. [s. a., 1913?]. 70 págs. 15 cm. (Bibliotheca Románica, 177).

a) C[irot], G., en Bulletin Hispanique, XVI, Burdeos, 1914, págs. 116-17.

ANN ARBOR. University of Michigan.—WASHINGTON. Congreso. 13-17380.

6038

VIDA (La) de Lazarillo de Tormes y de sus fortunas y adversidades. Edición y notas de Julio Cejador y Frauca. Madrid. Edics. de La Lectura. 1914. 227 págs. 19 cm. (Clásicos Castellanos, 25).

a) Balbín de Unquera, A., en Unión Ibero-Americana, XXVIII, Madrid, 1914, n.° 5, pág. 22.
b) Wagner, C. P., en Modern Language Notes, XXX, Baltimore, 1915, págs. 85-90.

BARCELONA. Universitaria. — GRANADA. Universitaria. — NUEVA YORK. Hispanic Society. — WASHINGTON. Congreso. 17-21011.

— — —

—1926.

COLUMBUS. Ohio State University.—FILADEL-FIA. University of Pennsylvania. — MADRID. Ministerio de Cultura. 4-14.378.—NEW HAVEN. Yale University.
—3.ª ed. 1934.

MADRID. Facultad de Filosofía y Letras.— NUEVA YORK. Columbia University.
—4.ª ed. 1941.

MADRID. Nacional. 4-2.434.—WASHINGTON. Congreso. 45-26050.
—1949. 253 págs.

CHICAGO. Newberry Library.—MADRID. Facultad de Filosofía y Letras.—Nacional. 4-33.569.
—1952.

PROVIDENCE. Brown University.
—1959.

MADRID. Nacional. 7-36.479.
—1962.

DEUSTO. Universitaria.
—1966.

MADRID. Ministerio de Cultura. 57.390. Nacional. 7-65.855.
—1969.

GRANADA. Universitaria. Fac. de F. y Letras.—MADRID. Ministerio de Cultura. 71.499. Nacional. 7-75.397.—ZARAGOZA. Universitaria. F. y Letras.
—1972.

MADRID. Ministerio de Cultura. 164.347. Nacional. 7-91.635.
—8.ª ed. 1976.

MADRID. Ministerio de Cultura. 174.485.

6039

VIDA de Lazarillo de Tormes y de sus fortunas y adversidades. Publicada por Adolfo Bonilla y San Martín. Madrid. Imp. Clásica Española. 1915. XXVII + 146 págs. 15 cm. (Clásicos de la Literatura Española, 1).

MADRID. Ateneo. D-5.219. Consejo. Patronato «Menéndez Pelayo». 7-2.023. — NUEVA YORK. Hispanic Society. — WASHINGTON. Congreso. 31-19840.

6040

Vita e avventure di Lazzarino di Tormes, La vida de Lazzarillo de Tormes y sus fortunas y adversidades. [Traduzione e pref. di] Ferdinando

Carlesi. Lanciano. R. Carabba. 1917. 123 págs. 19 cm.
ANN ARBOR. *University of Michigan.*

6041

LAZARILLO (El) de Tormes. Novela picaresca. Madrid. Espasa - Calpe. 1921. 88 págs. 15 cm. (Colección Universal, 510).
ITHACA. *Cornell University.*—MADRID. *Facultad de Filosofía y Letras.*

— — —

—1927. 93 págs.
MADRID. *Nacional.* 2-77.250. — ZARAGOZA. *Universitaria.* Caja 62, n.º 11.
—1929.
—1935.
MADRID. *Nacional.* 4-2.046.—NUEVA YORK. *Public Library.*
—Ed. de P. Henriquez Ureña. Buenos Aires. 1937.
MADRID. *Nacional.* H.A.-5.311. — WASHINGTON. *Congreso.* 39-19861.
—1946. 93 págs.
MADRID. *Nacional.* V-1.346-27.—SAN DIEGO. *University of California.*

6042

VIDA (La) de Lazarillo de Tormes. Edited by H. J. Chaytor. Manchester. The University Press. 1922. XXX + 65 págs. 19 cm. (Modern Language Texts. Spanish Series).

a) Buceta, E., en *Revista de Filología Española,* IX, Madrid, 1922, págs. 419-20.
COLUMBUS. *Ohio State University.* — MADRID. *Consejo. Patronato «Menéndez Pelayo».* 7-257.—URBANA. *University of Illinois.*—WASHINGTON. *Congreso.* 22-19808.

— — —

—1935.
CAMBRIDGE, Mass. *Harvard University.*—CHAPEL HILL. *University of North Carolina.*
—2.ª ed. 1951.
ANN ARBOR. *University of Michigan.*—VANCOUVER. *University of British Columbia.*

6043

LAZARILLO (El) de Tormes. Prólogo de Alberto Giraldo. Madrid. Edit. Cultura Hispano - Americana. 1922. Un vol. 22 cm. (La Novela y el Teatro, 1).

6044

LAZARILLO de Tormes, por D. Hurtado de Mendoza. París-Viena. 1923. 129 págs. 16.º (Biblioteca Rhombus, 10-11).

6045

VIDA (La) de Lazarillo de Tormes y de sus fortunas y adversidades. Mit einleitung und anmerkungen hrsg. von A. de Olea... Munich. M. Hueber. 1925. XVI + 62 págs. 19,5 cm. (Romanische bücherei, 4).
ANN ARBOR. *University of Michigan.*—BERKELEY. *University of California.*—ITHACA. *Cornell University.*—WASHINGTON. *Congreso.* 27-1197.

6046

VIDA (La) de Lazarillo de Tormes y de sus fortunas y adversidades. Edited with an introduction, notes and a vocabulary by Joseph E. A. Alexis... Lincoln, Neb. Midwest book Co. [1927]. XI + 139 págs. con ilustr. 17,5 cm.
CINCINATI. *University of Cincinati.*—CHARLOTTESVILLE. *University of Virginia.*—LANSING. *Michigan State Library.*—WASHINGTON. *Congreso.* 27-7030.

— — —

—3.ª ed. 1942.
WALLA WALLA. *Whitman College.*

6047

VIDA (La) de Lazarillo de Tormes y de sus fortunas y adversidades. Prólogo de Gil Benumeya. Madrid. Edit. Ibero-Americana. 1927. 202 páginas. 18 cm. (Bibliotecas populares Cervantes, 9).
MADRID. *Facultad de Filosofía y Letras.—Nacional.* 2-77.250.—WASHINGTON. *Congreso.* 34-12417.

6048

LAZARILLO de Tormes. Madrid. Edit. Razón y Fe. [s. a.]. 215 págs. 18 cm. (Biblioteca de Clásico Amenos, 1).

Con el *Buscón,* de Quevedo.
DEUSTO. *Universitaria.*

6049

VIDA (La) de Lazarillo de Tormes y sus fortunas y adversidades. Publícala C. Pitollet. París. Hatier. 1928. V + 63 págs. 16.º (Les Classiques pour tous, 376).
EUGENE. *University of Oregon.*

6050

VIDA (La) de Lazarillo de Tormes y de sus fortunas y adversidades. Introduzione e note di Pilade Mazzei. Milán. C. Signorelli. 1928. 93 págs. 16.º (Scrittori Spagnoli, 2).
FLORENCIA. *Nazionale.* B.1929-2202.

6051

VIDA (La) de Lazarillo de Tormes y de sus fortunas y adversidades. Introduzione e note di Carmelo Palumbo. Palermo. A. Trimarchi. 1929. XVI + 94 págs. 20 cm.
FLORENCIA. *Nazionale.* B.1928-742. — ITHACA. *Cornell University.*

6052

VIDA (La) de Lazarillo de Tormes y de sus fortunas y adversidades, con noticias sobre su anónimo autor, notas y comentarios... por Elena Raja. Roma. Signorelli. 1931. VIII + 113 págs. 16.º
FLORENCIA. *Nazionale.* B.1931-1891.—PISA. *Universitaria.* Misc. B.318.8.

6053

VIDA (La) de Lazarillo de Tormes. Edic. de M. Duviols. París. Pritat-Didier. 1934. (Coll. de classiques espagnols).
a) Thomas, R., en *Les Langues Méridionales,* XXX, París, 1935, pág. 46.

6054

LAZARILLO (El) de Tormes. Madrid. Murillo. 1935. 175 págs. 19 cm. (Ediciones Clásicas, 2).
MADRID. *Nacional.* 4-644.

6055

LAZARILLO (El) de Tormes. Introducción y notas de Norberto Pinilla. Santiago de Chile. Nascimento. 1935. 109 págs. con ilustr. 16 cm. (Colección de Clásicos, 1).
PRINCETON. *Princeton University.*

6056

La vida de Lazarillo de Tormes y de sus fortunas y adversidades. Edición, prólogo y notas de Carmen Castro. Madrid. Signo. 1936. 145 páginas. 18 cm. (Col. Primavera y Flor).
a) E. A., en *Revista de Filología Española,* XXIII, Madrid, 1936, pág. 317.
BARCELONA. *Universitaria.* D.416-7-38.—ITHACA. *Cornell University.*—MADRID. *Facultad de Filosofía y Letras.*—PRINCETON. *Princeton University.*—WASHINGTON. *Congreso.* 37-17615.

— — —

—1939.
CLEVELAND. *Public Library.*—COLUMBIA. *University of Missouri.*—LAWRENCE. *University of Kansas.*—MADRID. *Ministerio de Cultura.* Foll.C.26-5. *Nacional.* 4-1.695.

6057

El Lazarillo de Tormes, por Diego Hurtado de Mendoza. Novela de pícaros del siglo XVI. Buenos Aires. Edit. Araújo. [1939]. 73 págs. (Colección Programa, 1).

6058

EL Lazarillo de Tormes, por D. H. de Mendoza. Buenos Aires. Edit. Tor. [1939]. 254 págs. 18 cm. (Clásicos Universales Tor, 37).
Contiene además: *Los tres maridos burlados,* de Tirso; *Los habladores,* de Cervantes, y *La verdad sospechosa,* de Ruiz de Alarcón.
WASHINGTON. *Congreso.* 42-10127.

6059

VIDA (La) de Lazarillo de Tormes y de sus fortunas y adversidades. Notable edición anotada que contiene los dos textos: el antiguo y moderno. Texto íntegro, de acuerdo con el original. Buenos Aires. Edit. Sopena Argentina. [1940]. 157 págs. 22,5 cm. (Biblioteca Mundial Sopena).

BROOKLYN. *Brooklyn College*—VANCOUVER. *Vancouver Public Library.* — WASHINGTON. *Congreso.* 42-43107.

— — —

—1943.
LOS ANGELES. *University of Southern California.*
—4.ª ed. 1954.
MADRID. *Ministerio de Cultura.* 32.522.
—5.ª ed. 1958.
—6.ª ed. 1961.

6060
VIDA (La) de Lazarillo de Tormes. Edición y notas por Angel González Palencia. Zaragoza. Edit. Ebro. 1940. 112 págs. + 5 láms. 17 cm. (Biblioteca Clásica Ebro).

MADRID. *Ministerio de Cultura.* 11.118. *Nacional.* 4-2.524.—WASHINGTON. *Congreso.* 43-7809. — ZARAGOZA. *Universitaria.* Caja 30, n.º 598.

— — —

—2.ª ed. 1942.
MADRID. *Nacional.* 4-6.295.—WASHINGTON. *Congreso.* 46-28383.
—3.ª ed. 1945.
MADRID. *Nacional.* 4-24.847.—NUEVA YORK. *Public Library.*
—4.ª ed. 1947.
—5.ª ed. 1950.
SAN DIEGO. *University of California.*
—6.ª ed. 1953.
SAN DIEGO. *University of California.*
—7.ª ed. 1959.
MADRID. *Nacional.* V-3.301-19.
—8.ª ed. 1960.
MADRID. *Ateneo.* G-13.697. *Ministerio de Cultura.* Foll.1353-19. *Nacional.* V-4.411-31.
—9.ª ed. 1963.
MADRID. *Ministerio de Cultura.* Foll.901-21. *Nacional.* V-5.378-5.
—11.ª ed. 1967.
MADRID. *Nacional.* V-6.568-15.
—15.ª ed. 1969.
WASHINGTON. *Congreso.* NUC 73-73920.
—17.ª ed. 1971.
MADRID. *Ministerio de Cultura.* Foll.912-10. *Nacional.* 1-85.676.
—20.ª ed. 1978.

—21.ª ed. 1979.
MADRID. *Nacional.* V-13.239-7.

6061
VIDA (La) de Lazarillo de Tormes. Barcelona. Edit. Cisne. 1941. 96 páginas con ilustr. 17 cm. (Novela selecta. Biblioteca de Joyas Literarias, 4).

MADRID. *Ministerio de Cultura.* Foll.C.123-14. *Nacional.* 4-1.008.

6062
LAZARILLO de Tormes. Prólogo de Gregorio Marañón. Buenos Aires. Espasa-Calpe. 1941. 160 págs. 17 cm. (Colección Austral, 156).

GREENSBORO. *University of North Carolina.*—URBANA. *University of Illinois.*

— — —

—2.ª ed. 1942.
MADRID. *Nacional.* 4-8.074.—WASHINGTON. *Congreso.* 49-42811*.
—4.ª ed. 1943.
MADRID. *Ministerio de Cultura.* 4-8339. *Nacional.* 4-13.878.
—5.ª ed. 1945.
LANCASTER. *Franklin and Marshall College.*
—7.ª ed. 1948.
BERKELEY. *University of California.*
—8.ª ed. 1952.
BERKELEY. *University of California.*
—9.ª ed. 1955.
EUGENE. *University of Oregon.*
—10.ª ed. 1958.
MADRID. *Nacional.* 1-207.018; etc.
—11.ª ed. Madrid. 1960.
MADRID. *Nacional.* 1-218.780. — WASHINGTON. *Congreso.* NUC 65-45468.
—12.ª ed. 1961.
MADRID. *Ministerio de Cultura.* 163.109. — WASHINGTON. *Congreso.* NUC 69-127902.
—14.ª ed. 1965.
WASHINGTON. *Congreso.* NUC 71-47233.
—15.ª ed. 1966.
MADRID. *Ministerio de Cultura.* 4-16.621. *Nacional.* 7-62.384. — WASHINGTON. *Congreso.* NUC 103780.
—16.ª ed. 1969.
DEUSTO. *Universitaria.*—WASHINGTON. *Congreso.* NUC 71-92649.
—17.ª ed. 1969.
MADRID. *Ministerio de Cultura.* 4-24.053. *Nacional.* 7-74.969. — WASHINGTON. *Congreso.* NUC 72-54844.

—19.ª ed. 1972.
MADRID. *Nacional.* 7-88.232.
—20.ª ed. 1973.
MADRID. *Ministerio de Cultura.* 107.571. *Nacional.* DL-880.—WASHINGTON. *Congreso.* NUC 76-74014.
—21.ª ed. 1974.
MADRID. *Ministerio de Cultura.* 117.273. *Nacional.* 7-96.956.
—22.ª ed. 1976.
MADRID. *Nacional.* 7-100.735.
—23.ª ed. 1976.
MADRID. *Ministerio de Cultura.* 173.390.
—24.ª ed. 1977.
MADRID. *Ministerio de Cultura.* 179.415.
—25.ª ed. 1977.
MADRID. *Ministerio de Cultura.* 187.200.
—26.ª ed. 1978.
MADRID. *Ministerio de Cultura.* 191.525.
—27.ª ed. 1979.
MADRID. *Ministerio de Cultura.* 199.887. *Nacional.* 7-110.096.
—28.ª ed. 1980.
MADRID. *Consejo. General.* — *Nacional.* 7-114.065.
—29.ª ed. 1981.
MADRID. *Nacional.* 7-118.643.

6063
VIDA (La) del Lazarillo de Tormes y de sus fortunas y adversidades. Dirección y transcripción por Vicente Escrivá. Valencia. Edics. Aeternitas. Tip. Moderna. 1942. 151 págs. + 3 hs. con grabados y 11 láms. 29 cm.
Ilustrada con aguafuertes y ornamentos tipográficos por Andrés Lambert.
MADRID. *Consejo. General.* — *Ministerio de Cultura.* 2.881. *Nacional.* 4-5.639; etc.

6064
LAZARILLO (El) de Tormes. Madrid. Hernando. 1943. 95 págs. con 10 láms. + 2 hs. 17 cm. (Colección Hernando de Libros para la Juventud).
MADRID. *Nacional.* 4-12.636.

—4.ª ed. 1960.
MADRID. *Nacional.* 7-46.142.

6065
VIDA (La) de Lazarillo de Tormes y de sus fortunas y adversidades. Edi-

zione a cura di Alfredo Cavaliere. Venecia. Zanetti. 1943. 31 págs. 16.º
FLORENCIA. *Nazionale.* B.1945-3403.

6066
[*VIDA (La) de Lazarillo de Tormes y de sus fortunas y adversidades*]. (En *La novela picaresca española. Estudio, selección, prólogo y notas por Angel Valbuena y Prat.* Madrid. Aguilar. 1943, págs. 1-30).
MADRID. *Nacional.* 4-9.184.

—6.ª ed. 1968.

6067
LAZARILLO (El) de Tormes. Barcelona. Montaner y Simón. 1946. 170 págs. + 8 láms. 14 cm. (Biblioteca Selección, 28).
Ilustraciones de A. Lozoya.
MADRID. *Ministerio de Cultura.* 4-11.026. *Nacional.* 4-28.845.

—1968. 166 págs.
MADRID. *Nacional.* 7-80.165.

6068
LAZARILLO (El) de Tormes. Editado por Luis Jaime Cisneros. Buenos Aires. Kier. 1946. 73 págs.
MADRID. *Nacional.* 4-32.722.

6069
Lazarillo de Tormes. (En *La Novela picaresca...* Barcelona. Joaquín Gil. 1947, págs. 9-66. Obras Maestras).
MADRID. *Nacional.* 4-29.370.

6070
LAZARILLO (El) de Tormes, con la segunda parte por H. de Luna. Edición y prólogo por José Trelles Graíño. Madrid. Suárez. 1947. 217 págs. + 2 hs. 17 cm. (Serie Escogida de Autores Españoles, 15).
ATHENS. *University of Georgia.*—MADRID. *Ministerio de Cultura.* Foll.C.663-50. *Nacional.* 4-30.277.—URBANA. *University of Illinois.*

6071

VIDA (La) de Lazarillo de Tormes y de sus fortunas y adversidades. Prólogo de Mario Delfino. Buenos Aires. Entrada. [1947]. 139 págs. con ilustr. (Clásicos Castellanos, 9).
BLOOMINGTON. *Indiana University.*

6072

VIDA (La) de Lazarillo de Tormes... Edited by Everett W. Hesse and Harry F. Williams. With an introduction by Américo Castro. Madison. University of Wisconsin Press. 1948. XVII + 84 págs.

a) Stagg, G. L., en *The Modern Language Review*, XLIV, Cambridge, 1949, pág. 280.
ANN ARBOR. *University of Michigan.*—ATHENS. *University of Georgia.*—NUEVA YORK. *Congreso.* 48-4941*.

— — —

—Nueva ed. 1961. XIX + 84 págs.
LOS ANGELES. *University of California.*—NEW HAVEN. *Yale University.*
—1966.
WASHINGTON. *Congreso.* NUC 73-946.

6073

LAZARILLO (El) de Tormes. Buenos Aires. Sastre. 1951. 96 págs. 8.º

6074

VIDA (La) de Lazarillo de Tormes. Edited by H. J. Taylor. Manchester. Manchester University Press. 1951. XXXI + 67 págs. 18,5 cm.

6075

LAZARILLO (El) de Tormes. [Santiago de Chile]. Zig-Zag. [1951]. 96 págs. 17 cm. (Biblioteca Zig-Zag. Serie roja, 78).
AUSTIN. *University of Texas.*

— — —

—1955.
BLOOMINGTON. *Indiana University.*

6076

LAZARILLO de Tormes. — Segunda parte (Anónimo). Segunda parte de

H. de Luna. Introducción y notas de Francisco Guerrero Pérez. [Santiago de Chile]. Edit. Universitaria. 1955. 243 págs. 19 cm. (Biblioteca Hispana, 4).
BLOOMINGTON. *Indiana University.* — CHAPEL HILL. *University of North Carolina.*—DETROIT. *Wayne State University.*—IRVINE. *University of California.* — PRINCETON. *Princeton University.*—URBANA. *University of Illinois.*

6077

VIDA (La) de Lazarillo de Tormes y sus fortunas y adversidades. A cura di A. Cavaliere. Nápoles. Giannini. 1955. 178 págs. 8.º

a) B[ertini], G. M., en *Quaderni Ibero-Americani*, III, Turín, 1956, págs. 286-87.
b) Kossi, G. C., en *Revista de Filología Española*, XLI, Madrid, 1957, págs. 438-41, y en *Thesaurus*, XIII, Bogotá, págs. 274-76.
AUSTIN. *University of Texas.* — CAMBRIDGE, Mass. *Harvard University.*—COLUMBUS. *Ohio State University.* — CHICAGO. *University of Chicago.*—FLORENCIA. *Nazionale.* B.1956-598.
MADISON. *University of Wisconsin.*—URBANA. *University of Illinois.*

6078

VIDA (La) de Lazarillo de Tormes y de sus fortunas y adversidades. Estudio preliminar de Emilio Gascó Contell. Madrid. Afrodisio Aguado. [1956]. 240 págs. + 2 hs. 20 cm. (Clásicos y Maestros).

a) Garciasol, R. de, en *Arbor*, XXXVII, Madrid, 1957, págs. 260-62.
MADRID. *Ministerio de Cultura.* 30.978. *Nacional.* 7-24.659.—NUEVA YORK. *Columbia University.*—Public Library.—WASHINGTON. *Catholic University of America Library.*

6079

VIDA (La) del Lazarillo de Tormes. Barcelona. Edic. G. G. [1956]. 96 páginas. 10 cm. (Enciclopedia Pulga, 285).

6080

VIDA (La) de Lazarillo de Tormes y de sus fortunas y adversidades. Pre-

sentado por Bernard Sesé. París. Eugène Belin. 1956. 89 págs.

— — —

—1959.
CHICAGO. *University of Chicago.*—MADRID. *Instituto de Cultura Hispánica.*

6081
LAZARILLO de Tormes. Ed. de R. Ventura. Módena. Paolini. 1957. 115 págs.

6082
LAZARILLO (El) de Tormes. — Los habladores, Miguel de Cervantes. Méjico. Edit. Orion. 1957. 122 págs. 19 cm. (Colección Literaria Cervantes).
WASHINGTON. *Congreso.* NUC 65-74717.

6083
LAZARILLO de Tormes. Méjico. Novaro-México. 1958. 119 págs. 16 cm. (Colección Nova-Mex, 145).
MADRID. *Ministerio de Cultura.* 4-17.195.

6084
VIDA (La) del Lazarillo de Tormes y de sus fortunas y adversidades. [Con un Apéndice de Angel Valbuena Prat]. Méjico, etc. Aguilar. [Madrid. E. Sánchez Leal]. [1958]. 422 págs. + 1 lám. 8,5 cm. (Colección Crisol, 010).
EUGENE. *University of Oregon.*—MADRID. *Nacional.* 7-25.757; etc. — STANFORD. *Stanford University Libraries.*—URBANA. *University of Illinois.*

6085
VIDA (La) de Lazarillo de Tormes... La Vie de Lazarillo de Tormès. Traduction de Alfred Morel-Fatio. Introduction de Marcel Bataillon. París. Aubier - Flammarion. 1958. 187 págs. 18 cm. (Bilingüe Aubier-Flammarion, 3).
GRANADA. *Universitaria. F. y Letras.*—MADRID. *Academia Española.* 26-X-52.

6086
LAZARILLO (El) de Tormes. (En Dos *novelas picarescas. —— y El Buscón, de Francisco de Quevedo.* Nueva York. Doubleday & Co. 1959. 237 págs.).

6087
[VIDA (La) de Lazarillo de Tormes]. (En [Rojas, Fernando de]. *La Celestina y Lazarillos. Edición, prólogo y notas de Martín de Riquer.* Barcelona. Vergara. Edit. 1959, págs. 589-683).
Reproduce la ed. de Burgos, 1554. Con láminas en color. Estudio en págs. 79-124.
MADRID. *Nacional.* T-36.303.

6088
LAZARILLO de Tormes... A cura di Alberto del Monte. Nápoles. R. Pironti. 1960. 106 págs. 21,5 cm. (Collana di testi romanzi).
a) Boni, Marco, en *Convivium,* XXX, Turín, 1962, pág. 122.
WASHINGTON. *Congreso.* NUC 69-97060.

6089
[LAZARILLO de Tormes]. (En No-VELA *picaresca española... Edición, prólogo, selección y vocabulario de Joaquín del Val.* Madrid. Taurus. 1960, págs. 159-217).
MADRID. *Nacional.* 1-219.359.

— — —

—2.ª ed. 1965.
MADRID. *Nacional.* 7-68.030.

6090
LAZARILLO de Tormes. Noticia preliminar por Juan Ruiz de Larios. Barcelona. Plaza y Janés. 1960. 126 págs. + 1 h. 18,5 cm. (Clásicos Plaza, 1).
MADRID. *Nacional.* V-4.627-12. — WASHINGTON. *Congreso.* NUC 63-50098.

— — —

—1964.
MADRID. *Nacional.* V-5.776-21.

6091

VIDA (La) de Lazarillo de Tormes. Introducción, notas y vocabulario de Juan Carlos Pellegrini. Buenos Aires. Huemul. [1961]. 95 págs. 17,5 cm. (Clásicos Huemul, 1).

— — — —

—2.ª ed. 1963. 100 págs.
—4.ª ed. 1967.
—8.ª ed. 1975.
MADRID. Ministerio de Cultura. 184.929.

6092

DOS novelas picarescas: el Lazarillo, el Buscón. Garden City. Doubleday and Co. 1961. 235 págs. (Colección Hispánica).

a) Beberfall, L., en Hispania, XLV, Urbana, 1962, págs. 167-68.
MADRID. Consejo. Instituto «M. de Cervantes». V-98.

6093

VIDA (La) de Lazarillo de Tormes y de sus fortunas y adversidades. Méjico. Ateneo. 1961. 138 págs. (Obras Inmortales).

WASHINGTON. Congreso. NUC 67-56950.

6094

VIDA (La) del Lazarillo de Tormes. (En Rojas, Fernando de. La Celestina... Barcelona. Exito. 1961, págs. 213-69. Grandes novelas de la literatura universal, 3).

MADRID. Nacional. 7-52.120.

6095

LAZARILLO de Tormes. — Vida de Estebanillo González. Barcelona. Maucci. 1962. 490 págs. 19 cm. (Clásicos Maucci).

BARCELONA. Universitaria.—MADRID. Ministerio de Cultura. 41.885. Nacional. 4-49.108; etc. — WASHINGTON. Congreso. NUC 73-69531.

6096

VIDA (La) de Lazarillo de Tormes y de sus fortunas y adversidades. [Ha-bana. Edit. Nacional]. [1962]. 90 páginas. 19 cm. (Biblioteca del Pueblo).
WASHINGTON. Congreso. NUC 70-80800.

6097

VIDA (La) de Lazarillo de Tormes. Edición de Royston O. Jones. Manchester. University Press. 1963. 89 págs.

MADRID. Consejo. Instituto «M. de Cervantes». LX-82.—WASHINGTON. Congreso. 67-50911.

— — —

—1966.
WASHINGTON. Congreso. 66-77191.

6098

[VIDA (La) de Lazarillo de Tormes y de sus fortunas y adversidades]. (En Vélez de Guevara, Luis. El Diablo Cojuelo... Barcelona. Edit. R. Sopena. [1963], págs. 117-92).

MADRID. Nacional. V-5.558-33.

— — —

—1967.
MADRID. Nacional. 7-66.770.

6099

VIDA (La) de Lazarillo de Tormes y de sus fortunas y adversidades. [Edición y notas de Carmen Castro]. Madrid. Taurus. [1964]. 108 págs. 18 cm. (Ser y Tiempo. Temas de España, 27).

MADRID. Nacional. V-6.056-3; V-6.056-4.—WASHINGTON. Congreso. NUC 66-67153.

— — —

—1966.
MADRID. Nacional. V-6.444-23; etc.
—3.ª ed. 1968.
MADRID. Ministerio de Cultura. Foll. 1481-37. Nacional. V-7.167-28. — WASHINGTON. Congreso. NUC 70-111267.
—4.ª ed. 1970.
MADRID. Nacional. V-8.034-12.
—5.ª ed. 1972.
MADRID. Nacional. V-10.061-6.
—6.ª ed. 1973.
MADRID. Nacional. V-10.103-7.
—7.ª ed. 1974.
MADRID. Ministerio de Cultura. Foll. 909-22. Nacional. V-10.805-5.

—8.ª ed. 1976.
MADRID. *Ministerio de Cultura.* 167.311. *Nacional.* V-11.459-13.
—9.ª ed. 1977.
MADRID. *Ministerio de Cultura.* 179.008.
—10.ª ed. 1978. 123 págs.
MADRID. *Ministerio de Cultura.* 191.226.

6100

VIDA (La) de Lazarillo de Tormes. Edición de E. Terzano de Gatti. Buenos Aires. Plus Ultra. 1965. 110 págs. (Colección Plus Ultra).
WASHINGTON. *Congreso.* 68-131928.

6101

LAZARILLO de Tormes. Segunda parte de Lazarillo de Tormes. Juan de Luna. Prólogo de Juan Alcina Franch. Barcelona. Juventud. [1965]. 206 págs. 18 cm. (Colección Z, 115).
BARCELONA. *Universitaria.* D.674-3-32.—MADRID. *Ministerio de Cultura.* 4-20.116. *Nacional.* 7-60.940; 7-60.941. — WASHINGTON. *Congreso.* NUC 72-5239.

— — —

—1967.
BARCELONA. *Universitaria.* D.286-7-6. — MADRID. *Nacional.* 7-69.286; etc. — WASHINGTON. *Congreso.* NUC 71-100596.
—2.ª ed. 1972.
BARCELONA. *Universitaria.* D.259-7-14.—MADRID. *Nacional.* 7-94.124.
—4.ª ed. 1975.
MADRID. *Nacional.* 7-100.720.

6102

LAZARILLO de Tormes. — Vida del Buscón don Pablos. Estudio preliminar de Guillermo Díaz-Plaja. Méjico. Porrúa. 1965. XXXIX + 188 páginas. 22 cm. (Sepan cuantos, 34).
WASHINGTON. *Congreso.* NUC 66-67340.

— — —

—3.ª ed. 1967.
WASHINGTON. *Congreso.* 78-211672.
—6.ª ed. 1970.
MADRID. *Nacional.* 7-90.131.

6103

[LAZARILLO de Tormes]. (En *Don Tristán de Leonis, Cuestión de Amor*

y ——. *Prólogo de Fernando Gutiérrez.* Barcelona. Credsa. 1965, págs. 579-653. Obras Maestras de la Literatura Universal, 4).
MADRID. *Nacional.* 7-60.626.

6104

LAZARILLO de Tormes and El Abencerraje. Introduction and notes by Claudio Guillén. Nueva York. Dell Publishing Co. 1966. 187 págs.
a) Collard, A., en *Romanische Forschungen,* LXXIX, Colonia, 1967, págs. 245-46.

6105

LAZARILLO de Tormes, sus fortunas y adversidades. Barcelona. M. & S. [s. a., 1966]. 239 págs. + 1 h. 18,5 cm. (Colección Eterna).
Incluye además *El Diablo Cojuelo.*
BARCELONA. *Universitaria.* D.679-4-5.—MADRID. *Nacional.* 7-63.699; etc.

6106

LAZARILLO de Tormes. Barcelona. Círculo de Lectores. [1966]. 158 páginas + 1 h. 17 cm.
MADRID. *Ministerio de Cultura.* 58.302.

6107

VIDA (La) de Lazarillo de Tormes y de sus fortunas y adversidades. Edición crítica, prólogo y notas de José Caso González. Madrid. Academia Española. 1967. 151 págs. 24 cm. (Anejos del «Boletín de la R. Academia Española», 17).
DEUSTO. *Universitaria.*—MADRID. *Academia Española.* 35-X-17. *Facultad de Filosofía y Letras.*—*Nacional.* V-6.707-13. — WASHINGTON. *Congreso.* NUC 68-95168.

6108

VIDA (La) de Lazarillo de Tormes y de sus fortunas y adversidades.—El Lazarillo de Manzanares, por Juan Cortés de Tolosa. [*Edición de A. Escarpizo*]. Barcelona. Edit. Lorenzana. [s. a., 1967?]. 424 págs. 18 cm.
WASHINGTON. *Congreso.* NUC 70-32705.

6109

LAZARILLO de Tormes. Prólogo: José Blanco Amor. Notas: María A. Rebuffo. Buenos Aires. Troquel. [1967]. 118 págs. 18 cm. (Clásicos Troquel).

WASHINGTON. Congreso. 67-104450.

6110

LAZARILLO de Tormes. Texto y notas, F. Aguilar Piñal... Presentación, J. Gutiérrez Palacio... Madrid. EMESA. [s. a., 1967]. 217 págs. con ilustr. 18 cm. (Novelas y Cuentos. Serie Literatura Española, 3).

Incluye además La hija de la Celestina, de A. J. de Salas Barbadillo.

MADRID. Ministerio de Cultura. 4-23.380. Nacional. 7-70.900; etc.—WASHINGTON. Congreso. NUC 69-79883.

— — —

—2.ª ed. 1970.
MADRID. Ministerio de Cultura. 76.429. Nacional. 7-83.243.
—3.ª ed. 1973.
MADRID. Ministerio de Cultura. 108.761. Nacional. 7-95.739.—ZARAGOZA. Universitaria. F. y Letras.
—4.ª ed. 1977.
MADRID. Ministerio de Cultura. 178.082.
—5.ª ed. 1980.

6111

VIDA (La) de Lazarillo de Tormes y de sus fortunas y adversidades. Estudio preliminar y notas de Celina Sabor de Cortázar. Edición dirigida por María Hortensia Lacau. Buenos Aires. Kapelusz. [1967]. 136 págs. + 1 h. 16 cm. (Grandes Obras de la Literatura Universal, 59).

MADRID. Nacional. 7-90.436.—WASHINGTON. Congreso. NUC 72-54843.

— — —

—1977.

6112

LAZARILLO (El) de Tormes. [Madrid. Susaeta]. [s. a., 1967]. 107 págs. con ilustr. 21,5 cm. (Colección Saeta).

Ilustraciones de Sáez.

MADRID. Ministerio de Cultura. 63.325. Nacional. 7-68.705; etc.

6113

[VIDA (La) de Lazarillo de Tormes, y de sus fortunas y adversidades]. (En La Novela picaresca española. Edición, introducción y notas de Francisco Rico. Tomo I. Barcelona. Planeta, 1967, págs. 1-80. Clásicos Planeta, 12).

Se reproduce la ed. de Burgos, 1554.

MADRID. Ministerio de Cultura. 55.762. Nacional. 5-28.757. — WASHINGTON. Congreso. NUC 69-135217.

— — —

—2.ª ed. 1970.
MADRID. Nacional. 5-35.194.

6114

LAZARILLO de Tormes y Estebanillo González. Barcelona. Augusta. 1967. 494 págs.

WASHINGTON. Congreso. NUC 73-100752.

6115

[VIDA (La) de Lazarillo de Tormes y de sus fortunas y adversidades]. (En Quevedo y Villegas, Francisco de. Historia de la vida del Buscón... y Anónimo. ——. Barcelona. Zeus. 1968, págs. 145-88).

MADRID. Nacional. 7-71.674.

— — —

—2.ª ed. 1971.
MADRID. Nacional. 7-87.997.

6116

VIDA (La) de Lazarillo de Tormes (1554). (En La Picaresca Española. Prólogo de Julián Marías. Barcelona. Nauta. 1968, págs. 1-79).

Con litografías de Lorenzo Goñi.
MADRID. Nacional. 5-30.282.

— — —

—2.ª ed. 1969.
MADRID. Nacional. 7-78.682.

6117

LAZARILLO (El) de Tormes. [Madrid]. Susaeta. [s. a., 1968]. 114 pá-

ginas + 6 hs. 15,5 cm. (Clásicos Universales, 2).
MADRID. *Nacional.* V-7.098-8.

— — —

—1973. 123 págs.
MADRID. *Nacional.* DL-12.332.

6118
LAZARILLO (El) de Tormes. [Barcelona]. Campos. 1968. 118 págs. + 3 hs. 18,5 cm. (Grandes Maestros, 12).
BARCELONA. *Universitaria.* D.689-7-5. — MADRID. *Nacional.* V-7.098-22.

— — —

—4.ª ed. 1972.
BARCELONA. *Universitaria.* D.703-7-5. — MADRID. *Nacional.* V-9.303-5.

6119
VIDA (La) de Lazarillo de Tormes. Caracas. Instituto Nacional de Cultura y Bellas Artes. 1969. 89 págs. 18 cm. (Colección de grandes autores, 1).
WASINGTON. *Congreso.* NUC 70-110681.

6120
LAZARILLO (El) de Tormes. Madrid. Pérez del Hoyo. 1970. 166 págs. + 3 hs. 18,5 cm. (Cien Clásicos Universales, 32).
Contiene la *Segunda parte* de Luna y la *Historia del Abencerraje,* de A. de Villegas.
MADRID. *Ministerio de Cultura.* 70.769. *Nacional.* 4-87.334. — WASHINGTON. *Congreso.* NUC 77-6186.

6121
LAZARILLO de Tormes. Barcelona. El Diablo Cojuelo. [1970]. 114 págs. con ilustr. + 1 h. 14,5 cm.
BARCELONA. *Universitaria.* F.8-64-4. — MADRID. *Nacional.* 7-85.318.

6122
LAZARILLO de Tormes. Con un estudio preliminar, notas y bibliografía seleccionada por Amando Isasi

Angulo. Barcelona. Bruguera. [1970]. 213 págs. 17,5 cm. (Libro Clásico, 94).
BARCELONA. *Universitaria.* D.822-4-3.—MADRID. *Nacional.* 7-80.942; etc.—WASHINGTON. *Congreso.* NUC 72-53334.

— — —

—Ed. especial. 1972.
BARCELONA. *Universitaria.* D.330-1-21.—MADRID. *Ministerio de Cultura.* 98.120. *Nacional.* 7-84.882.
—2.ª ed. 1973.
BARCELONA. *Universitaria.* D.390-7-12; etc. — MADRID. *Ministerio de Cultura.* 106.049.—*Nacional.* DL-359.
—3.ª ed. 1974.
BARCELONA. *Universitaria.* D.330-8-31.—MADRID. *Ministerio de Cultura.* 121.496. *Nacional.* 7-95.403.
—4.ª ed. 1974.
MADRID. *Ministerio de Cultura.* 120.089.
—5.ª ed. 1976.
MADRID. *Ministerio de Cultura.* 167.833.
—6.ª ed. 1976.
MADRID. *Ministerio de Cultura.* 174.181.
—7.ª ed. 1978.
MADRID. *Ministerio de Cultura.*
—8.ª ed. 1979.
MADRID. *Nacional.* 7-111.969.
—9.ª ed. 1980.
MADRID. *Nacional.* 7-114.558.
—10.ª ed. 1981.
MADRID. *Nacional.* 7-118.630.

6123
LAZARILLO de Tormes.—Luis Vélez de Guevara: *El Diablo Cojuelo. Edición y notas de Inmaculada Ferrer. Prólogo de Francisco Rico.* Barcelona. Salvat. 1970. 178 págs. (Biblioteca Básica Salvat, 59).
Págs. 21-86: *Lazarillo de Tormes.*
MADRID. *Nacional.* 7-82.105. — WASHINGTON. *Congreso.* NUC 76-3402.

— — —

—2.ª ed. 1972.
MADRID. *Nacional.* 7-88.160.

6124
LAZARILLO de Tormes.—H. de Luna. *Segunda parte de Lazarillo de Tormes.* [*Prólogo y notas de Angel Valbuena Prat*]. [s. l., Madrid]. Agui-

lar. [1972]. 286 págs. 14 cm. (Crisol literario, 64).

MADRID. *Nacional.* 7-90.461.

6125

LAZARILLO (El) de Tormes. Barcelona. Vosgos. 1972. 80 págs. 18 cm. (Compendios Vosgos, 23).

BARCELONA. *Universitaria.* D.699-7-41.—MADRID. *Ministerio de Cultura.* 123.942. *Nacional.* V-10.181-9.

— — —
—1973.
MADRID. *Nacional.* V-10.351-10.
—3.ª ed. 1975.
MADRID. *Nacional.* 7-99.120.

6126

VIDA (La) de Lazarillo de Tormes.— Francisco de Quevedo. *Historia de la vida del Buscón.*—Luis Vélez de Guevara. *El diablo cojuelo.* [Madrid]. Círculo de Amigos de la Historia. [1972]. 298 págs. + 3 hs. 17 cm. (Clásicos Españoles).

BARCELONA. *Universitaria.*—MADRID. *Nacional.* 7-88.775.

6127

VIDA (La) de Lazarillo de Tormes y de sus fortunas y adversidades. Salamanca. [Hotel Jardín Regio, etc.]. 1973. 76 págs. con ilustr. + 2 hs. 22,5 cm.

MADRID. *Nacional.* V-9.740-7; etc.

6128

LAZARILLO (El) de Tormes.—El estudiante de Salamanca. José Espronceda. Barcelona. Petronio. [1973]. 284 págs. + 2 hs. 17 cm. (Colección Obras selectas).

MADRID. *Nacional.* 7-95.827.

6129

LAZARILLO (El) y El Buscón. Madrid. Selecciones del Reader's Digest. [s. a., 1973]. 173 págs. con ilustr. 19,5 cm.

MADRID. *Nacional.* 7-94.939; etc.

6130

VIDA (La) de Lazarillo de Tormes, y de sus fortunas y adversidades. Edición, introducción y notas de Alberto Blecua. Madrid. Castalia. [1974]. 186 págs. con ilustr. 18 cm. (Clásicos Castalia, 58).

MADRID. *Ateneo.* E-8.055. *Facultad de Filosofía y Letras. — Ministerio de Cultura.* 120.297. *Nacional.* 7-96.151; etc.

6131

LAZARILLO (El) de Tormes. — Fernando de Rojas. *La Celestina.* Madrid. Emilio Escolar. [s. a., 1975]. 283 págs. + 2 hs. 17,5 cm. (Cultura Clásica).

MADRID. *Nacional.* 7-99.070; etc.

6132

LAZARILLO de Tormes. [*Introducción, comentario y glosario de Manuel Montecinos Caro*]. Madrid. Santillana. 1975. 136 págs. 21 cm. (Biblioteca Escolar Literaria, 4).

MADRID. *Ministerio de Cultura.* 163.160. *Nacional.* 7-101.239.

— — —
—1980.
MADRID. *Nacional.* 7-115.125.

6133

VIDA (La) de Lazarillo de Tormes y de sus fortunas y adversidades. — Francisco de Quevedo. *La vida del Buscón... Selección y estudio de Carlos Vaillo.* Tarragona. Edics. Tarraco. [1976]. 270 págs. 19,5 cm. (Colección Arbolí, 4).

DEUSTO. *Universitaria.*—MADRID. *Ministerio de Cultura.* 174.743.—WASHINGTON. *Congreso.* 77-477191.

6134

———. *Edición preparada por Olivio Lazzarin Dante.* Buenos Aires. Francisco Aguirre. 1976. 89 págs. 18 cm. (Biblioteca Antártica, 31).

MADRID. *Ministerio de Cultura.* 183.158.

6135

VIDA (La) de Lazarillo de Tormes y de sus fortunas y adversidades. Edición de Joseph V. Ricapito. Madrid. Edics. Cátedra. [1976]. 205 págs. 18 cm. (Letras Hispánicas).

MADRID. *Ministerio de Cultura.* 167.707. — WASHINGTON. *Congreso.* 76-476829.

— — —

—3.ª ed. 1977.
—4.ª ed. 1978.

6136

LAZARILLO de Tormes. Edición, introducción y notas de Francisco Rico. Barcelona. Planeta. 1976. 188 págs. 17 cm. (Colección Hispánica Planeta, 9).

MADRID. *Consejo. General.—Facultad de Filosofía y Letras. — Nacional.* 7-105.810. — WASHINGTON. *Congreso.* 77-454345.

— — —

—1980. 119 págs. (Clásicos Universales Planeta, 6).
MADRID. *Nacional.* 7-114.978.
—3.ª ed. 1981.
MADRID. *Nacional.* 7-118.584.

6137

LAZARILLO (El) de Tormes. — Segunda parte [por H. de Luna]. *Prólogo y notas: José María Mundel Gifré.* Barcelona. Acervo. 1977. 154 páginas. 18 cm. (Colección Gaudeamus. Serie Oro, 1).

MADRID. *Ministerio de Cultura.* 180.007. *Nacional.* 7-113.553.—WASHINGTON. *Congreso.* 77-47751.

— — —

—2.ª ed. 1981.
MADRID. *Nacional.* 7-118.554.

6138

LAZARILLO de Tormes y Segunda parte de la vida del Lazarillo de Tormes, por Juan de Luna. Edición preparada por M. Piñero Ramírez. Madrid. Editora Nacional. [1977]. 252 págs. 18 cm. (Biblioteca de la Literatura y del Pensamiento Hispánico, 22).

MADRID. *Facultad de Filosofía.* Seminario de Arabe. *Ministerio de Cultura.* 186.012.

6139

LAZARILLO de Tormes. Alicante. Rembrandt Ed. 1978. 65 hs. + 20 ilustr. 54 cm.

Ed. de bibliófilo, con ilustraciones de Alvaro Delgado.

MADRID. *Ministerio de Cultura.* 215.145. *Nacional.* ER-4.790.

6140

———. León. Nebrija. [s. a., 1978]. 50 págs. con ilustr. 28 cm. (Cuentos y leyendas).

MADRID. *Ministerio de Cultura.* 193.973.

6141

LAZARILLO (El) de Tormes. Méjico. Cruz O. S. A. [s. a., 1979]. 1 h. + 28 págs. + 1 h. 21 cm. (Compendio de la Obra Maestra).

MADRID. *Nacional.* V-13.461-9.

6142

LAZARILLO (El) de Tormes. Edición, introducción, interpretación y notas de Rosendo Roig. Bilbao. Mensajero. 1979. 249 págs. + 1 h. 18 cm. (Colección Bolsillo, 55).

MADRID. *Nacional.* 7-111.477.

6143

LAZARILLO (El) de Tormes. Santiago de Chile. Edit. del Pacífico. 1979. 86 págs. 18 cm. (Clásicos del Idioma Patrio, 4).

MADRID. *Nacional.* V-13.849-12.

6144

LAZARILLO de Tormes. [Madrid]. Sedmay. 1980. 79 págs. con ilustr. 17 cm. (Ediciones Airepuro, 1).

Ilustraciones de Oscar Conti (Oski).
MADRID. *Nacional.* V-13.463-4.

6145

VIDA (La) del Lazarillo de Tormes y de sus fortunas y adversidades.

Edición, prólogo y notas de Marcos Sanz Agüero. Madrid. Felmar. [1981]. 97 págs. (Poesía y prosa popular, 15).

Texto de la ed. de Burgos (1554) con las interpolaciones de la de Alcalá.

6146

LAZARILLO (El) de Tormes. Sansadella (Castellón). Los Libros de Plan. 1981. 134 págs. 18 cm. (Colección La Palma Viajera, 22).

MADRID. *Nacional.* 7-118.152.

Adaptaciones

6147

LAZARILLO (El) de Tormes, adapted and edited with notes and grammatical exercises, by Ch. Cerdá Richardson. Londres, etc. J. M. Dent & Sons. 1917. VII + 70 págs. 16,5 cm. (Dent's modern language series).

ANN ARBOR. *University of Michigan.*

6148

LAZARILLO (El) de Tormes. Adaptado para los niños por José Escofet. Barcelona. Edit. Araluce. 1922. 128 págs. + 9 láms. 14 cm. (Colección Araluce).

Con ilustraciones de José Segrelles.

———

—2.ª ed. 1929.
—4.ª ed. 1952.
MADRID. *Nacional.* 7-20.355.

6149

VIDA (La) de Lazarillo de Tormes y de sus fortunas y adversidades. Modernized and edited with introduction, notes, vocabulary and Direct-Method exercises, by H. Chanon Berkowitz and Samuel A. Wofsy. Richmond, Virginia. Publishing Co. 1927. XXIV + 166 págs. 8.º

WASHINGTON. *Congreso.* 27-3751.

———

—Nueva York. Harper. [1947]. XXIV + 166 págs. 20 cm.
WASHINGTON. *Congreso.* 48-11546*.

6150

Adaptación para niños de Federico Torres. Barcelona. Edit. Salvatella. 1941. 58 págs. 13 cm. (Cuentos clásicos para niños).

6151

El Lazarillo de Tormes. Adaptación para la juventud por Nicolás Mandal Carballo. Gerona, etc. Dalmau Carlés Pla. [s. a., ¿1951?]. 117 págs. con 5 láms. + 2 hs. 17 cm.

MADRID. *Ministerio de Cultura.* 4-10.983. *Nacional.* 7-19.366.

6152

LAZARILLO (El) de Tormes. [Adaptación de Antonio Serra]. Barcelona. Mateu. [s. a., ¿1955?]. 254 págs. + 1 h. 19 cm. (Colección Juvenil Cadete, 77).

MADRID. *Ministerio de Cultura.* 23.682. *Nacional.* 7-23.317.

———

—1964.
MADRID. *Ministerio de Cultura.* 50.295.

6153

LAZARILLO (El) de Tormes. Adaptación del texto original por A. J. M. [Madrid]. Aguilar. [1961]. 85 págs. con ilustr. en color + 1 h. 23 cm. (El Globo de Colores).

Ilustraciones de F. Goico Aguirre.
A. J. M. = Antonio Jiménez-Landi (?).
MADRID. *Ministerio de Cultura.* 71.070. *Nacional.* 7-48.751.—WASHINGTON. *Congreso.* NUC 65-74738.

———

—2.ª ed. 1965.
MADRID. *Nacional.* 7-61.466; etc.

6154

LAZARILLO de Tormes. Adaptación de José Ardanuy. Bilbao. Edit. Vasco Americana. [1963]. 149 págs. con una lám. 24,5 cm. (Literatura Inmortal, 7).

MADRID. *Ministerio de Cultura.* 46.869. *Nacional.* 7-55.480.

— — —

—1980. 135 págs.
MADRID. *Nacional.* JI-11.102.

6155
LAZARILLO (El) de Tormes. [*Adaptación de Basilio Losada*]. [Barcelona]. Instituto de Artes Gráficas. [1964]. 171 págs. + 1 h. + 171 págs. + 9 láms. en col. 21 cm. (Colección Auriga).
MADRID. *Ministerio de Cultura.* 50.310. *Nacional.* 7-58.310.

— — —

—4.ª ed. 1968. (Col. Auriga. Serie Oro, 40).
MADRID. *Nacional.* 7-72.306; etc.
—5.ª ed. Barcelona. AFHA. 1970.
MADRID. *Nacional.* 7-82.340.
—6.ª ed. 1973.
MADRID. *Nacional.* JI-3.544.
—1974.
MADRID. *Nacional.* DL-30.139.
—8.ª ed. 1975.
MADRID. *Nacional.* DI-5.803.
—11.ª ed. 1977.
—12.ª ed. 1978.
MADRID. *Nacional.* JI-8.630.

6156
VIDA (La) de Lazarillo de Tormes y de sus fortunas y adversidades. Equipo rector: Arelio Labajo, Carlos Urdales, Trini González. Madrid. Coculsa. [s. a., 1968]. 48 págs. 16,5 cm. (Primera Biblioteca, 11).
MADRID. *Ministerio de Cultura.* Foll. 1166-33. *Nacional.* V-7.706-13; etc.

6157
LAZARILLO (El) de Tormes. [*Adaptación de María Teresa Díaz*]. Barcelona. Bruguera. [1970]. 191 págs. con ilustr. 19,5 cm. (Historias. Selección. Serie Clásicos Juveniles, 36).
MADRID. *Ministerio de Cultura.* 91.586. *Nacional.* 7-79.561.

— — —

—2.ª ed. 1972.
MADRID. *Ministerio de Cultura.* 104.260. *Nacional.* JI-1.479.

—3.ª ed. 1973.
MADRID. *Nacional.* DL-200.
—4.ª ed. 1974.
MADRID. *Nacional.* DL-19.454.
—5.ª ed.
MADRID. *Ministerio de Cultura.* 151.925. *Nacional.* JI-5.608.
—7.ª ed. 1978.
MADRID. *Ministerio de Cultura.* 195.536.

6158
VIDA del Lazarillo de Tormes. Adaptación: María Isabel Molina. [s. l.]. Gisa. [s. a., 1974]. 78 págs. con ilustr. en color. 31 cm.
Ilustraciones de Julio Montañés.
MADRID. *Nacional.* JI-5.538.

6159
LAZARILLO de Tormes. Libro de lectura. Selección de José F. Pastora. [s. l., Valladolid]. Miñón. [s. a., 1975]. 100 págs. con ilustr. en color. 26 cm.
Dibujos de Ignacio Fontes.
MADRID. *Ministerio de Cultura.* 164.237. *Nacional.* JZ-6.396.

6160
Adaptación de «El Lazarillo de Tormes»: lectura dialogada. Madrid. [Delegación Nacional de la Sección Femenina]. 1975. 16 págs. 27 cm.

6161
LAZARILLO de Tormes. Adoptación de Elisa Criado y Matilde Taboada. Alcobendas. Sociedad General Española del Librería. (Textos en español fácil. Nivel medio).

— — —

—2.ª ed. 71 págs. con ilustr. 18 cm.
MADRID. *Nacional.* V-13.702-4.

6162
LAZARILLO (El) de Tormes. Madrid, etc. Everest. 1980. 44 págs. con ilustr. 27 cm. (Aventuras 2001).
Ilustraciones de Teo Puebla.
MADRID. *Nacional.* JZ-10.403.

TRADUCCIONES

a) ALEMANAS

6163

Zwo kurtzweilige, lustige, vnd lächer-liche Historien, die Erste von Laza-rillo de Tormes, einem Spanier, was für Herkommens er gewesen... Durch Niclas Vlenhart beschriben. Augs-purg. Andreas Aperger. In Verlegung Niclas Hainrichs. 1617. 8 hs. + 389 págs. 17,5 cm.

Con una adaptación del *Rinconete y Cor-tadillo,* de Cervantes.

URBANA. *University of Illinois.*

— — —

—Leipzig. Mich. Wachsman. 1624. 8.º

6164

Historien Von Lazarillo de Tormes... Ausz Spanisch in Teustch vbersetzt. Mehr etiche auszereszne schone Gleichnuseen vnd Reden grosser Po-tentaten vnd Herzen Erstlich ge-druckt. Augspurg. Andreas Aperger. 1627. 6 hs. + 130 págs. 8.º

LONDRES. *British Museum.* 1081.c.28.(2).

— — —

—Nuremberg. Nich. Endted. 1658. 8.º

6165

Lebens- Beschreibung des Lazarillo von Tormes... aus dem Italianischen ubersetzt von Araldo. Freyburg. 1701. 12.º

LONDRES. *British Museum.* 12491.aaaa.34.(1). NEW HAVEN. *Yale University.*

6166

Curieuses und lesens-würdiges Le-ben eines der grösten doch Klüges-ten Narren in der gantzen Welt... aus dem Frantzöischen ins Teutsche übersetzt. [s. l. - s. i.]. 1709. 427 págs. 14 cm.

BERKELEY. *University of California.* — NEW HAVEN. *Yale University.*

6167

Der Erste Schelmenroman, Lazarillo de Tormes. Herausgegeben von Wil-helm Lausser. Stuttgart. J. C. Cotta. 1889. 8.º

BERKELEY. *University of California.*—CHICAGO. *University of Chicago.*—DURHAM. *Duke Uni-versity.*—FILADELFIA. *University of Pennsyl-vania.*—ITHACA. *Cornell University.*

— — —

—1910.

PEW HAVEN. *Yale University.*

—1911.

ANN ARBOR. *University of Michigan.* — IOWA CITY. *University of Iowa.* — ITHACA. *Cornell University.*

6168

Leben und abenteuer des Lazarillo von Tormes; mit den bisher unve-röffentlichten dreiundsiebzig zeich-nungen des Leonard Bramer, heraus-gegeben und neu erzählt von E. W. Bredt. Munich. H. Schmidt. [1920]. 140 págs. 29 cm.

WASHINGTON. *Congreso.* 30-29195.

6169

Leben des Lazarillo von Tormes. Berlín. Propylaen-Verlag. 1923. 143 págs. 8.º

MADRID. *Nacional.* 2-75.542.—NUEVA YORK. *Co-lumbia University.*

6170

Die geschichte von leben des Laza-rillo von Tormes... Neu übersetzt und hrsg. von Urs Usenbenz. Berna. Bümpliz. 1945. 207 págs.

LAWRENCE. *University of Kansas.* — NUEVA YORK. *Columbia University.*

6171

Das Leben des Lazarillo von Tormes. Sein Glück und Unglück. Deutsch von Margarethe Meier-Marx. Leipzig. Dieterichsche Verlagbuchhandlung. 1949. (Sammlung Dieterich, 37).

6172

Leben und Wandel Lazaril von Tor-
mes. Verdeutzscht 1614. Nach der
Handschrift herausgegeben und mit
Nachwort, Bibliographie und Glos-
sar versehen von Hermann Tiemann.
Hamburgo. Gluckst adt. 1951. 151
págs.

Trad. anónima, editada por primera vez.
a) Baader, H., en *Romanische Forschun-*
gen, LXVII, Erlangen, 1956, págs. 463-68.
b) Bataillon, M., en *Revue de Littérature*
Compareé, XXIX, París, 1955, págs. 562-63.
c) Beau, A. E., en *Boletim de Filologia*,
XIII, Lisboa, 1952, págs. 169-71.
d) C. B. B., en *Comparative Literature*,
VI, Eugene, 1954, págs. 377-78.
e) Hespelt, H. E., en *Hispanic Review*,
XXIII, Filadelfia, 1955, págs. 138-40.
f) Sobejano, G., en *Revista de Filología*
Española, XXXVII, Madrid, 1953, págs.
322-24.

MADRID. *Consejo. General.*—WASHINGTON. *Con-*
greso. A55-1055.

6173

Das Leben des Lazarillo von Tormes;
seine Freuden und Leiden; der erste
Schelmenroman aus dem Spanischen
übertragen von Helene Henze. [Wies-
baden]. Insel-Verlag. 1959. 71 págs.
19 cm. (Insel-Bücherei, 706).

PROVIDENCE. *Brown University.*

6174

Die Geschichte vom Leben des La-
zarillo von Tormes und von seinen
Leiden und Freuden von ihm selbzt
erzähit, mitsamt derez Fortsetzun-
gen. [*Aus dem Spanischen übertra-*
gen und mit einem Nachwort ver-
sehen von Walter Widmer; mit dem
73 Zeichnungen von Leonard Bra-
mer aus dem Jahr 1646]. Munich.
Winkler. [1963]. 267 págs. con ilustr.

WASHINGTON. *Congreso.* NUC 66-42869.

6175

Das Leben des Lazarillo von Tormes,
seine Freuden und Leiden. Übertra-
gen von Helene Henze. Mateo Alemán. *Das Leben des Guzmán von*
Alfarache. Übertragen von Rainer
Specht. Munich. Carl Hanser. [1964].
879 págs. (Spanische Schelmenromane, 1).

WASHINGTON. *Congreso.* NUC 67-60320.

6176

Das Leben des Lazarillo von Tormes,
sein Glück und sein Unglück. [*Über-*
tragen von Georg Spranger]. Leipzig.
Insel-Verlag. [1965]. 85 págs. con
ilustr. 21 cm.

MADRID. *Nacional.* 7-85.847.—WASHINGTON. *Con-*
greso. 66-698940.

6177

Das Leben des Lazarillo von Tormes.
Seine Freuden und Leiden. Übertra-
gen von Helene Henze. (En SPA-
NISCHE *Schelmeromae...* Tomo I. Munich. Hanser. 1965).

MADRID. *Nacional.* 4-76.323.

b) ARABES

6178

Lazarillo de Tormes. Trad. por Ab-
derrahman Badavvi. Madrid. Instituto Hispano-Arabe. 1979. 130 págs.
21 cm. (Clásicos Hispanos).

c) CATALANAS

6179

La vida de Llàzter de Tormes. Tra-
duhida per primera vegada a la llen-
ga catalana. Barcelona. Francisco Altés. 1892. 158 págs. + 1 h. 13 cm.
Tirada de 150 ejemplares.

BARCELONA. *Universitaria.*—CAMBRIDGE, Mass.
Harvard University.—NUEVA YORK. *Hispanic*
Society. — SANTANDER. «*Menéndez Pelayo*».
1.477.

6180

———. *Trad. de A. Bulbena Tosell.*
Barcelona. Imp. Altés. 1924. 106 páginas. 16 cm.

BARCELONA. *Universitaria.* D.267-7-42.

d) CROATAS

6181

Lazarillo de Tormes. Sa spanjolskog preveo Jakša Sedmak. Zagreb. Kladost. 1951. 74 págs. con ilustr. 20 cm.

SACRAMENTO. *California State Library.*

e) FRANCESAS

6182

Les faits merveilleux, ensemble la vie du gentil Lazare de Tormes, et les terribles aventures a luy avenues en divers lieux, livre fort plaiçant et delectable... traduit nouuellement d'espagnol en françoys par J. G. de L. A. Lyon. Jean Saugrain. 1560. 8.º

Traducción atribuida a Jean Garnier de Laval y a Jean Saugrain.

Baudrier, IV, pág. 327.

6183

L'histoire plaisante et facetievse dv Lazare de Tormes Espagnol.. París. Ian Longis et Robert de Mangnier. [s. a.]. 59 fols. + 1 h. 8.º

Ded. a Sebastié de Honoratis por Iean Saugrain. Con Priv. de 24 de abril de 1561. La misma traducción.

PARIS. *Arsenal.* 8º BL.29642.

6184

Histoire plaisante, facetieuse et re-creative du Lazare de Tormes, espagnol, en laquelle l'esprit mélancholi-que s'en peut récréer et prendre plaisir. Amberes. Guislain Jansens. 1594. 16.º

Brunet, III, col. 385.

La misma trad. anterior.

SAN MARINO. *Henry E. Huntington Library.*

6185

Histoire plaisante facetieuse et re-creative du Lazare de Tormes... Amberes. Guislain Iansens. 1598. 126 págs. 16.º

La misma traducción con la *Segunda parte* anónima.

BERKELEY. *University of California.* — NUEVA YORK. *Hispanic Society.*—PARIS. *Arsenal.* 8º BL.2943.

6186

La vie de Lazarillo de Tormes... Traduction par M. P. B. Parisien. París. 1601.

¿Traducción de Pierre Bonfons? Edición bilingüe. (V. n.º 5967).

— — —

—París. 1609.
—París. 1615.
—París. 1616.
—París. 1520 [*sic*, pero 1620].
—París. 1623.
—París. 1628.

6187

La Vie de Lazarille de Tormes, de ses infortunes et aduersitez. Traduction nouvelle d'Espagnol en François, par le Sieur Daudiguîer. Lyon. Louys Oudin. 1649. 12.º

— — —

—Lyon. B. Bachelu. 1649. 12.º
—*La vida del Lazarillo de Tormes... La vie de Lazarille de Tormes...* París. 1660. V. n.º 5979.

6188

La vie de Lazarille de Tormes. Traduite en vers françois par Le Sieur de B***. París. Louis Chamhovdry. 1653. 3 hs. + 170 págs. 4.º

ANN ARBOR. *University of Michigan.* — CAMBRIDGE, Mass. *Harvard University.* — NUEVA YORK. *Hispanic Society.* — PARIS. *Arsenal.* 4º BL.4484. *Nationale.* Ye.4803. — WASHINGTON. *Congreso.* 31-1350.

— — —

—Ed. de Albert Th. Fourmer, seud. de R. Foulché-Delbosc. (En *Revue Hispanique*, XIX, Nueva York-París, 1908, págs. 238-99.

6189

Lazarille de Tormes. [Trad. par Jean Antoine de Charnes]. París. Claude Barbin. 1678. 12 hs. + 215 págs. + 3 hs. 12.º

MADRID. *Nacional.* R-15.916.—NUEVA YORK. *His-panic Society.*—PARIS. *Nationale.* Y.²52856.

— — —

—*Histoire facetieuse du fameux drille La-zarille de Tormes...* Lyon. Jean Viret. 1697. 6 hs. + 294 págs. 12.°
ITHACA. *Cornell University.*—NUEVA YORK. *His-panic Society.*—PARIS. *Arsenal.* 8°BL.29647.
Trad. de Charnés, revisada por Backer.

—*La Vie et avantures de Lazarillo de Tor-mes écrites par lui-même...* Bruselas. Geor-ge de Backer. 1698. 6 hs. + 188 págs. + 2 hs. con 19 láms. 8.°
Trad. de Charnés, revisada por Backer.
ANN ARBOR. *University of Michigan.* — CAM-BRIDGE, Mass. *Harvard University.*—ROUEN. *Municipale.* O.2444. — PARIS. *Arsenal.* 8°BL. 29645.—WASHINGTON. *Congreso.* 33-19743.

—1692.
CHICAGO. *University of Chicago.*—FILADELFIA. *University of Pennsylvania.*

—1701.
AUSTIN. *University of Texas.* — MINNEAPOLIS. *University of Minnesota.*—PARIS. *Arsenal.* 8° BL.29646.

—1702.
ITHACA. *Cornell University.*

—1716.

—1721.
PARIS. *Arsenal.* 8°BL.29648 (1-2).

—Cambray. N. J. Douillier. 1731.
NORMAN. *University of Oklahoma.*

—1735.
ANN ARBOR. *University of Michigan.*—SANTAN-DER. «*Menéndez Pelayo».* R-III-2-28.

—1744.
ANN ARBOR. *University of Michigan.*—BLOO-MINGTON. *Indiana University.* — SANTANDER. «*Menéndez Pelayo».* R-III-4-21.

—Bruselas. Barbin. 1756.
ANN ARBOR. *University of Michigan.*

—*Aventures et espiègleries de Lazarille...* Toledo et Paris. Cailleau. 1765. 2 vols. con 4 láms. 12.°
BERKELEY. *University of California.* — BLOO-MINGTON. *Indiana University.*—NUEVA YORK. *Hispanic Society.*

—Lyon. Besson. 1776.
PARIS. *Arsenal.* 8°BL.29649.

—París. 1781. 8ᵉ (Bibliothèque des Romans).

—Londres [pero París]. [Cazin]. 1784. 12.°
CLEVELAND. *Public Library.* — DURHAM. *Duke University.*

—Bruselas. 1787. 2 vols.

—Bruselas. 1798. 2 vols.

—París. Saintin. 1817. 2 vols.
WASHINGTON. *Congreso.* 21-3361.

—París. Arnould. [s. a., 1850?]. VII + 360 págs. con ilustr. 13 cm.
ITHACA. *Cornell University.*

—París. P. Arnould. [s. a., 1886]. VIII + 360 págs. con ilustr. 12 cm. (Petite Bi-bliothèque portative).
Ilustraciones de A. Robida.
WASHINGTON. *Congreso.* NUC 73-20608.

—París. Dentu. 1891. 255 págs. 18 cm.
ANN ARBOR. *University of Michigan.*

6190

Aventures et espiègleries de Lazari-lle de Tormes, écrites par lui-même. París. Didot, jeune. 1801. 2 vols. con ilustr. 8.°

Con cuarenta ilustraciones de N. Ranson-nette.
ANN ARBOR. *University of Michigan.* — LON-DRES. *British Museum.* 12490.f.19. — NEW State *University.* — NUEVA YORK. *Hispanic Society.*—URBANA. *University of Illinois.*

— — —

—París. Pigoreau. 1807. 2 vols.

—París. 1817. 2 vols. con ilustr.
LONDRES. *British Museum.* 12490.aaaa.7.

6191

Aventures merveilleuses de Lazarillo de Tormes, tirées des vieilles chro-niques de Tolède par G. F. de Grand-maison y Bruno. Bourges. 1832. 12.°

— — —

—París. Libr. de l'Education. 1833. 322 págs. + 1 lám. 8.°
NUEVA YORK. *Public Library.*

6192

[*Histoire de Lazarille de Tormes. Traduite par Louis Viardot*]. (En Le Sage. *Histoire de Gil Blas de Santi-llane...* París. J.-J. Dubochet, Le Che-valier et Cie. 1846. 46 págs.).

Con ilustraciones en madera de Maisson-nier.

6193

Aventures et espiégeries de Lazarille de Tormes, trad. de l'espagnol par Horace Pelletier. París. Plon. 1861. 130 págs. 8.°

6194

Aventures de Lazarille de Tormes. Nouvelle édition, revue par Adrien Robert [seud.]. París. Charlieu frères et Huillery. 1865. VIII + 208 páginas + 8 láms. 28 cm.

Con dibujos de H. Castelli, grabados por Hildebrand. Contiene la *Segunda parte* de Luna.

ANN ARBOR. *University of Michigan.*—ITHACA. *Cornell University.*—NUEVA YORK. *Hispanic Society.*

6195

Vie de Lazarille de Tormes. Traduction nouvelle et préface de A. Morel-Fatio. París. M. Launette et Cie. 1886. XII + 146 págs. con ilustr. + 10 láminas. 24 cm.

Ilustraciones de Maurice Leloir.

ANN ARBOR. *University of Michigan.* — LOS ANGELES. *University of California.*—MADRID. *Nacional.* R-6.092.—NUEVA YORK. *Public Library.* — SANTANDER. «*Menéndez Pelayo*». 3.059.

———

—*Traduction de A. Morel-Fatio. Introduction et notes de Marcel Bataillon.* París. La Renaissance du Livre. 1930. 155 págs.

—*Traduction de A. Morel-Fatio, revue par Marcel Bataillon. Introduction par M. Bataillon.* París. Aubier. 1958. 222 págs. (Coll. bilingue des classiques espagnols).

V. n.º 6085.

a) Cano, J. L., en *Insula*, XV, Madrid, 1960, n.º 160, págs. 8-9.
b) Groult, P., en *Les Lettres Romanes*, XIV, Lovaina, 1960, págs. 54-55.
c) Jones, R. O., en *Bulletin of Hispanic Studies*, XXXVI, Liverpool, 1959, pág. 256.
d) Márquez Villanueva, F., en *Revista de Filología Española*, XLII, Madrid, 1958-59, págs. 285-90.
e) Rothberg, I., en *Hispania*, XLII, Storr, 1959, pág. 256.
f) Rumeau, A., en *Revue de Littérature Comparée*, XXXV, París, 1961, págs. 124-128.
g) Schalk, F., en *Romanische Forschungen*, LXXI, Colonia, 1959, págs. 444-47.
h) Silverman, J. H., en *Romance Philology*, XV, Berkeley, 1961, págs. 88-94.
i) Van Bever, en *Revue Belgue de Philologie*, XXXVIII, Bruselas, 1960, pág. 225.

j) Villégier, en *Les Langues Neó-Latines*, LII, París, 1958, n.º 3, págs. 67-69.

6196

La vie de Lazarillo de Tormes. Notice et notes par L. Montgivray. París. Libr. Hatier. [1921]. 64 págs. (Les Classiques pour tous, 109).

URBANA. *University of Illinois.*

6197

Aventures... de Lazarille de Tormes... París. Jacoub. 1929. 252 págs. con ilustr. 18 cm. (Scripta Manent, 38).

ATCHISON. *St. Benedict's College.* — ITHACA. *Cornell University.*

6198

Lazarille de Tormes, par Hurtado de Mendoza. Traduction argotique de Jean Auzanet. Préface de Jean Cassou. París. Ed. M. P. Trémois. 1929. 196 págs. 19 cm.

ANN ARBOR. *University of Michigan.*—ITHACA. *Cornell University.*

6199

Aventures de Lazarille de Tormes, par Diego Hurtado de Mendoza... París. F. Sorlot. [1942]. 252 págs. con ilustr. 18,5 cm. (Les Maîtres étrangeres).

Ilustraciones de Edmond Ernest.

WASHINGTON. *Congreso.* 45-29247.

6200

La vie de Lazare de Tormes. (En *Romans picaresques espagnols... Introduction, chronologie, bibliographie par M. Molho et J.-F. Reille.* París. Gallimard. 1968).

MADRID. *Nacional.* 7-94.107.

f) GASCONAS

6201

La bito dou Lazarilhe des Tourmès e de sas fourtunos e adbersitas. Birat per l'A. Cator, de Flourenso de Gäuro. Auch. Soulé. 1914. 119 págs.

16.º (Cap-Obras ansyanos et moudernos birados en gascoun).

g) GRIEGAS

6202

[*Ho Stauros tou Notou*]. Atenas. [s. a., 1952?]. 181 págs. 22 cm.
WASHINGTON. *Congreso.* 99235.

6203

[*El Lazarillo de Tormes. Trad. griega por Ioulias Iatride*]. Atenas. 1971. 103 págs. 20,5 cm.
MADRID. *Nacional.* 7-111.265.

h) HÚNGARAS

6204

LAZARILLO de Tormes. Elege, jó sora és viszontagságai... [*Forditotta: Bleny he Janos...*]. Budapest. Europakonyvkiado. 1958. 126 págs. con ilustr. 17 cm.
MADRID. *Nacional.* 7-97.351.

i) INGLESAS

6205

The pleasant History of Lazarillo de Tormes, a Spanyard, wherein is contayned his maruailhous deedes and Life, with ye strange aduentures happened to him in ye seruice of sundery Matters, drawn out of Spanish by Dauid Rowland of Anglesey. Londres. Henrie Binneman. 1576.

Perdida. (V. Santoyo, *Ediciones y traducciones inglesas...*, págs. 27-31).

6206

The Pleasaunt Histoire of Lazarillo de Tormes, a spaniarde, wherein is conteined his marueilous deedes and life. With the straunge aduentures happened to him in the seruice of sundrie Masters. Drawen out of Spanish by Dauid Rouland of Anglesey. Londres. Abell Ieffes. 1586. 126 págs. 19 cm.

Santoyo, págs. 31-37.
LONDRES. *British Museum.* C.57.aa.2.

———

—Facsimil, edited by J. E. V. Crofts. Oxford. B. Blackwell. 1929. XV + 80 págs.
NUEVA YORK. *Public Library.*
—Reprod. fotostática: Huntington Library. 1931?
ITHACA. *Cornell University.*—SAN MARINO, Cal. *Henry E. Huntington Library.*
—University Microfilm, n.º 15868.
ANN ARBOR. *University of Michigan.*—CHARLOTTESVILLE. *University of Virginia.*
—Reprint. Oxford. B. Blackwell. 1924. XV + 80 págs. 20 cm. (The Percy reprints, 7).
WASHINGTON. *Congreso.* 25-3037.

———

—*The plesant Historie of Lazarillo de Tormes...* Londres. Abell Ieffes. 1596. 66 fols. 17,4 cm.
Santoyo, págs. 124-25.
LONDRES. *British Museum.* G.10.136.—SAN MARINO, Cal. *Henry E. Huntington Library.*
—Londres. J. H. 1624. Sign. A-L.⁴ 13,6 cm.
Santoyo, págs. 125-26.
Con la *Segunda parte* de Luna.
LONDRES. *British Museum.* C.62.aa.18.—SAN MARINO, Cal. *Henry E. Huntington Library.*
WASHINGTON. *Folger Shakespeare Library.*
—Londres. William Leake. 1639. 14,3 cm.
Sigue la *Segunda parte* de Luna.
Santoyo, pág. 127.
CHICAGO. *Newberry Library.* — CAMBRIDGE, Mass. *Harvard University.* — LONDRES. *British Museum.* C.70.aa.29.—SAN MARINO, Cal. *Henry E. Huntington Library.* — WASHINGTON. *Folger Shakespeare Library.*
—*Lazarillo, or, The excellent history of Lazarillo de Tormes, the witty Spaniard. Both parts. The first translated by David Rowland, and the second gather'd out of the chronicles of Toledo by Iean de Luna a Castilian, and done into English by the some author...* Londres. William Leake. 1653. 347 págs. 14,5 cm.
Santoyo, págs. 128-30.
CAMBRIDGE, Mass. *Harvard University.*—LONDRES. *British Museum.* 1209.a.24.—NEW HAVEN. *Yale University.*
—Londres. R. Hodgkinsonne. 1655. 336 páginas. 14 cm.
Santoyo, pág. 133.
ANN ARBOR. *University of Michigan.* — NEW HAVEN. *Yale University.*
—Londres. Printed by B. G. for W. Leake. 1669-70. 2 vols. 15 cm.

Santoyo, págs. 133-34.
CHICAGO. *Newberry Library.*—LONDRES. *British Museum.* 12491.aaa.20.—MADRID. *Nacional.* R-4.713.
—Londres. E. Hodgkinson. 1677. 11 + 4 + 87 págs. 15 cm.
Santoyo, págs. 134-35.
GAINESVILLE. *University of Florida.*—LONDRES. *British Museum.* 12491.b.15. — NEW HAVEN. *Yale University.* — NUEVA YORK. *Public Library.*

6207

The most pleasaunt and delectable histoire of Lazarillo de Tormes, a Spanyard, and of his marvellous fortunes and adversities. The second part. Translated out of Spanish into English, by W[illiam] P[histon]. Londres. T. C. for J. Ovenbridge. 1596. 72 págs. 17 cm.
CAMBRIDGE, Mass. *Harvard University.*—LONDRES. *British Museum.* G.10136. — SAN MARINO, Cal. *Henry E. Huntington Library.* SEATTLE. *University of Washington.* — WASHINGTON. *Folger Shakespeare Library.*

— — —

Reprod.: University microfilms, n.° 15070.
ANN ARBOR. *University of Michigan.*—CHARLOTTESVILLE. *University of Virginia.*

6208

The pvrsvuit of the histoire of Lazarillo de Tormes. Gathered ovt of the ancient chronicles of Toledo. By Iean de Lvna. And now done into English, and set forth by the same author. Londres. B. Alsop for T. Walkley. 1622.
Trad. de Thomas Walkley.
ANN ARBOR. *University of Michigan.*—WASHINGTON. *Folger Shakespeare Library.*

— — —

—Londres. Printed by G. P. for Richard Hawkins. 1631.
SAN MARINO, Cal. *Henry E. Huntington Library.*
—1631.
ANN ARBOR. *University of Michigan.*

6209

The pleasant history of Lazarillo de Tormes, a Spanyard, wherein is con-

tained his maruellous deeds and life... Drawen out of Spanish, by Dauid Rowland... Londres. Printed by J. H. 1624. 8.°
SAN MARINO, Cal. *Henry E. Huntington Library.*—WASHINGTON. *Folger Shakespeare Library.*

— — —

—The third edition, corrected and amended... Londres. Printed by E. G. for William Leake. 1639.
Con la *Segunda parte* de Luna.
ANN ARBOR. *University of Michigan.* — CAMBRIDGE, Mass. *Harvard University.*—CHICAGO. *Newberry Library.*—SAN MARINO, Cal. *Henry E. Huntington Library.*—VANCOUVER. *University of British Columbia.*—WASHINGTON. *Folger Shakespeare Library.*

6210

The pleasant adventures of the witty Spaniard, Lazarillo de Tormes... Being all the true remains of that... author. To which is added, The life and death of young Lazarillo, heir apparent to old Lazarillo de Tormes... Londres. J. Leake. 1688. 6 hs. + 203 págs. 15 cm.
V. Sims, E. R. *Four Seventeenth Century Translations of Lazarillo de Tormes...;* Santoyo, págs. 136-37.
CHICAGO. *Newberry Library.*—OXFORD. *Bodleian Library.*

6211

The life and adventures of Lazarillo de Tormes. Written by himself. Translated from the original Spanish. Londres. Bonwick. 1708. 6 hs. + 257 págs. 8.°
Trad. anónima, basada en la francesa de Charnés, revisada por Backer.
BOSTON. *Public Library.*

— — —

—Londres. R. and J. Bonwick and R. Wilkin, etc. 1726. 6 + 257 págs. con ilustr. 14 cm.
Santoyo, págs. 138-41.
BLOOMINGTON. *Indiana University.*—CHICAGO. *Newberry Library.* — LONDRES. *British Museum.* 12490.aaaa.14.

—Edinburgh. Pr. [s. a., tras 1726]. VII + 257 págs. 15 cm.

Reed. de la de 1726.

Con la *Primera parte*, más el capítulo de los tudescos, y la *Segunda* de Luna.

Santoyo, págs. 142-43.

URBANA. *University of Illinois.*—WORCESTER. *American Antiquarian Society.*

—Londres. S. Bladon. 1777. XI + 165 págs. 16 cm.

Santoyo, págs. 144-45.

ANN ARBOR. *University of Michigan.*—BOSTON. *Public Library.*—CHICAGO *Public Library.*—LONDRES. *British Museum.* 12490.aaaa.24. — NEW HAVEN. *Yale University.*

—Londres. J. Bell. 1789. 2 vols. 17,5 cm.

En el tomo II, la *Segunda parte* de Luna.

ANN ARBOR. *University of Michigan.* — CAMBRIDGE, Mass. *Harvard University.*—KNOXVILLE. *University of Tennessee.* — LONDRES. *British Museum.* 12491.bb.36.—URBANA. *University of Illinois.*—WASHINGTON. *Congreso.* 37-11087.

6212

The adventures of Lazarillo de Tormes. Tr. from the Spanish. 21 ed. Londres. Benbow. 1821. VIII + 215 págs. 18 cm.

Reed. de la de 1777.

Santoyo, págs. 148-49.

ANN ARBOR. *University of Michigan.*—BERKELEY. *University of California.*—LONDRES. *British Museum.* 12490.aaa.28 (1). — PRINCETON. *Princeton University.*—WASHINGTON. *Congreso.* 7-19156 Rev.

6213

[Lazarillo de Tormes]. (En *The Spanish Novelist: a series of tales... Translated... by Thomas Roscoe.* Tomo I. Londres. Richard Beutley. 1832, págs. 51-126).

Santoyo, págs. 150-51.

LONDRES. *British Museum.* N.907.

— — —

—*The life and adventures of Lazarillo de Tormes...* Nueva York. Worthington Co. 1890.

Con el *Guzmán de Alfarache*, de Alemán.

Santoyo, págs. 157-58.

—*The Spanish comic novel, Lazarillo de*

Tormes. Glasgow. John Calder & Co. 1876. VI + 102 págs. 18,2 cm.

Santoyo, págs. 152-53.

LONDRES. *British Museum.* 12490.bbb.4.

6214

Lazarillo, the Spanish rogue. From the Spanish of Don Diego Mendoza. The twentyfourth edition, revised by William Hazlitt... Londres. J. K. Chapman and Co. [1852]. 24 págs. 28,5 cm. (Illustrated literature of all nations, 22).

Santoyo, págs. 151-52.

LONDRES. *British Museum.* 12410.g.—NUEVA YORK. *Public Library.* — WASHINGTON. *Congreso.*

6215

The life and adventures of Lazarillo de Tormes, tr. from the Spanish of Don Diego Hurtado de Mendoza, by Thomas Roscoe.—The life and adventures of Guzman d'Alfarache, or The Spanish rogue, by Mateo Alemán, from the French edition of Le Sage, by John Henry Brady... Londres. J. C. Nimmo and Bain. [1880]. 2 vols. 21 cm.

Santoyo, pág. 155.

BOSTON. *Public Library.*

— — —

—1881.

BOSTON. *Public Library.* — CAMBRIDGE, Mass. *Harvard University.*—CHICAGO. *University of Chicago.* — NEW HAVEN. *Yale University.* — URBANA. *University of Illinois.*

—Nueva York. Wortington Co. 1890. 2 vols. 21 cm.

CAMBRIDGE, Mass. *Harvard University.* — CHARLOTTESVILLE. *University of Virginia.* — FILADELFIA. *University of Pennsylvania.* — PRINCETON. *Princeton University.*

6216

The life of Lazarillo de Tormes, his fortunes & adversities; tr. from the edition of 1554 (printed at Burgos) by Clements Markham... With a notice of the Mendoza family, a short life of the author, Don Diego Hur-

tado de Mendoza, a notice of the work, and some remarks on the character of Lazarillo de Tormes. Londres. A. and C. Black. 1908. XXXVI + 105 págs. con ilustr. 23 cm.

a) Fitzmaurice-Kelly, J., en *The Modern Language Review*, IV, Liverpool, págs. 258-262.

Santoyo, págs. 159-60.

BERKELEY. *University of California.*—FILADELFIA. *University of Pennsylvania.*—KNOXVILLE. *University of Tennessee.*—LONDRES. *British Museum.* 12489.t.2.—NEW HAVEN. *Yale University.*—NUEVA YORK. *Public Library.*—WASHINGTON. *Congreso.* 9-5519.

6217

The life of Lazarillo de Tormes and his fortunes and adversities, done out of the Castilian from R. Foulché-Delbosc's restitution of the editio princeps, by Louis How, with an introduction and notes by Charles Philip Wagner. Nueva York. M. Kennerley. 1917. XLIX + 150 págs. 19 cm.

a) Northup G. T., en *Modern Philology*, XVI, Chicago, 1918, págs. 385-89.

Santoyo, págs. 160-61.

ANN ARBOR. *University of Michigan.*—BOSTON. *Public Library.*—COLUMBUS. *Ohio State University.*—FILADELFIA. *Free Library.*—*University of Pennsylvania.*—WASHINGTON. *Congreso.* 17-12486.

6218

Lazarillo of Tormes; his life, fortunes, misadventures, translated by Mariano J. Lorente. Boston. J. W. Luce and Co. 1924. 143 págs. 21,5 cm.

Santoyo, pág. 163.

BERKELEY. *University of California.*—DURHAM. *Duke University.*—WASHINGTON. *Congreso.* 24-29961.

6219

The pleasant history of Lazarillo de Tormes, his fortunes and adversities,

containing the strange adventures that befell him in the service of sundry masters, as written supposedly by Diego Hurtado de Mendoza; together with the pursuit or second part of his life, as related by Juan de Luna; with a general introduction to the Rogues' bookshelf, by Carl Van Doren. Nueva York. Greenberg. 1926. XXV + 240 págs. 20 cm. (The rogues' bookshelf).

WASHINGTON. *Congreso.* 21-9640.

6220

The life of Lazarillo de Tormes, his fortunes and adversitics. Translated by J. Gerald Markley, with a introduction by Allan G. Holaday. Nueva York. Liberal Arts Press. 1954. 68 págs. 21 cm. (The Library of liberal arts, 37).

a) Hubbell, J. L., en *Revista Hispánica Moderna*, XXIII, Nueva York, 1957, pág. 176.

Santoyo, págs. 171-72.

ANN ARBOR. *University of Michigan.*—BERKELEY. *University of California.*—CHAPEL HILL. *University of North Carolina.*—URBANA. *University of Illinois.*—WASHINGTON. *Congreso.* 55-34585.

— — —

—Variante: Indianápolis. Bobbe - Merrill. [s. a., c. 1954].

EVANSTON. *Northwestern University.*—SPOKANE. *Gonzaga University.*—URBANA. *University of Illinois.*

6221

The life of Lazarillo de Tormes, his fortunes and adversities. Translated from the Spanish, with notes and introduction by Harriet de Onís. Great Neek, N. Y. Barron's Educational Series. [1959]. XVIII + 74 páginas. 19 cm.

a) Stamm, en *Hispania*, XLIII, 1960, pág. 452.

WASHINGTON. *Congreso.* 59-2360.

6222

[*La vida de Lazarillo de Tormes*]. (En *Blind man's boy. Miguel de Cervantes: two Cautionary tales. Newly translated from the Spanish, by J. M. Cohen*. [Londres]. New English Library. [1962], págs. 1-52).
MADRID. *Consejo. Instituto «M. de Cervantes»*. V-187. — WASHINGTON. *Congreso*. NUC 65-77525.

6223

The life of Lazarillo de Tormes: his fortunes and adversities. Translated by W. S. Merwin. With an introduction by Leonardo C. de Morelos. Garden City, N. Y. Doubleday. 1962. 152 págs. 18 cm. (Anchor books, A316).
a) Browns, J. R., en *Hispania*, XLVI, Appleton, 1963, págs. 438-39.
b) Hutman, N. L., en *Yearboof of Comparative and General Literature*, XII, Chapel Hill, 1963, págs. 82-83.
WASHINGTON. *Congreso*. 62-15925 rev.

— — —

—Gloucester, Mass. P. Smith. 1970. 152 págs.
—1977.
WASHINGTON. *Congreso*. NUC 71-92651.

6224

The life of Lazarillo de Tormes; his fortunes and adversities. A modern translation with notes by James Parsons. Introduction by Glen Willbern. Nueva York. American R. D. M. Corp. [1966]. 76 págs. 21 cm. (A Study master publication, T-47).
WASHINGTON. *Congreso*. 68-3146

6225

[*Lazarillo de Tormes*]. (En *Two Spanish picaresque novels: ——. Anon. — The Swindler* [*El Buscón*]. Francisco de Quevedo. *Translated from the Spanish by Michael Alpert*. Baltimore. Penguin Books. 1969).
Santoyo, págs. 178-80.

—1971.
—1973.
—1975.
—1977.

6226

The Life of Lazarillo de Tormes... Translated and with Introduction by Robert S. Rudder. With a sequel by Juan de Luna. Translated by Robert S. Rudder with Carmen Criado... Nueva York. Ungar. 1973. XXI + 245 págs. con ilustr. 21 cm.

j) ITALIANAS

6227

Il Picariglio Castigliano, Cioè la vita di Lazariglio di Tormes Nell'Academia Picaresca lo Ingegnoso Sfortunato, Composta, et hora accresciuta dallo stesso Lazariglio, et trasportata dalla Spagnuola nell'Italiana fauella da Barezzo Barezzi... 2.ª impressione. Venecia. Preso il Barezzi. 1622. 20 hs. + 263 págs. + 1 h. 8.º
Toda, *Italia*, II, núms 2345-46.

ANN ARBOR. *University of Michigan*. — CAMBRIDGE, Mass. *Harvard University*.—COLUMBUS. *Ohio State University*.—LONDRES. *British Museum*. 12490.a.29.—PARIS. *Arsenal*. 8º BL.29650.

— — —

—1626. 2 hs. + 263 págs.
Toda, *Italia*, II, n.º 2.347.
ANN ARBOR. *University of Michigan*.—DURHAM. *Duke University*.
—1632.
Toda, *Italia*, II, n.º 2.348.
—1635. 26 hs. + 368 págs.
Con la *Segunda parte* anónima.
Toda, *Italia*, II, n.º 2.349.
ANN ARBOR. *University of Michigan*.—GENOVA. *Universitaria*. 3.GG.IV.35.—IOWA CITY. *University of Iowa*.—LONDRES. *British Museum*. 244.1.31. — MADRID. *Nacional*. R-9.727. PARIS. *Arsenal*. BL.29651 (1-2).

6228

Dalla vita di Lazarillo da Tormes. Composta da Don Diego de Mendoza. (En SAGGI *in verso e in prosa di Letteratura Spagnuola...* Como. 1836, págs. 273-98).
Trad. abreviada.
Toda, *Italia*, II, n.º 2.350.

6229

Vita e avventure di Lazzarino di Tormes. Tradotto per Ferdinando Carlesi. Florencia. F. Lumachi. 1907. XXIX + 76 págs.

a) De Lollis, C., en *Cultura*, XXVI, Florencia, 1907, pág. 98.
b) Léonardon, H., en *Revue Critique d'Histoire et de Littérature*, LXV, París, 1908, pág. 12.
DURHAM. *Duke University.*—MADRID. *Academia de la Historia.* Caja 56, n.º 21.380.—PRINCETON. *Princeton University.*

— — —

—Lanciano. 1917.
—Lanciano. 1926. 123 págs. 18 cm. (Antiche e Moderne).
SAN DIEGO. *University of California.*

6230

La vita e la varia fortuna di Lazzarino di Tormes. Traduzione e prefazione di Luigi Bacci. [Milán. Istituto Editoriale Italiano]. [1914]. 125 págs. (Gli immortali e altri massimi scrittori. Serie II, 77).

ALBANY. *New York State Library.*—BARI. *Nazionale.* Cot. 15/63.

6231

Vita e avventure di Lazzarino di Tormes. Romanzo spagnolo del sec. XVI, nuovamente tradotto da Attilio Scarsella. S. Margherita Ligure. D. Devoto. 1927. XLVI + 150 págs. 24.º

6232

Storia di Lazzarino di Tormes. Traduzione, introduzione e note di A. Giannini. Roma. Formaggini. 1929. 151 págs. con ilustr. (Classici del Ridere, 82).

Ilustraciones de E. Glicensteen.
MADISON. *University of Wisconsin.*—URBANA. *University of Illinois.*

6233

[Storie del Lazarillo de Tormes. Traduzione di Gianfranco Contini]. (En *Narratori spagnoli. Raccolta di romanzi e raconti... a cura di Carlo*

Bo. [Milán]. Bompiani. 1941, págs. 41-67).

Fragmentos.
MADRID. *Nacional.* 4-4.801.

6234

Lazzarino di Tormes. [Urbino. Istituto d'Arte]. [1947]. 93 págs. con ilustr. 27 cm.

CHICAGO. *Newberry Library.*—FLORENCIA. *Nazionale.* B.1948-6053.

6235

La vita di Lazzarino de Tormes. Le sue fortune ed adversità. Trad. e introd. da Elena Raja. Turín. Unione Tip. Ed. Torinese. 1951. 133 págs. 16.º (I Grandi Scrittori Stranieri).

BARI. *Nazionale.* Coll. stran. A-I-145.—FLORENCIA. *Nazionale.* B.1951-3577.

6236

La vida de Lazarillo de Tormes y de sus fortunas y adversidades. Traduzione dallo spagnuolo, introduzione e note a cura di R. Ventura. Módena. Ed. Paoline. 1957. 120 págs. (Maestri. I grandi scrittori di tutti i tempi e di tutte le letterature, 27).

EVANSTON. *Northwestern University.*—FLORENCIA. *Nazionale.* B.1957-11533.—PRINCETON. *University.*

6237

Lazzarino di Tormes. — La faina di Siviglia, di Alonso de Castillo Solórzano. Introduzione e traduzione a cura di Elena Raja. Turín. F. Toso. 1960. 234 págs.

PISA. *Universitaria.* Coll. 271/145.

6238

Lazzarino di Tormes. Traduzione e prologo a cura di Antonio Gasparetti. Milán. Rizzoli. 1960. 280 págs. (Biblioteca Universale Rizzoli, 1587-89).

6239

Vita, avventure e avversità di Lazarillo de Tormes. Traduzione e note

a cura di Clemente Fusero. Milán.
E. Dall'Oglio. 1961. 13 págs. (I corvi,
77).

6240

*Vita di Lazzariglio del Torme, dallo
spagnuolo tradotta del Oiluigi Jazzoutesse. Edizione e promessa a cura
di Giovanni M. Bertini.* Turín. Bot-
tega d'Erasmo. 1964. 64 págs. 25 cm.
WASHINGTON. *Congreso.* NUC 73-648.

6241

*Vita, avventure e avversità di Laza-
rillo de Tormes... [Traduzione e note
di Clement Fuscro].* Milán. Dell'
Oglio. [1965]. 134 págs. (I corvi, 77).
BLOOMINGTON. *Indiana University.*

k) LATINA

6242

ALEMAN, MATEO. *Vitae Humanae
Proscenium: In quo sub persona
Gusmani Alfaracii virtutes e vita...
Caspare Ens.* Colonia Agrippina. Pe-
trus a Brachel. 1623.

En su traducción del Guzmán de Alfara-
che, Ens sustituyó la historia de Ozmín y
Daraxa por el *Lazarillo,* intercalándolo en
la novela de Alemán.
NUEVA YORK. *Hispanic Society.*—PARIS. *Natio-
nale.* Y.²11150.
—Reed. el *Lazarillo,* por J. Fitzmaurice-
Kelly, en *Revue Hispanique,* XV, Nueva
York-París, 1906, págs. 771-95.

l) NEERLANDESAS

6243

*De ghenuechlijke ende cluchtighe
historie van Lazarus van Tormes...*
Amberes. Heyndrich Heydricsen.
1579. 12.º

6244

*'t Wonderlyk Leben, klugtige Daden,
en dappre Schimpernst. Van Lazarus van Tormes. Nieuwelijcks uit*

*Spaans in beknopt Duits, door D. D.
Harvy vertaalt.* Utrecht. 1653. 12.º
LONDRES. *British Museum.* 12491a.14..

6245

T'leeven van Lazarus van Tormus.
Amsterdam. Baltes Boekholt. 1669.
320 págs. 420 cm.
ITHACA. *Cornell University.*

6246

*Het leven van Lazarillo de Tormes.
En over zijne onfortuinlijkheden en
tegenspoeden. Uit het Spuansch vertaald door Sofie Erens- Bouvy, met
eene inleiding van... P. H. van Moerkerken.* Amsterdam. S. van Looy.
1922. 108 págs. 21 cm.
ITHACA. *Cornell University.*

6247

*Het leven van Lazarillo de Tormes
en over zijn wederwaadigheden en
tegenslagen.* [Utrecht]. De Roos.
1953. 106 págs. con ilustr. 27 cm.
MADRID. *Academia Española.* 12-11=16. Consejo. *Instituto «M. de Cervantes».* XVIII-
117.—NEW HAVEN. *Yale University.*

6248

*Het Leven von Lazarillo de Tormes.
En over zijn wederwaardighenden
en tegenslagen. [Inleiding: C. F. A.
van Dam].* Amsterdam. Wereld - Bi-
bliotheek Verleninging. 1965. 111 páginas 8.º

— — —

—2.ª ed. Utrecht. 1965.
MADRID. *Academia Española.* F.54-250. Consejo. *General.*—WASHINGTON. *Congreso.* NUC
68-64125.

ll) POLACAS

6249

*Zymot Lazika z Tormesu, prel i
poslowiem opatrzyl Maurycy Mann.*
Varsovia. Panstwowy. Instytut Wy-
dawriczy. [1959]. 110 págs. 18 cm.
DETROIT. *Wayne State University.*

m) PORTUGUESAS

6250

Aventuras maravilhosas de Lazarilho de Tormes. Extrahidas das antigas chronicas de Toledo, por G. F. Grandmaison y Bruno. Traduzidas... la lingua francesa. París. Aillaud. 1838.

AMHERST, Mass. *Amherst College.* — PARIS. *Nationale.* Y.²40149.

6251

Aventuras de Lazarilho de Tormes, de Diego Hurtado de Mendoza. Romance picaresco. Trad., pref. e notas de Antonio Lages. Río. Vecchi. 1939. 142 págs. (Col. Livros de Sempre, III, 1).

n) RUMANAS

6252

Intâmplările lui Lazarilă Torma. Tălmăcite dupā limba fran ţozească în cea Rumânească de Scarlat Barbul... Tomo I. Bucarest. Tip. dela Cişmeoa lui Mavroghene. 1826.

Trad. del francés. Alude a una ed. anterior desconocida. El original ms. se conservaba en la Academia Rumana de Bucarest. Mss. 4380.

o) RUSAS

6253

Zizn' Lazaril'o s Tormesa... [Trad. por] *C. Derjavine.* Leningrado. Academia Moskba. 1930. 110 págs. 8.º

6254

Zhizn' Lasaril'o s Tormesa, ego nevzgody i zlokliuchenlia. Perevod s ispankogo [i predislovie K. N. Derzhavina]. Moscú. Khudoz h. let.-ra. 1967. 78 págs. con ilustr. 20 cm. (Narodnaia biblioteka).

Con ilustraciones de D. Dubinsky.

MADRID. *Nacional.* Cir-2.710. — WASHINGTON. *Congreso.* NUC 76-64162.

p) SUECAS

6255

Lazarillo de Tormes och Pablos de Segovia. Tvá skälmromaner, översatta frân spanskan och försedda med en inledning av E. Kihlman. Helsingfors. Holger Schildt. 1923. 316 págs. 8.º

q) YUGOSLAVAS

6256

Lazarillo de Tormes, Pikareskni roman nepoznata spanjolskog autora is XVI stoljeca. [Trad. por] *J. Sedmak.* Zagreb. Mladost. 1951.

ESTUDIOS

INTERPRETACIÓN Y CRÍTICA

6257

VIARDOT, LOUIS. *Lazarillo de Tormes.* (En *La Revue Indépendente,* V, París, 1842, págs. 410-60).

6258

STAHR, K. B. *Mendozas Lazarillo de Tormes und die Bettler- und Schelmenromane der Spanier.* (En *Deutsche Jahrbücher für Politik und Literatur,* III, Berlín, 1862, págs. 411-444).

6259

BARINE, ARVÈDE. *Les gueux d'Espagne: Lazarillo de Tormes.* (En *Revue des Deux Mondes,* LXXXVI, París, 1888, págs. 870-904).

6260

LAUSER, WILHELM. *Der erste Schelmenroman. Lazarillo von Tormes.* Stuttgart. Cotta. 1889. 181 págs.

6261

FOULCHE - DELBOSC, RAYMOND. *Remarques sur «Lazarillo de Tormes».* (En *Revue Hispanique,* VII, Nueva York-París, 1900, págs. 81-92).

6262

GAUCHAT, L. «Lazarillo de Tormes» und die Anfänge des Schelmeromans. (En Archiv für das Studium der neueren Sprachen, XIX, Friburgo, 1912, págs. 430-44).

6263

RUIZ VALLEJO, VIDAL. Filosofía pedagógica del «Lazarillo de Tormes». (En España y América, año XXV, Madrid, 1927, n.º 3, págs. 117-125; n.º 4, págs. 110-19).

6264

VALDIZAN, H. Perfiles psiquiátricos. El «Lazarillo de Tormes». (En Mercurio Peruano, XV, Lima, 1925-1929, págs. 363-71).

6265

HABIB, LYDIA K. Notes on the Lazarillo de Tormes. Columbus. The Ohio State University. 1931. 66 págs.

6266

MARASSO, ARTURO. La elaboración del «Lazarillo de Tormes». (En Boletín de la Academia Argentina de Letras, IX, Buenos Aires, 1941, págs. 597-616).
Reed. en sus Estudios de literatura castellana. Buenos Aires. 1955, págs. 157-74.

6267

GONZALEZ PALENCIA, ANGEL. Leyendo el «Lazarillo de Tormes». Notas para el estudio de la novela picaresca. (En Escorial, XV, Madrid, 1944, págs. 9-46).
Reed. en Del «Lazarillo» a Quevedo... Madrid. C.S.I.C. 1946, págs. 3-39.

6268

BERTINI, G. M. Saggio su «Lazarillo de Tormes». (En Il teatro spagnolo del primo Rinascimento... Venecia. F. Montuoro. 1946, págs. 199-315).
MADRID. Nacional. 4-40.291.

6269

CASTILLO, HOMERO. El comportamiento de Lázaro de Tormes. (En Hispania, XXXIII, Storr. 1950, páginas 304-10).

6270

ZAMORA VICENTE, ALONSO. Lázaro de Tormes, libro español. (En Presencia de los clásicos. Buenos Aires. 1951, págs. 11-29).

6271

CASTRO, AMERICO. La «novedad» y las «nuevas». (En Hispanic Review, XX, Filadelfia, 1952, págs. 149-53).

6272

SIEBENMANN, GUSTAV. Ueber Sprache und Stil im «Lazarillo de Tormes». Berna. Frauke. 1953. 113 págs. 24,5 cm.
a) Badía i Margarit, A., en Estudis Romanics, IV, Barcelona, 1953-54, págs. 306-307.
b) Baldinger, K., en Zeischrift für romanische Philologie, LXXII, Tubinga, 1956, págs. 153-56.
c) Carballo Picazo, A., en Clavileño, V, Madrid, 1954, n.º 27, págs. 72-73.
d) Cisneros, L. J., en Mar del Sur, X, Lima, 1953, págs. 89-90.
e) Latorre, F., en Romanische Forschungen, LXVII, Colonia, 1955, págs. 383-87.
f) Sandmann, M., en Vox Romanica, XIV, Berna, 1954-55, págs. 387-91.
g) Sobejano, G., en Revista de Filología Española, XXXVII, Madrid, 1953, págs. 324-32.
MADRID. Consejo. Instituto «M. de Cervantes». XVIII-173.

6273

ALVAREZ MORALES, M. La ejemplar humildad del Lazarillo. Santiago de Cuba. Universidad de Oriente. 1954. 31 págs.

6274

BATAILLON, MARCEL. El sentido de «Lazarillo de Tormes». París. Editions Espagnoles. 1954. 29 págs.

a) Carballo Picazo, A., en *Revista de Filología Española*, XXXIX, Madrid, 1955, págs. 408-10.

6275

GIUSSO, LORENZO. *Un romanzo picaresco*. (En *Dialoghi*, II, Roma, 1954, págs. 55-62).

6276

MORREALE, MARGARITA. *Reflejos de la vida española en el «Lazarillo»*. (En *Clavileño*, Madrid, 1954, n.º 30, págs. 28-31).

6277

NADAL, C. *Función del mundo físico en el Lazarillo*. (En *Correo Literario*, V, Madrid, 1954, n.º 8).

6278

CARILLA, EMILIO. *Dos notas sobre el «Lazarillo»*. (En *Universidad Pontificia Bolivariana*, XX, Medellín, Colombia, 1955, págs. 317-26).

6279

GARCIA, PABLO. *Variaciones en torno al «Lazarillo»*. (En *Atenea*, CXXI, Concepción, 1955, págs. 430-39).

6280

GUERRERO PEREZ, F. *Lazarillo de Tormes*. Santiago de Chile. Universitaria. 1955.

a) Guzmán Chávez, T., en *Anales de la Universidad de Chile*, CXV, Santiago de Chile, 1956, págs. 170-72.

6281

GUILLEN, CLAUDIO. *La disposición temporal del «Lazarillo»*. (En *Hispanic Review*, XXV, Filadelfia, 1957, págs. 264-79).

6282

JAUSS, HANS ROBERT. *Ursprung und Bedeutung der Ich-Form im «Lazarillo de Tormes»*. (En *Romanistisches Jahrbuch*, VIII, Hamburgo, 1957, págs. 290-311).

6283

MALDONADO DE GUEVARA, FRANCISCO. *Interpretación del «Lazarillo de Tormes»*. Madrid. Universidad. Facultad de Filosofía y Letras. 1957. 68 págs.

a) Palomo, M. del P., en *Revista de Literatura*, XI, Madrid, 1957, págs. 220-22.
b) Rüegg, A., en *Zeitschrift für romanische Philologie*, LXXXV, Tubinga, 1959, págs. 189-91.
c) Sánchez, A., en *Insula*, Madrid, 1957, n.º 128, pág. 15.

6284

SICROFF, ALBERT A. *Sobre el estilo del «Lazarillo»*. (En *Nueva Revista de Filología Hispánica*, XI, Méjico, 1957, págs. 157-70).

6285

ALONSO, DAMASO. *El realismo psicológico en el «Lazarillo»*. (En *De los siglos oscuros al de Oro...* Madrid. Gredos. 1958, págs. 226-30).

6286

CARILLA, EMILIO. *El «Lazarillo de Tormes»*. (En sus *Estudios de literatura española*. Rosario. Universidad Nacional del Litoral. 1958, págs. 73-103).

6287

TIERNO GALVAN, ENRIQUE. *¿Es el «Lazarillo» un libro comunero?* (En *Boletín Informativo del Seminario de Derecho Político de la Universidad de Salamanca*, Salamanca, 1958, n.º 20-23, pág. 219).

6288

ZAMORA VICENTE, ALONSO. *Gastando el tiempo. (Tres páginas del «Lazarillo»)*. (En *Voz de la letra*. Madrid. Espasa-Calpe. 1958, págs. 91-94).

MADRID. *Nacional*. 7-35.111.

6289

KRUSE, MARGOT. *Die parodistischen Elemente im «Lazarillo de Tormes».* (En *Romanistisches Jahrbuch*, X, Hamburgo, 1959, págs. 292-304).

6290

WILLIS, RAYMOND S. *Lazarillo and the Pardoner: The artistic necessity of the Fifth «Traçtado».* (En *Hispanic Review*, XXVII, Filadelfia, 1959, págs. 267-79).

6291

ASENSIO, MANUEL J. *La intención religiosa del «Lazarillo de Tormes» y Juan de Valdés.* (En *Hispanic Review*, XXVI, Filadelfia, 1959, págs. 78-102). — *Más sobre el «Lazarillo de Tormes».* (En idem, XXVIII, 1960, págs. 245-50).

6292

AYALA, FRANCISCO. *Formación del género novela picaresca: el «Lazarillo de Tormes».* (En *Cultura Peruana*, Lima, 1960, n.º 44, págs. 78-87).

— — —

Reed. en *Experiencia e invención.* Madrid. Taurus. 1960, págs. 127-47.
MADRID. *Nacional.* 1-219.180.

6293

CARILLA, EMILIO. *Cuatro notas sobre el «Lazarillo».* (En *Revista de Filología Española*, XLIII, Madrid, 1960, págs. 97-116).

6294

LIEB, R. *Religiöser Humor im Lazarillo.* (En *Miscelánea de Estudios Arabes y Hebraicos*, IX, Granada, 1960, págs. 53-58).

6295

MALDONADO DE GUEVARA, FRANCISCO. *El niño y el viejo: desmitologización en el «Lazarillo» y en el* «Quijote». (En *Anales Cervantinos*, VIII, Madrid, 1959-60, págs. 241-306).

— — —

—*Desmitificación en el «Lazarillo de Tormes»*, en *Tiempo de niño y tiempo de viejo con otros ensayos.* Madrid. Universidad. 1962, págs. 31-59.
MADRID. *Nacional.* V-5.135-11.

6296

PEREZ, LOUIS C. *On Laughter in the «Lazarillo de Tormes».* (En *Hispania*, XLIII, Storr, 1960, págs. 529-533).

6297

GUGLIELMI, NILDA. *Reflexiones sobre el «Lazarillo de Tormes».* (En *Humanidades*, XXXVIII, La Plata, 1961, págs. 37-82).

6298

PIPER, ANSON C. *The Breadly Paradise of Lazarillo de Tormes.* (En *Hispania*, XLIV, Storr, 1961, págs. 269-71).

6299

THOMSON, C. W. *Aspekte des Grotesken im «Lazarillo de Tormes».* (En *Die neueren Sprachen*, X, Francfort, 1961, págs. 584-95).

6300

WARDROPPER, BRUCE W. *El trastorno de la moral en el «Lazarillo».* (En *Nueva Revista de Filología Hispánica*, XV, Méjico, 1961, págs. 441-447).

6301

MALANCA DE RODRIGUEZ ROJAS, A. *El mundo del equívoco en el «Lazarillo de Tormes».* (En *Humanidades*, V, Montevideo, 1962, págs. 134-162).

6302

BAADER, H. *Noch einmal zur Ich-Form im «Lazarillo de Tormes».* (En

Romanische Forschungen, LXXVI, Colonia, 1964, págs. 437-46).

6303
DEFANT, ALBA. El «*Lazarillo de Tormes*» *(tema y estructura técnica del hombre)*. (En *Humanitas*, XII, Tucumán, 1964, págs. 107-23).

6304
MOON, H. K. *Humor in the* «*Lazarillo de Tormes*». (En *Brigham Young University Studies*, V, 1964, págs. 183-91).

6305
OTERO, C. P. *Comento de centenario al* «*Lazarillo de Tormes*». (En *Ateneo*, Madrid, 1964, n.º 72, pág. 17).

6306
RUMEAU, A. *Notes au Lazarillo*. París. Edics. Hispano-Americanas. 1964. 38 págs.

6307
AGUADO - ANDREUT, SALVADOR. *Algunas observaciones sobre* «*El Lazarillo de Tormes*». Guatemala. Edit. Universitaria. 1965. 243 págs. con ilustr. 21 cm.
a) Villegas, J., en *Hispania*, L, Baltimore, 1967, págs. 182-83.
MADRID. *Nacional*. 1-150.839. — WASHINGTON. *Congreso*. 66-90286.

6308
DEYERMOND, A. D. *Lazarus-Lazarillo*. (En *Studies in Short Fiction*, II, Newberry, 1965, págs. 351-57).

6309
DEYERMOND, A. D. *The Corrupted Vision: Further Thoughts on Lazarillo de Tormes*. (En *Forum for Modern Language Studies*, I, St. Andrews, 1965, págs. 54-57).

6310
WOODWARD, L. J. *Author - Reader Relationship in the* «*Lazarillo de Tormes*». (En *Forum for Modern Language Studies*, I, St. Andrews, 1965, págs. 43-53).

6311
GILMAN, S. *The Death of Lazarillo de Tormes*. (En *Publications of the Modern Language Association of America*, LXXXI, Nueva York, 1966, págs. 149-66).

6312
RICO, FRANCISCO. *Problemas del* «*Lazarillo*». (En *Boletín de la Real Academia Española*, XLVI, Madrid, 1966, págs. 277-96).

6313
ABRAMS, F. *To Whom was the Anonymus* «*Lazarillo de Tormes*» *Dedicated?* (En *Romance Notes*, VIII, Chapel Hill, 1966-67, págs. 273-77).

6314
ALVAREZ, GUZMAN. *En el texto del* «*Lazarillo de Tormes*». (En ACTAS *del Segundo Congreso Internacional de Hispanistas*. Nimega. 1967, págs. 173-180).
Se ocupa especialmente de la palabra «aviso».

6315
AYALA, FRANCISCO. *El Lazarillo: nuevo examen de algunos aspectos*. (En *Cuadernos Americanos*, Méjico, 1967, n.º 150, págs. 209-35).

6316
BOREL, J. P. *La literatura y nosotros. Otra manera de leer el* «*Lazarillo de Tormes*». (En *Revista de Occidente*, 2.ª serie, Madrid, 1967, n.º 46, págs. 83-96).

6317
JOSET, J. *Le* «*Lazarillo de Tormes*» *témoin de son temps?* (En *Revue des Langues Vivantes*, XXXIII, Bruselas, 1967, págs. 267-88).

6318

BATAILLON, MARCEL. *Novedad y fecundidad del Lazarillo de Tormes.* Salamanca. Anaya. 1968. 106 págs. 19 cm.

a) Chamorro, M. I., en *Cuadernos Hispanoamericanos*, Madrid, 1968, n.º 228, páginas 784-87.
b) Reynal, V., en *La Torre*, XVIII, San Juan de Puerto Rico, 1970, págs. 151-53.
MADRID. *Consejo. Instituto «M. de Cervantes».* XI-217. *Nacional.* V-6.959-10.

—2.ª ed. 1973.

MADRID. *Nacional.* V-10.088-1.

6319

BLANCO AMOR, JOSE. *El «Lazarillo de Tormes» espejo de disconformidad social.* (En *Cuadernos del Idioma*, Buenos Aires, 1968, n.º 9, págs. 87-96).

6320

DURAND, F. *The Autor and Lázaro: Levels of Comic Meaning.* (En *Bulletin of Hispanic Studies*, XLV, Liverpool, 1968, págs. 89-101).

6321

GATTI, J. F. *Introducción al «Lazarillo de Tormes».* Buenos Aires. Edit. América Latina. 1968. 91 págs.

a) Nallim, C. O., en *Cuadernos de Filología*, III, Mendoza, 1969, pág. 160.
WASHINGTON. *Congreso.* 70-362465.

6322

JAEN, D. T. *La ambigüedad moral del «Lazarillo de Tormes».* (En *Publications of the Modern Language Association of America*, LXXXIII, Nueva York, 1968, págs. 130-34).

6323

LAZARO CARRETER, FERNANDO. *La ficción autobiográfica en el «Lazarillo de Tormes».* (En *Litterae Hispaniae et Lusitanae.* Munich. Hueber. 1968, págs. 195-213).

6324

JONES, C. A. *«Lazarillo de Tormes»: Survival of Precursor.* (En *Litterae Hispaniae et Lusitanae.* Munich. Hueber. 1968, págs. 181-88).

6325

TRUMAN, R. W. *Parody and Irony in the Self-Portrayal of Lázaro de Tormes.* (En *The Modern Language Review*, LXIII, Liverpool, 1968, páginas 600-5).

6326

CAREY, D. M. *Asides and Interiority in «Lazarillo de Tormes»: a study in psychological realism.* (En *Studies in Philology*, LXVI, Chapel Hill, 1969, págs. 119-34).

6327

GREGORY, P. E. *El Lazarillo como cuadro impresionista.* (En *Hispanófila*, Chapel Hill, 1969, n.º 36, págs. 1-6).

6328

TRUMAN, R. W. *Lázaro de Tormes and the «Homo Novus» Tradition.* (En *The Modern Language Review*, LXIV, Liverpool, 1969, págs. 62-67).

6329

WEINER, JACK. *La lucha de Lazarillo de Tormes por el arca.* (En ACTAS del tercer Congreso Internacional de Hispanistas. Méjico. 1969, págs. 931-934).

6330

CASANOVA, W. *Burlas representables en el «Lazarillo de Tormes». Nota a los tratados quinto y séptimo.* (En *Revista de Occidente*, XCI, Madrid, 1970, págs. 82-94).

6331

McGRADY, D. *Social Irony in «Lazarillo de Tormes» and its Implications for Autorship.* (En *Romance*

Philology, XXIII, Berkeley, 1970, páginas 557-67).

6332

VITT, KARLHEINS. *Studien zum spanischen Schelmeroman «Lazarillo de Tormes».* [Munster]. 1969. [1970]. 420 págs. 8.°
Tesis doctoral.
BERLIN. *Ibero-Amerikanischen Instituts.*

6333

WEINER, JACK. *Una incongruencia en el tercer tratado de «El Lazarillo de Tormes»: Lázaro y el escudero en el río.* (En *Revista Signos*, IV, Valparaíso, 1970, n.° 2, págs. 45-48, y en *Romance Notes*, XII, Chapel Hill, 1971, págs. 1-3).

6334

AYALA, FRANCISCO. *El Lazarillo reexaminado. Nuevo examen de algunos aspectos.* Madrid. Taurus. 1971. 98 págs. 18 cm.
a) Longhurst, C. A., en *Bulletin of Hispanic Studies*, L, Liverpool, 1973, págs. 392-94.
MADRID. *Nacional.* V-8.506-23.

6335

FERRARESI, ALICIA DE. *La realidad ética del «Lazarillo de Tormes» desde una perspectiva erasmista.* (En *Ahnotamid*, IX, Tetuán, 1971, págs. 193-211).

6336

GRANJA, FERNANDO DE LA. *Nuevas notas a un episodio del «Lazarillo de Tormes».* (En *Al-Andalus*, XXXVI, Madrid, 1971, págs. 223-37).

6337

LOMAX, D. W. *On Re-Reading the «Lazarillo de Tormes».* (En STUDIA *Iberica. Festschrift für Hans Flasche.* Berna. 1971, págs. 371-81).

6338

TODESCO, V. *Rileggendo il «Lazarillo de Tormes».* (En *Quaderni Ibero-Americani*, XXXVIII, Turín, 1971, págs. 73-79).

6339

GARCIA DE LA CONCHA, VICTOR. *La intención religiosa del «Lazarillo».* (En *Revista de Filología Española*, LV, Madrid, 1972, págs. 243-78).

6340

LAZARO CARRETER, FERNANDO. *Lazarillo de Tormes en la picaresca.* Barcelona. Ariel. 1972. 232 págs. 18,5 cm.
a) Carreño Eras, P., en *Insula*, Madrid, 1973, n.° 319, págs. 8-9.
MADRID. *Consejo. Instituto «M. de Cervantes».* XXXV-89. *Nacional.* 1-143.931.

6341

ENTRAMBASAGUAS, JOAQUIN DE. *Observaciones sobre la picaresca. El «Lazarillo de Tormes».* (En *Letras de Deusto*, III, Deusto, 1973, págs. 91-102).

6342

HOLZINGER, WALTER. *The Beadly Paradise Revisited: «Lazarillo de Tormes», segundo tratado.* (En *Revista Hispánica Moderna*, XXXVII, Nueva York, 1972-73, págs. 229-36).

6343

CHEVALIER, MAXIME. *La fuite de l'«escudero» («Lazarillo de Tormes», tratado III).* (En *Bulletin Hispanique*, LXXVII, Burdeos, 1975, págs. 319-20).

6344

DEYERMOND, A. D. *«Lazarillo de Tormes»: A Critical Guide.* Londres. Grant and Oates. 1975. 102 págs. 20 cm.
a) Oakley, R. J., en *Modern Language Review*, LXXII, Cambridge, 1977, págs. 719-20.
MADRID. *Nacional.* V-11.061-2.

6345

FRENK-ALATORRE, MARGIT. *Tiempo y narrador en el «Lazarillo». Episodio del ciego.* (En *Nueva Revista de Filología Hispánica*, XXIV, Méjico, 1975, págs. 197-218).

6346

GARCIA LORCA, FRANCISCO. *«Lazarillo de Tormes» y el arte de la novela.* (En Homenaje a la memoria de D. Antonio Rodríguez Moñino. Madrid. 1975, págs. 255-61).

6347

HESSE, EVERETT W. *The «Lazarillo de Tormes» and the Playing of a Role.* (En *Kentucky Romance Quarterly*, XXII, Lexington, 1975, págs. 61-76).

6348

MANCING, HOWARD. *The Deceptiveness of «Lazarillo de Tormes».* (En *Publications of the Modern Language Association of America*, XCI, Baltimore, 1975, págs. 426-32).

6349

RUFFINATO, ALDO. *Struttura e significazione del «Lazarillo de Tormes».* Turín. Giappichelli Ed. 1975-1977. 2 vols. 23 cm.
I. *La construzione del modello operativo. Dall'intreccio alla fabula.* 210 págs.
II. *La «fabula», il modello transformazionale.* 207 págs.
a) Spagnuolo, Maria, en *Annali dell'Istituto Universitario Orientale. Sezione romanza*, XIX, Nápoles, 1977, págs. 590-92.
b) Tietz, M., en *Archiv für das Studium der neueren Sprachen*, CCXVIII, Friburgo, 1981, págs. 210-12.
MADRID. *Consejo. Instituto «M. de Cervantes».* XXXVI-287 [el I]. *Nacional.* 5-44.413.

6350

YNDURAIN, DOMINGO. *Algunas notas sobre el «Tractado tercero» del «Lazarillo de Tormes».* (En Studia Hispanica in honorem Rafael Lapesa. Tomo III. Madrid. 1975, págs. 507-518).

6351

SUAREZ GALBAN, EUGENIO. *El Lazarillo frente al manierismo.* (En *Insula*, Madrid, 1976, n.º 360, pág. 10).

6352

LONG-TONELLI, BEVERLY J. DE. *La ambigüedad narrativa en el «Lazarillo de Tormes».* (En *Revista de Estudios Hispánicos*, X, Alabama, 1976, págs. 377-89).

6353

CROS, EDMOND. *Semántica y estructuras sociales en el «Lazarillo de Tormes».* (En *Revista Hispánica Moderna*, XXXIX, Nueva York, 1976-77, págs. 79-84).

6354

DAVEY, E. R. *The Concept of Man in «Lazarillo de Tormes».* (En *Modern Language Review*, LXXII, Cambridge, 1977, págs. 597-604).

6355

HESSE, EVERETT W. *The «Lazarillo de Tormes» and the Way of the World.* (En *Revista de Estudios Hispánicos*, XI, Alabama, 1977, págs. 163-80).

6356

HUGNES, GETHIN. *«Lazarillo de Tormes»: The fifth «Tratado».* (En *Hispanófila*, Chapel Hill, 1977, n.º 61, págs. 1-9).

6357

PIPER, ANSON C. *Lazarillo's Arcaz and Rosalia de Bringa's Cajoncillo.* (En *Revista Hispánica Moderna*,

XXXIX, Nueva York, 1976-77, págs. 119-22).

6358
VARELA MUÑOZ, JOSE. El «Lazarillo de Tormes» como una paradoja racional. (En Revista Canadiense de Estudios Hispánicos, I, Toronto, 1977, págs. 153-84).

6359
GOMEZ-MENOR, JOSE. Seis notas al «Lazarillo de Tormes» (desde el campo de la Paleografía). (En Boletín de la R. Academia Española, LVIII, Madrid, 1978, págs. 103-33).

6360
HERRERO, JAVIER. The Ending of Lazarillo: The Wine against the Water. (En Modern Language Notes, XLIII, Baltimore, 1978, págs. 313-19).

6361
SANCHEZ ROMERALO, JAIME. Lázaro en Toledo (1553). (En LIBRO-HOMENAJE a Antonio Pérez Gómez. Tomo II. Cieza. 1978, págs. 189-202).

6362
SIMARD, JEAN CLAUDE. Los títulos de los Tratados en el «Lazarillo de Tormes». (En Revista Canadiense de Estudios Hispánicos, III, Toronto, 1978, págs. 40-46).

6363
ALVAREZ, GUZMAN. Interpretación existencial del «Lazarillo de Tormes». (En La Picaresca. Orígenes, textos y estructuras... Madrid. 1979, págs. 437-48).

6364
ANTON, KARL-HEINZ. Sobre ambigüedad y literatura. Acerca del «Lazarillo de Tormes». (En La Picaresca. Orígenes, textos y estructuras... Madrid. 1979, págs. 478-84).

6365
CAREY, DOUGLAS M. Lazarillo de Tormes and the Quest for Authority. (En Publications of the Modern Language Association of America, XCIV, Baltimore, 1979, págs. 36-46).

6366
CHEVALIER, MAXIME. Des contes au roman: l'éducation de Lazarillo. (En Bulletin Hispanique, LXXXI, Burdeos, 1979, págs. 189-200).

6367
FOX, LINDA C. Las lágrimas y la tristeza en el «Lazarillo de Tormes». (En Revista de Estudios Hispánicos, XIII, Alabama, 1979, págs. 289-97).

6368
JONES, HAROLD G. «La vida de Lazarillo de Tormes». (En La Picaresca. Orígenes, textos y estructuras... Madrid. 1979, págs. 449-58).

6369
MADRIGAL, JOSE A. El simbolismo como vehículo temático en el «Lazarillo de Tormes». (En La Picaresca. Orígenes, textos y estructuras... Madrid. 1979, págs. 405-12).

6370
MANCING, HOWARD. El pesimismo radical del «Lazarillo de Tormes». (En La Picaresca. Orígenes, textos y estructuras... Madrid. 1979, págs. 459-67).

6371
MICHALSKI, ANDRÉ. El pan, el vino y la carne en el «Lazarillo de Tormes». (En La Picaresca. Orígenes, textos y estructuras... Madrid. 1979, págs. 413-20).

6372
SIEBER, HARRY. Language and Society in «La vida del Lazarillo de

Tormes». Baltimore, etc. The Johns Hopkins University Press. 1979. XV + 108 págs. 23 cm.

a) Carreño, A., en *Boletín de la Biblioteca Menéndez Pelayo*, LVI, Santander, 1980, págs. 421-24.
b) Severin, D. S., en *Bulletin of Hispanic Studies*, LVII, Liverpool, 1980, págs. 241-42.
c) Willis, R. S., en *Hispania*, LXIII, 1980, pág. 430.

MADRID. *Consejo. Instituto «M. de Cervantes».* CIX-8.

6373
SUAREZ-GALBAN, EUGENIO. *Caracterización literaria e ideología social en el «Lazarillo de Tormes».* (En *La Picaresca. Orígenes, textos y estructuras...* Madrid. 1979, págs. 469-77).

6374
TORO, ALFONSO DE. *Arte como procedimiento: el «Lazarillo de Tormes».* (En *La Picaresca. Orígenes, textos y estructuras...* Madrid. 1979, págs. 383-404).

6375
DEHENNIN, ELSA. *Lazarillo de Tormes en la encrucijada de enunciación y enunciado.* (En ACTAS *del Sexto Congreso Internacional de Hispanistas.* Toronto. 1980, págs. 203-6).

6376
GOMEZ - MORIANA, ANTONIO. *La subversión del discurso ritual: una lectura intertextual del «Lazarillo de Tormes».* (En *Revista Canadiense de Estudios Hispánicos*, IV, Toronto, 1980, págs. 133-54).

6377
TRIVES, ESTANISLAO RAMON. *Nexualidad intersecuencial en la narrativa del «Lazarillo».* (En *Anales de la Universidad de Murcia, 1978-79*, XXXVII, Murcia, 1980, págs. 3-18).

6378
SABAT DE RIVERS, GEORGINA. *La moral que Lázaro nos propone.* (En *Modern Language Notes*, XCV, Baltimore, 1980, págs. 233-51).

6379
GARCIA DE LA CONCHA, VICTOR. *Nueva lectura del «Lazarfillo»: el deleite de la perspectiva.* Madrid. Castalia. [1981]. 261 págs. (Literatura y Sociedad, 28).

MADRID. *Consejo. Instituto «M. de Cervantes».* CX-205.

6380
SANCHEZ BLANCO, FRANCISCO. *El «Lazarillo» y el punto de vista de la alta nobleza.* (En *Cuadernos Hispanoamericanos*, Madrid, 1981, n.º 369, págs. 511-20).

6381
WARDROPPER, BRUCE W. *The implications of hipocrisy in the «Lazarillo de Tormes».* (En STUDIES *in honor of Everett W. Hesse.* Lincoln. 1981, págs. 179-86).

Autor

6382
TAMAYO DE VARGAS, TOMAS. *Junta de libros la mayor que ha visto España.*
Letra del s. XVII.
Atribución a Hurtado de Mendoza.
MADRID. *Nacional.* Mss. 9752 (fol. 23).

6383
JOSE DE SIGÜENZA, Fray. *Tercera parte de la Historia de la Orden de San Gerónimo...* Madrid. Imp. Real. 1605, págs. 183-84.
«El año de cinquenta y dos, eligieron en la Orden por General a fray Iuan de Ortega segundo de los de este nombre, professo y Prior de san Leonardo de Alua, hombre de claro y lindo ingenio, y para mucho... Dizen que siendo estudiante en

Salamanca, mancebo, como tenia un ingenio tan galan y fresco, hizo aquel librillo que anda por ahi, llamado Lazarillo de Tormes, mostrando en un sugeto tan humilde la propiedad de la lengua Castellana, y el decoro de las personas que introduze con tan singular artificio y donayre, que merece ser leydo de los que tienen buen gusto. El indicio desto fue auerle hallado el borrador en la celda de su propia mano escrito...».

6384
[SCHOTT, ANDREA]. VALERIUS ANDREA TAXANDRUS. *Catalogus clarorum Hispaniae scriptorum.* Maguncia. 1607, pág. 44.
Atribución a Hurtado de Mendoza.

6385
SCHOTT, ANDREA. *Hispaniae Bibliothecae.* Francfurt. 1608, pág. 543.
La atribuye a Diego Hurtado de Mendoza.

6386
ANTONIO, NICOLAS. D. *Didacus Hurtado de Mendoza.* (En su *Bibliotheca Hispana* [*Nova*]... Tomo I. Roma. 1672, pág. 224).
Incluye entre sus obras el *Lazarillo de Tormes* y menciona la tesis de Fr. José de Sigüenza a favor de Ortega.

6387
DAIREAUX, MAX. *Diego Hurtado de Mendoza et le «Lazarillo de Tormes».* (En *Hispania*, III, París, 1920, págs. 17-25).

6388
MARQUEZ VILLANUEVA, FRANCISCO. *Sebastián de Horozco y el «Lazarillo de Tormes».* (En *Revista de Filología Española*, XLII, Madrid, 1957, págs. 253-339).

6389
SPIVAKOVSKY, ERIKA. *¿Valdés o Mendoza?* (En *Hispanófila*, Chapel Hill, 1961, n.º 12, págs. 15-23).
A favor de Hurtado de Mendoza.

6390
SPIVAKOVSKY, E. *The «Lazarillo de Tormes» and Mendoza.* (En *Symposium*, XV, Syracuse, 1961, págs. 271-85).

6391
CROUCH, J. O. *El autor del Lazarillo: sobre una reciente tesis.* (En *Hispanófila*, Chapel Hill, 1963, número 19, págs. 11-23).
Sobre la de Spivakovsky.

6392
ABRAMS, FRED. *¿Fue Lope de Rueda el autor del «Lazarillo de Tormes»?* (En *Hispania*, XLVII, Lawrence, 1964, págs. 258-67).

6393
SCHWARTZ, K. *A Statistical Note on the Authorship of «Lazarillo de Tormes».* (En *Romance Notes*, IX, Chapel Hill, 1967, págs. 118-19).
Se lo atribuye a Lope de Rueda por razones estilísticas y sintácticas.

6394
AUBRUN, C. V. *El autor del Lazarillo: un retrato robot.* (En *Cuadernos Hispano-Americanos*, LXXX, Madrid, 1969, págs. 543-55).

6395
SPIVAKOVSKY, ERIKA. *New Arguments in Favor of Mendoza's Authorship of the «Lazarillo de Tormes».* (En *Symposium*, XXIV, Syracuse, 1970, págs. 67-80).
V. además núms. 6307, 6313.

Fecha de la obra

6396
BONILLA Y SAN MARTIN, ADOLFO. *Sobre la época de «Lazarillo de Tormes».* (En *Anales de Literatura Española* [*años 1900-1904*]. Madrid. 1904, págs. 156-57).

6397
HERRERO GARCIA, MIGUEL. *Sobre el «Lazarillo de Tormes».* (En *Correo Erudito*, III, Madrid, 1943, pág. 26).

6398
ROSSI, NATALE. *Sulla datazione del «Lazarillo de Tormes».* (En *Studi di Letteratura Spagnola*. Roma. Fac. di Magistero e Lettere. 1966, págs. 169-80).

Prohibiciones

6399
CATHALOGVS *librorum, qui prohibentur mandato... D. Ferdinandi de Valdes... Inquisitoris Generalis Hispaniae...* Valladolid. 1559.

Págs. 47 y sigs.: *Catálogo de los libros en Romance, que se prohiben.*
Pág. 67: «Lazarillo de Tormes, primera y segunda parte».
MADRID. *Nacional.* R-9.394.

6400
INDEX *et Catalogus librorum prohibitorum...* Madrid. 1583.

Fol. 67*v*: «Lazarillo de Tormes, 1.ª y 2.ª parte, no siendo de los corregidos e impressos del año de 1573 a esta parte».

Fuentes

6401
GARRONE, MARCO A. *Fonti italiane del «Buldero».* (En *Fanfulla della Domenica*, XXXII, Roma, 1910, páginas 8-9).

6402
GILLET, JOSEPH E. *A Note on the «Lazarillo de Tormes».* (En *Modern Language Notes*, LV, Baltimore, 1940, págs. 130-34).

6403
MARASSO, ARTURO. *Aspectos del «Lazarillo de Tormes».* (En sus *Estudios de literatura castellana*. Buenos Aires. 1955, págs. 175-86).

6404
LIDA DE MALKIEL, MARIA ROSA. *La función del cuento popular en el «Lazarillo de Tormes».* (En ACTAS *del Primer Congreso Internacional de Hispanistas*. Oxford. 1964, págs. 349-59).

6405
AYALA, F. *Fuente árabe de un cuento popular en el «Lazarillo».* (En *Boletín de la R. Academia Española*, XLV, Madrid, 1965, págs. 493-95).

6406
BARRICK, M. E. *Three Sixteen-Century Printer's «Fillers».* (En *Romance Notes*, VI, Chapel Hill, 1964-65, págs. 62-64).
El *Ysopette Ystoriado* de 1489.

6407
MOLINO, JEAN. *«Lazarillo de Tormes» et les «Metamorphoses» d'Apulée.* (En *Bulletin Hispanique*, LXVII, Burdeos, 1965, págs. 322-33).

6408
RUMEAU, A. *Notes au «Lazarillo» («La casa lóbrega y oscura».* (En *Les Langues Néo-Latines*, CLXXII, París, 1965, págs. 3-12).

6409
PERRY, T. ANTHONY. *Biblical Symbolism in the «Lazarillo de Tormes».* (En *Studies in Philology*, LXVII, Chapel Hill, 1970, págs. 139-46).

6410
RICAPITO, J. V. *«Lazarillo de Tormes» (chap. V) and Masuccio's Fourth «Novella».* (En *Romance Philology*, XXIII, Berkeley, 1970, págs. 305-11).

6411

R[ODRIGUEZ] ADRADOS, FRAN-
CISCO. La «Vida de Esopo» y la
«Vida de Lazarillo de Tormes». (En
Revista de Filología Española, LVIII,
Madrid, 1976, págs. 35-45).

Reed. en La Picaresca. Orígenes, textos y
estructuras... Madrid. 1979, págs. 349-57.

V. además núms. 6261, 6274, 6469.

Lenguaje

6412

KENISTON, HAYWARD. The Sub-
juntive in «Lazarillo de Tormes».
(En Language, VI, Baltimore, 1934,
págs. 41-63).

6413

CARILLA, EMILIO. Nota sobre la
lengua del «Lazarillo». (En Revista
de Educación, La Plata, 1957, n.º 5,
págs. 363-69).

6414

SANCHEZ ALBORNOZ, CLAUDIO.
Las cañas se han tornado lanzas. (En
Cuadernos de Historia de España,
XXVII, Buenos Aires, 1958, págs. 43-
66).

6415

LA DU, ROBERT R. Lazarillo's Step-
father is Hanged... Again. (En Hispania, XLIII, Storr, 1960, págs. 243-
244).

Sobre el verbo «pringar».

6416

RUMEAU, A. Notes au «Lazarillo»
(«Despedir la bula»). (En Les Langues Néo-Latines, CLXIII, París,
1962, págs. 2-7).

6417

RUMEAU, A. Notes au «Lazarillo»,
«Lanzar». (En Bulletin Hispanique,
LXIV, Burdeos, 1962, págs. 228-35).

6418

RUMEAU, A. Notes au «Lazarillo»
(«contóme su hacienda» et «de toda
su fuerza»). (En Les Langues Néo-
Latines, CLXVI, París, 1963, págs.
19-31).

6419

UTTRANADHIE, DECHO. Contribución al estudio de la sintaxis del
verbo en «El Lazarillo de Tormes».
(En Revista de la Universidad de
Madrid, XVI, Madrid, 1967, págs. 49-
51).

6420

RUMEAU, A. Notes au «Lazarillo».
Deux bons mots, une esquisse, un
autre mot. (En Bulletin Hispanique,
LXXI, Burdeos, 1969, págs. 502-17).

6421

GARCIA ANGULO, EFRAIN. Vocabulario del «Lazarillo de Tormes».
Barcelona. Edit. Gracián. 1970. 207
págs. 22 cm.

MADRID. Nacional. 1-136.764.

6422

RICAPITO, J. V. Algunas observaciones más sobre «contóme su hacienda». (En Annali dell'Istituto Universitario Orientale, Sezione Romanza,
XV, Nápoles, 1973, págs. 227-33).

6423

RICAPITO, J. V. Cara de Dios: ensayo de rectificación. (En Bulletin
of Hispanic Studies, L, Liverpool,
1973, págs. 142-46).

6424

GODOY GALLARDO, EDUARDO.
Funciones de las formas lingüísticas
de primera persona plural en el plano temático de «Lazarillo de Tormes». (En Boletín de Filología,
XXVII, Santiago de Chile, 1976, páginas 135-49).

6425

GELLA ITURRIAGA, JOSE. *El refranero en la novela picaresca y los refranes del «Lazarillo» y de «La Pícara Justina».* (En *La Picaresca. Orígenes, textos y estructuras...* Madrid. 1979, págs. 231-55). V. además núms. 6272, 6284, 6314.

Crítica textual

6426

CASO GONZALEZ, JOSE. *La génesis del «Lazarillo de Tormes».* (En *Archivum*, XVI, Oviedo, 1966, págs. 129-155).

6427

RICO, FRANCISCO. *En torno al texto crítico del «Lazarillo de Tormes».* (En *Hispanic Review*, XXXVIII, Filadelfia, 1970, págs. 405-19).

6428

CASO GONZALEZ, JOSE. *La génesis del «Lazarillo de Tormes».* (En HISTORIA *y estructura de la obra literaria.* Madrid. C.S.I.C. 1971, págs. 175-196).

6429

CASO GONZALEZ, JOSE. *La primera edición del «Lazarillo de Tormes» y su relación con los textos de 1554.* (En STUDIA *Hispanica in honorem Rafael Lapesa.* Tomo I. Madrid. 1972, págs. 189-206).

Estructura

6430

TARR, F. COURTNEY. *Literary and Artistic Unity in the «Lazarillo de Tormes».* (En *Publications of the Modern Language Association of America*, XLII, Nueva York, 1927, págs. 404-21).

6431

HUTMAN, NORMA LOUISE. *Universality and Unity in the «Lazarillo de Tormes».* (En *Publications of the Modern Language Association of America*, LXXVI, Nueva York, 1961, págs. 469-73).

6432

COLLARD, A. *The Unity of «Lazarillo de Tormes».* (En *Modern Language Notes*, LXXXIII, Baltimore, 1968, págs. 262-67).

6433

LAZARO CARRETER, FERNANDO. *Construcción y sentido del «Lazarillo de Tormes».* (En *Abaco*, I, Madrid-Valencia, 1969, págs. 45-134).

6434

MINGUET, CHARLES. *Recherches sur les structures narratives dans le «Lazarillo de Tormes».* París. Institut d'Études Hispaniques. 1970. 135 págs. 25 cm.
MADRID. *Consejo. General.—Consejo. Instituto «M. de Cervantes».* LXVI-150. *Nacional.* 4-93.846.

6435

SUAREZ - GALBAN, EUGENIO. *El «Lazarillo», texto incompleto: más especulaciones.* (En *Archivum*, XXVII-XXVIII, Oviedo, 1977-78, págs. 21-29).

6436

FIORE, ROBERT L. *«Lazarillo de Tormes»: estructura narrativa de una novela picaresca.* (En *La Picaresca. Orígenes, textos y estructuras...* Madrid. 1979, págs. 359-66).

6437

PARR, JAMES A. *La estructura satírica del «Lazarillo».* (En *La Picaresca. Orígenes, textos y estructuras...* Madrid. 1979, págs. 375-81).

6438

VRANICH, S. B. *El caso del «Lazarillo»: un estudio semántico en apo-*

yo de la unidad estructural de la novela. (En *La Picaresca. Orígenes, textos y estructuras...* Madrid. 1979, páginas 367-73).
V. además n.º 6290.

Personajes

6439
CROCE, BENEDETTO. *La storia dell'Escudero.* (En *Poesia antica y moderna.* 2.ª ed. Bari. Laterza. 1943, págs. 223-31).

6440
MUÑOZ CORTES, MANUEL. *Personalidad y contorno en la figura del Lazarillo.* (En *Escorial,* X, Madrid, 1943, págs. 112-20).

6441
BERGAMIN, JOSE. *Lázaro, Don Juan y Segismundo.* Madrid. Taurus. 1959. 186 págs. 18 cm.
MADRID. *Nacional.* V-3.731-4.

6442
GILLET, JOSEPH. *The Squire's Dovecote.* («*Lazarillo de Tormes*», tratado *III*). (En HISPANIC *Studies in Honor of I. González Llubera.* Oxford. 1959, págs. 135-38).

6443
MORRIS, C. B. *Lázaro and the Squire: «hombres de bien».* (En *Bulletin of Spanish Studies,* XLI, Liverpool, 1964, págs. 238-41).

6444
ABRAMS, F. *A Note on the Mercedarian Friar in the «Lazarillo de Tormes».* (En *Romance Notes,* XI, Chapel Hill, 1969, págs. 444-46).

6445
WEINER, J. *El ciego y las dos hambres de Lázaro de Tormes.* Valparaíso. Universidad Católica. Instituto de Lenguas y Literaturas. 1971. 36 págs.

6446
REDONDO, AUGUSTIN. *Historia y literatura: el personaje del escudero de «El Lazarillo».* (En *La Picaresca. Orígenes, textos y estructuras...* Madrid. 1979, págs. 421-35).

6447
FERRER-CHIVITE, MANUEL. *Lázaro de Tormes: personaje anónimo. Una aproximación psico-sociológica.* (En ACTAS *del Sexto Congreso Internacional de Hispanistas.* Toronto. 1980, págs. 235-38).

6448
ALEGRE, JOSE MARIA. *Las mujeres en el «Lazarillo de Tormes».* (En *Revue Romane,* XVI, Copenhague, 1981, págs. 3-21).

6449
VILANOVA, ANTONIO. *Lázaro de Tormes como ejemplo de una educación corruptora.* (En ACTAS *del I Simposio de Literatura Española.* Salamanca. 1981, págs. 65-118).

Relaciones con otras obras. Influencia. Difusión.

6450
BONILLA Y SAN MARTIN, ADOLFO. *Una imitación del «Lazarillo de Tormes» en el siglo XVII.* (En *Revue Hispanique,* XV, Nueva York-París, 1906, págs. 816-18).
En *El bachiller Trapaza,* de Castillo Solórzano.

6451
FITZMAURICE-KELLY, JAMES. *Caspar Ens' translation of «Lazarillo de Tormes».* (En *Revue Hispanique,* XV, Nueva York - París, 1906, págs. 771-95).

6452
MARCU, ALEXANDRU. *Une traduction roumaine du «Lazarillo de Tor-*

mes». (En *Revista de Filología Española*, XXIV, Madrid, 1937, págs. 88-91).

6453
CARBALLO PICAZO, ALFREDO. *El señor d'Ouville y el «Lazarillo de Tormes».* (En *Revista Bibliográfica y Documental*, V, Madrid, 1951, páginas 223-28).

6454
HOLLMAN, WERNER. *Thomas Mann's «Felix Krull» und «Lazarillo».* (En *Modern Language Notes*, LXVI, Baltimore, 1951, págs. 445-51).

6455
SEIDLIN, OSCAR. *Picaresque Elements in Thomas Mann's Work.* (En *Modern Language Quarterly*, XII, Seattle, 1951, págs. 183-200).

6456
LOVETT, GABRIEL H. *Lazarillo de Tormes in Russia.* (En *The Modern Language Journal*, XXXVI, Boston, 1952, págs. 166-74).

6457
SALINAS, PEDRO. *El «Lazarillo de Tormes» y el «Guzmán de Alfarache».* (En *Asomante*, San Juan, 1952, págs. 21-23).

6458
FRIEIRO, E. *Do Lazarillho de Tormes ao filho do Leonardo Patoca.* (En *Kriterion*, VII, Belo Horizonte, 1954, págs. 65-82).

6459
PEÑUELAS, MARCELINO C. *Algo más sobre la picaresca: Lázaro y Jack Wilton.* (En *Hispania*, XXXVII, Wallingford, 1954, págs. 443-45).

6460
SELIG, KARL LUDWIG. *Concerning Gogol's «Dead Souls» and «Lazarillo de Tormes».* (En *Symposium*, VIII, Syracuse, 1954, págs. 138-40).

6461
ESQUER TORRES, RAMON. *El «Lazarillo de Tormes» y un cuento de Giovanni Verga.* (En *Quaderni Ibero-Americani*, III, Turín, 1956, n.º 19-20, págs. 210-11).

6462
KELLER, D. *A Curious Latin Version of «Lazarillo de Tormes».* (En *Philological Quarterly*, XXXVII, Iowa, 1958, págs. 105-10).

6463
BAUMANNS, PETER. *Der Lazarillo de Tormes eine Travestie der Augustinischen «Confessiones»?* (En *Romanistisches Jahrbuch*, X, Hamburgo, 1959, págs. 285-91).

6464
CHAPMAN, K. P. *Lazarillo de Tormes, a Jest-Book and Benedik.* (En *The Modern Language Review*, LV, Liverpool, 1960, págs. 565-67).

6465
RAND, MARGUERITE. *«Lazarillo de Tormes», Classic and Contemporary.* (En *Hispania*, XLIV, Storr, 1961, páginas 222-29).
Comparación con las *Nuevas andanzas de Lazarillo de Tormes*, de Cela.

6466
ALVAREZ, G. y J. LECKER. *Una transmisión del Lazarillo a la comedia holandesa.* (En *Revista de Filología Española*, XLV, Madrid, 1962, págs. 293-98).

6467
SCHÄNZER, G. O. *«Lazarillo de Tormes» in Eighteenth-Century Russia.* (En *Symposium*, XVI, Syracuse, 1962, págs. 54-62).

6468

GUISE, R. *La fortune de «Lazarillo de Tormes» en France, au XIXᵉ siècle.* (En *Revue de Littérature Comparée,* XXXIX, París, 1965, págs. 337-357).

6469

WILTROUT, A. *The «Lazarillo de Tormes» and Erasmus «Opulentia Sordida».* (En *Romanische Forschungen,* LXXXI, Colonia, 1969, págs. 550-564).

6470

ZIOMEK, H. *El «Lazarillo de Tormes» y «La vida inútil de Pito Pérez»: dos novelas picarescas.* (En Actas *del Tercer Congreso Internacional de Hispanistas.* Méjico. 1969, págs. 945-54).

6471

RICAPITO, JOSEPH V. *«Lazarillo de Tormes» and Machiavelli: Two facets of Renaissance perspective.* (En *Romanische Forschungen,* LXXXIII, Francfort, 1971, págs. 151-72).

6472

BAADER, HORST. *Lazarillos Weg zur Eindeutigkeit oder Juan de Luna als Leser und Interpret des anonymes «Lazarillo de Tormes».* (En *Interpretation und Vergleich. Festschrift für Walter Pabst.* Berlín. 1972, págs. 11-33).

6473

MARTINS, MARIO. *«O Lazarilho de Tormes», a «Arte de furtar» e «El Buscón» de Quevedo.* (En *Colóquio. Letras,* Lisboa, 1972, n.º 6, págs. 35-43).

6474

ASENSIO, EUGENIO. *Dos obras dialogadas con influencias del «Lazarillo de Tormes». «Colloquios» de Co-*

llazos, y anónimo «Diálogo del Capón». (En *Cuadernos Hispano-Americanos,* Madrid, 1973, n.º 280-82, páginas 385-98).

6475

TRUMAN, R. B. *«Lazarillo de Tormes», Petrarch's «De remediis adversae Fortunae» and Erasmus's «Praises of Folly».* (En *Bulletin of Hispanic Studies,* LII, Liverpool, 1975, páginas 33-53).

6476

COSTA FONTES, MANUEL DA. *«A Reliquia» e o «Lazarillo de Tormes»: uma análise estructural.* (En *Colóquio. Letras.* Lisboa, 1976, n.º 31, páginas 30-40).

6477

MANCING, HOWARD. *Fernando de Rojas, «La Celestina» and «Lazarillo de Tormes».* (En *Kentucky Romance Quarterly,* XXIII, Lexington, 1976, págs. 47-61).

6478

SUAREZ GALBAN, EUGENIO. *La caracterización en «Till Eulenspiegel» y en el «Lazarillo».* (En *Cuadernos Hispano-Americanos,* Madrid, 1977, n.º 319, págs. 153-62).

6479

FIORE, ROBERT. *«Lazarillo de Tormes» and «Midnight Cowboy»: The picaresque model and mode.* (En Studies *in honor of Everett W. Hesse.* 1981, págs. 81-97).

«LAZARILLO DE TORMES»

(Segunda parte)

EDICIONES

6480

SEGVNDA (La) parte de Lazarillo de Tormes: y de sus fortunas y aduersi-

dades. Amberes. Martín Nucio. 1555. 67 fols. 12,5 cm.

—Fol. 1*v*: Pr. a favor de Martín Nucio, por cuatro años.—Texto. (Fols. 2*r*-67*v*). Peeters-Fontainas, I, n.º 688.

LONDRES. *British Museum.* G.10133.—MADRID. *Nacional.* R-8.401.— NUEVA YORK. *Hispanic Society.*—VIENA. *Nacional.*

6481

————. Amberes. Guillermo Simon. 1555. 78 fols. (por error, 83). 12.º

Constituye el tomo II de la ed. del *Lazarillo* del mismo lugar y año (V. n.º 5957). Peeters-Fontainas, II, n.º 689.

NUEVA YORK. *Hispanic Society.*

6482

————. Milán. 1587.

V. n.º 5959.

* * *

A partir de esta fecha, se incluyó en casi todas las ediciones extranjeras siguientes de la primera parte y el capítulo inicial, o «de los tudescos» se añade al final de muchas otras ediciones. Así ocurre, por ejemplo, en las de París, 1561; Leiden, 1595 y 1602, etc.

6483

[*SEGUNDA parte de Lazarillo de Tormes y de sus fortunas y adversidades, por incierto autor. Edición de Buenaventura Carlos Aribau.* (En NOVELISTAS *anteriores a Cervantes.* Madrid. Rivadeneyra. 1846, págs. 91-109. Biblioteca de Autores Españoles, 3).

6484

[*SEGUNDA parte de la vida de Lazarillo de Tormes*]. (En Quevedo, Francisco de. *Historia de la vida del Buscón...* Barcelona. Edics. Zeus. 1968, págs. 189-249).

MADRID. *Nacional.* 7-71.674. V. además núms. 6006, 6087.

ESTUDIOS

6485

WILLIAMS, R. H. *Notes on the Anonymous Continuation of «Lazarillo de Tormes».* (En *The Romanic Review,* XVI, Nueva York, 1925, págs. 223-35).

6486

COSSIO, JOSE MARIA DE. *Las continuaciones del «Lazarillo de Tormes».* (En *Revista de Filología Española,* XXV, Madrid, 1941, págs. 514-23).

Reed. en sus *Notas y estudios de crítica literaria. Letras españolas (siglos XVI y XVII).* Madrid. 1970.

6487

SALUDO STEPHAN, MAXIMO. *Misteriosas andanzas atunescas de Lázaro de Tormes descifradas de los seudo-jeroglíficos del Renacimiento.* San Sebastián. Edit. Izarra. 1969. 100 págs. con ilustr. 23 cm.

MADRID. *Nacional.* V-7.516-18.

6488

ZWEZ, RICHARD E. *Hacia la revalorización de la Segunda parte del Lazarillo (1555).* Valencia. Albatros. 1973. 64 págs. 21 cm.

a) Jones, R. O., en *Bulletin of Hispanic Studies,* XLIX, Liverpool, 1972, págs. 403-404.

MADRID. *Consejo. Instituto «M. de Cervantes».—Nacional.* V-8.113-11.

Prohibiciones

V. núms. 6399-400.

LAZARO (FR. JUAN)

Franciscano.

EDICIONES

6489

[*SONETO*]. (En Montes de Oca, Basilio. *Del Doctissimo Reverendo P. M. Fr. Basilio Ponce de León, honor de España... Fama Postuma.* Salamanca.. 1630. En texto).

MADRID. *Nacional.* V.-E., 171-38.

6490

[*CENSURA*]. (En Díaz, Francisco. *Oración panegyrica...* Alcalá. 1674. Prels.)

J. Catalina García, *Tip. complutense*, número 1.201.

MADRID. *Nacional.* 2-62.292.

LAZARO DE GOYTI (FR. FRANCISCO)

V. GOYTI (FR. FRANCISCO LAZARO DE) [*B. L. H.*, XI, núms. 1592-96]

LAZARO DE VELASCO (ANTONIO)

EDICIONES

6491

[*POESIAS*]. (En Torre, Francisco de la. *Reales fiestas a la... Virgen de los Desamparados...* Valencia. 1667).

1. *Soneto acróstico.* (Pág. 213).
2. *Romance.* (Págs. 254-55).

MADRID. *Nacional.* R-5.740.

6492

[*OCTAVAS*]. (En REAL *Academia celebrada en el Real de Valencia...* Valencia. 1669, págs. 92-93).

MADRID. *Nacional.* 2-43.853.

LAZARO VIDA (FR. JUAN)

Franciscano.

EDICIONES

6493

LUCHA interior, y guerra continua de las almas en que se declaran diversas tentaciones, con que el adversario pretende conseguir la espiritual ruina. Danse para ellas diversas doctrinas espirituales, sacados de la escritura, y santos padres. Alcalá. Francisco García Fernández a su costa. 1680. 8 hs. + 480 págs. a 2 cols. + 5 hs. 20 cm.

—Ded. a Maria Santisima.—Apr. de Fr. Lucas Alvarez de Toledo, Fr. Juan de la Pera y Fr. Francisco Ximenes de Mayorga.—L. O.—Censura de Fr. Pedro Paniagua y Fr. Ioseph de Villanueva.—L. V.—Apr. del P. Agustin de Herrera. S. Pr. a favor de Fr. Iuan Lazaro por 10 años.—S. T.—E.—Prologo al Lector. Texto.—Tabla general.

J. Catalina García, *Tip. complutense*, número 1.247.

MADRID. *Nacional.* 3-67.159.—SEVILLA. *Universitaria.* 108-86.

LAZARRAGA (FR. CRISTOBAL DE)

Cisterciense. Calificador de la Inquisición.

EDICIONES

6494

FIESTAS de la Vniversidad de Salamanca, al nacimiento del Principe D. Baltasar Carlos Domingo Felipe V. N. S... Salamanca. Iacinto Tabernier. 1630. 3 hs. + 304 págs. + 1 h. 20 cm.

—Ded. a D. Gaspar de Guzman, Conde de Olivares, Duque de Sanlucar, etc.—Texto.—E.

1. *Sermón de Fr. Angel Manrique.* (Págs. 95-144).
2. *Poesía latina de Lope de Moscoso.* (Págs. 159-160).
3. *Poesía latina de Claudio Pimentel.* (Págs. 161-162).
4. *Poesía latina de Luys Pimentel.* (Págs. 163-164).
5. *Poesía latina de Francisco Sarmiento de Luna.* (Pág. 165).
6. *Poesía latina de Fr. Tomas de Avalos de Aquino.* (Pág. 166).
7. *Poesía latina de Francisco de Borja.* (Págs. 167-169).
8. *Poesía latina de Iuan de Sandoval.* (Págs. 170-171).
9. *Octavas de Alvaro Osorio.* [«Con caudal docto, estrella que influyendo...»]. (Págs. 175-177).
10. *Poesía latina de Agustín de Veloqui.* (Págs. 178-179).
11. *Poesía latina de Pedro García Barrarán.* (Págs. 180-182).

57. *Soneto en italiano de Baltasar do Campo y Fonseca.* (Pág. 270).

58. *Soneto de Iuan Garcia Zurita.* [«Sale brillante entre dos mill calores...»]. (Pág. 271).

59. *Soneto de Lorenço Blasco.* [«Partos del Alva, no Memnón fingido...»]. (Pág. 271).

60. *Soneto de Fr. Alonso Perez.* [«Madre de ciencias, afamada...»]. (Pág. 272).

61. *Soneto de Gaspar del Arco.* [«Del Aguila imperiosa imperial hijo...»].

62. *Soneto de Maria Suarez de Herrera.* [«Flor de las flores que atesora Flora...»]. (Pág. 273).

63. *Soneto de Ioseph Sanchez.* [«Ninfa dichosa, que dexando el Coro...»]. (Pág. 273).

64. *Geroglífico de Francisco Ortiz.* (Págs. 277-282).

65. *Geroglífico de Iuan Suarez de Mendoza.* (Págs. 282-284).

66. *Geroglífico de Bernardino de Montenegro Soto-Mayor y Mendoza.* (Pág. 285).

67. *Geroglífico de Juan Bautista Campo.* (Págs. 286-288).

68. *Geroglífico de Joseph Sanchez.* (Pág. 289).

69. *Geroglífico de Francisco Caunes de Sosa.* (Pág. 289).

70. *Geroglífico de Alonso Perez.* (Págs. 289-290).

71. *Poesía latina de Ioannes Loyola.* (Páginas 291-292).

72. *Poesía latina de Ioannes Vazquez.* (Págs. 293-294).

73. *Poesía latina de Martinus de Esparza.* (Pág. 294).

74. *Glosa de Manuel de Chaves.* [«Blandas caricias del Sol...»]. (Pág. 295).

75. *Soneto de Andres Antonio de la Oyuela.* [«Templo de Palas, trono a su grandeza...»]. (Pág. 296).

76. *Soneto de Iuan Vazquez.* [«Olvidense livianas las Deidades...»]. (Pág. 296).

77. *Poesía latina de Ioseph Sors de Paramato.* (Pág. 297).

78. *Poesías latinas de Blas Lopez.* (Págs. 298-301).

79. *Poesías en latín y griego de Gonzalo Correa.* (Págs. 302-303).

80. *Poesías en griego y latín de Lorenzo Blasco.* (Pág. 304).

Salvá, I, n.º 267.

MADRID. *Nacional.* R-4.973.—NUEVA YORK. *Hispanic Society.*

LAZCANO (Maestro)

EDICIONES

6495

[*APROBACION, 30 de enero de 1587*]. (En Sánchez Ballester, Alonso. *Dictionario de vocablos castellanos, aplicados a la propriedad latina.* Salamanca. 1587. Prels.)

MADRID. *Nacional.* R-4.949.

LAZCANO (FR. AGUSTIN)

Agustino.

EDICIONES

6496

[*DEZIMA*]. (En Ovando Santaren Gómez de Loaysa, Juan de. *Ocios de Castalia, en diversos Poemas.* Málaga. 1663. Prels.)

MADRID. *Nacional.* R-15.571.

OBRAS LATINAS

6497

[*DISTICO*]. (En Ovando Santaren Gómez de Loaysa, Juan de. *Ocios de Castalia, en diversos Poemas.* Málaga. 1663. Prels.)

MADRID. *Nacional.* R-15.571.

LAZCANO (FRANCISCO DE)

EDICIONES

6498

[*AL Autor. Soneto*]. (En Lara, Gaspar Agustín de. *Cornucopia numerosa...* Madrid. 1675. Prels.)

MADRID. *Nacional.* R-15.221.

6499

[*Al Autor. Soneto*]. (En Cansino, Nicolás. *Simbolos selectos y parabolas historicas... Traducido por Fran-*

cisco de la Torre. Madrid. 1677. Preliminares).

MADRID. *Nacional.* 2-46.535.

6500

[*PINTASE el Invierno. Romance jocoserio*]. (En ACADEMIA *que se celebró en la Real Aduana desta Corte... 1678.* Madrid. s. a., págs. 73-76).

MADRID. *Nacional.* 3-72.371.

LAZCANO (JUAN)

CODICES

6501

«*Primera parte, de la deffensa de los libros del Maestro* ——... *acerca de treinta proposiciones notadas en sus libros. En esta parte, se ponen las cosas que se deben guardar para entender y corregir, o censurar qualesquiera libros*».

Pérez Goyena, II, n.º 425.

PAMPLONA. *Cabildo.* Estante 93, grada 4.ª

6502

«*Segvnda parte, de la defensa de los libros del Maestro* ——... *En que se responde a nuebe o diez proposiciones de sus libros. Escritos por el propio P. Lazcano*».

Idem.

LAZCANO (FR. JUAN DE)

Dominico.

EDICIONES

6503

PRIMERA *parte, de los libros de Oracion, y Meditacion, Ayuno y Limosnas; con otros tratados pertenecientes a lo mismo.* Pamplona. Iuan de Oteyza. 1629. 14 hs. + 1.372 fols. + 11 hs. 20 cm.

—Indice.—Ded. a la Virgen Maria del Monte Carmelo y a Santa Teresa de Iesus, su hija.—Al lector.—Apr. de Fr. Gre-

gorio Torres y Fr. Juan García.—L. O.—Apr. de Fr. Martín Pérez.—L. y pr. del Consejo de Navarra por diez años.—T. E.—Pr. de Castilla por diez años.—Apr. de Fr. Gregorio Parcero.—Pr. de Aragon por diez años.—Pr. de Portugal por diez años.—T.—Texto.—Tabla.

Pérez Goyena, II, n.º 419.

MADRID. *Nacional.* 6.i.-1.977. — PAMPLONA. *General de la Diputación Foral.* 109-3-3/125.

6504

——. Pamplona. Iuan de Oteyza. 1630. 14 hs. + 372 fols. + 11 hs. 20 cm.

Los mismos prels. que la anterior.

Pérez Goyena, II, n.º 425.

MADRID. *Academia de la Historia.* 14-8-8-5.734. *Nacional.* 3-51.922.—PAMPLONA. *General de la Diputación Foral.* 109-1-2/138.—SEVILLA. *Universitaria.* 6-135.

6505

SEGUNDA *parte de los libros de Oración, y Meditación, Ayuno, y Limosna; con otros tratados pertenecientes a lo mismo.* Pamplona. Iuan de Oteya. 1630. 384 hs. a 2 cols. + 12 hs. 20 cm.

—Texto.

Pérez Goyena, II, n.º 425.

MADRID. *Academia de la Historia.* 14-8-8-5.734. *Nacional.* 3-51.923.—PAMPLONA. *General de la Diputación Foral.* 109-1-1/32.—SEVILLA. *Universitaria.* 6-136.

6506

[*CENSURA, 3 de enero de 1588*]. (En Ovidio. *Las transformaciones. Traduzidas por el Licenciado Viana.* Valladolid. 1589. Prels.)

MADRID. *Nacional.* R-5.758.

6507

«*Expediente sobre calificación de la Primera y segunda parte de la Oración, ayuno y limosna. Con una exposición del autor*».

SIMANCAS. *Archivo.* Inquisición de Navarra, n.º 1.101.

LAZCANO Y MENDOZA (FRANCISCO)

6508

[*SONETO* y *Décimas*]. (En Lara, Gaspar Agustín de. *Pompa translativa...* s. l. - s. a. Prels.)

MADRID. *Nacional.* 3-32.970.

LAZO DE LA VEGA (LUIS)

Licenciado. Vicario de la Ermita de Guadalupe.

EDICIONES

6509

[*AL Autor. Guadalupe, 2 de julio de 1648*]. (En Sánchez, Miguel. *Imagen de la Virgen... de Guadalupe...* Méjico. 1648. Al fin).

MADRID. *Nacional.* R-4.438.

Obras en mejicano

6510

HVEI Tlamahviçoltica Omonexiti in ilhvicae tlatoca Çihvapilli Santa Maria Totlaconantzin Gvadalvpe in nican hvei altepenahvac Mexico itocayocan Tepeyayac. Méjico. Iuan Ruyz. 1649. 3 hs. + 1 lám. + 17 fols.

Medina, *México*, II, n.° 685.

ADICIONES

IBAÑEZ DE SALT (JERONIMO)

ESTUDIOS

6511

ASENSIO SALVADÓ, EDUARDO. *El arbitrista...* (En *Estudios de Historia Moderna*, IV, 1954, págs. 225-72).
Completa el n.º 75.

IGNACIO DE LOYOLA (SAN)

TRADUCCIONES

b) LATINAS

6512

EXERCITIA Spiritualia...
Añadir a las del n.º 483.
—Maguncia. Ioanni Albini. 1600.
CAMBRIDGE. *Christ's College.* — *Magdalene College.*

6513

DIRECTORIUM Exercitiorum...
Añadir al n.º 484:
—Ingolstadii. Dauidis Sartorii. 1597.
CAMBRIDGE. *Christ's College.*
—Amberes. Ioach. Trognaesii. 1600.
CAMBRIDGE. *University Library.*

ILLESCAS (GONZALO DE)

EDICIONES

6514

CINCO (Los) libros primeros de la Historia Pontifical... Dueñas. 1565. [30 de agosto].
CAMBRIDGE. *Corpus Christi College.*

IRIBARNE E IRABURU (FR. JUAN)

Franciscano. Lector de Teología. Guardián del Colegio de San Diego de Zaragoza. (V. págs. 128-29).

EDICIONES

6515

[*APROBACION de Fr. Juan de Yribarne. Zaragoza, 29 de octubre de 1650*]. (En Castejón y Fonseca, Diego. *Discursos breves...* Zaragoza. 1651. Prels.)
MADRID. *Nacional.* 2-11.453.

ISIDRO DE SAN JUAN BAUTISTA (Fray)

Mercedario descalzo. Lector de Teología.

EDICIONES

6516

ESPOSO (El) de Alcalá retratado en el de Iervsalen. El Emin.ᵐᵒ Cardenal, principe heroico, arzobispo santo D. Fray Francisco Ximenez de Cisneros. Dibujado en las calidades del Esposo de los Canticos. A los piadosos suspiros, y repetidos recuertos (sic), con que el Mayor Colegio de S. Ildefonso, Universidad de Alcalá de Henares, solicita sacras aras, al resplandor siempre viuo de sus difuntas reliquias. Dixo... al dicho Colegio... dia 16 de Nouiembre, año de 1663. Alcalá. María Fernández. 1664.
4 hs. + 27 págs. 19,5 cm.
—Ded. a D. Gil de Castejon y Funes, Rector del Colegio Mayor de S. Ilefonso,

etc.—L. V.—Apr. de Ioseph de Salinas. Apr. de Fr. Francisco de Mendoza.— Texto.

MADRID. *Nacional.* R-24.129.

6517

RELOX (El) de los prelados, y norte de sus gouiernos en la rueda inconstante de la vida al mouimiento comun de la exicial Parca. N. RR. y V. P. F. Adrian de la Madre de Dios, y Vicario General de todo el Real Orden de los Descalços de N. S. de la Merced, Redempcion de Cautiuos, trasladado a mejor siglo, desde la vrna en que sus ceniças yaçen grita Relox sus aciertos a los que rigen. Publicolos, para memoria immortal de tan illustre Cabeza, su Collegio de la Asumpcion... Salamanca. Melchor Esteuez. 1666. 6 hs. + 33 págs. 20 cm.

—Ded. a D. Isidro de Añasco y Mora, Canónigo y Prior de la Cathedral de Salamanca.—Apr. de Iuan de Isla.—Apr. de Luys de Santa Catalina.—L. V.—Texto.— Protesta.

MADRID. *Nacional.* R-24.129 (ex libris de Gayangos).

ISLA (JUAN DE)

Licenciado. Catedrático de Metafísica en la Universidad de Alcalá y de Escoto en la de Salamanca. Canónigo de la catedral de Toledo.

EDICIONES

6518

[APROBACION. Salamanca, 7 de enero de 1666]. (En Isidro de San Juan, Fray. *El relox de los prelados...* Salamanca. 1666. Prels.)

MADRID. *Nacional.* R-24.129.

IZQUIERDO (AUSIAS)

V. págs. 145-47

EDICIONES

6519

AUTO llamado Luzero de nuestra Saluacion, que trata el despedimien-

to que hizo nuestro Señor Iesu Christo de su bendita madre estando en Bethania, para yr a Hierusalen en que se contienen passos muy deuotos, y razonamientos contemplativos de la passion de Christo, y de su bendita madre. Compuesto por Auzías Yzquierdo... [s. l. - s. i.]. [s. a.]. 4 hs. a 2 cols.

Carece de portada. «Podemos atribuirla a las prensas sevillanas de Fernando de Lara o Juan de León hacia 1590-1595... La consideramos por el momento *princeps*, aunque sospechamos que debe existir una edición anterior seguramente valenciana, como parece desprenderse de la censura...». En la colección de pliegos de Thomas Croft, luego del Duque de Sutherland. (Infantes, página 142).

Adición al n.º 1346.

6520

AUTO llamado luzero de nuestra salvación... [s. l. - s. i.]. 1607.

En *The Huth Library. Catalogue...*, V, Londres, 1880, pág. 1672. (Infantes, págs. 143-144).

6521

———. Valencia. Nogués. [s. a., c. 1645].

Palau, 1.ª ed., I, n.º 19.763.

ESTUDIOS

6522

INFANTES, VICTOR. *Infortunios y apócrifos de un pliego teatral del siglo XVI: el «Auto llamado Lucero de nuestra salvación», de Ausías Izquierdo.* (En *Castilla*, Valladolid, 1982, n.º 4, págs. 137-51).

JAUREGUI (JUAN DE)

EDICIONES

6523

[DOCUMENTOS sobre Juan de Jáuregui]. (En Pérez Pastor, Cristóbal. *Noticias y documentos relativos a la*

Historia y Literatura españolas... Tomo I. Madrid. 1910, págs. 227-28).

JIMENEZ (FR. JUAN)

Franciscano descalzo. Custodio de la Provincia de San Juan Bautista. (V. páginas 206-7).

EDICIONES
6524
EXERCICIOS divinos, revelados al venerable Nicolas Eschio, y referidos por Laurencio Surio. Traduzidos de Latin en lengua vulgar, y explicados por ——... Méjico. Francisco Salbago. 1629. 16 hs. + 352 páginas. 16.º

—S. L. al impresor (Madrid, 1613).—T. (ídem).—S. T. (ídem).—Apr. de Fr. Antonio Sobrino (Valencia, 1609).—L.—Ded. a D.ª María de Corella y de Mendoça, condesa de la Puebla. (Valencia, 1609).— Al lector.—Lira de la transformación del alma en Dios.—Tabla de los exercicios.— Texto.

Medina, *Méjico*, II, n.º 407.

JIMENEZ DE ENCISO (DIEGO)

Alguacil mayor de Sevilla.

CODICES
6525
«*Fabvla Criselio y Cleon*».

Original. 88 fols. 213 × 147 mm. Procede de la biblioteca del infante D. Luis.
—Ded. al conde de Olivares.—Texto.
Esteve, pág. 213.

TOLEDO. *Pública.* Mss. Col. Borbón-Lorenzana, n.º 213.

JOSE DE SANTA MARIA (Fray)

N. en Lima (1584).

EDICIONES
6526
TRIBUNAL de religiosos. Madrid. 1616. 8 hs. + 442 págs. + 28 hs.
NUEVA YORK. *Columbia University.*

JOSE DE SANTA TERESA (Fray)

V. págs. 284-86.

EDICIONES
6527
REFORMA de los descalzos de Nvestra Señora del Carmen, de la primitiva observancia, hecha por Santa Teresa de Iesvs en la antiqvissima religion fundada por el gran profeta Elías. Tomo IV. Madrid. Iulian de Paredes. 1684. 13 hs. + 925 págs. a 2 cols. + 4 hs. 29 cm.

—Ded. a Fr. Iuan de la Concepción, General de la Reforma de los Carmelitas Descalços.—Censura y Apr. de Iuan Mateo Lozano.—L. V. L. O.—Apr. de Fr. Manuel de Guerra y Ribera.—S. Pr.—E.— S. T.—Indice de los libros y capítulos.— Prólogo. — Texto. — Indice de las cosas más notables.

MADRID. *Nacional.* 3-74.074.—ROMA. *Teresianum.* Carm. C.1995.

6528
FLORES del Carmelo. Madrid. Espiritualidad. 1948-52, 3 vols.

ROMA. *Teresianum.* Carm. B.687.

JUAN (HONORATO)

ESTUDIOS
6529
GARCIA Y GARCIA, MATILDE. *Honorato Juan, obispo de Osma.* (En *Celtiberia*, XIV, Soria, 1963, págs. 273-80).

JUAN DE LA CRUZ (San)

BIBLIOGRAFIA
6530
SIMEON DE LA SAGRADA FAMILIA, Fray. *Ediciones italianas de San Juan de la Cruz en los últimos cincuenta años.* (En *El Monte Carmelo*, LXXI, Burgos, 1963, págs. 271-277).

6531
OBRAS espiritvales qve encaminan a vna alma a la perfecta vnion con Dios... Con vna resvnta de la vida del Autor, y cnos discursos por el P. F. Diego de Iesus... Barcelona. Esteuan Liberós. [Colofón: Por Sebastián de Cormellas]. 1626. [Colofón: 1619]. 8 hs. + 353 fols. 19,5 cm.

Los mismos Prels. que la ed. de 1619. (V. n.º 3207). Parece tratarse de ejemplares de la misma, con nueva portada.

BARCELONA. *Universitaria.*

JUAN DE LA PRESENTACION (Fray)

Mercedario descalzo. M. en 1675.

CODICES
6532
«*Miscelaneo Chronologico de el Orden de Descalzos de N. Señora de la Merced...*».

5 vols. (Placer).
MADRID. *Nacional.* Ms. 5615.

6533
«*Miscelaneo Chronologico de el Orden de la Merced... Tomo II. 1663*».
Frontispicio grabado, seguido de algunas páginas impresas; el resto, manuscrito.
LAS NAVAS. *Archivo General de los Descalzos de la Merced.*

ESTUDIOS
6534
REP: Placer, II, págs. 545-49.

JUAN DE RIBERA (San)

ESTUDIOS
6535
ROBRES LLUCH, RAMON. *San Carlos Borromeo y sus relaciones con el episcopado ibérico postridentino, especialmente a través de Fray Luis de Granada y San Juan de Ribera.* (En *Anthologica Annua*, VIII, Roma, 1960, págs. 83-142).

6536
GARCIA MARTINEZ, SEBASTIAN. *El Patriarca Ribera y la extirpación del erasmismos valenciano.* Valencia. 1977. 71 págs. 21,5 cm.
Tir. ap. de *Estudis*, n.º 4.

LASSO DE LA VEGA (GABRIEL)

EDICIONES
6537
MEXICANA, por Gabriel Lobo Lasso de la Vega. Estudio preliminar y edición de José Amor y Vázquez. Madrid. Atlas. 1970. LVIII-294 págs. 25 cm. (Biblioteca de Autores Españoles, 232).

JULIAN (FR. JUAN)

Como podrá observarse fácilmente este autor, citado en la página 571 (números 5085-86), es el mismo Fr. Juan Juliá de la página 570 (números 5077-78).

INDICES

ONOMASTICO DE AUTORES Y DE TITULOS
DE OBRAS ANONIMAS

A

A. C. 790a, 3477a.
A. J. M. 6153.
A. L. 441a, 3478a.
A. de L. 325a, 552j.
A. M. 4175.
A. de la P. 3551.
A. R. M. 339a, 2775a, 2840a.
A. S. G. 4430a.
A. de V. del Carmen. 1240, 1258.
Abad, P. Camilo María. 718-19, 836-37, 2723, 2734, 2738-39,2742, 2755, 2757, 2825-26, 2828, 2830, 2837, 2909, 2925, 2929.
Abad de Contreras, Alonso. 2033.
Abarca, Fr. Julián. 5446-47.
Abarca, P. Pedro. 1105, 4477.
Abarca de Bolea, Luis (marqués de Torres). 1746.
Abarca Herrera, Sancho. 5715.
Abas y Nicolau, Gabriel Manuel. 392, 1523.
Abella Parra, Pedro. 1038.
Abellán, P. M. 807a.
Abencerraje (Historia del). 6104.
Abogader y Mendoza, María Jacinta de. 4678 (prels.).
Abrams, Fred. 6313, 6392, 6444.
Abranches, Joaquim. 491.
Abrego, Pedro de. 3029.
Abreu, Andrés de. 234.
Abreu, Bartolomé de. 214 (68).
Abreu, Melchor de. 4624-25.
Abreu Gómez, Ermilo. 4659, 4662, 4672-83, 4785, 4811-12, 4839, 4850, 4858-59, 4960, 4973.
Acebal, Alfonso. 2583a.
Acevedo. 4997.

Acevedo, Alonso de. 1541 (prels.), 1554.
Acosta, Doctor. 1914.
Acosta, Fr. Blas de. 1333.
Acosta y Amezquita, Fernando de. 5120 (5).
Acosta y Amezquita, Luis de. 5120.
Acosta y Pereyra, Sebastián de. 5065 (5).
Acuña del Adarve, J. 2034.
Achultz de Mantovani, Fryda. 4875.
Adam, Fr. Pedro. 1840.
Adams, Mildred. 2076.
Adib, Víctor. 4834a.
Adler, María Raquel. 4999.
Adolfo de la Madre de Dios, Fray. 441b, 444a, 753a, 2775b, 3229aa, 3865, 4030a.
Adrián, Feliciano. 5125 (18).
Aduriz, J. 3961.
Afán de Ribera y Enríquez, Fernando de (marqués de Tarifa). 5065, 5712.
Agamben, Giorgio. 3282.
Agapito della SS. Annunziata, Fr. 3523, 3528.
Agapitus ab Annuntiatione. (V. *Agapito della SS. Annunziata*).
Agia, Miguel de. 2026.
Agramonte, Fr. Pedro de. 5883.
Agrati y Alba, Alonso Antonio. 2275.
Aguado-Andreut, Salvador. 6307.
Aguayo, Fr. Salvador. 1185.
Aguilar, Esteban de. 1171.
Aguilar, Gaspar. 5125 (38, 56).
Aguilar, José de. 158.
Aguilar, Juan de. 2041.
Aguilar, Fr. Juan de. 289 (1).
Aguilar, Fr. Juan Bautista. 172.
Aguilar y Aragón, Fernando de. 4473.
Aguilar Piñal, Francisco. 6110.

Aguilar y Prado, Jacinto de. 1342, 1499, 1504.
Aguilar del Río, Juan. 1635.
Aguilar y Zúñiga, Esteban de. 1291, 5884.
Aguilón, Francisco. 5119 (14, 40).
Aguilón, Juan. 2205, 2211.
Aguilón, Pedro. 1947.
Aguirre, Blas de. 1321.
Aguirre, Jorge. 698.
Aguirre y Baca, Félix de. 1216.
Aguirre Carreras, Mirta. 4819, 4930.
Aguirre del Pozo y Felices, Matías de. 41, 62.
Aguirre Prado, Luis. 2920, 3342.
Agulló y Cobo, Mercedes. 1661.
Agustí, Vicente. 360, 520.
Agustín, San. 107, 723, 1308, 1850 (9), 2278, 2281, 2683, 3685, 3803, 3881, 4168, 4281, 6463.
Agustín, Fr. Antonio. 2322, 5498.
Agustín de Jesús María, Fray. 5923.
Agustín de la Magdalena, Fray. 4477.
Agustín de Ocaña, Fray. 1243, 2462, 2532.
Agustín de Santo Tomás, Fray. 1287, 2377, 4475.
Ahumada, Fernando de. 4441.
Aicardo, P. José Manuel. 905-6.
Alaejos, Abilio. 3863, 3982.
Alaejos, Fr. Lucas de. 2536, 2561.
Alarcón, Alonso de. 119, 1518.
Alarcón, Cristobalina de. 214 (26, 50).
Alarcón, Julio. 517a.
Alarcón, Pedro Antonio de. 2569.
Alastuet, P. Diego de. 1522.
Alatorre, Antonio. 4979.
Alba, Manuel de. 4477.
Alba y Astorga, Fr. Pedro de. 1195, 1501, 4502, 5179.
Albareda, Anselmo M. 598, 600.
Albelda y Zapata, Josefa María de. 2008 (8).
Albenino, Nicolás de. 5042.
Albert de l'Annonciation, Fray. 3579a, 3911.
Albert Berenguer, Isidro. 3600.
Albertinum, Aegidium. 2843.
Alberto, Fray. 2975a.
Alberto, Mary. 3422.
Alberto di S. Gaetano. 3455.
Alberto de la Virgen del Carmen, Fray. 1772, 3484b, 3563d, 3685, 3987, 4303a, 4306, 4309, 4317, 4362.
Albertus a Sancto Caietano. 3535.
Albia de Castro, Fernando. 2628.
Alcaide, Santiago. 5697.
Alcázar, Bartolomé. 5816.
Alcázar, Melchor del. 1541 (prels.).
Alcina Franch, Juan. 6101.
Alcina Roselló, L. 2587.
Alcobendas, Fr. Severiano. 5.
Alcocer, Fr. Francisco de. 968.

Alcocer, Fr. Jerónimo. 5683.
Alcocer y Martínez, Mariano. 2345, 4291, 4344, 5054, 5150, 5181, 5489, 5969.
Alda Tesán, J. M. 3703.
Aldama, Antonio M. de. 769a, 910.
Aldama, José Antonio de. 2823a, 2921.
Aldana, Cosme de. 5795.
Aldana, Francisco de. 5785-86, 5797.
Aldana Fernández, S. 4066a.
Aldea, Quintín. 1008, 1011.
Aldunate Lyon, Carlos. 378.
Alegre, José María. 6448.
Aleixandre, Vicente. 3495.
Alejandro VII. 1286, 1447-48.
Alejandro VIII. 58.
Alejandro, José María de. 5320.
Alejandro de Santa Teresa, Fray. 3542.
Alejandro de Toledo, Fray. 2486, 5885 (13).
Alemán, Mateo. 6213, 6215, 6242, 6457.
Alemán Sainz, Francisco. 3916.
Alenda y Mira, Jenaro. 2311, 5727-28, 5766.
Alenxo, Ignacio de. 3040.
Alessandro di S. Francesco, Fray. 3432-35.
Alessandro di S. Giovanni della Croce, Fray. 3871.
Aleu, J. 894.
Alewin, Richard. 5926.
Alexis, Joseph E. A. 6046.
Alfantega, Francisco. 2380.
Alfaro Fernández de Córdoba, Catalina de. 4672 (prels.), 4675, 4678 (prels.).
Alfau de Solalinde, Jesusa. 4826.
Alfay, José. 5839.
Alfonso X. 82-84, 112.
Alfonso M. de Santa Teresa, Fray. 3569.
Alfonso de la Madre de Dios, Fray. 4202.
Alfonso Maria di Jesù. 3543.
Algar Montenegro, M.° 2047.
Alighieri, Dante. 4152.
Alima, Fr. Miguel. 5117 (154).
Almansa y Segura, Andrés de. 1634.
Almendros, Lucas Juan Pedro. 4249.
Almeyda Coutiño, Antonio de. 4676 (prels.).
Almosnino, Moysen. 1707.
Alonso, Dámaso. 1823, 3257, 3270, 3674, 3728, 4006, 4008, 4029-30, 6285.
Alonso, Joaquín María. 3678a.
Alonso, José. 720.
Alonso, María Rosa. 4008a.
Alonso Bárcena, F. 534a.
Alonso de la Concepción, Fray. 2478.
Alonso García, Daniel. 281.
Alonso de Jesús, Fray. 4353.
Alonso de Jesús María, Fray. 4528.
Alonso de la Madre de Dios, Fray. 1742, 3531.
Alonso de Madrid, Fray. 931, 935.
Alonso Maldonado, Luis. 5785.
Alonso de Maluenda, Jacinto. 1426-27.

1776-79, 1794-95, 1799, 1803, 1816, 1828, 1830, 1835, 1845, 1879, 1915, 1923, 2015, 2068, 2159, 2164, 2219, 2222, 2232, 2251, 2294, 2298, 2343, 2353, 2439, 2475, 2479, 2487, 2494, 2502-4, 2510, 2524, 2593, 2685, 2801, 2998, 3058, 3060, 3065-67, 3069, 3078, 3084, 4213, 4233, 4239, 4273, 4278, 4293, 4309, 4314, 4317, 4367, 4375, 4377-78, 4389, 4431, 4478, 4492, 4502, 4504, 4541, 4551, 4585, 5037, 5043, 5055-56, 5086, 5098, 5136, 5186, 5286, 5355, 5429-33, 5437-5438, 5587, 5595, 5619, 5621, 5682, 5752, 5803, 5919, 6386.
Antonio de Cáceres, Fray. 5921.
Antonio de la Concepción, Fray. 5052.
Antonio de Córdoba, Fray. 206.
Antonio de la Cruz, Fray. 2599.
Antonio del Espíritu Santo, Fray. 4475, 5885 (7).
Antonio de Fuentelapeña, Fray. 1284, 2470, 2534-35, 3039.
Antonio de Fuente-Lapiña, Fray. 1782.
Antonio de Jesús, Fray. 1285, 2687.
Antonio de Leganés, Fray. 3061.
Antonio María del Santísimo Sacramento, Fray. 4307.
Antonio de la Puebla, Fray. 2469.
Antonio de Santa María, Fray. 2478, 2628, 2657.
Antropius, G. 4270.
Antúnez, Domingo de. 236.
Anzoátegui, Ignacio B. 3237.
Añaya, Fr. Luis de. 4364 (7).
Añíbarro, Víctor. 2127, 2157-58.
Aparicio, Francisco. 4026a.
Aparicio, Fr. Sebastián de. 1307.
Aperribay, B. 4066b.
Apolinar, Francisco. 301.
Aponte, P. Lorenzo de. 2894.
Apraiz, Angel de. 4019.
Apuleyo. 6407.
Aquaviva, C. 399.
Aragón Fernández, Antonio. 518.
Araiz, Jerónimo Jacinto de. 21.
Arana, Fr. Francisco de. 4578.
Arana, José Ignacio. 516.
Aranaz, Fr. Jacinto. 1507 (14-15).
Aranda, P. Gabriel de. 1252-53, 4469.
Aranda Quintanilla, Pedro. 2384.
Arando, Juan de. 5047.
Aranguren, José Luis L. 3233, 3655.
Araújo, Fr. Francisco de. 3208-11, 3213.
Araújo-Costa, Luis. 1133.
Arbieto, Juan de. 2008 (25).
Arbieto, Pedro de. 2008 (7).
Arbildo, Cristóbal de. 1333.
Arbiol, Antonio. 3807.
Arbolanche, Juan Batista. 214 (81).
Arbués, Luis Vicente de. 1065, 1648, 1950, 4580, 4608.

Arce, Ambrosio de. 1505 (12).
Arce, David N. 4876.
Arce, Joaquín. 1556, 1623.
Arce, Juan de. 1317.
Arce, P. A. 618.
Arce, Pedro de. 2039.
Arce, Pedro Ignacio de. 4676 (prels.).
Arce, Rafael. 2959.
Arce Solórzano. 1454-55.
Arcigli Santoro, Paola. 1959.
Arciniegas, Germán. 2076, 2120.
Arco, Angel del. 5862.
Arco, Gaspar del. 6494 (48, 61).
Arco y Garay, Ricardo del. 27-29, 1758a, 1770-71, 2180-84, 5093, 5814-15, 5817-26, 5832, 5836, 5845-48.
Arcos, Fr. Jacinto de los. 1507 (18).
Archimedes. (V. Arquímedes).
Arda y Mogica, Nicolás de. 5630.
Ardanuy, José. 6154.
Ardanuy, Orencio, 5435.
Areitio, Darío de. 575.
Arellano, Gaspar de. 5125 (10).
Arellano, Marcos de. 2033.
Arellano, Tirso. 680, 807b, 828.
Arenas, Anselmo. 2907.
Arenas Luque, Fermín V. 4999.
Ares, Fr. Diego. 4499.
Ares Montes, José. 4918a, 4921, 5325a.
Aretino, Pedro. 5038-41.
Argaiz, Gregorio de. 133, 3059.
Arguijo, Juan de. 214 (3), 1532, 1541 (prels.).
Arguillur, P. José de. 1514.
Arguillur, Juan Francisco de. 5119 (20, 48).
Arias, Augusto. 4901.
Arias, D. 2789a.
Arias, P. Francisco. 2349.
Arias de la Canal, Fredo. 4926.
Arias Castillo, Juan. 2254.
Arias Montano, Benito. 1, 1530, 2553.
Arias Pérez, Pedro. 1585.
Arias de Porres, Gómez. 1708.
Aribau, Buenaventura Carlos. 1178, 6009, 6483.
Arín, Baltasar de. 5405.
Ariosto, Ludovico. 2205-19.
Aristóteles. 1486, 1827, 5276, 5280, 5282.
Aristotiles. (V. Aristóteles).
Armas, G. 3642a.
Armendáriz, Pedro de. 236.
Armendáriz, Sebastián de. 1551.
Arnau, Juan Mariano. 5132-33.
Arocena, Fausto. 497a, 573, 651.
Aroza, Diego de. 1281.
Arqueles. 4855.
Arquímedes. 5165.
Arredondo, Martín. 2123.
Arriaga, Gabriel José de. 5050.

Bañuelos, Misael. 5315.
Barado, Francisco. 2225.
Baraona, Juan de. 1912.
Barbarigo, C. Greg. 2875.
Barberán, C. 2585.
Barbón y Castañeda, Guillén. 1597.
Barbosa, Jozè. 4558.
Barbosa Machado, Diogo. 5919.
Barbul, Scarlat. 6252.
Barcelona, Diego. 2445.
Barcia y Zambrana, José de. 4448.
Barco Centenera, Martín del. 1864.
Bardaxí, José de. 1944.
Bardin, James C. 4863.
Barezzi, Barezzo. 6227.
Barine, Arvède. 6259.
Barnstone, Willis. 3276, 3413, 3656.
Barrales, Felipe Santiago de. 4678 (37).
Barrasa, Fr. José. 49, 52-53.
Barreda, Francisco de la. 5736.
Barrera, L. A. 2075b.
Barrera y Leirado, Cayetano Alberto de la.
  1031, 1047, 1362, 1632, 1931, 2068, 2175, 5158,
  5584, 5803.
Barrera Vázquez, Alfredo. 5468.
Barreto, Roberto. 214 (18).
Barrick, M. E. 6406.
Barrientos, Agustín de. 4390.
Barrientos, Urbano. 3899.
Barrionuevo, Luis. 214 (47).
Barrionuevo y Moya, Juan. 4649.
Barrios, Miguel de. 81.
Barriovero (Doctor). 961.
Barrón García, M. 4183a.
Barrón y Ximénez, Diego Jacinto. 2008 (23).
Barros, Alonso de. 2036.
Barros, João de. 5909.
Barros Arana, Diego. 5070.
Barroso, Santiago. 4112.
Barthes, Roland. 902, 944.
Bartoli, Daniello. 507.
Bartolomé de Jesús María, Fray. 4608.
Baruzi, Jean. 3396, 3664, 3821, 4026.
Bas, Joe. 1965.
Basabe, Enrique. 805, 838.
Basalisco, L. 5945a.
Basave, Agustín. 4004.
Basilio de Rubí, Fray. 3680.
Basilio de San Pablo, Fray. 3907.
Basilio de Zamora, Fray. 2474.
Bassus, Cassianus. 5278.
Bataillon, Marcel. 920, 2836, 2838, 3292a,
  3299a, 3325a, 3396a, 3821a, 40008b, 4079,
  4083, 4684a, 4790a, 5273, 5299, 5301, 5317,
  5319, 5321-25, 5954a, 6085, 6172b, 6195, 6274,
  6318.
Batista de Lanuza, Jerónimo. 1821.
Batista de Lanuza, Miguel. 1255, 1257, 1759,
  1766, 2520-22.

Batlle, José. 2607.
Batllori, Miguel. 321a, 396a, 417a, 437a, 552a,
  574, 622, 819, 2775c, 4420.
Baudrier, Henri Louis. 5288, 5290.
Baumanns, Peter. 6463.
Baydal Tur, J. S. 3578.
Bayle, P. Constantino. 707, 2111, 2915.
Bayo, Marcial José. 4009.
Bayona Posada, C. 3884b.
Bayona Posada, N. 4803a.
Bázquez. (V. Vázquez).
Bazán, P. Hernando de. 3013.
Beardsley Jr., Theodore S. 2066.
Beau, A. E. 6172c.
Beberfall, L. 6092a.
Becerro Fernández, Juan. (V. Juan de To-
  ledo, Fray).
Bécquer, Gustavo Adolfo. 4163.
Becher, Hubert. 410.
Bede, Fr. 3411a y c.
Bede of the Trinity, Fray. 3423, 3481.
Bedmar, Francisco de. 4633.
Beguin, Jean. 5821.
Beguiristain, Justo. 646.
Behn, Irene. 3351, 3353.
Behnke, Fritz. 2000.
Beinza, Matías de. 5749.
Bejarano, Juan Antonio. 219 (41).
Belgrado, Astrea. 286.
Beling de Bernassy, Marie-Cecile. 4938.
Belmont, Vicente. 4487.
Belmonte, Fr. Miguel de. 1444.
Beltrán, P. Antonio. 2706, 2712.
Beltrán, Fr. Juan. 1701.
Beltrán, Fr. Luis. 214 (77).
Beltrán, Manuel. 5117 (57).
Beltrán, Miguel. 2505, 3206-7.
Beltrán, Fr. Pedro. 214 (35, 52-53, 65).
Beltrán de Alzate, Simón Esteban. 236.
Beltrán de Heredia, Fr. Vicente. 631, 2638a,
  4225, 4604.
Bell, A. F. G. 3410b, 3606.
Bellecio, P. Luis. 359, 375, 779.
Bellido de Guevara, Esteban. 4493.
Bellini, Giuseppe. 4719, 4787, 4800a, 4917,
  4949, 4985, 5003.
Bellmont, Fr. Vicente. 2395, 4681.
Benasay-Berling, Marce Cécile. 4919, 5017.
Benavente, Fr. Luis de. 2252.
Benavides, Antonio de. 5117 (113).
Benavides y de la Cerda, Bartolomé de.
  1843.
Bendiek, Johannes. 3996.
Benedictus a Cruce. 3724.
Beneta, Marcial. 4678 (prels.).
Beneyto, Miguel. 5125 (40, 63, 65).
Benítez Zapata, Juan. 5753.
Benito, San. 938.
Benito de la Madre de Dios, Fray. 5095.

Cook, Pauline. 4794.
Copérnico. 3000.
Corbishley, Thomas. 460.
Corchado y Soriano, Manuel. 3594.
Cordero, Juan Martín. 2220-21.
Córdoba, A. 3569c.
Córdoba, Alonso de. 5120 (6).
Córdoba, Fr. Antonio S. C. 2636.
Córdoba, Eulogio Francisco de. 4678 (preliminares).
Córdoba, Francisco Lucas de. 2301.
Córdoba, Juan de. 2403.
Córdoba y Figueroa, Diego de. 1505 (8).
Córdova. (V. Córdoba).
Coreno, Jacobo. 5440.
Cornarium, Janum. 5278.
Cornejo, Damián. 2025.
Cornejo, Fr. Pedro. 5057.
Cornejo Polar, Jorge. 4094.
Coronado, Carolina. 3489.
Corral, Gabriel de. 1590, 1606.
Correa, Gonzalo. 6494 (79).
Correa Calderón, Evaristo. 5849.
Correa de la Cerda, Fernando. 3519.
Correas, Gonzalo. 2065.
Corripio Rivera, Manuel. 4915, 4964, 4976.
Corso, Lope. 4215.
Cortés, Fr. Gaspar. 1949.
Cortés, Hernán. 5785-86, 5788.
Cortés, Jerónimo. 5785-86.
Cortés, Pedro. 5785.
Cortés, Pedro Luis. 2393 (1), 5581.
Cortés Ossorio, P. Juan. 1551, 5885 (3).
Cortés de Tolosa, Juan. 6108.
Cortizos de Villasante, Manuel José. 5630.
Cortés Grau, José. 3976.
Cosgrove, H. P. 769d.
Cosío Bustamante, Diego de. 5117 (55).
Cossío, José María de. 3665, 4075, 4892, 4941, 6486.
Costa, Maurizio. 910, 914.
Costa de Alou y Segura, Isidro. 2393 (11).
Costa Fontes, Manuel da. 6476.
Costa y Lugo, Martín Leandro. 4676 (preliminares).
Costart, Marcos. 4318.
Coster, A. 5841.
Coster, Adolphe. 536.
Costero, Francisco. 2659.
Cotallo Sánchez, José Luis. 2902, 2960.
Cotarelo y Mori, Emilio. 282, 2001, 5507-14, 5516-20, 5522-24.
Couderc, J. B. 2889.
Courel, François. 435-36.
Courtial, Jean-Joseph. 5030.
Cousson, Jean Caradec. 4256.
Covarrubias Herrera, Jerónimo de. 5235.
Cox, I. J. 2081a.
Cox, Patricia. 4817, 4925.

Craveiro da Silva, L. 2775s.
Crawford, J. P. W. 1998.
Creixell, Juan. 584, 595-96, 604, 607, 623, 666, 803.
Crema, Juan Antonio. 246.
Crespí de Valldaura, Francisco. 5125 (5).
Crespo de Bricia, Juan. 4347.
Criado, Carmen. 6226.
Criado, Elisa. 6161.
Crisógono de Jesús Sacramentado, Fray. 3229, 3484, 3552m, 3556, 3557a, 3563, 3605, 3609, 3839-40, 3977.
Crisógono de S. J. 2678, 2680.
Crisóstomo, San. 4224.
Cristiani, León. 3576.
Cristóbal, Fray. 2769.
Cristóbal Atanasio de la Cruz, Fray. 1307.
Cristóbal de San Alberto, Fray. 2362.
Croce, Alda. 4008c.
Croce, Benedetto. 6439.
Crofts, J. E. V. 6206.
Cros, Edmond. 4991, 6353.
Cros, Francisco. 5206.
Crosby, James O. 1612.
Croset, P. 2153.
Crouch, J. O. 6391.
Cruillas, Francisco. 1512.
Cruset, José. 4253.
Cruzado y Aragón, Francisco. 1510.
Cruzado y Ferrer, Esteban. 5117 (138).
Croses, Fr. Antonio. 1688.
Cuartero y Huerta, Baltasar. 92, 94, 1532, 1954, 5897-98.
Cubí, Manuel. 4411.
Cuéllar, Jerónimo de. 1505 (24).
Cuentas y Zayas, Bernardino de las. 1243.
Cuervo (P.). 2645.
Cuesta y Saavedra, Ambrosio de la. 4676 (preliminares).
«Cuestión de Amor». 6103.
Cueto, Leopoldo Augusto de. 1123.
Cueto, Fr. Pedro. 5416.
Cueva, Eugenio de la. 5125 (71).
Cueva, Francisco de la. 4215.
Cueva, Juan de la. 5757.
Cueva y Aldana, Diego de la. 2500.
Cuevas, Fr. Domingo de. 2949.
Cuevas García, Cristóbal. 3287-88, 5701.
Cugno, Alain. 3580.
Cukuras, Valdemaras. 3892.
Culligan, Kevin Gerald. 4198.
Cummarano, Leonardo. 4008.
Cummins, J. G. 2237a.
Cummins, N. 3922a.
Cunnigham, Gilbert F. 4795.
Cunnighame Graham, Gabriela. 3416.
Cuña Arvelos, José de. 5117 (69).
Cupérnico. (V. Copérnico).
Curbó, Vicente. 2252.

Diamante, Juan Bautista. 5505-6, 5560.
Díaz, Alonso. 214 (78, 84).
Díaz, Elpidio. 4096.
Díaz, Francisco. 6490.
Díaz, J. L. 2789b.
Díaz, Juan. 2762-63, 2767, 2780-81.
Díaz, María Teresa. 6157.
Díaz, Nicolás. 946.
Díaz Callecerrada, Marcelo. 1594.
Díaz Cano, Francisco. 2476.
Díaz Infante Núñez, Josefina. 4042.
Díaz Morante, Pedro. 1932, 5664.
Díaz Pimienta, Tiburcio. 4678 (23).
Díaz-Plaja, Guillermo. 6102.
Díaz de Ribas, Pedro. 5118.
Díaz de Morentín, Fr. Luis. 1684.
Díaz y de Ovando, Clementina. 4945.
Díaz-Plaja, Guillermo. 701, 4253.
Díaz Rengifo, Juan. 1598.
Dicastillo, Juan de. 5036.
Dicastillo, Miguel de. 2187, 5063.
Dicastillo y Azedo, Juan de. 2008 (prels., 3, 20).
Dickinson, Emily. 4173.
Diego, Gerardo. 1619, 4010-11, 4060, 4893.
Diego de Estella, Fray. 1143.
Diego di Giesù, Fr. 3435-36.
Diego de Jesús, Fray. 3206-7, 3212-13, 3359, 6531.
Diego de San José, Fray. 1432, 1924.
Diego de Toledo, Fray. 5885 (4).
Diego de Vitoria, Fray. 5885.
Díez. 3872c.
Diez, Miguel Angel. 3695, 3917a.
Díez-Alegría, J. M. 816.
Díez de Aux, Luis. 23, 949, 1193, 1249, 1395, 1431, 1856, 2336, 5119 (25), 5426, 5607, 5806, 5866, 5868.
Díez Blanco, Alejandro. 3231.
Díez Borque, J. M. 3958.
Díez-Canedo, Enrique. 4866.
Díez y Foncalda, Alberto. 33, 47.
Díez y Gutiérrez O'Neil, J. L. 817.
Díez Mateo, Félix. 2105.
Díez de St. Miguel, Angel. 3692.
Díez de Valderrama y Bastida, Juan. 2008 (26).
Dionisio Areopagita, San. 2369.
Dioscórides. 1489-90, 5258-65, 5290, 5299, 5315, 5316-17.
Di Pietra, Vincenzo. 3458.
Dirks, Georges. 448, 812.
Disandro, Carlos A. 3712, 4156.
Dislate, Licenciado. 5119 (50).
Dolce, Ludovico. 2209-10.
Dolz del Castellar, Esteban. 2, 1695.
Domene, Jesús Francisco. 886.
Domingo de Guzmán, Santo. 4348.
Domingo de Jesús María, Fray. 3316.

Domingo de Santa Teresa, Fray. 2362.
Domínguez Berrueta, Juan. 2662, 2669, 2672, 2677, 2681, 3339, 3483, 4132, 4136, 4138.
Domínguez Berrueta, Martín. 4002.
Doncoeur, Paul. 431, 446.
Dongo Barnuevo, Antonio. 4676 (prels.).
Donne, John. 4028.
Doñol, Juan Bautista. 74.
Doren, Carl Van. 6219.
Doria, Juanetín. 5061 (1).
Doria, P. Nicolás. 4128.
Dormer, Diego José. 123, 2614, 5830.
Doroteo de la Sagrada Familia, Fray. 3841-3842, 3855.
Dosithée de Saint-Alexis (P.). 3527, 3900.
Douceur, P. 3891a.
Doyle, Timothea. 3819.
Doyon, René Louis. 3394-95.
Drouet, J. 1391.
Druding, P. J. B. 316.
Duarte Capriate, Domingo. 105.
Duarte de Espinosa, Francisco. 1505 (21).
Dubler, César E. 5265, 5299, 5310.
Dudon, Paul. 440, 539, 585, 638, 696.
Dufort, J.-M. 4196b.
Duhr, Bernhard. 921.
Dullaart, Joan. 1994.
Dumeige, Gervais. 441, 753b.
Du Perier, Sieur. 4530.
Du Prat Chassagny, Ant. 4597.
Dupuis, E. 437d.
Durán, Agustín. 5157.
Durán, Juan. 5338.
Durán, Fr. Juan. 4432.
Durán, Manuel. 3487a, 4916.
Durán y de Bastero, Luis de. 1129, 2896.
Durán Cervera de Segura, Juan. 5117 (60).
Durand, F. 6320.
Durango, Vicente. 2623.
Durántez, Juan. 2745, 2821-22, 2968.
Durão, Paulo. 724, 844a, 929b.
Dutilleul, Joseph. 312.
Duval, André. 2942, 3734.
Duviols, M. 6053.
Duvivier, Roger. 3788, 3790-91, 3798-99, 4066d, 4101, 4104.

E

E. 556a.
E. A. 325a, 5154a, 6056a.
E. R. 556b.
E. S. 552d.
E. V. C. 4081.
Ebelino y Hurtado, Diego de. 2532.
Ebert. 5962.
Echavarri, Francisca de. 4678 (prels.).
Echegaray, Carmelo de. 1340.
Echegaray, Juan de. 2008 (40).

Echevarría Rodríguez, Roberto. 2086.
Echeverría, P. Carlos de. 4500.
Eduardo de San José, Fray. 3262.
Eduardo de Santa Teresa, Fray. 3204, 3861.
Eduardo de Santa Teresita, Fray. 3735.
Efrén (P.). 3775.
Efrén de la Madre de Dios, Fray. 3843, 3862.
Eguía, Francisco de. 5036.
Eguía, Miguel de. 2008 (14).
Eguía Ruiz, P. Constancio. 768, 3220a, 3546a.
Eguía y Veanrunt, Diego de. 5036.
Eguiara y Eguren, Juan de. 4810.
Eguiluz, P. Diego de. 71.
Eisenberg, D. 3488a.
Eisner, Christine. 4190.
Elías de Molins, Antonio. 4697.
Elisabeth de la Trinité, Soeur. 4135.
Elisée de S. Bernard. 2428.
Elizalde, P. Ignacio. 565, 683, 772.
Emeterio de Jesús María, Fray. 4012, 4026b, 4030.
Emeterio del Sagrado Corazón, Fray. 3902b.
Emil od Wniebowziecia. 3476.
Emper, Fr. Francisco de. 2252.
Encinas, Antonio. 821.
Encinas, Pedro de. 2575.
Encinas y López de Espinosa, Rafael. 4003.
Englader, Clara. 684.
Ennis, A. 543.
Enrique Calleja, Isidoro. 4829.
Enrique del Sagrado Corazón, Fray. 3679, 4178, 5705a.
Enríquez, Catalina. 1330.
Enríquez, Francisco. 2033.
Enríquez, Fr. Crisóstomo. 2410.
Enríquez Peregrina, José. 4877.
Enríquez de Ribera, Fernando (duque de Alcalá). 1541 (prels.), 1554.
Ens, Caspare. 6242, 6451.
Enschenio, P. Godofrido. 2706.
Entonado Espinosa, Agustín. 5117 (132).
Entrambasaguas, Joaquín de. 4800c, 5358-59, 5362, 5371, 6341.
Entwistle, W. J. 4008d.
Equía Rezola, Luis. 492.
Erasmo, Desiderio. 924, 926, 939-40, 943, 1487, 4146, 6469, 6475.
Erce Ximénez, Miguel de. 2277.
Ercilla y Zúñiga, Alonso de. 283, 2197.
Erens-Bouvy, Sofie. 6246.
Ermanno del SS. Sacramento Ancilli, Fray. 3938.
Ermitaño, Fr. Angel. 5119 (3, 19).
Ernst, Albert. 3698.
Escañuela, Fr. Bartolomé de. 2128-30.
Escarpizo, A. 6108.
Escobar, Alfonso. 685.
Escobar, Antonio de. 214 (70).

Escobar, Juan de 3059.
Escobar y Mendoza, Antonio de. 3038.
Escobedo Altamirano, Juan de. 6494 (37).
Escofet, José. 6148.
Escolano, Diego. 2019-20.
Escolano, Gaspar. 5125 (37).
Escoto, Juan Duns. 1201, 2128-38.
Escrivá, Francisco. 4404.
Escrivá, Vicente. 6063.
Escrivá de Romaní, Gaspar. 5125 (24, 39, 58).
Escuder, Fr. Juan Bautista. 2393.
Escudero y Peroso, Francisco. 195, 214, 262, 1026, 1071, 1091, 1141, 1345, 1348, 1370, 1541, 1661, 1791-92, 1796, 1798, 1802, 2010, 2309, 2311, 2478, 2505, 2605-8, 2768, 2785, 3315, 4461, 4508, 5113, 5230-32, 5416, 5421, 5536, 5679, 5685, 5688.
Escudero de la Torre, Fernando Alonso. 188.
Escuela, Fr. Jerónimo. 5715.
Eschio, Nicolás. 6524.
Eslava, Antonio de. 5187.
Esmir, José. 5716.
Esparza, Eladio. 3619, 3729.
Esparza, Martín de. 6494 (73).
Espeleta, Juan de. 5117 (14).
Espilla, Fr. Juan de. 4350.
Espínola Baeza Echaburu, Juan de. 1469.
Espinosa, Antonio de. 1505 (14).
Espinosa, P. Clemente. 896.
Espinosa, Fr. Cristóbal de. 2594, 4618.
Espinosa, Juan de. 214 (5), 4271, 5120 (10).
Espinosa, Fr. Juan Miguel de. 1693.
Espinosa, Fr. Leonardo de. 5117 (63).
Espinosa, P. Matías de. 2320.
Espronceda, José. 6128.
Esquer Torres, Ramón. 4116-17, 6461.
Esquerda Bifet, Juan. 2983-84, 2998, 3784a.
Esquerdo, Onofre. 2609.
Esquerdo Bifet, Juan. 2840.
Esquex, Francisco. 4277, 5122.
Esquex, Pedro Francisco. 1267, 1271, 1273.
Esquilache, Príncipe de. 289 (1).
Esquivel, Diego de. 5113 (6), 5114.
Esquivel, P. Pedro de. 1043.
Estal, J. M. del. 552f.
Esteban Romero, A. 824a, 932c, 3229d.
Estefanía, José María. 787.
Estete, Miguel de. 1668.
Estevan, Juan. 5117 (16).
Estevan, Manuel. 1505 (38).
Estevan y Colas, Miguel. 104, 2396.
Esteve Barba, Francisco. 6525.
Estrada, P. Ignacio de. 1859.
Estrada, Juan de. 2160.
Estrada y Bocanegra, Cristóbal de. 245.
Etienne de Sainte-Marie (P.). 3407, 3872b.

Ettenhard, Francisco Antonio de. 5221, 5630, 5646.
Euclides. 5630, 5918.
Eucherio. 4223.
Euerarto, Aegidio. *(V. Everard, Gilles).*
Eugenio IV. 173.
Eugenio de San José, Fray. 3292b.
Eulogio de San Juan de la Cruz, Fray. 686a, 3888a, 3917.
Eulogio de la Virgen del Carmen, Fray. 323b, 1235a, 3112, 3200, 3637, 3642c, 3678d, 3748, 3754-56, 3759-61, 3763-64, 3769, 3784-3787, 3789, 3792, 3886a, 3900, 3913, 3930a, 4044c, 4047, 4057-58, 4086, 4089-90, 4092. (V. además: *Pacho, Eulogio).*
Eusebio (Obispo de Cesárea). 4222.
Eustachio di Santa Maria, Fr. 3526, 3529.
Evain, A. 887.
Everard, Gilles. 5294.
Evaristo del Niño Jesús, Fray. 3783a, 4181.
Evaristo de la Virgen del Carmen, Fray. 3550.
Ezcaray, Antonio de. 1820.
Ezcurdia, Martín. 3576.
Ezequiel del Sagrado Corazón de Jesús, Fray. 3827.
Ezpeleta, Manuel. 833.
Ezpeleta, Fr. Miguel de. 5119 (1).
Ezquerdo, J. 3229e
Esquivel, Diego de 5113 (6), 5114
Ezquerra, Pablo. 5856.

F

F. A. 556c, 575a, 593, 2975b.
F. C. 372a.
F. E. V. C. 4300.
F. de la M. 4818a.
F. N. 3552d.
F. S. A. 3908a.
F. S. de la Cruz. 3717.
F. V. 339c.
Fabbrici, Jacopo. 3439.
Fabro Bremundan, Francisco. 104, 5715, 5816, 5844.
Fajardo, Baltasar. 5883.
Falces, Fr. José de. 1434.
Falcón, Pedro. 5117 (150, 152).
Falzone, Letizia. 3448.
Faraudo el Real, José. 2485.
Faria y Sousa, Manuel de. 1058, 4621.
Favre-Dorsaz, André. 929.
Faxeda, Fr. José. 2594, 4618.
Febrero Lorenzo, María Asunción. 4427.
Feder, Alfred. 404, 411, 413, 416.
Federico de San Juan de la Cruz, Fray. 3570a, 3634a, 3776, 3899b, 4044d, 4087a, 4125.
Feige, H. 3543.
Feijóo González de Villalobos, Fr.Juan. 4328.

Felices de Cáceres, Juan Bautista. 24, 1033, 1327, 1329, 2267, 5119.
Feliciana de San José, Madre. 4153.
Felipe, Guillermo. 214 (17).
Felipe de la Cruz, Fray. 1636.
Felipe de la Madre de Dios, Fray. 3232d.
Félix de Alamín, Fray. 1124, 2495-96.
Félix de Barcelona, Fray. 945, 1450.
Félix del Santísimo Sacramento, Fray. 4500.
Fénelon. 3629 .
Ferdinando della Madre di Dio, Fray. 3510.
Ferdinando di S. Luigi. 3048.
Ferdinando di S. Maria. 3445, 3563.
Fernández, Andrés. 1086.
Fernández, Diego. 3063, 4364 (24).
Fernández, P. Diego Antonio. 1525.
Fernández, Francisco. 1330.
Fernández, José. 5674.
Fernández, Juan. 2052.
Fernández, Sergio. 4983.
Fernández Abarca, Fr. Diego. 4632.
Fernández de Acuña, Pedro. 5065 (3-4, 20-21).
Fernández Alonso, María del Rosario. 4935.
Fernández de Angulo, Bernabé. 6494 (43).
Fernández de Belo, Benito. 1867.
Fernández-Bobadilla, L. M. 2903.
Fernández del Castillo, Francisco. 4923.
Fernández de Córdoba, Antonio. 2126.
Fernández de Córdoba, Félix (duque de Sessa). 4677 (prels.).
Fernández de Heredia, Juan. 5119 (13).
Fernández de Heredia Pisa, Feliciano. 5117 (117).
Fernández de Lara, Pedro Gaudioso. 1525.
Fernández Mac Gregor, Genaro. 4854, 4865.
Fernández de Miñano, Francisco. 1382.
Fernández Montaña, José. 2746, 2773, 2898, 2966.
Fernández de Navarrete, Pedro. 5169.
Fernández Navarro, Mateo. 5105.
Fernández Peña, Agustín. 2136.
Fernández Ramírez, Salvador. 5154.
Fernández de Ribera, Rodrigo. 214 (32, 56, 63).
Fernández Ulloa, Ana Francisca. 4055, 4118.
Fernández Zapico, Dionisio. 639, 660, 3732.
Fernando, Fr. Francisco. 2603.
Fernando de San José, Fray. 2473.
Ferrada, Manuel. 3969.
Ferraresi, Alicia de. 6335.
Ferraro, J. 3956.
Ferraz, A. 843.
Ferreira Reimāo, Gaspar. 5911.
Ferrer. 4044e.
Ferrer, Inmaculada. 6123.
Ferrer, Fr. José. 2249, 2296.
Ferrer, P. Luis. 2659.

Francisco de San José, Fray. 1091, 2628.
Francisco de San Julián, Fray. 4376.
Francisco de San Lorenzo, Fray. 2505.
Francisco de San Marcos, Fray. 1044.
Francisco de Santa Clara, Fray. 5090.
Francisco de Santa María, Fray. 2308-9, 2508, 2519, 3505, 3507, 4275.
Francisco de los Santos, Fray. 2473, 2576, 4294.
Francisco de Sevilla, Fray. 1780.
Franckenau. 5850.
Franco, Cirilo. 2604.
Franco, P. Francisco. 1525.
Franco Sorribas, Fr. Francisco. 1507 (9, 23).
Franco de Ulloa, Fr. Alonso. 1243.
Franco-Furt, Arnaldo. 5596.
François de Sainte Marie, Fray. 3673, 4304.
Frankl, Víctor. 2115-16.
François de Sainte Marie. 3621.
Françoise de Sainte Thérese. 1237.
Frank, Marina. 4855.
Frazzetta, Michele. 5594.
Frenk-Alatorre, Margit. 6345.
Freux, P. André des. 362, 481.
Frías, P. Gaspar de. 162.
Friede, Juan. 2102.
Frieiro, E. 6458.
Frost, Bede. 3832.
Frusio. *(V. Freux)*.
Fucilla, Joseph G. 1622, 5370a, 5392.
Fuchsio, Leonardo. *(V. Fuchs)*.
Fuchs, Leonhart. 1489-90.
Fuente, Agustín de la. 2176.
Fuente, Fr. Gaspar de la. 4370.
Fuente, Vicente de la. 1256.
Fuente González, Agustín de la. 2930.
Fuentes, Fr. Gregorio. 2627.
Fuentes, Fr. Miguel de. 2349, 4477.
Fuentes y Pérez, Rodrigo. 4039.
Fuentes Saz, Juan de. 5119 (prels.).
Fueyo, A. 3205a.
Fulop-Miller, René. 533.
Funes, Fr. Jerónimo de. 5857-58.
Funes de Villalpando, Francisco Jacinto. 2443.
Furst, H. 543.
Fuser, Jerónimo. 1754, 1764.
Fusero, Clemente. 6239, 6241.
Fuster, Justo Pastor. 2612-13.
Fustero, Fr. Alonso. 2121.

G

G. C. 3236a, 3398.
Gabriel of the Bl. Denis and Redempt. 3686.
Gabriel de la Concepción, Fray. 4449.

Galeno. 5275, 5285, 5287-88, 5291, 5293, 5296, 5312.
Gabriel de San José, Fray. 1243, 4364 (16).
Gabriele di S. Maria Maddalena (P.). 3451, 3725, 3831, 3833, 3844-45, 3873, 4095, 4177, 4211.
Gabriele di Venezia, Fray. 3809.
Gadea y Oviedo, Sebastián Antonio de. 4263.
Gageac, Pierre. 3571.
Gaglio, Arístide. 4069.
Gaiffier, B. de. 3094, 3221a, 3223a, 3292c.
Gaitán, José Damián. 4122.
Galán, J. Damián. 3969.
Galcerán de Castro, Gaspar (conde de Guimerá). 2182.
Galdós, Romualdo. 767.
Galeano Ospina, Carlos E. 4820.
Galiano Espuche, Francisco. 1300.
Galindo, Fr. Francisco. 5180.
Galofaro, Jole. 3279.
Galot, J. 3329b.
Galvarriato, Eulalia. 3257, 3270, 3560.
Gálvez, Francisco de. 5118.
Gálvez de Montalvo, Luis 5371 (119), 5381, 5755.
Galvis Madero, Luis. 2089, 2092.
Gallardo, Bartolomé José. 80, 214, 947, 1005, 1308, 1311, 1348, 1366, 1454, 1474, 1482, 1488, 1541, 1549, 1551, 1554, 1557, 1561, 1661, 1663, 1692, 1786, 1813, 1913, 1920, 1922, 1955, 2011, 2034, 2171, 2201, 2238, 2506, 4215, 4291, 5036, 5052, 5065, 5113-14, 5117, 5123-24, 5167, 5197-5198, 5201, 5268, 5446-47, 5631-32, 5648, 5717, 5727-28, 5730, 5747, 5762, 5766, 5771, 5778, 5785-86, 5792, 5830, 5956, 5959, 5978.
Gallardo Sarmiento, Juan. 1318.
Gallego Morell, Antonio. 3586.
Gallego de Vera, Fr. Bernabé. 2280, 4238.
Gallegos Rocafull, José M. 3226.
Galleti, Tomaso. 2668.
Gallo, Agustín. 5525.
Gallo, Antonio. 5226.
Gama Caeiro, F. de. 3693.
Gamarra, Fr. Andrés de. 4626.
Gamarra, Antonio. 5117 (90).
Gamboni, G. 477.
Gamiz, Juan de. 3102.
Gancedo, E. 2075d.
Gancho, C. 3899c.
Gandía, Francisco de. 5096.
Gandillac, M. de. 3821f.
Ganss, George E. 769.
Gaona Hurtado, Fr. Juan. 4364 (23).
Gaos, José. 4963.
Gaos, Vicente. 3495.
Garau, P. Francisco. 5082.
Garcés, Enrique. 4878.
Garcés, Jesús Juan. 4800.

Garcés G., Jorge A. 2101.
García, Félix. 3671, 4031.
García, Francisco. 510, 963.
García, Fr. Francisco. 5458.
García, Ildefonso. 2176.
García, Jaime. 5125 (47, 96).
García, Jerónimo. 2594, 4618.
García, Fr. Juan. 5155, 6503.
García, Marios. 1505 (36).
García, Fr. Nicolás. 1684.
García, Pablo. 6279.
García, Ramón. 360.
García Angulo, Efraín. 6421.
García Baena, P. 3495.
García Barrarán, Pedro. 6494 (11).
García Blanco, Manuel. 3704.
García y Castilla, Fr. Francisco. 1243, 2400.
García de Céspedes, Andrés. 5912.
García de la Concha, Víctor. 3713, 6339, 6379.
García de Diego, Vicente. 2799.
García de Escañuela, Bartolomé. 1272.
García Feyjóo, F. Juan. 5117 (163).
García Fernández, Francisco. 162, 5885.
García Ferreras, Germán. 2906, 3050.
García Figueroa, Juan. 5155.
García Garcés, Narciso. 2932.
García y García, Matilde. 6529.
García y García de Castro, Rafael. 2931.
García Icazbalceta, Joaquín. 1813, 3013, 3017-3019, 3079, 3081.
García Isaza, Alfonso. 3943 .
García y López, Juan. (V. *Juan Bautista de la Concepción, San*).
García López, Juan Catalina. 59, 1002, 1007, 1485, 1913, 2355, 2360, 2400, 2403, 2540-41, 2545, 2556-59, 2563, 2565, 2570-71, 2579, 2593, 2721, 2778, 2782-83, 2794, 2796, 3206, 4227, 4291-93, 4302, 4309, 4346, 4351-52, 4500, 4560, 4584, 5144, 5276, 5336, 5463, 5488, 5684, 5787, 6490, 6493.
García Lorca, Francisco. 4067, 6346.
García Llamera, Felipe. 3694, 3933.
García Martínez, Fidel. 726.
García Martínez, Sebastián. 6536.
García Millares, M. 3232e.
García Miralles, M. 625-26, 3765.
García Miranda, M. 5914.
García Morales, Justo. 265.
García Morente, Manuel. 3980.
García Naranjo, Nemesio. 4806.
García Nieto, José. 4061.
García de Olivares, Fr. Francisco. 2482.
García Peres, Domingo. 2370, 2605, 4476.
García Rodríguez, Buenaventura. 3862b, 3864.
García Solalinde, Antonio. 5583.
García Suárez, Germán. 3642.
García de Torrealba, Fr. J. 2034.

García Villoslada, Ricardo. 441c, 495, 556, 727, 924, 926, 943, 2729, 2754, 2827, 2829, 2833, 2922, 2933-34.
García Zurita, Juan. 6494 (58).
Garcíasol, Ramón de. 2857a, 6078a.
Garcilaso de la Vega. 3683.
Garganta, J. de. 4803b.
Garganta, José María de. 4422.
Garibay K., Angel María. 5470.
Garmendía de Otaola, Antonio. 770.
Garnier de Laval, Jean. 6182.
Garrido, J. G. 3957.
Garrido, Pedro. 5132-33.
Garrigou-Lagrange, Réginald. 3819, 3826.
Garrone, Marco A. 6401.
Garvin, Paul. 553.
Garzarón y Vidarte, José de. 5636.
Garzo, P. José Antonio. 1168.
Gascó Contell, Emilio. 6078.
Gascón, Jusepe. 5125 (54, 61).
Gasch, Fr. Miguel. 1780.
Gaspar de la Anunciación, Fray. 3516-18.
Gaspar de los Reyes Angel, Fray. 1839.
Gaspar de San Agustín, Fray. 1682.
Gaspar de San Lorenzo, Fray. 1296.
Gaspar de Soria, Fray. 4499.
Gasparetti, Antonio. 6238.
Gasquet, Abbot. 2865.
Gates, Eunice Joinier. 1625, 4087b, 4943.
Gates, William. 5472.
Gatti, J. F. 6321.
Gauchal, L. 6262.
Gaudreau, Marie M. 3966, 3998.
Gaultier, René. 3358-59, 3379, 3385.
Gäuro, Flourenso de. 6201.
Gavaldán, Fr. Francisco. 2293.
Gavanti, Clemente. 6494 (56).
Gavarri, José. 1144.
Gavilán Vela, Fr. Diego. 1637.
Gavi Cataneo, Luis. 2451.
Gayangos, Pascual de. 79, 88, 141, 293-95, 1026, 1951, 2619, 3156, 4671.
Gaytán de Ayala, Luis. 2031.
Gaztañeta, Antonio. 5166.
Gaztelu, Domingo de. 1675-76.
Gedler, P. Juan Friderico. 2633, 2651.
Geis, Camilo. 4920.
Gella Iturriaga, José. 6425.
Genelli, Christoph. 488, 514.
Geneste, P. 2228.
Genet, Jean. 5467.
Gensac, H. de. 326e, 747a, 3497b, 3784b.
Gerard, M. 4148, 4150.
Gerardo de los Sagrados Corazones, Fray. 3901.
Gerardo de San Juan de la Cruz, Fray. 3205, 3244, 3367, 3715-16.
Gerau, Fr. Andrés. 2293.
Germán, Fray. 602a.

Germán de la Encarnación, Fray. 3632.
Gesteira, M. 3955c.
Gestel's- Hertogenbosch, P. van. 810.
Gesualda dello Spiritu Santo. 3553.
Ghermart, Adrián. 963.
Giannini, A. 6232.
Gibbes, Jacobus. 4621.
Giberto, Fr. Jerónimo. 172.
Giboulet, Geneviève. 3651.
Gicovate, Bernard. 3488.
Giersello, Mateo. 6494 (49).
Gil, P. Juan. 4215.
Gil Díez, Fr. Jaime de S. José. 3484.
Gil de Godoy, Fr. Juan. 4220, 4232.
Giles Pretel, José de. 4217.
Gilman, S. 6311.
Gilmont, Jean-François. 319, 325.
Gillet, Joseph E. 1360, 6402, 6442.
Gilly, Mgr. 3364.
Giménez. (V. Jiménez).
Giménez Caballero, Ernesto. 3821b.
Gimeno Caralduerr, Joaquín. 4111, 4123.
Ginto, Juan. 1200.
Gioachino di S. Maria. 2523.
Gioia, Mario. 469.
Giordani, Igino. 546.
Giovanna della Croce. 3634b, 3689, 3691, 3899d, 3905c, 3923.
Giovanni, D. E. A. Ettore de. 3293.
Giovio, Paolo. 2073-75, 2111-20.
Giraldo, Alberto. 6043.
Girolamo di S. Teresa. 2430-31, 2434.
Gironda, Giovan Giuseppe. 3533.
Gironda, Gonzalo de. 963.
Gisbert, Fr. Esteban. 172.
Giuliani, Maurice. 443b, 444, 762.
Giusso, Lorenzo. 6275.
Givanel y Mas, Juan. 6031.
Gleason, R. W. 462, 870a.
Goblet, Martín. 5137.
Godinez y Sandoval, Catalina de Jesús. 3735.
Godoy, Armand. 3373, 3384.
Godoy, Emma. 4928.
Godoy, Pedro Gonzalo de. 5117 (156).
Godoy Gallardo, Eduardo. 6424.
Goiri, Santiago de. 752.
Gomá Civit, Isidro. 2823.
Gómez, Fr. Bartolomé. 1813.
Gómez, Domingo. 1330.
Gómez, Elías. 2775f.
Gómez, Hilario. 677.
Gómez, Pedro. 5630.
Gómez Alonzo, Paula. 4906.
Gómez de Avellaneda, Gertrudis. 5002.
Gómez de Bustamante, Juan. 5117 (118, 174).
Gómez Calvo, Antonio. 4296.
Gómez de Castro, Alonso. 774.

Gómez de Contreras, Doctor. 2404.
Gómez de Figueredo, Sebastián. 4506.
Gómez de Luque, Gonzalo. 5371 (17), 5383.
Gómez-Menor, José. 3582-84, 6359.
Gómez Molleda, María Dolores. 651b.
Gómez Moreno, Manuel. 4244.
Gómez Moriana, Antonio. 6376.
Gómez Nogales, S. 822.
Gómez Pardo, Fr. José. 2129-30.
Gómez Raxo, Fr. Fernando. 3063.
Gómez Restrepo, Antonio. 2098.
Gómez de Rojas, Alonso. 2507.
Gómez de Silva, Rui. 2489.
Gómez Tejada de los Reyes, Cosme. 4622.
Gómez de Ulloa, Juan. 6494 (32).
Gomis, Fr. Juan Bautista. 2626, 2646, 2653, 2656, 2682, 2684, 2945, 2974.
Góngora, Luis de. 216, 222, 1531-32, 1588, 1625-26, 2064, 4156, 4676 (79), 4678 (12), 4943, 4947, 4971, 4979, 5118, 5842.
Gonsalve Gamarra, Juan. 4350.
González, Fr. Bernardino. 2342, 2351.
González, Estebanillo. 6090, 6114.
González, Fray Francisco. 1095.
González, Francisco Ramón. 2318, 4507.
González, Juan. 2691.
González, P. Juan. 1861.
González, Juan Natalicio. 4789.
González, P. Luis. 382.
González, Fr. Marcos. 1434, 1439.
González, R. 2580.
González, Sergio. 3884.
González, P. Tirso. 1518.
González, Trini. (V. González Rivas, Trinidad).
González Barcia, Andrés. 1664.
González Barroso, Agustín. 310, 1417.
González Blanco, Andrés. 4808.
González Bustos, Francisco. 5535.
González de la Calle, Pedro Urbano. 3821c y g.
González de Cámara, P. Luis. 388-89, 397, 437, 464.
González Cañuto, J. 2034.
González de Critana, Fr. J. 2034.
González Dávila, Gil. 1335, 1701, 2039, 5899.
González Echegaray, C. 4946.
González Galindo, P. Pedro. 289 (15).
González-Gallarza, R. 709a.
González González, Nicolás. 3595.
González Haba, María. 1711.
González-Hernández, Luis. 728.
González de León, Fr. Juan. 2280.
González Martínez, Enrique. 4663.
González Moralejo, Rafael. 3308.
González Moreno, J. 4421.
González Olmedo, Félix. 547.
González Palencia, Angel. 2637, 3246, 5791, 6060, 6267.

Gutiérrez, Sebastián. 5718.
Gutiérrez del Caño, Marcelino. 5723, 5855.
Gutiérrez Diamante, Francisco. 6494 (12).
Gutiérrez de Medina, Cristóbal. 1170.
Gutiérrez Nájera, Manuel. 4663.
Gutiérrez Palacio, J. 6110.
Guzmán, Juan de. 1040.
Guzmán, Fr. Pedro de. 1748.
Guzmán Chávez, T. 6280a.
Guzmán Portocarrero, Sancho de. 4260.

H

H. D. 929c.
H. H. 3238a, 3389a.
Haas, Adolf. 410.
Habib, Lydia K. 6265.
Hämel, A. 2000a.
Hmilton, Elizabeth. 3431.
Handmann, Rud. 405.
Hanlon. 468a.
Hansen, Leonardo. 187.
Hanssens, Jean-Michel. 865.
Happold, F. C. 3429.
Hardon, John A. 870.
Hardy, Richard P. 3598.
Harris, Fraser. 5312.
Hartzenbusch, Juan Eugenio. 5394.
Harvanek, Robert F. 890.
Harvey, Robert. 541.
Harvy, D. D. 6244.
Hathaway, Robert L. 2229.
Hatzfeld, Helmut A. 3708, 3888b, 4032, 4035, 4120, 4152, 4799a.
Haya, Fr. Pedro de. 1189.
Haynes, R. 652d.
Hazlitt, William. 6214.
Healy, M. A. 4892a.
Hebas y Casado, Juan de las. 2349.
Hebert, P. 3272.
Hebert, Y. 3272.
Hebreo, León. 1717, 5044.
Hebrera, Fr. Antonio de. 5027.
Hebrera, Fr. José Antonio de. 5716.
Heckel, Ilse. 4998.
Hechtermans, P. Henricus. 4602.
Hegel. 877.
Heliodoro. 954.
Hemingway, Ernest. 4193.
Hemnes, Maria Monika. 3354.
Hendecourt, M.-M. 3876.
Henricus a S. Familia, Fr. 3466.
Henrion, P. Charles. 3406.
Henríquez. (V. Enríquez).
Henríquez Ureña, Pedro. 4659, 4661, 4689, 4852, 4944.
Henze, Helene. 6173, 6175, 6177.
Heredia, P. Diego de. 4678 (prels.).

Heredia, Francisco de. 6494 (47).
Heredia, Fr. Juan de. 1949.
Heredia Cavallero, Jerónimo de. 2288-89.
Heriz, Paschasius. 3547.
Hermenegildo de San Pablo, Fray. 3.
Hernández, E. 3605c.
Hernández, Eusebio. 804, 823, 845, 3846.
Hernández, Francisco. 1813, 1815.
Hernández, L. 728a.
Hernández, Pablo. 619.
Hernández, Pedro Gaudioso. 5119 (10).
Hernández, R. 3330a.
Hernández Alfonso, Luis. 3906.
Hernández García, Eusebio. 381.
Hernández de Mendoza, Cecilia. 4894.
Hernández Morejón, Antonio. 5327, 5706.
Hernando Ortega, Teófilo. 5284, 5303.
Hernando de Talavera, Fray. 2048, 2564.
Herp, Fr. Enrique. 5702.
Herrera, Agustín de. 2445.
Herrera, P. Agustín de. 56, 6493.
Herrera, Antonio de. 4291.
Herrera, Fr. Antonio de. 4475, 5630.
Herrera, Fernando de. 214 (2).
Herrera, Francisco de la. 5114.
Herrera, Fr. Manuel de. 3039.
Herrera, Pedro de. 958, 1049, 1569.
Herrera, Robert A. 3649, 3944, 4059.
Herrera Gallinato, Manuel de. 6494 (54).
Herrera Maldonado, Francisco de. 1629, 5918.
Herrero, Javier. 6360.
Herrero, Jesús. 4212.
Herrero del Collado, Tarsicio. 2948, 2956, 2976-77.
Herrero García, Miguel. 320, 3340, 3587, 4076, 5567-68, 5572, 6397.
Herrero Llorente, Víctor. 1624.
Herrero Salgado, Félix. 240, 1018, 1118, 1334, 2017, 2394, 2608.
Herzen Gottes, María Gbriela vom. 3924.
Hespeltk, H. E. 6172e.
Hespelt, Herman. 5929.
Hesse, Everett W. 6072, 6347, 6355.
Hevas, Juan de las. 5117 (79).
Hevenesi, Gabriel. 451, 489.
Hidalgo de Agüero, Bartolomé. 2014.
Hierosme de Saint-Joseph, P. (V. Jerónimo de San José, Fray).
Hierro, José. 3495.
Higueras, Santiago. 3744b.
Hilton, Walter. 3661.
Hiller, F. L. 859.
Hillerdal, Gunnar. 563.
Hipócrates. 5291.
Hipólito de la Sagrada Familia, Fray. 3563.
Holaday, Allan G. 6220.
Holskin, H. 844c.
Holstein, H. 3576a.

I

Iturrioz, Jesús. 847.
Iturriza, Jerónimo de. **1339.**
Iturriza, Juan Ramón de. **1340.**
Iusa, Juan Bautista. **1341.**
Ivanyshyn Triantiafillou, Helen. 4927.
Ivara, Simón de. **1342.**
Ivert, Nicolás. **1343.**
Ivory, Annette. 2004.
Izcara, Joaquín. **1344.**
Izquierdo, Ausias. **1345-62, 6519-22.**
Izquierdo, Juan. **1363-64.**
Izquierdo, Pascual. **1366-67.**
Izquierdo, P. Sebastián. 776, **1368-94.**
Izquierdo, Vicente. **1395.**
Izquierdo y Aznar, Juan. **1396-97.**
Izquierdo de las Eras, Melchor. **1398.**
Izquierdo Flores y Hermosilla, Julián. **1399.**
Izquierdo Recalde, José. **1400.**

J

J. A. S. 753e, 3872d.
J. B. E. **1401.**
J. D. 817a.
J. D. G. 4191b.
J. F. del Niño Jesús, Fray. 339e.
J. G. de L. A. 6182.
J. G. de la S. 552k.
J. I. 578a.
J. L. 3642d.
J. L. A. 3879g.
J. L. M. 594.
J. M. 4662a.
J. M. C. 3658a, 4195a.
J. M. F. 942a.
J. M. V. 753f.
J. S. 795a.
J. T. del N. J. 3878a.
J. V. 3498a.
Jaca, Fr. Angel Valentín de. **1402.**
Jaca y Bruñón, José de. **1403.**
«Jácara...». **1404-10.**
Jacinto. **1411.**
Jacinto de la Asunción, Fray. **1412.**
Jacinto de la Madre de Dios, Fray. **1413.**
Jacinto de San Andrés, Fray. **1414.**
Jacinto de San Julián, Fray. **1415.**
Jacinto de San Miguel, Fray. **1416.**
Jacinto de Santa Teresa, Fray. 2902a.
Jacinto de Sevilla, Fray. **1417.**
Jacob Judam Aryeh. **1418-20.**
Jacobo de Jesús, Fray. **1421-23.**
Jacobo de San Felipe, Fray. **1424,** 1693.
Jacques-Marie, Fr. 3497.
Jaén (Licenciado). **1425.**
Jaén, D. T. 6322.
Jaén, Pedro de. 214 (16).
Jaén y de Orgaz, Diego de. **1426-27.**

Jaime, Fr. Agustín. **1428.**
Jaime, Francisco. **1429.**
Jaime Alberto (Padre). **1430-33.**
Jaime de Corella, Fray. **1434-48.**
Jaime de Cornellá, Fray. **1449-50.**
Jacobs, J. A. 3472.
Jacques de Jésus, P. (*V. Diego de Jesús, Fray*)
Jalón, Luis Bernardo. **1452.**
Jalpe y Juliá, José de. **1453.**
Jamarro, Juan Bautista. **1454-60.**
Jammes, Robert. 1626.
Janini Cuesta, José 2940.
Janisio, P. Ludovico. 507.
Jara, Bartolomé de la. **1461.**
Jara, Fr. Francisco Antonio de. **1462.**
Jara, Lucas de la. **1463.**
Jara, Luis. **1464.**
Jaramillo, P. Antonio Matías. **1465-70.**
Jaramillo, Diego de. **1471-72.**
Jaramillo, Francisco. **1473,** 5065 (7).
Jaramillo de Andrada, Diego. **1474-75.**
Jarava, Antonio. **1476-77,** 1499, 1504.
Jarava, Diego de. **1478.**
Jarava, Hernando. **1479-82.**
Jarava, José. **1483.**
Jarava, Juan. **1484-97.**
Jarava del Castillo, Diego. **1476-77, 1498-504.**
«Jardín de Apolo...». **1505.**
«Jardín de flores...». **1506.**
«Jardín de Sermones...». **1507.**
«Jardín divino...». **1508.**
«Jardín florido...». **1509.**
Jarón, Juan Pedro. **1510-11.**
Jarque, Francisco. **1512-19.**
Jarque, P. Jerónimo. **1520-21.**
Jarque, P. Juan Antonio. 1066, **1522-29.**
Jasón Verja, Roque. **1530.**
Jáuregui, Juan de. 214 (31, 51, 59, 72); CODI-
    CES: **1531-39;** EDICIONES: **1540-609;** ESTUDIOS:
    1610-32, 6523, 1633.
Jáuregui, Lucas de. **1633.**
Jáuregui, Martín de. **1634-38.**
Jáuregui, Miguel de. **1639.**
Jaurrieta, Juan Antonio. **1640.**
Jauss, Hans Robert. 6282.
Javier, P. Francisco. **1641-44.**
Javier, Ignacio. **1645.**
Javier, P. Roberto. **1646-47,** 2349.
Javierre, Antonio. **1648.**
Javierre, Fr. Domingo. **1649.**
Javierre, Fr. Jerónimo. **1650-55.**
Jayle, Baldirio. **1656.**
Jaymes, Fr. Francisco. **1657.**
Jaymes Ricardo Villavicencio, Diego. **1658.**
Jazzoutesse, Oiluigi. (*V. Strozzi, Giulio*).
Jener, Juan Pablo. **1659.**
Jennesseaux, P. Piere. 423, 428.
Jenofonte. 1491-94.

Jiménez de Cisneros, Fr. Juan. 1806, **1933.**
Jiménez de Cisneros, Vicente. **1934-41.**
Jiménez Coronilla, Alonso. **1942.**
Jiménez Duque, Baldomero. 710a, 732, 2775j, 2826a, 2840, 2912, 2933, 2961, 3299c, 3573a, 3622, 3631, 3634, 3660, 3678e, 3835, 3879c, 3908d, 3918, 3978, 4000, 4131, 4168.
Jiménez de Embún, Fr. Martín. 1507 (2), **1943-48.**
Jiménez de Embún, Fr. Valerio. **1949-50.**
Jiménez de Enciso, Diego. **1951-2007, 6525.**
Jiménez de Enciso y Porres, José Esteban. 1824, 1849, **2008,** 2071.
Jiménez Font, Luis María. 373, 866.
Jiménez de Gálvez, Cristóbal. **2009.**
Jiménez Guillén, Francisco. **2010-15.**
Jiménez de Herrera, Alonso. **2016.**
Jiménez-Landi, Antonio. 6153.
Jiménez de Lara, Luis. **2017-18.**
Jiménez Lobatón, Diego. **2019-20.**
Jiménez de la Llave, Luis. 2818.
Jiménez Marcilla y Torres, Juan Antonio. **2021-22.**
Jiménez Martos, Luis. 3285.
Jiménez de Mayorga, Fr. Francisco. 1243, **2023-25,** 6493.
Jiménez de Montalvo, Juan. **2026-27.**
Jiménez Mora, Antonio. **2028-29,** 5762.
Jiménez Moreno, Wigberto. 3081.
Jiménez de Murillo, Juan. **2030.**
Jiménez Ortiz, Licenciado. **2031.**
Jiménez Pantoja, Tomás. **2032.**
Jiménez Patón, Bartolomé. 290, **2033-68.**
Jiménez Patón, Martín. **2069.**
Jiménez Placer, A. 1679.
Jiménez de Porres, José. 2008 (29, 43), **2070-2071,** 5036.
Jiménez de Prados, Juan. **2072.**
Jiménez de Quesada, Gonzalo. **2073-120.**
Jiménez Romero, Juan. **2121-26.**
Jiménez Rueda, Julio. 4770, 4822, 4865, 4879.
Jiménez Salas, María. 3560a, 3566.
Jiménez Samaniego, Fr. José. 1684, **2127-59.**
Jiménez Santiago, Francisco. **2160-62.**
Jiménez Savariego, Juan. **2163-64.**
Jiménez Sedeño, Francisco. **2165-75.**
Jiménez de Torres, Jacinto. **2176-77.**
Jiménez de Urrea, Francisco. **2178-95,** 5829.
Jiménez de Urrea, Jerónimo. **2196-232.**
Jiménez de Urrea, Pedro Manuel. **2233-45.**
Jiménez Vanegas, Jacinto. **2246.**
Jiménez Vargas, Bartolomé **2247.**
Jiménez Vilches, Alonso. **2248.**
Jiménez, Fr. Juan. **2249-51.**
Jimeno, Fr. Pablo. **2252.**
Jimeno y Mateo, Miguel. **2253.**
Job. 1482, 1701, 4172.
Jodar, Andrés de. **2254.**
Jodar, Fr. Juan de. **2255.**

Jodar y Gallegos, Fr. Francisco de Jesús. **2256-60.**
Jodar y San Martín, Baltasar de. **2261-62.**
Joffreu, Pedro Antonio. **2263-67.**
Johanna vom Kreuz. 3939.
Joly, Henri. 522.
Jones, C. A. 6324.
Jones, Harold G. 1027, 1956, 2200, 5951, 6368.
Jones, John. 5296.
Jones, Joseph R. 4939.
Jones, Royston O. 6097, 6195c, 6488a.
Jorba, Dionisio de. **2268-72.**
Jorba, Francisco. **2273-74.**
Jordán, Andrés. **2275.**
Jordán, P. Angelo. **2276.**
Jordán, Antonio. (*V. Jordán Selva, Antonio*).
Jorge, P. Antonio. **2304.**
Jorge, Enrique. 3592, 3789c, 3955d.
Jorge, Pascual. **2305.**
Jorge de San José, Fray. **2306-9,** 3085.
«Jornada del Almirante...». **2310.**
«Jornada del Rey...». **2311.**
«Jornada que el Duque de Pastrana...». **2312.**
«Jornada que hizo a Roma...». **2313.**
«Jornada que las Galeras de España...». **2314.**
«Jornada real...». **2315.**
Jordán, Fr. Eugenio. **2277-80.**
Jordán, Fray Jaime. 1035, **2281-82.**
Jordán, Juan. **2283-87.**
Jordán, Jusepe. **2288.**
Jordán, Lázaro. **2289.**
Jordán, Fr. Lorenzo Martín. **2290-98,** 2323, 2596.
Jordán, Fr. Luis. **2299.**
Jordán, Miguel. **2300.**
Jordán y de Robión, Jerónimo. **2301.**
Jordán Selva, Antonio. **2302.**
Jordán de Urríes y Azara, José. 1610.
Jordi, Miguel. **2303.**
Jornet, Gaspar. **2316-17.**
Jornet, Pedro. **2318.**
Jorquera, Fr. Jacinto. **2319.**
Jos, P. Juan de. **2320-21.**
José, Fr. Eugenio de. **2322.**
José de Algete, Fray. 2296, **2323,** 2595.
José de los Angeles, Fray. **2324-25.**
José de los Angeles, Fray. **2326-34.**
José Antonio. **2335.**
José Antonio, Fray. 5704.
José Antonio de la Madre de Dios, Fray. 3567.
José de la Asunción, Fray. **2336.**
José de Cádiz, Fray. **2337.**
José de Campos, Fray. **2338,** 2349.
José de Caravantes, Fray. 2338, **2339-53.**
José de Córdoba, Fray. **2354.**

2986; Lenguaje: 2987-88; Epistolario: 2989-2993; Beatificación y Canonización: 2994-2997; Repertorios: 2998, 4247.
Juan Bautista (impresor). 2999.
Juan Bautista (astrólogo). 3000.
Juan Bautista, Fray (carmelita). 1095.
Juan Bautista, Fray (dominico). 3001.
Juan Bautista, Fray (franciscano). 3002-25.
Juan Bautista, Fray (trinitario). 3026-38.
Juan Bautista de Bolduc, Fray. 3039-40.
Juan Bautista de la Concepción, San. 3041-53.
Juan Bautista de la Expectación, Fray. 3054-57, 4629.
Juan Bautista de la Salle, San. 4180.
Juan de Belorado, Fray. 3058-60.
Juan Bosco de Jesús Sacramentado, Fray. 497c.
Juan Buenaventura de Soria, Fray. 3061.
Juan de Castilla, Fray. 3062.
Juan de la Concepción, Fray (jerónimo). 3063-69.
Juan de la Concepción, Fray (trinitario). 3070-78.
Juan de Córdoba, Fray. 3079-84.
Juan Crisóstomo, Fray. 2308, 3085.
Juan de Cristo, Padre. 3086-87.
Juan de la Cruz, San. 937, 1248, 1688, 1743-1745, 1748-49, 2369, 2402, 2406, 2410-13, 2499, 2515-16, 2600; BIBLIOGRAFIA: 3088-105, 6530; CODICES: 3106-205; EDICIONES: Obras espirituales: 3206-33, 6531; Obras varias: 3234-3238; Poesías: 3239-88; Cántico espiritual: 3289-306; Subida del Monte Carmelo: 3307-10; Llama de amor viva: 3311-13; Avisos y sentencias. Cautelas: 3314-32; Antologías: 3333-45; TRADUCCIONES: a) Alemanas. 3346-54; b) Arabes. 3355; c) Bohemias. 3356; d) Croatas. 3357; e) Francesas. 3358-407; f) Húngaras. 3408; g) Inglesas. 3409-31; h) Italianas. 3432-58; i) Japonesas. 3459-61; j) Latinas. 3462-63; k) Neerlandesas. 3464-72; l) Polacas. 3473-76; ll) Portuguesas. 3477-78; m) Suecas.a 3479; n) Vascas. 3480; o) Plurilingües. 3481; ESTUDIOS: De conjunto. 3482-3488; Misceláneas: 3489-98; Biografía: 3499-595; Documentos: 3596-98; Iconografía: 3599-602; Interpretación y crítica: 3603-63; Fuentes: 3664-99; Lenguaje: 3700-14; Manuscritos. Crítica textual: 3715-800; Aspecto teológico: 3801-974; Aspecto filosófico: 3975-4001; Aspecto literario: 4002-131; Relación con otros autores: 4132-74; Difusión. Influencia: 4175-98; Fiestas en su honor. Centenarios: 4199-4212; Repertorios: 4213, 4276.
Juan de la Cruz, Fray (agustino). 4214-16.

Juan de la Cruz, Fray (carmelita descalzo). 4217-20.
Juan de la Cruz, Fray (dominico del XVI). 4221-29.
Juan de la Cruz, Fray (dominico del XVII; residente en Burgos). 1684, 4230-33.
Juan de la Cruz, Fray (dominico del XVII; residente en Córdoba). 4234-35.
Juan de la Cruz, Fray (dominico del XVII; residente en Roma). 4236.
Juan de la Cruz, Fray (dominico del XVII, n. en Talavera). 4237-39.
Juan de Dios, San. 2852, 4240-70, 4650, 5117.
Juan de Dios, Fray. 4271.
Juan del Espíritu Santo, Fray. 4272-78.
Juan Evangelista, San. 2549-50, 2625, 5112-13, 5883 (3).
Juan Félix de la Santísima Trinidad, Fray. 4279.
Juan Francisco de Antequera, Fray. 4280-4289.
Juan Francisco de Milán, Fray. 4290.
Juan de Guernica, Fray. 2679 80.
Juan de Horche, Fray. 4291-92.
Juan de Hueva, Fray. 4293, 4619.
Juan de Jesús, Fray (carmelita descalzo). 4294, 4609.
Juan de Jesús (franciscano descalzo). 4295.
Juan de Jesús, Fray (trinitario). 4296.
Juan de Jesús María, Fray (Juan Pérez Aravalles, carmelita descalzo). 4297-309.
Juan de Jesús María (Juan de Robles, carmelita descalzo). 4310-17.
Juan de Jesús María, Fray (carmelita descalzo, prior de Barcelona). 4318.
Juan de Jesús María, Fray (historiador de Chile). 4319-20.
Juan de Jesús María, Fray. 1095, 3774.
Juan de Jesús María, Fray (carmelita, n. en 1912). 3732-33, 3739, 3749, 3885, 3887, 4080.
Juan José de la Inmaculada, Fray. 3658, 3952, 3983, 4107, 4191, 4195.
Juan de las Llagas, Fray. 4321-24.
Juan de la Madre de Dios, Fray. 3316, 43253-30.
Juan de Madrid, Fray. (franciscano descalzo). 4331-35.
Juan de Madrid, Fray (franciscano descalzo). 2481, 4336-39, 4559.
Juan de la Magdalena, Fray (fraile trinitario). 4340-41.
Juan de la Magdalena, Fray (lego trinitario). 4342-43.
Juan de Mata, Fray. 4344-52.
Juan de la Miseria, Fray 4353-62.
Juan de la Natividad, Fray. 1925, 4363-65, 4479.
Juan de Ocaña, Fray. 4366.

Juberías, Francisco. 4001.
Jubero, Fr. Dionisio. **5056-62.**
Jubero, Fr. Francisco. **5063.**
Jubero, Juan Francisco. **5064.**
Iudice Fiesco, Juan Bautista. 1473, **5065-66.**
«Juego (El) del Hombre». **5067-68.**
Jufre del Aguila, Melchor. **5069-70.**
«Juicio de Salomón». **5071.**
«Juicio del cometa». **5072.**
«Juicio hallado y trovado...». **5073.**
«Juicio poético...». **5074.**
«Juicio universal...». **5075-76.**
Juliá, Fr. Juan. *(V. Julián, Fr. Juan).*
Juliá, Miguel. **5079-80.**
Juliá, Narciso P. **5081.**
Juliá Martínez, Eduardo. 1958.
Julián, Francisco. **5082-84,** 5125 (15).
Julián, Fr. Juan. **5077-78, 5085-86.**
Julián, Fr. Manuel. **5087.**
Julián, Miguel. **5088-89.**
Julián de Jesús, Fray. **5090.**
Julián y Monplau, Baltasar. **5091.**
Julio Félix del Niño Jesús, Fray. 3745, 3873.
Julio del Niño Jesús, Fray. 3833.
Juneo, Alfonso .3878a, 4007, 480-81, 4929, 4974.
Julis, Fr. Pedro. **5092-94.**
Juneo, Fr. Antonio. **5095.**
Junco, Pedro de. **5096-98.**
«Junta de muertos...». **5099.**
«Junta de vivos y muertos...». **5100-1.**
«Junta y marcha del ejército...». **5102.**
Jurado, Juan Severino. **5103.**
Jurado, Pedro. **5104.**
Jurado de Porres, Francisco. **5105.**
«Juramento...». **5106-7.**
«Juramento y Voto...». **5108-10.**
«Justa cosa ha sido...». **5111.**
«Justa en alabanza...». **5112.**
«Justa literaria...». **5113-17.**
«Justa poética...». **5118-21.**
Justa y Pont, Jerónimo. **5122.**
«Justas literarias...». **5123-24.**
«Justas poéticas...». **5125-26.**
Juste, Fr. Luis. **5127.**
Juste y Harmida, Juan de. **5128.**
«Justicia...». **5129.**
Justicia, P. José de la. **5130-36.**
«Justificación de las acciones de España...». **5137-41.**
«Justificación (La) real...». **5142.**
Justiniano, Juan. **5143-54.**
Justiniano, Juan Bautista. **5155.**
Justiniano, Lucas. **5156-58.**
Justo del Espíritu Santo, Fray. **5159-60.**
Juvenal. 2043.
Juvene, Joan. 5294.

K

Kamen, H. 2590a.
Karrer, Otto. 408, 414.
Kavanaugh, Kieran. 3411.
Keil, J. J. 5994.
Keller, Daniel S. 5935, 6462.
Kelly Nemeck, Francis. 4196.
Kemp, R. 557c.
Keniston, Hayward. 6412.
Kihlman, E. 6255.
Kino, P. Eusebio Francisco. 4672 (73), **5161-5164.**
Kircher (P.). 5008.
Kloppenburg, B. 3478b.
Knelter, C. A. 542a.
Kolb, Viktor. 514, 537.
Konn, J. 432 .
Kooyman, H. 525.
Kostecka, Eugenia. 3473.
Kraft, Walter C. 291, 1103, 1181, 5075, 5099.
Krämer-Badoni, Rudolf. 691-92.
Kreiten, W. 521a.
Kresa, P. Jacobo. **5165-66.**
Kressner, Adolf. 6023.
Kreuz, A. 4147b.
Kruse, Margot. 6289.
Kuhlmann, Quirinus. 4182.
Krynen, Jean. 3232g, 3731, 3739, 3746, 3791c, 4141, 4146, 4994.
Kulh, H. 1670.

L

L. B. R. D M. **5167.**
L de C. 2980a, 3484c, 3563e.
L. D. 3497c.
L. D. G. F. D. R. **5168.**
L. H. 396c, 734b.
L. M. 760b.
L. P. F. N. **5169.**
L. R. 3576b.
L. R. D. M. **5170.**
Labajo, Aurelio. 3344, 6156.
Labalsa, Jorge. **5171.**
Labanza, Luis de. **5172-73.**
Labaña. *(V. Lavaña).*
Labata, Antonio. **5174-75.**
Labata, P. Francisco. **5176-86.**
Labayen, Carlos de. **5187.**
«Laberinto contra Fortuna...» **5188.**
Labiano, Fr. Baltasar de. **5189.**
«Labirinto...». *(V. «Laberinto...»).*
Labora de Andrade, Pedro. **5190.**
La Borda, Fr. Jerónimo. **5191.**
Laborda, Jorge. **5192-93.**
Laborda, Manuel. **5194.**
Labourdette, M. M. 435b, 442a, 444c.
Labra, Diego de. **5195.**

La Porta Cortés, Juan. 1335, **5608-9.**
La Porte, Arnold de. **5610-13.**
Lara (Licenciado). **5614.**
Lara, Antonio de. **5615.**
Lara, Fr. Antonio de. **5616.**
Lara, Fr. Cristóbal de. **5617.**
Lara, Francisco de. **5618.**
Lara, Francisco de. **5619-21.**
Lara, Fr. Francisco de (de Granada). **5622.**
Lara, Fr. Francisco de (trinitario, de Valencia). **5623.**
Lara, Gaspar de. **5624.**
Lara, Gaspar Agustín de. 5351, 5397, 5458, **5625-47,** 6498, 6508.
Lara, Hipólito de. **5648.**
Lara, Inés de. **5649.**
Lara, Jorge de. **5650-52.**
Lara, Juan de. **5653.**
Lara, Luis de. **5654-55.**
Lara, Manuel de. **5656.**
Lara, Melchor de. **5657-58.**
Lara, Fr. Pedro Mateo de. **5659-60.**
Lara, Rodrigo de. **5661-62.**
Lara, Tomás de. **5663.**
Lara, Tomás Antonio de. **5664.**
Lara y Brancamonte, Juan de. **5665.**
Lara Mogrove, José de. **5666.**
Lara Mogrovejo, Antonio de. **5667-68.**
Lardias, Miguel Jacinto. **5669.**
Lardín, Tomás. **5670.**
Lardito, Fr. Juan Bautista. **5671-78.**
La Rea. *(V. Larrea).*
Laredo, Fr. Bernardino de. 4112, 4145, **5679-5706.**
Laredo, Fr. de. 4631.
Laredo, José. **5707-8.**
Laredo, Fr. Juan de. **5709.**
Laredo, Nicolás de. **5710.**
Laredo, P. Pedro de. **5711.**
Laredo Salazar, Antonio de. **5712.**
Larios, Fr. Pedro de. **5713.**
Larios Monje, Alonso. **5714.**
La Ripa, Fr. Domingo. **5715-16.**
Lariz Durango, Andrés. **5717-18.**
Lariz Sarmiento, Sancho. **5719-20.**
Larkin, E. E. 326f, 3657a, 3888c, 3905e.
Larracoechea, E. 552.
Larrando de Monleón, Francisco. **5721-22.**
Larrañaga, Victoriano. 338, 635, 640, 710, 713, 848-50, 913, 915, 927, 936-37, 4144.
Larrayoz Arranz, Martín. 2935, 2973.
Larraz, Fr. Atanasio. **5723.**
Larrea, Fr. Alonso de. **5724.**
Larrea, Ignacio de **5726.**
Larrea, Juan de. **5727-33.**
Larrea, Juan Bautista de. **5734-41.**
Larrea y Zurbano, Juan de. **5742-46.**
Larredonda, Damián de. **5747.**
Larriategui, Fr. Mauro de. 1916, **5748.**

Larrimpe, Juan Francisco. **5749.**
Larrinaga Salazar, Juan de. **5750-52.**
Lasa, Fr. Pedro de. **5753.**
Lasaga, Juan de. **5754.**
Lasarte, Diego de. **5755.**
Lasarte, Martín de. **5756.**
Lascano (Maestro). **5757.**
Lascano, Pedro. **5758-59.**
Lascari, Antonio. **5760-61.**
Lascaris Comneno, C. 4895.
Lasic, D. 753g.
La Sierra, Alonso. 2029, **5762-63.**
La Sierra, Juana Clara. **5764.**
La Sierra, Pedro. **5765.**
Laso. **5766-67.**
Laso, Pedro. **5768.**
Laso, Pedro (impresor). **5769-70.**
Lasso (Licenciado). **5771-72.**
Lasso, Antonio. **5773.**
Lasso. Juan. **5774.**
Lasso de Oropesa, Martín. **5775-78.**
Lasso de la Vega, Angel. 1621.
Lasso de la Vega, Diego. **5779.**
Lasso de la Vega, Félix. **5780.**
Lasso de la Vega, Gabriel. **5781-803.**
Lasso de la Vega, Juan. **5804.**
Lasso de la Vega y Cerda, Lorenzo. **5805.**
Lastanosa, Hermenegildo. 5840.
Lastanosa, Juan Agustín de. **5806.**
Lastanosa, Juan Orencio. 5119 (35), **5807-5811.**
Lastanosa, Pedro Juan de. 963-64, 968, **5812-5813.**
Lastanosa, Vicente. 5119 (41).
Lastanosa, Vincencio Juan de. 1760, 2186, 2610, **5814-49.**
Lastres, Manuel Antonio de. **5850.**
Lastres y Aguilar, Pedro de. 2446, **5851-53.**
Lastri, Fr. Pedro. **5854.**
Latas, Fr. Francisco de. **5855-58.**
Latassa y Ortin, Félix de. 26, 30-31, 44-45, 48, 64, 1062-63, 1203, 1205-6, 1220-21, 1397, 1520-21, 1529, 1655, 1772, 1816, 1874, 2195, 2298, 2399, 2610, 5035, 5062, 5092, 5094, 5136, 5175, 5186, 5438, 5594, 5721, 5827, 5480.
Latassa y Pujol, Cristóbal. **5859.**
Latcham, Ricardo A. 773.
Latino, Juan. 1958, 2003-4, **5860-65.**
Latio, Carolo. 5592.
Lator, Fermín. 801.
Latorre, F. 6272e.
Latour, Antoine de. 1996.
Latre, Antonio. **5866-69.**
Latre y Frías, P. Miguel Antonio. **5870-77.**
Latrés, José Pedro de Alcántara. 5872.
Lattey, C. 457.
Lauder (Licenciado). **5878.**
Launay, Pedro Alberto de. **5879-80.**
Laura. 1330, **5881-82.**

Lobera y Salvador, Miguel Juan de. 193.
Lobo Lasso de la Vega, Gabriel. (V. Lasso de la Vega, Gabriel).
Lo Cascio, Giuseppe. 5593.
Lodosa, Antonio de. 5636.
Lodosa, Fr. Juan de. 1439.
Lomax, D. W. 6337.
Long-Tonelli, Beverly J. de. 6352.
Longhaye, Jorge. 827.
Longhurst, C. A. 6334a.
Longhurst, J. E. 630.
Longoria (Cardenal). 2996.
Lopetegui Otegui, León. 705.
López, Alonso. 5785.
López, Blas. 6494 (78).
López, P. Blas. 4178.
López, Diego. 5406.
López, Fr. Ignacio. 2393.
López, P. Jerónimo. 2894.
López, Jorge. 214 (37).
López, Luis. 2188, 5119 (22).
López Amábilis, Manuel. 5483.
López de Andrade, Diego. 4435.
López-Baralt, Luce. 3714.
López de Bonilla, Gabriel. 5609.
López Cámara, Francisco. 5000-1.
López de Camarena, Clemente. 5117 (12).
López de Castro Gallo, Diego. 5787.
López Casuso, Jesús. 3043.
López de Córdoba, Andrés. 5155.
López Cornejo, Alonso. 2357.
López de Cuéllar y Vega, Juan. 2361.
López Delgado, Juan. 4296.
López Echaburu, P. José. 156, 1190.
López Estrada, Francisco. 1616-18, 3672, 5325b.
López Gil, Fr. Juan. 1792-93.
López de Haro, Fr. Alonso. 1806, 1933.
López de Haro, Fr. Damián. 4352.
López Ibor, Juan José. 3945, 3997.
López Jiménez, Luis. 5371.
López Laguna, Manuel. 5120.
López Magdaleno, Alonso. 231.
López Maldonado. 5125 (84).
López de Mendoza, Antonio. 4364 (19), 5117 (76).
López de Mendoza, Iñigo (marqués de Santillana). 5173.
López de Montoya, Pedro. 2559-60.
López de los Mozos, J. R. 3105.
López Navarro, Fr. Gabriel. 1700.
López Núñez, Alvaro. 5772.
López de Ontiberos, Martín. 4637.
López Párraga, Francisco. 214, (66).
López Piñero, José María. 5031-32.
López Ramírez, Isidro. 5117 (140).
López de Robles, Andrés. 1705, 5118.
López de Toro, José. 952-53, 5284.
López de la Torre, Francisco. 5119 (5).

López de Sedano, Juan José. 5377.
López de Ubeda, Juan. 1472.
López de Vega, Rodrigo. 5120 (4, 21).
López de Velasco, Juan. 5958.
López de Zárate, Francisco. 2008 (32).
Lorea, Antonio de. 126.
Lorente, Mariano J. 6218.
Lorenzo de Alicante, Fray. 2290.
Lorenzo-Rivero, Luis. 4157.
Lorenzo de San Jerónimo, Fray. 4528.
Losada, Basilio. 6155.
Losada y Quevedo, Manuel de. 5117 (19).
Loste y Escartín, Fr. Jerónimo de. 1208.
Louis de Sainte-Thérèse. 3360, 3803, 3909, 4181.
Lovett, Gabriel H. 6456.
Loviot, Louis. 5925.
Lowe, Elizabeth. 4971.
Loyola, Hernán. 4724.
Loyola, Juan. 6494 (71).
Lozano, Fr. Diego. 5885 (1).
Lozano, Juan. 1505 (20).
Lozano, Juan Mateo. 6527.
Lozoya, Marqués de. (V. Contreras, Juan de).
Lubé, Louise. 5009.
Lucano, Marco Anneo. 1537, 1541 (30), 1551-1553, 1624, 5775-78.
Lucas, Francisco Javier. 3591.
Lucas, Juan Matías de. 5029.
Lucas de la Madre de Dios, Fray. 189.
Lucas de San José, Fray. 3324, 3422.
Lucca, G. de. 3236.
Luciano. 1484-85.
Luciano del Santísimo Sacramento, Fray. 3781.
Lucien-Marie de Saint Joseph. 3370-71, 3374, 3377, 3497, 3573b, 3710, 3882, 3905f, 3914, 3946, 4213.
Lucini, Nicolás. 5117 (145).
Lucinio del Santísimo Sacramento, Fray. 3106-203, 3229, 3371a, 3492a, 3495, 3571b, 3621a, 3705a, 3736, 3857, 3861, 3891b.
Lucio Espinosa y Malo, Félix de. 5460.
Ludeña, P. Diego de. 2406.
Ludeña, Fr. Juan de. 2518.
Ludolfo el Cartujano. 697.
Ludovic de Besse, Fr. 3815.
Luera, José Francisco de. 5117 (6).
Luis Antonio de San Buenaventura, Fray. 2498.
Luis Bertrán, San. 4422.
Luis de la Concepción, Fray. 2447, 2488, 4381.
Luis de Granada, Fray. 1579, 2762-63, 2790-2791, 2853, 2878, 2893, 2897, 2962, 2964, 4226, 4307, 4403, 4423, 6535.
Luis de Juan Evangelista, Fray. 2045.
Luis de San Agustín, Fray. 1413.

Mansilla, Fr. Francisco. 2197.
Mantuano, Fr. Bautista. 1949.
Manuel y Argote, Francisco. 214 (43).
Manuel de Corella, Fray. 1435.
Manuel de la Madre de Dios, Fray. 4500.
Manuel de San José, Fray. 2759.
Maquiavelo. 6471.
Marañón, Gregorio. 653, 6062.
Marañón, Pedro. 5125 (16).
Marasso, Arturo. 4040-41, 6266, 6403.
Marcelino de Pise, Fray. 232, 2462.
Marcelo del Niño Jesús, Fray. 3666, 3979, 4140.
Marc'Hadour, Germain. 4164.
Marcial. 1541 (23-25, 28), 2021, 2041-42, 2050-2053, 2055-57, 2059, 2066.
Marciano del Santísimo Sacramento, Fray. 3902d.
Marco, Manuel. 2398.
Marco di S. Francisco, Fr. 3437-38, 3440, 3534.
Marcori, A. 3236b.
Marcos, Benjamín. 532.
Marcos, L. 2826b.
Marcos, Luis. 2775ll, 2967.
Marcos, O. 4270.
Marcos de Aviano, Fray. 3039.
Marcos de San Francisco, Fray. 3512.
Marcu, Alexandru. 5930, 6452.
Marcuello, Francisco. 1853.
Marcuse, Ludwig. 540.
March, Fr. Acacio. 2293.
March, Ausias. 2611.
March, José María. 387, 597, 917, 919.
Marchetti, Ottavio. 790.
Marechal, Leopoldo. 3295.
Mari Espínola, P. Leonardo. 2704.
María y Escribano, Juan. 2816.
María-Elisabeth de la Croix (M.). 3527.
María de Jesús, M. 3063.
María de Jesús de Agreda, Madre. 2139-45.
Mariacher, María Noemí. 3960.
Mariana, P. Juan de. 110-11.
Marías, Julián. 6116.
Marie-Amand de St. Joseph. 3721.
Marie Claire de Jésus. 3820.
Mari-Regis de Saint Jean. 3890.
Marie du Saint Sacrement, M. 3368, 4135.
Marín, Canuto Hilario. 708, 793, 824, 930.
Marín, Matías. 2711.
Marín, Rodrigo. 2467.
Marín, Tomás. 282.
Marín, Ocete, Antonio. 2992, 5770-71, 5863.
Mariner, Vicente. 1700.
Mariner Bigorra, Sebastián. 3688.
Mariño, A. 3873b.
Mariño, Martel de. 5113 (4).
Maritain, Jacques. 3552, 3828-29, 4209.
Maritain, Raisa. 4599.

Markham, Clements R. 1673, 6216.
Markley, J. Gerald. 6220.
Marmanillo, Ignacio Félix de. 2008 (44).
Marmocchi, F. C. 1678.
Marona, Fr. Marcelo. 1507 (5).
Marqués de Careaga, Gutierre. 2049.
Márquez (Padre). 5118 (prels.).
Márquez, Fr. Juan. 1512, 3036.
Márquez e Ibáñez, Isabel. (V. Isabel de los Angeles, Sor).
Márquez Villanueva, Francisco. 2789c, 6195d, 6388.
Marta, Fr. Jerónimo. 144.
Marta Gómez de Mendoza, Miguel. 5830.
Martelet, G. 851.
Martí, Fr. José. 2393.
Martí Ballester, Jesús. 3305, 3310, 3313.
Martí de Cid, Dolores. 4873.
Martí Grajales, Francisco. 1362.
Martí y Sorribas, Francisco. 2173.
Martialem à S. Joanne Baptista, Fr. 4213.
Martín, Andrés. 176.
Martín, Henri. 3883, 5783.
Martín, P. Simón. 2850-51.
Martín, Fr. Tarsicio. 3870.
Martín, Toribio. 214 (76, 83).
Martín del Blanco, M. 3658b, 4191c, 4195b.
Martín Capilla, Saturnino. 3220.
Martín de la Cruz, Fray. 1734.
Martín Hernández, Francisco. 2757.
Martín Hernández, Francisco. 2775.
Martín de Jesús María, Fray. 3620.
Martín de la Madre de Dios, Fray. 1753.
Martín Marcos, Luis. 5318.
Martín de la Resurrección, Fray. 3056.
Martín Retortillo, Cirilo. 2947.
Martín de Torrecilla, Fray. 2474.
Martindale, Cyril. C. 529.
Martínez, Diego. 4678 (26).
Martínez, Fr. Gregorio. 4347.
Martínez, J. 3789d.
Martínez, José María. 2588.
Martínez, Juan. 175, 4498, 4620.
Martínez, Fr. Juan. 5117 (70).
Martínez, Jusepe. 5119 (39).
Martínez Aguirre, José. 2396.
Martínez Alfonso, Juan. 1505 (28).
Martínez Alimari, Josefina. 3904.
Martínez Burgos, Matías. 313, 3291.
Martínez de Casas, José. 177, 191, 3061.
Martínez de Consuegra, Rodrigo. 4438.
Martínez de Córdoba, Fr. Rafael. 2515.
Martínez Friera, Joaquín. 550.
Martínez de Hinojosa, Fr. Agustín. 4555.
Martínez López, Enrique. 5010.
Martínez de Llano, Fr. Juan. 2482.
Martínez de Miota, Antonio. 2034-35, 2039.
Martínez Marín, Francisco María. 3538.
Martínez de Mora, Fr. Juan. 2482.

Merino, Fr. Andrés. 1684, 2128-30.
Merino, Diosdado. 339g.
Merlo, Juan Carlos. 4694.
Merlo de la Fuente, Luis. 5069.
Merton, Thomas. 3428, 3874, 3904, 4197.
Merwin, W. S. 6223.
Mesa, C. 552g.
Mesa, C. E. 2075f.
Mesa, Cristóbal de. 1464.
Mesa, J. M. 3905h.
Meschler, P. Moritz. 430, 904.
Meseguer, J. 932f, 2775n, 2789d.
Meseguer, P. Pedro. 552n. 931.
Meseguer Fernández, J. 5693a, 5705c.
Mesía, Teresa de. 5117 (64).
Mesía de la Cerda, Pedro. 200, 5493, 5653.
Mesnard, Pierre. 3847.
Mesonero Romanos, Ramón de. 1987, 1995, 4769.
Messía de Leyva, Alonso. 2035.
Mestre, José. 4410.
Mexía, P. Antonio. 2489.
Mexía, F. Pedro. 2478.
Mexía de Cabrera, Diego. 211.
Mexía de Carvajal, P. Alonso. 2534.
Mexía Romero, Antonio. 2048.
Micó Buchón, J. L. 654, 681c, 3630.
Michaeli, Archangelo. 2489.
Michalski, André. 6371.
Michele Francesco di S. Giovanni Battista, Fr. 3530.
Michiels, G. 3577a.
Miecznikowsky, S. 754.
Migne, Abbé. 3363, 3402.
Miguel Angel, Fray. 5694 .
Miguel Angel de Santa Teresa, Fray. 3634c, 3642e, 3689b.
Miguel de Antequera, Fray. 2338, 2349.
Miguel de Santo Domingo, Fray. 1434.
Miguez, J. A. 3955e.
Milner, Max. 3264, 3376, 4026.
Millán Astray, José. 588.
Millé y Giménez, Juan. 1611.
Minaya, Pedro Ventura de. 4465.
Minguet, Charles. 6434.
Minor, Fr. Antonio. 4535.
Miquel Rosell, Francisco. 331, 1282, 2389, 2401, 2511. 3107.
Mir, Miguel. 2634-35.
Miralles de Imperial, C. 2075g.
Miranda, Pedro de. 1145.
Miranda, Vasco. 4049.
Miranda y La Cotera, José de. 13, 1505 (34), 1774, 1860.
Miravet, Francisco. 3208-11, 3213.
Miravete, Vicente Joaquín de. 5125 (30).
Mirto Frangipane, P. Plácido. 289 (7), 1945.
Misson, Jules. 767.
Mistral, Gabriela. 4885, 5002.

Modeste de Saint-Amable (P.). 3515.
Moerkerken, P. H. van. 6246.
Mogenet, Henri. 3726.
Moldenhauer, Gerardo. 4791, 4962.
Moles, Juan Bautista. 4515.
Molho, M. 6200.
Molina, Fr. Alonso de. 5445.
Molina, Antonio de. 3063.
Molina, María Isabel. 6158.
Molina, R. A. 4814a.
Molina y Gamir, Lorcuzo de. 1926.
Molina Prieto, Andrés. 3793.
Moliné i Brasés, Ernesto. 2268.
Moliner, Fr. José María de la Cruz. 3757.
Molinera, Fr. Pedro. 4364 (22).
Molino, Jean. 6407.
Molinos, Miguel de. 182, 4542.
Mols, R. 692a.
Molviedro, Cristóbal. 5119 (21).
Mollá, Fr. Pedro. 2393.
Momergue, M. 657.
Moncada, Fernando de. 5125 (17).
Moncada, P. Jacinto de. 4381.
Moneda, P. Juan de. 4529.
Moncayo, Juan de. 1187, 5808a, 5810.
Moncayo y Gurrea, Juan de. 5192, 5665.
Mondel, Jean. 3941.
Mondrone, D. 553b, 561a.
Monforte y Herrera, Fernando de. 1571, 1852.
Monforte y Vera, Jerónimo. 4678 (prels.).
Mongay de Espés, Pedro. 5119 (34).
Moniz, R. 3946a, 4066e.
Monroy, Facundo de. 6494 (39-41).
Monsalve, Francisco de. 5787 (prels.).
Monsalve Gamarra, Juan de. 4351-52.
Monsegú, Bernardo. 2985.
Mont, Evaristo. 5125 (12, 20).
Montalbán, Fray Juan de. 1108.
Montalvillo, Juan José. 3867.
Montalvo, Tomás. 1657.
Montaner, Fr. Jaime. 1688.
Montañés Fontela, Luis. 313.
Montaño Saavedra, Juan. 236.
Monte, Alberto del. 6088.
Montealegre, Fr. Juan Bautista. 2489.
Montecinos Caro, Manuel. 6132.
Monteiro, Manuel. 5911.
Monteiro, Mariana. 2578.
Montemayor, Francisco de. 5716.
Montemayor de Cuenca, Juan Francisco. 145, 5667.
Montenegro Sotomayor y Mendoza, Bernardino de. 6494 (66).
Monterde, Francisco. 4685, 4692, 4889, 4891, 4997.
Montero, Fr. Francisco. 5117 (136).
Montero Díaz, Santiago. 155.
Montero de Espinosa, Juan. 5036.

Navarrete, Vicente. 3063, 5435.
Navarrete y Alcocer, Fr. Francisco. 4364.
Navarro, Fr. Antonio. 2694, 4234-35.
Navarro, Gaspar. 1433.
Navarro, José. 5117 (20), 5193.
Navarro, José María. 3640.
Navarro, Juan Jerónimo. 2304.
Navarro, Manuel. 5675.
Navarro, Pedro. 4654, 4657.
Navarro, Fr. Valero. 2396.
Navarro, P. Vicente. 289.
Navarro Santos, Jesús. 2986.
Navarro Tomás, Tomás. 4950.
Navarro Vélez. 4676.
Navarro Vélez, P. Juan. 2694.
Naveda, Fernando de. 1001-6.
Navío de la Peña, Lucas. 4364 (21).
Náxera, Diego de. 4364 (14).
Náxera, P. Manuel de. 2478.
Náxera Zegrí, Diego de. 5117 (83, 105, 130, 133, 168).
Nazareno dell'Addolorata (P.). 3443-44, 3450.
Nazario (P.). 2775ñ, 3629b, 3879d.
Nazario de Santa Teresa, Fray. 3560c, 3709, 3878, 3984b, 3988.
Nebreda, Alfonso María. 826.
Nebrija, Antonio de. 5130.
Negrete de Vera, Cristóbal. 236.
Negrone, Julio. 903.
Neira, Fr. Lorenzo de. 2025.
Nemi, O. 543.
Nervo, Amado. 4807, 4809.
Newby, Edith O. 4903.
Neyla, Francisco de. 1217.
Nicolás, Jerónimo. 2008 (47-48).
Nicolao a Jesu Maria, Fr. 3462.
Nicolás, J. H. 3371b.
Nicolás de Jesús María, Fray. 3359.
Nicolás de Torrecilla, Fray. 1862-63.
Nicolau, Miguel. 2971.
Nicolaus a Jesu Maria. 3700.
Nicolini, Jerónima. (V. Inés de la Cruz, Sor).
Nicolucci, Baldo. 2872, 2874.
Nichols, M. W. 2076b.
Nicholson, Lynda. 3487.
Niel. 844d.
Nieremberg, P. Juan Eusebio. 506, 1069, 1946, 4560, 4562.
Nieto, Fr. Francisco. 2486.
Nieto, José C. 3663, 3962.
Nietzsche, Friedrich. 923, 4147, 4161.
Nieuwenhoff, W. van. 519.
Nims, John F. 3271.
Nis Godinez, Felipe de. 2033.
Niseno, Fr. Diego. 289 (11-12), 1499, 1501, 1504-5, 4346, 4351.
Noble, Dorothy. 4931.
Noboa, Gabriel de. 1128.

Noel Dermot of the Holy Child, Fr. 3635, 3770.
Nonell, Jaime. 605-6.
Norbert of the Blessed Sacrament Cummins, Fr. 3926.
Northup, G. T. 6217a.
Norton, F. J. 2234-35, 2239, 5073.
Nouet, P. Jacobo. 365.
Novella, Fr. Lamberto. 5263.
Núñez, P. Antonio. 5760.
Núñez, Estuardo. 4857.
Núñez, Francisco. 2329.
Núñez, Juan. 1790.
Núñez, Fr. Juan. 5125 (45).
Núñez, Juan Andrés. 5125 (53).
Núñez Alonso, J. M. 4126.
Núñez Navarro, Francisco. 2162, 4649.
Núñez Ponte, J. M. 4886.
Núñez de Silva, Andrés. 5117 (71).
Núñez Sotomayor, Juan. 244.
Nuño, Fr. José. 2398.
Nwyia, Paul. 3687.

O

O'Callagham, J. 323e.
O'Callagham, Joseph F. 465.
O'Connell, Jerome. 3817.
O'Connor, J. 4303b.
O'Connor, T. R. 893.
O'Conor, J. F. X. 463.
O'Keefe, Martha L. 4173.
O'Leary, D. F. 466.
Oakley, R. J. 6344a.
Ocaña, Martín de. 214 (33, 79).
Ocariz, José de. 5117 (101).
Ochoa, Eugenio de. 2786, 2797, 3234.
Ochoa de Vesterra, Juan. 214 (34).
Ochoa de Velendiz, Juan. 5720.
Oddi, Longaro degli. 2896.
Odriozola, A. 556e.
Oechslin, R.-L. 3696c, 3902e.
Ohanian, Armen. 4860.
Olaechea, Marcelino. 4424.
Olave, Fr. Antonio de. 1314.
Olea, A. de. 6045.
Olignano, Fr. Giovanni Francesco. 4457.
Olin, John C. 465.
Olivares y Butrón, Hipólito de. 1483.
Olivares Murillo, Francisco de. 298.
Olivares Vadillo, Sebastián de. 1505 (22).
Olivas, Martín de. 4678 (24).
Olivenza, Juan de. 1505 13).
Olmedilla y Puig, Joaquín. 5298.
Olphe-Galliard, Michel. 415c, 435d, 441e, 442, 444d, 690c, 742, 853, 940, 3552f, 3678c, 3751, 3905j, 4179.
Oltra. 277, 500.

Padilla, Antonio de. 5125 (7).
Padilla, Fr. Bartolomé de. 4633.
Padilla, Gutiérre de. 1499, 1504.
Padilla, Pedro de. 5371 (110, 116), 5375-76, 5382.
Pagden, Anthony R. 5474, 5487.
Pailler, Claire. 4986.
Pajares, Samuel. 2582.
Palacio, Agustín. 5762.
Palacio, Fr. Juan Bautista. 4562.
Palafox, Fr. José de. 4374.
Palafox y Mendoza, Juan de. 144, 201, 2597, 2694-98, 2708, 2710-11, 4370, 4374, 4391.
Palanco Romero, José. 1075.
Palau y Dulcet, Antonio. 36, 101, 264, 284, 1054, 1066-67, 1072, 1076, 1079, 1084, 1087, 1339, 1405, 1458, 1498, 1500, 1509, 1528, 1564-65, 1661, 1848, 2281, 2291-92, 2295, 2297, 2531, 4463, 4564, 4762, 4783, 5024, 5028, 5048, 5059, 5061, 5079, 5401, 5404, 5411, 5423, 5494, 5620, 5663, 5962, 5965, 6521.
Palavesino y Moreno, Martina Teodora. 5119 (9).
Palazol, P. Juan de. 1284, 5460.
Palazzini, Vito. 4254.
Palma, P. Luis de la. 775.
Palmés de Genovés, Carlos. 759.
Palomares, Fernando. 5065 (8).
Palomares, Tomás de. 198, 219.
Palomino, A. 4358.
Palomino, Antonio. 4364 (11).
Palomo, María del Pilar. 6283a.
Palumbo, Carmelo. 6051.
Pallás, Luis. 5119 (46).
Panakal, Justin. 3953.
Pancorvo, Fr. Jerónimo. 214 (64, 75).
Pane, R. U. 4663.
Panes, Antonio de. 1505 (30).
Panesso Posada, F. 2075i.
Panhorst, K. H. 2097.
Paniagua, Fr. Pedro. 6493.
Pantadio. 1541 (28).
Paolo Battista di S. Giuseppe. 2431.
Papasogli, Giorgio. 553.
Papini, Giovanni. 474.
Paracuellos Cabeza de Vaca, Luis. 220.
Páramo y Pardo, Juan de. 194.
Paramonarius, Diógenes. 1700.
Paravicino, Fr. Hortensio Félix. 289 (16), 1541 (prels.), 5342.
Pardiñas Villar de Francos, Bernardino de. 1551.
Pardo, Fernando. 6494 (14).
Pardo, Manuel. 2529.
Pardo Moreno, Antonio S. 814.
Paredes, Antonio de. 5118.
Paredes, Dionisio de. 1399.
Paredes, Julián de. 3213.
Paredes, Fr. Manuel de. 1243.

Pareja, Jacinto de. 181.
Parker. 3563c.
Parker, Alexander A. 4087d, 4182, 4840, 4942.
Parr, James A. 6437.
Parra, Fr. Jacinto de. 187, 4220, 4231-32, 4238.
Parra, Juan Manuel de la. 5222.
Parsons, James. 6224.
Partha, Antonio de la. 2320.
Partridge, Muldred. 522.
Pascal. 918, 4152.
Pasqual y Orbaneja, Gabriel. 1298.
Passano de Haro, Andrés. 1243, 5400.
Pastor, Fr. Vicente. 2393.
Pastor Mateos, Enrique. 137.
Pastora, José F. 6159.
Pastorale, A. 3975.
Paterno, Príncipe de. 5065 (2).
Patfoord, A. 3908e .
Patón de Ayala, Frutos. 2320, 2362.
Paulet, R. 3561.
Paulo III. 481, 4290.
Paulo V. 2252, 4290.
Pavía, Fr. Cosme. 2393.
Paz, Blas Manuel de. 4364 (17).
Paz, Octavio. 4887.
Paz y Meliá, Antonio. 1951-52, 2165, 4665-66, 5067, 5130, 5156-57, 5529.
Pazos, P. 2775bb.
Pecha, P. Hernando. 2405.
Pecharromán, Ovidio. 2816.
Pedro de Alcántara, Fray. 932g.
Pedro de Aliaga, Fray. 1689.
Pedro de Alcántara, San. 1308, 2377-78, 2719, 2881, 2960, 4453, 4455-58, 4627.—Pág.: 491.
Pedro Apóstol, San. 4282, 4672 (116, 122-38), 4750.
Pedro de la Concepción, Fray. 2309.
Pedro de la Epifanía, Fray. 1732.
Pedro de Jesús María, Fray. 2308-9, 2360, 2364, 4387, 4480, 4550.
Pedro Paulo de San José, Fray. 4258.
Pedro de Portugal (infante). 5894-95, 5900-5902.
Pedro de Reinosa, Fray. 2497.
Pedro de San Alberto, Fray. 3212.
Pedro de San Andrés, Fray. 3513.
Pedro de San Cecilio, Fray. 4549.
Pedro de San Francisco de Asís, Fray. 2282.
Pedro de San José, Fray. 1936.
Pedro de San Martín, Fray. 71.
Pedro de San Miguel, Fray. 2445, 4450.
Pedro de Santa Cruz, Fray. 1735.
Pedro de Santa Gadea, Fray. 4460.
Pedro de Santa María, Fray. 4347, 5117 (143).
Pedro de Santa Teresa, Fray. 5117 (89, 122, 165).

Ruiz de Mesa, Martín. 2769-70, 2897.
Ruiz de Miranda, José. 2369.
Ruiz del Rey, Tomás. 2904.
Ruiz Salvador, Federico. 3306, 3486, 3786, 3936d, 3946b, 3959, 3969, 3998a, 3999a.
Ruiz de San Juan de la Cruz, F. 3229g.
Ruiz Silva, J. C. 4130.
Ruiz Vallejo, Vidal. 6263.
Rumeau, A. 5936-38, 5941-42, 6195f, 6306, 6408, 6416-18, 6420.
Rus Puerta, Francisco de. 1784.
Russotto, Gabriele. 4255.
Rústico, El. (V. Jiménez, Lorenzo).
Ruusbroec. (V. Ruysbroeck).
Ruysbroeck, Jan van. 3667-68, 3677, 3679, 4178.
Ruysschaert. 326h.

S

S. 323h.
S. A. T. 3229b.
S. F. C. 3560d.
S. G. 3280a.
S. J. C. 3569b.
S. de R. 3229f.
Saavedra, Fr. Diego de. 1501.
Saavedra, Francisco de. 5117 (121).
Saavedra, Ignacio de. 1260.
Saavedra, Juan de. 5065 (9).
Saavedra, Manuel. 3981.
Saavedra Guzmán, Antonio. 1180.
Sabat Mercadé o de Rivers, Georgina. 4664, 4694a, 4696, 4933, 4968, 6378.
Sabater y Mut, José. 933.
Sabau Bergamín, G. 2584.
Sabino de Jesús, Fray. 4018.
Sabor de Cortázar, Celina. 6111.
Sada, Pedro de. 5064.
Sade, Marqués de. 944.
Sáenz de Aguirre, Fr. José. 1093.
Sáenz Martínez, Jesús. 3623.
Sáenz de Tejada, Carlos. 671.
Sagastizábal, Juan. 1651.
Sagredo, Juan. 298.
Saint-Víctor, Hugues de. 3895.
Sainte-Foi, Charles. 514.
Sainz de Robles, Federico Carlos. 2568.
Sainz Rodríguez, Pedro. 939.
Sala, Gina H. de. 543.
Sala Balust, Luis. 2725-28, 2732, 2747-53, 2761, 2775, 2789, 2831, 2835, 2838-39, 2857c, 2938, 2949, 2990, 2997.
Sala Moltó, Fr. Jaime. 2627, 2643-44, 2652.
Salado Garcés, Francisco. 1942.
Salamanca, Concha de. (V. Zardoya, Concha).

Salas, Francisco Gregorio de. 135.
Salas, Fr. Miguel. 2393 (prels.).
Salas Barbadillo, Alonso Jerónimo. 1631, 2033, 6110.
Salas Diesaro, José Antonio. 5715.
Salas Vio, Vicente. 3921.
Salaverría, José María. 534.
Salazar (Capitán). 5114.
Salazar, Agustín de. 5630.
Salazar, Alonso de. 2285.
Salazar, Fray Baltasar de. 1185.
Salazar, Fr. Benito de. 2128-30.
Salazar, Francisco Antonio de. 1499.
Salazar, Gregoria Francisca de. 4364 (4).
Salazar, P. 3345.
Salazar, Fr. Pedro de. 1244.
Salazar y Cadena, Fr. Diego de. 2461, 2515, 4650.
Salazar y Cadena, Francisco de. 1505 (15).
Salazar y Castro, Luis de. 92, 94, 128.
Salazar Mallén, Rubén. 4816.
Salceda, Alberto G. 4838, 4982.
Salceda, Inocencio de la. 1350, 1355.
Salcedo Coronel, García de. 1588, 1596.
Salcedo de Loaysa, Domingo. 1842.
Salcedo Olid, Manuel de. 1364.
Salcedo Ruiz, Angel. 523.
Salcedo del Villar, Manuel de. 4259.
Sales, Fr. Tomás. 2290.
Salgado, Francisco. 5117 (45).
Salgado, María A. 4801c.
Salinas, P. Francisco de. 2474.
Salinas, José de. 6516.
Salinas, Juan de. 250.
Salinas, Lope de. 963, 968, 974, 982.
Salinas, Pedro. 3225, 3260, 4162, 4862, 6457.
Salinas, Pedro de. 5114, 5123.
Salinas y Lizana, Manuel de. 1756.
Salomón. 2545-46, 2627, 2663, 5071.
Salón, Fr. Miguel. 1840.
Salort, Constantino. 5125 (55, 62).
Salucio, Fr. Agustín. 1700.
Saludo Stephan, Máximo. 6487.
Salustio. 5270-71.
Salvá y Mallén, Pedro. 134, 150, 268, 271, 274, 276, 1074, 1227, 1311, 1454, 1541, 1544, 1549, 1551, 1554, 1557, 1663, 1700, 1787, 1810, 1913, 2008, 2033, 2035, 2038-39, 2043, 2058, 2211-15, 2220, 2256, 2339, 2393, 2407, 2559, 2563-64, 2999, 3207, 3210, 3215, 4438, 5035, 5040, 5054, 5097, 5117, 5145, 5148, 5261-62, 5264, 5443-44, 5458, 5659, 5715-16, 5775-76, 5778, 5785-86, 5788, 5829-30, 5899-900, 5957, 5959, 5961-62, 5967-68, 5973, 5978, 5980, 5999, 6494.
Salvatierra, Andrés de. 289 (13).
Samper, Hipólito de. 1174.
San Martín Ozina y Benavente, Manuel de. 5117 (80).

T

T. E. 3313a.
T.-J. L. F. 4196e.
Tabera, José María. 3572.
Taboada, Matilde. 6161.
Tacchi Venturi, Pietro. 642, 663.
Tácito, Cayo Cornelio. 5459-60.
Tade, George Thomas. 856.
Tadié, Marie. 3874.
Tafalla, Fr. Antonio. 5058.
Tagore, Rabindranath. 4185.
Talabera, Melchor de. 5119 (15, 52).
Tallada, Bernardo. 5125 (66).
Tamayo, Fr. Francisco. 1780, 5057, 5060.
Tamayo, José de. 1645.
Tamayo de Vargas, Tomás. 1743, 2049, 3208-3211, 3213, 5234, 6382.
Tapia, Fr. Pedro de. 4370, 4581, 4583.
Tapia, Pedro Juan de. 5125 (46).
Tapia Buitrago, Antonio de. 5787.
Tarifa, Marqués de. 214 (1).
Tarr, F. Courtney. 6430.
Tarre, Manuel. 641.
Tárrega, Francisco. 1341, 5125 (1, 34-35, 73, 98).
Tascel, P. J. 400.
Tasis, Rafael. 3296.
Tassis y Peralta, Juan de (Conde de Villamediana). 1534-35, 2038.
Tasso, Torcuato. 1554-56, 1621-23.
Taulers, Johann. 3640.
Tavares, S. 2775s.
Tavares Ferreira, José. 5117 (48).
Tavera, José María. 4043.
Taxandrus, Valerius Andrea. *(V. Schott, Andrea).*
Taylor, H. J. 6074.
Teilhard de Chardin. 4184, 4196.
Teja Zabre, Alfonso. 4715.
Tejera, José Pío. 2068, 2251.
Tejerina, Angel. 857.
Téllez, Fr. Gabriel (Tirso de Molina). 1586, 1706, 2165, 4176, 6058.
Temiño, Fr. Bernardo. 5673.
Temudo de Torres, Fr. Juan. 2498.
Teófilo de la Virgen del Carmen, Fray. 3915, 3929.
Terán, Lucas. 5120 (12, 25).
Teresa de Jesús, Santa. 707, 710, 922, 927, 936, 1033, 1046, 1193, 1249, 1256-57, 1327, 1329, 1429, 1432, 1507 (16-17). 1541 (64-69), 1656, 1748, 1924, 2259, 2283, 2336, 2369, 2515-2516, 2520, 2602, 2718, 2847, 3206, 3213, 3240, 3267, 3278, 3327, 3348, 3363, 3455, 3463, 3515, 3527, 3532, 3583-84, 3594, 3685, 3736, 3804, 3817, 3831, 3884, 3891, 3922, 4043, 4132-35, 4139-40, 4171, 4432-33, 4451, 4631, 4865, 5111, 5178, 5709, 6503, 6527.—*Pág.:* 479.

Teresa León, Tomás. 321c, 444f, 932i.
Teresa de Lisieux, Santa. 4192.
Teresa del Niño Jesús, Santa. 4135, 4177.
Terradas Soler, Juan. 745.
Terry, Arthur. 4958.
Terzano de Gatti, E. 6100.
Tesillo Penagos, Francisco. 6494 (42).
Tessarolo, P. Giuseppe. 479, 682.
Testore, C. 708.
Tevar, Fr. Bartolomé de. 1499, 1504.
Theodorus S. Joseph. 3599, 3834.
Thibaut, Eugène. 437.
Thibon, Gustave. 4147.
Thiry, A. 321d, 323i, 325e, 417b, 497i, 552e, 553d, 807e, 3371e, 3879f, 3891e, 3905k.
Thomas, Cyrus. 5476.
Thomas, R. 3821e.
Thompson, C. W. 6299.
Thompson, Colin P. 3794, 4068b, 4105.
Thompson, Francis. 525, 562.
Thoubeau, Joaquín. 36.
Tiemann, Hermann. 6172.
Tierno Galván, Enrique. 6287.
Tietz, M. 6349b.
Tillmans, W. G. 3646.
Tineo de Morales, Fr. Luis. 4672 (prels.), 4675 (prels.).
Tinoco, José. 5117 (104).
Tiquimaco. 3000.
Tirone, Cecilia. 3874.
Titelmano, Fr. Francisco. 4223.
Toda i Güell, Eduart. 346, 481, 483-86, 1131, 1224, 1226, 1307-9, 1372, 1388, 1447, 1504, 1554, 2430, 2432-34, 2667-68, 2879, 2881-83, 3042, 3072-73, 3076-77, 3432-35, 3438, 4238, 4373, 4453-54, 4470, 451, 4524, 4536-37, 4568, 4590, 5445, 5448-49, 5452, 5454, 5588-89, 5591-5592, 5900, 5959, 5961, 5966, 6227-28.
Todesco, V. 6338.
Toelle, Gervase. 3271a, 3411b, 3811f.
Toledo, Fernando de. 5117 (9).
Toledo, Manuel José de (conde de Galve). 4678 (prels.).
Toledo y Godoy, Ignacio de. 1823.
Tomás, Mariano. 4252.
Tomás, P. Pedro. 3232j.
Tomás de Aquino, Santo. 202, 284, 923, 2556-57, 2582, 3666, 3686, 3803, 3819, 3826, 3908, 4590-93, 5536-37, 5885 (4).
Tomás de la Cruz, Fray. 3775.
Tomás de Jesús, Fray. 3316, 3743, 3746, 4141-4142.
Tomás José de Santa María, Fray. 517 (49-50).
Tomás Moro, Santo. 2061, 4164.
Tomás de San Gregorio, Fray. 4376.
Tomás de San Vicente, Fray. 1838-39, 4353.
Tomás de Villanueva, Santo. 178, 392, 1523, 5116, 5885 (1).

DE PRIMEROS VERSOS

A) DE POESIAS

A

«¿Adonde te escondiste...». 3229 (2).
«Afecta, o joven Sol, en breves sumas...».
214 (10).
«Afloja, nimpha, ya la cuerda dura...».
5371 (19).
«Afuera, afuera, ansias mías...». 4676 (139).
«Afuera los confitados...». 5789 (26).
«Afuera que van mis quexas...». 5789 (126).
«Agoniza del Sol la edad luciente?...». 4678
(25).
«Agoniza la Luz de el Firmamento...». 5117
(52).
«Agua va, tenga señora...». 5789 (30).
«Aguas que vays risueñas a la muerte...».
5119 (3).
«Aguija, aguija caminante aprisa...». 4672
(159).
«Aguila caudal diuina...». 5113 (1).
«Aguila caudal no huyas...». 5125 (26).
[Ah]. «Ha de allá arriba ¿á quien digo?...».
1505 (10).
[Ah]. «Ha de la adusta gruta...». 5888 (2).
[Ah]. «A de las mazmorras...». 4672 (158).
[Ah]. «A de las mazmorras, Cautivos presos...». 4672 (158).
[Ah]. «—Ha del Templo.—Quien llama?...».
4676 (48).
[Ah]. «Ha Filis, si yo pudiera...». 1505 (17).
[Ahora]. «Agora, que conmigo...». 4672 (34).
«Al Amor qualquier curioso...». 4672 (45).
«Al Blanco lirio de Francia...». 2008 (47).
«Al celebrar una acción...». 5636.
«Al combite singular...». 5117 (103).
«Al dorado Rubicon...». 5787 (9).
«Al Jardín, Hortelanos...». 4676 (11).
«Al Leon de Castilla, Sol Tercero...». 4438.
«Al monte, al monte, a la cumbre...». 4672
(171).
«Al muchachos del patria de Loiolas...».
214 (89).
«Al Niño Divino, que llora en Belen...».
4676 (16).
«Al pie del arbol de la Cruz plantado...».
5125 (82).
«Al Privilegio mayor...». 4676 (122).
«Al que assi traslada en suma...». 5626.
«Al que edifica a Dios Templo...». 4676 (50).
«Al que ingrato me dexa, busco amante...». 4672 (4).
«Al Sol, que aun brilla en el postrer fracaso...». 5117 (31).
«Al soñoliento escorpion...». 5787 (59), 5789
(107).
«Al transito de Christo fué Maria...». 5117
(64).
«Al tránsito de María...». 4672 (139), 4743.
[Al]. «A el verde amparo de esse amigo
leño...»]. 1505 (32).
«Alarido es en la fama...». 5036.

[Alba]. «Alua clara, gentil de nuestra España...». 1912.
[Alba]. «Alva del Sol que sale coronada...».
6494 (33).
«Alcino, aunque entre aquella illustre gente...». 5371 (105).
«Alegrar a mi Niño...». 4676 (21).
«Alegrate euangelista...». 5113 (4).
«Alegre le vienes Juancho de Motrico...».
214 (84).
«Algun ginebro maldito...». 5788 (15).
«Alienta ya las cítaras de Apolo...». 2393
(11).
«Alma gentil hermosa...». 5789 (119).
«Alma triste que eres mía...». 5410.
«Alta humildad, riquisima pobreza...». 5125
(91).
«Altíssima princesa, en quien el cielo...».
5371 (81).
«Altissimo Señor Monarcha Hispano...».
4672 (109).
«Alto Marqués mi Señor...» .4672 (55).
«Alumbrar la misma luz...». 4672 (154).
«Alla nos aguarda a todos...». 5789 (50).
«Allá vaa, aunque no debiera...». 4678 (14).
«Allá va, cuerpo de Christo...». 4672 (129).
«Allá va, fuera, que sale...». 4676 (10).
«Allá vá, Julio de Enero...». 4676 (141).
«Alla va, que fuera sale...». 4670.
«Allá va una Jacarana...». 4676 (165).
«Allá van para que passes...». 4672 (54).
«Amado Dueño mío...». 4676 (95).
«Amante-Caro, Dulce Esposo mío...». 4676
(121).
«Amarilis celestial...». 4672 (48).
«America, no llores...». 4678 (30).
«Amor empieza por desassossiego...». 4676
(86).
«Amor, que en la serena vista ardiente...».
5371 (87).
«Andrés, á Christo viendo...». 5117 (15).
«Andrés, iluminado...». 5117 (21).
«Angel, o Sacra Devdad...». 4676 (prels.).
«Angeles, y hombres, Señora...». 4672 (173).
«Angelical auia de ser la pluma...». 2628.
«Ante tus ojos benditos...». 4678 (8).
«Antes de respirar la luz Phebea...». 5065
(12).
«Antes que el fuerte Capitan Bernardo...».
1541 (63).
«Antigua madre comun...». 5789 (82).
«Apacible condicion...». 5131 (17).
«Aparten, como, a quien digo...». 4672 (169).
«Apolo, y Alfion me den su lyra...». 5155.
«Apretada tiene a Roma...». 5787 (4).
«Aquél Babél de vidrio, cuya espuma...».
5117 (93).
«Aquel Cisne de Maria...». 4672 (160).
«Aquel Contador...». 4672 (125).

B

«Bien, enseñado en tu desdicha, miro...».
214 (8).
«Bien de la Fama parlera...». 4676 (104).
«Bien les llamays elementos...». 2035.
«Bien pensarás o Lidia engañadora...». 1541
(35).
«Bien puede el momo soñar...». 1333.
«Bien se puede llamar la cipria Diosa...».
5787 (86).
«Blandas caricias del Sol...». 6494 (74).
«Brios esfuerça, esfuerços asegura...». 5119
(6).
«Buen viage, buen viage...». 4676 (53).
«Burla i blasona la corcilla o gama...».
1541 (12).
«Buscó Benito del fragoso hiermo...». 5125
(53).

C

«Callar quisiera tanto, si pudiera...». 5371
(86).
«Candido Pastor, Sagrado...». 4676 (128).
«Canonigos valerosos...». 5789 (22).
«Cansada memoria mia...». 5788 (35).
«Cantar a lo Castellano...». 5155.
«Cantar, Feliciana, intento...». 4672 (47).
«Cantas la destreza suma...». 5630 (prels.).
«Cantas los toros, y las peñas cantas...».
5155.
«Cantas Orfiudo? no, que tu instrumen-
to...». 1505 (36).
«Cante de un nuevo Marte Gabriel Las-
so...». 5785.
«Cante esta vez en funebre lamento...».
2008 (36).
«Cante la Troyana guerra...». 5155.
«Cante o Iacinto, tu sagrada Lyra...». 1330.
«Cantenle en verdad». 4672 (165).
«Canto el furor de Marte sanguinoso...».
5785.
«Canto la guerra insigne de Tesalia...».
1551.
«Canto la tempestad mas sossegada...».
5117 (98).
«Canto las Armas, la Vitoria canto...». 5036.
«Canto las armas, y el varon famoso...».
5786.
«Canto los hechos dinos de memoria...».
1912.
«Capitan es ya don Juan...». 4676 (113).
«Carlos, Dios te dé de honor, como tu
honraste...». 5636.
«Carmin feliz, que al Alva mas hermo-
sa...». 1505 (19).
[Carón]. «—Charón, Charón. —¿Quien lla-
ma tan penado?...». 5371 (99).
«Castor i Polux nauticos fulgores...». 214
(28).

«Catholica region, pueblo constante...». 963.
«Caudillo celestial, cuyo gouierno...». 5371
(112).
«Ceda el Milliario del Romano foro...».
5119 (21).
«Ceda mi labio, alterne Gigantéa...». 4678
(preliminares).
«Celebrad, criaturas...». 4676 (38).
«Celia, si lo riguroso...». 1505 (33).
«—Cerca de aquella dulce i clara fuente...».
5371 (108).
«Cercada de amarguras...». 5120 (9).
[Cesa]. «Cessa pues, calma ya, suspende
el duelo...». 4438.
«Cese del duro pecho la aspereza...». 5371
(54).
«Cielo es Maria mas bello...». 4676 (8).
«Cisnes, que entre erizadas, si luzientes...».
5118.
[Cítaras]. «Cytharas Europeas, las dora-
das...». 4672 (prels.), 4673, 4675.
«Claro don Pedro, que en el tronco cla-
ro...». 5787 (80).
«Claro, ilustre Francisco, de las nueue...».
5371 (91).
«Claro Pastor divino...». 4672 (134).
«Clori, si mi amor te inflama...». 5120 (8).
«Coger naranjas en la altiua sierra...». 5762.
«Cogióme sin prevencion...». 4672 (49).
«Combate el ancho mar tempestuoso...».
5125 (39).
«Como admiran del Sol claros fulgores...».
4678 (prels.).
«Como aun despues de su muerte...». 4676
(24).
«Como, el orden alterado?...». 5117 (99).
«Como el virote sales de ballestas...». 214
(90).
«Como en fecundo valle, al fruto opimo...».
1541 (prels.).
«Como en rayo de luz pura...». 214 (50).
«Como entre espinas la Rosa...». 4676 (10).
«Como es día de Vigilia...». 4672 (138).
«Como estarás, Filis mia...». 4672 (63).
«Como la piedra Yman de virtud rara...».
5125 (12).
«Como no triumphará la alta Pobreza...».
4322.
«Como oyeron a los otros...». 4676 (10).
«Como para asaltar el Sacro Alcazar...».
4676 (prels.).
«Como se debe venir...». 4676 (61).
«Como se encumbra tu adorable Alteza...».
5636.
«Como se ha de celebrar...». 4676 (164).
«Como será esto mi Dios?...». 4676 (13).
«Como seria (hazed quenta)...» .5117 (113).
«Con acertada elección...». 2008 (prels.).
«Con Admiracion de verte...». 1069 (5).

[*Cuando*]. «Quando la fuerça de la Fe en Maria...». 5125 (36).

[*Cuando*]. «Quando la pluma en Cómicas Tareas...». 5600.

[*Cuando*]. «Quando la Sabiduría...». 4676 (69).

[*Cuando*]. «Quando los daños del error pasado...». 5371 (67).

[*Cuando*]. «Quando llega a la cumbre de la gloria...». 1850 (4).

[*Cuando*]. «Quando mi error, y tu vileza veo...». 4672 (100).

[*Cuando*]. «Quando. Numenes Divinos...». 4678 (15).

[*Cuatro*]. «Quatro estorvos halló Juana...». 4678 (prels.).

«Cuando prostrado *(sic)* en miseras prisiones...». 1541 (55).

[*Cuando*]. «Quando te llamo inaduertidamente...». 2033.

«Cuando tus huessos miro...». 1541 (36).

[*Cuanto*]. «Quanto mas quiero ingerir...». 5119 (46).

[*Cuatro*]. «Quatro planas, y muy malas...». 2021.

[*Cuidoso*]. «Cuydoso el pastor Lasindo...». 5787 (73).

[*Cuidoso*]. «Cuydoso el pastor Lidonio...». 5789 (123).

«Cumplidlo, Señor...». 4676 (50).

«Cupo a Filipo la suerte...». 5131 (13).

«Curiosamente vestido...». 5787 (52).

«Curioso, si immortal quieres...». 5120 (18).

D

«Da Amor mal, quiçá, por bien...». 5371 (10).

[*Daba*]. «Dava entre horrores y sombras...». 5120 (25).

«Dadle licencia, Señora...». 4676 (10).

«Damas, armas, amor y empresas canto...». 2205.

«Dame de tu dulçura alguna parte...». 5125 (20).

«Dame el peñasco, Sísifo, cansado...». 1538 (2), 1541 (16).

«Damón, si en la presente desuentura...». 5371 (78).

«Dandole en un combite a un vizcayno...». 5787 (90b).

«Daros las Pasquas, Señora...». 4672 (93).

«Darte, Señora, las Pasquas...». 4672 (24).

«De alabarda vencedora...». 4676 (114.)

«De animos Reales son, Reales empresas...». 5117 (12).

«De aquel Invicto Martir, aquel Sagrado...». 5117 (28).

«De aquel Segundo Pablo, cuyo zelo...». 5458.

«De aquel varon insigne, y eminente...». 5784.

«De Armenia el Golfo, al Zefiro suave...». 5117 (87).

«De Burgos sale Rodrigo...». 5789 (59).

«De colorzillos quebrados...». 5788 (2).

[*De Cristo*]. «De Christo, y del Autor de Sacra Historia...»]. 5117 (53).

[*De cuatro*]. «De quatro mil Volumenes sabidos...». 4678 (prels.).

«De dos victorias, ambas excelentes...». 5117 (27).

«De Eloquencia y arte estraña...». 2033.

«De essa antorcha el ardor introducido...». 1505 (3).

[*De este*]. «Deste bello prodigio se prohija...». 5131 (25).

«De estar naturaleza corrompida...». 5125 (98).

«De hermosas contradicciones...». 4671, 4672 (150).

[*De hinojos*]. «De inojos puesto ante el Rey...». 5787 (49).

[*De hoy*]. «De oy mas, o Iacinto generoso...». 1330.

«De infinitos despojos rodeada...». 5125 (9).

«De ingenio es, y habilidad...». 5117 (108).

«De Isabel los excelentes...». 2008 (13).

«De Juan azañas canto...». 5117 (3).

«De Judas á hablar me allano...». 5117 (176).

«De la alta sierra los pueblos...». 5787 (37).

«De la batalla sangrienta...». 5787 (2).

[*De la beldad*]. «De la veldad de Laura enamorados...». 4672 (67).

«De la Fé las primicias...». 5117 (129).

«De la fuente más rara que Elicona...». 5125 (19).

«De la honesta vestidura...». 5789 (19).

«De la ligera Fama...». 5117 (180).

«De la llena de los ríos...». 5073.

«De la más alta cumbre as derribado...». 5371 (103).

«De la mas fragrante Rosa...». 4672 (121).

«De la mia gran pena forte...». 5413 (2).

«De la riuera apacible...». 5065 (21).

«De la varia, sotil red amorosa...». 5371 (110).

«De las Indias el camino...». 2033.

«De laurel sumptuosa rama...». 1499, 1504.

«De lo mas alto del cielo...». 5787 (11).

«De Maria, a quien la invoca...». 4676 (42).

«De Maria la Assumpcion...». 4676 (164).

«De Mateo, el Misterio...». 5117 (101).

«De mi firme esperar contrario efeto...». 5371 (62).

[*Después de haber*]. «Despues de auer Iulio Cesar...». 5787 (14).

«Después que a nuestra Ciudad...». 5096.

«Despues que declaré del modo atento...». 1.

«Despues que el Conde traydor...». 5787 (23), 5789 (17).

«Despues que el Redeptor, de el Arbol Santo...». 5119 (10).

«Despues que el Rey don Fernando...». 5787 (40).

«Después que en varias partes largo tiempo...». 5371 (17).

«Despues que lengua eloquente...». 2008 (50).

«Detén el passo caminante, advierte...». 4672 (119).

«Detén el passo caminante, i mira...». 5065 (2).

«Deten, Nise, la mano, no prosigas...». 1505 (28).

«Detente, Sombra de mi Bien esquivo...». 4676 (90).

«Determinate tu, Determinado...». 2220-21.

«Diana, de quien se escriue...». 5371 (3).

[*Dice*]. «Dize el Genesis Sagrado...». 4676 (4).

[*Dices*]. «Dizes, que no te acuerdas, Cloris, y mientes...». 4672 (103).

[*Dices*]. «Dizes, que yo te olvido, Celio, y mientes...». 4672 (102).

«Dichoso tu, que siempre con desvelo...». 1069 (4).

«Diganme, por qué Christo...». 4676 (62).

«Dime, vencedor Rapaz...». 4676 (105).

«Dió por compañia a Moyses...». 214 (45).

«Dio por si misma vestido...». 5131 (6).

«Dios es suma Equidad, y es evidente...». 5117 (55).

«Dios hombre, y Juan de Dios, en el morir...» 5117 (34).

«Dios os da por lo que ha visto...». 5125 (56).

«Dios os guarde Rey y señor, y assi mismo...». 6494 (54).

«Dios que os provo los azeros...». 5125 (61).

«Dios reparte los Talentos...». 5117 (117).

«Discipulos de Santiago...». 5119 (31).

«—Dios, y Joseph apuestan. — Qué? qué? qué?...». 4676 (29).

«Dios, y Joseph parece...». 4676 (29).

«Discreta, y hermosa...». 4672 (59).

«Disculpa puede tener...». 214 (54).

«Diuturna enfermedad de la esperança...». 4672 (36).

«Divina luz serena, clara, y pura...». 5125 (47).

«Divina Lysi mia...». 4669 (3), 4672 (96).

«Divino Amor Sagrado...». 5117 (18).

[*Divino*]. «Diuino Ausias, libre del recelo...». 5371 (92).

«Divino, fuerte, inuencible...». 5159 (52).

«Divino Joseph, si son...». 4676 (23).

[*Divino*]. «Diuino numen, precisó rendida...». 5458.

«Docta pregunta, provido reparo...». 141.

«Docto Mansilla, no, para aplaudirte...». 4672 (70).

«Docto, suave, ingenioso...». 5630 (prels.).

«Doctrina christiana, y Enchiridion...». 1876.

«Don Alonso de Granada...». 5788 (95).

«Don Ramiro de Aragon...». 5787 (28), 5789 (37).

«Donde de tu Virtud, glorioso el abuelo...». 5117 (121).

«¿Dónde está mi libertad?...». 5371 (4).

«Donde las primeras luzes...». 1505 (30).

«Donde su crespa madeja...». 5789 (109).

«Dorotea que en verdad...». 5120 (2).

«Dos almagrados de amor...». 5788 (70).

«Dos Assuntos Soberanos...». 5117 (134).

«Dos dudas, en que escoger...». 4672 (18).

«Dos Heroes que á duros golpes...». 5117 (79).

«Dos insignias á labrado...». 214 (57).

«Dos mundos hizo Dios de un mundo solo...». 214 (29).

«Dos Planetas, dos Soles refulgentes...». 214 (44).

«Dos Reynos confederados...». 214 (47).

«Dos Serafines (con amor ardientes...)». 214 (30).

«Dos soles, de dos cielos generosos...». 214 (79).

«Dos superiores luzes, dos Planetas...». 214 (36).

«Dos valerosos soldados...». 214 (48).

«Dulce, canoro Cisne Mexicano...». 4733.

«Dulce Deidad del viento armoniosa...». 4672 (46).

«Dulce y fuerte prisión de mi alegría...». 5371 (41).

«Duelete de nosotros...». 4672 (134).

«Durmientes, pues ya tapados...». 5119 (34).

E

«Ea niños Christianos venid a la Escuela...». 4672 (124).

«Ea, Sagrado Apostol! buen viage...». 5117 (89, 92).

«Eclipsada ya del todo...». 5789 (78).

«Eclipsandose el Sol mas luminoso...». 5117 (49).

«Eclipsase la luz, llorad, señora...». 1401 (1).

«En dos cielos dos Soles, dos Planetas...». 214 (23).

«En dulce desasossiego...». 4672 (145).

«En el Certamen me he entrado...». 5117 (166).

«En el dia de San Pedro...». 4672 (130).

«En el diluuio Vniuersal se vido...». 5118.

«En el lugar de Penilla...». 5789 (100).

«En el margen del Rio Mançanares...». 4678 (preliminares).

«En el marmoreo, y argentado lecho...». 6494 (31).

«En el Nombre, pues, del Padre...». 2393 (14).

«En el nuevo Templo venid a mirar...». 4676 (41).

«En el Pays, Reino, y Clima...». 6494 (43).

«En el principio del Mundo...». 1408.

«En el principio moraba...». 3229 (7).

«En el Sacramento vé...». 4676 (68).

«En el Senado de Roma...». 5787 (5).

«En el Sol de la Custodia...». 4676 (70).

«En el Zenid mas claro de la vida...». 5131 (34).

«En espantoso silencio...». 5787 (46), 5789 (87).

«En esta enfermedad tan importuna...». 1949.

«En esta funebre alfombra...». 5065 (16).

«En esta si funesta excelsa Pira...». 5065 (7).

«En estas Cortes se pide...». 5789 (24).

«En este valle de profundos males...». 4291.

«En estos versos leydos...». 5155.

«En explicar el dolor...». 2008 (prels.).

«En fee de sentencia tal...». 4672 (156).

«En la agonia de un sudor postrado...». 5117 (57).

«En la alborotada Roma...». 5787 (15).

«En la borrasca temerosa y fuerte...». 5125 (37).

«En la Botillería...». 4676 (65).

«En la Corte de Philippo...». 1069 (1).

«En la Dedicación festiva del Templo...». 4676 (55).

«En la diuina memoria...». 5119 (26).

«En la espesura de un alegre soto...». 1541 (34).

«En la fértil sazón que el cortés cielo...». 5371 (48).

«En la mansion inmortal...». 4672 (157).

«En la postrer sazon del mes y año...». 2220-21.

«En la recogida celda...». 5125 (33).

«En la ribera undosa...». 1541 (49).

«En la vida que siempre tuya fué...». 4672 (23).

«En la viña qu'el Padre eterno planta...». 5125 (18).

«En la voz Deus se explica...». 5636.

«En las galeras yo muera...». 5789 (13).

«En las Occenas (sic) aguas...». 5789 (49).

«En las provincias del suelo...». 214 (53).

«En lobreguez de Piras abreviada...». 5131 (35).

[En Loja]. «En Loxa estaua el Rey Chico...». 5787 (43).

«En los braços se via de la Muerte...». 5117 (71).

«En otros Reynos de passo...». 5119 (45).

«En pardas sombras de la muerte yaze...». 5131 (37).

«En pensar, que me quieres, Clori, he dado...». 4676 (92).

«En perezoso sueño sepultado...». 214 (68).

«En perseguirme, Mundo, que interessas?...». 4672 (7).

[En su bizarra]. «En su vizarra beldad...». 5131 (3).

«En su diestra celebrada...». 5630 (prels.).

«En su mayor silencio, no passada...». 5119 (2).

«En su tramontar el sol...». 5787 (71).

«En tan Divino Assumpto, objeto Santo...». 2393 (1).

«En tan terrestre, y funebre aposento...». 1069 (6).

«En Tercer Tomo, Sor Juana...». 4678 (preliminares).

«En términos me tiene el mal que siento...». 5366, 5371 (72).

«En ti (o papel) que tuviste...». 4678 (34).

«En torno del famoso Monumento...». 5787 (preliminares).

«En un peñasco encumbrado...». 5787 (3).

«En un rebuelto Andaluz...». 5787 (48), 5789 (91).

«En una Noche escura...». 3206, 3229 (1).

«En Vandalos, la grandeza...». 5806.

«En vano tu canto suena...». 4672 (20).

«En vuestros caros amigos...». 5119 (36).

«Encima de las corrientes...». 3229 (8).

«Engañaste, Licino, vulgarmente...». 1541 (28).

«Engolfase el varon, el heroe Hispano...». 5784.

[Enhorabuena]. «Enorabuena, el gran Carlos...». 4672 (92).

«Enseñaste nos hablar...». 2035.

«Entre el rey Carlos de Francia...». 5787 (56), 5789 (102).

«Entre glorias de luzes coronada...». 4364 (6).

«Entre la antigua zizaña...». 4676 (11).

«Entre la Luna, y Sol puesta la tierra...». 5125 (10).

«Entre las cenizas frías...». 5789 (44).

«Entre las grandes Virtudes...». 5117 (81).

F

«Fabio amigo, en el lugar...». 1505 (18).
«Fabio, en el ser de todas adoradas...». 4672 (6).
«Fabio yo he llegado a oir...». 1505 (6).
«Fabricó Dios el Trono del Impireo...». 4676 (162).
«Facil, suaue, aguda, decorosa...». 4678 (preliminares).
«Faltó a España, que desmaya...». 5119 (44).
«Fauorecido se halla...». 5786 (64).
«Favores, que son tan llenos...». 4678 (18).
[Fe]. «Fee, Esperança, y Caridad...». 5117 (102).
«Fecunda patria pues tal fruto diste...». 4291.
«Feliciano me adora, y le aborrezco...». 4672 (5).
«Fénix en todo el Orbe, único y raro...». 5371 (109).
«Fenix Inacio, en llamas convertido...». 214 (37).
«Fiero dolor, pues tan profundo vena...». 5371 (32).
«Fili, que siempre matáis...». 5371 (2).
«Finjamos, que soy feliz...». 4672 (35).
«Firma Pilatos la que juzga agena...». 4672 (117).
«Flor de las flores que atesora Flora...». 6494 (62).
«Fogoso humor destempla de tu cara...». 5131 (30).
«Forzada de un devoto pensamiento...». 1850 (9).
[Forzado]. «Forçado de mi deseo...». 5112.
[Forzudos]. «Forçudos braços de Godos...». 5789 (7).
«Fray Iuan, a quien el Iuan viene nascido...». 2628.
«Frutos dulces de planta sazonada...». 5630 (preliminares).
«Fue Augusto en sumas onras colocado...». 1541 (24).
«Fue este trofeo tragico, que advierte...». 1070.
«Fue la Assumpcion de Maria...». 4672 (145).
«Fue obstinación la culpa (escarmentada)...». 214 (61).
«Fue su liberal grandeza...». 5131 (11).
«Fuerte, i muger? Contradize...». 5131 (1).
[Fuerza]. «Fuerça es que os llegue a dezir...». 4672 (105).
«Fundada su Religion...». 214 (46).
«Funebres, a su ronca accentos trompa...». 1152.

G

«Gallarda presa aveys hecho...». 5125 (28).
«Gallardo Joven, ilustre...». 4676 (129).
[Garcilaso]. «Garzilasso de la Vega...». 5789 (93).
«Gira Faeton en carro luminoso...». 5065 (preliminares).
«Gloria a Dios, y nace a penas...». 4672 (165).
«Glorias respira inmortales...». 5117 (149).
«Glossa y Soneto, señor...». 2008 (54).
«Gozava juvenil el Trace Orfeo...». 1544.
«Gracias te solicite agradecida...». 214 (71).
«Gran Marqués de la Laguna...». 4672 (50).
«Gran penitencia ocupa, si edad breue...». 5065 (9).
«Grande Duquesa de Aveyro...». 4672 (58).
«Grande Marqués mi Señor...». 4672 (17).
«Grecia gozó de su famoso Homero...». 1912.
«Gregorio hablaros deseo...». 5125 (59).
«Grave impulso en la vista...». 5117 (20).
«Guardate Alcayde famoso...». 5789 (98).
«Guarida eterna alcança en aquel seno...». 5125 (1).

H

«Ha dado en hazerme guerra...». 5789 (108).
«Há, há, há...». 4672 (155).
[Habiendo]. «Aviendo al caer del sol...». 5787 (62).
[Habiendo]. «Aviendo Alboyno vencido...». 5787 (17), 5789 (31).
«Habiendo cercado a Baza...». 5789 (85).
[Habiendo]. «Auiendo el conde Navarro...». 5787 (57), 5789 (106).
[Habiendo]. «Aviendo puesto por tierra...». 5787 (6).
[Habiendo]. «Auiendo un diestro pintor...». 5787 (35).
«Habló Junco al junco ñudo...». 5096.
«Hablar de un robo imagino...». 5117 (165).
[Hacen]. «Hazen guerra en esta edad...». 214 (55).
[Hacia]. «Azia dos partes se escuchan...». 5117 (82).
[Hacia]. «Hazia el Conuento de Gracia...». 4364 (24).
«Hagan bien para hazer bien...». 5778 (73).
«Halló en su ocaso el Sol un nuevo Oriente...». 214 (32).
«Han dado en recopilar...». 5789 (12).
[Hasta cuando]. «¿Hasta quando Orden Augusta...». 2393 (21).
«Hasta donde camina...». 5117 (14).

I

J

[*Jacinto*]. «Iacinto, si piedra y flor...». 1330.
«Jamas por larga ausencia, amada Flora...». 1538 (1), 1541 (15).
[*Jerónimo*]. «Geronimo meditaba...». 4676 (169).
«Juan, aquel de quien oy hablo...». 5117 (114).
[*Juan*]. «Iuan assiste á Maria al Sacro trance...». 5117 (45).
«Juan de Dios es tu nombre, y fué tu muerte...». 5117 (62).
«Juan de Dios muere, y muere acompañado...». 5117 (70).
«Juan, y Andrés, Peregrinos...». 5117 (19).
«Juancho, tambien versos hazes...». 214 (87).
«Judas, Ladron, y pollino...». 5117 (171).
«Juez, que enormes culpas no corriges...». 1541 (9).
«Juntarse buelos Reales...». 5630 (12).
«Juntanse en Penilla a hazer concejo...». 5787 (87).
«Juntas de Pompeyo y Iulio...». 5787 (12).
«Junto a un aliso sentado...». 5787 (63).
«Juras a Dios, pues santo estás Loiolas...». 214 (86).
«Justiniano, pues que ya...». 6494 (32).
«Justiniano tu eloquencia...». 5155.
«Juzgo, aunque os canse mi trato...». 4672 (83).
«Juzgué nevado el coral...». 1505 (25).

L

«La abiltada y sin honore...». 5789 (1).
«La accion Religiosa de...». 5636.
«La admiración, confiessese rendida...». 5117 (11).
«La alegre Primauera...». 5371 (21).
«La antecámara espejada...». 5789 (69).
«La Astronoma grande...». 4672 (151).
«La barca del Apostol mas celoso...». 214 (40).
«La Beldad que a esplendores...». 4678 (preliminares).
«La Capitana del Virgineo coro...». 5125 (2).
«La Cigüeña milagrosa...». 5119 (43).
«La ciudad que daua leyes...». 5789 (127).
«La confusa, barbara arrogancia...». 5630 (preliminares).
«La correccion fraterna, y amorosa...». 2505.
«La Corte de los cielos populosa...». 5125 (14).

«La Defensa es natural...». 5630 (5).
«La del sacamanchas...». 5789 (97).
«La Destreza de las Armas...». 5630 (1).
«La dificil prueua mira...». 5789 (131).
«La Divina Lisi...». 4676 (125).
«La Erudición te dió los desengaños...». 4678 (prels.).
«La Espiga veran de Ruth...». 4676 (60).
«La fabrica tembló, gimio el famoso...». 214 (64).
«La fama pregonera suene el canto...». 3001.
«La Fe constante, y caridad ardiente...». 5125 (46).
«La fortuna bien girando...». 5188.
«La hermosa mora Zayda...». 5787 (34), 5789 (52).
«La hermosura de la llama...». 5117 (133).
«La heroyca Esposa de Pompeyo altiva...». 4672 (11).
«La humana vida es una viua guerra...». 1810.
«La locución mal explica...». 4676 (63).
«La mañana del Baptista...». 5789 (41).
«La mas decente morada...». 4676 (47).
«La Maternidad sacra...». 4676 (5).
«La Mexicana Musa, Hija eminente...». 4672 (prels.), 4675.
«La miserable tragedia...». 5789 (76).
«La muda Poesia, i la eloquente...». 1541 (preliminares).
«La muerte, ley que al hijo d'Eva obliga...». 5125 (15).
«La muerte pelada soy...». 4364 (8).
«La Omega, y Alpha de Dios...». 2035.
«La palma de Cades Virgen subida...». 5125 (6).
«—La plenitud del tiempo ya llegada...». 2269.
«La posta corre Almançor...». 5789 (39).
«La profetica boz del labio puro...». 1541 (53).
«La rigurosa sentencia...». 5787 (16).
«La sacra i viva sangre que al umano...». 1541 (62).
«La sed de padecer, que en Iuan ardia...». 5117 (42).
«La Soberana Doctora...». 4672 (170).
«La sumergida cabeça...». 5787 (55), 5789 (99).
«La tierra fertil, que produze estrellas...». 214 (33).
«La traslacion gloriosa, el sacro assiento...». 5626.
«La trinchea asalte Garro...». 5036.
«La variada ribera...». 5787 (61).
«La vida que yo paso es propria muerte...». 5371 (60).
«La Virgen que pario a Dios». 5125 (31).

[*Máquinas*]. «Machinas primas de su ingenio agudo...». 4676 (82).
«Maria, con el nombre de muger...». 5117 (33).
«Maria, del Amado Madre quede...». 5117 (51).
«Maria Fenix unica gloriosa...». 5125 (11).
«Maria, y Juan, al transito glorioso...». 5117 (56).
«Mayor vitoria enoblece...». 5131 (8).
[*Mayores*]. «Maiores a Pedro aplace...». 4672 (127).
«Mediada voz la pena y el aplauso...». 4678 (33).
«Medio pan á Pablo ofrece...». 5117 (109).
«Memorias, es lisonja, ó es vengança...». 1505 (15).
«Memorias tristes del dolor pasado...». 5361.
«Memorias tristes del placer pasado...». 5371 (47).
«Menandro que por Corinthia...». 5789 (118).
«Metricas influencias de Thesalia...». 4676 (preliminares).
«Mia fe perdoneme el Reye...». 5789 (20).
«Miente el Moro vil, aleue...». 5789 (80).
«Miente quien dize que yaze...». 2008 (51).
«Miente, Zoylo, quien te llama...». 2021.
«Mientras él mira suspenso...». 4678 (12).
«Mientras la gracia me excita...». 4678 (10).
«Mientras militava Cristo...». 1541 (51).
«Mientras os veo dormido...». 5125 (23).
«Mientras otros cantan lloro...». 5789 (14).
«Miguel los filos de metal espada...». 2489.
«Mil varias prueuas hizo Amor en vano...». 5371 (68).
«Mil vezes os e ofrecido...». 5368, 5371 (16).
«Milagro sera que acierte...». 5125 (68).
«Mira a Bernardo el gran Crucificado...». 5125 (77).
«Mirados con atención...». 5720.
«Mirando Aminta su belleza un día...». 1554.
«Mirando se sale Phebo...». 5787 (30).
«Mirase ufana Italia con el Tasso...». 1330.
«Miren, que en estos maytines...». 4676 (165).
«Miró Celia una Rosa, que en el Prado...». 4672 (8).
«Miró Iuan, que el Sol puro, á su carrera...». 5117 (44).
«Mis quexas pretendo dar...». 4676 (115).
«Misera armonia...». 4364 (2).
«Mitad del alma suya tierna i pia...». 214 (21).
«Morenica la Esposa está...». 4676 (9).
«Morir viviendo la fama...». 5131 (9).
«Moriste, Duque excelso, en fin moriste...». 4672 (120).

«Mueran contigo Laura, pues moriste...». 4672 (74).
«Muere Christo en la Cruz, siempre asistido...». 5117 (47).
«Muere de Amor Dios hombre, y satisfaze...». 5117 (39).
«Muere el Sol, de dolores oprimido...». 5117 (63).
«Muere el Sol en patibulo cruento...». 5117 (35).
«Muere en una Cruz Felipe...». 5117 (83).
«Muere Felipe en aquel...». 5117 (76).
«Muere Isabel en los llenos...». 5131 (23).
«Muere Jesus de Amor aun mas herido...». 5117 (40).
«Mueve la boz lengua mía...». 1541 (45).
«Mueve mi lengua, Bernardo...». 1541 (61).
[*Mujer*]. «Muger; más que dixe? Quando...». 4676 (prels.).
[*Mujer*]. «Muger singular, adonde...». 4678 (preliminares).
«Murio Isabel: al engaño...». 5131 (21).
«Murió Ysabel, y el lamento...». 2008 (8).
«Musa, mas de dos mil dudas...». 5117 (169).
«Musa, prestame tu aliento...». 5117 (167).
«Musa, si me das tu ardiente...». 1541 (69).
«Músicos venid...». 2393 (16).

N

«Nace a Culto mayor sacrificado...». 2478.
«Nace de la escarchada fresca Rosa...». 4676 (171).
«Nace en Francia porque sea...». 5131 (2).
«Nace Pedro, y han llenado...». 4672 (166).
«Nacer Reina fue ventura...». 5131 (4).
«Nació junto al Eridano abundoso...». 1541 (preliminares).
«Nació y junto al Eridano abundoso...». 1554.
«Nacistes Virgen, y gloriosa planta...». 5125 (13).
«Nadie a podido leer...». 2393 (17).
«Nadie tenía ponçoña, mortales...». 4676 (12).
«Nasce en Biuar Ruidiaz: y es lleuado...». 1912.
«Natural Reyna Ysabel...». 2008 (42).
«Naufragio de coral, en duro leño...». 5117 (90).
«Navarro Marte, Marte Guipuzcoano...». 214 (24).
«Nave, que por entrego...». 1541 (26).
«Negada su inclinación...». 5131 (15).
«Negros bolcanes de alquitran fogoso...». 214 (65).

«O tu, Principe heroyco, que en dicho-sa...». 6494 (35).

«O tu que del remate fuyste solo...». 5155.

«O Tu, que no has labrado...». 5120 (6).

«O tú, Sion dichosa...». 1541 (46).

«Obelisco sagrado, a quien Gigante...». 5119 (13).

«¡Oh, coraçón de piedra sin sentido!...». 5371 (85).

[Oh cuán]. «O quan contrario anda Dios...». 4676 (34).

[Oh]. «¡O, dulce, de mi dulce pensamien-to...». 5371 (94).

[Oh]. «O! El aire, no de las Musas...». 5117 (77).

«¡Oh, sol, de quien es rayo el sol del cielo!...». 5371 (37).

[Oíd]. «Oyd señoras taymadas...». 5789 (18).

[Oíd]. «Oyd su dolor...». 4672 (137).

[Oigan]. «Oygan atento...». 4676 (17).

[Oigan]. «Oygan, atiendan, que canto...». 4672 (162).

[Oigan]. «Oygan la fineza, que Dios quie-re hazer...». 4676 (35).

[Oigan]. «Oygan lo que del Templo...». 4676 (45).

[Oigan]. «Oygan, qué cosa, y cosa...». 4676 (6).

[Oigan]. «Oygan, oygan, deprendan ver-sos latinos...». 4672 (127).

[Oigan]. «Oygan, que quiero en esdruxu-los...». 4676 (71).

[Oigan]. «Oygan un Misterio, que...». 4676 (3).

[Oigan]. «Oygan un Sylogismo, señores, nuevo...». 4672 (128).

[Oigan]. «Oygan una duda de todo pri-mor...». 4676 (31).

[Oigan]. «Oygan una Palabra, Señores, oygan...». 4672 (112).

«Ola, como, que, a quien digo...». 4672 (129).

«Olvidada Musa mia...». 214 (83).

«Olvidense livianas las Deidades...». 6494 (76).

«Olvido de lo criado...». 3229 (2).

«Ora Iesus, qual loco le abandonan...». 5117 (67).

«Oro tan puro virtio...». 2008 (48).

«Otro, que ya desahogada...». 4676 (10).

«Oye Pascual estas chanças...». 2393 (15).

«Oyó Elisa, i miró, i abrió las puertas...». 214 (9).

P

«Pablo, y Elías lloravan...». 5117 (105).

«Palida de la Muerte la agonía...». 5117 (59).

«Para aquel, que lo muy grande...». 4672 (57).

«Para bien encarecer...». 5125 (97).

«Para cantar con decoro...». 4672 (133).

«Para enquellotrar mi grosa...». 6494 (44).

«Para entender bien el curso...». 2393 (18).

«Para gloria de la Virgen...». 5125 (64).

«Para hazerle Casa a Dios...». 4676 (46).

«Para ilustrar de Hesperia los confines...». 5119 (8).

«Para los que os ofensaron...». 5789 (3).

«Para no ver el preñado...». 4676 (33).

«Para poder alcançar...». 5125 (95).

«Para Predicar combida...». 5117 (100).

«Para que, hollando de la culpa el yelo...». 5119 (23).

[Para volar]. «Para bolar a la altura...». 5117 (78).

«Parad mientes Rey Alfonso...». 5789 (63).

«Paradoxa es, que en mi vida...». 4676 (158).

«Parten el orbe que en su luz se baña...». 214 (43).

«Partió la Noche de su alvergue oculto...». 1541 (20).

«Partiose el Sol, que a la Estrella...». 5119 (49).

«Partos del Alva, no Memnón fingido...». 6494 (59).

«Pascual a las Luzes Santas...». 2393 (24).

[Pasó]. «Passó la Primavera, i el vera-no...». 1541 (17).

«Pastor conuertido en fiera...». 5789 (9).

«Pastorcilla venturosa...». 1505 (42).

«Paz ofrece el mejor Clima...». 6494 (48).

«Pedirte, señora, quiero...». 4676 (118).

«Peligroso, atreuido pensamiento...». 5371 (39).

«Pendiente del Patibulo Sagrado...». 5117 (72).

«Pensarás (ó piadoso Peregrino)...». 4678 (preliminares).

«Pensil, hermoso centro de las ciencias...». 5120 (17).

«Permita Roma al olvido...». 4364 (20).

«Permíteme, o Condé ilustre...». 2393 (10).

«Permitidme oy (ò Soberano Apostol!)...». 5117 (24).

«Pesada carga sobre espalda leue...». 5117 (97).

«Pescados amante...». 4672 (136).

«Piramidal, funesta, de la tierra...». 4676 (79).

«Pireno, cuyo canto celebrado...». 5371 (74).

«Pisa Diego del Templo la alta cumbre...». 5117 (122).

[Placeres]. «Plazeres, podéis bolueros...». 5371 (8).

«Planeta i Sol fue Inacio en la assisten-cia...». 214 (42).

«Pulse el plectro sonoro aquel templado...». 4364 (10).
«Puso Dios en la Torre de Maria...». 5125 (44).
«Pyneyro, que peregrino...». 2008 (49).

Q

«Que Adan hizo la experiencia...». 1333.
«Que alaridos, que lamentos...». 2008 (45).
«Que aqui yazes ó Nisse? Ya se invierte...». 4678 (29).
«Qué assombro es el que á los ojos...». 1505 (20).
«Qué aun respiran en Ayre los nacidos?...». 4678 (prels.).
«Que bien, divina Lysi...». 4672 (97).
«¡Qué bien sé yo la fonte que mana y corre...». 3229 (6).
«Qué buriles! qué plumas! qué pinceles!...». 5117 (54).
«Qué confussion de prodigios...». 5117 (75).
«Qué cosa, y cosa Pasqual...». 4676 (14).
«Qué dolor escripto en ecos...». 1505 (12).
«Que es esto, Alcino, como tu cordura...». 4672 (60).
«Qué es esto? aun dura el odio en que se mira...». 5117 (119).
«Qué es esto, inmenso Dios? No basta al suelo...». 5117 (43).
«Qué es esto, Urania Celestial? Qué es esto...». 4678 (prels.).
«Qué estruendo es este, que los Orbes yere...». 5117 (8).
[Que hoy]. «Que oy baxó Dios a la tierra...»]. 4672 (110).
«Qué importa que el Cielo sea...». 4364 (18).
«Que inuoquen, y que en mi ayuda llame al hado...». 5155.
«Que murió, Juana, en ti? Ya no te auia...». 4678 (prels.).
«Que ni duermen los mis ojos...». 5371 (9).
«Que no me quiera Fabio, al verse amado...». 4672 (3).
«Qué passión, Porcia, qué dolor tan ciego...». 4672 (12).
«Qué passion, qué don inadertido...». 4678 (preliminares).
«Que por renacer felice...». 2008 (17).
«Qué portento es el que admira...». 5117 (80).
«Qué puede escrivir la pluma...». 4676 (39).
«Que te dán en la hermosura...». 4676 (110).
«Queditito, ayrezillos...». 4676 (33).

«Quedó la tierra obscurecida y triste...». 5787 (prels.).
[Quejándose]. «Quexandose está Moranto...». 5787 (65).
[Quejas]. «Quexas tan dulcemente repetidas...». 1541 (prels.).
«Queriendo hacer un combate...». 4676 (69).
«Querrás, Silvia, en efeto...»]. 1554.
«Quien a este Huecarcillo a puesto graue...». 5155.
«Quien compra diez y seys moros...». 5789 (34).
«Quien conforme a su desseo...». 5125 (93).
«Quien creyera, que en esta umana forma...». 1541 (1), 1554.
«Quien de tu vida es mitad...». 4676 (106).
«Quien de virtud solo viue...». 2008 (14).
«Quien dixere que oluida el ausente...». 5789 (43).
«Quien emular procura...». 1541 (prels.).
«Quien en el punto primero...». 4676 (8).
«Quien eres bella Nympha, coronada...». 963.
«—¿Quien eres tu, que vas tan enramada?...». 963, 974, 982.
«Quien es aquel, la admiracion gozosa...». 5119 (12).
«Quien es aquella, a quien difunta Estrella...». 4678 (27).
«Quien es aquesta Hermosura...». 4676 (160).
«Quien es esta que sube hasta lo summo...». 4364 (5).
[Quién habrá]. «Quien avrá, Ioseph, que mida...». 4672 (114).
[Quién huyó]. «Quien vyó? Quien oyó? Quien miró?...». 4676 (26).
«¡Quién leuantara tanto el pensamiento!...». 5371 (69).
«Quien me mete a mi en dibuxos...». 5789 (62).
«Quien, que regale visto, y no comido...». 4678 (17).
«Quien redimir pudiera...». 2008 (5).
«Quien rige en tierna edad ceptro y corona...». 5788.
[Quién ve]. «Quien bee las blancas y hermosas rosas...». 5371 (107).
«Quien viere la emulación...». 250 (2).
«Quiere Dios hacer empleo...». 214 (49).
«Quiere llorar mi amor su sentimiento...». 1505 (7).
«Quierese casar Llorente...». 5789 (77).
«Quiero Benito alabar...». 5125 (48).
«Quiero descansar un poco...». 5795.
«Quiero murmurar un poco...». 5789 (81).
«Quisiera Iustiniano engrandeceros...». 5155.
«Quisiera largo escrivir...». 5424.

«Si á explicar acertáre...». 5117 (127).
«Si a Homero la Odissea tan nombra-
da...». 2205.
«Si a Iupiter, benevolo Planeta...». 214
(38).
«Si a tanto canoro Cisne...». 4678 (prels.).
«Si a tu Musa levantada...». 4676 (103).
«Si acaso, Principe excelso...». 4672 (179),
4754.
«Si allá en el Desierto...». 4676 (41).
«Si aquesta vez (ó Mantua Carpenta-
na!)...». 5631.
«Si bien, la Virgen se va...». 5119 (42).
«Si busco entre los santos lo que veda...».
5125 (22).
«Si con tanto esplendor ilustra i dora...».
214 (41).
«Si con valor el Nauarro...». 5036.
«Si creyendo atajar mi pensamiento...».
5371 (70).
«Si cupiera mi cuidado...». 1505 (5).
«Si daros los buenos años...». 4672 (31).
«Si de A ó I empeçays...». 2008 (38).
«Si de triste licor tan larga vena...». 5371
(31).
«Si del muro del Cielo el fundamento...».
5119 (22).
«Si del Parnaso globo al Sacro Imperio...».
5120 (22).
«Si del río que beuistes...». 5113 (2).
«Si del Sol una Trompa se formara...».
5626.
«Si del suspiro a la Pluma...». 4678 (pre-
liminares).
«Si Dios se contiene...». 4676 (58).
«Si dos manos asidas la Fe tiene...». 5125
(43).
«Si el cielo no remedia el mal que sien-
to...». 5371 (52).
«Si el desamor, o el enojo...». 4676 (144).
«Si el dia, que tu naciste...». 4676 (135).
[Si el Fénix]. «Si el Phenix al Sol se
mira...». 2008 (15).
«Si el immortal renombre, Fama y Glo-
ria...». 1912.
«Si el lauio purifica balbuciente...». 5036.
«Si el objeto engrandece...». 5630 (3).
«Si el rayo no la abrasara...». 5119 (41).
«Si el regalaros me toca...». 4676 (102).
«Si el sauio Stagirita...». 2033.
«Si el seco lirio es candida azucena...».
2008 (32).
«Si el Sol por solo es sol, i porque ani-
ma...». 214 (20).
«Si el summo mouedor del alto cielo...».
5371 (25).
«Si el valeroso Iulio afortunado...». 5784.
«Si empresa es Problematica el Assun-
to...». 5117 (29).

«Si en dar fruto, y flor al mundo...». 6494
(40).
«Si en Dios para tomar ser...». 5118.
«Si en el amado pecho más constante...».
1541 (14).
«Si en el Templo mi Dios entrais...». 4676
(56).
«Si en gloria está declarado...». 2393 (23).
«Si en la fabrica excelsa...». 4676 (53).
«Si en la pequeña clara luz de un dia...».
4678 (31).
«Si en la tierra quisieres ver el cielo...».
2628.
«Si en las jarcias de la nave...». 1541 (40).
«Si en ojos, Lector atentos...». 1333.
«Si en pena a Zacharias...». 4676 (27).
«—Si en proporciones de partes...». 4676
(448).
«Si en tu diuina y alta prouidencia...».
5371 (84).
«Si entendió que el otro día...». 5779 (72).
«Si es causa Amor productivo...». 4672
(30).
«Si es causa de amor productiva...». 4668.
«Si es la Beldad de Maria...». 4676 (166).
«Si es María el mejor Templo...». 4676
(40).
«Si es verdad como vivo? sino es cierto...».
2008 (4).
«Si extrema el hado infiel sus tyranias...».
4678 (prels.).
«Si goça cada dia (raro caso)...». 5119 (1).
[Si hoy]. «Si oy el discurso es Palestra...».
5117 (86).
«Si Juan ostenta (ó Juana) en su apa-
riencia...». 4678 (prels.).
«Si la Fé, y la vista son...». 4676 (13).
«Si la perfecta herencia es la del cielo...».
5065 (10).
«Si las mudanças varias de fortuna...». 5371
(104).
«Si lo que pude te di...». 579 (74).
«Si lo racional violentan...». 5630 (8).
«Si los riesgos del mar considerara...».
4672 (71).
«Si luz a la tierra days...». 6494 (49).
«Si manda Dios en su Ley...». 4676 (25).
«Si merece el Discipulo querido...». 5117
(32).
«Si mi musa no se engaña...». 4364 (22).
«Si nuestra maldad sin tassa...». 4676 (56).
«Si Numeros prestaran a tus dias...». 4678
(preliminares).
«Si ociosa no asistió naturaleza...». 5118.
«Si os parece, señor, que el atreuerme...».
5371 (28).
«Si para Madre querido...». 4676 (3).
«Si partiendose Maria...». 5125 (32).
«Si por serpiente presumes...». 5710.

T

«Tenga eterno el renombre que merece...».
5120 (19).
«Tengan tantica paciencia...». 4672 (112).
«Teniendo cercada a Baça...». 5787 (50).
«Tercer buelo en tu pluma, docta Juana...».
4678 (prels.).
«Término de la umana hermosura...». 5371
(66).
«Tersa frente, oro el cabello...». 4672 (28).
«Tiene el llanto tal valor...». 4676 (61).
«Tienen quilate, y maravilla tanta...». 5125
(89).
«Tierna estacion de Primauera era...». 5065
(6).
«Tierno pimpollo hermoso...». 4676 (155).
«Tierra de promision, q'el pan de vida...».
5125 (35).
«Timoneyro, que governas...». 4672 (130).
«Tirar el guante, Señora...». 4676 (137).
«Tocadas ya del rocío...». 5787 (60).
«Todo dado al dolor al llanto todo...».
2008 (2).
«Todo es dulçura este dia...». 4676 (42).
«Todo me sobre sin ti...». 5789 (33).
«Tomandole estan las cuentas...». 5787 (58).
«Tomás, Apostol Divino...». 5117 (148).
[Tomás]. «Thomas del sentido...». 4676
(32).
«Trabose una contienda entre los qua-
tro...». 5120 (7).
«Traigo conmigo un cuidado...». 4678 (9).
«Tras de un amoroso lance...». 3229 (11).
«Tras largo acompañamiento...». 5789 (86).
5795.
«Traslada Publico en un quadrillo a Isa...».
214 (11).
«Trasladas de el Latino la Eloquencia...».
2033.
«Tres penas no puedes...». 1850 (3).
«Triste, y pensativo...». 5120 (15).
«Triunfa a tu plazer...». 5789 (130).
«Triunfante Señora...». 4672 (141).
«Triunfo del fiel, i del gentil trofeo...».
214 (25).
«Triunfos blasonando altiuos...». 5118.
«Trono de quien hermosea...». 5119 (47).
«Trono purpureo fue de viuas rosas...».
5119 (17).
«Tu alabança las Ninfas deste Rio...». 5155.
«Tu ciego Amor, que sabes...». 1505 (13).
«Tu copia, nuevo Euclides Castellano...».
5630 (prels.).
«Tu dulce canto, Siluia, me a traído...».
5371 (98).
«Tu fuiste, Juana, el estudioso anhelo...».
4678 (prels.).
«Tu Numen, Sacro Apolo, y tu influen-
cia...». 2393 (9).

«Tu Pluma (Nise) tus elogios cante...». 4678
(preliminares).
«Tu que a penas la mortal palestra...».
6494 (32).
«Tu que con pecho noble despreciaste...».
5125 (21).
«Tu que con pecho Romano...». 5125 (60).
[Tú que el]. «Tu quel furor Frances can-
tar pudieras...». 5785.
«Tu que ganando eterno nombre y vida...».
5258-59.
«Tu que passas mira aqui...». 5065 (20).
«Tu quien eres, a quien humilde invo-
co...». 4676 (prels.).
«Tu razon su Cenit se descubría...». 4678
(preliminares).
«—Tu, venerable Maestra...». 1541 (32).
«Tu virtud se divulgue, que ha alcança-
do...». 2478.
«Tuerto me fazedes Reye...». 5789 (57).
«Tulio Español mal al veros...». 4672 (78).
«Tumba, la, la, la, tumba, le, le, le...». 4672
(164).
«Turbado mi discurso...». 5120 (1).
«Tus conceptos soberanos...». 5630 (prels.).
«Tus plumas, que indice infiero...». 4676
(101).
«Tuvo Dios una torre fabricada...». 5125
(40).
«Tuvo por singular Filipe el Sabio...». 5155.

U

«Un asno, con gran primor...». 5117 (164).
«Un cantor de seguidillas...». 5789 (16).
«Un cierto alcaguete soy...». 1541 (37).
«Un Cortesano discreto...». 5789 (124).
«Un dia que amaneció...». 4676 (14).
«Un Herbolario estrangero...». 4676 (12).
«Un hombre mi assunto es...». 5120 (13).
«Un instante me escuchen...». 4676 (7).
«Un Ladrón, que hurtar quería...». 5117
(177).
«Un nombre, en dos favores igualados...».
5117 (48).
«Un pastorcico solo, está penado...». 3229
(10).
«Una exalación divina...». 5125 (66).
«Una via Lactea emprendo...». 5125 (70).
«Una vid darle dispuso...». 5120 (14).
«Una, y otra acción piadosa...». 5636.
«Uno de los doze vos...». 575 (3).
«Uno hazer un Templo quiso...». 4676 (43).
«Urganda la santa dueña...». 1027.
«Util aprehension (si es bien fundada)...».
5117 (9).
«Util i cierto amigo...». 1541 (29).

V

Y

«Y mirando a su querido...». 1850 (2).
«Y assi todos entiendan, que Joseph calla...». 4676 (27).
«Y cantemos humildes...». 4672 (144).
«Y con alegres vozes de aclamacion festiva...». 4672 (170).
«Y el Cielo gozoso...». 4676 (65).
«Y pidamos a una voz...». 4672 (143).
«Y todos concordes...». 4676 (15).
«Ya aquesta Musica esterile...». 4676 (67).
«Ya callo señora...». 5789 (120).
[Ya]. «Ia de golpe fatal aqui se mira...». 2008 (25).
«Ya de la antigua imagen de la muerte...». 1333.
«Ya del Parnasso Americo circunda...». 4676 (prels.).
«Ya desampara Pompeyo...». 5787 (13).
«Ya el Alma al Verbo se ase...». 4676 (98).
«Ya en Armonico Plectro dulce suena...». 5630 (prels.).
«Ya entendi que estaua libre...». 5789 (53).
«Ya, Francia, a la que fue Reina de flores...». 5131 (28).
«Ya ingenioso Alcides...». 4364 (25).
«Ya, Juana, que tu Ingenio, y tus Virtudes...». 4678 (prels.).
«Ya, Juana, si que avrás bien entendido...». 4678 (prels.).
«Ya la corona i lauro generoso...». 1541 (59).
«Ya la lengua antiquissima Romana...». 2033.
«Ya las mayores estrellas...». 5787 (10).
«Ya Maria Pura, y Bella...». 4676 (170).
«Ya no les pienso pedir...». 1505 (4).
«Ya que el capuz de la noche...». 5119 (37).
«Ya que en silencio mi dolor no iguale...». 1541 (19).
«Ya que es la voz de el Alma...». 5117 (130).
«Ya que esté de plazer mi alma agena...». 5371 (79).
[Ya]. «Ia que hasta aqui has llegado passagero...». 2008 (27).
«Ya que oriental ocaso luminoso...». 4364 (4).
«Ya que su licion me ayuda...». 5125 (96).

«Ya saben, señoras...». 5789 (116).
«Ya tengo gastadas...». 5789 (10).
«Yace a tumulo breue reducida...». 2008 (20).
[Yace]. «Iace aqui la juuentud...». 5065 (19).
«Yace aqui quien por hablar...». 1534 (2).
[Yace]. «Iace el lirio no solo desojado...». 2008 (24).
[Yace]. «Yaze en la Ilustre Granada...». 5120 (4).
[Yace]. «Yaze en nevado marmol, la que rojos...». 5131 (32).
[Yace]. «Yaze, exaltado ignominiosamente...». 5117 (68).
[Yace Isabela]. «Yace Ysabela? No. Trono eminente...». 2008 (21).
«Yaçe la magestad la pompa yaçe...». 1401 (2).
«Yendo a buscar un botarga...». 5789 (129).
«Yendo el Catholico Rey...». 5787 (44).
[Yerto]. «Ierto Cadauer languido y funesto...». 2008 (30).
«Yo adoro a Lisi, pero no pretendo...». 4676 (94).
«Yo, del Impireo Alcaçar moradora...». 5634.
«Yo lo vi en Moyses...». 4676 (26).
«Yo menor de las Ahijadas...». 4672 (75).
«Yo no dudo, Lysarda, que te quiero...». 4672 (61).
«Yo no puedo tenerte, ni dexarte...». 4676 (91).
«Yo passo mi triste ausencia...». 5789 (46).
«Yo perdi el papel, señores...». 4672 (146).
«Yo que soy un Bernegal...». 2008 (18).
«Yo quiero contar mis males...». 5795.
«Yo tambien quimati Dios...». 4676 (31).
«Yo vi en mis senos puros estampadas...». 6494 (30).
«Yo vivo, aunque muriendo, a tu despecho...». 5371 (27).
«Yo voi por donde Amor quiere lleuarme...». 5371 (24).

Z

«Zagalejos de la Aldea...». 4676 (36).

B) DE OBRAS DRAMATICAS

A

«—A daros pascuas, señor...». 5515.
«—¿A dónde te quieres ir?...». 5130.
«—A jugar a la pelota...». 5512.
«—A la entrada dichosa...». 4676 (149).
«—A quien no admira, Liseno...». 2165-66, 2170.
«—A tomar la residencia...». 5567.
«—A vos, Cosme Berrueco...». 5509.
[Ah]. «—A de las claras Antorchas...». 4676 (74).
«—Al feliz Natalicio...». 4676 (147).
«—Al grande Tiverio...». 5521.
«—Al luminoso Natal...». 4672 (64).
«—Al nuevo Sol de la Fe...». 4676 (75).
«—Alabad al Señor todos los hombres...». 4676 (78).
«—Alcayde soy de Terrero...». 4676 (154).
«—Aposentador de amor...». 5567.
«—¡Arma!... ¡Guerra!... Mueran todos...». 5537.
«—Atención, que a hacer un baile...». 5508.
«—Aunque de la vida son...». 4672 (44).

B

«—Bien venidas seais a aquesta casa...». 5517.
«—¡Bravo día de San Blas!...». 5571.

C

«—Camino, hermano Alcaparra...». 5548.
«—Con tal priesa, señor sacristán colea?...». 5510.

D

«—Deja, Isabel hermosa...». 1951.
«—Deja Isauela hermosa...». 1956, 1985-86.
«—Deja el papel, no le escondas...». 5156.
«—Doctor Matalotodo, yo me muero...». 5516.
«—Don Cosme, amigo ¿qué es esto?...». 5518.

E

«—En el dichoso día...». 5600.
«—En la hermosura de Fedra...». 4665, 4676 (150).
«—Escucha mi voz el Orbe...». 4676 (146).
«—Escuchad de la fama...». 5523.
«—Espantoso Dragon, que con intento...». 5559.

H

«—Hasta que venga mi hermano...». 4666, 4676 (152), 4765, 4768.
«—Habeis perdido el juicio...». 5524.
[Hoy]. «—Oy al clarin de mi voz...». 4672 (43).
[Hoy]. «—Oy es el feliz natalicio de Adonis...». 4672 (37).
[Hoy]. «—Oy la Reyna de las luzes...». 4672 (29).

L

«—La antorcha radiante...». **5522**.
«—La plaza soy de Madrid...». 5513.

M

«—Madre de gran dignidad...». 1347.
«—Mientras descansan nuestros camaradas...». 4676 (156).
«—Muera, amigos, quien se atreve...». 5560-5561.

N

«—No fue tanto milagro escapar vivo...». 5539-41.
«—¿No me dirás que es tu intento?...». 5525.
«—No me mates, Pedro, aguarda...». 5552-5553.
«—Nobles Mexicanos...». 4676 (77).
«—Nuestro Invicto Rey Ordoño...». 5558.

O

«—O sueño para mi tan enojoso...». 5787 (90c).

P

«—Para celebrar los años...». 4672 (40).
«—Para celebrar qual es...». 4676 (151).
«—Para daros a entender...». 5545.
«—Plumado viuo baxel...». 5598.
«—Pues, como Reyna absoluta...». 4672 (69).

Q

«—Que niego la mayor digo...». 4676 (73).
«—Qué tienes, hombre?...». 5519.

R

«—Resuene en el Orbe...». 5600.

S

«—Sagrado Assumpto en mi voz...». 4676 (72).
«—Sea V. Magestad bien llegado...». 1972-1973.
«—Sea V. Magestad muy bien llegado...». 1974-77.
«—Ser Reyna de las Flores...». 5555.
«—Si la Thorrida, hasta aqui...». 4672 (56).
«—Solo España hallar podía...». 1962.
«—Solo España hallar podría...». 1952.

T

«—Terrible terremoto...». 5505.
«—Tuyo el mundo.—No lo dudes...». 5067.

U

«—Un hilo de Flandes soy...». 5507.

V

«—Valeroso Don Gastón...». 5562.
«...—Vaya a la cima arrojado...». 4676 (76).
«—Venid al católico aplauso, venid...». 5511.
«—Viva Alfonso...». 5549.
«—Vuestro traje, Torote, es bien extraño...». 5514 .

Y

«—Ya el hado de mis quexas condolido...». 5787 (89c).
«—Yo soy una entremetida...». 5520.

DE BIBLIOTECAS

ALBA DE TORMES.

Convento de San Juan de la Cruz de MM. Carmelitas Descalzas. 3106.

ALBANY, N.Y.

New York State Library. 3416, 6230.

ALCALA DE HENARES.

Archivo de la Provincia de Toledo de la Compañía de Jesús. 2737, 2740, 2743.

Convento de Carmelitas descalzas del Corpus Christi. 1284, 2422, 2457, 2517, 2695, 2699, 2701, 2769, 3209, 3316.

Convento de Concepcionistas de Santa Ursula. 2626.

AMBERES.

Catedral. 3190.

Convento de MM. Carmelitas descalzas. 3189.

Municipale. 3464.

Musée Plantin-Moretus. 1489, 4565.

AMBERST.

University of Massachusetts. 3261.

AMHERST.

Amherst College. 6250.

ANDUJAR.

Iglesia parroquial. 3166.

ANN ARBOR.

University of Michigan. 115, 393, 1662, 1962, 1974, 1989, 2515, 2641-42, 2863-64, 3371, 4531, 4679, 4712, 4723, 5910, 5959-60, 5978-79, 5982, 5997, 5999, 6001, 6003, 6006, 6022-

6023, 6025-26, 6032, 6037, 6040, 6042, 6045, 6072, 6147, 6167, 6188-90, 6194-95, 6198, 6206-6209, 6211-12, 6217, 6220, 6227.

ATCHISON.

St. Benedict's College. 3409-10, 3817, 6197.

ATHENS.

University of Georgia. 4685, 6070, 6072.

AUSTIN.

University of Texas. 2694, 2773, 4672-74, 4679, 4681, 4683, 4688, 4691-92, 4070, 4704, 4706, 4713, 4721, 5199, 6075, 6077, 6189.

AVILA.

Convento de San José de MM. Carmelitas descalzas. 3162, 3172.

Pública. 5679.

BALTIMORE.

Johns Hopkins University. 2667, 2872-73.

Peabody Institute. 1542, 1552.

BARCELONA.

Central. [Actualmente: *de Catalunya*]. 215, 234, 265, 271, 273, 287, 330, 337, 341, 346, 350, 354, 372, 390, 393, 473, 483, 502, 512, 531-34, 540, 547, 549-50, 552-53, 595, 604, 610, 623, 652, 660, 710, 785, 789, 803, 975, 1428, 1449, 1486, 1504, 1527, 1638, 1882, 1947, 2264-2266, 2268, 2314, 2387, 2627-28, 2631, 2634, 2640, 2662-63, 2668, 2695, 2763, 2772, 2782, 2787, 2800, 2808, 2826, 2833, 2868, 2871, 2879, 3167, 3205-15, 3217-25, 3242, 3244, 3247, 3250, 3254, 3287, 3289-90, 3307, 3315-23, 3333-34, 3337-38, 3347, 3349-50, 3384, 3395, 3814, 4300, 4318, 4470, 4489, 4519, 4521-22, 4536-37, 4596, 4841, 5137-39, 5141, 5191, 5292, 5330, 5499, 5707, 5966.

Colegio de Abogados. 2266.

Convento de Capuchinos de la calle Card. Vives y Tutó, 23. 1190, 1415, 1435-42, 1780, 2340, 2532-33, 2535.

Convento de Capuchinos, de la Avda. del Generalísimo, 450. 2415, 4345.

Instituto Municipal de Historia. 973-76, 981, 990, 995, 1207, 2268, 2303, 4349, 4570, 5081, 5411.

Instituto del Teatro. 1930, 1961, 1973, 1985, 5507-26, 5571, 5574, 5598-600.

Seminario Conciliar. 353-54, 393, 430, 438, 507, 844, 969, 1721, 2369, 2627, 2652, 2701, 2771-72, 2780, 2896, 3043, 3214, 3218, 3531, 3905, 4223, 4251.

Universitaria. 104, 108-10, 272, 331, 347, 352-54, 462, 483, 487, 945, 965, 968, 974-76, 982, 991-92, 1018, 116, 1282, 1415, 1438, 1450, 1722, 1877, 2264, 2389, 2401, 2511, 2528, 2628, 2631, 2639-40, 2650, 2698, 2702-3, 2719, 2722, 2762, 2767, 2770, 2780, 2782-83, 2804, 2815,

2868, 3040, 3064, 3107, 3207-9, 3212, 3215, 3307, 3316, 3337, 3396, 3700, 4224, 4227-28, 4237, 4349-50, 4364, 4381, 4383, 4385, 4463, 4475, 4508, 4534, 4563, 4570, 4573, 4590, 4683, 5085, 5674, 5871, 5910, 6017, 6022, 6032, 6038, 6056, 6095, 6101, 6105, 6118, 6121-22, 6125-26, 6179-90, 6531.

BARI.

Nazionale. 1678, 3301, 3436, 4457, 6230, 6235.

BATON ROUGE.

Louisiana State University. 5463.

BERKELEY.

University of California. 113, 271, 489, 1373, 1667, 1670, 1672, 1693, 2210, 2425, 2572, 2634, 2660, 2865, 3013, 3018, 3080, 3205, 3240, 3248, 3272, 3289, 3314, 4327, 4672, 4682, 4689, 4704, 5182, 5332, 5467, 5689, 5750, 5722, 5829, 5956, 5967, 6045, 6062, 6166-67, 6185, 6189, 6212, 6216, 6218, 6220.

BERLIN.

Ibero-Amerikanischen Instituts. 3354, 3488, 3497, 3569, 3563, 3566, 3568-71, 3573, 3575-3577, 3579, 3628-29, 3634, 3641-42, 3651-52, 3657, 3684, 3698-99, 3791, 3872, 3883, 3886, 3891, 3899, 3905-6, 3917, 3930, 3936, 3955, 3988, 4087, 4101, 4147, 4162, 4183, 4785, 4791, 4814, 4818, 4822, 4832-33, 4851, 4855, 4858, 4881, 4918, 4920, 4926, 6332.

BETHESDA, Mar.

National Library of Medicine. 5260-61, 5266, 5274, 5279, 5286-93, 5296.

BILBAO.

Convento de Carmelitas de Begoña. 3204.

Municipal. 2566.

Provincial. 516, 5547, 5598.

BLOOMINGTON.

Indiana University. 1518, 1669, 3012, 3275, 4600, 4672, 4706, 4755, 5212, 6006, 6071, 6075-6076, 6189, 6211, 6241.

BOSTON.

Boston Athenaeum. 4626.

Public Library. 278, 553, 1373, 1457, 1542, 1552, 1672, 1960, 1975, 1978, 1989, 3248, 3364, 3409, 4533, 4678, 4681, 4779, 5227, 5689, 5829, 5860, 5956, 6018, 6026, 6211, 6215, 6217.

BOULDER.

University of Colorado. 3833, 4674, 4681, 4683, 4707, 4712, 4754, 5689.

BRIGHTON.

St. John's Seminary Library. 1747.

BROOKLYN.

Brooklyn College. 6059.

BRUSELAS.

Convento de MM. Carmelitas descalzas. 3173.

Royale. 1491, 1725, 2764, 2766, 2846, 2853, 3257, 3501, 3517, 4325-26, 5101, 5280, 5502, 5610.

BRYN MAWR.

Bryn Mawr College. 4689.

BURGOS.

Archivo Silveriano. 3199.

Convento de PP. Carmelitas descalzos. 3108.

Facultad de Teología. 3208, 3214-15, 3221-22, 3332, 3396, 3489.

Pública. 301, 992, 5778.

CAMBRIDGE.

Clare College. 5960.

Corpus Christi College. 6514.

Christ's College. 6512-13.

Emmanuel College. 5280, 5288, 5960.

Magdalene College. 6512.

St. Catharine's College. 1330.

Sidney Sussex College. 5288.

Trinity College. 5283, 5288, 5905.

University Library. 5073, 5201, 5287-88, 6513.

CAMBRIDGE, Mass.

Harvard University. 478, 483, 489, 1129, 1311, 1457, 1595, 1549, 2205, 2207-8, 2210, 2214, 2559, 2572, 2630, 2634, 2769, 2772, 2781, 2854, 2861, 2877, 3080, 3206, 3214, 3217, 3226-27, 3289, 3365, 3367, 3548, 3817, 4224, 4245, 4319, 4518, 4524, 4626-27, 4674, 4689, 4697, 4755, 5216, 5335, 5449, 5463, 5830, 5860-61, 5899, 5908, 5967, 5978, 5997, 6018, 6023, 6030, 6032-6033, 6036, 6042, 6077, 6179, 6188-89, 6202, 6207, 6209, 6211, 6215, 6227.

CIEZA.

Particular de D. Antonio Pérez Gómez. 1349, 1352.

CINCINATI.

University of Cincinati. 6046.

CHICAGO.

> *Newberry Library.* 112, 266, 270, 275-76, 280, 393, 483, 963, 1311, 1496, 2214, 2425, 2694, 2698, 2863, 3002, 3018, 3082, 3385, 4517, 4533, 4673-74, 4678-79, 4702, 5200, 5443, 5450, 5453, 5772, 5899, 5907, 5980, 5995, 6023, 6038, 6206, 6209-11, 6234.

> *Public Library.* 6211.

> *University of Chicago.* 393, 489, 1125, 1129, 1562, 2207, 2562, 2861, 3210, 3220, 3240, 4531, 4688, 5830, 5994, 6033, 6077, 6080, 6167, 6189, 6215.

DENVER.

> *University of Denver.* 2864.

DETROIT.

> *Wayne State University.* 6076, 6249.

DEUSTO.

> *Universitaria.* 4689, 6038, 6048, 6062, 6107, 6133.

DURHAM.

> *Duke University.* 437, 2214, 3206, 3369, 3406, 3833, 4687, 4704, 6167, 6189, 6218, 6227, 6229.

EAST LANSING.

> *Michigan State University.* 4689.

EUGENE.

> *University of Oregon.* 2205, 3394, 6033, 6049, 6062, 6084.

EVANSTON.

> *Northwersten University.* 438, 2642, 4682, 4688, 5468, 6220, 6236.

EVORA.

> *Pública.* 1875, 2732-33, 2778.

FILADELFIA.

> *Chestnut Hill College.* 2865.

> *Free Library.* 6217.

> *Library Company.* 982, 996.

> *Lutheran Theological Seminary.* 5182.

> *Philadelphia Bar Association.* 5998.

> *Union Library Catalogue of Pennsylvania.* 2216, 2773, 2854, 2865, 2868, 3817.

> *University of Pennsylvania.* 111, 1549, 1975, 1993, 2216, 2636, 2773, 2854, 3206, 4386, 4688, 5957, 6018, 6023, 6038, 6167, 6189, 6215-17.

HAVERFORD.

Haverford College. 3248, 5472.

HOUSTON.

University of Houston. 3214.

HUESCA.

Pública. 5054, 5827, 5840.

IOWA CITY.

University of Iowa. 3289, 3295, 6020, 6167, 6227.

IRVINE.

University of California. 2642, 4712, 6018, 6076.

ITHACA.

Cornell University. 396, 2207, 3244, 3289, 3351, 4697, 5978, 6005, 6013, 6020, 6045, 6051, 6056, 6167, 6189, 6194, 6197, 6206, 6245-46.

JAEN.

Convento de MM. Carmelitas descalzas. 3113.

KNOXVILLE.

University of Tennessee. 4706, 6211, 6216.

LAFAYETTE.

Pardue University. 1963.

LANCASTER.

Franklin and Marshall College. 4689.

LANSING.

Michigan State Library. 6046.

LAS NAVAS.

Archivo General de los Descalzos de la Merced. 6532.

LATROBE, Penn.

Saint Vincent College and Archabbey. 1394, 5185.

LA VID.

Monasterio. 968, 983.

LAWRENCE.

University of Kansas. 112, 3212, 6056, 6170.

LEXINGTON.

University of Kentucky. 3280.

MADRID.

Academia Española. 1962, 1973, 1975, 1986, 2167, 3114, 4681-84, 4686, 4791, 5025-27, 5054, 5545, 5549, 5555, 5556, 5692, 5954, 6017, 6026, 6085, 6107, 6247-48.

Academia de la Historia. 92-94, 102-3, 105-10, 112-15, 128, 149, 151-52, 159, 162, 166-167, 177-78, 265, 304, 975, 989, 997, 1094, 1227, 1287, 1310, 1321, 1454, 1463, 1517, 1525, 1541, 1555, 1683, 1693, 1700, 1759, 1787, 1912-13, 1925, 1942, 1945, 1954, 2022, 2039, 2069, 2131, 2185, 2190-94, 2201, 2203, 2223, 2249, 2270, 2282, 2364, 2446, 2470, 2515, 2559, 2560, 2563-64, 2566, 2573, 2742, 2761, 2770, 2994, 3000, 3061, 3152, 3192, 3212-13, 4364, 4370, 4372, 4382, 4384, 4387, 4394, 4396, 4453, 4479-80, 4499, 4524, 4555, 4581, 4626, 5072, 5096-5097, 5107, 5132-33, 5143, 5284, 5353, 5402, 5443, 5449, 5460-61, 5463, 5490, 5636, 5638, 5656, 5672, 5715-16, 5722, 5728, 5778, 5819, 5829-30, 5897-98, 6018, 6229.

Archivo Histórico Nacional. 109, 111, 113, 981, 995.

Archivo del Palacio Real. 4614.

Ateneo. 1610, 5260, 5265, 5927, 5954, 6010, 6031, 6039, 6060, 6130.

Consejo. General. 321, 338-39, 372, 498, 518, 523, 531, 543, 549, 552-53, 566, 602, 678, 701, 709, 811, 896, 928, 942-43, 1546, 1550, 1552, 1555, 1610, 2001, 2076, 2583, 2627, 2637, 2642, 2652, 2669-70, 2788, 2798-99, 2840, 2914, 2917, 3241, 3246, 3251, 3260, 3291, 3326, 3556, 3605, 3621, 3821, 3832, 3984, 4005, 4026, 4033, 4177, 4179, 4211, 4225, 5260, 5263, 5271, 5299, 5467, 6018, 6031, 6063, 6136, 6172, 6248.

Consejo. Instituto «F. Suárez». 752, 755, 933, 2981-82, 3917.

Consejo. Instituto «G. Fernández de Oviedo». 4920.

Consejo. Instituto «J. Zurita». 2144, 3583, 4407, 4411.

Consejo. Instituto «Miguel de Cervantes». 323, 497, 2773, 3487, 3560, 3580, 3630, 3661, 3711, 3744, 3791, 3905, 3955, 4026, 4028, 4044, 4066-67, 4154, 4156, 4183, 4678, 4684, 4696, 4791, 4804, 4835, 4862, 4918, 5394, 6036, 6092, 6097, 6222, 6247, 6272, 6318, 6340, 6349, 6372, 6379, 6434, 6487.

Consejo. Patronato «Menéndez Pelayo». 25, 43, 549, 709, 997, 1769, 1823, 2075, 2231, 2627, 2637, 2660, 2675, 2907, 3604, 3655, 3789, 4386, 4517, 5848, 5927, 6039, 6042.

Facultad de Filosofía y Letras de la Universidad Complutense. (Actualmente: *Facultad de Filología).* 513, 534, 547, 549, 566, 716, 966, 1117, 1129, 1373, 1392, 1468, 1501, 1541, 1551, 1693, 1746, 1787, 1892, 1897, 1901, 1912, 2038-39, 2407, 2409-10, 2415, 2474, 2505, 2515, 2519, 2559, 2567, 2650-51, 2663, 2694, 2762-63, 2767, 2770-72, 2780, 2894-95, 2898, 3055, 3061, 3063, 3208, 3213, 3215, 3260, 3488 89, 3499, 3539, 3552, 3628, 3821, 3872, 3879, 4105, 4221, 4237-38, 4246, 4250, 4252, 4344-45, 4347, 4350, 4382-83, 4499, 4521, 4591, 4672, 4674, 4679, 4681, 4821, 4987, 5096, 5117, 5132, 5181, 5182, 5261, 5335, 5345, 5402, 5421, 5460, 5470, 5636, 5672, 5715, 5785, 5829, 5860, 6034, 6036, 6038, 6041, 6047, 6056, 6107, 6130, 6136, 6138.

Facultad de Medicina de la Universidad Complutense. 5283, 5287-88, 5291.

Fundación Universitaria Española. 330, 483, 660, 3225, 3235, 3371.

Instituto de Cultura Hispánica. 549, 1666-67, 2075-76, 2089-90, 2099, 2104, 2116, 2636, 2662, 2695, 2789, 3224, 3227, 3230, 3237, 3260, 3295, 3303, 3494, 4244, 4320, 4684, 4695, 4709, 4720, 4785, 4789-91, 4803, 4805, 4881, 6080.

Instituto de Estudios Jurídicos. 5739.

Instituto de Estudios Políticos. (V. Senado).

Ministerio de Cultura. 3222, 3229, 3232-33, 3237, 3249, 3254, 3256, 3268, 3270, 3283, 3285, 3288, 3291, 3306, 3308, 3332, 3339, 3342, 3345, 3488, 3655, 3969, 4244, 4689, 4694-96, 4705, 4707, 4715-16, 4722, 4726, 4728, 6038, 6056, 6060-63, 6067, 6070, 6083, 6091, 6095, 6099, 6101, 6110, 6112-13, 6120, 6122, 6125, 6130, 6132-35, 6137-40, 6151-57, 6159.

Municipal. 2505, 3116, 5531, 5716, 5766.

Museo «Lázaro Galdiano». 2206, 2211, 2214, 2218, 2234, 5777-78, 5785, 5959.

Nacional. 1-4, 10-18, 20-21, 23-24, 32, 35-38, 40-42, 46-47, 49, 52-60, 62, 65-69, 72-74, 76-78, 81-86, 89-91, 95, 97-100, 102-12, 1114-17, 119-25, 127, 129-32, 134-35, 139, 142-44, 147-158, 162-67, 169-71, 173-76, 179, 181-82, 184-85, 187-94, 198-202, 205, 209-11, 213, 215-22, 224-33, 241, 243-51, 255-57, 259, 263, 265-67, 270-72, 278, 281, 286-87, 289, 292, 297-98, 300, 302-3, 305-7, 310, 326, 330, 335, 338-40, 345, 347-48, 354, 358-61, 364, 369-72, 374, 381-82, 389-90, 393, 395, 408, 436-37, 440, 443, 473, 481, 483-86, 489, 492, 498-501, 506-7, 509, 513-15, 517, 522, 524, 531, 534, 540, 543, 547, 549, 551, 553, 557, 560, 565-66, 570, 596, 627, 651, 674, 677, 684, 690, 708, 746-47, 752-53, 762-63, 777, 779, 791, 905-6, 928, 943, 946, 948-51, 954-58, 960, 963-64, 967, 973, 975-76, 981-86, 988, 996, 1002-7, 1015-16, 1022, 1025, 1029, 1032-34, 1040, 1043-46, 1049-52, 1056-61, 1064-65, 1068-69, 1073, 1085-86, 1088, 1090-91, 1093, 1095-97, 1099, 1105, 1107-8, 1110, 1116-17, 1119, 1121, 1124 27, 1129, 1137-40, 1143-46, 1149, 1151-52, 1154-56, 1163-64, 1172, 1174, 1176, 1179-80, 1182-84, 1186-1189, 1191, 1194, 1196-200, 1202, 1215, 1217-19, 1222-23, 1227, 1232-33, 1235, 1243-45, 1247-1249, 1260-61, 1265-77, 1281, 1283-88, 1290-95, 1297-300, 1302, 1307, 1313-17, 1321-22, 1325-29, 1331, 1333, 1335, 1340-42, 1344, 1347, 1363-64, 1368-69, 1372-74, 1376, 1379, 1382-1383, 1385, 1395, 1398-404, 1406, 1408-9, 1411, 1414, 1417, 1421-22, 1424, 1426 27, 1429, 1431-33, 1439, 1442, 1444, 1446, 1451, 1454-57, 1465, 1470-71, 1473, 1475-78, 1482, 1484-1485, 1487-88, 1490-94, 1499, 1501-2, 1504, 1505, 1507, 1510, 1512, 1515-18, 1522, 1525-26, 1530-31, 1534-39, 1541-42, 1544, 1546, 1549, 1551-55, 1557-61, 1563, 1566-80, 1582, 1584-86, 1589-91, 1594, 1596-600, 1602-6, 1608, 1610, 1628, 1630-31, 1633, 1636-37, 1639-40, 1644-1646, 1648-49, 1651-54, 1656-57, 1659, 1663-64, 1666, 1671, 1682, 1684, 1688-89, 1693-95, 1697-704, 1706-9, 1717, 1720, 1723, 1725, 1731-34, 1739-43, 1746-48, 1753-58, 1760-68, 1773-75, 1780-83, 1785, 1787-89, 1791, 1796, 1798, 1801-2, 1806, 1808-10, 1812-14, 1817-18, 1820-22, 1824-25, 1829, 1831-33, 1840-42, 1847, 1849-54, 1856-60, 1862-64, 1867-73, 1875-1878, 1880, 1883, 1885-86, 1889, 1900, 1911-13, 1916, 1918-21, 1924, 1929, 1932, 1934-40, 1943, 1946, 1949-53, 1958, 1962-63, 1966-71, 1974-77, 1980, 1982-84, 1986-88, 1991-92, 1996, 2001, 2006-14, 2016, 2018-21, 2023-26, 2028-34, 2037-39, 2041-43, 2045, 2047-53, 2055-58, 2060 62, 2070-72, 2075, 2077-78, 2080, 2087, 2091, 2104, 2121, 2123-24, 2126, 2128-31, 2133-2134, 2137, 2139, 2141, 2143, 2145, 2150-51, 2162-63, 2165-67, 2170, 2174, 2178-79, 2182-2184, 2186-89, 2196-98, 2201-3, 2205, 2206, 2208, 2210-15, 2217-18, 2220-21, 2224-25, 2230, 2233, 2236-37, 2240, 2242, 2246-48, 2250, 2253-56, 2266-68, 2271, 2275-80, 2282-86, 2288-2290, 2293, 2296, 2299-2300, 2302, 2308-9, 2315, 2318-23, 2335-36, 2338, 2344, 2346-49, 2355-

2356, 2358, 2360-63, 2366, 2368-69, 2372-76, 2378-81, 2383-85, 2390-91, 2393, 2359-96, 2402-2403, 2406, 2409, 2412, 2414, 2416, 2418, 2420-21, 2424, 2430, 2443, 2445-47, 2449-53, 2455, 2457, 2459, 2461-63, 2465-66, 2468-69, 2473-74, 2476, 2478, 2480-83, 2488-93, 2495-99, 2505-2509, 2512, 2514-15, 2518-22, 2526-27, 2530, 2532, 2534-35, 2559-60, 2562-67, 2569-71, 2573-2575, 2590, 2592, 2594-97, 2599-603, 2606-7, 2613, 2621, 2628-34, 2637, 2639-41, 2650, 2654-2655, 2658-60, 2662-63, 2666, 2674 ,2688-89, 2692, 2694-95, 2697-702, 2704-5, 2709-12, 2736, 2741, 2744-45, 2758, 2762, 2774-76, 2780-83, 2787, 2793-96, 2800, 2805-6, 2809, 2841, 2889, 2892, 2894-97, 2901, 2904-6, 2913, 2937, 2959-60, 2962, 2966, 2986, 2995, 2999, 3025, 3027-3028, 3030-39, 3042, 3047, 3049-50, 3054-56, 3062-63, 3070, 3072, 3074, 3085-87, 3100, 3117-3138, 3154-56, 3164-65, 3169-70, 3179-81, 3193, 3202, 3205-15, 3220, 3222-24, 3229, 3232-33, 3236-37, 3239, 3242, 3249-54, 3256-57, 3268, 3270, 3278, 3281, 3285, 3291-92, 3299, 3305-6, 3308, 3310, 3312-13, 3315-16, 3320, 3325, 3327, 3330, 3333, 3335-38, 3340, 3342-44, 3385, 3387-88, 3490, 3497, 3499, 3506, 3510, 3516-21, 3523, 3539, 3546, 3551-53, 3555-58, 3560, 3562, 3565-67, 3569, 3576-78, 3587, 3595, 3605, 3621, 3623, 3628-29, 3634, 3642, 3645, 3654, 3669, 3684, 3694, 3699-700, 3705 3735, 3744, 3789, 3791, 3804, 3806, 3808, 3813, 3821, 3829, 3841-42, 3862, 3870, 3872, 3875, 3879, 3881, 3891, 3899, 3907, 3917, 3922, 3952, 3969, 4002-4003, 4007-8, 4031, 4044, 4051, 4056, 4066, 4068, 4071, 4096-87, 4101, 4112, 4132, 4154, 4173, 4183, 4202, 4218-19, 4221-24, 4226-27, 4229-30, 4234-35, 4237-38, 4240-42, 4250-51, 4253, 4258-60, 4262, 4265, 4267, 4269, 4271-72, 4274, 4276-77, 4279, 4290-91, 4294, 4296, 4298, 4310-13, 4315-16, 4323-25, 4328-30, 4333-34, 4336-37, 4345, 4347-54, 4359, 4366, 4372, 4374, 4376, 4381-82, 4386, 4391, 4398-400, 4406-8, 4412-13, 4417, 4419, 4429, 4433-36, 4438-4445, 4447-48, 4450-53, 4462-64, 4467, 4469, 4472, 4474-75, 4477, 4482, 4484, 4486-89, 4491, 4493, 4498-500, 4503, 4505-7, 4509, 4511-12, 4516-26, 4528-29, 4535-36, 4542, 4545-47, 4549-4550, 4552, 4557, 4559, 4569, 4573-74, 4577-78, 4580, 4582-84, 4586, 4509-90, 4592-93, 4596, 4607-11, 4613, 4617-18, 4620-23, 4627-28 ,4630, 4642, 4644, 4649 50, 4657, 4661-62, 4665-4666, 4668-70, 4672-84, 4690, 4693-96, 4699, 4705, 4707, 4709, 4712, 4716, 4719, 4726-28, 4755, 4757, 4779, 4787-88, 4806, 4813, 4818, 4821, 4841, 4851, 4854, 4881, 4891, 4904, 4918, 4920, 4926, 5007, 5009, 5014-15, 5019, 5021, 5025-27, 5029, 5033, 5036, 5038, 5040, 5044-47, 5049, 5051, 5053-54, 5057-58, 5063-67, 5070-71, 5074, 5082, 5084, 5087-91, 5095-97, 5102, 5105-6, 5108-9, 5111-25, 5128-33, 5138, 5140, 5143, 5146-47, 5149-52, 5154, 5156-57, 5159, 5162, 5165-66, 5168-70, 5172-74, 5176, 5178, 5181-83, 5187, 5189-90, 5192-95, 5196, 5201-10, 5213, 5215-16, 5218-19, 5221-24, 5226, 5228-29, 5235, 5239, 5241-44, 5249-53, 5258-61, 5263-5264, 5266, 5268-69, 5271, 5274-75, 5278-81, 5284-85, 5287-90, 5292, 5298, 5328-29, 5335, 5337-40, 5342-43, 5345-46, 5349, 5351, 5354, 5356, 5360-64, 5370-73, 5375-76, 5380, 5382-85, 5395-97, 5400, 5402-3, 5405-8, 5413-15, 5418, 5422, 5424-28, 5435, 5440-43, 5447, 5449, 5451-5452, 5454, 5459-62, 5464-65, 5470, 5472, 5491-93, 5495-96, 5498-99, 5503, 5527-30, 5532-40, 5543-44, 5546-47, 5549-51, 5554, 5557, 5562-63, 5565-66, 5569-70, 5575-81, 5585-86, 5594, 5596-97, 5599-608, 5613, 5615, 5617, 5622-24, 5626-27, 5630-31, 5634-37, 5639, 5641-47, 5649-5655, 5657, 5659-61, 5664-66, 5668-72, 5675-77, 5679-80, 5683-88, 5690, 5692, 5695, 5708, 5710, 5712-13, 5715 16, 5719, 5722, 5724, 5726-29, 5733-34, 5737-40, 5742-46, 5748-49, 5754-5757, 5759, 5762, 5764, 5768-71, 5773-79, 5781, 5785-89, 5791, 5794-95, 5797-98, 5804, 5806-5818, 5848, 5851-54, 5856-60, 5864, 5866-70, 5873, 5875-79, 5881-83, 5885-86, 5888-96, 5899-5900, 5904-5, 5907, 5909-10, 5916-17, 5920, 5923, 5945-46, 5956, 5959-61, 5067-69, 5972, 5975, 5978, 5980, 5991, 5993, 5995-96, 5999-6001, 6005 6, 6010, 6013-14, 6017, 6019-21, 6025-26, 6036, 6038, 6041, 6047, 6054, 6056, 6060-64, 6066-70, 6078, 6084, 6087, 6089-90, 6094-95, 6098-99, 6101-3, 6105, 6107, 6110-13, 6115-18, 6120-32, 6136-37, 6139, 6141-44, 6146, 6148,

6151-59, 6161-62, 6169, 6176-77, 6189, 6195, 6200, 6203-4, 6206, 6227, 6233, 6254, 6268, 6288, 6292, 6295, 6307, 6318, 6334, 6340, 6344, 6349, 6382, 6399, 6421, 6434, 6480, 6483, 6486-91, 6493-500, 6503-6, 6508-9, 6515-18, 6527.

Palacio Real. 103-4, 109-10, 112-14, 214, 278, 483, 965, 985, 1722, 1913, 2207, 2211, 2214, 2218, 2234, 2630, 2746, 2763, 2784, 5252, 5258, 5261, 5268, 5332, 5343, 5364-65, 5778, 6030, 6042, 6036.

Particular de D. Antonio Rodríguez Moñino. 3139.

Particular de «Archivo Ibero-Americano». 2128, 2133-35, 2635, 2661.

Particular de D. Bartolomé March. 5343, 5358.

Particular de la Casa Provincial de la Orden del Carmen Descalzo. 3265, 3302, 3309, 3324, 3328, 3353, 3373, 3403, 3546, 3548, 3554, 3557, 3562-63, 3604, 3623, 3628, 3641-3642, 3649, 3666, 3700-1, 3730, 3814-15, 3818-19, 3822-27, 3834, 3841-42, 3855, 3872-73, 3876, 3878-79, 3883, 3922, 3983, 4020, 4030, 4096-97, 4107, 4183, 4191.

Particular del Duque de Alba. 2081, 3373, 5195.

Particular de D. Miguel Herrero García. 1118, 1122, 2801.

Particular de D. Pedro Sainz Rodríguez. 3571, 3577, 3657, 3696, 3832-33, 3883, 4030, 4113.

Particular de «Razón y Fe». 5, 104, 112, 323, 325, 327, 330, 338-39, 368, 370, 379, 383, 385, 387, 393, 396, 410, 414-15, 420, 422, 428, 435, 436, 498, 528-32, 544-45, 550, 552-53, 596, 602, 604, 623, 652, 677, 681, 784, 789, 803, 807, 813, 862, 867, 910-11, 914, 932, 2629, 2634, 2638, 2641, 2773, 2774-75, 2789, 3218, 3220, 3222-23, 3242, 3244, 3252, 3320.

Seminario Conciliar. 981, 1190, 2038, 2403, 2423, 2474, 2895.

Senado. 964, 983, 4682.

MALAGA.

Casa de la Cultura. 965, 985, 1490.

Municipal. 1353-54.

Pública. (V. Casa de la Cultura).

MANNHEIM.

Scholssbibliothek. 5449.

MEJICO.

Instituto Nacional de Antropología e Historia. 3081.

Nacional. 3140, 3171, 4661-62, 4672-74, 4678, 4683-84, 4687-88, 4697, 4700-1, 4706, 4709, 4754-55, 4810, 4825, 4851.

METZ.

Municipale. 5281, 5283.

MIDDLEBURY.

Middlebury College. 4685.

MILAN.

Ambrosiana. 970.

Nazionale Braidense. 2777, 2871, 2874, 2876, 2887.

Universitaria. 5288.

MINNEAPOLIS.

University of Minnesota. 966, 994, 1962, 6189.

MONSERRAT.

Abadía o Monasterio. 54, 104-5, 110, 112, 142, 150, 158, 288, 307, 351-52, 355, 393, 421, 437, 441, 443-44, 450, 477, 481, 483, 982, 996, 1021, 1092, 1105, 1244, 1372-73, 2268, 2290, 2763, 2870, 3141-42, 4528, 5829-30.

MONTPELLIER.

Municipale. 271, 287, 484, 1372, 1632, 1731, 2039, 2214, 2393, 2461, 4228, 4674, 5402.

MUNDELEIN, Ill.

Saint Mary of the Lake Seminary. 487.

NAPOLES.

Convento de MM. Carmelitas descalzas de Via Arco Mirelli. 3182.

Nazionale. 2762-63, 2767, 2861, 2868-69, 2871, 2874, 2876, 5790, 5952.

NEW HAVEN.

Yale University. 71, 109, 1373, 1544, 1670, 1748, 1962, 1993, 2078, 2425, 2695, 2843, 2863, 3080, 3226, 3248, 3295, 3301, 3365, 3369, 4319, 4453, 4530, 4533, 4680, 5468, 5860, 5967, 6010, 6033, 6072, 6165-66, 6206, 6211, 6215-16, 6247.

NEW ORLEANS.

Tulane University. 2691, 3012-13, 3018.

NIMEGA.

Universitaria. 1727.

NORMAN.

University of Oklahoma. 3384, 6189.

NUEVA YORK.

Columbia University. 272, 985, 2412, 2634, 3222, 3275, 5899, 5978, 6038, 6078, 6169-70, 6526.

Fordham University. 483.

Hispanic Society. 103-4, 109, 112, 161, 214, 253-54, 265-66, 287, 393, 473, 483-84, 965, 973, 1007, 1227, 1307, 1314, 1320, 1323, 1366, 1410, 1454, 1457, 1465-66, 1490-92, 1504, 1513, 1518, 1524, 1541, 1544, 1549, 1551-52, 1554, 1557-58, 1663, 1670, 1672, 1674-76, 1693, 1700, 1713, 1787, 1791, 1810-11, 1813, 1876, 1912-13, 1962, 1974-75, 2008, 2020, 2032, 2035, 2038-39, 2044, 2048-49, 2058, 2171, 2201-11, 2212-15, 2217-18, 2220, 2234, 2273, 2303, 2359, 2365, 2393, 2407, 2445, 2456, 2501, 2506-8, 2518, 2559-60, 2563-64, 2692, 2708, 2747- 2753, 2763, 2770, 2894, 3012-13, 3206-7, 3211, 3499, 4215, 4222, 4224, 4237, 4266, 4275, 4315, 4381-82, 4409, 4438, 4462-63, 4545, 4554, 4598, 4672, 4674-75, 4678-83, 4686, 4698, 4738-39, 4755-56, 4781-82, 4791, 5038, 5040, 5118, 5131, 5155, 5220, 5233, 5255, 5261, 5332, 5347, 5356, 5409, 5443, 5464, 5478, 5499, 5625, 5630, 5632, 5640, 5659, 5661, 5671, 5685, 5687, 5715, 5762, 5778, 5785-88, 5829, 5885, 5899-900, 5905, 5907-10, 5954, 5956-61, 5963- 5964, 5967-69, 5073-75, 5977-79, 5981, 5983, 5995, 5998-602, 6004, 6006-8, 6010, 6015, 6018, 6020-21, 6025-28, 6032, 6038-39, 6179, 6185, 6188-90, 6194, 6242, 6480-81, 6494.

Public Library. 115, 982, 1384, 1541-42, 1672, 1747, 1977, 2208, 2341, 2691, 3289, 4533, 4602, 4672-74, 4678-83, 4702, 4755, 5334, 5900, 5980, 6030, 6041, 6060, 6078, 6191, 6195, 6206, 6214, 6216.

State University of New York at Buffalo. 3280.

Union Theological Seminary. 2865, 3361, 3833, 4531.

OBERLIN.

Oberlin College. 2207, 3226, 4688, 6020.

OÑA

Colegio de la Compañía de Jesús. 2729.

ORIHUELA.

Pública. 5182, 5330.

OVIEDO.

Universitaria. 272, 1487, 1544, 1557, 1884, 1912-13, 1962, 1972, 1986, 2033, 2166, 2763, 4672, 5549, 575, 5789, 5829, 5910, 5963, 5972.

OXFORD.

All Souls College. 5369.

Bodleian Library. 6210.

PALENCIA.

Convento de MM. Carmelitas descalzas. 3198.

PALMA DE MALLORCA.

Fundación Bartolomé March. 5261, 5288.

Pública. 265, 2767.

PAMPLONA.

Cabildo. 6501.

Convento de MM. Carmelitas descalzas de San José. 3153, 3203.

General de la Diputación Foral. 49, 51-52, 54, 57, 110, 289, 337, 393, 976, 982, 1002, 1284, 1292, 1334, 1434-37, 1439-40, 1442, 1507, 1522, 1524, 1700-1, 1859, 1898, 2133, 2152, 2236, 2415, 2505, 2507-8, 2535, 2663, 2699, 2705, 2718, 2767, 2769-70, 3208, 3211-13, 4237-4238, 4489, 4555, 5026, 5057-58, 5182, 5185, 5341-42, 5346, 5421, 5460, 5716, 5739-40, 5885, 6503-5.

Particular del Sr. Zalba. 5036.

PARIS.

Arsenal. 104, 266, 1675, 1693, 1700, 1743, 1748, 2170, 2846, 2849-51, 3361, 5783-84, 5967, 5979, 6183, 6185, 6188-89, 6227.

Mazarina. 980, 1663, 1675, 1700-1, 1743, 2763, 2848, 2862, 2886, 3206, 3379.

Nationale. 103-6, 110, 112, 114, 208, 266, 270, 275, 336, 393, 423, 425, 428, 481, 583, 485-486, 489, 504, 508-9, 964 65, 974, 976-77, 981, 985, 1126, 1129, 1146, 1237, 1387, 1390-91, 1484, 1487, 1490, 1502, 1587, 1663-64, 1671, 1673, 1675, 1677, 1693, 1700, 1746, 1814-15, 1846, 1873, 1887, 1890, 1894, 1910, 1912, 1949, 1958, 1962, 1973, 1979, 1986, 1993-94, 2011, 2033, 2038-39, 2049, 2133, 2152-54, 2168-69, 2239, 2256, 2409-11, 2414, 2426-28, 2431, 2664, 2668, 2723, 2769, 2846, 2848-50, 2853, 2855-56, 2858, 2861, 2868, 2871, 2880, 3064, 3209, 3211, 3220, 3292, 3325, 3349, 3359-61, 3366, 3368-69, 3379, 3382, 3394, 3396, 3401-3, 3508, 3515, 3527, 3532, 3700-1, 3803, 3805-6, 3815, 3825, 4135, 4345-46, 4348, 4350, 4352, 4381, 4453, 4495, 4519, 4522, 4525, 4528, 4536, 4539, 4546, 4584, 4586, 4588-89, 4591, 4595, 4597, 4601-2, 4672, 4674, 5030, 5039, 5057, 5070, 5199, 5201-2, 5236-37, 5245-47, 5252, 5259, 5278, 5280-81, 5288, 5291, 5335, 5341, 5343, 5359, 5366-68, 5443, 5450-51, 5454, 5739-40, 5765, 5788, 5829-30, 5888, 5899-901, 5906, 5959, 5967, 5980, 6188, 6242, 6250.

Santa Genoveva. 104, 974, 2846, 2850-51, 2858, 5288-90, 5294.

Sorbona. 3361.

PASTRANA.

Museo Parroquial. 3183.

PERPIÑAN.

Municipale. 2846.

PISA.

Universitaria. 5739, 6033, 6052, 6237.

PITTSBURGH.

University of Pittsburgh. 3262, 4715.

PRINCETON.

Princeton Theological Seminary. 3548.

Princeton University. 109, 443, 487, 2210, 2770, 3271, 5906, 6055-56, 6076, 6212, 6215, 6229, 6236.

ROUEN.

Municipale. 2560, 2563, 2762, 2846, 2852, 3206, 3507-8, 4217, 5252, 5715, 5829, 5967, 6189.

SACRAMENTO.

California State Library. 6181.

SAINT LOUIS, Mis.

St. Louis University. 330, 393, 473, 481, 483, 487, 1384, 3221, 3833.

Washington University. 4315.

SWARTHMORE.

Swarthmore College. 6018.

SALAMANCA.

Convento de Agustinas. 1037.

Convento de MM. Carmelitas descalzas. 1238, 3184.

Universidad Pontificia. 3543.

Universitaria. 1106, 1109, 1634, 1642, 1861, 1885, 2047, 2121, 2657, 2764, 2766, 2779, 2781, 2793-94, 3070-71, 4222, 4466, 5274, 5287, 5290, 5686, 5778.

SAN DIEGO.

University of California. 1007, 1962, 1975, 2562, 3217, 3220, 3228, 5469, 6041, 6060, 6229.

SAN LORENZO DEL ESCORIAL.

Monasterio. 107, 149, 265, 981-82, 985, 1006, 1014, 1080, 1083, 1190, 1264, 1284, 1290, 1321, 1439, 1501, 1510, 1533, 1650, 1693, 1700-1, 1720, 1723, 1748, 1787, 2265, 2290, 2369, 2415, 2455, 2478, 2507, 2536-60, 2628, 2630, 2695, 2702, 2704, 2730, 2739, 2763, 2768, 3211, 3808, 2424, 4227, 4229, 4348, 4356, 4433, 4496, 4499, 4571, 4615, 4653, 4682-83, 5027, 5029, 5260, 5340, 5343, 5345, 5443, 5461, 5614, 5782, 5785, 5787.

SANLUCAR DE BARRAMEDA.

Convento de MM. Carmelitas descalzas. 3145.

SANLUCAR LA MAYOR.

Convento de MM. Carmelitas descalzas. 3185.

SAN MARINO, Cal.

Henry E. Huntington Library. 2691, 5296, 6184, 6206, 6207-9.

SANTANDER.

«Menéndez y Pelayo». 96, 1047, 1227, 1348, 1486, 1541-42, 1544, 1552, 1554, 1610, 1748, 2033, 2203, 2214, 2223-24, 273, 2559, 2563, 2628, 2630, 2674, 2763, 2767, 6770, 2773, 2894, 2898, 3210, 3220, 3489, 3813, 4224, 4674, 4681, 4686, 5117, 5443, 5799, 5999-6000, 6006, 6025-26, 6179, 6189, 6195.

4379-80, 4388, 4433, 4437, 4460-61, 4465-66, 4468, 4473, 4481, 4483, 4488, 4515, 4517-18, 4545, 4548, 4572, 4624-25, 4632, 4634, 4636-41, 4643, 4645, 4647-48, 4650, 4652, 4672, 4681-83, 5034, 5103, 5118, 5165, 5171, 5181, 5269, 5340-41, 5343, 5345-46, 5349, 5398, 5416-5417, 5420, 5425, 5435-36, 5442-43, 5460, 5545, 5549, 5562, 5616, 5671, 5679, 5709, 5715, 5735, 5829-30, 5883, 5885, 5890, 5902, 6493, 6504-5.

SIMANCAS.

Archivo. 6507.

SOLESMES.

Abadía. 3157.

SORIA.

Pública. 5261.

SOUTH HADLEY.

Mount Holyoke College. 2642.

SPOKANE.

Gonzaga University. 3833.

STANFORD.

Stanford University Libraries. 6084.

SYRACUSE.

Syracuse University. 1747.

TARAZONA.

Convento de Santa Ana de MM. Carmelitas descalzas. 3147.

TARRAGONA.

Pública. 986, 2762, 3148.

TERUEL.

Pública. 968, 970.

TOLEDO.

Convento de MM. Carmelitas descalzas. 3149.

Convento de PP. Carmelitas descalzos. 3194.

Pública. 481, 484, 1891, 2210, 2215, 2630, 2762, 5260-61, 5679, 5778.

TORONTO.

University. 1962, 1974, 5541, 5549.

TURIN.

Particular de G. M. Bertini. 5950.

UNIVERSITY, Al.
University of Alabama. 4692.

URBANA.
University of Illinois. 1518, 1542, 1552, 2208, 2628, 2695, 2708, 2862, 3316, 3324, 3340, 4248, 4531, 4672, 4682, 4700, 5121, 5199, 5268, 5343, 5443, 5461, 5899, 6006, 6042, 6062, 6070, 6076-77, 6084, 6163, 6196, 6211, 6215, 6220, 6232.

VALENCIA.
Colegio del Corpus Christi o del Patriarca. 1887, 4392-93, 4397, 4399, 5261.

Municipal. 63, 1914.

Pública. 483.

Universitaria. 4222, 5723, 5855.

VALLADOLID.
Convento de MM. Carmelitas descalzas. 3150-51, 3158-60, 3186, 3195.

Santa Cruz. 87, 2073-74, 2312.

Universitaria. 980, 993, 1213, 1886, 2702, 2771, 2846, 4555, 4590, 4626, 5182, 5345, 5684, 5899.

VANCOUER (Canadá).
University of British Columbia. 112, 980, 6042, 6059, 6209.

VENECIA.
Marciana. 2868, 2871, 2874, 2876, 2886.

VIENA.
Nacional. 271, 291, 965, 968, 985, 1103, 1181, 2201, 2218, 2639, 2762-63, 2767, 2794, 4221, 5075, 5099, 5261, 5266, 5280, 5956-57, 6480.

VILLANOVA.
Villanova College. 2868, 3817.

WALLA WALLA.
Whitman College. 5959, 6046.

WASHINGTON.
Catholic University of America Library. 553, 2857, 3289, 3362, 3548, 5887, 5900, 6078.
Congreso. 113, 267, 321, 323, 325, 327-28, 358, 389, 399, 437-38, 443, 463-65, 467,68, 480, 483, 497, 549, 552-54, 557-58, 561, 563, 646, 651-52, 675, 687, 689, 691-93, 701, 752, 756, 759, 762, 766, 769, 769, 807, 844, 856, 870, 881, 898-900, 932, 942, 944, 965, 982, 996, 1129-30, 1373, 1457, 1518, 1547, 1667-68, 1675, 1752, 1758, 1959, 1964-65, 2489, 2565, 2567, 2572, 2578 ,2627, 2629, 2637, 2641, 2662, 2773, 2842, 3013, 3043, 3080-81, 3223-27, 3235, 3248, 3253-56, 3263, 3266, 3269, 3271-72, 3274-75, 3277, 3280-81, 3283-84, 3291-92, 3294, 3309, 3351-52, 3488, 3493, 3496, 3552, 3560, 3562-63, 3568-69, 3621, 3629, 3641, 3643, 3646,

3657, 3698, 3735, 3791, 3833, 3872-73, 3879, 3883, 3888, 3905, 3922, 3930, 3936, 3946, 3951, 4026, 4030, 4042, 4063, 4255 56, 4304, 4320, 4475, 4528, 4532, 4538, 4575, 4672, 4675, 4681-4694, 4696-97, 4702-4, 4706, 4708, 4717, 4720-25, 4754-55, 4758, 4761, 4772, 4818-19, 4831-4832, 4851, 4888, 4911, 4918, 4920, 4925, 4949, 5003, 5027, 5332-33, 5370-71, 5451, 5467-69, 5472-75, 5911, 5915, 5978, 6006, 6012, 6018, 6020, 6025-26, 6037-39, 6041-42, 6045-47, 6056, 6058-60, 6062, 6072, 6082, 6088, 6090, 6093, 6095-97, 6099-102, 6107-11, 6113-14, 6119-20, 6122-23, 6133, 6135-37, 6149, 6153, 6174-76, 6188-89, 6199, 6202, 6206, 6211-12, 6214, 6216-6224, 6240, 6248, 6254, 6307, 6321.

Folger Shakespeare Library. 1496, 2863, 4531, 5956, 6206-9.

Holy Name College Library. 4456.

Pan American Union Library. 2642, 4707.

U.S. National Library of Medicine. 5029, 5687.

WORCESTER.

American Antiquarian Society. 2691, 4678, 6211.

Assumption College. 2774.

ZAMORA.

Pública. 1108, 1319, 1888.

ZARAGOZA.

Archivo de la Diputación. 27-29, 5820.

Seminario de San Carlos. 104, 132, 974-75, 1442, 1507, 1515, 1518, 1522, 1524, 1549, 1748, 2133, 2180, 2302, 2392, 2415, 2694, 2769, 2895, 3207, 3212, 3316, 4491, 4518, 4521, 4675, 4678, 5027, 5263, 5341, 5445, 5449, 5829, 5870.

Universitaria. 331, 392, 968, 974, 986, 1208, 1210-11, 1214, 1218-19, 1227, 1396, 1487, 1523, 1723, 1881, 1893, 1896, 1902-7, 2199, 2348, 2369, 2403, 2628, 2762, 2770, 3068, 3211, 4485, 4563, 4569, 4573, 4684, 4708, 5093, 5119, 5291, 5681, 5775, 5872, 5899, 6038, 6041, 6060, 6110.

DE TEMAS

Alcántara (Orden de): Caballeros. 102, 2476.—*Pág.* 678.
Alcaraz. 4650.—*Págs.:* 148, 228.
Alcaudete. 1731, 3199, 3771.
Alcázar de San Juan.—*Pág.:* 344.
Alcides. 4364 (25).
Alcino *(pers.).* 4672 (14, 60), 5371 (105).
Alcocer. 5787 (31).
Aldobrandino (Cardenal). 4633.
Alegaciones. 5174.
Alegoría. 3895, 4672 (49, 54), 4761.
Alegría. 4168, 4672 (91).
Alejandro Magno. 148-55, 5787 (2).
Alemán (Idioma). Traducciones al. 400-18, 1670, 1993, 2842-45, 3245 , 3346-54, 3481, 4303, 4792-93, 5022, 5926, 5929, 5934, 5949, 6163-77.
Alemanes. 2937.—*Pág.:* 504.
Alemania. 695, 1103, 2461, 4190, 5629, 5631. *Páginas:* 261, 345.
Alencastre, María de Guadalupe. 4672 (58).
Alfaro.—*Págs.:* 209, 261.
Alféreces.—*Pág.:* 345.
Alfonso el Bueno (rey). 5546, 5549.
Alfonso el Casto (rey). 5787 (24).
Alfonso VI de Castilla. 5787 (34).
Alfonso I de Portugal. 5129.
Alhabiz. 5787 (42).
Alhajas. 5520, 5566.
Alhama. 5787 (38).
Alhizan. 5787 (53).
Alicante. 2395.—*Págs.:* 30, 109, 189.
Alisos. 5787 (63).
Alma. 1021, 1059-60, 1242, 1794, 2297, 2344- 2347, 2358, 2420, 2627, 2630, 2639-49, 2654, 2722, 3206-7, 3212, 3215, 3229 (1-6, 10), 3239, 3316, 3854, 3864, 3887, 3917, 4285, 4337, 4624- 4625, 4672 (49), 4676 (98, 141), 5253, 5435, 6493.
Almadén. 2937.
Almansa.—*Pág.:* 284.
Almanzor. 5787 (29), 5789 (39).
Almedina.—*Pág.:* 228.
Almería. 5787 (41, 45).
Almirantes. 195-96, 2310.—*Pág.:* 657.
Almodóvar del Campo. 2701, 2891.—*Páginas:* 308, 341.
Almoguera, Fr. Juan de. 1861.
Almonacir, Marqueses de. 2203.
Almayar. 5787 (37).
Alonso. *(V. Alfonso).*
Alphebo. 5765.
Alvalat de Pardiñas.—*Pág.:* 499.
Alvarez de Toledo, Antonio. 5445.
Alvarez de Toledo, Fernando (duque de Alba). 1912.
Alvarez de Toledo, Manuel Joaquín (marqués de Jarandilla). 1731.
Alvarez de Toledo y Palafox, Francisco. 1564.

Alvarez de Toledo y Veaumont, Antonio (duque de Alba). 4524.
Allué, Fr. Martín de. 4490.
Amadís *(pers.).* 5371 (102).
Amancebados. 5401.
Amantes. 1541 (14, 17).
Amarilis *(pers.).* 4672 (48).
Amazonas (Río). 5886-88.
Amberes. 297, 5661, 5936-38, 5953.—*Pág.* 194.
Ambigüedad. 6322, 6352, 6364.
América. 195-97, 1383-84, 1449, 1500, 2032, 2340-41, 4498, 4856, 4969, 5481.—*Págs.:* 23, 233, 304.
Amiclas. 5787 (11).
Amigos. 1541 (31), 1850 (10).
Amistad. 5545.
Amor. 1142, 1484-85, 1541 (25, 41), 1929-30, 2239-40, 2243, 2627-29, 2639, 2758, 2769, 2779- 2781, 2811-12, 3043, 3212-13, 3215, 3239, 3311- 3313, 3316, 3320, 3643, 3656, 3658, 3887, 3902, 3965, 3969, 4071, 4107, 4195, 4298, 4665, 4672 (3-6, 12, 14-15, 18, 23, 30, 49, 95, 100), 4676 (86, 90-91, 94, 105, 117, 132, 150), 4678 (5), 4479-83, 4880-81, 4899, 4912, 5371 (10, 13, 24, 42, 49, 68, 87), 5410, 5412-13, 5600, 5787 (32, 34, 42, 89), 5789 (70); divino. 3809, 3826, 3832-33, 3861, 3866, 3916, 3921-22, 4000, 4152, 4678 (9-10), 4924, 4929, 4958; humana. 4929, 4958; puro. 3629; social. 2684.
Anacoretas. 5543.
Anagramas. 4676 (2), 5627 (2).
Anarda *(pers.).* 4672 (15).
Andadores. 4672 (57).
Andalucía. 1461, 2762-63, 2769-72, 4054 —*Páginas:* 258, 308, 346; (provincia de los agustinos). 4639; (provincia de los capuchinos). 2341, 2349.—*Pág.:* 262; (provincia de los carmelitas descalzos). 2513.— *Página:* 472; (provincia de los dominicos).—*Pág.:* 296; (provincia de los franciscanos). 1461, 4452.—*Pág.:* 492; (provincia de los mercedarios descalzos).—*Página:* 493; (provincia de los trinitarios descalzos).—*Pág.:* 140.
Andía (Casa de). 5425.
Androbando, Ulises de. 5195.
Andrade, Condes de.—*Pág.:* 651.
Andrade y Castro, Fernando de. 243.
Andrés, San. 4288.
Andrés de Espoleto, Fray. 1314.
Andújar. 243, 3332.—*Pág.:* 30.
Anfriso *(pers.).* 4676 (88).
Angel de la Guarda. 4287.
Angeles. 5536-37.
Angola. 1094.
Anguix. 94.
Angustia. 3945, 4113.
Anillos. 4672 (80).
Animales. 1813-15.

Arcos, Duques de. 91, 2752.—*Pág.:* 566.
Arcos, Sebastián de. 5409.
Arcos de la Frontera.—*Pág.:* 214.
Arcos triunfales. 4672 (85, 174), 4753-54.
Archisilora *(pers.).* 5765.
Archivos. 1340, 2713-16, 2937, 3059, 3204, 3585, 4305, 4314, 5820.
Aremberg, Príncipe de. 5737.
Arenas (villa). 306.
Arévalo. 579-80, 650.—*Pág.:* 39.
Arévalo de Zuazo, Francisco. 85.
Argel. 5787 (55).—*Pág.:* 280.
Arimino. 5787 (9).
Aritmética. 274-75, 5230-33.
Arjona. 1786.
Armada Real. 195-97.—*Pág.:* 23.
Armadas. 1071.
Armas. 5630.
Armenia. 1421.—*Pág.:* 154.
Arnaud, Andrés. 86.
Arqueología. 2506, 5092.
Arrepentimiento. 4672 (100).
Arriola, Martín de. 1333.
Arschot, Duque de. 5737.
Arte. 3615, 3647, 4066, 6374; militar. 5603, 5722.
Artillería. 1321-23.
Arzobispos. 71, 106, 236, 243, 304, 982, 1108, 1138, 1284, 1465-67, 1690, 1720, 1723, 1750, 1787, 1813, 1916, 1936, 2019-20, 2176, 2268, 2376, 2393, 2633, 2651, 2690-91, 2755, 2762-2763, 2995, 3208-9, 4215, 4394-96, 4399-401, 4404, 4406, 4408-10, 4412, 4460, 4555, 4672 (38), 4676 (128), 5027, 5113, 5679, 5711, 5713-5714.—*Págs.:* 10, 19, 142, 281, 485, 504, 620, 622.
Ascética. 712, 745, 2975, 3904, 3971, 4425.
Asdrubal. 5787 (6).
Asesores. 4672 (32).
Asia. 2425, 5909.
Astor, Diego de. 3206-7.
Astorga. 5096-97.
Astrología. 1014, 1934, 2021, 3000, 4672 (89), 5069-70, 5072-74.
Astrólogos. 3000, 5782.—*Pág.* 337.
Astronomía. 1014, 4672 (73), 5161, 5164.
Asturias. 5558.
Ataide, Bernardo de. 4352.
Atayde, Jerónimo de. 5439, 5442.
Atenas. 166, 1541 (26).
Auñón. 5458.—*Pág.:* 308.
Aurora. 2165-70, 5371 (93).
Ausencia. 1541 (15), 4672 (16, 62-63), 4676 (95, 109, 145), 5371 (1), 5788 (43, 46).
Austria, Alberto de (archiduque-cardenal). 2630, 2632, 2762-63.—*Pág.:* 504.
Austria, Ana de (infanta). 5107.
Austria, Ana de (reina de Francia). 5885.

Austria, Baltasar Carlos de (príncipe). 1280, 2008, 5442, 6494.
Austria, Carlos de (infante). 5107.
Austria, Carlos de (príncipe). 1, 1952, 1961-1965, 2615, 4229, 5371 (101, 113).—*Páginas:* 295, 614.
Austria, Carlos José de (príncipe, n. en 1661). 166.
Austria, Claudia de (emperatriz de Alemania). 2461.
Austria, Constanza de (reina de Polonia). 289 (14).
Austria, Felipe de (príncipe, n. en 1658). 1415, 1514, 5106-7.
Austria, Fernando de (Cardenal-Infante). 3208-9, 4276, 4325-26, 5159.
Austria, Fernando de (príncipe, n. en 1573). 5860.
Austria, Isabel Clara Eugenia de (infanta). 2410, 4325, 5249.
Austria, Juan de. 5371 (104).
Austria, Juan José de (infante). 5025, 5100-5101.—*Pág.:* 562.
Austria, Juana de (princesa). 5371 (81).
Austria, Leopoldo Guillermo de (archiduque). 2414.
Austria, Margarita de (reina de España). 1541 (19), 2121.
Austria, Margarita de (emperatriz de Alemania). 5629.
Austria o de la Cruz, Sor Margarita de (infanta). 289 (10), 4370.
Austria, Margarita María Catalina (infanta). 5766-67.
Austria, María de (emperatriz). 2627, 2655, 3157, 3299.
Austria, María de (infanta). 2258, 4515, 5107.
Austria, María Teresa de (reina de Francia). 3061, 5244, 5250.
Austria, Mariana de (reina de España). 170, 1070, 1107, 1401 (1), 1446, 2072, 2463, 4336, 4545, 4676 (147), 5132-33, 5598-99, 5636.
Austria, Maximiliano de (arzobispo). 2633, 2651.
Austria (Casa de). 1512.
Autobiografías. 339-40, 387-90, 1035, 1037, 1243-45, 1252, 3204, 6323.
Autógrafos. 2185, 2197, 2537-38, 2540, 2543, 2555, 2686, 2739, 2830, 3041, 3088-89, 3158, 3166, 3172-76, 3178, 3182-86, 3188-91, 3204-5, 3585, 3716, 3735-36, 3754, 3783, 4313, 4353, 4355, 4393, 4396, 4613, 5092, 5522-23, 5525, 5527-28, 5532, 5603, 5897-98, 5771, 5855.
Autos. 1345-56, 1360-61, 4667, 4676 (74, 76, 78), 4684, 4695, 4761-64, 4989, 5068, 6519-22; de fe. 5659; sacramentales. 1359.
Aveiro. *(V. Aveyro).*
Avella Fuertes, Alonso de. 5220.

Borbón, Isabel de. 36; (reina de España). 2008, 4241, 5131, 5168, 5462.—*Pág.:* 481.
Borbón, Luis de (príncipe de Condé). 5244.
Borbón, María Luisa de (reina). 4461-62, 4672 (40).
Borgoña. 5048, 5879.—*Pág.:* 168.
Borja, Fernando de. 1512.
Borja, Gaspar de. 3206.
Bornos, Condes de. 1284.
Borrachos. 4676 (11).
Borrás, Jaime. 2395.
Botánica. 1490, 5258-65, 5298.
Boticarios. 5686, 5692-93.—*Pág.:* 567.
Bouttats, Augs. 2532.
Bracamonte, Gaspar de (conde de Peñaranda). 2420, 2500.
Bracamonte y Luna, María de (condesa de Peñaranda). 2500.
Braga.—*Págs.:* 203, 266.
Bravo de Zayas, Luis. 2442.
Bravonel de Zaragoza. 5787 (25-26).
Breda. 1073-75.
Breves apostólicos. 1844.
Brígida, Santa. 2804.
Brindis *(Geogr.)*.—*Pág.:* 504.
Brito, Gregorio. 5102.
Briz de Montoya, P. Antonio. 1515.
Brizuela, Francisco de. 1152.
Brizuela, Fr. Juan de. 49.
Brujas (Bélgica). 637-38.
Brújulas. 5897-98.
Brunn.—*Pág.:* 591.
Bruno, San. 165, 1507 (25), 5885 (3).
Bruselas. 3316, 4325, 5879.—*Pág.:* 475.
Bruto, Décimo. 1541 (30).
Buda. 5631.
Buenos Aires. 1518.
Bularios. 2453.
Bulas. 49-60, 1089, 1100, 1507 (8), 2692, 3070-3071, 4290, 5885 (19), 6916.
Burgos (archidiócesis). 1108.—*Págs.:* 142; (ciudad). 1325, 2127, 2150, 3122, 3761, 4230, 5762, 5788 (59).—*Págs.:* 464, 562, 665; (provincia franciscana).—*Pág.:* 238.
Burlas representables. 6330.
Bustillo, Fr. Félix de. 2486.
Busto y Bustamante, Alonso de. 2372.

C

Caballerizos reales.—*Págs.:* 124, 171.
Caballeros. 5244, 5765, 5789 (121).—*Página:* 622.
Caballos. 86, 1980.
Cabellos. 4678 (prels.).
Cabra, Condes de. 5787 (39).
Cabrera, Vizcondado de.—*Pág.:* 186.
Cadereyta, Marqueses de. 197.

Cádiz. 115, 262, 1449, 1693, 1713, 2338, 2354, 2382, 4381, 4472-73, 5161.
Cádiz, Marqués de. 5787 (38).
Calabria, Duques de. 265.—*Pág.:* 589.
Calanda. 1750.
Calatayud. 50, 1147, 3133, 5171.—*Págs.:* 129-130, 586, 624.
Calatayud, P. José de. 1430.
Calatrava, Orden de. 1078; Caballeros. 1002-6, 2161, 2442, 5167, 5626.—*Págs.:* 19, 124, 171.
Caldelas.—*Pág.:* 271.
Calderón, Rodrigo. 1539.
Calendarios. 1910, 2692.
California.—*Pág.:* 590.
Caligrafía. 265-73, 276.
Calígrafos. 281.—*Pág.:* 33.
Calvas. 2049.
Calvo, Fr. Pedro. 1209.
Calzadilla.—*Pág.:* 147.
Callao. 1071.
Caller. 304, 1916.
Caligrafía. 265-73, 276.
Camargo y Paz, Francisco. 2534.
Cambados.—*Pág.:* 134.
Cameros, Luis Alfonso de los. 1936.
Campo, Gonzalo. 2160.
Campo-Redondo y Río, Antonio. 1499.
Cancilleres mayores de Castilla. 4382.
Canciones. 35 (2), 214 (59-70), 290, 1046, 1152, 1188, 1193, 1242, 1541 (18, 25-26, 29, 33, 47, 49, 53, 55, 57-59, 62, 64-65), 1567 (3), 1568 (4), 1570, 1581, 1656 (1), 1783, 1825, 1850 (8-9), 1856, 1937 (2), 1938 (1), 2008 (2-4), 2171, 2336 (1), 2490, 3213, 3229 (1-4, 10-11), 3239, 3341, 4364 (4-5), 5117 (2, 4-13, 180), 5118, 5119 (1-6), 5120 (6), 5155, 5371 (20-27, 112), 5376, 5606 (3), 5636, 5653, 5732, 5787 (77), 5876 (2), 6494 (37-38); lúgubres. 1541 (42); reales. 1505 (21).
Cánones. 2042.—*Págs.:* 153, 203, 226.
Canónigos. 250, 2019, 2050, 4672 (122), 5789 (22), 6517.—*Págs.:* 7, 17, 31, 37, 109, 122, 124, 136, 142, 151, 168, 209, 215-16, 226, 228, 256, 572-73, 649, 662, 674, 678.
Canonizaciones. 602, 661, 2377, 2393, 2994, 2997, 4200-2, 4261-67, 4432, 5116-17, 5890.—*Páginas:* 39, 341, 346, 466, 485, 491.
Cantabria. 195, 262; (provincia capuchina). *Página:* 155.
Canto llano. 2482.
Cantón.—*Pág.:* 3.
Cañizares, Marqués de. 5171.
Capellanes reales. 2190, 2192.—*Págs.:* 151, 161, 244, 252, 620.
Capillas. 2499.
Capitanes. 264, 299, 588, 1487, 2021, 2303, 4672 (75), 4676 (101, 113), 5069, 5251.—*Páginas:* 25, 38, 131, 625, 658, 667; genera-

151, 153, 183, 215-16, 218, 226, 228, 504, 567, 571, 590-91, 598, 602, 611, 620, 622, 643, 651, 659, 661, 665, 678, 684, 752.
Catilina, Lucio. 5787 (8).
Católicos. 300.
Catón. 5787 (5).
Cautelas. 3314, 3317, 3321-22, 3324, 3327-28, 3330-31.
Cautivos. 3001, 5768.
Cavernas. 4035.
Cavite.—Pág.: 137.
Cazadores. 5737.
Cazalla. 2503.
Ceceo. 4672 (65).
Cedulillas. 1505.
Celio (pers.). 4672 (102).
Celos. 1980, 4668, 4672 (16, 30), 4676 (96), 5600.
Celosos. 4672 (16, 60-61), 4676 (86), 5787 (42).
Cenete, Marqueses de.—Pág.: 665.
Centellas de Borja, Melchor. 289 (prels.).
Centenera, Vizconde de.—Pág.: 23.
Cerda, José de la. 4672 (56, 64).
Cerda, Tomás de la (conde de Paredes). 4672 (56, 64, 85, 174), 4753-54, 5161.
Cerda Enríquez, Francisco de la (duque de Medinaceli). 1557.
Cerdeña. 304.—Págs.: 265, 504.
Ceremoniales. 46, 1305, 2252, 2332, 2482-83, 2507, 4547.
Ceremonias. 4224, 4295.
César, Julio. 1541 (30).
Cetros. 4667, 4676 (75-76).
Ceuta. 2373, 2485.—Pág.: 496.
Cid Campeador. (V. Díaz de Vivar, Rodrigo).
Ciegos. 6445.
Cielo. 1443, 1780, 2343-44, 5156, 5371 (25, 48, 88), 5601.
Ciempozuelos. 2021.
Ciencia. 4672 (35).
Cifuentes. 5480.—Pág.: 628.
Cirilo, San. 5885 (11).
Cirujanos. 5027.—Pág.: 562.
Cister, Orden del. 258-61.
Cistercienses.—Págs.: 32, 151, 744.
Ciudad Real. 2917.
Ciudad Real, Duques de. 2316.
Clara, Santa. 5725.
Claridiano. 5765.
Clarisas. 1684, 2619, 4370.—Págs.: 189, 562.
Clemente, Miguel. 5614.
Clérigos. 2762, 2781.—Págs.: 255, 462, 648; menores.—Págs.: 107, 260, 599; reglares.—Página: 632.
Clicie (pers.). 5787 (70).
Clima. 5024-26.
Cloche, Fr. Antonio. 1208.
Clori (pers.). 4676 (92).

Cloris (pers.). 4672 (103).
Cluniacenses.—Pág.: 596.
Cobos, Diego de los (marqués de Camarasa). 276.
Coello de Contreras, Juan. 2037.
Coimbra.—Pág.: 504.
Colares, Marqués de. 5439.
Colegiales.—Págs.: 153, 216, 264, 573, 620, 622, 665, 678.
Colegios. 250, 1067, 1108, 2476, 2908, 2912, 3054, 4199, 4265, 4296, 4342, 4413, 4417, 4672 (69), 4500, 5673, 5711, 6517.—Págs.: 31, 38, 141, 204-5, 258, 277, 281-82, 305, 308, 464, 472, 485, 496, 504, 509, 594, 624, 651, 751.
Coloma, Pedro. 5458.
Coloquios. 1484-85, 5038-41.
Comedias. 31, 1031, 1259, 1558, 1929-30, 1951-1989, 1993-94, 1997-98, 2000, 2165-70, 4676 (100, 150-52), 4684, 4765-71, 4779-83, 4995-4996, 5130, 5225, 5503-6, 5521, 5525-26, 5534-5561, 599-601.
Comendadores. 294-95, 5458.—Págs.: 24, 258.
Comerciantes.—Pág.: 466.
Cometas. 3000, 4672 (73), 5072, 5161, 5163-64.
Comisarios. 2032.—Págs.: 186, 252, 261, 343.
Compañía de Jesús. (V. Jesuitas).
Comuneros. 6287.
Comunión. 1533, 1578, 2504; espiritual. 2294-2296; frecuente. 2978. (V. además: Eucaristía).
Conceptismo. 4947.
Conceptos. 5075-76.
Conciencia. 2201.
Condé, Príncipe de. 5244, 5251.
Condestables: de Castilla. 4337; de Navarra. 1914.
Confesión. 1192, 1434-39, 1447-48, 1533, 1578, 1658, 2273, 4283.
Confesionarios. 1876, 3012, 3083.
Confesores. 1214, 1232, 1243, 1541 (66), 2249, 2671.—Págs.: 265, 281, 296, 307, 461, 499, 504, 678; de indios. 3013; reales. 162, 1865. Páginas: 481, 504, 682.
Confirmación. 4672 (58).
Congregaciones. 2324, 2894, 2994, 5108, 5110, 5711, 5760.
Conocimiento. 1850 (11), 3989, 5679-84, 5696.
Consejo: de Aragón. 165, 287 (6), 1146; de Castilla. 996, 5461.—Pág.: 659; de Estado. 2403.—Pág. 37; de Guerra. 1227; de Hacienda. 1791, 2372.—Pág.: 659; de Indias. 1517, 1541 (20), 1796, 2372, 5213, 5220.—Pág.: 228; de la Inquisición. 289 (2), 964, 967, 2779, 5659.—Pág.: 632; de las Ordenes. 2037; Real. 1499.
Consejos. 4280.
Constantinopla. 1336, 5787 (90).
Constituciones sinodales. 72.
Consuegra.—Pág.: 476.

Deanes. 1222, 1293.—*Págs.:* 124, 168.

Décimas. 11, 13, 23 (4), 69 (2), 147, 214 (82-83), 216, 221, 250, 1029, 1058, 1166, 1327 (1), 1333, 1364, 1426, 1451, 1475-77, 1499, 1504, 1505 (8, 25, 33), 1574-76, 1639 (1, 3), 1656 (2), 1732, 1849 (1), 1860 (1), 1911, 1932, 1942, 1991 (2), 2008 (prels., 8-11, 48-55), 2034, 2123, 2288-89, 2318, 2451, 4498, 4669 (4), 4672 (19, 26-28, 45, 48-49, 52, 65, 76-85, 90-91, 105-6), 4676 (prels., 98, 100-9), 4678 (prels., 18), 5033, 5036, 5052, 5065 (19), 5072, 5105 (2), 5117 (99-103, 149), 5120 (2, 16, 18), 5131 (1-23, 43), 5155, 5206-7, 5351, 5435, 5604, 5606 (7), 5609, 5626, 5630, 5636-5637, 5649, 5656 (1), 5664, 5669-70, 5708, 5722, 5742-45, 5774, 5807, 5808a, 5920, 6496, 6508.

Dedicatorias de libros. 49-50, 52-53, 71, 102-104, 107-8, 142-44, 149, 158-59, 162, 165-67, 170, 172, 211, 214, 224-26, 236, 243, 248, 265, 274, 276, 289, 961, 963, 968, 982, 996, 1000-1006, 1043, 1086, 1091, 1104-5, 1107-8, 1144, 1154, 1190, 1207-8, 1210, 1222, 1227, 1243-44, 1284-87, 1291, 1293, 1307, 1333, 1335, 1367, 1399, 1434, 1439, 1444-46, 1461, 1472, 1499, 1501, 1505, 1507, 1510, 1512, 1514-18, 1522, 1525, 1544, 1551, 1646, 1688, 1693, 1700-1, 1720, 1722-23, 1731, 1735, 1743, 1746, 1748, 1780, 1787, 1791-92, 1796, 1798, 1806, 1810, 1813, 1838-39, 1859, 1865-66, 1873, 1875-76, 1880, 1912, 1914, 1916, 1934, 1936, 2008-11, 2033-35, 2037-39, 2041-42, 2045, 2048-53, 2056-2058, 2121, 2128-30, 2137, 2160-63, 2176, 2201-2203, 2252, 2256, 2268, 2290, 2293, 2302, 2307-2309, 2337, 2345, 2349, 2355, 2360, 2369, 2377, 2393, 2395-96, 2398, 2403-6, 2409-10, 2414, 2420, 2445-46, 2455, 2457, 2462, 2474, 2476, 2478, 2482, 2485-86, 2489, 2498-500, 2505-8, 2513-15, 2526, 2532, 2534-35, 2559, 2563-64, 2600, 2604, 2628, 2630, 2632-33, 2639-2640, 2650-51, 2654, 2691-92, 2694, 2702, 2704, 2718, 2762-63, 2767, 2780-81, 3013, 3017, 3055, 3061, 3079, 3081, 3206-13, 3316, 4217, 4222-4223, 4229, 4241, 4271, 4276-77, 4280-84, 4286-4289, 4291, 4295-96, 4301, 4315, 4325, 4328, 4336-37, 4344-52, 4364, 4370, 4381-82, 4384, 4433, 4438, 4453, 4475, 4477, 4490, 4493, 4498-4500, 4517, 4524-25, 4528-29, 4545, 4549-50, 4555, 4624, 4630, 4633, 4672 (122, 147, 156), 4675-76, 4678, 4681, 4738, 4751, 4753, 4755, 5025, 5027, 5029, 5057-58, 5065, 5069, 5082, 5085, 5096, 5104, 5118, 5122, 5125, 5131-32, 5159, 5161, 5168, 5187, 5258-59, 5263, 5266, 5268, 5329, 5340-41, 5345-46, 5349, 5371 (113-114), 5399, 5442-43, 5445-47, 5449, 5458, 5460, 5462, 5600, 5614, 5626, 5634-36, 5659, 5671, 5683, 5713, 5715-16, 5722, 5724, 5751, 5760, 5762, 5769-70, 5775-76, 5781, 5785-88, 5804, 5811, 5829-30, 5839, 5859, 5870, 5872, 5879, 5883, 5885, 5893-94, 5899, 5902, 5921, 5959, 5961, 6493-94, 6503, 6516-17.

Definidores. 4636.—*Págs.:* 196, 261, 275, 280, 294-95, 304-5, 473, 490-92, 496, 564, 661.

Delio (*pers.*). 5789 (101).

Delitos. 1409.

Demonio. 1541 (66), 2779-81, 3314, 3890, 4283, 6493.

Denia, Duque Marqués de. 295.

Derecho Canónico. 239.

Desafíos. 5787 (53).

Desaires. 4672 (18).

Desdén. 214 (8).

Desengaño. 1182-83, 1639 (3), 1725, 4282, 5077, 5085, 5788 (75).

Despoblación. 5414.

Desposorio espiritual. 3919, 3930.

Devociones. 284, 750, 755, 1190, 2257, 2344-2347, 2626, 2969, 3067.

Diademas. 4672 (94).

Dialéctica. 844, 851, 872-73, 877, 898, 5061.

Diálogos. 1000-7, 1484-85, 1541 (32), 1720-23, 2196, 2211-14, 2273, 2627, 2630-37, 2650, 3842, 2196, 2211-14, 2273, 2627, 2630-37, 2650, 3844, 4224-25, 4399, 5575 (3, 7, 10), 5576 (3, 7).

Diana. 5371 (3).

Díaz de Vivar, Rodrigo (el Cid Campeador). 1912, 3058, 5787 (31), 5789 (59, 65).

Dibujos. 92, 1785, 2296, 5816, 5893.

Diccionarios. 5058, 5198-200, 5332-33, 5613.

Dichos. 5247.

Dido. 214 (7, 9), 5787 (89).

Diego de Alcalá, San. 2355.

Diego de Jesús (H.). 2517.

Díez de Fuenmayor, Juan. 1003-6.

Difuntos. 4223.

Dios. 715, 814, 828, 835, 1014, 1242, 1377-81, 1541 (47-48), 1639 (3), 1838, 2293, 2420, 2474, 2627-49, 2660-61, 2722, 2758, 2777-78, 2805, 2809, 3206, 3212, 3215, 3229 (4-6), 3316, 3320, 3873, 3885, 3887, 3917, 3937, 3944, 3946-47, 3954, 3987, 4091, 4310, 4500, 4624-25, 4676 (19, 25, 29, 35, 46-47, 50, 52, 56, 58, 162), 4678 (5, 7), 5176, 5504, 5557, 5679-84, 5762.

Dios, Tomé de. 2478.

Diputados. 27, 29, 45-46.

Directores espirituales. 3844, 3849, 3871, 4198, 4238, 5159.

Discursos. 76, 95, 264, 293-94, 1026, 1054, 1103, 1501-2, 1549-50, 1873, 2012, 2037, 2186, 2256, 2264-65, 2545-46, 2562, 2674, 3207, 3213, 4625, 5024-26, 5266, 5404, 5408.

Disertaciones. 88-89.

Disparates. 5073.

Doctores. 4676 (83, 129), 5028-29.—*Págs.:* 3, 10, 17, 19, 22, 29-31, 110, 124-25, 127-30, 135, 151, 158, 168, 183, 206, 211, 215, 228, 238, 242, 253, 337, 562, 568, 571, 573, 592,

Escudos: de armas. 142, 236, 265, 982, 1107, 1227, 1287, 1321, 1399, 1499, 1501-2, 1504, 1507, 1720, 2033, 2176, 2265, 2308-9, 2355, 2455, 2478, 2630, 3001, 3206, 3212, 4215, 4364, 4370, 4499, 4524-25, 4555, 4753, 5161, 5266, 5340, 5428, 5449, 5785, 5788, 5879; de impresores. 266, 274, 963, 983, 2205, 4224.

Escultores.—*Pág.:* 479.

Escultura. 1541 (32).

Esmirna. 1541 (42).

España. 20, 104, 115, 294, 1093, 1561-62, 1686, 1912, 2256, 2314, 2464, 4291, 4381, 4475, 5137-41, 5168-69, 5236, 5414, 5424, 5762, 5787 (7, 19-23, 88), 5903.

Español (Idioma). 1778, 5197-98, 5252, 5610-5613; traducciones al. 4596. (V. además: *Alemán, Francés,* etc.).

Español y Serra, José. 50.

Esparraguera.—*Pág.:* 570.

Espectáculos. 1541 (24).

Espera en Dios, Juan. 5521.

Espínola. (*V. Spínola).*

Esperanto (Idioma). Traducciones al. 422.

Esperanza. 3843, 3969, 4168, 4191, 4672 (36).

Espinelas. 2330, 5882. *(V. Décimas).*

Espíritu Santo. 3908, 4653.

Espíritus animales. 5028-29.

Espiritualidad. 706-65, 841, 849, 927, 934, 942, 3832, 3960, 3964, 4186, 4424, 5697.

Esposos. 6516.

Estampas. 1501, 3008, 5343.

Estancias *(métr.).* 1850 (10), 5167 (3), 5234, 5762, 5787 (78).

Estanislao de Koska, San. 1283.

Estatuas. 1541 (10, 22, 27).

Estausa, Felipe Mateo. 5171.

Esteban, San. 169.

Estepa, Marqueses de. 4347.

Estética. 826, 1771, 3839, 3891.

Estoicismo. 3992.

Estrata, José (marqués de Robledo de Chavela). 3210.

Estribillos. 4676 (3, 5-9, 12-22, 24-28, 30, 32-35, 37-43, 45-56, 58, 60-71, 158-59, 162-64, 166-168).

Estructura literaria. 4092, 4119, 6349, 6430.

Estudiantes. 5787 (78), 5789 (4).—*Págs.:* 123, 161.

Etna. 1541 (27).

Eucaristía. 1022, 1730, 1792, 1541 (45-46, 51), 1793, 2735, 2760, 2835, 2920, 2952, 2966, 2978, 4354, 4595, 4676 (63, 73-74), 5727, 5885 (10). (V. además: *Comunión).*

Eufrasio, San. 243.

Europa. 199, 1805, 4678 (15), 5283-84, 5320.

Eusebio, P. Jerónimo. 4508.

Eva. 1408.

Examinadores sinodales.—*Págs.:* 7, 22, 492, 622, 678.

Exequias. 289 (5, 8, 10, 13-15), 1107-9, 1113, 1118, 1167, 1243, 2121-22, 2372, 2400, 2461, 2463-64, 2476, 2513, 2608, 2655, 4325-26, 4336, 4437, 4460-62, 4500, 5081, 5131, 5462, 5654, 5760.

Exorcismos. 2502.

Experiencia. 3955.

F

Fábulas. 5598.

Factor, Fr. Nicolás. 1828.

Facheneti, César. 1702.

Faetón *(pers.).* 214 (3).

Fajardo Requesens, Fernando (marqués de los Vélez). 1806.

Fajardo Requesens y Zúñiga, Fernando Joaquín (marqués de los Vélez). 2400.

Fajardo y Valenzuela, Francisca. 1791, 1796.

Falces.—*Pág.:* 564.

Fama. 141, 4672 (58), 5049, 5402, 5625, 5631.

Farmacia. 1813-15, 2011, 5685-87, 5695. *(V. Boticarios).*

Farnesio, Francisco (duque de Parma). 1120, 1133.

Fe. 214 (8), 2779-81, 2971, 3011, 3229 (6), 3870, 3899, 3912, 3952, 3963, 4223, 4678 (5), 4784.

Febo. 5787 (30).

Febo, Caballero del *(pers.).* 5765.

Fecundidad. 88.

Felicidad. 154 (28).

Felipe II de España. 76-77, 266-67, 296-97, 2202, 2205, 2563, 2739, 2828, 4497, 5048, 5129, 5258-59, 5860-61.—*Pág.:* 684.

Felipe III de España. 76, 1541 (10, 21), 1840, 2122, 2256, 2311, 2313, 2564, 2654, 4517, 4524-25, 5172, 5899, 5910.—*Págs.:* 499, 684.

Felipe IV de España. 32, 40, 74, 100, 144, 159, 166-67, 289 (2, 9, 14), 1073, 1280, 1401, 1515, 1524-25, 1561-62, 1703, 1746, 2008, 2162, 2311, 2355, 2400, 2718, 4241, 4332, 4336, 4370, 4433, 4545, 4554, 4676 (80), 5100-1, 5138, 5168, 5343-46, 5349, 5462, 5760, 5762, 5793.—*Páginas:* 31, 504, 684.

Felipe V de España. 1917, 5214.

Félix de Valois, San. 3055, 4279.

Feministas. 4856.

Fenicios. 115.

Fénix. 1541 (58), 1805.

Fenomenología. 3995.

Feria, Condes de. 2742, 2834, 5266.

Feria, Duques de. 5234.

Fernández, Gregorio. 669.

Fernández de Angulo, Fr. Diego Ventura. 1916.

Fernández del Campo, Pedro Cayetano (marqués de Mejorada). 4499.

Fernández de Córdoba, Gonzalo (el Gran Capitán). 5787 (57-58).

Galçarán de Castro y Pinos, Gaspar (conde de Guimarán). 5788.
Galeras. 199, 2303, 2314, 5788 (13).—*Página:* 242.
Galicia. 95, 1014, 5190. 5490.—*Pág.:* 620.
Galve, Condes de. 4676 (121, 133, 135-37, 148-49).
Gandía. 2276, 5079.
Gante.—*Pág.:* 602.
Garcés, María.—*Pág.:* 504.
García León (Familia). 5880.
García de León, Manuel. 5880.
García de la Sierra, Francisco. 5431.
Garrovillas.—*Pág.:* 144.
Gascón (Idioma). Traducciones al. 6201.
Gascones.—*Pág.:* 622.
Gastón y Guzmán, Catalina. 5823.
Gavaldá Zorita, Vitoria. 2608.
Gelves, Condes de. 1541 (20).
Genealogías. 90-93, 95, 134, 572-75, 947, 1017, 1050, 1181, 1700-1, 2192, 2478, 3583-84, 4382, 4613, 5425, 5818, 5822, 5850, 5880, 5894-95, 5900-3.
Generales. 195, 1073, 1541 (30); de Ordenes religiosas. 1743, 2137, 2149, 2157, 2307, 2476, 2505, 2515, 2610, 2699-701, 3208-9, 4328, 4498, 5399.—*Págs.:* 32, 107, 238, 266, 305, 469, 481, 651.
Génova. 1017, 1057, 1332.—*Págs.:* 107, 109, 142-43.
Gentilhombres.—*Pág.:* 295; de S. M.—*Páginas:* 642, 681.
Geografía. 5780, 5896.
Geometría. 1321, 5165, 5227.
Gerona. 950, 5081.—*Págs.:* 196, 571.
Gertrudis, Santa. 5672.
Geviza. 5787 (42).
Gibraltar (Estrecho de). 262.
Gloria. 3943.
Glosarios. 6132.
Glosas. 23 (1), 214 (45-58), 220 (3), 244, 1069 (2), 1247, 1327 (2), 1505 (4, 17), 1567 (2, 5), 1568 (1), 1570 (3), 1572 (2), 1573 (2), 1688, 1774 (2), 1775, 1812, 1829 (2), 1849 (2), 1860 (3), 2008 (12-15, 17-18, 56), 2241, 2253 (2), 2336 (3), 2564, 3229 (12-13), 4364 (16-18), 4672 (19-20, 66, 114), 4676 (10, 97, 169-70), 4678 (12), 4731, 5087 (1), 5117 (104-108), 5118, 5119 (24-30), 5120 (8), 5128, 5209 (3), 5224, 5363, 5371 (12-14, 96-98), 5413, 5493, 5606 (4-5), 5618, 5636, 5656 (2), 5754, 5773-74, 6494 (39-49, 74).
Gobernadores. 2395, 2485, 4382, 5482, 5490, 5737, 5879.—*Págs.:* 159, 596, 625, 641.
Gobierno. 1471, 5070, 5100.
Godos. 5787 (22), 5789 (7).
Gómez de Sandoval Rojas, Catalina (duquesa del Infantado). 2532.
Gómez de Silva, Ruy. 278.

Góngora, Juan de. 102.
Gongorismo. 4947.
González, Fernán. 5787 (29).
González de Andía, Francisco. 5425.
González Uzqueta y Valdés, Juan. 142.
Gótico. 4019.
Grabados. 74, 666-67, 1002-3, 1105, 1227, 1510, 1720, 1723, 1780, 1865, 2296, 2632-33, 2654, 2762, 3017, 3079, 3081, 3206, 4217, 4364, 4370, 5054, 5227, 5258-65.
Gracia (*Teol.*). 714, 857, 880, 3852.
Grafología. 3732.
Gracián Dantisco, Antonio. 5769.
Gramática. 1079, 1168, 3706, 5610.—*Págs.:* 125, 591.
Granada (ciudad). 1293, 1639 (1), 1657, 1703, 1710, 1866, 1925-26, 2016, 2019-20, 2121, 2124, 2126, 2161, 2323, 2458, 2687, 2755, 2835, 2916, 3586, 4260-61, 4263, 4265, 4268, 4364, 4382, 4638-39, 5120, 5219, 5358, 5399, 5622, 5711, 5714, 5739, 5787 (416-17), 5851.—*Págs.:* 126, 140, 210, 215-16, 226, 238, 261, 293, 466, 480, 620, 645, 678; (provincia franciscana). 4452.—*Pág.:* 492; (Reino de). 5787 (37, 39, 44, 51).
Granada Venegas, Alonso de. 5787 (32-55, 76, 79).
Granada Venegas, Pedro de. 5787 (80).
Grandes de España. 5455.
Graos. 1821.
Grecia. 5258-59.
Griego (Idioma). 1778.—*Pág.:* 665. Traducciones al. 2861, 6202-3. Traducciones del. 1488, 1490-92, 1954, 5258-65. Poesías en. 5065, 6494 (79-80).
Griegos. 1487, 1541 (30).
Grotesco. 6299.
Guadalajara. 169, 3105.—*Págs.:* 190, 296.
Guadalcázar, Marqueses de. 1071.
Guadalquivir, Río. 1141, 1366.
Guadalupe. 4498, 4637.—*Pág.:* 497; de Méjico. 6509-10.—*Pág.:* 748.
Guadix. 5787 (50).—*Pág.:* 611.
Guamanga.—*Pág.:* 597.
Guantes de olor. 4676 (102).
Guardianes.—*Págs.:* 490-91, 498, 610, 751.
Guareña.—*Pág.:* 201.
Guastecn (Lengua). 4214-15.
Guaxaca.—*Pág.:* 17.
Guayana. 1449.
Guayangareo.—*Pág.:* 610.
Guayra. 1517.
Guerras. 208-9, 1471, 1512, 5070, 5443, 5445, 5450-53, 5722, 5775-78.
Guerrero, José. 4676 (72).
Guevara, Pedro de. 5775-76.
Guimarán, Conde de. 5788.
Guimerá, Condes de. 5828.
Guinea. 1094, 5129.

Ingenieros.—*Pág.*: 658.
Inglaterra. 293, 299-300, 1093, 4186, 4394.—
Página: 499.
Inglés (Idioma). Traducciones al. 452-68,
1615, 1672-73, 2429, 2578, 2862-66, 3259, 3265,
3271, 3275-76, 3409-31, 3481, 4531-33, 4600,
4794-95, 5472-74, 5591, 5931, 5946-47, 6205-
6226.
Ingleses. 4672 (84).
Ingolstad.—*Pág.*: 590.
Inocencia. 1061.
Inquisición. 1507 (11-12), 1876, 2398, 2581,
2590, 2909, 2944, 3116, 5115.—*Págs.*: 168,
183, 308; Calificadores.—*Págs.*: 3, 19, 38,
128, 143, 205, 209-10, 251, 260, 293, 492-93,
632, 744; Censores.—*Pág.*: 504; Comisa-
rios. 1097; Familiares. 289 (2); Inquisido-
res. 5478; Médicos.—*Pág.*: 244; Ministros.
Página: 143; Notarios.—*Pág.*: 228.
Inscripciones. 1066-70, 2610.
Instrucciones. 1085-102.
Interrogatorios. 1136-39.
Inundaciones. 1141, 1152, 1474, 4672, 5056.
Invierno. 6500.
Irarrazábal (Casa de). 5425.
Ironía. 6325, 6331.
Isabel I de España, la Católica. 5787 (52).
Isidro Labrador, San. 5526, 5626.
Isla, Juan de. 1108.
Israel. 5345, 5349.
Italia. 1541, 4189, 4498, 5762, 5787 (9-10), 6401.
Página: 684.
Italiano (Idioma). 1623, 5197, 5371 (102);
Poesías en. 1541 (prels.), 1554, 3001, 4555,
5065, 5785, 6494 (56); otros textos en. 2714,
4404, 4408, 5237-38, 5240, 5245-48, 5588-89;
Traducciones al. 469-80, 1131, 1392-94, 1447-
1448, 1495-96, 1523, 1641-42, 1646-47, 1874-
1878, 2154-56, 2430-34, 2523, 2665-68, 2707-8,
2867-87, 3075-77, 3266, 3279, 3282, 3284, 3286,
3293, 3297, 3432-58, 3481, 4373, 4455-57, 4470,
4534-40, 4601, 5141, 5437, 5451-54, 5592, 5926,
5933, 5945, 6040, 6227-41; Traducciones del.
387, 390, 777, 1554-56, 2198, 2205-19, 2532,
4342, 4498-99, 5037-41, 5083, 5127.
Italianos. 81, 1541 (10).—*Pág.*: 589.
Itinerarios. 1282.

J

Jaca. 1161-62, 5870.—*Pág.*: 124.
Jácaras. 1404-10, 4670, 4672 (129), 4676 (10,
31, 126, 165), 5423.
Jacinto, San. 1866.
Jacob. 1639 (2).
Jaén. 243, 1785, 1787, 2514, 2996, 3588, 4382,
4513, 5047.—*Pág.*: 200.

Jaime I de Aragón. 5788.
Jaime I de Inglaterra. 293.
Jalisco.—*Pág:* 610.
Japón. 1153, 2425, 4525-27, 5127, 5428.
Japonés (Idioma). Traducciones al. 3459-
3461.
Jarama (Río). 5788 (42).
Jarandilla, Marqueses de. 1731.
Jardines. 1505-9, 2344-47, 5640, 5838.
Jerez de la Frontera. 2908, 5654.—*Páginas:*
491, 649.
Jeroglíficos. 4, 1051, 1107, 1344, 1683, 1774
(4), 1824, 1924, 1949, 2008 (41-43), 2008
(38), 3008, 3024, 4617 (2), 4678 (36), 5053
(1, 3), 5089, 5096, 5119 (38-50), 5131 (2-6,
9, 11-13, 15, 17, 20-23, 43-48), 5617 (1-2),
5806, 5831, 5866, 5869, 6487, 6494 (64-70).
Jerónimo, Anastasio. 1339.
Jerónimos. 1702, 2539, 2559-60, 2563-71, 4498,
4635, 4638, 4640-41, 4645, 6383 —*Págs.*: 99,
107, 153, 190, 256, 279, 287, 293, 308, 343,
471, 494-95, 497, 509-10, 515.
Jerusalén. 616-18, 1335, 1347, 1850 (4), 2238,
5345, 6516.—*Pág.*: 39.
Jesucristo. 163, 169, 289 (2, 12), 308, 748,
750, 855, 1041, 1244, 1287, 1290-91, 1345-56,
1358, 1541 (66-67), 1581, 1729, 1850 (1), 2161,
2269, 2344-47, 2486, 2501, 2533-35, 2541-44,
2572-73, 2574 (3), 2654, 2779-81, 2811, 2999,
3018, 3210, 3239, 3901, 3907, 3923, 3926, 3934,
3939, 3942, 3951, 4284-85, 4340, 4347, 4383,
4475, 4553, 4653, 4672 (117, 121), 4676 (62,
66), 4678 (3, 11, 17), 4747, 4772-78, 5054,
5115, 5129, 5201, 5679-84, 5762, 5883 (1).
Jesuitas. 311-944, 1067, 1069, 1383-84, 1465,
1467, 1507 (1, 3, 9), 1515, 1517-18, 1522, 1643,
2769, 2821, 4265, 4416, 4672 (70, 73), 4831,
4973, 5082, 5110, 5428, 5434-35, 5654, 5711,
5874.—*Págs.*: 24, 38-39, 125, 141, 148, 155,
159, 170, 184, 203, 205, 586, 590-91, 593,
598, 624, 641, 680.
Jiménez de Cisneros, Fr. Francisco. 164,
289 (8, 15), 5506, 6516.
Joaquín, San. 2457.
Jonás. 5340.
José. 4667, 4676 (75-76), 5343.
José (patriarca). 1639 (2).
José, San. 71, 1333, 1507 (18, 24), 2329-30,
2401, 2403, 2405, 3316, 4286, 4669 (1-2), 4672
(114-15), 4676 (23, 27, 29, 171), 4748, 5329.
Josué. 5349.
Juan III de Portugal. 1876, 2255, 4222.
Juan IV de Portugal. 5129.
Juan Bautista, San. 5212, 5114, 5870-71.
Juan de la Magdalena, Fray. 2478.
Juan de Mata, San. 3055, 4279, 4493, 5885
(7).
Juan de Sahagún, San. 4678 (17), 5494.
Juan de San Joaquín (Hno.). 2457.

Oviedo.—*Pág.:* 664.
Ovillejos. 4672 (41).
Ozaeta, Juan de. 5220.

P

Paciencia. 1482, 5447-49.
Pacheco, Andrés. 2458.
Padecimientos. 3943.
Padilla, Martín de. 2163.
Páez de Cuéllar, Jerónimo. 1702.
Paisaje. 4054.
Países Bajos. 5501, 5793.—*Pág.:* 625.
Pajes. 4672 (79).
Palabra. 4014.
Palacios. 1541 (7).
Palafox y Cardona, Ana María de (marquesa de la Casta). 5329.
Palamós. 2303.
Palatinado. 208-9.
Palazuelos (Monasterio de Ntra. Sra. de). 1181.
Palencia.—*Pág.:* 479.
Paleografía. 6359.
Palerm, Miguel. 264.
Palermo. 2532.—*Pág.:* 641.
Palma del Condado.—*Pág.:* 481.
Palomas. 1541 (68).
Palladion. 5787 (1).
Pamplona. 80, 585-94, 1189, 1507 (2, 4, 8), 2299, 2457, 3729, 5106.—*Págs.:* 32, 39, 140, 275.
Pan. 6371.
Panamá.—*Págs.:* 597, 661.
Panegíricos. 34.
Pantoja, Sabina. 4613.
Papas. 962-99.
Paráfrasis. 1, 1559-60.
Paraguay. 1518.
Paranomasias. 4364 (15).
Pardo, Fray Felipe. 1465.
Paredes, Condes de. 4672 (1, 24, 29, 52, 56, 64, 80, 85, 98-99, 107, 174), 4676 (132), 4753-4754, 5161.
París. 633-36, 640, 782, 848, 2997.—*Págs.:* 39, 343, 602.
Parma, Duques de. 1120, 1133.
Parnaso. 5889.
Parodia. 6289, 6325.
Parrasio. 5787 (18).
Párrocos. 2349.—*Págs.:* 183, 258, 662.
Partos. 1565.
Pascual Bailón, San. 1840, 2393.
Pasiones. 4672 (2).
Pastillas de boca. 4676 (102).
Pastor, San. 1293, 2360, 5885 (16).

Pastores. 5787 (60-75), 5789 (123).—*Pág.:* 466.
Pastrana.—*Págs.:* 134, 472.
Pastrana, Duques de. 2312, 4384.
Paterno, Príncipes de. 5065.
Paulo III.—*Pág.:* 39.
Pavía. 5603.
Paz y Castillo, Gaspar de. 1285.
Pecadores. 2344-48.
Pecados. 1408, 1727, 3007-8, 3020, 3928, 5587.
Peces. 4672 (54).
Pedagogía. 766-70, 842, 882, 900, 2943, 2950-2951, 3978, 3981, 3994, 4427.
Pedro, San. 4672 (122-38), 4738-39, 4742, 4750, 5123, 5256, 5413.
Pedro de la Ascensión, Fray. 2476.
Pedro Mártir, San. 5115.
Pedro Nolasco, San. 4381, 4672 (156-66), 4740, 5890.
Pedro Pascual, San. 1119, 4382.
Pedro de Portugal (infante). 5787 (32).
Pelayo, Don (rey). 5787 (22).
Pelotas. 5512.
Pellicer, Miguel. 1750-51.
Penilla *(Geogr.).* 5787 (87), 5789 (100).
Penitencia. 2239-40, 2243, 2779-81.
Penitenciarios apostólicos.—*Pág.:* 624.
Pensamiento. 4066, 5371 (39, 43, 69-70, 94).
Peña, Fr. Melchor de. 1641.
Peñaranda. 2500.
Peñaranda, Condes de. 2420, 2500.
Peñas de San Pedro.—*Pág.:* 251.
Peregrinos. 616, 652, 2238, 5648.—*Pág.:* 39.
Perete, P. 4370.
Perpiñán.—*Pág.:* 136.
Pérez de Guzmán el Bueno, Alonso. 1541 (4).
Pérez de Guzmán el Bueno, Manuel Alfonso (duque de Medina Sidonia). 2308-2309.
Pérez de Pulgar, Fernán. 5787 (46, 50-51).
Perfección. 2308-9, 3206, 3229 (14), 3318, 3819, 3837, 3961; cristiana. 3918, 4280, 4283, 4299, 4502.
Perico *(pers.).* 5789 (90).
Perlas. 4672 (108).
Perot, Justo. 2508.
Perpiñán. 1405.
Perret, P. 2256.
Perros. 1458.
Persianas. 5244.
Personalidad. 3976, 3980, 3982.
Perspectiva. 6379.
Perú. 1071, 1334, 1404, 1643, 1660-73, 1675-1678, 4475, 4678 (13), 5042, 5069, 5356, 5750. *Páginas:* 143, 227, 597.
Pescara, Marqués de. 5188.
Pesimismo. 6370.
Peste. 162, 616, 2163, 2601, 5266-67, 5587.

Q

Quadra, Francisco de la. 4364.
Quechula.—*Pág.:* 186.
Querétaro. 5725.—*Pág.:* 586.
Quietismo. 3900, 3913, 3927.
Quintería, Condes de la. 3166.
Quintillas. 200, 1478, 1505 (14, 18, 27, 31), 1567 (4), 1774 (3), 1852, 1938 (3), 1939 (3), 4364 (8-9), 4676 (97), 5117 (164-79), 5120 (13-14, 20, 24), 5155.
Quito. 1333, 5214-15, 5334, 5887.—*Págs.:* 597, 610.

R

Rabelo, Juan Lorenzo. 2604.
Racioneros. 2019.—*Pág.:* 200.
Raimundo, San. 1865.
Ramírez Fariña, Fernando. 2506-7.
Ramírez de Haro, Antonio (conde de Bornos). 1284.
Ramírez de Mendoza, Beatriz (condesa del Castellar). 2767.
Ramiro II de Aragón. 5787 (28).
Ramos del Manzano, Francisco. 1517.
Rana, Juan. 5509.
Re militari—*Pág.:* 598.
Realidad. 3931.
Realismo. 6285.
Recalde (Casa de). 5425.
Recogimiento. 1182, 3044.
Rectores.—*Págs.:* 595, 684; de Colegios. 1643. *Páginas:* 31, 148, 159, 195, 258, 305, 509, 586, 594, 624; de Universidades. 5462, 5751. *Páginas:* 124, 183, 216.
Redondillas. 35 (4), 247 (2), 1069 (5), 1505 (35), 1570 (5), 1643, 2606 (3), 4364 (21-22), 4672 (18, 42, 47, 86), 4676 (110-19, 169), 4736, 4945, 5117 (133-35), 5120 (11), 5125 (23-30, 48, 56-63, 92-97), 5205, 5875.
Regalos. 4672 (54, 57, 75, 85, 108), 4676 (102, 137, 142).
Regentes de Estudios.—*Pág.:* 24.
Reggio.—*Pág.:* 19.
Regidores. 2365, 4648.—*Págs.:* 661, 664.
Relaciones. 5, 195, 197, 199, 208-9, 262, 299, 1017, 1034, 1056-57, 1112, 1120, 1152, 1223, 1248, 1333, 1343, 1474, 1564-65, 1750-51, 2303, 2406, 4324, 4369, 4614, 4616, 5042, 5048, 5127, 5155, 5190, 5423-24, 5442, 5462-75, 5499, 5707, 5727-31, 5766-67.
Religión. 6291, 6339.
Religiosos. 1498, 2505, 2769, 3318, 3642, 4224, 4237, 4293, 4369, 4577, 5672, 5817.
Reliquias. 243, 1287, 1428, 2360, 3499, 4240, 4260, 4268, 5789 (5), 6516.
Relojes. 4672 (51, 71), 5533 (10), 5568, 6517.
Renacimiento. 808, 4022, 4075.
Renedo (grabador). 1522.

Renedo, I. 5716.
Rentería.—*Pág.:* 294.
Renty, Marqués de. 4326.
Retablos. 2365.
Retratos. 265-67, 274, 278, 667, 672, 1243, 1502, 1504, 1541 (21), 1743, 1912, 1914, 2302, 2393, 2446, 2478, 2515, 2532, 3039, 3213, 4672 (2), 4545, 4672 (2, 28, 80-82, 107), 4676 (107, 119), 4178 (prels.), 5240, 5243-44, 5246, 5249-5251, 5785-86.—*Pág.:* 479.
Revelación. 3953.
Revelaciones. 4655, 5018.
Revoluciones. 5461.
Reyes. 1487, 4291, 4381, 4516-17, 5444, 5503, 5538-41, 5543, 5549, 5562, 5787 (17, 19, 23-25, 28-30, 34, 36-37, 39, 44, 48-49, 51-52, 55-56, 89), 5789 (57, 63-64).
Riaño y Gamboa, Diego de. 996.
Ribas. 1091, 4500.
Ribera, Fr. Francisco de. 2307.
Ribera y Henríquez, María de (princesa de Paterno). 5065.
Ribeyro de Macedo, Duarte. 5883.
Richelieu (Cardenal). 5411.
Rimas encadenadas. 1789.
Rimbao (Patrón). 264.
Río del Monte. 1409.
Río de la Plata. 1518.—*Pág.:* 260.
Risa. 5624, 5642.
Ritmas sextiles. 4678 (prels.).
Ritmo. 4010.
Rivera, Francisco de. 4395.
Rizo, Francisco. 1738.
Roa.—*Pág.:* 648.
Robledo de Chavela, Marqueses de. 3210.
Robres, Condes de. 5872.
Rocaberti, Fr. Juan Tomás de. 2393.
Rodrigo, Don (rey de España). 5787 (19).
Rodríguez, Petrus. 2508.
Rodríguez de Salamanca, Juan. 5961.
Roma. 182, 392, 642-48, 848, 1383, 1541 (5), 1740, 1841, 2238, 2313, 2461, 2528, 2713-16, 2738, 2996-97, 3102, 3115, 3491-92, 3496, 3758, 4200-1, 4330, 4342, 4364 (20), 4410, 5728, 5787 (4-5, 8, 14-15).—*Págs.:* 3, 39, 101, 148, 199, 255, 261, 296, 307, 341, 344, 491.
Romances. 12, 14, 18, 23 (5), 35 (5), 37 (2), 66 (2), 120, 141, 214 (87), 220 (1), 251-52, 1016, 1069 (3), 1151, 1186, 1190, 1192, 1206, 1358, 1403, 1411, 1505 (5, 9-10, 12, 16, 20, 22, 26, 34, 38, 42-43), 1541 (51, 61), 1570 (4), 1937 (1), 1938 (4), 1939 (2), 1940, 1991 (3), 2008 (45-47), 2174 (2), 2336 (5), 2393 (9-14, 24), 2606 (4-5), 2999, 3229 (7-8), 3665, 4364 (19-20), 4474, 4479, 4630, 4668, 4669 (1, 3), 4672 (prels.), 17, 21-22, 25, 30-32, 35, 38-39, 50-51, 53-55, 57-58, 62-63, 75, 89, 92-96, 99, 104, 108, 110, 115-16, 121), 4675, 4676 (prels., 120, 122, 128-33, 135-37, 141-

Trinidad, Isla de la. 1449.
Trinidad (Santísima). 1861, 2252, 3054, 3854, 3862.
Trinitarios. 243, 289 (16), 1081-84, 1641-43, 3070-73, 3075-77, 4493, 4514, 5330.—*Páginas:* 209, 286, 339, 472, 490-91, 499, 503, 595, 644-645, 684; calzados. 162.—*Pág.:* 19; descalzos. 1302-3, 1305, 2331-33, 2445-46, 2476, 3045, 3049, 3054-55, 4296, 4340, 4364.—*Páginas:* 140, 199, 261, 275, 280-81, 307, 341-342, 344, 477, 480, 496, 508, 514.
Tristeza. 6367.
Troya. 4672 (49), 5787 (1).
Trujillo. 1420, 1661.
Tucumán. 1518.—*Pág.:* 260.
Tudela. 1684.—*Pág.:* 189.
Túmulos. 1541 (11).
Túnez. 997-98.
Tuquila. 5760.
Turco, Fr. Tomás. 2620.
Turcos. 195, 264, 1336, 5244, 5281, 5631, 5671, 5787 (59, 90).
Turmo (Canónigo). 30.
Tututepec.—*Pág.:* 662.
Tuy.—*Págs.:* 122, 620.

U

Ubeda.—*Pág.:* 346.
Ubrique. 2342.
Universidades. 159, 166-67, 289 (8, 15), 769, 1106-9, 1112-13, 1286-87, 1293, 3206-11, 4414, 4416, 4635, 4637, 5171, 5462, 5751, 6493, 6516. *Páginas:* 7, 19, 29-30, 101, 118, 124-25, 129, 136, 151, 153, 161, 183, 215-16, 218, 226, 281, 287, 296, 346, 485, 499, 504, 602, 610-611, 620, 625, 651, 659, 661, 678, 684, 752.
Urríes y Castilla, Antonio de. 5171.
Ursula, Santa. 143.

V

Valdemoro.—*Pág.:* 190.
Valdepeñas.—*Pág.:* 140.
Valencia (archidiócesis). 4396, 4399-402, 4404, 4406, 4409-10, 4412.—*Págs.:* 485, 571, 573; (ciudad). 2, 74-75, 240, 392, 641, 1017, 1174, 1357, 1507 (5, 19), 1651, 1695, 1842, 1934, 2302, 2316-17, 2393-94, 2596, 4402, 4413, 4416, 4552, 5125, 5329-30, 5596, 5623.—*Páginas:* 3, 10, 30, 107, 159, 217-18, 251, 258, 293, 296, 571, 643; (provincia de los mínimos3.—*Pág.:* 610; (Reino). 95, 265, 1840, 1934, 2302, 2316.
Valenciano (Idioma). 2611-13; poesías en. 2393 (6).
Valentín, San. 4291.

Valenzuela, Juan Bautista. 4350.
Valero, Marqueses de. 1445.—*Pág.:* 265.
Valois, Isabel de (reina de España).—*Página:* 602.
Valor. 5371 (65), 5424.
Valladolid. 246, 1015, 1113, 1181, 1319, 2254, 2315, 4447, 5057, 5095, 5156.—*Págs.:* 101, 255, 342, 484, 490, 514, 572, 593, 631, 661.
Vallejo (actor). 5533 (6).
Vandalies. 5807.
Vasco (Idioma). 698-99, 705, 4952. Textos en. 516. Traducciones al. 492, 3480.
Vasconcelos, Francisco Javier (marqués de Monserrate). 1839.
Vázquez de Toledo, Fr. Alonso. 4381.
Veinticuatros de Córdoba.—*Pág.:* 110.
Vejámenes. 30, 1505 (23), 1774 (3), 2267, 5602, 5640.
Vejez. 4672 (8).
Velasco, Fr. Juan Antonio de. 1105, 1108.
Velasco, Mariana de (condesa de Sinarcas). 5132.
Velasco, Pedro de. 1227.
Velázquez de la Cadena, Fr. Diego. 4672 (69).
Velázquez de Cuéllar, Juan. 650.—*Pág.:* 39.
Velázquez Garzón, Luis. 1003.
Velázquez de Gijón, Francisco. 5482.
Vélez, Marqueses de los. 1806-7, 2400.
Vélez Málaga.—*Págs.:* 462, 473.
Velilla. 5092.—*Pág.:* 151.
Venecia.—*Págs.:* 39, 101.
Venecianos.—*Pág.:* 38.
Venenos. 5258-65.
Venganzas. 5787 (17).
Vera y Aspeitia, Pedro de. 2011.
Veragua, Duques de. 4672 (118-20).
Verart, Fr. Raimundo. 1466.
Verdad. 1557.
Vergara, Fr. Juan de. 1461.
Vespasiano. 106.
Veterinaria. 1454-55.
Viajes. 592-94, 616-18, 640, 1335, 1340, 1780, 5356, 5899, 5910.—*Pág.:* 684.
Viana. 1446.
Vicarios. 4321, 4323-24, 6517. — *Págs.:* 137, 140, 151, 168, 186, 210, 281, 499, 502, 510, 649, 748.
Vicente de Paúl, San. 4555.
Vicios. 1792-93, 4672 (7), 5446.
Victorias. 195, 199, 1071-72.
Vida. 1312, 2220, 2654, 5077, 5371 (60), 6276; critsiana. 2753, 2762-63; espiritual. 2290-2292, 2296, 2918, 3040, 3837, 3901; interior. 2630; mística. 3915, 4026; perfecta. 2627, 2651-53.
Vidazaval, Miguel de. 195, 262.
Viejos. 1484, 6295.
Villavastín.—*Pág.:* 132.

GENERAL

FE DE ERRATAS

Pág.	Col.	Núm.	Línea	DICE	DEBE DECIR
4	1	9	3	Pueblo	Puebla
104	2	992	5	*Perticular*	*Particular*
108	1		37	Francisco	Franciscano
131	2	1227	14	Dfl	Don
136	2	1280	5	III	IIII
138	1	1286	4	*qeu*	*que*
158	1		31-38		*[Táchense]*
163	2	1496	2	*Gian*	*Gioan*
164	1	1499	29	Paesía	Poesía
166	1	1505 (12)	1	*Arte*	*Arce*
172	1	1536	6	*Inventairo*	*Inventario*
192	2	1713	2	*hiizeron*	*hizieron*
198	1	1758	9	Areo	Arco
203	1	1804	6	*Méixco*	*México*
203	1	1805	2	*Fracisco*	*Francisco*
206	2	1833			*[Táchese]*
209	2	1861	15	*Universitoria*	*Universitaria*
215	2	1922	11	Rodriguez	Ramirez de
225	1	2008 (40)	1	*Ieropliphico*	*Ierogliphico*
230	1	2039	14	aborda	aborta
238	1		Entre 34-35		Aprobaciones
241	1	2150	3 y 4	Jerónimo de la Ascensión	Jerónima de la Assunción
246	1	2201	4	[Ioan	Venecia. [Ioan
247	2	2211	8	Aguillon	Aguilon
248	1	2214	9	*Universtiy*	*University*
251	1		23	**Jorda**	**Jorba**
256	2	2289	3	Bareclona	Barcelona
280	2		36	Francisco	Franciscano
284	2	2512	1	TEADRO	TEATRO
286	2	2528	4	*Univeristaria*	*Universitaria*
295	2	2612			*[Táchese]*
300	1	2650	9	del J.	del P.
300	1	2650	12	38-	381-98
302	1	2667	5	*Jolins*	*Johns*
303	1	2675	8	R.	A.
310	1	2773	3	*Apostlico*	*Apostolico*

Pág.	Col.	Núm.	Línea	DICE	DEBE DECIR
310	1	2744	2	*bienavenuranzas*	*bienaventuranzas*
312	1		Al fin		V. n.º 2763
312	2	2767	6	Díez	Díaz
314	2	2775	20	*Portguesa*	*Portuguesa*
321	1	2840	5	*Laconma*	*Lacoma*
321	1	2842	5	Schrmer	Schermer
324	2	2868	7	*tradolto*	*tradotto*
324	2	2868	13	*Nazioale*	*Nazionale*
325	1	2871	30	*Marucellina*	FLORENCIA. *Marucelliana.*
326	1	2876	12	*Nacionale*	*Nazionale.*
327	1	2880	7	*reliigoso*	*religioso*
327	2	286	6	*Na-*	*Ma-*
328	2	2894	15	9pr.	Apr.
330	1	2905	2	*Giponas*	*Gijones*
331	1		17		[Debe ir en la línea 7]
332	1	2930	2	*Fridentinos*	*Tridentinos*
333	2	2957	4	*Teresina*	*Teresiana*
337	1	2999	8	Muñino	Moñino
339	1	3018	2	*monorio*	*monario*
342	2		42 a 46		[*Táchense*]
348	2	3113	15	Licinio	Lucinio
352	2	3157	9	Chevaller	Chevalier
358	2	3210	9	marquesa	marques
359	2	3213	14	Arauyo	Araujo
362	2	3229	13	a)	aa)
366	2	3265	2	*Cambell*	*Campbell*
369	2	3293	5	ROMMA	ROMA
371	2	3316	10	Perci	Perez
373	2	3331	3	ría	rín
396	2	3529	4	1927	1727
398	2	3552	7	E.	R.
410	2	3661	4	XCVI	XCVI, Stratton on the Fosse,
410	2	3661	6-7		[*Táchense*]
414	2	3705	6	Licinio	Lucinio
425	1	3817	18	Connor	Connell
425	2	3821	19	*Socité*	*Societé*
479	1	4352	7	Hago	Haro
481	2	4369	1	*rayo*	*raro*
485	2	4398			[*Táchese*]
528	1	4676 (133)	2	Gulve	Galve
547	2	4840			[*Táchese*]
561	1	5012	2	*Masas*	*Musas*
562	1	5021	2	*secritos*	*escritos*
563	2	5029	33	*Libray*	*Library*
572	2		2	Francisco	Franciscano
578	1	5117 (91)	1	Muetra	Muerta
581	1	5119 (10)	1	*Gandioso*	*Gaudioso*
583	2	5125	6	Capiptán	Capitán
584	1	5125 (13)	1	Mendoço	Mendoça
584	1	5125 (30)	2	*ravee*	*rauet*
607	2	5295	2		V. n.º 5284
607	2	5296	7	(imperfecto). *Henry*	(imperfecto).—SAN MARINO, Cal. *Henry*
607	2	5299	3	*Dioscórices*	*Dioscórides*
612	1	5343	17	faovr	favor
615	2	5371 (25)	1	nouedor	mouedor

Pág.	Col.	Núm.	Línea	DICE	DEBE DECIR
616	2	5371 (62)	2	firma	firme
616	2	5371 (83)	2	ruedes	ruedas
617	1	5371 (101)	1	*con*	*don*
618	1	5374	3	mones	moens
618	2	5381	2	Galver	Galvez
620	2	5402	8	de Matoses	de Jacinto Matoses
626	1	5446	7	L. L.	Apr. Apr.
628	2	5462	1	Vazau	Vazan
635	1	5525	1	Sopitran	Sopetran
635	1	5525	7		[*Táchese*]
635	1	5528	5	BN:	MADRID. *Nacional.*
643	1	5606	10	*hiroycos*	*heroycos*
646	1	5630	26	Fracisco	Francisco
647	1	5638	4	*Marfia*	*María*
650	1	5659	21	Vandenbro	Valdenebro
651	1	5667	1	*Méjco*	*Méjico*
653	1	5683	18-19	ZARAGOZA	MADRID
657	1	5715	8	Predrafita	Piedrafita
658	2		7	Franciscanos	Franciscano
665	1	5776	9	zIuan	Iuan
672	1	5789 (91)		rebuetlo	rebuelto
674	2		Entre 24 y 25		**5808a**
675	2	5816	11	Vinvencio	Vincencio
676	1	5827	3	Artui	Ortín
676	2	5829	13	Rojas	Rajas
681	2	5880	4	*Garcíia*	*García*
689	2	5950	2	*Jzzortesse*	*Jazzou*
692	2	5972	3	552 págs. 14 cm.	6 hs. + 178 págs. 13 × 6 cm.
704	1	6072	10	YORK. *Congre-*	YORK. *Hispanic Society.*—WASH-INGTON. *Congre-*
704	2	6077	7	Kossi	Rossi
713	1	6156	3	*Arelio*	*Aurelio*
713	2	6161	4	Librería. Textos	Librería. 1976. 72 págs. 18 cm. (Textos
726	2	6260			[*Táchese*]
735	2	6379	2	*Lazarfillo*	*Lazarillo*

ESTE LIBRO SE TERMINO DE IMPRIMIR
EL DIA 29 DE SEPTIEMBRE DEL AÑO 1982,
EN «RAYCAR, S. A.», IMPRESORES,
MATILDE HERNANDEZ, 27. MADRID (19)